Strumenti

Linguistica

a Elena, che mi ha aiutato con la sua pazienza
ad Anna, che mi ha aiutato con strilli e risa
a Marco, che è venuto dopo la prima edizione

Claudio Marazzini

La lingua italiana

Profilo storico

Terza edizione

il Mulino

I lettori che desiderano informarsi sui libri e sull'insieme delle attività della Società editrice il Mulino possono consultare il sito Internet: **www.mulino.it**

ISBN 978-88-15-08675-4

Indice

Capitolo 1

Storia della lingua italiana: nascita e sviluppo di una disciplina

1. La riflessione antica sulla formazione dell'italiano

1.1. Il «De vulgari eloquentia» di Dante

Benché la storia della lingua italiana sia una disciplina accademicamente giovane, essendo stata introdotta nell'ordinamento universitario del nostro paese da poco più di sessant'anni, bisogna tener conto del fatto che essa in realtà esisteva già prima, pur non avendo l'indipendenza di un settore autonomo, ma essendo legata ad altri studi o collocata all'interno di altri àmbiti di conoscenza, posta com'era al punto di congiunzione tra la letteratura e la linguistica. Leggendo questo manuale, si vedrà come effettivamente il legame con la letteratura sia molto forte, e come la storia della lingua permetta di meglio comprendere le scelte degli scrittori, a partire dalla nascita della letteratura italiana, fin da quando divennero favorevoli le condizioni per usare una lingua diversa dal latino. Tuttavia la storia della lingua non si risolve affatto nella lingua letteraria. Essa è ben più ampia e comprensiva. Vi hanno parte anche le classi popolari, gli illetterati, accanto ai ceti colti, ai tecnici, agli scienziati, agli artigiani: la parola, infatti, corre sulla bocca di tutti, serve a tutti, anche quando la scrittura è patrimonio di pochi. La storia della lingua aiuta a meglio comprendere la storia nazionale, testimonia lo sviluppo stesso dell'idea di nazione: l'unità dell'Italia fu concepita in chiave linguistica e culturale prima che in termini politici. Seguire le vicende della storia linguistica significa dunque seguire la storia d'Italia, seppure guardando ad essa da un'angolatura particolare, preziosa anche per lo storico della politica e della società.

Sarà necessario, prima di tutto, esaminare (pur brevemente) le occasioni in cui letterati e studiosi si occuparono della storia della lingua italiana, in epoche in cui questa disciplina non era stata individuata nella sua specificità. Verificheremo dunque come fu interpretato nel corso dei secoli il problema dell'origine dell'italiano. In questo modo ci muoveremo in un terreno che sconfina nella storia delle discipline linguistiche, caratterizzate da una dimensione europea e sovranazionale (sulla storia di queste discipline, sono disponibili opere generali come Auroux [1992], Auroux *et alii* [2000-1], Lepschy [1990-94], Morpurgo Davies [1996]). Pur facendo i conti con questo quadro assai più ampio, noi continueremo a riferirci essenzialmente alla situazione italiana, la quale polarizza il nostro interesse in questa sede.

La riflessione sulla storia dell'italiano per secoli si è legata strettamente alle teorie che miravano a definire la natura e la norma dell'italiano stesso, nell'àmbito della discussione generalmente nota come 'questione della lingua' (sulla quale cfr. Vitale [1978] e, nel presente libro, I.3.7). Il più antico trattato in cui vennero affrontati temi storico-linguistici di tale genere è il *De vulgari eloquentia* di Dante, che risale all'inizio del Trecento (cfr. VI.4). In questo libro si trova un'interessantissima rassegna delle varietà di volgare parlate nella penisola italiana, ed anche un esame della tradizione poetica nella nuova lingua. Dante affronta questi argomenti dopo avere svolto un discorso introduttivo in cui vengono toccate questioni di tipo storico, in una prospettiva molto ampia, a partire dalle origini del linguaggio umano. Dante vede le cose in maniera molto diversa da quella propria di noi moderni, soprattutto per il fatto che il suo punto di partenza sta nel racconto della Bibbia, là dove narra la creazione dell'uomo e la confusione babelica dei linguaggi. Non mancano tuttavia intuizioni che sembrano anticipare il gusto per l'osservazione concreta delle lingue vive: per Dante, ad esempio, è cosa certa (come lo è per noi) la parentela tra il provenzale, il francese e l'italiano, parentela verificabile a suo giudizio nella somiglianza di molte parole di questi tre idiomi. In ciò Dante vede giusto. Per lui, però, la lingua che sta alle spalle di provenzale, francese e italiano non è affatto il latino, come riteniamo noi moderni; per Dante il latino non sembra essere propriamente una lingua naturale, ma una creazione dei dotti, una sorta di idioma artificiale per la letteratura[1]: Dante è ad esempio convinto che i fondatori della lingua grammaticale (cioè del latino) si siano ispirati all'affermazione italiana *sì* per coniare il

---

[1] Per quanto sia mio dovere avvertire che questo è un punto di non univoca interpretazione: cfr. ad esempio, per un'opinione diversa, la sintesi di Corti [1993]. In Corti [1993: 188-189] si legge tra l'altro: «il termine "grammatica" non può semplicisticamente essere uguagliato nei significati al termine "latino"». L'interpretazione che la Corti dà del *De vulgari eloquentia*, peraltro assai discussa e contestata da altri studiosi, si basa sul riconoscimento di un'adesione dantesca ai princìpi dei modisti, aristotelici radicali.

termine *sic* ('così')[2]. Queste osservazioni dantesche si collocano, come si diceva, nell'àmbito del più generale discorso storico-linguistico ispirato alla Bibbia. Un taglio così ampio è caratteristico della mentalità medievale. Si tenga comunque presente che il mito della Torre di Babele, su cui si sofferma Dante, fu preso sul serio per secoli e ad esso si fece riferimento ancora alla fine del Settecento, da parte di eruditi e studiosi. Evidentemente la teologia condizionava notevolmente gli studi linguistici.

La teoria di Dante, in cui si mescolano teologia, filosofia, tesi letterarie e linguistiche, è indubbiamente affascinante, ma, come si diceva, è anche complessivamente molto lontana dal nostro punto di vista. Inoltre dobbiamo prendere atto che il *De vulgari eloquentia* non influì direttamente sulle conoscenze degli uomini del Trecento e del Quattrocento, perché cadde in oblio e fu riscoperto solo all'inizio del sec. XVI. Entrò dunque in ritardo nel dibattito sull'origine dell'italiano, e inoltre per lungo tempo furono sollevati dubbi sulla sua autenticità.

1.2. Le teorie degli umanisti

Vista la particolare sorte toccata al *De vulgari eloquentia*, si può affermare che una vera tradizione di studi sulla storia della nostra lingua ebbe inizio più tardi, con gli umanisti della prima metà del Quattrocento, i quali, però, si posero non tanto il problema dell'origine dell'italiano (esso non era per loro elemento di primario interesse), ma piuttosto si interrogarono sulla situazione linguistica al tempo di Roma antica. Gli umanisti, appassionati dalle vicende del mondo classico, cercavano di definire le cause che avevano portato alla fine della romanità, al crollo di una civiltà così splendida, e volevano in sostanza rispondere alla seguente domanda: come parlavano gli antichi romani? Due erano le ipotesi. Secondo Biondo Flavio (grande studioso delle antichità romane), al tempo di Roma si parlava una sola lingua, cioè il latino, e questa lingua si era corrotta per una causa esterna, la venuta dei popoli barbari: da questa corruzione era nato l'italiano, che risultava dunque frutto di una mistura tra il latino e la barbarie. Nel corso dei suoi studi, Biondo definì via via in maniera più precisa la fase storica in cui tale 'corruzione' e 'contaminazione' si era sviluppata, e l'attribuì non tanto ai goti (che si erano impadroniti di Roma dopo la caduta dell'Impero), quanto ai longobardi, invasori

---

[2] Cfr. *De vulgari eloquentia* I.10. Noi sappiamo, viceversa, che il nostro *sì* deriva dal latino *sic* (*est*) '(è) così'. Rohlfs [1966-1969: III.965] ricorda una battuta del teatro di Terenzio (*Phormio* 2,2): «Phanium relictam solam? sic!»; dove la funzione del *sic* ricorda da vicino quella del nostro avverbio affermativo. Il latino non aveva un avverbio affermativo specifico, e la risposta affermativa consisteva nella ripetizione del verbo. Es.: «Veniesne?»; risposta: «Veniam».

giunti nel VI sec., considerati più rozzi, e quindi privi di rispetto per il latino, veri portatori di 'barbarie'. La lingua italiana, dunque, in quest'ipotesi umanistica, risultava nata con un marchio negativo. Per Dante, nel *De vulgari eloquentia*, la mutevolezza delle lingue derivava dalla maledizione babelica, dalla punizione divina che aveva cancellato la lingua edenica originaria (sopravvissuta però, a suo giudizio, presso il popolo ebreo, popolo eletto da Dio per farvi nascere Cristo). Per Biondo e per altri umanisti, invece, il mutamento della lingua latina (essi, a differenza di Dante, non si occupavano – si noti – del grande problema delle origini del linguaggio) derivava da una contaminazione con la barbarie. La barbarie era una maledizione 'laica', ma era in sostanza anch'essa una forma di maledizione: tutti, insomma, di fronte al grande fenomeno della trasformazione delle lingue, reagivano come di fronte a una iattura.

Per gli umanisti come Biondo Flavio, dunque, l'italiano era semplicemente il prodotto delle disgrazie della storia, in quanto frutto delle invasioni barbariche. Un diverso punto di vista fu espresso già nel Quattrocento da Leonardo Bruni, umanista fiorentino, il quale era convinto che al tempo di Roma antica non si parlasse un latino omogeneo, poi corrottosi con la barbarie, ma ci fossero già due diversi livelli di lingua, uno 'alto', letterario, l'altro 'basso', popolare. Da quest'ultimo si sarebbe poi sviluppato l'italiano. Questa tesi si avvicina a quella in cui crediamo noi moderni, in quanto anticipa il concetto di 'latino volgare' (cfr. V.1), il latino popolare da cui gli studiosi di oggi ritengono che abbiano avuto origine le moderne lingue romanze. Secondo la tesi del Bruni, ripresa nei secoli seguenti da altri studiosi in forma anche più raffinata (ad esempio da Scipione Maffei, nel Settecento), la calata dei barbari non era stata affatto decisiva per la formazione del volgare, il quale era nato invece da un'evoluzione autonoma del latino popolare.

Le due tesi di Biondo Flavio e di Leonardo Bruni, già contrapposte nelle dispute umanistiche (in particolare in un famoso dibattito svoltosi a Firenze, nell'anticamera papale, l'anno 1435), hanno una grande importanza perché fissano un tema fondamentale di confronto tra gli studiosi: per secoli le varie interpretazioni proposte sulla nascita dell'italiano si rifecero sostanzialmente a queste due linee, delle quali la prima attribuiva un grande peso alla componente germanica (la lingua dei barbari invasori), la seconda escludeva o attenuava la funzione di tale componente.

Va precisato che la tesi più accreditata nel Rinascimento fu senz'altro quella che risale al Biondo. Essa fu ripresa da molti, e in particolare da uno studioso autorevole come Pietro Bembo, che la fece sua nelle *Prose della volgar lingua* (1525) (cfr. IX.2.1). Quanto alla tesi del Bruni, è curioso notare come essa si divulgasse in modo errato rispetto alla formulazione originale: fu generalmente interpretata non come il riconoscimento dell'esistenza di due livelli linguistici propri del latino parlato nella Roma antica, ma, più grossolanamente, come l'ipotesi di due vere e proprie lingue diverse e coesistenti, delle quali l'una identificabile nel latino classico e letterario, l'altra niente di meno che nell'italiano. Secondo questo travisamento, dunque, l'italiano poteva essere giudicato una lingua antica quanto il latino, con esso coesistente da tempo immemorabile, anche se in una collocazione bassa, senza dignità culturale. Ma questa tesi, così come l'abbiamo ora riassunta, non risale affatto alla formulazione originale del Bruni (lo ha dimostrato Tavoni [1984]) e può essere definita piuttosto come 'pseudo-bruniana'.

1.3. Etrusco e toscano

Le due interpretazioni fondamentali delle cause della formazione dell'italiano (ipotesi 1: originato dalle lingue barbare; ipotesi 2: originato dal latino popolare) furono dunque dibattute fin dal Quattrocento. In seguito non furono date spiegazioni radicalmente diverse, ma piuttosto si arrivò ad un metodo sempre più rigoroso, trasferendo il discorso sull'origine dell'italiano dalle vaghe ipotesi a una dimostrazione filologica precisa e documentata. Prima di mostrare in che modo si procedette su questa strada, va ricordato l'unico 'scenario' diverso elaborato dalla cultura del Cinquecento per spiegare l'origine dell'italiano, staccandosi completamente dalle due ipotesi umanistiche del Biondo e del Bruni: in Toscana, nel Cinquecento, Giambullari sostenne che la lingua toscana era l'erede diretta dell'etrusco, il quale a sua volta si identificava con l'arameo', antica lingua della Palestina. Si noti che le cognizioni sull'etrusco possedute dagli uomini del Rinascimento erano estremamente vaghe e imprecise, ma già allora si coglieva assai bene la diversità di quell'antica civiltà rispetto a quella romana. Inoltre il centro geografico della civiltà etrusca veniva identificato proprio in Toscana. Certi intellettuali toscani come Giambullari, dunque, riconobbero nel mondo etrusco le loro radici.

La teoria dell'etrusco antenato del toscano, tuttavia, per quanto curiosa, ha ben poco peso, perché rimase sempre marginale (pur essendo accolta da diversi studiosi di antichità etrusche, e pur sopravvivendo ancora nel Settecento: cfr. Marazzini [1989a: 111-112]).

1.4. La teoria del 'latino volgare' in Castelvetro

Già nel corso del Cinquecento la teoria del 'latino popolare' diverso da quello classico, nata con Leonardo Bruni, fu ripresa e corretta. Gli studi sulla storia della lingua si arricchivano di interventi importanti e il processo della nascita dell'italiano cominciava ad interessare gli studiosi di per se stesso, non solo in relazione alla caduta dell'Impero romano. Tra questi interventi va ricordato in particolare quello di un erudito geniale come Lodovico Castelvetro (1505-1571). Egli usò la definizione (uguale a quella moderna!) di «lingua latina vulgare» [cfr. Marazzini 1989a: 36], elaborandone un concetto non molto lontano da quello che è patrimonio della scienza di oggi (cfr. V.1). Inoltre egli dedicò alcune mirabili pagine a definire un'ipotesi articolata e complessa sull'origine dell'italiano. Spiegò come al tempo di Roma antica doveva essere esistito un latino popolare (la «lingua latina vulgare», appunto), il quale nella grammatica non differiva dal latino vero e proprio (conosceva dunque l'uso dei casi, e aveva le desinenze dei verbi come il latino classico); il lessico, però, era diverso da quello del latino 'nobile', per la presenza di parole che nel latino classico non c'erano. Queste parole del latino popolare erano sopravvissute nell'italiano, in una sostanziale continuità. Castelvetro tentava inoltre di spiegare, con uno sforzo interpretativo che in termini moderni diremmo di taglio 'sociolinguistico', il processo attraverso il quale la lingua latina volgare aveva soppiantato la latina classica: attribuiva una funzione determinante all'influenza degli imperatori di nascita straniera e alle loro corti, insediatesi prima delle invasioni barbariche. Tali imperatori non avevano imparato il latino letterario e puro, ma avevano usato le forme della lingua popolare. In seguito questa lingua di livello basso si era ulteriormente guastata per l'influenza degli invasori barbari, dei goti, ma soprattutto dei longobardi. Come si vede, Castelvetro si sforzava di interpretare il processo di formazione del volgare distinguendo fasi diverse, con innegabile genialità, visto che anche gli studiosi di oggi distinguono bene la fase dell'invasione gotica da quella longobarda, al fine di individuarne le rispettive conseguenze linguistiche [cfr. Zamboni 2000: 181-82].

1.5. La ricerca di documenti epigrafici e archivistici: Celso Cittadini e Ludovico Antonio Muratori

Una svolta decisiva negli studi sull'origine dell'italiano si ebbe con il senese Celso Cittadini, autore del *Trattato della vera origine e del processo e nome della nostra lingua* (1601). Cittadini tendeva a escludere che le invasioni barbariche avessero avuto importanza per lo sviluppo della lingua italiana. Il suo merito non sta però nella ripresa di questa tesi (non nuova, come abbiamo visto), ma piuttosto nel tentativo di verificarla attraverso lo studio degli antichi documenti epigrafici: attraverso le lapidi, a suo giudizio, si potevano conoscere meglio che attraverso i testi letterari le fasi arcaiche della lingua latina. Nei documenti epigrafici Cittadini poté identificare e descrivere una serie di 'errori' o devianze linguistiche rispetto alla norma del latino classico. Tali 'errori' non si riscontravano soltanto in testi successivi alle invasioni barbariche, ma anche in lapidi arcaiche e di epoca imperiale. Ciò significava, a giudizio di Cittadini, che la lingua latina non andava vista come qualche cosa di omogeneo, ma aveva avuto vari mutamenti. Alcuni fenomeni e caratteri documentati nella fase arcaica del latino erano riemersi molto tempo dopo, con la formazione del volgare italiano [cfr. Marazzini 1989a: 39-45]. Una simile analisi è di grande importanza, non solo perché negli studi moderni troviamo argomentazioni del genere [cfr. Zamboni 2000: 72], ma anche perché introduce un elemento di concretezza nelle diatribe tra studiosi, sollecitando la ricerca di documenti sui quali poggiare le proprie argomentazioni. In Cittadini, inoltre, il concetto di 'corruzione', largamente applicato dagli studiosi rinascimentali allo studio dei fatti linguistici (la 'corruzione' del latino ad opera dei barbari: cfr. I.1.2), perdeva ogni connotazione negativa, diventando l'equivalente di una semplice 'alterazione': la trasformazione delle lingue veniva vista come un fatto da descrivere e comprendere, non come un'occasione per levare il pianto sulla fine della civiltà classica.

Un'altra tappa importante sulla strada dell'acquisizione del metodo filologico nella ricerca linguistica italiana si ebbe con Ludovico Antonio Muratori, nel sec. XVIII. Muratori, com'è noto, fu uno storico di eccezionale capacità. Le sue opere hanno permesso di conoscere la storia del Medioevo italiano in maniera seria e precisa. Ricercatore accanito di documenti archivistici, Muratori, nei suoi studi, che riguardarono la storia sociale, economica, istituzionale e politica, fu attento anche a quelle antiche carte che contenessero testimonianze di volgare italiano: tra i suoi molti interessi si colloca dunque quello linguistico. Questa sua attenzione era sollecitata dal desiderio di trovare in area italiana qualche cosa di paragonabile al primo documento della lingua francese, il Giuramento di Strasburgo, fatto dai successori di Carlo Magno, nell'anno 842 (cfr. V.3). Il testo del Giuramento di Strasburgo, trasmesso dal cronachista medievale Nitardo, era stato considerato con molto interesse dagli eruditi del Cinquecento e del Seicento. Nitardo, nel trascrivere il testo del Giuramento (cfr. ancora V.3), aveva affermato che esso era in lingua *romana*. Sulla scorta di quest'indicazione, gli studiosi del Cinquecento e del Seicento avevano pensato che la lingua definita come 'romana' da Nitardo fosse una sorta di idioma intermedio tra il latino e le lingue moderne da esso derivate. Il Giuramento di Strasburgo, per la sua antichità, sembrava appartenere a una fase in cui il latino non esisteva più come lingua viva, ma d'altra parte non esistevano ancora le lingue moderne. Fu considerato dunque come appartenente a una 'lingua intermedia', a metà strada tra latino e idiomi moderni. Il fatto è, però, che tale 'lingua intermedia' finiva per essere concepita in maniera troppo rigida, come una lingua vera e propria, omogenea, non come una fase storica di trapasso, caratterizzata da varietà d'uso geografiche e sociali. Si riteneva che la lingua intermedia fosse stata usata alla stessa maniera in tutti i paesi dell'Europa non germanica, in Francia, in Italia, in Provenza, in Spagna; e questo era indubbiamente falso. Tra Settecento e Ottocento si può dire che tale errata concezione dello sviluppo storico ebbe molti sostenitori. Muratori, però, non credette mai ad una ipotesi del genere, convinto com'era che dal latino si fossero formate lingue diverse nelle varie zone dell'Impero e che l'antica lingua dell'Italia fosse stata quindi differente da quella della Francia. Di fatto però, la teoria della lingua intermedia fu un mito duro a morire e condizionò per molto tempo gli studi romanzi.

Da parte sua, Muratori affrontò i temi della storia della lingua in due dissertazioni delle monumentali *Antiquitates Italicae Medii Aevi*. Egli era in sostanza convinto che le lingue germaniche avessero avuto un peso determinante nella trasformazione del latino, che la 'lingua intermedia' non fosse mai esistita e che nei documenti d'archivio risalenti al Medioevo, scritti in un latino rozzo e scorretto, fosse possibile riconoscere le tracce della lingua volgare del tempo, la quale affiorava qua e là, ad esempio nei nomi delle località citate, nei soprannomi di coloro che stipulavano contratti notarili[3]. Muratori avrebbe voluto trovare anche veri e propri frammenti di volgare, che andassero al di là degli elementi ora citati (i quali sono pur sempre semplici schegge, integrate in documenti latini); ma fu costretto ad ammettere egli stesso l'insuccesso di tale ricerca. Eppure alla sua epoca era già stata pubblicata una raccolta di documenti dell'Abazia di Montecassino nella quale era trascritto anche il Placito Capuano del 960, quello che oggi si usa definire l''atto di nascita dell'italiano' (cfr. V.7). Muratori ebbe la sfortuna di non accorgersi di quel documento così importante, che pertanto non entrò nella ricca raccolta di riferimenti e citazioni della XXXII dissertazione delle sue *Antiquitates Italicae Medii Aevi*, in cui viene per altro descritto in maniera assai precisa il processo di formazione dei volgari italiani e lo stabilirsi della supremazia del toscano. Nella dissertazione seguente (la XXXIII), Muratori forniva un saggio di dizionario etimologico. È curioso osservare che il primo dizionario etimologico della lingua italiana, risalente al Seicento, non era stato opera di un italiano, ma era stato realizzato dal francese Gilles Ménage (cfr. Marazzini [1989a: 47-70]; sui dizionari etimologici moderni, cfr. II.7).

1.6. Dalla teoria della 'lingua intermedia' alla storia linguistica nazionale

Abbiamo già visto (cfr. I.1.5) quali furono i fondamenti e il successo della teoria della 'lingua intermedia', teoria costruita a

---

[3] Citava ad esempio soprannomi come *Cacatossico, Cavinsacco* ecc., i quali ricorrono in documenti latini medievali, e certo riflettono un uso vivo e pittorescamente popolare della lingua [cfr. Marazzini 1988: 67].

partire dal testo del Giuramento di Strasburgo. Tra il latino classico e il moderno francese, dunque, alcuni studiosi collocarono quest'ipotetica lingua intermedia o 'romana'. La teoria fu accolta anche in Italia, e applicata alla storia dell'italiano. La troviamo comunemente accettata ancora all'inizio dell'Ottocento, quando fu ripresa in maniera articolata da Giulio Perticari, genero e collaboratore di Vincenzo Monti (sul Perticari, cfr. Di Martino [1997]). In quegli stessi anni uno studioso francese, François Raynouard, aveva ripreso anch'egli la teoria della lingua intermedia e aveva identificato questa lingua nel provenzale, l'antico idioma dei trovatori. Perticari, per contro, pur accettando l'esistenza della lingua 'intermedia', era restio a tale identificazione, che privilegiava il ruolo della letteratura e della cultura occitanica [cfr. Marazzini 1989a: 188-195].

Tralasciamo comunque la discussione tra Raynouard e Perticari su questo specifico punto, per sottolineare invece due elementi di portata generale: lo studioso francese, pur seguendo la teoria (sbagliata) della 'lingua intermedia', resa ancor più fallace per l'identificazione con il provenzale, ebbe però il merito di essere tra i fondatori degli studi romanzi. I suoi lavori sulla lingua dei trovatori sono così importanti che si consultano con profitto ancor oggi. Quanto a Perticari, i suoi meriti scientifici sono certo minori, ma la sua interpretazione del passaggio dal latino all'italiano attraverso la 'lingua intermedia' ha un grande valore documentario e rappresenta la conoscenza più avanzata che si avesse nell'Italia del primo Ottocento sulle questioni di linguistica storica. Merito di Perticari è l'interesse dimostrato per gli antichi testi italiani, per la letteratura anteriore a Dante, considerata (illusoriamente, certo) documento della 'lingua intermedia': pur con questo errore di prospettiva, nasceva un interesse filologico per i testi antichi e si formava inoltre l'idea che persino nelle parlate popolari italiane, nei dialetti, si conservassero tracce interessanti delle fasi antiche della lingua [cfr. Marazzini 1989a: 191-192]. Perticari non si dedicò allo studio dei dialetti, ma in effetti di lì a pochi anni nacque anche una dialettologia scientifica, segno che i tempi erano ormai maturi per estendere il campo della linguistica al di là dei confini del linguaggio letterario.

I saggi di Perticari uscirono nel 1818 e nel 1820. Quasi negli stessi anni uno studioso piemontese, già noto come lessicografo, Giuseppe Grassi, progettava un libro di storia della lingua italiana: ci restano i materiali di quest'opera, lasciata incompiuta, dalla quale emerge una visione del passaggio dal latino all'italiano ispirata alla tradizione, nella quale però si ritrova anche un sentimento nuovo, legato all'ideologia nazional-risorgimentale che ispirò l'autore. Egli vide nei barbari invasori dell'Impero romano gli avversari eterni dell'Italia, gli antenati di quegli austriaci contro cui si avviava a combattere lo stato sabaudo per unificare la nazione italiana. Le pagine del Grassi sono quindi un interessante documento del legame tra sentimento patriottico e studi linguistici. Nasceva l'idea (del resto già anticipata nel Settecento da studiosi come Denina e Bettinelli) che la storia linguistica fosse una parte della storia della civiltà nazionale, oltre che la base della storia letteraria. Tra il 1808 e il 1811 un esponente del classicismo, Pietro Giordani (amico e guida del giovane Leopardi), aveva pensato di scrivere una *Storia dello spirito publico d'Italia per 600 anni considerato nelle vicende della lingua*. Anche Giordani non realizzò il progetto, di cui ci restano pochi appunti. La storia linguistica italiana, però, veniva ormai considerata come un settore di studi di primaria importanza: lo prova il fatto che si interessarono ad essa i migliori ingegni del tempo. Nelle pagine dello *Zibaldone* di Leopardi [cfr. Gensini 1984b] ci sono a questo proposito spunti estremamente interessanti, benché frammentari (la natura stessa dello *Zibaldone* implica del resto tale frammentarietà). Ugo Foscolo delineò, anche sulla base degli studi di Perticari, le *Epoche della lingua italiana* (1823-1825), e pronunciò una lezione sulla *Lingua italiana, considerata storicamente e letterariamente*, ritornando sul tema nel tardo saggio *Origin and vicissitudes of the italian language*, che risale al periodo inglese [cfr. Gensini 1984b: 156 e Stussi 1993b: 6][4]. Con gli studi di Perticari, Foscolo, Leopardi (su cui cfr. anche Tavoni [2000]) e Grassi siamo ormai alle soglie di una sostanziale svolta. Anche in Italia, infatti, stava per arrivare la moderna linguistica scientifica.

1.7. Dalla linguistica 'prescientifica' alla linguistica 'scientifica'

Per comprendere la portata della svolta 'scientifica'che si ebbe nella linguistica ottocentesca, occorre guardare al di là dei confini nazionali. Nella linguistica europea dell'inizio del sec. XIX occupano una posizione di eccezionale rilievo due studiosi tedeschi, i fratelli Friedrich e August Wilhelm Schlegel. Con gli Schlegel ci riferiamo a una dimensione sovranazionale, che riguarda non tanto la storia dell'italiano, quanto gli studi sull'origine della famiglia di lingue a cui l'italiano appartiene, cioè il vasto raggruppamento indoeuropeo. Friedrich Schlegel pubblicò nel 1808 un saggio in tedesco intitolato *Sulla lingua e la sapienza degli Indù* (*Über die Sprache und Weisheit der Indier*) nel quale venivano mostrati i rapporti che intercorrono tra le lingue d'Europa e il sanscrito (la lingua sacra dell'India). Si dice di solito che con questo libro nacque il moderno comparativismo, cioè lo studio delle lingue basato sul raffronto tra idiomi diversi, legati da parentela. In realtà la parentela tra greco, latino, lingue germaniche e sanscrito era già nota nel Seicento e nel Settecento. Ad essa avevano fatto riferimento

---

[4] Già Giuseppe Baretti aveva scritto per gli inglesi la *History of the Italian Tongue* (1757) (come ci ricorda Ghinassi [1988: VII-VIII]).

diversi studiosi. Va ricordato in particolare che alla fine del sec. XVIII un missionario, padre Paolino da San Bartolomeo, aveva pubblicato in Italia una serie di saggi in cui le relazioni tra latino e sanscrito erano interpretate in maniera corretta, come prova di una parentela linguistica. Gli Schlegel, però, dalla scoperta del sanscrito, considerato lingua più antica delle altre e strutturalmente perfetta (ancor più del greco e del latino), seppero ricavare conseguenze di grande portata culturale, tanto da rivoluzionare il metodo di studio delle lingue, dandogli fra l'altro uno *status* universitario, nella forma che ancor oggi conserva nelle cattedre di glottologia. Quanto alla separazione tra linguistica 'scientifica' e 'prescientifica' a cui abbiamo fatto cenno, sono stati gli Schlegel stessi a fissare tale distinzione, presentando un'immagine molto negativa degli studi a loro precedenti, condannati come privi di rigore. Gli Schlegel, con la loro autorevolezza, fecero sì che s'affermasse l'opinione secondo la quale la linguistica, in quanto 'scienza', era disciplina appena nata, e nata praticamente dal nulla. Divenne normale dividere la storia della linguistica in due fasi, quella scientifica moderna, dagli Schlegel in poi (con riferimento ai lavori di studiosi tedeschi come Franz Bopp, Friedrich Diez, Jakob Grimm), e quella 'prescientifica' o 'empirica', fino agli Schlegel.

Oggi, comunque, molti studiosi hanno rivisitato la storia linguistica guardando con interesse anche al passato anteriore agli Schlegel, scoprendovi acquisizioni di alto livello, non solo approssimazioni e fantasie (cfr. per la storia della linguistica Mounin [1968], Robins [1981], Brincat [1986], Lepschy [1990-94], Morpurgo Davies [1996], Formigari [2001]). Per restare alla questione della comparazione tra lingue, si pensi che, già nel Seicento, Claude Saumaise, erudito francese, e Marcus Zuerius Boxhorn, professore dell'università di Leida, avevano elaborato una teoria in cui si ipotizzava la parentela tra lingue europee e persiano, documentandola con molti raffronti [cfr. Droixhe 1978 e 1987: 65-80]. Questa teoria, detta 'teoria scitica' (perché la lingua capostipite veniva identificata nell'antico scitico), è un'evidente anticipazione del comparativismo moderno[5]. Insomma, oggi che la linguistica è ormai una scienza matura, ci si volge al suo passato con più disponibilità di quanta ne dimostrarono gli Schlegel, e si scopre che anche prima della 'svolta' scientifica del comparativismo ottocentesco si erano costruite teorie affascinanti e si erano diffuse alcune cognizioni di grande interesse, arricchite delle notizie su lingue esotiche, notizie giunte anche attraverso i resoconti di viaggiatori e missionari.

---

[5] Nel comparativismo moderno, però, al posto dello scitico, si colloca l'antica lingua indoeuropea, antenata del sanscrito, del persiano, del latino e del greco. Inizialmente, Friedrich Schlegel pensò che il sanscrito fosse esso stesso capostipite della famiglia indoeuropea, e non una delle lingue derivate dall'indoeuropeo originario.

2. La riflessione 'scientifica' sulla storia dell'italiano

2.1. August Wilhelm Schlegel

La linguistica degli Schlegel toccò indirettamente anche il tema della formazione dell'italiano, nell'àmbito della ricerca sulla formazione delle lingue romanze. Dei due fratelli, fu August Wilhelm ad occuparsi di quest'argomento in un saggio scritto in francese, intitolato *Observations sur la langue et la littérature provençales* (1818), che si presenta in forma di recensione all'opera di François Raynouard. In realtà l'impianto delle osservazioni di Schlegel era così ampio da andare al di là degli obiettivi propri di una recensione. Veniva infatti riesaminato tutto il processo di formazione delle lingue romanze e veniva proposta una tipologia concepita proprio attraverso l'osservazione della grammatica del sanscrito: secondo gli Schlegel (la classificazione ripresa nel 1818 da August Wilhelm era stata elaborata in precedenza dal fratello Friedrich) le lingue potevano essere di tre tipi: 1) senza struttura grammaticale; 2) ad affissi; 3) flessive. Le prime, come il cinese, erano quelle con parole che non potevano essere modificate, 'radici sterili' che non producono piante né alberi, secondo l'immagine usata dallo Schlegel. La seconda categoria era quella delle lingue le quali permettevano la combinazione di composti, ottenuti mediante elementi dotati di un senso compiuto: Schlegel, sulla scorta di informazioni tratte da Alessandro Humboldt, riteneva che a questa categoria appartenessero le lingue degli indigeni d'America. Tra tutte le lingue, tuttavia, il primo posto doveva a suo giudizio essere assegnato alle flessive, cioè a quelle dotate di un sistema grammaticale strutturato, così come lo si trovava nel sanscrito, nel greco, nel latino, negli idiomi europei: in queste lingue ogni parola è composta da una radice, modificata da un elemento privo di per sé di significato, quale è la desinenza; mediante la desinenza si segna il genere, il numero, l'alterazione, i tempi dei verbi[6]. Nelle lingue flessive, dunque, la desinenza, modificando la radice, permette di esprimere molte idee con poche parole, a differenza di quanto accade nelle lingue della categoria 1) e 2). Stabilito il principio della superiorità delle lingue indoeuropee flessive, dotate della più razionale struttura grammaticale, A.W. Schlegel introduceva un'altra distinzione tipologica, tra le lingue 'sintetiche' e le lingue 'analitiche'. Questa categorizzazione (elaborata sulla base di alcuni spunti ricavati da un saggio di Adam Smith[7]) serviva a distinguere

---

[6] Il sanscrito poteva anzi essere considerato, dal punto di vista della sua flessività, come la lingua più perfetta, più perfetta ad esempio rispetto al latino, il quale adopera le preposizioni *cum, ex, in* ecc. dove il sanscrito ha solo casi [cfr. Renzi 1976: 43].

[7] Si tratta del noto economista del Settecento, che si interessò anche ai problemi del linguaggio, scrivendo un saggio acutissimo, nel quale veniva paragonata la struttura grammaticale di varie lingue antiche e moderne, rapportata a quella

le lingue antiche dalle moderne. Caratteristica delle lingue analitiche è la presenza dell'articolo, dei pronomi davanti ai verbi, degli ausiliari nella coniugazione dei verbi, delle preposizioni per supplire all'uso dei casi. Le lingue analitiche – secondo Schlegel – erano nate dalla decomposizione delle sintetiche. Una trasformazione del genere era avvenuta nel passaggio dal latino alle lingue romanze: il latino aveva i casi, non conosceva l'articolo, coniugava i tempi composti in modo sintetico, cioè senza far ricorso all'ausiliare. Le lingue romanze, viceversa, hanno tutte l'articolo, e i casi espressi da desinenze sono stati rimpiazzati da preposizioni[8]. Come si vede, la riflessione tipologica sulle lingue veniva a questo punto a collegarsi all'analisi della trasformazione del latino e dell'origine delle lingue romanze, coinvolgendo anche la storia dell'italiano. La formazione di una grammatica analitica al posto di quella sintetica era da considerare la causa vera e profonda della trasformazione del latino. Secondo A.W. Schlegel, tale sviluppo era spiegabile con l'influenza esercitata dai barbari e dai provinciali, incapaci di usare in maniera corretta le desinenze e i casi del latino classico. A questo punto Schlegel introduceva una critica decisiva alla teoria della 'lingua intermedia' sostenuta da Raynouard: lo studioso francese era convinto – come già abbiamo detto – che la *lingua romana* fosse un'entità uniforme, parlata in tutto l'impero occidentale, e che solo in un secondo tempo da essa fossero nate le lingue italiana, spagnola, portoghese, francese (allora non si parlava ancora del rumeno, il quale è anch'esso una lingua romanza). Lo studioso tedesco obiettava che il concetto di 'lingua romana' andava inteso in modo diverso, come una pluralità di lingue locali, differenti a seconda del periodo e del luogo. Impossibile, dunque, identificare direttamente il provenzale con la lingua romana, e impossibile considerare unitaria la presunta lingua intermedia. Schlegel riconosceva comunque che grande merito di Raynouard era stato quello di riscoprire la letteratura provenzale e descriverne la lingua; ma quanto alle più generali questioni di natura storico-linguistica, tutto era da rivedere. Con questa critica a Raynouard, veniva fondata

___

dell'inglese. Smith poteva così osservare che nel passaggio dalle lingue antiche alle moderne si era via via realizzata una semplificazione della struttura grammaticale; un gran numero di casi erano stati rimpiazzati da altri elementi aggiuntivi, come le preposizioni e i verbi ausiliari. Secondo Smith le lingue erano divenute via via più semplici nella loro struttura e forma, man mano che erano diventate più complicate nella loro composizione. Il punto di vista era certo diverso da quello degli Schlegel, anche perché Smith sembrava apprezzare maggiormente la struttura delle lingue moderne, ritenendola più chiara di quella delle lingue antiche quali il greco e il latino. Gli Schlegel, per contro, ritenevano più perfette le lingue antiche, prima fra tutte il sanscrito, seguìto dal latino e dal greco. Ma certo l'attenzione agli elementi della flessione, delle radici e dei suffissi era stata stimolata proprio dalle idee dello studioso inglese.

[8] Es.: lat. *exul patriam relicturus flebat* = 'l'esule che stava per lasciare la patria piangeva'; la frase latina è 'sintetica', cioè ricorre a meno elementi rispetto ad una lingua come l'italiano.

la prospettiva della moderna romanistica, disciplina che studia la formazione e lo sviluppo delle lingue derivate dal latino[9].

2.2. Graziadio Isaia Ascoli (1829-1907)

Ascoli, goriziano, occupò giovanissimo, nel 1861, la cattedra per lui istituita di grammatica comparata e lingue orientali all'Accademia scientifico-letteraria di Milano. Fu il primo linguista italiano seguace dei nuovi metodi che raggiungesse una statura davvero europea. Grande conoscitore di lingue, si era formato attraverso lo studio della linguistica tedesca (allora, come abbiamo visto, la più avanzata d'Europa). Fu capace di muoversi in campi diversissimi, con un'ampiezza di competenze eccezionale. In questa sede, non interessano tanto i suoi lavori relativi al comparativismo indoeuropeo, quanto il suo contributo alla linguistica italiana, alla quale Ascoli si dedicò in particolare dopo il 1870 (cfr. Timpanaro [1969: 311]). Fu il primo a dare una descrizione accurata e completa della distribuzione dei dialetti italiani e delle loro caratteristiche, in uno studio, rimasto classico, intitolato *L'Italia dialettale*. Pubblicò i *Saggi ladini*, lavoro ancora oggi fondamentale per i dialetti dell'area retoromanza. Rielaborò inoltre, applicandola soprattutto al campo romanzo, la teoria del 'sostrato' (non certo sconosciuta alla tradizione linguistica italiana, da Maffei fino a Cattaneo [cfr. Timpanaro 1969: 229 ss.]). In base a questa teoria, veniva stabilita l'importanza dell'azione svolta dalle lingue vinte su quelle dei vincitori. Secondo la formulazione dello stesso Ascoli, «una gente domata e conquisa perde, in certe condizioni, la propria lingua, ma assoggetta la lingua del vincitore alle abitudini del proprio organo vocale» (cito le parole di Ascoli da Timpanaro [1969: 341]). Si noti che la teoria del sostrato era argomento di grande rilievo in un momento in cui la linguistica si interrogava sulle cause del mutamento fonetico e sui rapporti tra lingua e nazione. Ascoli attribuiva ad esempio all'influenza del sostrato celtico prela-

---

[9] Il saggio di A.W. Schlegel, *Observations sur la langue et la littérature provençales*, uscito nel 1818 a Parigi, si legge nelle *Oeuvres de M. Auguste-Guillaume de Schlegel écrites en français et publiées par Edouard Böcking*, t. II, Leipzig, Librairie de Weidmann, 1846, pp. 149 ss. Quanto alle conoscenze linguistiche diffuse nell'Italia dell'Ottocento, nella generazione di studiosi che si colloca tra Perticari e Leopardi da una parte, e Ascoli dall'altra, si veda Santamaria [1981], il quale mette nella giusta luce la posizione di autori sui quali noi non abbiamo qui modo di soffermarci, come Giovenale Vegezzi-Ruscalla, Carlo Cattaneo, Bernardino Biondelli, Costantino Nigra. Essi, attorno alla metà dell'Ottocento, ebbero cognizione della novità della linguistica tedesca, e affrontarono tra l'altro lo studio delle minoranze linguistiche (Vegezzi-Ruscalla) e dei dialetti (Biondelli, Nigra). Biondelli, in particolare, fu autore del *Saggio sui dialetti gallo-italici* (1853), importantissimo anche perché metteva a disposizione degli studiosi un *corpus* di testi: si tratta dunque di una pietra miliare nelle ricerche relative ai dialetti dell'Italia settentrionale.

tino la presenza in alcuni dialetti italiani della vocale turbata *ü* (la *u* francese), una *u* latina che le bocche celtiche non erano riuscite a pronunciare altrimenti. Il sostrato, dunque, era un vero e proprio condizionamento, determinato anche dalla struttura degli organi fonatori, un condizionamento interpretabile in chiave fisico-biologica [cfr. Timpanaro 1969: 326], definibile come 'fattore etnico', secondo l'espressione di Ascoli. Esso non serviva comunque a spiegare tutti i mutamenti fonetici, ma solo una piccola parte delle trasformazioni delle lingue.

Nella nostra prospettiva, contano soprattutto i contributi di Ascoli relativi all'area italiana, legati alla rivista che lo stesso Ascoli aveva fondato nel 1873, l'«Archivio glottologico italiano». Nel *Proemio* all'«Archivio glottologico» non solo egli polemizzò contro la soluzione manzoniana alla questione della lingua (cfr. XII.3), ma soprattutto (ciò che più ci interessa in questa sede) definì in maniera chiara come si dovesse intendere il rapporto tra il toscano e la lingua italiana[10]. Ascoli dimostrò che l'unificazione linguistica italiana non era avvenuta secondo il modello proprio del latino e del francese. Il modello del latino e del francese, infatti, è caratterizzato da un forte centralismo, dovuto all'azione unificatrice di una capitale egemonica, sia essa Roma o Parigi. L'unificazione politica italiana, invece, si era realizzata solo nel sec. XIX, e anche per questa ragione la storia d'Italia si era caratterizzata piuttosto per il forte policentrismo, in cui era stata determinante l'azione di città diverse da Firenze (benché fosse stata Firenze a dare inizialmente la lingua all'Italia).

Non stupisca che un glottologo 'tecnico', esperto di grammatica storica come era Ascoli, affrontasse anche questi argomenti di natura propriamente storico-culturale. La linguistica 'scientifica' ormai matura era perfettamente in grado di individuare, oltre alle singole 'leggi' di mutamento della lingua, anche gli snodi fondamentali della storia linguistica italiana, misurando questa storia in termini di civiltà e di cultura, cogliendo il suo valore attuale e i suoi stimoli educativi.

Con Ascoli, dunque, non solo la storia della lingua procedeva sulla via di un progresso tecnico, acquisendo il metodo della grammatica storico-comparativa, ma inoltre la storia linguistica veniva utilizzata come strumento di comprensione della realtà attuale[11]. Non è un caso che tutto ciò si accompagnasse alle raffinate

---

[10] L'intervento di Ascoli è stato riproposto da Grassi [1968 e 1975]. Edizioni annotate in antologie sulla 'questione della lingua' si hanno in Berrettoni-Vineis [1974] e Marazzini [1977]. Sull'elaborazione, fondamentale Morgana [2001].

[11] Semmai il rischio, come ha notato Stussi [1993b: 10], stava nel fatto che la storia linguistica la quale si andava così delineando era ben tratteggiata per le origini dell'italiano e per il dibattito sul modello di italiano moderno, oggetto della disputa sulla questione della lingua, mentre rimaneva da esplorare lo spazio che stava in mezzo, tra gli inizi e la fine della storia linguistica, della quale mancava insomma una panoramica sistematica e ordinata.

competenze dialettologiche di Ascoli: la glottologia era ormai in grado di esaminare le lingue indipendentemente da ogni pregiudizio letterario. La storia dell'italiano, del resto, non avrebbe mai potuto essere davvero comprensibile senza una debita considerazione dei dialetti: la sua nascita non era un fenomeno che si potesse isolare da quella delle altre parlate regionali e locali; dietro tutti i dialetti c'era il latino volgare, che si era trasformato via via sulla bocca del popolo, per cui il linguista era interessato sia ai fenomeni relativi alle parlate popolari sia a quelli caratteristici del 'nobile' toscano. Quest'ultimo aveva avuto l'onore di assurgere al rango di lingua letteraria, ma all'inizio nulla lo aveva diversificato qualitativamente. La storia dei dialetti era insomma (ed è) parte integrante della romanistica, nell'àmbito del più ampio studio della formazione di tutti gli idiomi romanzi.

3. Nascita di una nuova disciplina

3.1. La «Storia della lingua italiana» di Bruno Migliorini e il «Profilo» di Giacomo Devoto

Nel sec. XIX, in tutt'Europa, seguendo il modello della Germania, furono istituite cattedre di glottologia e di linguistica comparata. All'interno delle discipline linguistiche, così profondamente segnate dal comparativismo, ebbe la sua autonomia la filologia romanza, specializzata nello studio delle lingue e delle letterature neolatine, anch'essa, dunque, disciplina a suo modo comparativa, seppure in un àmbito più circoscritto. È evidente che la filologia romanza, interessandosi all'origine delle lingue neolatine, ebbe spesso occasione di occuparsi anche della formazione dell'italiano: dall'Unità in poi, con la stabilizzazione di una struttura universitaria statale dotata di qualità ed efficienza, molti furono i filologi che produssero opere fondamentali per lo studio della nostra lingua, soprattutto curando l'edizione di testi antichi [cfr. ad es. Monaci 1912]. Il contributo della filologia fu assai rilevante, tra la seconda metà dell'Ottocento e la prima guerra mondiale; basti pensare che in quel periodo furono scoperti e pubblicati quasi tutti i più antichi documenti della lingua italiana (su questi documenti cfr. V.8 e 9): la Carta Picena nel 1878, la Confessione umbra nel 1880, la testimonianza di Travale nel 1907, la Carta Osimana nel 1908, la postilla amiatina nel 1909, la Carta Fabrianese nel 1912 (sulla cronologia della scoperta dei documenti, cfr. Castellani [1976]). Una buona base per la futura storia della lingua fu dunque costituita dagli studi dell'età del positivismo, che coltivarono un settore lasciato in disparte da Ascoli, estendendo la ricerca ai testi antichi, anche dialettali, senza i quali diventava difficile o impossibile seguire il progresso del toscano, o comunque osservare l'affermazione di una lingua unitaria sovraregionale[12].

Molto più recente è invece la definizione della storia della lingua italiana come disciplina universitaria autonoma. Non stupisca questo nostro riferimento all'istituzione di una cattedra universitaria: è vero che la storia dell'italiano risulta (l'abbiamo ben visto) un'acquisizione culturale più antica, precedente alla formazione dell'università dello stato italiano. Ma è altrettanto vero che nel nostro secolo lo *status* universitario di una disciplina è necessario per sancire la sua esistenza, per darle forza e mezzi per progredire, e infatti l'istituzione della cattedra di storia della lingua italiana non fu un fatto privo di conseguenze. La prima cattedra con tale nome divenne attiva nel 1938 nella Facoltà di Lettere di Firenze, essendo stata istituita a quanto pare anche grazie all'interessamento del ministro Bottai [cfr. Ghinassi 1988: VIIn], uno dei più intelligenti intellettuali della gerarchia fascista. Fu ricoperta da Bruno Migliorini[13]. L'anno dopo, nel 1939, veniva fondata (sempre a Firenze) la rivista «Lingua Nostra», diretta da Giacomo Devoto e dallo stesso Migliorini [cfr. Fanfani 1999]. Questo periodico divenne un punto di riferimento fondamentale per questo genere di studi, a partire dall'articolo introduttivo di Migliorini, nel primo fascicolo, dedicato a *Correnti dotte e correnti popolari nella lingua italiana*. L'autore osservava che «se la linguistica tien conto in primo luogo dello strato popolare e addirittura plebeo [del linguaggio], la storia della lingua deve tener conto di tutti gli strati sociali»[14]. Era un'affermazione programmatica che stava a cuore a Mi-

[12] Questa fase è stata tratteggiata da Stussi [1993b: 9 ss.], il quale indica i nomi degli studiosi che contribuirono maggiormente a far emergere materiali necessari ad una futura storia linguistica italiana: tra essi si possono ricordare Canello, Caix, Salvioni, Mussafia, Rajna, Parodi e Schiaffini.

[13] La cattedra fiorentina era stata messa a concorso nel 1937, e Migliorini vinse quel concorso. Nel 1939 fu attivata la cattedra di Roma, ricoperta da Alfredo Schiaffini, il quale nel 1926 aveva pubblicato l'importantissima raccolta dei *Testi fiorentini del Dugento e dei primi del Trecento*. Stussi [1993b: 20n] fa però osservare che «non mancavano in quegli stessi anni insegnamenti tenuti per incarico, ad esempio da Terracini, Bertoni, Vidossi, Ugolini». Firenze ebbe comunque una posizione rilevante per la nascita della Storia della lingua italiana in quanto disciplina accademica, anche per la presenza di eminenti maestri che comunque diedero via via a quegli studi il loro appoggio, come Devoto, Nencioni, Contini, Fiorelli [cfr. Stussi 1993b: 20].

[14] Questo pensiero di Migliorini è stato messo in evidenza da Stussi [1993b: 20], da cui cito, il quale commenta: «si ha un'ulteriore conferma del fatto che a partire dai tardi anni Trenta sta formandosi una più chiara coscienza delle autonome caratteristiche degli studi storico-linguistici» [ivi]. Quanto alla rivista «Lingua Nostra», essa esiste ancora oggi, diretta da Ghino Ghinassi, e stampata presso la casa editrice Le Lettere di Firenze. Devoto e Migliorini mantennero la direzione dal 1939 sino alla fine della loro vita. La direzione fu quindi di G. Folena e G. Ghinassi, fino alla morte di Folena, avvenuta nel 1992. Per la consultazione delle annate tra il 1939 e il 1959 si ricorra a Crocetti [1961]; Canu [1974] ha compilato gli indici 1960-1969. Sul Migliorini, cfr. anche Fanfani [1979].

gliorini, il quale aveva ormai posto mano al grande progetto di scrivere la storia della lingua nazionale, affrontando la complessità e i rischi di un simile lavoro.

La prima sintesi completa di storia della nostra lingua non fu però portata a termine da Migliorini, ma da Giacomo Devoto, glottologo dell'università di Firenze, studioso di linguistica indoeuropea ed esperto delle culture dell'Italia preromana. Egli pubblicò nel 1940 una *Storia della lingua di Roma*, e in seguito, nel 1953, un sintetico *Profilo di storia della lingua italiana*, «agile volume, leggibile quasi per intero anche da parte di un non specialista», che aveva «a tacer d'altro, la grande e seducente novità che hanno le visioni d'insieme rispetto alle immagini parziali ed isolate, le narrazioni continuate rispetto ai frammenti descrittivi» [Stussi 1993b: 22; cfr. anche Vàrvaro 1984: 31-33]. Questa breve opera (successivamente rimaneggiata e fusa alla storia della lingua latina [cfr. Devoto 1974]) precedeva il lavoro di Migliorini, il quale, fin dal momento in cui aveva preso possesso della cattedra fiorentina, aveva posto mano alla stesura della storia della lingua italiana.

Abbiamo visto che tra Ottocento e Novecento (e anche prima dell'avvento della linguistica scientifica) molti si erano occupati di questioni storico-linguistiche: ma il periodo cronologico più studiato era stato in genere quello delle 'origini', del passaggio dal latino alle lingue romanze. Era mancata (a parte alcuni spunti rintracciabili in studiosi del Settecento, come Denina e Bettinelli) una sintesi che fosse testimonianza di tutte le fasi storiche della storia linguistica d'Italia, e che arrivasse fino ai tempi moderni. Già abbiamo visto che progetti del genere (ad esempio quello di Pietro Giordani) non furono poi condotti a termine. Tra Otto e Novecento, inoltre, la storia letteraria occupò volutamente lo spazio della storia linguistica: nella teorizzazione del filosofo Benedetto Croce si trova affermato in maniera esplicita che la storia della lingua è sostanzialmente identica alla storia della letteratura [cfr. Ghinassi 1988: X]. La posizione crociana, anche per l'autorità esercitata da questo pensatore, non era certo adatta a creare un clima favorevole per lo sviluppo autonomo degli studi sulla nostra lingua.

Come ha fatto notare Ghinassi [1988: X], dall'estero, soprattutto dalla Francia, giungevano stimoli che evidenziavano la lacuna degli studi italiani (rendendo anche più bruciante il «ritardo» in questo settore, per usare l'espressione di Stussi [1993b: 5]): il più rappresentativo dei nuovi maestri della linguistica francese, Antoine Meillet, affermava nel 1906 che la lingua è un'istituzione sociale, e che il solo elemento variabile a cui si possa far ricorso per rendere conto del cambiamento linguistico è appunto il cambiamento sociale; le trasformazioni del linguaggio non erano, a suo giudizio, se non conseguenze di esso, a volte immediate e dirette, più spesso mediate e indirette. Questa tesi offriva un supporto teorico per fondare su nuove e più sicure basi la storia linguistica nazionale. Nel 1905 Ferdinand Brunot aveva dato l'avvio ad una monumentale e memorabile *Histoire de la langue française*, la cui stesura durò più di dieci anni, e si concretizzò in una serie di volumi. Il progetto di Migliorini era inizialmente quello di realizzare una storia di grande mole, anche se non così grande come quella del Brunot, ma la «constatazione che, per compiere una tale impresa non gli sarebbe bastata la vita, lo indusse a ridurre il disegno primitivo entro uno spazio più limitato e, quindi, più denso e contratto» [Ghinassi 1988: XIV]. Migliorini volle che l'opera più importante della propria carriera di studioso uscisse nel 1960, in coincidenza del 'millenario' della lingua italiana: in quell'anno si celebrava infatti la ricorrenza dell'atto di nascita della nostra lingua, essendo passati appunto mille anni dal 960, data del Placito Capuano (cfr. V.7). Migliorini si sforzò dunque di comprimere entro un quadro unitario tutta l'enorme quantità di dati che aveva raccolto. Nella breve prefazione all'opera, datata novembre 1958 (ma la stampa si concluse, come abbiamo detto, nel 1960), Migliorini si preoccupava di distinguere tra la storia della lingua, così come egli l'aveva intesa, e la storia letteraria, o meglio una storia linguistico-stilistica incentrata sugli scrittori. Egli riconosceva che gli scrittori hanno un'«efficacia demiurgica» (cfr. a questo proposito III.3), ma ribadiva altresì la diversità della propria scelta e del proprio disegno. Così si legge in Migliorini [1978: VIII]:

altra cosa è riconoscere questa incontrovertibile verità [cioè il valore demiurgico della lingua degli scrittori], e altra cosa mettere al centro della trattazione i singoli letterati nella loro concreta personalità: per chi consideri la lingua nel suo insieme, essi non sono che uno dei tanti fattori che agiscono sulla lingua nel perpetuo suo evolversi: giuristi, economisti, artisti, tecnici, scienziati agiscono anch'essi sulla lingua[15]. Inoltre v'è il popolo: senza lasciarci irretire nel mito romantico del Popolo con la *p* maiuscola, ecco a ogni momento il singolo popolano il quale conia una parola o lancia un frizzo che saranno ripetuti domani da un'intera città o magari da tutt'Italia.

Insomma, per Migliorini «l'interesse per la storia della lingua comincia quando si commisura il linguaggio individuale d'uno scrittore con l'uso dei suoi contemporanei» [ivi]. Come si vede, la polemica era diretta contro l'idealismo crociano e la sopravvalutazione della stilistica e della linguistica idealistica, le quali attribuivano agli scrittori una posizione centrale, a danno dell'aspetto 'sociale' e 'comune' del linguaggio. Questo è forse uno dei pochi spunti teorici che si può trovare nella *Storia della lingua italiana* di Migliorini, libro che peraltro generalmente rifugge dalle questioni teoriche e generali, dando il meglio di sé in una limpida empiria (Ghinassi [1988: XVII] ha parlato di un «sano e generoso

---

[15] A questo proposito, cfr. il cap. IV del presente manuale.

empirismo»), offrendo al lettore una miniera di dati in gran parte di prima mano, con una concentrazione eccezionale. Come ha notato Ghinassi [1988: XV], l'opera fu avvertita come una novità, anche perché finalmente essa riempiva di informazioni e notizie quell'àmbito che Migliorini aveva precocemente individuato come proprio della nuova disciplina. La *Storia* di Migliorini fu tradotta in francese e in spagnolo, e se ne ricavò anche una versione breve, priva di note, destinata all'uso scolastico [cfr. Migliorini-Baldelli 1964] [16].

3.2. Struttura della «Storia della lingua italiana» di B. Migliorini

L'opera si presenta ancora oggi, a quasi mezzo secolo dalla pubblicazione, come un'eccezionale raccolta di dati e di informazioni, utile per ogni ricerca relativa al periodo cronologico anteriore alla prima guerra mondiale, visto che il libro si arresta lì. L'articolazione del manuale di Migliorini è la più neutra possibile, per secoli, con poche eccezioni. Allo schema per secoli, infatti, si sottraggono solo alcuni capitoli, tra cui quello sulle Origini (che comprende la fase di passaggio dal latino all'italiano e i primi documenti della nostra lingua). Vistosa e significativa eccezione all'impianto per secoli è il capitolo dedicato a Dante, isolato tra gli altri per il rilievo che viene dato a colui che viene definito il 'padre' della nostra lingua.

Una caratteristica speciale del libro di Migliorini è la sua natura volutamente non problematica, con una assoluta prevalenza del dato concreto e positivo sulla discussione metodologica. Da questa scelta dipende anche una certa apparente meccanicità d'impianto, che sarebbe sciocco giudicare in maniera negativa, quando è ricerca di ordine e metodo. La strutturazione dei capitoli è stata appositamente studiata dall'autore in modo da riproporre per ogni secolo una serie quasi identica di paragrafi, dedicata per quanto possibile a una sequenza omogenea di temi: la 'questione della lingua', la lessicografia, la grammatica, i rapporti tra il latino e l'italiano, la consistenza del lessico, l'italiano fuori d'Italia. Questa strutturazione ha il vantaggio di rendere agevole la consultazione, lineare l'impianto dell'opera, agevole il paragone tra gli eventi dei vari secoli. La quantità di dati rende il libro adatto non solo alla

---

[16] Memorabile resta la recensione dedicata da C. Dionisotti alla *Storia* di Migliorini, pubblicata in «Romance Philology» del 1962 (vol. XVI), e poi, in forma più ampia, in Dionisotti [1967: 89-124]. Tra l'altro Dionisotti si chiedeva come mai si era dovuto attendere tanto per arrivare ad una storia della lingua italiana, e faceva notare che l'attesa era stata lunga anche per la grammatica storica della nostra lingua, la quale era stata realizzata da un tedesco, non da un nostro connazionale (si riferiva, naturalmente, a Rohlfs [1966-1969], la cui ed. tedesca era uscita nel 1949-1954).

lettura continuata, ma soprattutto alla consultazione, facilitata dall'indice finale dei nomi e delle cose notevoli. La quinta edizione postuma (1978) porta un'utile *errata corrige*, compilata da Massimo Luca Fanfani sulla base di appunti lasciati dall'autore medesimo, morto nel 1975. Tale *errata* è stata riprodotta nell'edizione curata da Ghino Ghinassi [cfr. Migliorini 1988] e nella versione tascabile di questa medesima edizione [cfr. Migliorini 1994].

3.3. Migliorini e la lingua contemporanea

Va sottolineato che Migliorini non ebbe solo il merito di lavorare per vent'anni al suo progetto di storia della lingua italiana, ma fu tra i primi ad occuparsi dell'italiano contemporaneo [cfr. Ghinassi 1990]. Nel 1938 apparve un suo volumetto intitolato *Lingua contemporanea*, che ebbe subito un notevole successo. Nel 1941 uscirono i *Saggi sulla lingua del Novecento*. Nella prefazione al libro del '38 Migliorini osservava che ormai la critica letteraria aveva acquisito come fatto certo che fosse legittimo lo studio degli autori contemporanei, superando il pregiudizio che solo gli antichi fossero degni di attenzione da parte degli studiosi 'accademici'. «Perdura invece ancora quell'atteggiamento per la linguistica: solamente lo studio delle più antiche fasi delle lingue e le indagini dialettali sembrano oggetti degni di ricerca scientifica, mentre l'applicazione di analoghi metodi alla lingua d'oggi sembra cosa futile. Eppure, se lo studio delle fasi antiche dà insostituibili contributi alla paleontologia linguistica, uno studio della lingua contemporanea, condotto con il rigore necessario, ci dà insegnamenti di biologia linguistica non meno importanti»[17]. Migliorini, infatti, dedicò la massima attenzione ai neologismi, alla fortuna di prefissi 'moderni' (ad esempio la serie di *super-*), a certi moduli sintattici che si andavano imponendo, come i tipi «votate socialista» e «parlar chiaro». I saggi novecenteschi che abbiamo citato sono dunque una sorta di completamento della *Storia della lingua italiana*, la quale invece si arresta alla prima guerra mondiale[18].

---

[17] Cito il passo della premessa alla I ed. di *Lingua contemporanea* da Ghinassi [1990: XI]. Si noti quel reiterato metaforizzare la scienza linguistica in termini di scienze naturali e biologiche: evidente frutto (ormai tardo) della cultura del positivismo, che concepiva le lingue come 'organismi' che nascono, hanno un'evoluzione e una vita collettiva. L'idealismo crociano (che dominava la cultura italiana nel momento in cui Migliorini scriveva queste righe), invece, concepiva le lingue come fenomeno dello spirito, slegato dalla materialità, e quindi frutto di arte e creazione individuale. Ecco perché, come abbiamo già detto, nella visione di Croce la storia della lingua poteva essere omologata alla letteratura.

[18] All'edizione ridotta della *Storia della lingua italiana* di Migliorini-Baldelli del 1964 fu aggiunto un capitolo dedicato al *Novecento (1915-1963)*, di cui è autore Baldelli.

3.4. La «Storia linguistica dell'Italia unita» di Tullio De Mauro

Decisiva, per un'estensione degli studi linguistici all'italiano contemporaneo, secondo un indirizzo diverso (Stussi [1993b: 25] ha parlato di un'opera «complementare sul piano cronologico» a quella di Migliorini, ma «insieme alternativa nei concetti informatori»), è stata la *Storia linguistica dell'Italia unita* di Tullio De Mauro, uscita nel 1963, e poi riproposta in edizione ampliata nel 1970. De Mauro, per formazione filosofo del linguaggio, con questa *Storia linguistica* ha dato un libro esemplare, strutturato in maniera nuova e originale, caratterizzato da un uso molto rilevante dei dati statistici ed economici. La storia della lingua viene così collegata ancor più strettamente alla storia sociale, in particolare alle vicende collettive delle classi popolari. De Mauro, infatti, si è interrogato sulle condizioni culturali e linguistiche delle masse, mettendo in evidenza un fatto estremamente significativo: secondo i suoi calcoli, al momento dell'unificazione politica del nostro paese, sarebbero stati in grado di parlare italiano solo il 2,5% dei cittadini (cfr. XII.5.1). Il libro di De Mauro presta inoltre attenzione a tutti i fenomeni che hanno condotto all'unificazione linguistica italiana, tra i quali – a giudizio dell'autore – hanno un forte rilievo non tanto i fattori 'istituzionali', cioè l'opera dello stato (ad esempio attraverso l'azione della scuola pubblica), quanto stimoli diversi, capaci di incidere maggiormente sulla situazione sociale: risulta così che l'unificazione linguistica è stata favorita dall'emigrazione, dall'urbanesimo, dalla nascita di grandi poli industriali, dalla diffusione della stampa, della radio, della televisione, dalla burocrazia e dagli effetti del servizio militare obbligatorio, a causa del quale i giovani venivano allontanati dalla loro regione di origine (cfr. XII.5.3). De Mauro fu tra i primi a mettere in evidenza che l'italiano diffusosi nella penisola a partire dall'Unità non era stato uniforme, né l'esito del processo era un elegante toscano letterario, ma un 'italiano regionale' che portava in sé i tratti ereditati dai dialetti d'origine dei parlanti.

Va osservato che il libro di De Mauro, subito accolto come un classico degli studi linguistici (esso è ancor oggi fondamentale, e in qualche modo emblematico di una stagione culturale), ebbe anche un grande successo di pubblico al di fuori dell'accademia, e in particolare fu accolto con interesse dagli insegnanti. Per loro era uno strumento prezioso, necessario per andare al di là della preparazione conseguita in strutture universitarie tradizionali e tradizionaliste, dove la linguistica era generalmente intesa come grammatica storica e glottologia comparata. L'immissione della sociolinguistica e delle statistiche socioeconomiche nel bagaglio degli insegnanti permetteva a costoro di comprendere molto meglio le mutate condizioni sociali della scuola italiana, negli anni decisivi della riforma della media dell'obbligo. Tra l'altro la lettura del libro da parte di un pubblico più ampio era favorita dalla particolare struttura della *Storia linguistica dell'Italia unita*, che si presenta divisa in due parti; la prima parte è una trattazione più sintetica e discorsiva, mentre la seconda parte (circa metà del volume), intitolata *Documenti e questioni marginali*, è costituita da schede di approfondimento di singoli temi e problemi: alcune di queste schede sono dedicate al rapporto lingua-nazione, al Purismo, al Manzoni, alle isole alloglotte in Italia, ai dialetti, all'italiano regionale, ai dati statistici sulla scuola elementare del Regno d'Italia, alla stampa, al cinema, alla televisione ecc.

Abbiamo visto quale sia la ricchezza del libro e la novità del suo impianto. De Mauro ribadiva infatti il suo favore per una linguistica attenta alle esigenze delle classi subalterne. Al tema dell'educazione scolastica e dell'utilizzazione del libro da parte degli insegnanti De Mauro accennava nell'avvertenza alla II ed. (1970), mentre nel 1963 il riferimento era andato soprattutto al pensiero del suo maestro Antonino Pagliaro, e alla necessità di estendere la linguistica verso campi solo apparentemente estranei, in quanto di pertinenza anche degli storici, degli economisti e dei sociologi. De Mauro osservava che la linguistica non poteva pretendere di chiudersi in se stessa, coltivando il suo orticello, prescindendo dai fatti storici e sociali, e che al tempo stesso gli storici, i filosofi e i sociologi non potevano «sottrarsi all'onere di prendere visione delle vicende linguistiche della società e dei periodi storici di cui professano di interessarsi» [De Mauro 1972: VIII]. Queste parole si spiegano anche meglio nel contesto in cui furono scritte: in quegli anni, infatti, la linguistica svolgeva un'azione trainante ed esercitava un'azione egemonica sulle scienze sociali e umane in genere; sembrava essere in grado di suggerire nuovi percorsi didattici, lasciando intravedere risultati prodigiosi e comunque fortemente innovativi.

3.5. Dopo la «Storia» di Migliorini: la lingua italiana nell'università

Non potremo seguire nei particolari gli sviluppi della disciplina dopo la realizzazione delle opere fondamentali di cui abbiamo parlato. Sicuramente essa, negli anni Settanta e Ottanta, ha consolidato la sua posizione all'interno delle università e nei *curricula* dei corsi di studio delle facoltà di Lettere, diventando, per universale riconoscimento, uno dei passaggi obbligati nella formazione umanistica aggiornata e moderna. Si sono moltiplicati gli insegnamenti, sono cresciute le iniziative di ricerca e le collaborazioni degli storici della lingua a grandi iniziative editoriali (ad esempio alle grandi storie letterarie, la cui realizzazione sarebbe oggi impensabile senza un'attenzione adeguata ai fatti linguistici), si è fatto sempre più ampio il contributo all'analisi del passato, ma anche la sensibilità alla situazione sociolinguistica dell'italiano attuale, alle tendenze in atto nella lingua moderna, alla didattica della lingua (basti pensare ai corsi di scrittura rivolti agli studenti universitari

italiani e alle iniziative per insegnare la nostra lingua agli immigrati stranieri: in questi campi non vi è, ovviamente, un monopolio
degli storici della lingua, ma essi sono comunque attivi, sul piano
pratico come su quello delle proposte organizzative e teoriche).
Molti storici della lingua hanno lavorato con risultati eccellenti sul
linguaggio letterario, dando contributi di prim'ordine. Accanto agli
altri linguisti, gli storici della lingua hanno dunque prestato attenzione ai problemi dell'italiano contemporaneo, oltre che alla sua
storia. Del resto, anche in questo, la non dimenticata lezione di
Migliorini «contemporaneista» faceva scuola. Nel 1992 è stata fondata l'*ASLI, l'Associazione per la Storia della lingua italiana*, che
raggruppa gli studiosi della disciplina italiani e stranieri, ed ha
prima di tutto il compito «di promuovere gli studi di storia della
lingua italiana, ad ogni livello culturale, scientifico e didattico»
(come si legge nell'art. 2 dello statuto). Essa ha sede a Firenze,
presso l'Accademia della Crusca. Il primo presidente, dopo la fondazione, è stato Ignazio Baldelli, a cui sono succeduti Francesco
Bruni, quindi Francesco Sabatini (allo stesso tempo presidente
dell'Accademia della Crusca), e Gian Luigi Beccaria.

Per chi voglia approfondire gli sviluppi degli studi dopo la
pubblicazione del manuale di Migliorini, sono disponibili panora-
mi estesi, in forma di bilancio critico su cicli decennali, scritti da
Sabatini [1977], Bruni [1992c] e Maraschio [2002]. Per quanto riguarda i manuali complessivi della disciplina, dopo la *Storia* migli-
oriniana sono uscite molte altre opere, grandi e piccole, caratterizzate ognuna da un diverso taglio e da una specifica destinazione
(in genere si tratta di manualistica universitaria), ciò che ha com-
portato diversa mole e diverso impegno da parte degli autori. È
chiaro che i manuali non rappresentano la totalità della disciplina,
né esauriscono la sua ricchezza e potenzialità. Tuttavia tali sintesi
hanno il compito di offrire un quadro aggiornato delle conoscenze, e quindi sono un comodo strumento per verificare di volta in
volta lo 'stato dell'arte'. Bisogna guardare soprattutto ai manuali
di maggior mole e respiro, in più volumi, frutto della collaborazione di diversi studiosi: ad essi dedicheremo appositi paragrafi
nelle pagine che seguono (vedi I.4). Per ora ci limiteremo dunque
a elencare le più note sintesi di dimensione minore, sulle quali
hanno studiato o studiano coloro che nelle università hanno frequentato o frequentano i corsi di Storia della lingua italiana o delle discipline affini, appartenenti al gruppo che si usa definire della
«Linguistica italiana», in cui entrano (accanto alla *Storia della lingua italiana* medesima) altre materie, come la *Linguistica italiana*,
la *Grammatica italiana*, la *Didattica della lingua italiana*, e poi una
serie di insegnamenti assai specialistici, come la *Fonetica e fonologia della lingua italiana*, la *Lessicografia e lessicologia italiana*, la
Stilistica e metrica italiana. È chiaro che queste discipline non
sono insegnate in tutti gli atenei, mentre al contrario la *Storia della lingua italiana* o la *Linguistica italiana* sono presenti ormai dap-

pertutto. L'elenco citato ha sapore un po' burocratico, ed è infatti ripreso dall'ordinamento universitario in vigore fino a poco tempo fa (vedremo tra poco che oggi anche la titolazione delle materie è stata liberalizzata: ma quelle citate restano e verosimilmente resteranno le discipline portanti del settore). A queste materie va aggiunta la *Dialettologia italiana*, di cui ora è riconosciuta l'affinità con la *Storia della lingua*. Tale affinità vale soprattutto ai fini accademici e burocratici. Da un punto di vista strettamente scientifico, infatti, questa disciplina si caratterizza per la sua specificità, garantita fra l'altro da una solida tradizione. Di recente, poi, l'affinità burocratica delle discipline, prima stabilita dalla normativa ministeriale attraverso un elenco preciso di tutte le materie insegnate e attivabili, è stata sostituita da una definizione generica e discorsiva dell'àmbito disciplinare. Dunque non esiste più una lista prestabilita di discipline, e anzi gli atenei sono liberi di istituire corsi con denominazioni differenti, anche molto particolari e settoriali (la «liberalizzazione delle materie», di cui parlavo prima). La normativa oggi in vigore, elaborata nel 2000, si limita a descrivere qual è l'àmbito disciplinare in cui le materie si devono comunque riconoscere. A tal fine, il settore della *Storia della lingua italiana*, ormai intitolato *Linguistica italiana*, è stato così definito:

(L-FIL-LET/12) [19] LINGUISTICA ITALIANA
Comprende gli studi sulla lingua italiana e sui dialetti parlati in Italia, con riferimento alle strutture fonetiche, fonologiche, morfologiche, sintattiche e lessicologiche, all'evoluzione di tali sistemi, alla storia degli usi sociali e assetti geolinguistici, alle tradizioni testuali e stilistiche, alle problematiche teoriche e applicative, nonché alle problematiche e metodologie di didattica della lingua italiana per italiani e per stranieri.

Una definizione burocratica non è e non può essere, ovviamente, lo specchio della situazione scientifica, perché risente di condizionamenti amministrativi, pratici o didattici. Nasce insomma da mille compromessi e aggiustamenti. Tuttavia tale definizione recente, in vigore in questo momento, per quanto possa parere ad alcuni poco felice, incompleta o discutibile, mostra come la *Storia della lingua italiana*, un tempo disciplina principale ed egemonica all'interno del suo settore di riferimento, abbia subìto l'influenza di correnti di studi di taglio sincronico e di impostazione sociolinguistica, e sia venuta in qualche misura a patti con esse, accentuando il proprio interesse per il presente e la propria disponibilità ad affrontare problemi pratici e didattici, anche in forma puramente strumentale. La definizione sopra citata ci porta alle soglie dell'oggi, ma non rivela ancora l'ultima spinta a cui la disciplina

---

[19] Questa è la sigla con cui viene indicato il raggruppamento disciplinare in forma abbreviata nei documenti, atti e provvedimenti ministeriali.

stessa è sottoposta, ora che sta entrando in vigore la riforma dell'università avviata nel corso del 2000. Nel quadro di questa riforma, si sta manifestando un forte, persino esagerato interesse verso i temi della «comunicazione», i quali si stanno facendo egemonici, anche in riferimento ai nuovi *media* e a Internet. Questo venticello informatico, che spira assieme alla forte brezza sociolinguistica e didattica, non mancherà di condizionare il destino della disciplina, almeno sul piano del suo *status* accademico, il quale del resto finisce per influenzare la ricerca scientifica, non foss'altro perché indirizza le scelte delle nuove generazioni di studiosi, impegnati nello sforzo legittimo di inserirsi nella carriera accademica.

3.6. Nuovi manuali generali di 'storia della lingua italiana'

Come già abbiamo detto, dopo la pubblicazione della *Storia* di Migliorini, sono uscite molte altre sintesi generali, più o meno snelle, di massima rivolte a un pubblico che si accosta per la prima volta alla materia. Molti di questi libri sono manuali universitari, ma risultano adatti anche al pubblico medio. Tralasciando per ora le opere in più volumi, di cui parleremo dopo (cfr. I.4), citeremo: Stussi [1972] (ripreso in Stussi [1993a: 3-63]), Montanari-Peirone [1975], Simone [1980], Coletti [1987], Durante [1981], Gensini [1985, I ed. 1982], Bruni [1987][20], Marazzini [1994, II ed. 1998], Tesi [2001][21], Serianni [2001a]. Quest'ultimo ha una caratteristica insolita: è un libro scritto da diversi giovani autori, coordinati e diretti da uno studioso di primo piano quale è Luca Serianni, docente nell'Università di Roma «La Sapienza». Il volume è stato finanziato dalla Società Dante Alighieri come il «necessario presupposto di una grande mostra sulla lingua italiana» della quale si sta coltivando il progetto (come annuncia il Presidente, ambasciatore Bruno Bottai), e di cui forse già si intravede qualche cosa nella buona documentazione fotografica che arricchisce il libro. Gli autori sono quasi tutti giovani allievi di Serianni, nati tra il 1968 e il 1972, impegnati nel lavoro di stesura mediante apposite borse di studio. L'opera, pur voluminosa (oltre settecento pagine) non si segnala per novità di particolare evidenza, ma per la notevole sistematicità e per la discorsiva ricchezza con cui propo-

---

[20] Bruni [1987] si segnala per il taglio molto originale: esso, fra l'altro, riserva spazio ampio alla descrizione dei dialetti e propone una scelta di testi commentati. Il libro porta in allegato una grande carta geografica dell'Italia dialettale e delle minoranze linguistiche. L'autore ha dedicato anche molta attenzione alla lingua dei semicolti (l'italiano popolare: cfr. III.4.3 e IV.2), di cui vengono forniti vari esempi nella sezione dei testi commentati.
[21] Questo manuale arriva solo fino al Rinascimento, ma una nota editoriale avverte che è prevista la pubblicazione di un volume di Maria Luisa Altieri Biagi sui successivi svolgimenti della lingua italiana.

ne materiale aggiornato, tratto dalle migliori opere del settore; essa si rivolge utilmente a un lettore non specialista, perché «la trattazione, pur presupponendo una certa informazione storica e letteraria, evita qualsiasi compiacimento tecnicistico nell'affrontare temi linguistici» (così scrive Serianni [2001]: p. 3 n.n. della *Presentazione*). Il libro è corredato non solo di accurati indici analitici, ma anche di un'utile *Cronologia* (la prima cronologia del genere era stata pubblicata molti anni prima da Migliorini medesimo [cfr. Migliorini 1975], a cui certo qui ci si è ispirati). Questa cronologia raffronta su tre colonne gli eventi relativi alla storia della lingua, i fatti salienti della vita letteraria e i principali eventi storico-politici.

Accanto alle storie generali, si collocano diverse sintesi relative alla storia dell'italiano letterario, cioè dedicate al settore della lingua poetica e alla prosa artistica. Già abbiamo avuto modo di dire che la lingua italiana non si riduce al solo impiego nella letteratura. Non sarebbe corretto, per delineare il percorso della storia della lingua, guardare esclusivamente alla scrittura di autori importanti per i loro risultati artistici. Ogni pregiudizio del genere, del resto, è oggi pienamente superato. Però la letteratura rappresenta pur sempre uno spazio molto importante. In diverse occasioni essa ha condizionato le scelte dei grammatici e della scuola, pesando sulle modalità di diffusione della lingua comune. Inoltre le moderne tendenze della critica hanno accentuato l'importanza di letture attente al dato linguistico e stilistico. Molti dei maggiori studiosi di letteratura sono stati o sono allo stesso tempo famosi linguisti. Le sintesi relative alla lingua della letteratura, comunque, non servono solo ai critici e agli storici della civiltà letteraria, ma sono preziose anche per il linguista e per lo studioso di stile e di metrica. Si vedano i lavori di Beccaria *et alii* [1989], Coletti [1993], Serianni [1993], Baldelli [1993], Beccaria [1993], Soletti [1993], Bruni [2002]. Un taglio diverso ha il bel volume di Cortelazzo [1980], che si interessa soprattutto dei dialetti (ma l'intreccio tra i dialetti e la storia della lingua, ovviamente, è continuo).

Quanto alla manualistica della *Dialettologia italiana*, ad essa faremo riferimento in II.2. Ci limiteremo qui a ricordare che Bruni [1987] dedica uno spazio notevole ai dialetti e alla loro descrizione.

3.7. La 'questione della lingua', storia delle idee e teorie linguistiche

In diverse occasioni ci è capitato di impiegare la designazione di 'questione della lingua'. Abbiamo avuto modo di anticipare che sotto questo nome si raccolgono le discussioni relative alla lingua italiana, alla sua definizione, alla sua origine e natura, alla sua regolamentazione normativa. Queste discussioni sono state molto vivaci in Italia, più che in qualunque altro paese del mondo. La 'questione della lingua' è esistita anche altrove, ma da noi è stata determinante e più duratura, da Dante fino alla nostra epoca. Questo dibattito è parte integrante della storia dell'italiano e ha pesato sui risultati che esso ha raggiunto. È anche la premessa necessaria per comprendere la storia della grammatica, della lessicografia, le scelte degli scrittori e lo sviluppo della letteratura, per definire il rapporto tra le classi intellettuali e la nazione, per intendere gli interventi nel campo della scuola, prima e dopo l'Unità. Le discussioni sulla 'questione della lingua' sono state uno dei canali attraverso i quali si sono espresse idee estetiche, concezioni letterarie, ma anche concezioni della società e della cultura da cui sono derivate scelte importanti della classe dirigente, riforme della scuola, tentativi di miglioramento delle condizioni culturali del popolo, sforzi per la divulgazione del sapere. Si tratta dunque di un'ottima specola per osservare il nesso tra cultura e società nelle varie epoche. Nel dibattito sulla 'questione della lingua', inoltre, si sono espresse le idee generali sul linguaggio: da questo dibattito possiamo ricavare persino una sorta di «linguistica generale» dei secoli passati.

Il grande manuale di riferimento per lo studio della 'questione della lingua' è quello di Vitale [1978], un libro di eccezionale ampiezza e di vastissima documentazione, nel quale si trovano richiami bibliografici esaurienti. Il libro inizia con un capitolo di *Preliminari*, dedicato a Dante (al trattato *De vulgari eloquentia*) e al dibattito tra gli Umanisti del Quattrocento. Prosegue con capitoli dedicati rispettivamente al Cinquecento, al Seicento, al Settecento, all'Ottocento, seguendo una struttura per secoli che ricorda l'impianto della *Storia* di Migliorini. Il percorso storico è chiuso da un'*Appendice novecentesca*, molto breve. I vari capitoli, da quello sul Cinquecento a quello sull'Ottocento, svolgono in forma ampia, basata su di una documentazione ineccepibile, il discorso sul dibattito relativo alla lingua italiana e alla sua regolamentazione, in cui emergono le speculazioni dei grandi teorici, quali Dante, Bembo, Manzoni, accanto agli interventi dei minori e minimi. Ciascun capitolo si accompagna a delle *Note*, in cui stanno le indicazioni bibliografiche e gli approfondimenti, proposti in forma ragionata, commentati e discussi dall'autore con dovizia di indicazioni. Vi è anche, in chiusura volume, un'*Antologia della critica*, raccolta di testi esemplari per illustrare i momenti determinanti della 'questione della lingua' nei vari secoli, da Dante fino allo scrittore novecentesco Pier Paolo Pasolini.

Il recente Marazzini [1999a][22] dedica uno spazio più ampio alle discussioni sulla 'questione della lingua' nel Novecento, e perciò può integrare il citato Vitale [1978]. Anche questo libro ripercorre l'intero dibattito sull'italiano, a partire da Dante, seguendo

---

[22] Marazzini [1999a] deriva, in quanto volume autonomo, da una rielaborazione del capitolo *Le teorie*, contenuto in *SLIE*, I, pp. 231-329 (cfr. I.4.3).

un percorso storico ordinato, ma in forma meno sistematica e assai più veloce rispetto all'ampio Vitale [1978]. In Marazzini [1999a] uno spazio speciale è assegnato alle teorie sull'origine e sulla formazione dell'italiano, secondo le opinioni formulate nei vari secoli, le quali spesso hanno dato luogo a un dibattito di notevole interesse culturale.

4. Grandi realizzazioni recenti: i nuovi manuali di riferimento

4.1. La «Storia della lingua italiana» diretta da F. Bruni per la Società editrice il Mulino

A partire dal 1989 si è avviata la pubblicazione di una *Storia della lingua italiana* in molti volumi, concepita come manuale per studenti universitari, strutturata sostanzialmente per secoli (pur con qualche eccezione a questa rigida impostazione cronologica), affidata a diversi autori e coordinata da Francesco Bruni. A tutt'oggi manca un solo titolo alla conclusione del progetto. Sono stati pubblicati: un volume sul Medioevo [cfr. Casapullo 1999], uno sul Quattrocento [cfr. Tavoni 1992], uno sulla prima metà del Cinquecento [cfr. Trovato 1994], uno che accorpa il secondo Cinquecento e il Seicento [cfr. Marazzini 1993], uno sul Settecento [cfr. Matarrese 1993], due dedicati all'Ottocento (rispettivamente uno per la prima e uno per la seconda metà del secolo) [cfr. Serianni 1989a e 1990], uno interamente dedicato a Manzoni, affidato a Giovanni Nencioni, già presidente dell'Accademia della Crusca e decano degli storici della lingua italiani [cfr. Nencioni 1993], uno, particolarmente ben riuscito e universalmente apprezzato, dedicato al Novecento [cfr. Mengaldo 1994]. Come si vede, tutta la storia dell'italiano è ormai coperta, a parte la lacuna dell'unico titolo ancora in preparazione, relativo al *Trecento toscano*.
Si diceva che la collana è stata concepita articolandola per secoli, così come la *Storia* di Migliorini, ma senza l'eccezione che quello studioso concesse ai capitoli su Dante. Qui, invece, l'infrazione più vistosa alla struttura per secoli risulta il libro dedicato a Manzoni, il quale, per altro, si differenzia non poco rispetto agli altri della collana, abbastanza omogenei nella struttura, con una parte monografica e saggistica seguita da testi commentati e da una piccola sezione di *Applicazioni ed esercizi* (è una sezione singolare, perché gli esercizi pratici, consueti nei testi destinati alle scuole superiori, sono invece insoliti nei libri per l'università). Però, nonostante la chiara impostazione didattica, la collana non si limita a fare il punto sulle conoscenze acquisite, ma non di rado offre apporti originali. Trattandosi di opere scritte da diversi autori, i risultati possono essere qualitativamente differenti, però l'omogeneità è garantita da salde linee-guida, ed è particolarmente viva l'attenzione alle differenze geoculturali, in modo da dare spic-

co ai singoli focolai di cultura, secondo una visione policentrica e differenziata della storia linguistica.

Libri come questi, nati per la didattica universitaria, come supporto a corsi specifici relativi alle varie epoche storiche, sono tuttavia utili anche per avviare ricerche specialistiche, come confronto su temi particolari o per mettere a fuoco le diverse questioni. La parte antologica, il cui primo scopo è fornire campioni di varie scritture, letterarie ed extraletterarie, offre lo spunto per una documentazione vasta e interessante sull'uso linguistico e sui vari fenomeni, fonetici, morfologici, sintattici. L'opera si presta dunque alla consultazione, oltre che alla lettura continuata. La consultazione è resa agevole da indici in genere ricchi e assai ben curati.

4.2. «L'Italiano nelle Regioni» diretto da F. Bruni per la casa editrice UTET

Dopo l'uscita del manuale di Migliorini, in diverse occasioni gli studiosi si posero il problema di realizzare una storia linguistica nella quale trovassero adeguato spazio i caratteri di una nazione come l'Italia, con la sua grande quantità di centri culturali, magari piccoli, ma sempre molto vivaci. In Italia è presente una grande quantità di dialetti, i quali in vario modo sono entrati in contatto (e a volte in concorrenza) con la lingua nazionale. Tra le prime sintesi capaci di restituire un quadro variato, molto attento alla 'periferia', va ricordata quella di Stussi [1972] (poi Stussi [1993a: 3-63]), eccezionalmente ricca di spunti e di indicazioni, pur nella sua brevità. Più di recente, facendo tesoro di questo insegnamento e di vari studi condotti nel frattempo (ad esempio Marazzini [1984]), Francesco Bruni ha progettato e guidato la realizzazione di un'opera di grande mole, intitolata appunto *L'italiano nelle Regioni* [cfr. Bruni 1992a]. Quest'opera è concepita come una raccolta di monografie, ciascuna delle quali è dedicata alla storia dell'italiano in una regione della Penisola. Il risultato è un poderoso volume di grande formato e di elegante veste grafica. Ogni monografia 'regionale' è stata affidata a un singolo specialista (talora a più d'uno), cosicché una grande *équipe* ha lavorato a lungo alla ricostruzione sistematica di questa storia policentrica, la quale, si noti, non è affatto una storia del dialetto o dei dialetti locali, bensì una storia linguistica dell'italiano attenta a tutti i rapporti con le culture locali e con i dialetti, ovviamente senza alcuna limitazione campanilistica o localistica. Il libro coordinato da Bruni contiene capitoli sulle regioni appartenenti allo Stato italiano, come si diceva, ma non si limita ai confini politici dell'Italia attuale, tanto è vero che contiene anche monografie su Malta, sulla Dalmazia, sul Canton Ticino, sulla Corsica, luoghi in cui la nostra lingua ha ancor oggi o ha avuto in passato una posizione di rilievo.

In sostanza, come abbiamo detto, un'opera del genere si propone come alternativa all'impostazione 'toscanocentrica'. Abbiamo accennato all'impostazione 'policentrica' come frutto di una revisione critica all'impianto della *Storia* di Migliorini. In realtà lo stesso manuale di Migliorini, apparentemente 'toscanocentrico' nel suo disegno generale, aveva la capacità di offrire molti dati relativi alle zone geografiche periferiche o marginali, però questi dati erano dispersi nelle note o difficili da ricuperare nella loro globalità. *L'italiano nelle Regioni* offre dunque un sostanziale arricchimento della documentazione, e inoltre anche i dati già noti acquistano maggior rilievo nella nuova strutturazione 'regionale', dalla quale emergono, se così vogliamo dire, tante 'storie' della lingua italiana, tra loro diverse, non sempre e necessariamente parallele e convergenti.

A breve distanza dal primo volume di monografie regionali, è uscito un secondo volume dell'*Italiano nelle Regioni*, anche questo ideato e diretto da Francesco Bruni [cfr. Bruni 1994], contenente una raccolta di testi commentati e annotati, complemento utilissimo alle monografie regionali. Secondo il progetto iniziale, inoltre, dovevano essere realizzate presso la UTET-Libreria, accanto ai grandi volumi collettivi dell'*Italiano nelle Regioni*, una serie di volumi autonomi con appendice antologica di testi, per svolgere in forma più ampia e ancor meglio documentata la materia dei due volumi collettivi. Di queste monografie sono uscite presso la UTET-Libreria solamente quelle dedicate al Piemonte e alla Valle d'Aosta [cfr. Marazzini 1991], al Lazio [cfr. Trifone 1992b], alla Sardegna e alla Corsica [cfr. Loi Corvetto-Nesi 1993]. In seguito, per ragioni commerciali ed editoriali, il progetto si è interrotto bruscamente, e la collana è stata chiusa. Molti volumi 'regionali', però, ormai avviati in seguito all'iniziativa di Bruni, sono stati pubblicati presso altri editori (così quelli dedicati a Napoli e alla Campania [cfr. Bianchi-De Blasi-Librandi 1993], alla Basilicata [cfr. De Blasi 1994], al Trentino-Alto Adige [cfr. Coletti-Cordin-Zamboni 1995]) [23]. Si può dire in sostanza che la grande fucina dell'*Italiano nelle Regioni* ha prodotto un rifiorire degli studi a carattere regionale, intesi in maniera seria e scientifica, secondo la miglior accezione del termine (non allo scopo di creare divisioni e rivalità, ma per meglio comprendere le forze in gioco nella storia linguistica nazionale).

[23] Indipendentemente dal progetto di Bruni, e ad esso anteriori, sono Marazzini [1984], relativo al Piemonte, e Varvaro [1981], sulla Sicilia linguistica fino ai normanni; sulla Sicilia linguistica ottocentesca e moderna, si vedano anche Vecchio [1988], Alfieri [1990] e Lo Piparo [1990]; sul Lazio, per l'epoca antica si veda Sabatini-Raffaelli-D'Achille [1987], D'Achille-Giovanardi [2001], mentre Dardano *et alii* [1999] contiene saggi che vanno dal Medioevo al Novecento; per il Friuli, cfr. Rizzolatti [1996].

Qualunque ricerca nella quale entrino in qualche modo elementi regionali trarrà vantaggio dalla consultazione di queste opere, le quali offrono rinvii bibliografici a saggi e testi minori, preziosi per arricchire il quadro dei riferimenti e le prospettive di indagine. Particolarmente interessante è la consultazione dei due volumi di Bruni [1992a e 1994], oltre che dei vari volumi 'regionali' citati, per chi cerchi materiale relativo all'uso linguistico extraletterario, all'italiano popolare, all'italiano regionale, alla storia delle istituzioni (italiano e scuola, italiano e burocrazia, italiano e latino nell'uso giudiziario). Non bisogna dimenticare inoltre la presenza delle aree geografiche al di fuori dei confini politici italiani, il Canton Ticino, la Corsica, la Dalmazia, Malta: il panorama offerto da Bruni [1992a e 1994] non esaurisce le zone in cui l'italiano è parlato fuori d'Italia (manca, ad esempio, un capitolo sulle ex colonie o sugli emigrati), ma sono presenti i centri principali in cui esso ha avuto la funzione di lingua di cultura e di scambio.

4.3. La «Storia della lingua italiana» diretta da L. Serianni e P. Trifone per l'editore Einaudi

Luca Serianni e Pietro Trifone hanno coordinato un'importante *Storia della lingua italiana* in tre volumi, uscita nel 1993-94 presso l'editore Einaudi. La citeremo con la sigla *SLIE* (cfr. le sigle e le abbreviazioni, *infra*, pp. 475 ss.). Si tratta di un'opera che non può mancare in una seria biblioteca di studio, perché fornisce un quadro aggiornato e completo delle attuali conoscenze. L'opera si inserisce nella *Letteratura italiana* diretta a A. Asor Rosa, ma con una sua spiccata autonomia, garantita dalla responsabilità assunta dai due coordinatori. Si può affermare in sostanza che la storia della lingua italiana oggi più completa, autorevole e affidabile sia proprio questa. Essa consiste in una serie di monografie, affidate a singoli specialisti, raggruppate secondo analogie tematiche, anche se gli accostamenti sono stati a volte un po' condizionati dai tempi editoriali, con qualche variazione rispetto al progetto iniziale reso noto quando fu annunciata l'iniziativa.

L'opera si compone di tre volumi. Il primo si intitola *I luoghi della codificazione*. Contiene studi che hanno per oggetto la storia della nostra grammatica[24], della lessicografia, della grafia, delle teorie linguistiche, la lingua letteraria. Il titolo del volume richiama il concetto di «codificazione», cioè lo stabilirsi di una norma

---

[24] Per la storia della grammatica resta tuttavia ancora necessario consultare la vecchia opera di Trabalza [1908], senz'altro inadeguata alle esigenze di oggi, come tutti ripetono spesso, ma allo stato attuale ancora insostituita, ricca di indicazioni e di dati, seppure non sempre di garantita affidabilità.

costante e salda, una regolamentazione della lingua capace di frenare la varietà e le tendenze al mutamento. Le «teorie» sono anch'esse una forma di regolamentazione, perché in larga parte si collegano alle discussioni sulla cosiddetta «questione della lingua» (cfr. I.3.7). Quanto al linguaggio letterario, esso, a differenza della lingua parlata e d'uso, si presenta regolato da un canone, 'formalizzato'. Come si vede, questo primo volume non prende l'avvio dalla formazione dell'italiano o dai primi documenti di esso, come sarebbe accaduto se i curatori avessero adottato una prospettiva rigidamente cronologica. La struttura monografica, per saggi tematici, comune del resto a tutta la grande *Letteratura* einaudiana, favorisce un'organizzazione della materia più libera e originale.

Il secondo volume si intitola *Scritto e parlato*. Comprende saggi sull'italiano dei 'semicolti' (la gente del popolo, con un basso grado di istruzione), sulla lingua del teatro, del romanzo d'appendice, sull'italiano contemporaneo, sul parlato del cinema e della televisione, sul linguaggio dei giovani, sui latinismi nel lessico, sulla lingua della scienza, del diritto, della pubblicità, dell'informatica, dei giornali dell'Ottocento e del Novecento, della politica. Chiudono il volume saggi sul gergo, sui nomi di persona (l'antroponimia o onomastica), sui nomi di luogo (la toponomastica). Il volume contiene dunque materiale assai vario, accomunato dalla distinzione (per opposizione o per convergenza) tra la lingua come atto orale (il parlato), e la lingua della scrittura (nel teatro, ad esempio, la scrittura deve spesso simulare il parlato o imitarlo).

Il terzo volume, infine, si intitola *Le altre lingue*. Contiene il capitolo dedicato ai più antichi documenti dei volgari italiani, e anche un'interessante serie di profili dei volgari medievali, articolato in capitoli sul Piemonte, la Liguria, la Lombardia, il Veneto, il Friuli, l'Emilia-Romagna, la Toscana, l'Italia mediana (cioè l'Italia centrale esclusa la Toscana), il Mezzogiorno, la Sicilia e la Sardegna. In queste monografie descrittive, ritorna l'impostazione geografica regionale che già abbiamo avuto modo di apprezzare nei due volumi dell'*Italiano nelle Regioni*, anche se qui il periodo cronologico esaminato è assai più breve. Il volume contiene uno studio sull'uso letterario dei dialetti (molto notevole, nella nostra tradizione), sul dialetto nella scuola, nella giustizia, nella Chiesa, sui dialettismi entrati nell'italiano, sugli «italiani regionali». Questi ultimi sono cosa diversa dai dialetti, perché nascono proprio dall'incontro e dalla contaminazione tra il dialetto e la lingua toscana, arrivata dall'esterno. Il volume parla inoltre dei movimenti migratori, dell'influsso esercitato sull'italiano dalle altre lingue: il francese, l'inglese e le lingue germaniche, lo spagnolo, il portoghese, il catalano, e anche le lingue orientali ed esotiche. Si chiude con un saggio sull'italiano all'estero e uno sulle minoranze linguistiche presenti in Italia. Il motivo conduttore (che ha determinato la scelta del titolo) è dunque il rapporto tra l'italiano e le lingue da esso diverse, siano esse quelle forestiere, siano quelle presenti sul territorio italiano (le parlate dialettali e le lingue minoritarie).

Non si potrà prescindere dalla consultazione di questa grande *Storia della lingua italiana*, la quale, come tutti i lavori di *équipe*, presenta differenze interne e forse qualche inevitabile squilibrio, ma nella sostanza risulta essere una sintesi pienamente riuscita, capace di mostrare la varietà di interessi della disciplina e la sua vitalità, dando conto dei risultati raggiunti negli ultimi anni.

1. Manuali di discipline affini

1.1. La filologia romanza

La filologia romanza, chiamata anche 'romanistica', si occupa delle lingue derivate dalla lingua di Roma, dette 'neolatine' o 'romanze' (il portoghese, lo spagnolo, il catalano, il francese, il provenzale, l'italiano con i suoi dialetti, il rumeno). Come già abbiamo visto in I.2.1, poiché l'italiano è per la sua origine una lingua neolatina, esso rientra nel gruppo romanzo ed è oggetto di studio da parte della filologia romanza. Poiché inoltre il filologo romanzo non di rado si occupa di letteratura e dell'edizione di testi, oltre che di lingua in senso stretto, e poiché i suoi interessi non si concludono necessariamente con il periodo storico più antico e con le sole origini, è ovvio che sono possibili casi di sovrapposizione delle competenze. Non di rado gli storici della lingua sono stati anche ottimi docenti di filologia romanza, e viceversa. Tale sovrapposizione è sempre stata salutare. In linea di massima, comunque, si può dire che il taglio proprio della filologia romanza fa sì che essa guardi alla storia della lingua italiana in maniera un po' diversa, non foss'altro perché il filologo romanzo è portato ad una maggiore comparazione 'europea', e inoltre il suo interesse (ovviamente, in maniera non esclusiva) va alla fase diacronica più antica. In molte occasioni, comunque, lo storico della lingua ricorrerà ai manuali di filologia romanza, e in particolare al classico Tagliavini [1972], al quale accenneremo brevemente.

Le origini delle lingue neolatine di Carlo Tagliavini è un libro nato dall'insegnamento universitario di questo studioso: a partire dagli anni Venti, infatti, in varie università, tra le quali Bologna e Padova, egli aveva svolto lezioni sulle origini delle lingue neolatine. La prima edizione del manuale, non a caso, fu pubblicata in forma di dispense, nel 1947-1949. Anche la seconda edizione, ampliata, uscì nel 1952 in forma tipografica modesta, con il sistema *offset*. L'opera, benché nata per gli studenti del corso di Tagliavini, era stata ormai notata, e aveva riscosso una notevole fortuna. Si giunse così alla prima stampa con vera veste tipografica: per questa nuova stampa del 1959 l'autore rielaborò la materia con una serie di minuti ritocchi. In seguito vi furono nuove edizioni (fondamentale quella del 1969), con nuovi rimaneggiamenti, che resero questo manuale via via più perfetto e più completo. L'esistenza di tante edizioni che si sono succedute nel corso del tempo va notata non solo perché è la prova della fortuna dell'opera, ma anche perché esse garantiscono la vitalità di un libro che ha saputo rinnovarsi e arricchirsi, fino a diventare uno strumento perfetto di consultazione anche per chi non si occupi in maniera specifica di filologia romanza, ma debba allacciare con essa rapporti più o meno stretti, come può capitare allo studioso di storia della lingua italiana.

Il manuale di Tagliavini ha una ordinata struttura, perfettamente adeguata alle esigenze didattiche. Si apre con un capitolo che traccia una rapida storia degli studi dal comparativismo degli Schlegel in poi, con alcuni riferimenti (molto rapidi) alla linguistica precedente, a partire dal *De vulgari eloquentia* di Dante. Segue un capitolo dedicato al 'sostrato' preromano, così come si presenta in aree molto diverse. Prima di tutto viene presa in considerazione l'Italia antica, abitata, prima dell'espansione romana, da popoli che parlavano lingue italiche (osco, sabellico, umbro), dagli etruschi, dai greci, dai sardi, dai liguri, dai celti e venetici (o paleoveneti). Seguono quindi capitoli che trattano in maniera estremamente dettagliata le trasformazioni del latino nell'Impero romano, alla ricerca di quanto resta di questa lingua in zone oggi romanizzate e anche non più romanizzate. Si parla ad esempio delle tracce del latino nei dialetti berberi dell'Africa settentrionale, degli elementi latini nel Basco, dei relitti latini nella Britannia, nelle lingue germaniche, nella Pannonia, nell'Illirico, nell'albanese attuale, nel greco. Quindi, dopo un esame delle caratteristiche del 'latino volgare', e dopo un esame degli elementi linguistici greci, germanici, arabi ecc. che hanno influito sulle parlate dell'area romanizzata, viene delineata la formazione delle lingue romanze, e vengono presentati i loro più antichi documenti scritti: nell'ordine seguìto dall'autore, incontriamo il rumeno, il dalmatico (oggi estinto), il ladino, il sardo, l'italiano, il provenzale (e il guascone), il franco-provenzale, lo spagnolo, il francese, il catalano, il portoghese. L'opera si conclude con poderosi indici analitici, indispensabili per la consultazione.

Questa breve sintesi del contenuto del manuale mostra in che modo se ne possa servire uno studioso di storia della lingua italiana. Tutta la parte relativa al latino classico, al latino volgare, al sostrato prelatino e al superstrato risulta essere patrimonio necessario anche per chi si occupi della formazione della nostra lingua, in quanto si tratta, per così dire, delle premesse. La parte che segue, relativa alla storia delle varie lingue romanze, comprende anche quella dell'italiano. Tagliavini tratta questa materia da maestro, e ad essa si ricorrerà soprattutto per la parte antica, relativa alla formazione del nostro idioma. Ma molto più spesso ricorreremo a questo manuale esemplare per attingere informazioni sulle lingue 'sorelle' dell'italiano, per verificare analogie e differenze. Si noti che alcune di queste 'sorelle' sono tutt'ora parlate da comunità numerose anche nel territorio dell'Italia, come accade al sardo, alle parlate provenzali, franco-provenzali e ladine. Tanto più, quindi, sarà utile consultare queste sezioni in vista di una miglior conoscenza di quella che si può definire, con riferimento all'area geografica, una 'linguistica italiana'.

Un manuale assai originale per il taglio e molto maneggevole è l'*Introduzione alla filologia romanza* (poi, con ampliamenti, *Nuova introduzione alla filologia romanza*) di Lorenzo Renzi, pubblicata dal Mulino di Bologna. L'autore dichiarò esplicitamente fin dalla prima edizione di aver voluto scrivere «un manuale meno noioso e più moderno» di quelli in uso. La modernità consiste soprattutto nelle prospettive di linguistica e nell'attenzione per la storia delle idee linguistiche del passato, dall'antica Grecia ad oggi. Ovviamente un libro del genere, di scorrevole lettura, pur mettendo in luce molti problemi critico-metodologici, offre alla consultazione meno materiale del Tagliavini.

1.2. La filologia italiana e la paleografia

La filologia italiana è la disciplina specializzata nell'edizione dei testi di area italiana, e soprattutto (ma non in maniera esclusiva) dei testi antichi. In realtà la preferenza per la fase cronologica antica è un dato di fatto, non certo una condizione stabilita a priori: anche l'edizione di un'opera di Leopardi o quella di un autore novecentesco è senz'altro un contributo di filologia italiana. Un autore o un testo moderno e contemporaneo possono essere oggetto delle attenzioni del filologo, e possono essere corredati di apparato critico, con le indicazioni delle varianti d'autore o delle varianti di edizione. Anzi, in certi casi le opere degli autori contemporanei possono porre non facili questioni testuali, ciò che accade per scrittori noti al grande pubblico, come Tomasi di Lampedusa o Beppe Fenoglio.

Lo storico della lingua è per forza di cose molto attento ai testi, ai loro caratteri linguistici particolari, i quali viceversa vengono a volte posti in secondo piano nell'analisi del critico letterario o dello storico della letteratura. Perciò l'analisi dello storico della lingua è resa impossibile dalla mancanza di edizioni affidabili: in questo caso si rischia di costruire le tesi storico-linguistiche su di un terreno franoso. Un esempio macroscopico del condizionamento esercitato dalle conoscenze filologiche sulle teorie linguistiche e sulle ipotesi storiche può essere indicato nelle interpretazioni date nel corso dei secoli alla lingua della scuola poetica siciliana: fino a che non ci si rese conto della manomissione subita da quei componimenti poetici (cfr. VI.1), non fu possibile ricostruire in maniera esatta il primo capitolo del nostro linguaggio letterario; anzi, furono elaborate teorie infondate, come quella di Perticari (cfr. I.1.6).

A parte il caso della lingua dei poeti siciliani, lo storico della lingua, se non è egli stesso un filologo, deve almeno essere in grado di maneggiare le edizioni critiche e giudicare la qualità della loro realizzazione. Inoltre, mentre fino a poco tempo fa il concetto stesso di 'filologia' si identificava con lo studio della tradizione manoscritta, oggi si parla sempre più frequentemente di 'filologia dei testi a stampa' (talora chiamata "bibliografia testuale", calco sull'inglese *textual bibliography*), in riferimento alla tradizione testuale così come si è venuta trasmettendo dalla fine del Quattrocento in poi (cfr. III.10, Stoppelli [1987], Trovato [1991] e Sorella [1998]). Si aggiunga che lo studio dei testi popolari, orali o stampati, rende ancora più complesso e variegato l'interesse per le questioni filologiche. Nel caso dei testi popolari, infatti, la tradizione del testo avviene per via orale, o attraverso canali difficili da individuare, ciò che pone problemi irrisolvibili con il metodo tradizionale di ricostruzione degli 'stemmi', cioè degli 'alberi genealogici' che rappresentano graficamente la tradizione dei testimoni (così si chiamano manoscritti e stampe che hanno trasmesso un testo). Chi pratica la storia della lingua, dunque, anche al semplice livello di studente universitario, dovrà aver familiarità con un buon manuale di filologia italiana, e dovrà sapervi ricercare le nozioni che gli saranno all'occorrenza utili. A questo fine vari sono gli strumenti a cui ricorrere: l'*Introduzione agli studi di filologia italiana* di Alfredo Stussi [cfr. Stussi 1994], il *Manuale di filologia italiana* di Armando Balduino [cfr. Balduino 1979] e *Come si legge un'edizione critica* di Inglese [1999].

Questi manuali si differenziano tra loro prima di tutto nella mole: più agili sono i libri di Stussi [1994 e 2002] e di Inglese [1999], più ampia la trattazione di Balduino. L'opera di Stussi [1994] è probabilmente quella a cui gli studenti che frequentano i primi corsi di Storia della lingua italiana ricorreranno con maggiore facilità, in considerazione del taglio particolare di questo libro, che riesce a conciliare la massima chiarezza con il massimo rigore scientifico. Stussi [1994: 7] osserva che il suo libro (continuando sulla linea della precedente edizione: cfr. Stussi [1988]), è rivolto «a quanti, inesperti o del tutto ignari di problemi e metodi filologici, desiderano averne un panorama sommario». L'autore sottolinea inoltre un fatto che anche a noi pare di assoluta preminenza: un po' di cultura filologica è assolutamente necessaria per tutti coloro che si occupano di storia della lingua e di letteratura, perché senza dati certi e senza buone edizioni dei testi ogni discorso lin-

guistico-letterario rischia di scivolare verso approssimazioni grosso-
lane. Nel libro di Stussi è compreso un capitolo di *Premesse linguistiche* (con nozioni di grammatica storica), ed è aggiunta un'appendice finale su *Metrica e critica del testo*. Tutti i manuali citati
illustrano la trasmissione dei testi e i criteri di edizione, offrendo
fra l'altro alcuni facsimili tratti da edizioni importanti.

Chi si occupa di testi antichi, soprattutto di quelli precedenti
l'età della stampa, dovrà per forza acquisire conoscenze nel campo
della "paleografia", lo studio della scrittura, che non si limita al
periodo più antico, poiché anche dopo l'avvento della stampa si è
continuato in molte occasioni a scrivere a mano, e inoltre la stampa si è spesso ispirata alla scrittura manuale, da cui ha ripreso
forme e caratteri. La paleografia può essere definita, usando le parole di Petrucci [1989: 17] «la disciplina che studia la storia della
scrittura» (e in particolare della scrittura a mano) nelle sue differenti fasi, le tecniche adoperate per scrivere nei diversi periodi, il
processo di produzione di testimonianze scritte, così come si è
svolto nelle differenti epoche, e infine i prodotti stessi di questo
processo, siano essi costituiti da libri o da iscrizioni, da documenti
o da scritti di natura individuale e privata (conti, appunti, lettere
ecc.), nel loro aspetto grafico. Il paleografo, dunque, deve prima
di tutto saper riconoscere e leggere le scritture antiche, deve interpretare le loro abbreviazioni. Chi si accosta per la prima volta a
questa disciplina, di contenuto assai specialistico, potrà utilizzare i
manuali di iniziazione di Petrucci [1989] o di Cencetti [1978].
Per verificare come la paleografia non sia utile solo per accostarsi
ai testi più antichi, ma ci aiuti utilmente nello studio della lingua,
si legga infine Bartoli Langeli [2000].

Riprendendola in forma ridotta da Inglese [1999: 23] (che a
sua volta lo ricava dal manuale di Petrucci) riporteremo qui sotto
una tavola riepilogativa dei principali tipi di scrittura usati in Italia dal Medioevo al Rinascimento. La prima è la scrittura *gotica*,
che non ha nulla che fare con gli antichi goti, ma si diffuse in
Italia nel XII-XIII sec., dopo che si fu stabilizzata nella Francia
del XII. Il nome di *gotica* è «un riflesso del disprezzo con cui
questa scrittura fu guardata dagli Umanisti, i quali, contrapponen-
dola alla loro *littera antiqua*[1] [...], la consideravano barbara, e le
dettero il nome di uno dei popoli nei quali essi vedevano i fattori principali della caduta della civiltà antica» [Cencetti 1978:
122-23]. La scrittura *gotica* usata dai primi umanisti, come Petrarca e Boccaccio, ha già un disegno meno rigido, più arrotondato,
per cui si usa definirla con il nome di *semigotica*. Mentre la scrittura *gotica* serviva per scrivere libri, la scrittura comune corsiva

---

[1] La *littera antiqua* è la scrittura *umanistica*, modellata su esempi di scrittura
più antichi della *gotica*, nel tentativo di andare più indietro del Medioevo, fino a
raggiungere la scrittura dei romani: in realtà, però, gli Umanisti prendevano a
modello la scrittura *carolina*, dell'epoca di Carlo Magno.

del Due e Trecento è la *minuscola cancelleresca*, adatta in particolare ai documenti notarili (non in maniera esclusiva: fu usata talora anche per i libri). La *mercantesca*, invece, di livello meno colto, è la scrittura corsiva che si trova nei quaderni di conti, nelle lettere di cambio, cioè nei documenti tipici della vita e dell'attività mercantile, espressione della borghesia imprenditoriale cittadina. Nel Quattrocento, infine, comparve l'*italica*, elegante e raffinata, passata poi alla stampa (con il *corsivo aldino*, del tipografo Aldo Manuzio) e divenuta il nostro corsivo tipografico (ancora oggi in inglese il corsivo si chiama *italic*).

Gotica	
Minuscola canc.	
Mercantesca	
Semigotica 1ª e 2ª maniera	
Umanistica	
Umanistica corsiva	
Italica	

2. La dialettologia italiana

I rapporti tra la storia della lingua e la storia dei dialetti sono strettissimi nella tradizione italiana. Nella fase più antica, prima della stabilizzazione della lingua letteraria e del trionfo del toscano, le varie parlate italiane furono su di un piede di parità, e tutte poterono ambire al primato letterario. Poi il toscano affermò la sua supremazia, ma i volgari di altre regioni furono usati anche a livello colto, letterario o extraletterario. Come vedremo in II.3.2, una grammatica storica dell'italiano è per forza di cose strettamente connessa con lo studio dei dialetti. Si aggiunga che l'italiano scritto (non solo quello parlato) si presenta spesso intriso di elementi dialettali (cfr. III.1 e IV.4), e che la diffusione dell'italiano parlato non ha dato luogo a una lingua omogenea e unitaria, ma a una serie di 'italiani regionali' in cui l'elemento locale si è fatto sentire a livello fonetico, lessicale, sintattico (cfr. III.4.3, IV.3 e XIV.5). La conoscenza dei dialetti, antichi e moderni, è dunque utile per seguire gli sviluppi della lingua italiana, mantenendo l'analisi concretamente agganciata alla situazione reale dei parlanti (si veda, per questa prospettiva, l'ottima sintesi di Cortelazzo [1980], e anche le osservazioni contenute in II.3.2).

Una guida ai vari aspetti dello studio scientifico dei dialetti è l'*Avviamento critico allo studio della dialettologia italiana* di M. Cortelazzo [cfr. Cortelazzo 1969 e 1972]. Un nuovo manuale di avviamento alla dialettologia, intitolato *Fondamenti di dialettologia italiana*, è stato pubblicato da Laterza editori di Bari, a cura di C. Grassi, A.A. Sobrero e T. Telmon [cfr. Grassi-Sobrero-Telmon 1997]. Esso si apre con la definizione del concetto di "dialetto" e con un profilo di storia degli studi dialettologici in Italia, e prosegue poi con la classificazione dei dialetti italiani, con la descrizione del loro uso nella società attuale, con la presentazione dei metodi e degli strumenti della moderna dialettologia.

Per avere informazioni specifiche sui dialetti delle regioni italiane, si possono consultare i volumetti della collana *Profilo dei dialetti italiani*, curata da M. Cortelazzo, stampata da Pacini editore di Pisa. Sono usciti i volumi relativi alle seguenti aree regionali: Piemonte e Valle d'Aosta, Lombardia, Veneto, Friuli, Toscana, Lunigiana, Umbria, Abruzzo, Puglia-Salento, Lucania, Calabria, Sardegna, Corsica. Tale collana comprende anche una specifica *Carta dei dialetti d'Italia* realizzata da G.B. Pellegrini. Si tratta di una rappresentazione cartografica delle aree dialettali, commentata da un volumetto apposito. La carta dei dialetti è stata ripresa da Bruni [1987] (stampata come allegato al volume) e da Holtus *et al.* [1989]. La collana *Profilo dei dialetti italiani* comprende inoltre volumi un po' eccentrici rispetto al tema centrale, ma di grande interesse specifico, cioè la descrizione del giudeo-italiano e dei dialetti degli zingari italiani [cfr. Soravia 1977 e Massariello Merzagora 1977]. Quanto al giudeo-italiano, si tratta della lingua impiegata dagli ebrei in Italia dal Medioevo fino all'Otto-Novecento, diversa per varietà che attingono all'ebraico, ma anche al dialetto locale e all'italiano (tra esse spicca il giudeo-romanesco).

Per lo studio dei dialetti sono inoltre fondamentali gli atlanti linguistici, che consistono in rappresentazioni cartografiche della distribuzione spaziale di parole, forme, costrutti, espressioni, fenomeni fonetici. Per realizzarli è necessario condurre lunghe e meticolose inchieste sul territorio che si vuole descrivere. Fissata una 'griglia', cioè una rete di punti di osservazione, il dialettologo (o meglio l'*équipe* di dialettologi) visita le località scelte, interrogando una serie di informatori appositamente selezionati tra coloro che danno maggiori garanzie di conoscere il dialetto autentico del luogo. Le informazioni raccolte vengono elaborate in una fase successiva, e vengono portate su carta geografica. Tutte le grandi nazioni romanze hanno il loro atlante linguistico. Il primo ad essere pubblicato è stato quello della Francia, nel 1902-1922. Per l'area italiana si consulta soprattutto l'*AIS*, lo *Sprach- und Sachatlas Italiens und der Südschweiz*, Atlante linguistico dell'Italia e della Svizzera meridionale, detto anche l'«Atlante linguistico Italo-Svizzero», di K. Jaberg e J. Jud, uscito in otto volumi tra il 1928 e il 1940. Oltre al territorio elvetico meridionale, questo atlante comprende anche la nostra penisola[2]. È finalmente iniziata la pubblicazione dell'*ALI*, *Atlante linguistico italiano*, ideato da Matteo Bartoli prima della guerra. Le inchieste sul terreno si erano concluse nel 1964.

3. La grammatica storica

3.1. Definizione e nascita della grammatica storica

La storia della lingua non si identifica certamente con la grammatica storica, né si risolve interamente in essa, ma lo storico della lingua ha assoluta necessità di padroneggiare le nozioni di questa branca del sapere. La grammatica storica, a differenza di quella normativa, non dà le regole della lingua in atto, ma, mettendo a confronto fasi diacroniche diverse, chiarisce lo sviluppo della fonetica, morfologia e sintassi della lingua, a partire dalla sua formazione dal latino, e ne segue via via gli sviluppi. La formazione della lingua, con speciale riferimento alle trasformazioni del latino, lingua-madre dell'italiano, è dunque primario oggetto di studio per la grammatica storica (cfr. V.2).

La grammatica storica, in quanto disciplina autonoma, si è svi-

---

[2] Per un esempio, si pensi alla carta della parola *rastrello* dell'*AIS*: in essa si trovano tutte le denominazioni di questo attrezzo raccolte nell'area italiana e nella Svizzera meridionale. Una carta del genere si presta a diverse letture: si possono riconoscere fenomeni fonetici, confini tra aree e parlate diverse, e anche si possono ricavare informazioni su usi e tradizioni (la forma dell'attrezzo, ad esempio, può cambiare da luogo a luogo: l'atlante linguistico, corredato di apposite figure, può essere dunque uno strumento di ricerca etnografica). È chiaro che un atlante linguistico è uno strumento di eccezionale utilità per chi studi i dialetti, in quanto da esso si ricava un'immagine viva e immediata della sincronia linguistica, nella varietà dell'uso.

luppata nel clima del Positivismo della seconda metà dell'Ottocento, nella grande stagione della linguistica scientifica, quando si è stati in grado di riconoscere le 'regole' della trasformazione linguistica: si è potuto così verificare che le lingue non cambiano a caso nel corso del tempo, ma nel cambiamento si riconosce (o si pretende di riconoscere) un ordine, una serie di vere e proprie 'norme'. Risalgono a quell'epoca i primi esempi di grammatica storica dell'italiano, e in particolare l'*Italienische Grammatik* dello svizzero Meyer-Lübke (1861-1936), professore a Jena, Vienna e Bonn, uscita nel 1890. Gli studi di grammatica storica di Meyer-Lübke furono tradotti in italiano e si diffusero anche da noi, come strumento di lavoro e di ricerca universitaria [cfr. D'Ovidio-Meyer-Lübke 1919 e Meyer-Lübke 1979].

3.2. La «Grammatica storica della lingua italiana e dei suoi dialetti» di Gerhard Rohlfs

La grammatica storica più comunemente usata dagli studiosi di oggi, relativamente all'area italiana, è anch'essa opera di uno specialista tedesco, Gerhard Rohlfs. La grammatica di Rohlfs, opera ammirevole e frutto di una somma straordinaria di conoscenze, rivela fin dal titolo il suo taglio particolare. Essa è infatti una *Grammatica storica della lingua italiana e dei suoi dialetti.* Si noti il riferimento ai 'dialetti': l'attenzione dell'autore non va al solo toscano, né alla sola lingua letteraria, ma si estende alle viventi parlate popolari della penisola (emerge dunque il contributo della dialettologia: cfr. II.2). I dati forniti da questo libro sono di una tale ricchezza che esso risulta essere uno degli strumenti che occorre tenere maggiormente a portata di mano, assieme alla *Storia* di Migliorini.

Gerhard Rohlfs iniziò il lavoro per la sua *Grammatica* nel 1940. Alle spalle aveva una profonda conoscenza dei dialetti dell'Italia meridionale, avvicinati *in loco* in una serie di viaggi tra il 1921 e il 1939. Nel 1940-1942 egli approfondì la conoscenza della Toscana e dell'Umbria. L'esperienza delle parlate di area extratoscana è fondamentale in un libro del genere, come avverte l'autore nella *Prefazione*: «La presente grammatica è concepita in modo da trattare dettagliatamente, a fianco della lingua letteraria e del toscano, anche i dialetti del Nord e del Sud, seguendo sotto questo aspetto la grande concezione che già informò quella del Meyer-Lübke». Ma se «la grammatica del Meyer-Lübke era principalmente basata, come fonti da lui utilizzate, sui testi antichi pubblicati fino ad allora», l'opera di Rohlfs «si è potuta basare sulle ricerche dialettali, che al giorno d'oggi sono a nostra disposizione in quantità molto maggiore» [Rohlfs 1966-1969: XXII-XIII]. È insomma una sorta di conciliazione del metodo storico e del metodo geografico, metodo, quest'ultimo, che aveva già portato alla compilazione degli atlanti linguistici, in particolare del grande *AIS* (cfr. II.2). La prima edizione della *Grammatica* di Rohlfs uscì appunto in Svizzera, a Berna, in lingua tedesca (1949-1954). Nel 1966-1969 è stata allestita la traduzione italiana, in occasione della quale il testo è stato riveduto e aggiornato.

L'edizione italiana del 1966-1969 è dunque preferibile all'edizione originale; si presenta in tre volumi, rispettivamente dedicati a *Fonetica, Morfologia, Sintassi e formazione delle parole*, ciascuno corredato di un indice analitico, utilissimo per accedere ad una materia così vasta. Tale indice raccoglie tutte le parole citate nel testo, sia italiane sia dialettali, oltre ai nomi geografici e ai nomi di persona. I rinvii interni sono indicati per paragrafo (non per numero di pagina), ed è comune da parte degli studiosi citare questo libro sempre secondo il rinvio al paragrafo (la numerazione dei paragrafi è progressiva in tutta l'opera, e non ricomincia ad ogni volume).

Per dare un'idea della struttura dei paragrafi della *Grammatica* di Rohlfs, seguiremo l'esposizione relativa alla *Conservazione e degeminazione delle consonanti geminate* [cfr. Rohlfs 1966-1969: I.229]. È un tema che scegliamo a caso tra i tanti, semplicemente per il fatto che si tratta di un paragrafo tra i più brevi, e dunque tra i più facili da sintetizzare. Per prima cosa l'autore ci informa che le consonanti doppie si conservano in Toscana e in Italia meridionale, mentre sono scempiate nei dialetti settentrionali. Segue un'esemplificazione di voci dialettali del lombardo, del ligure, del veneziano. A questo punto si passa alla tradizione scritta colta, e vengono menzionati due autori settentrionali, il quattrocentista Boiardo, il quale ha usato forme come *disfato* 'disfatto', *fole* 'folle' ecc., e l'Ariosto (*alora* 'allora', *fatura* 'fattura' ecc.). Esaurito questo rapido quadro generale, ad un tempo geografico-dialettologico e storico, Rohlfs approfondisce il discorso, osservando che l'area settentrionale in cui sono sconosciute le consonanti doppie continua a sud degli Appennini in zone marginali rispetto alla Toscana, come la Garfagnana, la Versilia, le Marche, l'Umbria settentrionale. Vengono date quindi informazioni di prima mano («ho notato io stesso...» – scrive Rohlfs) sulla degeminazione nelle parlate della Corsica. Viene quindi affrontato il problema della datazione del fenomeno, e l'autore afferma che si tratta di un fatto relativamente recente, non ancora concluso nel sec. XII. Il ragionamento proposto per stabilire tale datazione poggia in buona parte sull'evoluzione subita dalle parlate di origine gallo-italica presenti in alcune località dell'Italia meridionale: come si vede, è dunque ancora il riscontro dialettologico a suggerire una deduzione di tipo storico. In questo breve paragrafo scelto come esempio del metodo di Rohlfs abbiamo visto quindi entrare in gioco la geografia linguistica (distribuzione spaziale dei fenomeni), la dialettologia, e anche (seppure in posizione marginale) la tradizione scritta, rappresentata dagli autori letterari.

3.3. Altre grammatiche storiche dell'italiano

Tra le opere più note del genere, va ricordata la grammatica storica di P. Tekavčić, nata da una serie di corsi universitari tenuti a Zagabria negli anni Sessanta [cfr. Tekavčić 1972]. L'autore ha battuto una strada diversa da quella di Rholfs, cercando di realizzare una trattazione aggiornata con le scoperte della moderna linguistica. L'analisi sincronica e quella diacronica si alternano e si affiancano dunque senza rivalità, anche a prezzo di un certo eclettismo. Un libro come quello di cui stiamo parlando può dare tuttavia qualche problema al lettore alle prime armi, e inoltre non è facilmente reperibile, essendo uscito di catalogo. Chi si accosta per la prima volta ad una materia come questa, indubbiamente caratterizzata da un forte contenuto tecnico, se vorrà essere facilitato, potrà utilizzare uno strumento ben più snello, quale Serianni [1998] o D'Achille [2001]. Il libro di D'Achille, uscito nelle agili "Bussole" dell'editore Carocci di Roma, si caratterizza, come tutte le altre opere di questa collana, per la sua attenzione a un pubblico studentesco, nel quale non vengono presupposte conoscenze specifiche. L'autore presenta il suo manualetto come un «compendio» e dichiara che l'attenzione è andata soprattutto alla fonetica e alla morfologia, piuttosto che alla sintassi e al lessico, temi pur presenti, ma trattati in maniera più veloce, secondo l'impostazione tradizionale, del resto, qui assunta con piena fiducia in funzione degli obiettivi didattici propri dell'opera. Si tratta insomma di un libro molto chiaro, assai leggibile ed efficace, la cui dimensione (poco più di cento pagine a stampa) ricorda la virtù sintetica di certi aurei manuali del passato, come quello di Meyer-Lübke [1979] o, ancor meglio, di D'Ovidio-Meyer-Lübke [1919]. Analogo è Patota [2002].

Anche l'*Introduzione alla lingua poetica italiana* di Serianni [Serianni 2001b], benché non sia una vera grammatica storica, può essere utile a chi si occupi in maniera tecnica dell'evoluzione delle forme dell'italiano. Si tratta infatti di un vero "profilo grammaticale" dell'italiano poetico, articolato nelle sezioni della *Fonetica* e della *Morfologia e microsintassi* (la *microsintassi* si riferisce a fenomeni sintattici minimi, non alle strutture più ampie e complesse). In questo libro, tanto per fare un esempio, si trova, fra i tanti argomenti, una sistematica trattazione dell'alternanza tra le forme dittongate e non (*core/cuore*, *breve/brieve*), e una storia dell'uso degli articoli, *il, lo, 'l, i, gli, li*: il riferimento va, sì alla poesia, ma poiché la poesia rappresenta buona parte della tradizione italiana, di fatto questo libro ci serve altrettanto bene come una grammatica storica, nonostante il suo taglio particolare. Anzi, qui c'è un vantaggio: l'attenzione non va solo alla fase di formazione dell'italiano, alla sua nascita dal latino (questo è di solito il campo preferenziale della grammatica storica), ma va anche ai secoli successivi, cioè si dà conto dello sviluppo storico delle forme grammaticali.

Nel 2000 è uscito il I volume, attesissimo, della grammatica storica di Arrigo Castellani, un maestro riconosciuto degli studi linguistici, specialista formidabile del periodo più antico [cfr. Castellani 2000]. Si tratta, per ora, di una *Introduzione* di circa 600 pagine. Così l'ha voluta nominare l'autore, quasi provocatoriamente. I temi dominanti di questo I volume, opera di altissima qualità e di grande rigore, sono la formazione dell'italiano, il latino volgare e il latino classico, l'influsso galloromanzo e quello germanico sulla formazione della nostra lingua, le parole venute d'oltremare (come gli arabismi), le varietà toscane nel Medioevo (le caratteristiche, cioè, non del solo fiorentino, ma di lucchese, aretino, senese, pisano ecc.). Di particolare interesse è la parte finale del volume, in cui si parla della formazione della lingua poetica italiana delle origini, tenendo conto di alcune recenti scoperte di testi, operate da Stussi [1999a e 1999b]. Anche noi, in seguito, dovremo parlare di questi componimenti, risalenti alla fine del XII o all'inizio del XIII sec., i quali aprono prospettive nuove e affascinanti. Dopo la presentazione dello scopritore [cfr. il citato Stussi 1999a e 1999b], questa è stata la prima sistematica disamina della difficile materia.

4. La grammatica descrittiva e normativa

4.1. La storia della grammatica

La grammatica non nasce prima delle lingue e prima che le lingue stesse abbiano espresso una tradizione letteraria (cfr. III.7). I grammatici, anzi, non fanno altro che formalizzare e rendere 'ufficiale' quanto in genere si è già affermato per altra via. Ciò è accaduto anche in Italia, dove la teorizzazione grammaticale cinquecentesca ha stabilizzato e ufficializzato il successo dei tre grandi autori del Trecento, Dante, Petrarca e Boccaccio. In seguito si sono affermate, non senza contrasti vivaci, tendenze grammaticali più favorevoli a riconoscere il ruolo del parlato toscano e l'egemonia di Firenze, in modo da non limitare alla sola letteratura l'autorevolezza in campo grammaticale. Tutte queste discussioni fanno parte della 'questione della lingua' (cfr. I.3.7), che è anche una 'questione grammaticale'. La storia della grammatica, dunque, vede succedersi una serie di proposte diverse, pur nella sostanziale affermazione del modello toscano-letterario. Per seguire lo svolgersi di questa tematica, come già abbiamo detto in precedenza, si può leggere il relativo capitolo della *Storia della lingua* diretta da Serianni e Trifone, stampata dall'editore Einaudi (cfr. I.4.3), anche se resta pur sempre necessario il ricorso alla *Storia della grammatica italiana* di Ciro Trabalza [cfr. Trabalza 1908], metodologicamente non adeguata alle esigenze moderne, ma molto ricca di dati. In pratica a tutt'oggi questo resta il manuale fondamentale di consultazione per la storia della grammatica italiana. Il libro è un frutto della scuola positiva della seconda metà dell'Ottocento, anche se nell'*Introduzione* l'autore pagava il suo tributo al pensiero del filosofo Benedetto Croce, che aveva dichiarato la dissoluzione della linguistica nell'estetica e l'annullamento del valore scientifico della grammatica, ridotta a puro strumento empirico e didattico (Trabalza si trovava insomma nella condizione di scrivere la storia di qualche cosa a cui si attribuiva in quel momento ben poco valore, e dunque, facendo buon viso a cattiva sorte, tentava di giustificare le ragioni del proprio lavoro in chiave idealistica e desanctisiana).

4.2. Grammatiche dell'italiano: Battaglia-Pernicone e Serianni

Sono molte le autorevoli grammatiche della nostra lingua. Anche limitando la rassegna a quelle uscite nel Novecento, una puntuale analisi porterebbe via troppo spazio. Ci limiteremo dunque a indicare un paio di esse, scelte tra quelle non destinate alla scuola, utilizzabili con sicurezza come strumenti di consultazione, per risolvere dubbi e per approfondire le nozioni che si trovano in qualunque grammatica scolastica[3]. Ogni ricerca del genere dovrà tener conto di Serianni [1988]. Quest'opera, la cui collocazione editoriale originale è nella serie di volumi che si affiancano al dizionario Battaglia della casa editrice torinese UTET (cfr. II.5.1), è molto ricca, equilibrata nei giudizi, autorevole: la sua autorevolezza deriva dal fatto che si tratta di una grammatica di alto livello, scritta da un linguista, il quale non ha voluto rinunciare a fornire delle norme e delle indicazioni pratiche. Come vedremo tra poco, la linguistica moderna evita per quanto possibile di assumere un atteggiamento rigidamente normativo, quale era proprio dei grammatici del passato. Molto spesso, infatti, dietro atteggiamenti puristici e normativi si celano semplicemente preferenze personali e scelte di gusto, che nulla hanno che fare con la linguistica. Il linguista, anzi, ritiene oggi che suo compito primario sia il 'descrivere'. Ai suoi occhi sono interessantissimi i casi di interferenza tra codici, e quindi le commissioni di italiano e dialetto, tra le quali rientrano molti comuni 'errori'. Il punto di vista della linguistica, dunque, non si concilia facilmente con quello della grammatica

---

[3] Alcune delle grammatiche scolastiche sono testi di prima qualità, pur nella loro mole ridotta. Basti ricordare Migliorini [1941], la *Grammatica per parole* (Padova, Liviana, 1984) e Dardano-Trifone [1985 e 1997].

normativa, la quale ha tradizionalmente la funzione di suggerire (o imporre) all'utente delle scelte di lingua e di stile. Serianni ha saputo ricucire queste due anime della linguistica, l'anima moderna e l'anima antica, e l'ha fatto con una sapienza davvero notevole. Inoltre ha inserito sovente delle notazioni relative all'uso linguistico del passato, tanto che si può affermare che la sua grammatica in molti casi è utilizzabile come una grammatica storica, oltre che come una grammatica descrittiva dell'italiano contemporaneo.

Prima della pubblicazione dell'opera di Serianni, era considerata molto autorevole la grammatica di Battaglia-Pernicone [1951]. In certi casi la si può ancora consultare con profitto.

4.3. La «Grande grammatica italiana di consultazione»

Il progetto di quest'opera, di Lorenzo Renzi e Giampaolo Salvi (nella fase iniziale Francesco Antinucci), risale al 1976, ed è stato realizzato con una gestazione piuttosto lunga, durata più di dieci anni (il primo volume è uscito nel 1988). È da notare che la *Grande grammatica* è il prodotto di un lavoro di *équipe*, che vede l'intervento di un notevole numero di specialisti, anche appartenenti alle generazioni più giovani. La *Presentazione* di Renzi, coordinatore e direttore dell'iniziativa, giustifica questa grammatica, spiegandone con chiarezza la differenza sostanziale rispetto a tutte le altre. In effetti occorre aver ben chiaro che essa si diversifica dalle normali opere descrittive e normative, e si ispira a criteri culturali assai innovatori e ambiziosi. Renzi, infatti, traccia un panorama della produzione grammaticale in Italia nel Novecento, notando la povertà nella produzione di questo genere nel periodo tra le due guerre, la scarsa innovatività metodologica, e soprattutto sottolineando il danno prodotto dalla condanna del filosofo Benedetto Croce, per il quale la grammatica non aveva alcuna dignità filosofica, ma era semplicemente uno strumento didattico ed empirico. La condanna crociana distolse i migliori ingegni dal coltivare la linguistica e dall'interessarsi di grammatica, e questa situazione si trascinò (secondo Renzi) fino alla rinascita della linguistica, avvenuta attorno agli anni Sessanta.

La *Grande grammatica* si differenzia da quelle tradizionali già nella struttura: la trattazione comincia con la frase, e poi scende via via alle parti del discorso, anziché muovere dalle parti del discorso più semplici per procedere verso la frase. Si è qui partiti dall'idea che la nostra conoscenza dei fenomeni si esplica attraverso la distinzione delle frasi dalle non-frasi, cioè nella distinzione tra ciò che è *grammaticale* e quindi *accettabile*, e ciò che non lo è. In molti casi, dunque, questa grammatica prova a 'sforzare gli esempi', per vedere quando essi trapassino il limite della grammaticalità: «Non si può dire che cosa c'è nella lingua senza dire nel dettaglio anche che cosa non c'è, così come dire quali oggetti possano volare o galleggiare vorrà certo anche saper dire quali non possono volare o galleggiare, e perché» [Renzi 1988-1995: I.19]. Possiamo dare un esempio di questo modo di procedere, caratteristico dell'opera di cui stiamo parlando. Quando viene enunciata la regola secondo la quale «un pronome riflessivo [...] non può trovarsi nella posizione di soggetto della frase (o dentro a un Sintagma Nominale in posizione di soggetto)», subito vengono fornite due frasi esemplificative, precedute da un asterisco, che indica la loro 'inaccettabilità' o 'agrammaticalità':

a.*Se stesso ha lodato Mario.
b.*Una parte di se stesso ha confessato a Carlo la verità[4].

L'uso di esempi con asterisco come quelli che abbiamo or ora riportati è frequentissimo nella *Grande grammatica*. Queste premesse sono importanti per mettere in evidenza il problema degli 'errori', e il tipo di trattazione loro dedicato; il punto di vista di questa grammatica è molto diverso da quello tradizionale, perché è ispirato esclusivamente a criteri linguistici, mai a criteri normativi o puristici. L'errore è un elemento che il linguista prende in considerazione con grande interesse. Mentre il grammatico tradizionalista si limitava a condannare le forme ritenute scorrette, giudicando in nome dei modelli e delle autorità che riteneva canoniche, il linguista, per contro, si preoccupa di spiegare l'uso della lingua, ai vari livelli, segnalando anche in molti casi l'esistenza di varianti regionali[5]. Basti, per comprendere questo concetto, prendere atto di quanto dice Renzi: «Le forme considerate 'scorrette' dalla sensibilità grammaticale di tutti o di alcuni sono forme effettivamente usate, o altrimenti nessuno penserebbe di giudicarle tali. Queste forme, in quanto esistenti, non potevano non venir registrate in questa grammatica, naturalmente in modo ben distinto da quelle *agrammaticali*. [...] Così le forme 'scorrette', ma realmente usate, *A me mi piace*, *A me mi sembra* vengono esaminate nella loro struttura, e l'autrice[6] [...] riesce anche a spiegare il perché della vitalità di queste forme pur combattute dalla norma» [Renzi 1988-1995: I.20].

Il riferimento alla «consultazione» che ricorre nel titolo della *Grande grammatica* va dunque inteso in un senso che non è affat-

---

[4] Cfr. Renzi [1988-1995: I.599].

[5] Ad esempio, dopo aver avvertito che «le particelle indicative di vicinanza come *qui, qua, quassù, quaggiù* non possono occorrere con il dimostrativo che non ha questa proprietà, cioè con *quello*», viene segnalato che «nella varietà regionale della Lombardia sono possibili forme come *quello qui*» [Renzi 1988-1995: I.622].

[6] Renzi parla di «autrice» riferendosi a Paola Benincà, che ha scritto il capitolo in cui si tocca questo problema specifico: non si dimentichi che la *Grande grammatica* è opera d'*équipe*.

to quello usuale: un lettore alla ricerca di una grammatica di tipo tradizionale, alle prese ad esempio con un banale dubbio grammaticale, troverà (forse) la risposta cercata anche sfogliando quest'opera, ma ciò gli costerà certo molto tempo e fatica. Meglio, dunque, orientarsi in questo caso verso altre grammatiche, ad esempio verso Battaglia-Pernicone [1951] o Serianni [1988] (cfr. II.4.2). Se invece si è mossi da un interesse scientifico profondo per l'applicazione alla lingua italiana di moderne tecniche di analisi, allora l'opera diretta da Renzi è insostituibile, purché ci si renda conto che si tratta di un libro di uso avanzato, non molto adatto ai principianti. È quanto del resto viene fatto notare da Renzi stesso: «Qualche lettore si attenderà una lettura facile e piana, dei chiarimenti ai suoi dubbi, o un aggiornamento indolore alla linguistica moderna e ai suoi effetti. A quel lettore promettiamo lagrime e sangue. Questa *Grammatica* si vuole divulgativa, ma al tempo stesso scientifica, e non può e non vuole alleviare la fatica al lettore di penetrare un organismo complesso, se non per quanto si può fare senza sacrificare questa complessità. Quella che abbiamo voluto fare è una grammatica specialistica, completa e rigorosa dell'italiano. Speriamo che a partire da essa, e certo non passivamente, si possa semplificare ancora, ad uso dei ragazzi, delle scuole, del lettore comune» [Renzi 1988-1995: I.23].

5. Dizionari storici e concordanze

5.1. Il "Battaglia" e la *LIZ*

Lo studioso della lingua italiana, è ovvio, fa largo uso di strumenti di consultazione fondamentali quali sono i dizionari. Per le sue esigenze di ricerca, però, non sono sufficienti i pur ottimi dizionari «dell'uso» comunemente impiegati (anche nella scuola) per risolvere dubbi di vario tipo, per verificare il significato di parole ecc. Lo storico della lingua utilizza anche strumenti più sofisticati, di mole più grande, i quali offrono una documentazione più ricca. Tale è la funzione dei dizionari 'storici': essi non vogliono suggerire il 'miglior uso' o l'uso corrente, ma vogliono documentare l'uso di *tutte* le epoche, così come è attestato dagli esempi scritti.

Il più importante dizionario storico della lingua italiana (che non può mancare in alcuna biblioteca degna di questo nome) è quello comunemente noto come il «Battaglia», dal nome del suo fondatore, il filologo romanzo Salvatore Battaglia. Battaglia ebbe l'idea di riproporre, aggiornandolo, il più grande dizionario dell'Ottocento (e miglior dizionario di tutta la tradizione italiana), quello di Nicolò Tommaseo (cfr. XII.4.2). I primi volumi della nuova opera, uscita a partire dal 1961 (a cent'anni dalla pubblicazione del *Dizionario* di Tommaseo, e presso la stessa casa editrice, la UTET di Torino), restano strettamente legati al modello ottocentesco nella struttura delle voci, pur con il necessario aggiornamento degli esempi citati. In seguito, però, il progetto del Battaglia si è ampliato ed ha acquistato nuovo respiro, specialmente dopo che la direzione dell'opera, morto il fondatore, è passata al critico letterario Giorgio Bàrberi Squarotti. Con la direzione di Bàrberi Squarotti il *Grande dizionario della lingua italiana* (comunemente indicato con la sigla *GDLI*) ha assunto la sua fisionomia definitiva, alla quale accenneremo brevemente.

Il *GDLI*, con i suoi 20 volumi usciti fino ad ora (21 previsti in totale), è il più grande vocabolario italiano. Come abbiamo detto, la mole dell'opera è andata crescendo via via. I primi volumi sono senz'altro meno ricchi. Caratteristica del *GDLI* è la sua impostazione fortemente letteraria, costituita essenzialmente da una vastissima raccolta di esempi di scrittori: sotto ogni voce sono poste le attestazioni degli autori della letteratura italiana, in ordine cronologico, dalle origini in poi. Sono riportate sotto ogni voce e sottovoce le frasi in cui ricorre la parola posta a lemma, con rinvio in chiave all'opera da cui è tratta la citazione. Ciò rende facile risalire al contesto più ampio. L'attenzione di questo vocabolario, come abbiamo detto, non privilegia la fase antica della lingua: sono equamente rappresentati gli scrittori di tutte le epoche, compresi i minori, anche per secoli a volte trascurati, come il Seicento. Lo spazio maggiore, in proporzione, è forse quello assegnato al Novecento. Questa è una scelta innovativa, caratteristica del vocabolario torinese: gli autori contemporanei vi sono rappresentati con un'ampiezza speciale, sapientemente selezionati in base al gusto dell'attuale direttore, grande specialista della letteratura del nostro secolo. In questo modo il *GDLI*, benché abbia tutti i caratteri del vocabolario 'storico', e permetta ricerche su ogni secolo, offre tuttavia campioni rilevanti di lingua contemporanea. Il taglio dell'opera privilegia sostanzialmente l'uso letterario rispetto ad altri generi di scrittura, come quella scientifica o giornalistica. È vero però che questa scelta (che può essere avvertita come un limite) era marcata soprattutto nei primi volumi: nel corso del tempo il *corpus* su cui sono stati condotti gli spogli è cresciuto enormemente, acquisendo anche testi non strettamente letterari. In molte occasioni i linguisti specialisti hanno fatto osservare alcuni difetti o errori contenuti nei volumi del *GDLI*. Sta di fatto, però, che (difetti o no) si tratta di uno strumento insostituibile e insostituito, e tale resterà a lungo. Ad esso devono e dovranno ricorrere sia i linguisti sia gli studiosi di letteratura. Infatti certe voci del *GDLI* suggeriscono immediatamente, anche ad una prima lettura, interessanti spunti critici, in quanto permettono di verificare al primo colpo d'occhio certi rapporti tra scrittori, testimoniati dalla ripresa di lessico, ad esempio di parole rare, colte e preziose. La ripresa di una stessa parola, in secoli, epoche o scuole letterarie differenti, costituisce in molti casi una sorta di filo sul quale tessere la tela dell'interpretazione critica. Il *GDLI* permette tutto questo, dicevamo, grazie alla mole degli spogli: per verificare la consistenza della 'biblioteca' che sta dietro a questi spogli, basta scorrere la lista delle abbreviazioni usate per i rinvii delle singole voci (si tratta di un catalogo di scrittori imponente, che comprende tutta la tradizione italiana).

A scopo dimostrativo, riporteremo qui una voce del dizionario Battaglia, scelta tra quelle più brevi. Si tratta della voce *Avellana*:

Avellana, sf. Bot. Nocciuola (frutto dell'avellano).

Libro della cura delle malattie, 1-3: Gusci d'avillane arsi, bene pesti e polverizzati. *Mattioli* [Dioscoride], I-214: Le nocciuole, le quali alcuni chiamano avellane, e alcuni nocelle, furono anticamente chiamate pontiche dai Greci per essere loro state portate, come dice Plinio, di Ponto. Sono tanto le domestiche, quanto le salvatiche notissime a tutta Italia. *Domenichi* [Plinio], I-1350: Gli altri frutti di guscio son tutti di un pezzo, come le avellane, che pur vanno nel genere delle noci, le quali innanzi col nome della patria loro si domandavano ' abelline '. *Leopardi*, I-232: Un arboscello un poco più grande produce il pesco, più grande la ciriegia, la mandorla, la noce, l'avellana. *Tommaseo* [s. v.]: *Avellana*, frutto dell'avellano, e ve ne sono di due diverse varietà: la *salvatica*, che ha il frutto bislungo; la *bianca* che ha il frutto bianco; la *pistacchina* che ha il frutto rosso bislungo, di mediocre grossezza; la *grossa tonda*, ch'è di buon sapore, la *grappolata* che ha i frutti a racemo. *Panzini*, I-575: La vecchia guida, quando vedeva lamponi, avellane, mele selvatiche ne coglieva e ne portava a mia moglie. *Papini*, 21-129: Fresche avellane sbucciate / di fresco paiono i denti / tra le labbra non baciate.

2. L'albero di nocciuolo; il suo legno.

Crescenzi volgar., 5-3: L'avellane son note, delle quali certe son salvatiche, le quali nascono ne' boschi e nelle siepi, e certe sono dimestiche. *Pascoli*, 286: Qualche lagrima sgocciola dai fiocchi / delle avellane, e brilla nel cadere. *D'Annunzio*, II-563: Eri... / intento a farti archi da saettare / col legno della flèssile avellana. *Tombari*, 2-69: Si figurava d'abitare in cima alle grandi avellane, con la scorza d'argento, lisce dove nessun altro potesse arrampicarsi. Le noccioline col vento facevano tin tin come tanti campanellini.

— Lat. [*nux*] *abèllāna*, da *Abèlla* (città della Campania), da cui proveniva un'ottima qualità di nocciuole, che s'impose nel mercato. Cfr. *Isidoro*, 17-7-24: « Abellanae ab abellano Campaniae oppido, ubi abundant, cognominatae sunt. Haec a Graecis Ponticae appellantur, eo quod circa Ponticum mare abundant ».

(note a margine:) Rinvio in chiave ad un'opera — Rinvio in chiave ad un autore

lemma, specificazioni grammaticali, indicazioni d'uso, significato principale — *esempi del significato n. 1* — *significato n. 2* — *esempi del significato n. 2* — *etimologia*

Come si vede, il lemma è in carattere neretto, ed è seguito dalle specificazioni grammaticali (s.f. = sostantivo femminile), quindi dalla specificazione dell'àmbito d'uso della voce: «Bot.», perché si tratta di un termine botanico. La voce è divisa in due sezioni, una per ciascuno dei due significati del termine, che può essere inteso come 'frutto' o come 'albero'. Alla fine della voce, preceduta dal segno =, sta l'etimologia del termine. Il Battaglia non è un dizionario etimologico, tuttavia porta sempre le etimologie, talora con riferimenti interessanti, benché questa non sia la sua funzione specifica, né la più importante (per le etimologie, ci si rivolgerà preferibilmente a dizionari specializzati, di cui parleremo in II.7). Il corpo della voce è occupato in massima parte dalle citazioni testuali, con i passi in cui ricorre la parola *avellana*, cronologicamente ordinati. I rinvii alle opere dei vari autori sono abbreviati mediante un'apposita chiave; per decifrarla, occorre consultare un fascicolo che accompagna l'opera, via via aggiornato man mano che cresce il numero degli autori spogliati (tale fascicolo sarà poi stampato alla fine dell'ultimo volume). Anche senza consultare tale fascicolo, già al primo colpo d'occhio si vede che la voce è stata usata non solo in opere antiche, come l'anonimo *Libro della cura delle malattie* (sec. XIV) o il volgarizzamento (= 'traduzione in volgare italiano') del *Liber ruralium commodorum* di Pier de' Crescenzi, del sec. XIV, ma anche da scrittori moderni, come Leopardi, Pascoli, D'Annunzio, Tombari, Panzini, Papini. Per identificare con esattezza la fonte della citazione qui riportata, si deve, come dicevamo, interpretare la chiave del rinvio. Ecco, per esempio, il significato del rinvio a «D'Annunzio, II-563», relativo alla «flessile avellana», così come si ricava dall'*Indice degli autori citati*:

D'Annùnzio, Gabriele (Pescara, 1863-Gardone Riviera, Brescia, 1938) [...] II-I: *Laudi del cielo, del mare, della terra e degli eroi*, Milano 1956 (*Maia* [1903]; *Elettra* [1904]; *Alcione* [1903]; *Merope* [1911-1912]; *Asterope* [1914-1918]).

Il rinvio si riferisce dunque alla p. 563 della citata edizione, della quale viene indicato sommariamente il contenuto, con la data delle singole raccolte di poesie in essa comprese. Per sapere in quale di queste raccolte e in quale singolo componimento ricorre la parola *avellana*, con il passo riportato dal dizionario, è necessario consultare direttamente il volume di riferimento.

Oltre ai vocabolari, uno strumento di ricerca lessicale molto importante è costituito dalle 'concordanze'. Si tratta di libri in cui sono raccolte tutte le parole usate da un autore, ordinate in chiave alfabetica, quasi sempre con il contesto in cui la parola stessa compare. Disponendo delle concordanze, ci si può dunque muovere agevolmente nell'opera di un autore. Molti grandi autori della letteratura italiana hanno le loro concordanze: Dante, Petrarca, Boccaccio, Leopardi, Manzoni (e novecenteschi: il D'Annunzio di *Alcyone*, Montale ecc.; si veda Savoca [1995], con concordanze di 16 autori del Novecento in un solo volume). Esse possono essere sfruttate sia per ricerche di tipo linguistico, sia per ricerche di tipo stilistico-letterario. Oggi, però, l'idea stessa di 'concordanza' è rivoluzionata dall'uso degli strumenti dell'informatica. Il *computer* permette di rintracciare una forma, una parola, una combinazione di parole, una rima, con rapidità eccezionale e senza errori. Esistono programmi in grado di realizzare facilmente le concordanze di qualunque testo introdotto nella macchina seguendo certe regole[7]. Un tempo, invece, la concordanza era il frutto di lungo lavoro manuale.

La casa editrice Zanichelli ha realizzato nel 1993 la *LIZ*, la *Letteratura italiana Zanichelli* su *cd-rom*, curata da Pasquale Stoppelli ed Eugenio Picchi (quest'ultimo responsabile della parte informatica). Si tratta di un *corpus* di eccezionale ampiezza, che è andato via via crescendo nel corso del tempo, visto che la *LIZ* è giunta ormai alla quarta edizione, la quale contiene ben mille testi della nostra letteratura, dal Medioevo al Novecento. Non solo questi testi possono essere letti, ma soprattutto un raffinato programma permette di compiere delle ricerche lessicali, anche combinando variamente le parole in "famiglie", e sono possibili ricerche di tipo sintattico, utilizzando i segnali della punteggiatura, anche in combinazione con il lessico. Chi ha in corso ricerche linguistiche trae quasi sempre grande frutto dalla consultazione della *LIZ*, rispondendo in maniera automatica, con l'aiuto della macchina, a domande che qualche anno fa avrebbero richiesto giorni e giorni, forse mesi, di faticosa ricerca manuale e di spogli attraverso schede cartacee.

5.2. Strumenti di consultazione in Internet

Vi sono tre strumenti di consultazione, a cui si accede attraverso Internet, ai quali è importante saper ricorrere quando si studia la lingua italiana del passato, in particolare il lessico. Il primo di questi strumenti è il grande *corpus* messo in rete, in Internet, dal Ci-Bit, il consorzio interuniversitario per la Biblioteca Italiana Telematica, raggiungibile all'indirizzo *http://cibit.humnet.unipi.it/*. Questa imponente raccolta di testi, spesso rari e di interesse specialistico (il catalogo è in continua evoluzione), può essere liberamente interrogata da qualunque utente mediante un motore di ricerca analogo a quello della *LIZ*.

Il secondo strumento è il database testuale dell'*OVI*, l'Opera del Vocabolario Italiano (con sede a Firenze), che contiene attualmente (aggiornamento al 13.2.2001) 1.537 testi per circa 18,3 milioni di parole (occorrenze), testi per la maggior parte anteriori al 1375, anno della morte di Boccaccio. Le opere in versi e in prosa qui raccolte includono i primi maestri della letteratura italiana come Dante, Petrarca e Boccaccio, e anche testi meno conosciuti di poeti, mercanti e storici medievali. L'accesso al prezioso database, la cui qualità è eccellente, non è aperto a tutti, ma viene concesso agli studiosi che ne facciano motivata richiesta.

---

[7] Così ad esempio il DBT di Eugenio Picchi (creato con il contributo del CNR), o il Micro-OCP dell'Oxford University Press, o ancora il BYU Concordance Package, detto comunemente *Word Cruncher*, della Brigham Young University.

Vi è un terzo strumento insostituibile per lo studio della lingua nei secc. XII-XIII-XIV, il *Tesoro della Lingua Italiana delle Origini* (abbreviato in *TLIO*)[8], parte del quale è oggi disponibile in rete sul sito Web dell'*OVI*, all'indirizzo *http://www.csovi.fi.cnr.it/*. Si tratta di un vocabolario storico di tutte le varietà dell'italiano antico, fino al 1375[9]. Esso viene stampato su carta, ma anche messo a disposizione di tutti in Internet, senza restrizioni di accesso, all'indirizzo citato. A titolo di esempio, riporteremo qui la voce *avellana*, così come si ricava dalla consultazione del *TLIO* attraverso Internet:

AVELLANA s.f.
0.1 *avellana, avellane, avillana, avillane, vellana.*
0.2 LEI s.v. *abellana.*
0.3 F Belcalzer, 1299/1309 (mant.); *Libro pietre preziose*, XIV in. (fior.).
0.4 Att. prevalentemente tosc.; inoltre *Malattie de' falconi*, XIV (tosc. > lomb.): **avellane**. Fuori Tosc.: F Belcalzer, 1299/1309 (mant.): **avellana**; *Thes. pauper. di A. de Villanova* volg., XIV (sic.): **vellana**.
0.6 A Il termine pare usato come antrop. in Gid. da Sommacamp., *Tratt.*, XIV sm. (ver.), in cui l'autore vi costruisce sopra il bisticcio "Donna **Avellana** – non àve lana", cap. 11, par. 47, 68.2, pag. 166; *ibidem*, cap. 11, parr. 27-44, pag. 165.10.
0.7 1. Nocciola, frutto del nocciolo. 2. [Bot.] Pianta del nocciolo (*Corylus avellana*).
0.8 Rossella Mosti 09.09.1999.

1 Nocciola, frutto del nocciolo. ‖ Sinon.: *nocciuola*.
   [1] **F** Belcalzer, 1299/1309 (mant.): Capitol de la nos **avellana**.‖ Ghinassi, *Belcalzer*, pag. 57.
   [2] *Libro pietre preziose*, XIV in. (fior.), pag. 312.8: E de' pezuoli minuti di questo diamante si ne scolpiscono e talliansine gemme. E non si ne truova veruna che sia magiore d'una **avellana**.
   [3] Zucchero, *Santà*, 1310 (fior.), Pt. 3, cap. 5, pag. 160.14: <u>Nocciuole</u>, overo **avellane**, sono più frede e più seche che le noci...
   [4] Gregorio d'Arezzo (?), *Fiori di med.*, 1340/60 (tosc.), pag. 59.21: item mitidriato, pigliandone la settimana in quantitade d'un'**avillana** col vino caldo.
   [5] *Malattie de' falconi*, XIV (tosc. > lomb.), cap. 18, pag. 34.10: e di questa cotale pasta informa tre pillole grosse cusì come **avellane**, e fae tanto che le metti tutte tre in la gorga...
   [6] *Thes. pauper. di A. de Villanova* volg., XIV (sic.), cap. 122, pag. 446.29: Pigla lo locu, undi esti lu malj et suctilimenti chi tagla, kindi nesca lu sangui, et poi agi oglu caudu di **vellana**, ki sia iscutu cu ferru caudu, et ungi, et sarrà sanu; probatum est.

---

   [8] Si noti che il database *OVI* prima citato è nato appunto quale supporto alla compilazione del dizionario storico della lingua italiana *TLIO*.
   [9] È un limite convenzionale, coincidente con la data della morte di Boccaccio, che va inteso per approssimazione, non come un termine invalicabile.

2 [Bot.] Pianta del nocciolo (*Corylus avellana*).

[1] *Palladio* volg., XIV pm. (tosc.), L. 3, cap. 34, pag. 126.9: L'**avellane** si pongono le lor noci, sotterrandole due dita. E meglio avventano, se si pognono le vermene sue barbate.

[2] *Palladio* volg., XIV pm. (tosc.), L. 3, cap. 35, pag. 126.16: Aguale si seminano l'**avellane** mischiate, nelle loro noci, poste in alcuno vaso tanto che le piante si fermino.

L'articolazione della voce è per significati, esemplificati in ordine cronologico, a partire dalla prima attestazione di ogni accezione. Per comprendere la voce, è necessario sapere che cosa significano i numeri in carattere neretto, i quali funzionano come dei "campi" fissi di un *database*. Il punto **0.1** contiene, in ordine alfabetico, l'elenco di tutte le forme grafiche riferibili al lemma nella base di dati su cui si fonda il vocabolario. Il punto **0.2** contiene una nota etimologica ridotta al minimo indispensabile. Il punto **0.3** cita la più antica attestazione del lemma (con un numero notevole di retrodatazioni; anche nel caso della voce scelta, l'attestazione è più antica rispetto a quella data dai dizionari etimologici: cfr. II.7). Il punto **0.4** indica di regola le prime attestazioni del lemma nei testi appartenenti alle diverse varietà linguistiche considerate, perché qui non c'è solo l'italiano, ma anche i volgari delle altre regioni italiane. Nel nostro caso, apprendiamo che *avellana* è termine prevalentemente toscano, ma presente anche nel poeta mantovano Belcalzer. Il punto **0.5** contiene annotazioni linguistiche, se necessarie (nel caso specifico non sono presenti). Il punto **0.6** contiene informazioni sulle attestazioni in antroponimi ('nomi di persona') e toponimi ('nomi di luogo'). Apprendiamo che la parola è servita per un gioco di parole sul nome proprio «Donna Avellana». Il punto **0.7** contiene un riepilogo della struttura della voce (in questo caso, abbiamo due accezioni del termine). Il punto **0.8** indica il nome del redattore che ha compilato la voce (quasi tutte le voci sono 'firmate' dallo studioso che ne è stato responsabile). Seguono i passi con le citazioni degli autori, divisi nelle due accezioni e posti in ordine cronologico. Il paragone con il Battaglia mostra la differenza sostanziale tra questi due strumenti. Qui abbiamo il riferimento a un periodo storico limitato, ma la serie dei rinvii è completa, ad autori minori e minimi ed anche a testi extraletterari (sono infatti citati libri pratici e di medicina, e in altri casi avremo carte mercantili o notarili)[10]. Il *TLIO* è uno strumento molto rigoroso, ricchissimo di notizie, di rapida

---

[10] Bisogna fare ancora una precisazione. Vedremo più avanti, esaminando i dizionari etimologici, che la parola *avillano* ricorre in diversi autori antichi, e anche in Boccaccio. Qui, però, Boccaccio non è citato affatto. Non si tratta di un errore del *TLIO*, ma di una scelta precisa. Infatti la voce del *TLIO* che abbiamo riportato si limita ai casi in cui *avillana* è femminile, mentre per il maschile *avellano* (con le sue varianti *avelano*, *avillani* ecc.), è stata compilata un'altra specifica voce, distinta da quella che abbiamo letto or ora (così come nel Battaglia).

consultazione grazie alla sua presenza in Internet, la quale ha poi un altro vantaggio: le voci possono essere aggiunte e rese consultabili man mano che vengono compilate dai redattori, senza attendere il momento di pubblicazione di un volume, che richiederebbe una procedura molto diversa nella conduzione dei lavori.

6. Grandi dizionari dell'uso

I dizionari "dell'uso" non vanno confusi con quelli "storici". I dizionari "storici" documentano, come abbiamo visto, il passato della lingua, la sua storia ed evoluzione. Quelli "dell'uso" informano sulla lingua moderna, quale essa è allo stato attuale. È chiaro però che anche i dizionari "dell'uso" fanno spesso riferimento al passato e contengono molte parole antiche, non solo perché registrano le etimologie, ma perché sono obbligati a segnalare il lessico antico e letterario. Il fatto è che la lingua antica e quella moderna non sono sempre nettamente separate, e nella moderna sopravvive una forte eredità del passato, senza contare che un dizionario "dell'uso" può essere utilizzato per intendere un testo in cui ricorrano arcaismi e cultismi.

Tra i più noti dizionari "dell'uso" ricorderemo lo *Zingarelli* (Zanichelli editore), il Devoto-Oli (Le Monnier), il *DISC* di Sabatini e Coletti (Giunti), il "Dàrdano" ovvero *Nuovissimo dizionario della lingua italiana* di M. Dàrdano (Curcio e Thema), il *DIR* o *Dizionario italiano ragionato* (D'Anna), il Palazzi-Folena (Loescher), il De Felice-Duro (SEI), i vari dizionari di De Mauro (in particolare *Il dizionario della lingua italiana*, edito da Paravia-Bruno Mondadori nel 2000) (cfr. le rassegne di Marello [1982] e Serianni [1992b], e la bibliografia nel volume di Marello [1996]). È consueto il ricorso ad essi: restituiscono un'immagine della lingua contemporanea oggi usata nel nostro paese, favoriscono la risoluzione di dubbi di grafia, pronuncia, divisione sillabica, informano sul significato esatto delle parole, sui significati metaforici riconosciuti, permettono di verificare l'àmbito d'uso, la presenza e la legittimità dei neologismi, dei forestierismi correnti, le reggenze dei verbi, la loro coniugazione, orientano l'utente nella morfologia (plurali, forme femminili ecc.). Il dizionario è dunque uno strumento molto ricco, se lo si sa sfruttare. Il comune dizionario "dell'uso", nato per risolvere problemi pratici, per aiutare il parlante e lo scrivente, non è tuttavia privo (come già abbiamo detto) di elementi relativi alla storia della lingua. Non si limita a dare di essa un'immagine "sincronica", incentrata sull'uso contemporaneo, anche se questa è la sua funzione primaria. Non solo troviamo indicazioni per identificare arcaismi, parole desuete e letterarie, dialettismi, parole gergali. Vi è anche una parte delle voci dedicata all'etimologia, nella quale non è raro trovare la data (o il secolo) della prima attestazione dei termini. Ovviamente questa è una prima informazione, da approfondire ed eventualmente precisare mediante il ricorso ai dizionari etimologici (cfr. II.7). Spesso, però, il comune dizionario dell'uso, soggetto a frequenti ristampe (lo *Zingarelli*, ad esempio, viene proposto ora con il ritmo di un'edizione l'anno), risulta assai aggiornato e registra senza ritardi le retrodatazioni individuate via via dagli studiosi.

Per quanto ottimi siano i comuni dizionari in un solo volume, chi si occupa in maniera approfondita della lingua italiana e della sua storia farà ricorso a strumenti più complessi. I due "grandi" dizionari dell'uso sono oggi il *Vocabolario della lingua italiana* diretto da Aldo Duro per l'Istituto della Enciclopedia Italiana (noto come "Treccani", dal nome del fondatore), in cinque volumi, e il *Grande Dizionario Italiano dell'Uso* diretto da Tullio De Mauro, noto con l'acronimo di *Gradit*, in sei volumi (UTET). Il "Duro" è uscito nel 1986-1994, il *Gradit* nel 1999. Entrambi questi dizionari esistono anche su *cd-rom*, così come su *cd-rom* sono consultabili quasi tutti i vocabolari dell'uso in un solo volume già citati (il primo dizionario dell'uso distribuito in questa forma fu il Devoto-Oli, nel 1994-95). La consultazione mediante *computer* presenta vantaggi considerevoli, evidenti solo quando si compie una ricerca non banale. Il *cd-rom* permette infatti di individuare tutte le parole che finiscono con un certo suffisso, o che sono comparse in un certo periodo storico, o tutti i lemmi relativi a un certo àmbito d'uso. Inutile o quasi è usare il *computer*, invece, per la semplice ricerca alfabetica, che quasi sempre risulta più comoda se fatta manualmente (salvo casi particolari, ad esempio quando il vocabolario è già "in linea", in simbiosi con il correttore ortografico del programma di videoscrittura).

Rispetto ai vocabolari dell'uso in un solo volume, le opere più grandi portano un numero maggiore di esempi, sono più particolareggiate nelle spiegazioni, sono più ricche di vocaboli tecnici o specialistici. Questi vocabolari "rappresentano" la nostra lingua di oggi, in quasi tutte le sue potenzialità. La struttura delle voci non è diversa da quella dei vocabolari comuni: troveremo le caratteristiche grammaticali della parola posta a lemma, indicazioni sulla sua pronuncia (nel *Gradit* di De Mauro c'è la trascrizione fonematica, con gli appositi caratteri dell'Associazione Fonetica Internazionale, e anche la divisione sillabica; per la pronuncia delle parole e dei nomi propri esiste comunque un eccellente prontuario specifico, il *DiPI* [cfr. Canepari 1999b]), definizioni e accezioni, esempi d'uso, etimologie, indicazioni particolari relative alla morfologia, diminutivi ecc. Il dizionario di De Mauro porta anche la data della prima attestazione delle parole e si caratterizza per una notevole presenza di lessico tecnico-scientifico, oltre che per aver posto a lemma o messo comunque in evidenza le espressioni dette *polirematiche*, quelle in cui il significato dei singoli elementi non basta a spiegare direttamente il significato finale dell'espressione stessa: così, ad esempio, *veder rosso* non significa "vedere il colore rosso", ma "irritarsi". La caratteristica più evidente del dizionario di De Mauro sta però nelle "marche d'uso". Ogni parola è accompagnata da una sigla che individua le sue possibilità di impiego. Le undici marche d'uso adottate da De Mauro sono: «italiano fondamentale» (2.049 vocaboli di altissima frequenza, quelli che ricorrono più spesso nella lingua: ess. *automobile*, *bacio*, *fuori*, *dentro*), «di alto uso» (2.576 vocaboli di alta frequenza, ma minore di quella dei precedenti: es. *esportare*), «di alta disponibilità» (1.897 vocaboli relativamente rari nell'uso, ma a tutti ben noti: es. *organo*), «comune» (47.060 vocaboli noti non a tutti, ma a chi abbia un livello medio-superiore di istruzione, come *postilla*, *rinsecchire*, *rotabile*, *scialacquare*; "comune", dunque, non significa affatto che siano parole universalmente comprese), «di uso tecnico-specialistico» (107.194 tecnicismi, come *alchechengi*, *eczema*, *bancoposta*), «di uso solo letterario» (5.208 vocaboli; ess. *orroroso*, *orsatto*), «regionale» (5.407 vocaboli), «dialettale» (338 voci), «esotismo» (le parole forestiere: sono 6.938), «di basso uso» (22.550 parole che circolano ancora, ma raramente, come *obliosamente*, *novatore*), «obsoleto» (13.554 vocaboli ormai non più usati, ma presenti in tutti i vocabolari, come *sbisacciare*, *spargolo*). Si potrebbe ovviamente discutere sul confine preciso che corre tra alcune di queste categorie o sulla collocazione in esse di singoli vocaboli. In linea di massima, comunque, la classificazione di De Mauro, così perentoria, con la sua ambizione di oggettività, aiuta il parlante a cogliere immediatamente le possibilità di impiego di una parola o espressione. Molte informazioni analoghe, seppure in forma più vaga e sfumata, vengono suggerite anche (come ovvio) dai comuni dizionari, mediante apposite abbreviazioni. Il dizionario di A. Duro, ad esempio, sotto *orsatto* annota: «letter.» (letterario); e sotto *spargolo* annota: «ant.» (antico). Nel *Gradit* di De Mauro *orsatto* è marcato come «di uso solo letterario», e *spargolo* come «obsoleto». Come si vede, tra le indicazioni dei due dizionari non c'è contraddizione, anche se quello di De Mauro ha l'ambizione di applicare una griglia oggettiva e scientifica più rigida, prestabilita, sottratta a ogni impressionismo accidentale. Senz'altro nuovo, invece, è il tentativo del *Gradit* di classificare in categorie diverse e gerarchizzate non solo i termini rari e letterari, ma le parole più frequenti dell'uso, marcandole (come abbiamo visto) con «alto uso», «alta disponibilità» ecc.

Una caratteristica del dizionario di De Mauro è infine la generosità, intelligenza e vivacità con cui l'autore ha voluto illustrare i propri intenti, i principi metodologici e le fonti utilizzate. Di tutto ciò si dà conto in un'ampia *Introduzione* al vol. I e in una *Postfazione* al vol. VI, nella quale viene condotta un'analisi approfondita, su basi statistiche, della composizione del lessico italiano, della sua stratificazione, delle sue fonti.

7. Dizionari etimologici

Il dizionario etimologico dà conto dell'origine delle parole di una lingua, suggerendo la loro etimologia. Questa è la sua funzione primaria, e può essere svolta anche da dizionari di piccola mole, come l'*Avviamento alla etimologia italiana* di Giacomo Devoto [cfr. Devoto 1968] [11], o il *Prontuario etimologico della lingua italiana* di Migliorini e Duro (Torino 1974[6]). Del resto anche i comuni vocabolari usano porre, subito dopo il lemma o al fondo delle voci, una breve indicazione etimologica, con il riferimento alla forma latina, greca, francese, spagnola ecc. da cui deriva la parola italiana. Per avere informazioni più dettagliate sull'etimologia, si deve però ricorrere a un vocabolario etimologico specializzato, preferibilmente di grande mole, come il Battisti-Alessio [cfr. Battisti-Alessio 1950-1957] o meglio al più recente (e quindi più aggiornato) *DELI*, *Dizionario etimologico della lingua italiana* di Cortelazzo-Zolli, in cinque volumi, edito da Zanichelli tra il 1979 e il 1988 [cfr. *DELI*[1]]. Ne è poi uscita una seconda edizione rivista aggiornata e corretta, in unico volume, nel 1999 [cfr. *DELI*[2], e Fanfani 2001]. Questa seconda edizione è corredata di *cd-rom*, mediante il quale si possono fare ricerche su tutto il testo (come nei *cd-rom* dei comuni dizionari). Ecco, a titolo di esempio, una breve voce del *DELI*, ricavata dalla p. 154 della II edizione:

avellàna, s. f. 'nocciuola' (*avillana*: sec. XIV, *Libro della cura delle malattie*; *avellana*: 1550, P. Mattioli), 'albero di nocciuolo' (1350 ca., Crescenzi volgar.; *avellano*: 1353, G. Boccaccio; *avillano*: 1305-06, Giordano *Quar.*).
• Lat. *abellana(m)* (*nucem*) 'noce della città di Avella, in Campania': LEI I 92.

Il lemma, in neretto, con l'indicazione dell'accento tonico, è seguito dalle indicazioni grammaticali (s.f. = "sostantivo femminile") e dalla spiegazione del significato, come in un comune dizionario. Le accezioni sono in questo caso due: 'nocciuola' (il frutto) e 'nocciuolo' (l'albero). Nelle parentesi troviamo le diverse grafie antiche e i riferimenti alle attestazioni più remote. Vediamo dunque che *avillana* nel significato di 'nocciola' risale al sec. XIV (la data esatta è imprecisabile), e poi si ritrova nel 1550, quando la parola *avellana* è usata nell'opera del medico e naturalista Mattio-

---

[11] L'*Avviamento* di Devoto è largamente diffuso anche grazie alla ristampa nella popolare collana economica degli «Oscar Studio» di Mondadori (1979). Esso si differenzia dalle altre opere del genere per una speciale attenzione al periodo prelatino, con indicazione degli etimi indoeuropei e mediterranei. L'autore dichiara infatti di voler superare la «prigione» della filologia romanza, che obbliga a condurre il discorso etimologico basandosi essenzialmente sul rapporto tra italiano e latino. L'*Avviamento* è corredato di utilissimi indici delle radici indoeuropee e mediterranee, ed è arricchito di alcune cartine geografiche.

li. Nel 1350 e nel 1353 è attestato l'uso nel significato di 'albero di nocciolo', ma in Boccaccio ricorre la forma maschile, non quella femminile[12]. Il predicatore trecentesco fra Giordano da Pisa ha usato la forma *avillano*. Come si vede, molte informazioni sono fornite in forma concentrata. La struttura della voce è la seguente: dapprima sono citati gli autori o le opere in cui ricorre la parola, sia nel significato di "nocciola", sia nel significato di "albero di nocciolo", con le relative date, a partire dalla più antica; poi, preceduta da un punto nero, ecco l'illustrazione dell'etimologia vera e propria. In questo caso troviamo anche un rinvio al *LEI*, il grande dizionario etimologico di cui parleremo tra poco. Poiché il *DELI* è uno strumento usuale di consultazione, rintracciabile in tutte le biblioteche, e quindi facilmente a portata di mano, ci soffermeremo ancora brevemente su di esso[13].

Le caratteristiche essenziali del *DELI* sono le seguenti [cfr. Serianni 1992a: 27]: 1) questo vocabolario assegna una data di prima attestazione alle forme lemmatizzate; 2) il materiale documentario esaminato è molto ampio e vario; 3) la trattazione etimologica è concepita in funzione della 'storia della parola'; 4) per gli etimi controversi o discussi viene indicata una bibliografia. Si deve osservare che il Battisti-Alessio [1950-57] è più ricco di lemmi rispetto al *DELI*, soprattutto per le parole antiche e non più in uso.

Le voci del *DELI* sono articolate in una struttura fissa. Prima di tutto viene data la definizione della parola. Segue la prima attestazione di essa, con riferimento al testo o all'autore. Si noti che la prima attestazione di una parola non rappresenta necessariamente il suo atto di nascita. Infatti la parola poteva circolare già prima sulla bocca dei parlanti, senza che nessuno avesse avuto occasione di metterla per iscritto: in mancanza di attestazione scritta, però, noi non possiamo documentare l'uso di un termine (possiamo solo supporlo). Ecco perché la prima attestazione resta co-

---

[12] Il riferimento non può essere se non a un passo dell'*Ameto* di Boccaccio; però le edizioni moderne non portano più *avellano* (come faceva il Battaglia s.v., basandosi su di una vecchia edizione, e come indica il *DELI*, verosimilmente basandosi sul Battaglia medesimo), bensì *avillano* (anzi *avillani* pl.), la stessa forma toscana presente in fra Giordano da Pisa. Ancora è da notare che l'attestazione di Boccaccio porta la data 1353 nel *DELI*, 1336 nel *LEI*, e 1341-42 nel *TLIO* (e quest'ultima mi pare la datazione corretta). Questi piccoli rilievi vogliono solamente mostrare quante difficoltà insorgano nella compilazione di dizionari di questo tipo, in cui basta poco a mettere in forse una data, o in cui un'edizione nuova di un testo può modificare la grafia delle parole.

[13] Osserva Serianni [1992a: 26 e 1992b: 335] che i dizionari etimologici italiani compilati con criteri scientifici hanno visto tutti la luce nel dopoguerra, e ben quattro di essi risalgono agli anni 1950-1957: il Migliorini-Duro, il *Vocabolario etimologico italiano* di Angelico Prati, il *Dizionario etimologico italiano* di Battisti-Alessio, il *Dizionario etimologico italiano* di Olivieri. Dal 1979 al 1988 è apparso il *DELI*, dal 1979 è in corso la pubblicazione del *LEI*, e nel 1989 è uscito il *Dizionario etimologico della lingua italiana* di T. Bolelli.

munque un dato rilevante. Naturalmente può accadere che tale prima attestazione venga in seguito retrodatata, nel caso in cui si scopra un testo o documento più antico che contiene il termine in questione. Non sempre la retrodatazione è davvero importante; ma quando non si riduce a mero fatto erudito (in quanto ricavata da testi minori o manoscritti di scarsa o scarsissima circolazione), essa ci può insegnare davvero qualche cosa sulla storia di una parola. Serianni [1992a: 28] ricorda a tale proposito il caso di *conscio* quale tecnicismo della psicanalisi, datato al 1952 dal *DELI*[1] sulla base di un'attestazione nello scrittore Cesare Pavese. Questo tecnicismo, in realtà, può essere retrodato al 1922, quando apparve la prima traduzione italiana dell'*Introduzione alla psicoanalisi* di Freud. Ovviamente la retrodatazione è stata accolta nel *DELI*[2]. Dopo la pubblicazione del *DELI* molti studiosi hanno avuto occasione di retrodatarne qualche voce (cfr. ad esempio M.A. Cortelazzo [1987], D'Achille [1991], Vian [1991-1993], e, più in generale, Dardano [1993]).

Il *DELI*, in quanto vocabolario di vasta mole e attento alla storia della lingua, fornisce anche una breve storia della parola nella sua evoluzione, con eventuali modificazioni semantiche. Si prenda il caso di *elettrico*. Il *DELI* spiega che tale parola deriva dal latino scientifico, ed è coniata sul termine greco *élektron* 'ambra', per i fenomeni di elettrizzazione a cui dava luogo questo materiale, usato per esperimenti ben prima che si potesse pensare a una applicazione pratica dell'elettricità. Ma se la voce è greco-latina, è pur giunta in italiano attraverso il francese *électrique* (sec. XVII), a sua volta derivato dall'inglese[14]. Come si vede, le riflessioni suggerite da un vocabolario etimologico possono essere di due tipi: se si guarda al rapporto tra la parola italiana e il suo etimo, si possono fare delle osservazioni di grammatica storica, verificando ad esempio le trasformazioni fonetiche subìte dal termine originario; se si osserva l'evoluzione dei significati, la loro estensione o specializzazione, si passa invece ad un'analisi di semantica storica, con la possibilità di trasferire una parte delle considerazioni direttamente alla storia della cultura, del costume e della tecnica, verificando i riflessi prodotti nella lingua da mutamenti extralinguistici (si pensi alle vicende della parola *elettrico* a cui abbiamo fatto cenno).

Un vocabolario etimologico caratterizzato da un alto livello di specializzazione e da una grande ricchezza di citazioni e di esempi (anche ricavati con larghezza dai dialetti italiani) è il *LEI, Lessico etimologico italiano*, diretto dallo studioso tedesco Max Pfister (l'opera è stampata da Reichert, Wiesbaden). Viene pubblicato a

---

[14] Dardi [1992: 522-523] ha però dei dubbi sulla derivazione dell'italiano *elettrico* e di *elettricità* attraverso il francese, e pensa piuttosto alla possibilità di una influenza diretta dell'inglese.

fascicoli (il primo fascicolo è uscito nel 1979). Ad esso collabora una valida *équipe* di studiosi. Le parole di cui si esamina l'etimologia non sono classificate in base all'ordine alfabetico dell'italiano moderno, ma secondo la base etimologica. La completezza del *LEI* è davvero esemplare, ma per forza di cose risulta assai lenta la sua realizzazione, data la mole del lavoro, anzi la vera e propria grandiosità dell'impresa (cfr. Vàrvaro [1992: 37]; sulle caratteristiche e le finalità dell'opera, cfr. anche i contributi compresi nella miscellanea *LEI* [1992]). Dal 1979 al 1991 è stata completata la parte relativa alla lettera A, corredata di ampi indici di consultazione. Va notato con soddisfazione che, benché questo vocabolario venga stampato in Germania, è stato scritto con deliberata scelta in lingua italiana, non in tedesco [cfr. Pfister 1992a: 42].

Nella pagina seguente è riprodotta per intero, seppure in dimensioni grafiche ridotte, una voce del I volume (fascicolo 1) del *LEI*, la voce corrispondente ad *avellana*, che già abbiamo incontrato nel *DELI*. Qui, però, la voce medesima sta sotto *abellana*, cioè sotto la parola latina che ha dato origine a quella italiana. Il confronto con il *DELI* mostra come la trattazione sia assai più ampia, con una quantità maggiore di riferimenti e con un'attenzione speciale alle forme dei vari dialetti italiani, antichi e moderni, dal piemontese al calabrese, che fanno anzi la parte del leone. Non mancano riferimenti a opere letterarie e a scrittori illustri, sia antichi, come Boccaccio, sia moderni, come D'Annunzio o Landolfi. Si notino anche, nella parte finale della voce, i riferimenti alle altre lingue romanze.

Un vocabolario assai ricco e curioso, scritto in maniera discorsiva, ma molto ricco di indicazioni etimologiche, è Lurati [2001].

8. Linguistica e terminologia linguistica

Gli interessi dello storico della lingua italiana si indirizzano in maniera prevalente non alla linguistica teorica e generale, ma verso un campo di applicazione pratico ben definito. Tuttavia non è possibile occuparsi anche di una singola lingua senza un bagaglio di conoscenze teoriche, che oggi sono tra l'altro soggette a un rapido aggiornamento e adeguamento. Per avere informazioni chiare sui diversi aspetti della linguistica generale si può consultare un manuale come quello di Simone [1990], dal significativo titolo *Fondamenti di linguistica*. Ci pare che quest'opera sia particolarmente adatta ai principianti, come sottolinea l'autore stesso: «Per la sua natura di corso 'elementare', questo libro non richiede alcuna conoscenza preliminare, anche se sarà utile qua e là che il lettore riesca a richiamare qualcuna delle sue conoscenze elementari di filosofia, di matematica e, perché no?, di grammatica» [Simone 1990: XII]. Con tutto ciò, l'autore segnala che il suo non è necessariamente e in ogni parte un manuale 'facile', perché facile non è

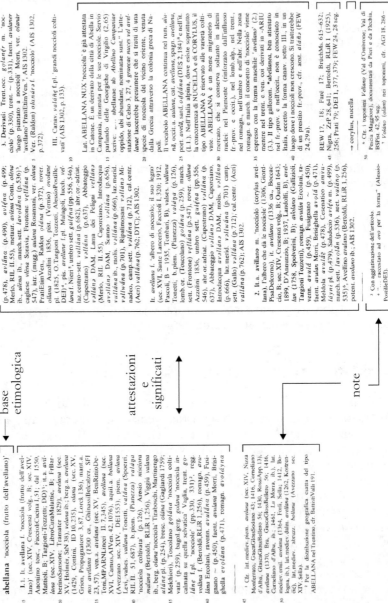

base etimologica

attestazioni e significati

storia della parola

rinvii bibliografici in chiave

rinvii ad altre voci del LEI

note

Voce «Abellana» del LEI

di per sé la linguistica, la quale ha uno *status* un po' particolare tra le discipline umanistiche, in quanto per la sua metodologia e per i suoi concetti di base si avvicina alle discipline 'scientifiche' in senso stretto, anche se non si identifica completamente con esse. Un ottimo taglio didattico unito a grande rigore scientifico si ritrova nel recente manuale di Graffi-Scalise [2002], dotato di pregevoli sintetiche bibliografie ragionate poste alla fine di ogni capitolo. Esse sono l'occasione per tracciare un bilancio storico su ognuno dei grandi nodi teorici e problematici presi in esame nel libro. Molto chiara e attenta a una pluralità di questioni, alcune trascurate da altri autori, è l'*Enciclopedia Cambridge delle scienze del linguaggio* [cfr. Crystal-Bertinetto 1993], presentata al pubblico italiano con un riuscito adattamento realizzato da Pier Marco Bertinetto.

La linguistica, come tutte le scienze, è caratterizzata dall'impiego di lessico tecnico. Per gli addetti ai lavori la sua terminologia è usuale, ma può costituire un ostacolo per gli studenti e per chi le si accosti per la prima volta. Inoltre in molti casi la terminologia varia in tutto o in parte da studioso a studioso, da scuola a scuola. Per comprendere i tecnicismi ricorrenti nei testi saggistici, o comunque per verificare il significato esatto della terminologia, si può ricorrere al *Dizionario di linguistica* edito da Zanichelli [cfr. Dubois *et al.* 1979]. Questo libro è stato tradotto dal francese, e in molti casi ci si accorge che l'apparato concettuale risente della visione propria della cultura d'oltralpe. È utile ricordare che tale dizionario porta l'equivalente in francese, inglese e tedesco dei termini tecnici italiani. Ciò è particolarmente utile nei casi in cui si accosti un saggio scritto in quelle lingue, o si debba scrivere una relazione destinata ad un pubblico non italiano [15]. Un ricco e ben articolato dizionario di linguistica, filologia, metrica e retorica, affidato a specialisti italiani, è uscito presso l'editore Einaudi, sotto la direzione di G.L. Beccaria [cfr. Beccaria 1996].

---

[15] Altri due strumenti di consultazione, che hanno però un carattere diverso (si tratta di raccolte di monografie sistematiche), sono Ducrot-Todorov [1972] e Martinet [1972] (anche queste due opere sono tradotte in italiano dall'originale francese). Uno strumento di consultazione molto agile, frutto del lavoro di uno studioso italiano, è Cardona [1988]. Un ricco glossario, utile quanto un dizionario specializzato, è stato posto in appendice al citato Crystal-Bertinetto [1993]. Un altro utile glossario è in Dardano [1991].

Capitolo 3

Soggetti e oggetti
della storia linguistica

1. Volgari, dialetti e spinte regionali

1.1. Centro e periferia nella storia linguistica italiana

La storia linguistica italiana si caratterizza per un profondo e costante rapporto tra il centro e la periferia: per 'centro' si intende in questo caso la Toscana, da cui ha avuto origine l'idioma nazionale, irradiatosi verso le altre regioni (la 'periferia', appunto). Nella sua espansione il toscano ha incontrato le parlate locali, le quali avevano in certi casi una notevole tradizione di cultura. Il confronto non si è risolto in una imposizione autoritaria della lingua nazionale (salvo pochi casi assolutamente eccezionali): il toscano non ha trionfato grazie alla politica di uno stato che l'abbia imposto forzosamente ai sudditi. Vi è stato piuttosto un libero consenso da parte delle altre regioni, che hanno adottato l'italiano come lingua di cultura, prima ancora che come lingua burocratica, mettendo in atto vari compromessi tra il toscano stesso e i dialetti.

Il toscano è stato apprezzato e ammirato come lingua della *Commedia* di Dante, del *Decameron* di Boccaccio e del *Canzoniere* di Petrarca, prima di essere l'espressione di una burocrazia statale nazionale. Anzi, la «regione che si è messa a capo del moto unitario e che è stata in prima linea nello sviluppo industriale, il Piemonte, è stata fino ad un secolo fa molto più francese, provenzale e francoprovenzale di quanto non sia oggi nel margine cisalpino» [Stussi 1982: 43]. Il Piemonte ha esteso all'Italia i suoi modelli giuridici e amministrativi, ma, quanto alla lingua, ha adottato il toscano, cioè un idioma non originario della regione. Si tratta di uno «schema abbastanza anomalo, almeno se rapportato a quello valido per Francia, Germania, Inghilterra, Spagna» (ivi). Anche per un altro verso la situazione dell'Italia è anomala: come osservava con imbarazzo Alessandro Manzoni, l'Italia era l'unica nazione in cui la capitale politica (Roma) era destinata a non coincidere con la capitale linguistica, Firenze [cfr. Scherillo 1923: 197]; a questo proposito Gioberti parlava di Roma e di Firenze come dei due «fochi dell'ellisse italiana», scegliendo una figura geometrica che permetteva un riferimento non monocentrico [cfr. Marazzini 1978]. La storia linguistica italiana non può essere vista insomma come qualche cosa di monolitico e unitario.

1.2. 'Volgari' e 'dialetti'

Vi è stata una fase iniziale in cui le varie lingue locali hanno potuto aspirare alla promozione ad un alto livello di cultura, e anche all'egemonia sovraregionale. La prima scuola poetica italiana, ad esempio, è nata in Sicilia ed ha usato il volgare siciliano, pur nobilitandolo per un uso illustre (cfr. VI.1). Si noti che nel periodo che va dalle origini al Quattrocento non ha ancora senso parlare di 'dialetti'. Si può parlare di 'dialetto' solo una volta che si è affermata la lingua. 'Dialetto' senza contrapposizione a 'lingua' è un concetto inapplicabile; tanto è vero che gli studiosi, per questi secoli, parlano genericamente di 'volgari italiani'.

1.3. Letteratura dialettale 'spontanea' e 'riflessa'

Occorre anche tener conto di un'altra celebre distinzione, tra letteratura dialettale 'spontanea' e letteratura dialettale 'riflessa'. Tale distinzione è stata stabilita da un famoso saggio di Benedetto Croce [cfr. Croce 1927]. La letteratura dialettale 'riflessa' si oppone consciamente alla lingua; la 'spontanea', invece, non è cosciente della propria opposizione alla lingua: precede la letteratura nazionale, e quindi, come dicevamo, a rigore non può nemmeno essere chiamata 'dialettale', oppure si manifesta in forma di cultura popolare vera e propria, spontanea, appunto (canti, fiabe ecc.). Secondo Croce, l'uso cosciente del dialetto ebbe inizio a partire dal Seicento, dopo la piena affermazione della letteratura in lingua; in realtà questa data può essere arretrata, sicuramente fino al Cinquecento, forse anche più indietro. La citazione o la parodia della parlata popolare, infatti, sono fin da epoca antica forme di arricchimento a cui lo scrittore può ricorrere in funzione di mistilinguismo espressivo, per rendere varia la tavolozza del proprio stile.

1.4. Policentrismo e varietà linguistica

La pluralità linguistica dell'Italia (la sua varietà diatopica: cfr. IV.3) è stata una riserva a cui gli scrittori hanno attinto per secoli, fino ai nostri giorni: si pensi alla prosa di autori come Pasolini o Gadda. L'esistenza dei dialetti è stata insomma lo sfondo sul quale si è sviluppata la letteratura in lingua, la quale ha potuto utilizzare, come dicevamo, le lingue regionali, o anche opporsi ad esse in una sorta di dialettica. Abbiamo dunque tre tipologie fondamentali: il testo scritto propriamente in dialetto (a volte di qualità assai alta, come nei casi di un Ruzante, di un Porta o di un Belli), e il testo che utilizza qua e là il dialetto in un contesto non dialettale, a fini diversi (espressivi, mimetici, parodici ecc.); abbiamo infine il testo che rifiuta il dialetto, e non scende a compromessi con il parlato popolare.

Questa varietà di esiti è resa possibile dal fatto che la situazione italiana è stata eccezionale. Beccaria [1975: 1-2] ha proposto un confronto con altri paesi:

L'assenza in Francia di una letteratura dialettale riflessa fu dovuta al prestigio di una lingua nazionale affermatasi assai presto: il dialetto dell'Ile-de-France che già nel sec. XIV sottomette il rivale piccardo, e dal Cinquecento in poi è l'unico volgare in Francia che serva per l'espressione letteraria. Anche in Spagna la centralizzazione della vita culturale ha ostacolato vitalità e sviluppo di una letteratura regionale. In Inghilterra la lingua nazionale ha potuto soppiantare sin dal Medioevo i dialetti, che dal Quattro al Settecento scompaiono addirittura dall'uso scritto. In Germania la *Bibbia* di Lutero e l'autorevolezza e la popolarità ad un tempo della sua lingua (il germe della lingua letteraria moderna tedesca) hanno emarginato sin dal sec. XVI i dialetti basso-tedeschi dall'uso pubblico e dall'uso letterario: neppure la forte tradizione regionalistica ha potuto reggere al prestigio culturale di una lingua letteraria nazionale. Le corti di Parigi, Londra, Madrid, le rispettive amministrazioni statali, sono state strumento di unificazione politica, culturale, linguistica. In Italia è mancata una capitale linguistica e culturale accentratrice. La nostra storia è frazionata in mille storie comunali e provinciali dialetticamente attive e partecipi al dialogo con la cultura della nazione. Per secoli i nostri centri regionali sono stati portatori di una mentalità culturalmente autonoma.

Per questo la storia linguistica italiana è per sua natura policentrica, e il suo sviluppo è avvenuto attraverso linee che hanno collegato variamente il centro e la periferia, non solo in un rapporto di opposizione, ma più sovente in forme di collaborazione, sovrapposizione e interferenza. I dialetti sono entrati nella lingua, l'hanno arricchita e resa più vitale.

2. L'azione delle lingue straniere: i prestiti

2.1. Tipologia del prestito

La lingua non vive isolata, ma è esposta al contatto con altre lingue nazionali, oltre che con i dialetti (per questi ultimi, cfr. Zolli [1986]). Gli scambi con l'estero sono frequenti, e non si svolgono necessariamente attraverso i confini fisici di una nazione. L'influenza di una lingua passa attraverso canali diversi, che non richiedono necessariamente la contiguità geografica: la lingua si trasmette attraverso i libri, il prestigio culturale, scientifico e tecnologico, le invasioni militari, i viaggi, i commerci. Anche le linee di confine, s'intende, hanno a volte una grande importanza, per un rapporto diretto con altri idiomi. La storia di una regione come il Piemonte è stata ad esempio condizionata dalla nazione che stava di là dai monti, la Francia [cfr. Marazzini 1991 e 1992]. I rapporti tra lingue non si svolgono necessariamente su di un piano di parità: sono le lingue dotate di maggior prestigio a influenzare le altre, esercitando un'azione che si manifesta nei 'prestiti'. Esiste una tipologia del prestito, il quale può essere 'non adattato' o 'adattato' (o 'integrato'), a seconda che il termine forestiero venga accolto nella forma originale, oppure venga in qualche maniera modificato, in modo da adeguarlo alle tendenze dell'idioma che lo riceve. *Tram*, ad esempio, originario dell'inglese (*tramway car* 'carro della via ferrata', 1872), è stato accolto in forma non adattata nell'italiano, mentre viene adattato in *tramme* nella parlata popolare toscana, con l'aggiunta di una sillaba terminante per vocale (l'uscita in consonante è contraria alla tendenza propria del sistema fonetico dell'italiano). I prestiti non adattati, mantenendo la loro forma originale, risultano (a volte anche nella grafia) vistosamente diversi dalle parole italiane autoctone. Si pensi a *équipe* o *computer*, che vanno letti secondo regole diverse, rispettivamente del francese e dell'inglese. I prestiti integrati, invece, diventano pian piano indistinguibili. Solo la ricerca etimologica può suggerire al comune parlante che *treno* viene dal francese *train* (derivato da *trainer* 'trascinare'), passato poi all'inglese, parola adottata nell'Ottocento per indicare il nuovo mezzo di locomozione ferroviaria composto di una locomotiva che trascina i vagoni. Allo stesso modo non risulta certo trasparente l'origine forestiera di *bistecca*, dall'inglese *beef-steak* 'costola di bue' (cfr. sulle parole citate il *DELI* [s.v.]).

Il rapporto con una lingua diversa produce anche i 'calchi', che possono essere di due tipi: il primo tipo è il 'calco traduzione', quando si traduce alla lettera la parola straniera (*grattacielo* traduce l'inglese *skyscraper*, composto di *sky* 'cielo' e *scraper* 'che gratta'); il secondo tipo è il 'calco semantico', quando una parola italiana assume un nuovo significato traendolo da una parola straniera, come è accaduto ad *autorizzare*, che un tempo significava 'rendere autorevole', e per influsso del francese ha preso il senso di 'permettere'[1].

È possibile inoltre introdurre una distinzione tra i 'prestiti di necessità' e i 'prestiti di lusso', distinzione che ci permette di approfondire la tipologia relativa alle varie situazioni in cui una lin-

---

[1] Il calco può anche essere considerato un tipo particolare di prestito integrato. Si tenga presente che la terminologia relativa ai vari tipi di calchi differisce da studioso a studioso [cfr. Dardano 1991: 175-176]. Cfr. anche, sui problemi del lessico, Dardano [1993]; e, sulla tipologia del prestito, Gusmani [1986].

gua influenza un'altra. I 'prestiti di necessità' si hanno quando la parola arriva assieme ad un referente nuovo, privo di nome nella lingua che lo riceve: quando giunsero in italiano parole come *caffè*, *patata*, *canoa*, *tazebao*, esse furono accolte per designare oggetti o prodotti sconosciuti alla nostra tradizione, ai quali non sarebbe stato facile dare un nome diverso[2]. In questo caso abbiamo dunque la parola nuova assieme alla cosa nuova. I 'prestiti di lusso', invece, almeno in teoria, potrebbero essere evitati. Possono essere giudicati superflui, perché la lingua possiede già un'alternativa alla parola forestiera, ma il loro uso prevale per varie ragioni: perché evoca una civiltà o una cultura ritenuta superiore e prestigiosa, per un fine stilistico o di promozione sociale, per una valenza emotiva. Si pensi alla fortuna nell'italiano più recente di *pesticida* al posto del comune *insetticida*: in inglese *pest* è l'insetto nocivo, ma il parlante italiano in genere non ne è cosciente, e usa *pesticida* come una sorta di parola da esorcizzare, in un contesto di buone aspirazioni ecologiche, suggestionato probabilmente dall'analogia con l'italiano *peste*. Chi usa *baby-sitter*, invece, vuole riferirsi ad una professione differente da quella tradizionale della *bambinaia*. La *baby-sitter* è una professione moderna, svolta a ore da ragazze che in genere sono anche studentesse, mentre la bambinaia del passato era una donna di umili origini, accolta in casa per anni, tanto che finiva per far parte della famiglia. Il termine forestiero, insomma, comporta in certi casi particolari connotazioni socio-economiche, e quindi non è un equivalente 'neutro' della parola italiana eventualmente già esistente. In altri casi, invece, il forestierismo convive con la parola italiana come un vero doppione, come accade alle coppie *corner* e *calcio d'angolo*, *cross* e *traversone* nel linguaggio sportivo.

2.2. Reazioni esterofobe e puristiche

La distinzione tra prestito di necessità e prestito di lusso appena introdotta ci permette di accennare a un problema di natura non strettamente scientifica, che tuttavia ha condizionato a volte gli studiosi interessati ai termini forestieri. Mentre il linguista di oggi si limita a prendere atto dell'esistenza di prestiti, e cerca semmai di individuare i loro canali di diffusione, l'epoca di pene-

---

[2] *Caffè* viene dal turco, ed è entrato in italiano già alla fine del Seicento, diffondendosi poi nel Settecento; la *patata* è parola esotica (cfr. haitiano *batata*) giunta nel Cinquecento attraverso lo spagnolo; *canoa* è parola esotica (dal caraibico) che si trova già nei viaggiatori del Cinquecento, e che nell'Ottocento è passata a indicare alcuni tipi di imbarcazioni veloci per uso sportivo. Il *tazebao* o *dazebao* è un manifesto murale usato in Cina: la parola si è diffusa negli anni della contestazione studentesca, che guardava ai modelli del maoismo. Tra i termini citati, probabilmente quest'ultimo è l'unico effimero.

trazione, i motivi della fortuna delle parole esotiche, l'atteggiamento di altri osservatori può trasformarsi in un tentativo di censura. L'osservazione dei forestierismi, soprattutto dei francesismi, in particolare nell'Ottocento, ha preso le mosse proprio da reazioni di tipo puristico, e si è tradotta in elenchi di voci da proscrivere, e talora in difese delle voci proscritte ([cfr. Serianni 1989a: 72-75 e Serianni 1990: 79-81]; cfr. XII.4.4). Durante il Fascismo queste reazioni caratterizzarono la politica statale 'ufficiale' nei confronti della lingua [cfr. Klein 1986: 113-141]. Le posizioni esterofobe del Fascismo non facevano che riprendere certe premesse proprie della tradizione puristica. Il Purismo implica infatti una difesa della lingua dai termini stranieri; tale atteggiamento, per quanto ingenuo, non è incomprensibile: la lingua viene sentita come un segno dell'unità nazionale, come un elemento che differenzia un popolo da un altro. È evidente che nel sentimento della lingua nazionale possono entrare tentazioni nazionalistiche o puristiche. Non a caso battaglie per l'affermazione di nazionalità e di minoranze sono passate proprio attraverso rivendicazioni linguistiche, anche se è vero che non è necessario che ci sia l'unità linguistica per avere uno stato: basti pensare alla Svizzera, che ha quattro lingue nazionali (italiano, francese, tedesco e retoromanzo). In genere, però, unità politica e unità linguistica tendono a coincidere.

Dicevamo che i tentativi di difesa dalle parole forestiere sono in genere ingenui, perché in realtà è molto difficile frenare la penetrazione degli esotismi, i quali hanno fortuna solo in determinate circostanze, grazie a un largo consenso degli utenti; tale fortuna è il sintomo di fenomeni che avvengono non all'interno della lingua, ma altrove, nella società e nella cultura. Per questo lo studio dei prestiti aiuta a ricostruire la circolazione delle idee, delle innovazioni, delle tecnologie. Se i prestiti non avessero valide ragioni, se fossero casuali o introdotti in maniera immotivata, la 'censura collettiva' che governa la lingua eliminerebbe questi elementi estranei: di fatto molti forestierismi sono di breve durata, spariscono dopo una rapida comparsa sulla scena. Forse pochi ricordano oggi l'*eskimo* (è termine inglese per indicare ciò che è in qualche modo legato alle popolazioni esquimesi), parola un tempo diffusissima per indicare l'ampio giaccone con cappuccio, in uso negli anni successivi alle rivolte studentesche del '68 [cfr. Cortelazzo-Cardinale 1986: s.v.], vero abito-simbolo dei giovani contestatori di quegli anni (del resto anche *contestatore* è parola in disuso, pur se oggi forse ripresa dagli *antiglobal* e dalle "tute bianche"). In questo caso la sparizione dell'oggetto (un ben datato capo d'abbigliamento, che aveva anche la funzione di distintivo politico) ha portato alla progressiva sparizione del nome. Esiste dunque nelle lingue una sorta di igiene interna che elimina elementi caduchi.

Molti prestiti testimoniano una effettiva posizione di subalternità, come lamentano i puristi. Ma tale subalternità non sta nella lingua, ma nelle cose stesse che la lingua designa. Tutta la terminologia dell'informatica è ad esempio fittamente intessuta di parole inglesi, prestiti o calchi quali *computer*, *mouse*, *bug*, *interfaccia*, *chat* (da cui *chattare*: cfr. Pistolesi [1997]), *hardware*, *software*, *driver*, *chip*, *display*. Infatti tutta la tecnologia dell'informatica è stata sviluppata lontano dall'Italia: è quindi naturale che il relativo linguaggio settoriale abbondi di prestiti.

2.3. Le lingue entrate in rapporto con l'italiano

Ci si può chiedere quali siano le lingue con cui l'italiano è stato maggiormente in relazione. Al primo posto stanno quelle europee, prima di tutto il provenzale e il francese [cfr. Morgana 1994], poi lo spagnolo [cfr. D'Agostino 1994] e l'inglese [cfr. Cartago 1994]. Oltre ai rapporti con le lingue vive, bisogna tener conto anche dei contatti (di grande importanza storica) con il latino e il greco [cfr. Giovanardi 1994 e Scavuzzo 1994]. Quando si cita il latino tra le lingue 'straniere' che hanno influenzato l'italiano, non ci si riferisce ovviamente alla fase di formazione dell'italiano stesso, ma all'introduzione successiva di prestiti di matrice colta, filtrati attraverso il linguaggio giuridico, filosofico, letterario ecc., visto che fin dal Medioevo (ad esempio nella *Commedia* di Dante: cfr. VII.1.2) il latino fu una fonte a cui si attinse per potenziare il lessico del volgare, arricchendolo di quanto ancora non possedeva, promuovendolo a un più elevato livello culturale. Tutte le persone colte che leggevano allora l'italiano conoscevano anche il latino, e ciò facilitava i processi di osmosi. I rapporti con il greco, invece, furono favoriti dallo sviluppo della cultura umanistica, anche se di fatto la maggior parte dei termini greci entrati nell'italiano è di tipo scientifico (medico, in particolare), e trova un equivalente in parole diffuse in altre lingue d'Europa, come accade nel caso di *elettricità*, *cardiologia*, *arteriosclerosi* (cfr. XIV.1, e anche Janni-Mazzini [1990] e Tesi [1994]).

Tra le lingue moderne, il francese ha avuto maggiori rapporti con l'italiano e gli ha dato il più alto numero di parole; il francese, assieme al provenzale, ha influenzato l'italiano fin dalle origini, anche perché le letterature in lingua d'*oc* e d'*oil* si svilupparono prima della nostra e furono familiari ai nostri antichi scrittori. La cultura d'oltralpe era apprezzata anche negli aspetti mondani e di costume, tanto è vero che sono francesi termini della caccia (una delle principali occupazioni dei nobili in tempo di pace, come sottolinea Castellani [2000: 111]), in particolare della caccia con il falcone (parole come *astore*, *girifalco*, *sparviero*). Gallicismi sono nella terminologia relativa al cavallo (*groppa*, *corsiero*, *briglia*, *galoppo*, *giostrare* ecc.). Giustamente, tuttavia, Zolli [1991: 17] osserva che «la forza d'espansione d'una lingua nei confronti d'un'altra si misura soprattutto dagli elementi non rigorosamente lessicali che la prima riesce ad introdurre nella seconda ed è quindi altamente significativo che il francese ci abbia dato in questi secoli, oltre ad un alto numero di voci, alcuni suffissi come *-aggio*, *-ardo*, *-iere*, che sono riusciti a diventare produttivi in italiano». Sono gallicismi entrati in italiano fin dal Medioevo *coraggio* (anche nel senso di 'cuore'), *carriaggio*, *lignaggio*, *omaggio*, *oltraggio*, *vantaggio*, *viaggio*, *bastardo*, *codardo*, *mestiere*, *cavaliere*, *baccelliere*, *cameriere*, *cancelliere* ecc. La penetrazione di parole francesi continuò nei secoli seguenti, esercitandosi in particolare, nel Cinquecento e nel Seicento, nel settore militare (*maresciallo*, *avanguardia*, *batteria*, *trincea*, *affusto*, *arruolare*, *brigadiere*, *carabina* ecc.), e più tardi nella moda e nella cucina (*bigné*, *besciamella*, *consommé*, *ragù*, *brioche*, *menù*, *marrons glacés*, *omelette*, *ristorante*)[3]. Tra Sette e Ottocento fu forte l'influenza del francese anche nel linguaggio della politica (*controrivoluzionario*, *giacobino*, *fanatico*, *federalismo*, *rivoluzione*, *terrorismo*) e nel campo della pubblica amministrazione (*burò*, da cui *burocrazia*, *codificare*, *corte d'assise*[4], *stato civile*, *timbro*, *votazione*)[5], per la presenza dei francesi in Italia e per il prestigio delle loro leggi e delle loro istituzioni. Il periodo in cui l'influenza francese fu maggiormente avvertita è quello tra Settecento e Ottocento. Al tempo dell'Illuminismo il francese era la lingua di cultura più prestigiosa d'Europa, la lingua dei salotti, della diplomazia, della comunicazione internazionale (cfr. XI.1). All'inizio dell'Ottocento, con il Purismo (cfr. XII.1), si sviluppò invece una reazione contro i gallicismi e contro l''infranciosamento' dell'italiano.

Anche le lingue iberiche hanno avuto una certa influenza sull'italiano nei secoli passati. Il periodo della più forte influenza spagnola va dalla seconda metà del Cinquecento alla fine del Seicento [cfr. Beccaria 1968]. Lo spagnolo era allora la lingua di una grande potenza militare, presente nella penisola. La Spagna era un forte stato coloniale con enormi possessi oltreoceano; come il portoghese, lo spagnolo godeva i vantaggi di una grande diffusione

---

[3] Sull'influsso del francese tra il 1650 e il 1715 si veda Dardi [1992]. Sull'influsso francese si veda ovviamente l'ampio quadro complessivo descritto da Morgana [1994].

[4] Questa corte di giustizia penale fu creata in Francia nel 1810; *cour d'Assises* viene da *asseoir* 'stabilire' (in quanto corte di giudizio definitivo); l'istituzione fu adottata anche in Italia. La *Corte di Cassazione* è calco sul fr. *Cour de Cassation* (dal latino *cassare* 'cancellare', perché tale corte può intervenire sulle sentenze precedenti).

[5] In italiano esisteva la parola *voto*, voce dotta dal lat. *votu(m)*, nel senso di 'auspicio', oppure in senso religioso di 'fare voto alla divinità'. Di qui venne il significato di *voto* nel senso di 'espressione di un parere a scopo deliberativo'. In senso propriamente politico, in riferimento alle assemblee rappresentative, la parola fu adoperata a cominciare dall'Inghilterra (*vote*). La parola *votazione*, in quanto atto del votare, venne dal fr. *votation* (1752), e fu introdotta in Italia con le leggi napoleoniche [cfr. Zolli 1974: 138]. Sulla trasformazione del linguaggio politico-amministrativo nel periodo della rivoluzione francese, cfr. il ricchissimo Leso [1991] e Dardi [1995].

mondiale. Il viaggiatore italiano Sassetti, ad esempio, osservava che, conoscendo spagnolo e portoghese, era possibile muoversi in tutto il mondo, dalle Indie occidentali (l'America) a quelle orientali (l'Asia). Attraverso lo spagnolo e il portoghese sono entrati in italiano diversi termini esotici indicanti frutti e prodotti prima sconosciuti (*ananas, banana, bambù, cacao, cioccolata, mais, patata*). Lo spagnolo ha dato all'italiano anche diverse parole relative alla sfera del comportamento, come *creanza, sussiego, brio, disinvoltura*.

Gli anglismi (o anglicismi) costituiscono oggi un settore in continua crescita, a dispetto delle frequenti reazioni puristiche. Il periodo di forte penetrazione degli anglismi comincia nell'Ottocento e raggiunge il culmine nella nostra epoca. Il numero degli anglismi presenti nell'italiano del Novecento è molto grande, come si può verificare nell'esperienza di ogni giorno [cfr. almeno Klajn 1972; Dardano 1986; Rando 1987 e 1990; Fanfani 1991-1993; e anche alcune schede di Marri 1988-1990, 1991, 1992; e poi Mini 1994; *Parole straniere* 1996]. Si noti che in passato alcune parole inglesi non sono entrate direttamente nell'italiano, ma sono giunte attraverso la mediazione del francese. Renzi [2000: 314-16] ha individuato alcuni anglicismi sintattici, come «giorno dopo giorno» "day after day", «grazie di non fumare» "thank you for..." ecc.

Quanto al rapporto tra l'italiano e il tedesco, si deve notare che quest'ultimo è stato molto meno importante rispetto al francese, allo spagnolo e all'inglese. L'influenza germanica, però, si era fatta sentire in una fase più antica, durante il processo di formazione della nostra lingua [cfr. Arcamone 1994]. Abbiamo già avuto modo di vedere che si è discusso a lungo sull'influenza delle lingue germaniche come causa della trasformazione del latino, e che tale influenza è stata in passato persino sopravvalutata (cfr. I.1). Di fatto, nel Medioevo un certo numero di parole germaniche portate dagli invasori goti, longobardi e franchi mise radice, in certi casi soppiantando la corrispondente parola latina, come *guerra*, che sostituì *bellum*. Le parole germaniche (tra esse *faida, gastaldo, manigoldo, nastro, panca, rocca, schiena, scranna, spola, spranga, stamberga, stecca, strale*) sono tuttavia in numero ridotto rispetto alla stragrande maggioranza delle parole italiane derivanti dal latino (cfr. XIV.1). I germanismi entrati successivamente in italiano, come dicevamo, sono pochi (tra essi *fon*[6], *strudel, würstel, bunker, lager, diesel*).

L'azione di altre lingue europee sull'italiano non è nemmeno paragonabile a quella di francese, spagnolo, inglese e tedesco. Più che la considerazione di una forza effettivamente attiva, costituisce quasi un motivo di curiosità. Sono pochissime ad esempio le voci ungheresi accolte dall'italiano, e designano in genere prodotti tipi-

---

[6] *Fon* deriva dalla designazione di un vento caldo che scende dalle montagne, il ted. *föhn*, che divenne nome commerciale dell'asciugacapelli elettrico. La pronuncia fu adattata al sistema italiano. La parola tedesca, a sua volta, riprende il termine latino *favonius* 'favonio'.

ci, come il vino *tokai* o il *gulasch*. Curioso è il caso di *cocchio*, l'ungherese *kocsi*, indicante un tipo di carrozza, che si diffuse in Italia a partire dal matrimonio tra Bianca Maria Sforza e il figlio del re di Ungheria, nel 1487 [cfr. *DELI*: s.v.]. Poche sono le parole di origine russa (*zar, boiardo, mammut, intelligbenzia, nichilista*), in parte legate alla Rivoluzione bolscevica (come, appunto, *bolscevico, soviet, apparato, stacanovista*[7] ecc.), e il recente crollo della Russia sovietica potrebbe forse portare a una più o meno parziale obsolescenza di queste ultime.

Importante, invece, è stato nel Medioevo il rapporto con una lingua non europea quale è l'arabo [cfr. Pellegrini 1972 e Mancini 1992 e 1994]. La maggior parte delle voci arabe presenti in italiano sono giunte in un'epoca in cui i contatti con il mondo islamico erano frequenti e la civiltà araba aveva molto da insegnare all'Occidente. Voci arabe ricorrono nel lessico della marineria, del commercio, nella medicina, nella matematica (*zero*[8], *ammiraglio, arsenale, dogana*[9], *tariffa, sciroppo*).

Il rapporto con la lingua ebraica è stato indiretto, attraverso il latino, per influenza della liturgia cristiana (*alleluia, amen, osanna*). Occasionali sono stati i rapporti con il turco (da cui vengono *bricco, caffè, chiosco, sorbetto*). In epoca recente sono entrate alcune parole dal giapponese (*bonsai, harakiri, judo, kamikaze*).

3. Gli scrittori e il linguaggio letterario

3.1. Il ruolo degli scrittori

Un tipico pregiudizio di marca idealistica assegna al linguaggio letterario (e quindi agli scrittori) una posizione egemonica, metten-

---

[7] Il significato tradizionale del termine *apparato* in italiano è 'addobbo' e, dal sec. XVI, 'complesso di organi anatomici adibiti alla stessa funzione'. Nel nostro secolo, per influenza della terminologia usata in Russia dopo la Rivoluzione comunista, si affermò anche il senso tecnico di 'organi direttivi del partito', 'dirigenza burocratica'. La parola *stacanovismo* indica oggi uno zelo sul lavoro giudicato eccessivo: deriva da un vero e proprio movimento di massa che fu organizzato in Unione Sovietica dopo la Rivoluzione, allo scopo di spingere i lavoratori a dare il massimo delle proprie forze allo Stato. Il termine discende dal nome proprio del minatore A.G. Stachanov, che nel 1935 aveva stabilito un eccezionale primato nell'estrazione del carbone. Sui russismi, cfr. Orioles [1984, 1987-1988 e 1990], e Nicolai [1982].

[8] *Zero* già nel Quattrocento era in uso per indicare un numero privo di valore. Viene dall'ar. *sifr*, aggettivo che vuol dire 'vuoto' (il latino, da cui vengono i nomi degli altri numeri, non aveva termine corrispondente). Dalla stessa parola araba deriva l'italiano *cifra*, in uso fin dal Medioevo.

[9] *Dogana* viene dall'arabo *diwan* 'libro ove si segnavano le merci in transito'. Il termine era già presente nel latino medievale, e poi nell'italiano, sia per indicare l'edificio in cui si esercitava l'ufficio doganale, sia la gabella o tassa (si osservi che anche *gabella* è un arabismo, da *qaba-la* 'tributo'). *Diwan* è anche all'origine dell'it. *divano*, perché in turco venne a significare 'sala circondata da cuscini'.

do in secondo piano la lingua comune e d'uso, legata alla banale strumentalità della comunicazione quotidiana [cfr. Vàrvaro 1984: 30-31]. Nel pensiero idealistico, infatti, la lingua viene concepita come 'atto creativo', come espressività individuale, non come fatto di comunicazione sociale [cfr. Croce 1902]. In effetti è evidente che in genere gli scrittori usano la lingua in maniera più espressiva rispetto ai comuni utenti del linguaggio, proprio perché la creazione letteraria richiede uno sforzo di originalità e un'affermazione individuale dell'autore. La linguistica moderna ha fatto giustizia del pregiudizio che dicevamo, e ha invece prestato particolare attenzione proprio alle forme della comunicazione quotidiana, anche alle più umili, arrivando ad interessarsi della lingua dei semicolti e delle scritture pratiche legate alle esigenze di tutti i giorni. Anche queste forme 'banali' o 'basse', in realtà, non sono prive a volte di una loro particolare 'espressività' (seppure molto meno elaborata di quella letteraria). In esse si coglie il divenire della lingua come strumento necessario di una collettività stratificata in vari livelli culturali e sociali, a cui corrispondono appunto forme diverse di scrittura.

Il superamento della linguistica idealistica non deve far cadere nell'eccesso opposto, cioè nella sottovalutazione del linguaggio letterario e della sua funzione. Una diffidenza nei confronti del linguaggio letterario potrebbe venire anche dalle concezioni della linguistica moderna[10], la quale ci ha insegnato che la lingua letteraria (l'indicazione vale in particolare per la lingua poetica) è governata da regole sue proprie, e che esiste nel linguaggio una 'funzione poetica' autonoma, la quale non si ritrova in altri tipi di comunicazione [cfr. Jakobson 1970: 181-218]. Ciò potrebbe far pensare che la separazione tra lingua comune e linguaggio letterario sia necessaria, quasi si trattasse di due universi distinti e non comunicanti. Ciò non è certamente vero in una prospettiva storica, perché in realtà il linguaggio letterario, come vedremo, ha influito spesso in maniera determinante sulla lingua comune.

3.2. Gli scrittori come modello della codificazione

Il linguaggio letterario, ovviamente, può essere studiato dal punto di vista della cosiddetta 'critica stilistica', che si occupa di definire i caratteri della scrittura di singoli autori. Il compito che si pone questo tipo di indagine è affine a quello della critica letteraria, da cui si differenzia per la tecnica di lettura, basata in questo caso esclusivamente sull'analisi dello stile. In realtà il linguaggio letterario può interessare lo storico della lingua per ragioni di-

---

[10] Per una rassegna sui problemi del linguaggio letterario e sui rapporti tra linguistica e letteratura, cfr. Mortara Garavelli [1977] e Coletti [1978].

verse: nella situazione italiana sono stati proprio gli scrittori, in molti casi, a incidere sullo sviluppo della lingua nazionale, fornendo gli elementi sui quali grammatici e teorici hanno poi stabilito la 'norma'. In questo senso, gli scrittori sono tra i protagonisti privilegiati della storia linguistica, anche se effettivamente non si può pensare che la lingua si identifichi e si esaurisca nella letteratura. A questo proposito, sarà interessante osservare come il grammatico ottocentesco Raffaello Fornaciari, nella sua *Sintassi italiana dell'uso moderno*, precisasse che cosa intendesse esattamente con questa indicazione di 'uso moderno': «Esso consiste, a mio avviso, – scriveva – in tutta quella parte della lingua, che, mentre si parla o s'intende almeno dal popolo medio di Toscana, ha anche a suo favore la grande maggioranza degli scrittori accurati, sì antichi come recenti. Il fondamento adunque dell'uso moderno io lo ripongo nel popolo toscano, ma la testimonianza definitiva, nell'accordo degli scrittori» [Fornaciari 1884: X]. Come si vede, due sono i punti di riferimento di Fornaciari: l'uso del popolo toscano e quello degli scrittori, ma questi ultimi hanno un'autorità maggiore. È un criterio già fissato nel Cinquecento da un teorico come Salviati (cfr. IX.5.3). Benedetto Buommattei, il più importante grammatico italiano del Seicento, aveva ribadito che le regole della lingua si ricavano dagli scrittori, e si deve far appello all'uso popolare solo quando negli scrittori non v'è chiarezza, o vi è oscillazione [cfr. Buommattei 1643: 10]. Gli scrittori, dunque, sono stati ritenuti determinanti per la stabilizzazione della norma grammaticale.

Un altro elemento invita a tener conto del ruolo degli scrittori nella storia linguistica. La lingua italiana ha avuto, rispetto ad altre, uno sviluppo particolare: per lungo tempo è stata caratterizzata da una grande aristocraticità. In mancanza di una nazione politicamente unificata, e in presenza di una comunicazione quotidiana affidata in grandissima parte al dialetto, l'interesse per la lingua si è sviluppato soprattutto nel settore della letteratura. È sul terreno della letteratura che lo storico può registrare la maggior parte degli eventi significativi. Basti dire che la prima teorizzazione linguistica relativa alla lingua italiana, proposta da Dante nel *De vulgari eloquentia* all'inizio del sec. XIV, ha avuto come oggetto proprio la possibilità di portare il volgare al livello sublime della poesia (cfr. I.1.1 e VI.4). Dante ha inaugurato una condizione particolare che poi si è ripetuta diverse volte: è stato allo stesso tempo uno scrittore grandissimo e si è occupato di teoria linguistica. Teoria retorico-linguistica e pratica letteraria si sono dunque spesso collegate, sono state due versanti dell'attività di uno stesso grande scrittore: basti pensare, oltre che a Dante, a Trissino, Bembo, Tasso, Tassoni, Manzoni, De Amicis, per non citare che nomi molto noti. L'elenco potrebbe proseguire fino al nostro secolo, fino ad autori come Pirandello e Pasolini, i quali hanno scritto pagine di teoria linguistica collegate inevitabilmente alle loro scelte di scrittori. Alcuni scrittori, inoltre, sono stati lessicografi o hanno dato l'indirizzo per la realizzazione di opere lessicografiche, e anche in questo modo hanno influito sulla lingua (cfr. III.8).

4. Il popolo

4.1. Il popolo padrone delle lingue

In base alle conoscenze della linguistica moderna, si deve ammettere come fatto incontrovertibile che il linguaggio è patrimonio di tutta la comunità dei parlanti, non di una porzione di essi. Dunque la lingua non può essere considerata proprietà esclusiva di singoli individui o delle classi più colte, anche se queste ultime sono le uniche effettivamente in grado di partecipare al dibattito letterario, le uniche in grado di fruire della letteratura e di conoscere le norme stabilite dai grammatici. La storia linguistica deve riservare il debito spazio anche alle classi subalterne, per quanto esse siano state estranee alla cultura 'alta'. Grandi trasformazioni, come il passaggio dal latino alle lingue romanze, sono avvenute a livello popolare, e sono consistite nell'emergere di elementi popolari, a poco a poco accettati da tutti, che si sono generalizzati (cfr. V.1).

4.2. Popolo, plebe, scrittori

Nella tradizione italiana di riflessione sulla lingua, il ruolo del 'popolo' è stato materia controversa. La stabilizzazione normativa dell'italiano risale alla prima metà del Cinquecento, cioè ad un'epoca pervasa da spirito umanistico. Pietro Bembo, a cui si deve la teoria vincente nelle dispute cinquecentesche sul volgare (cfr. IX.2.1), era fautore di un ideale letterario aristocratico, e non riconosceva quindi i diritti della parlata popolare. Si noti che quando si parla di 'popolo' nell'àmbito delle discussioni linguistiche italiane ci si riferisce sempre per forza di cose al popolo toscano, l'unico che per virtù naturale possedesse un idioma paragonabile a quello letterario. Il popolo di tutte le altre regioni, invece, era legato al proprio dialetto, e non poteva essere oggetto di attenzione da parte di grammatici e teorici. Ma anche una volta riconosciuta la parentela tra la lingua dei grandi scrittori del Trecento (Dante, Petrarca e Boccaccio) e quella parlata dal popolo toscano, si trattava di stabilire un principio di autorità, scegliendo tra il prestigio della tradizione scritta e la vitalità della lingua viva e popolare, o almeno bilanciando queste due componenti. Su questo tema si è dibattuto molto nel corso dei secoli. Manzoni, nell'Ottocento, finì per adottare la lingua 'viva e vera' di Firenze, staccandosi dalla tradizione letteraria arcaizzante (cfr. XII.3.2). La sua scelta fu radicale. Tuttavia già nel Cinquecento i grammatici e i teorici toscani avevano proposto qualche cosa del genere. Precisiamo subito che nei casi citati il concetto di 'popolo' esclude gli strati più bassi della società, il disprezzato 'volgo' o 'popolazzo', ed equivale piuttosto ad un ceto medio, cioè alla parlata di chi ha una certa cultura. Benedetto Varchi, nell'*Hercolano*, pubblicato nel 1570 (cfr. IX.2.5), fu il primo a vantare la vivacità e ricchezza della lingua parlata dal popolo di Firenze (escludendo pur sempre dalla categoria di 'popolo' lo spregevole 'popolazzo'). Altri grammatici toscani ritornarono successivamente sul tema, con posizioni diverse. Lionardo Salviati (cfr. IX.5.3), alla fine del Cinquecento, sostenne che si possono ricavare le norme della lingua dall'uso del popolo solo quando gli scrittori fanno difetto per qualche motivo [cfr. Salviati 1809 ss.: II.144]. Salviati era infatti convinto che gli scrittori del Trecento rispecchiassero perfettamente una lingua popolare più pura e più perfetta di quella del moderno popolo di Firenze, e quindi era certo che attingere la lingua alle antiche fonti letterarie fosse il modo migliore di essere 'popolari'. Si noti che gli autori del passato non erano stati tutti ugualmente disponibili verso le forme linguistiche popolari. Petrarca, ad esempio, se ne era tenuto assai lontano; ma un autore come Boccaccio (lo scrittore preferito da Salviati) nelle parti dialogate delle sue novelle aveva esibito un patrimonio molto ricco di forme popolari. Nel Seicento, il grammatico Benedetto Buommattei riprese la posizione di Salviati, ribadendo la necessità di ricorrere in primo luogo agli scrittori, e solo in seconda istanza al popolo, intendendo per 'popolo' (com'è ovvio) «non la sola feccia della plebe; ma il corpo tutto della cittadinanza unita insieme» [Buommattei 1643: 9].

Nella speculazione linguistica del passato, dunque, la 'plebe' è stata sempre considerata di nessun valore, o addirittura dannosa, senza contare il fatto che l'interesse andava comunque solo al popolo di Toscana, l'unico che parlasse un idioma analogo a quello letterario. Ci si può dunque chiedere quando sia nato l'interesse per il popolo inteso in maniera moderna, per le masse più umili e incolte di regioni i cui dialetti sono diversi da quello toscano. I linguisti hanno 'scoperto' questo popolo prima di tutto con lo sviluppo delle scienze folcloriche e della dialettologia, e, nell'àmbito della lingua italiana, occupandosi del periodo storico successivo all'Unità d'Italia, ricercando gli effetti prodotti nelle masse popolari incolte dal contatto con la scuola dell'obbligo, con il servizio militare obbligatorio (che unì gente proveniente da regioni e dialetti diversi), verificando gli effetti sociali di eventi quali l'emigrazione, la guerra mondiale del 1915-1918 ecc. Si poté così osservare che il popolo post-unitario era arrivato a utilizzare una modesta lingua 'italiana', piena di elementi dialettali e di 'errori', influenzata da vari modelli, tra i quali possiamo annoverare persino le arie dei melodrammi, gli inni dei partiti e movimenti operai, il linguaggio delle preghiere [cfr. De Mauro 1970 e Cortelazzo 1977a: 123]. L'individuazione di questi elementi, e persino la scelta di assumere come oggetto di osservazione il comportamento linguistico delle classi subalterne, si ispirava anche all'ideologia marxista e al pensiero di Antonio Gramsci, il quale, in uno dei *Quaderni del carcere*, già nel 1935 aveva dedicato un paragrafo al tema dei *Focolai di irradiazione di innovazioni linguistiche nella tradizione e di un conformismo nazionale linguistico nelle grandi masse nazionali*. Sotto questo titolo, Gramsci individuava alcuni poli di attrazione linguistica, indicandoli come cause di un livellamento nell'uso dell'italiano tra il popolo: la scuola, i giornali, gli scrittori (soprattutto quelli popolari e più conosciuti), il teatro e il cinema, la radio, le riunioni pubbliche, in particolare quelle religiose, i rapporti di «conversazione» tra ceti più colti e ceti meno colti [cfr. Gerratana 1975: III.2345]. Come si vede, era qui anticipata l'intuizione, sviluppatasi negli studi di trent'anni dopo, relativa alla nascita dell'italiano popolare, anche se a Gramsci interessava unicamente cogliere «il processo di formazione, di diffusione e di sviluppo di una lingua nazionale unitaria», al quale si giungeva attraverso «tutto un complesso di processi molecolari», come egli scriveva [cfr. ivi], alludendo appunto alla combinazione e azione delle varie forze attive prima elencate. Le masse popolari erano viste come protagoniste di questo processo, a cui Gramsci si interessava non tanto con la pura curiosità dello scienziato, ma ponendosi un problema politico di 'educazione popolare'. La cultura di ispirazione marxista degli anni Settanta trovò dunque una buona base teorica nel pensiero gramsciano, e poté dedicarsi alla ricerca di documenti di italiano popolare in cui i processi di osmosi tra le varie componenti fossero effettivamente verificabili.

4.3. L'italiano popolare

I primi documenti presi in esame dagli studiosi furono quelli più recenti, relativi al nostro secolo, anche perché solo a partire dall'Unità politica parevano essere attive quelle spinte che avevano coinvolto le masse popolari in un processo di avvicinamento alla lingua nazionale. Tra questi documenti, importante è stata la raccolta di Rossi [1970], costituita da lettere di una contadina tarantata del Salento[11], lettere presentate da un saggio linguistico di De Mauro [cfr. De Mauro 1970]. Si può dire che già le lettere dei prigionieri della Grande Guerra studiate da Spitzer [1921] avrebbero potuto aprire la strada a tali ricerche, se non che il saggio di

---

[11] Così veniva presentato il volumetto di lettere proposte da Rossi [1970: 5]: «Queste lettere sono frutto di una corrispondenza intercorsa, dal '59 al '65, tra me e Anna, contadina, nata nel 1898 in un paese della provincia di Lecce». La ricerca condotta dalla Rossi nasceva da un presupposto etnografico, e trovava poi uno sbocco linguistico, grazie alla collaborazione di De Mauro, al quale si deve un breve saggio che accompagna il libro [cfr. De Mauro 1970].

Spitzer è stato tradotto molto più tardi in Italia, e inoltre non si ispirava affatto a criteri sociolinguistici moderni[12].

La categoria di 'italiano popolare' [sulla quale cfr. Berruto 1993b: 58-68 e D'Achille 1994: 45-49] si è fissata dunque all'inizio degli anni '70, per indicare «la parlata degli incolti di aspirazione sopradialettale e unitaria» [De Mauro 1970] o «il tipo di italiano imperfettamente acquisito da chi ha per madrelingua il dialetto» [Cortelazzo 1972]. Come si vede, le due definizioni (per quanto diverse) fanno riferimento alla lingua 'parlata' dal popolo, anche se di fatto le ricerche degli anni Settanta e Ottanta hanno avuto per oggetto quasi esclusivamente testi scritti, come lettere, racconti autobiografici e diari (lo osserva Radtke [1992: 64], in riferimento a Rovere [1977], Bellosi [1978], Sanga [1980] e altri; vedi ora De Blasi [1991] e Loi Corvetto [1998]). Tanto è vero che Bartoli Langeli [2000: 16], guardando le cose dal suo punto di vista di paleografo, ha affermato recisamente: «l'italiano popolare è un modo di scrivere, non di parlare». Va osservato che un libro celebre come la *Storia linguistica dell'Italia unita* di Tullio De Mauro, la cui prima edizione è del 1963 (cfr. I.3.4), già collegava strettamente la storia linguistica ai grandi fatti sociali, assegnando alle masse popolari il ruolo di protagoniste. Vàrvaro [1984: 34] ha parlato a questo proposito di «apertura all'inquadramento del fatto linguistico nel suo contesto extra-linguistico».

Abbiamo dunque visto come inizialmente i documenti di italiano popolare venissero ricercati in uno spazio cronologico relativamente vicino a noi, a partire dalla fine dell'Ottocento. Le ricerche degli ultimi anni, invece, hanno esteso decisamente il campo d'indagine, superando una visione un po' schematica, basata sul presupposto che le classi subalterne precedentemente all'Unità, totalmente analfabete, avessero sempre e solo adoperato il dialetto, e fossero state dunque assolutamente estranee alla lingua italiana.

Anche una volta ammesso che il popolo (intendendo con questo termine le classi più basse della società) non sia tra i protagonisti primari della storia linguistica italiana, almeno nel periodo tra l'Umanesimo e il sec. XIX, e anche una volta riconosciuta la sua sostanziale estraneità alle scelte della cultura 'alta', si deve tuttavia superare il pregiudizio che vuole le classi popolari del passato esclusivamente analfabete e dialettofone. La scoperta di una ricca

---

[12] Spitzer, famoso linguista austriaco, fu addetto durante la guerra mondiale al servizio della censura delle lettere dei prigionieri italiani, in quanto conosceva bene la nostra lingua. Costretto a leggere tante lettere per dovere d'ufficio, lettere scritte da gente che non era in genere abituata ad usare la penna, e che apparteneva a ceti popolari, Spitzer finì per interessarsi a quella materia, e trascrisse una parte dei testi che gli passavano tra le mani, interpretandoli soprattutto dal punto di vista contenutistico e psicologico. Come osserva Bruni [1987: 205], il volume di Spitzer è tornato di attualità con la voga recente degli studi in questo campo.

serie di documenti dimostra come anche tra gli appartenenti ai ceti sociali più bassi, almeno nelle grandi città, la capacità di leggere e scrivere non fosse assente: gli studi di Petrucci lo hanno messo in evidenza in maniera chiara per l'area di Roma [cfr. Petrucci 1978 e 1982]. Petrucci ha scoperto e illustrato un quaderno di conti di una pizzicarola trasteverina della prima metà del Cinquecento. Questo quaderno, che contiene memoria di prestiti e debiti, porta un gran numero di registrazioni autografe dei debitori e dei creditori della pizzicarola Maddalena. Come nota Petrucci [1978: 166], «è di solito assai difficile rinvenire in numero sufficiente testimonianze grafiche spontanee di persone appartenenti in misura prevalente, come nel nostro caso, non soltanto agli strati medio-bassi della società urbana, ma anche al medesimo ambito di attività economiche e al medesimo ambiente topografico» (nel caso specifico, si tratta della zona romana di Trastevere). Gli scriventi che compaiono nel registro sono ben centodue, e di essi solo uno usa il latino. Alcune delle registrazioni risultano essere al livello grafico-culturale dei semianalfabeti. Al gradino più basso stanno ad esempio quattro caciai, i quali dimostrano grande difficoltà nell'uso della lingua scritta, ma tuttavia scrivono. Sulla base di una raffinata analisi, condotta con metodo paleografico, ma che investe questioni rilevanti anche per lo storico della lingua, Petrucci è potuto giungere alla conclusione che per le categorie di mestiere più umili era utile la scrittura, e che le occasioni per imparare a scrivere erano maggiori del previsto nella Roma del sec. XVI, grazie ad un certo caos didattico, che vedeva il proliferare di improvvisate scuole familiari (anche all'interno della bottega) e scuole religiose, aperte ai meno abbienti. In sostanza, il fatto che i caciai entrati in rapporto con Maddalena pizzicarola fossero quasi tutti in grado di scrivere da soli le loro pur modestissime annotazioni, senza aver bisogno dell'aiuto di un mediatore, vuol dire che la conoscenza elementare della scrittura non era così rara tra il popolo urbano (diverse, probabilmente, erano le condizioni delle masse rurali)[13].

Gli argomenti di Petrucci hanno trovato conferma in molti altri documenti, nuovamente scoperti o già editi, e ora ricuperati anche nell'ottica di una lettura linguistica. Sempre più spesso escono dagli archivi testi risalenti al periodo tra il Cinquecento e il Settecento, redatti in quello che si è soliti definire 'italiano po-

---

[13] Trifone [1992b: 176-177] riporta un cartello diffamatorio appeso nel Seicento sulla porta della bottega di un barbiere romano. Nella querela presentata alle autorità da parte del barbiere offeso, si legge «che molta gente se fermavano a leggere»: una simile affermazione implica che per le strade della città circolasse molta gente non analfabeta. L'analisi di questo documento mostra fra l'altro (e non è che un caso fra i tanti) in che modo il linguista può ricavare informazioni dall'esame di materiali apparentemente estranei ai suoi interessi, quali gli archivi dei tribunali e le carte delle procedure giudiziarie.

polare', mantenendo la categorizzazione nata per il periodo storico successivo all'Unità: si tratta di scritture di semicolti (lettere, note, diari ecc.), materiale prodotto da gente del popolo che, sebbene in maniera imperfetta, si dimostra pur in grado di usare la penna a fini strettamente pratici e utilitaristici, adoperando un italiano scorretto, saturo di dialettismi, ma comunque diverso dal mero dialetto. Tutta quest'area di documentazione può essere acquisita senz'altro alla storia della lingua, come è stato fatto con larghezza in Bruni [1992a] (cfr. I.3.4 e II.1.4), volume dedicato ad una serie di profili della storia linguistica delle varie regioni italiane in cui i documenti antichi in italiano popolare occupano uno spazio assai rilevante.

Oltre che essere oggetto di ricerca in quanto produttrici di 'italiano popolare', le classi subalterne possono essere prese in considerazione proprio per la loro specifica cultura dialettale. I dialetti, infatti, sono un patrimonio linguisticamente interessantissimo (cfr. II.2, III.1, IV.3, XIV.5), regolato da norme non diverse da quelle della lingua (si può dire che una lingua non è altro se non un dialetto impostosi al di là dei suoi confini geografici originali). Il dialetto può essere studiato come oggetto specifico, o può essere messo in relazione con la lingua: la storia dei dialetti italiani, ad esempio, si è svolta in stretto rapporto con quella dell'italiano. Il processo è stato duplice: i dialetti si sono via via avvicinati all'italiano, mentre l'italiano ha acquisito elementi dei dialetti. Questi mutamenti, che hanno come protagoniste le classi subalterne, possono essere riconosciuti come pertinenti anche nel contesto di una storia della lingua nazionale. Tra i tanti casi, basti citare quello della trasformazione del romanesco nel corso del sec. XVI. La parlata di Roma, fino al Cinquecento, fu più vicina al tipo meridionale, come si ricava da molti documenti (tra i quali la trecentesca *Cronica* dell'Anonimo romano [cfr. Porta 1979]) anche se la situazione della lingua, come risulta da nuovi documenti, era in realtà piuttosto complessa e stratificata (cfr. Trifone M. [1998], con glossario). Nel corso del Cinquecento il romanesco si avvicinò al toscano, per una serie di ragioni di tipo demografico, poiché dopo il sacco di Roma del 1527 oltre la metà degli abitanti dell'Urbe erano ormai forestieri [cfr. Trifone 1992b: 43].

Anche le masse popolari, quindi, benché estranee alle grandi scelte culturali decisive per la storia dell'italiano, hanno partecipato indirettamente all'evoluzione della lingua, se non altro subendo le conseguenze di grandi processi di trasformazione sociale.

L'esame della letteratura religiosa permette di individuare un canale attraverso il quale la lingua italiana raggiunse utenti abituati a usare il dialetto, realizzando un'interessante occasione di 'incontro' con le classi popolari: già nel Quattrocento le laudi e le sacre rappresentazioni di origine centrale si diffusero in regioni lontane dai centri irradiatori, in luoghi come la Liguria e il Piemonte [cfr. Marazzini 1991: 10-13]. E, per restare nell'àmbito degli effetti linguistici della religione, il momento dell'omelia fu un altro dei canali attraverso i quali la lingua italiana raggiunse utenti delle classi subalterne. La situazione linguistica delle classi popolari risulta dunque esposta a influenze complesse (nel nostro secolo è fondamentale il riferimento a radio, cinema e televisione: cfr. III.11), e risulta degna di interesse da parte degli studiosi, anche se non bisogna esagerare fino al punto di fare della storia linguistica delle classi popolari una sorta di alternativa alla storia 'colta'. A questo proposito Bruni [1992b: 249] osserva che «per alcuni anni è sembrato, e sembra tutt'ora, che lingua colta e lingua che esprime le esigenze della comunicazione quotidiana siano due realtà inconciliabili e quasi avverse; e che dopo secoli di studio retorico della sonetteria arcadica, era arrivato il momento di privilegiare la lingua di tutti. In questa impostazione, la cultura diventa ozio e lusso di pochi, e la lingua di tutti appare ispirata a esigenze puramente sociali». In realtà non solo la cultura è qualche cosa di ben più ampio della semplice letteratura poetica, ma inoltre i rapporti tra i vari livelli della lingua, tra i piani alti e i piani bassi (l'«osmosi» di cui parlava Gramsci), sono molto più complessi di quello che potrebbe far credere un'opposizione semplificatrice e riduttiva.

5. Notai e mercanti

5.1. Il notaio

Il notaio è senz'altro fra i protagonisti della fase iniziale della nostra storia linguistica: molti dei primi documenti in volgare sono stati scritti da notai, e proprio a costoro, in diversi casi, si deve la scelta di introdurre il volgare al posto del latino: così accade persino nel *Placito Capuano*, il cosiddetto 'atto di nascita' della nostra lingua (cfr. V.7 e V.8). I notai, inoltre, sono stati tra i primi cultori dell'antica poesia italiana, come dimostrano fra l'altro i *Memoriali bolognesi*[14]. Tali *Memoriali* sono appunto registri di atti. Nel 1265, a Bologna, fu fissato l'obbligo di registrare tutti i contratti privati, pena la loro decadenza. Negli appositi registri, gli spazi rimasti bianchi tra le varie trascrizioni venivano biffati per evitare manomissioni e aggiunte indebite, secondo un uso che sopravvive anche ai nostri giorni in molte scritture giuridiche e nelle verbaliz-

---

[14] Il titolo di notaio ricorre anche per gli esponenti della Scuola siciliana del sec. XIII: si pensi a Stefano Protonotaro e al notaio Jacopo da Lentini. Ma quei titoli si riferiscono ad un'attività diversa, svolta nel contesto di una corte imperiale. Jacopo, ad esempio, occupò cariche elevatissime, come quella di giudice di corte e di gran cancelliere. Evidentemente i notai di cui ci occupiamo in questo paragrafo appartengono ad un orizzonte ben più modesto, e rappresentano un ceto sociale medio, non la suprema *élite* del potere.

zazioni. Talvolta, però, tali spazi vennero annullati in maniera particolare, non semplicemente e brutalmente con un tratto di penna tracciato in maniera meccanica: in certi casi gli spazi bianchi furono riempiti con versi, preghiere, proverbi. «Zone vuote nei fogli di un codice, o il verso d'una pergamena sciolta, offrivano dunque garanzie di durata nel tempo, ma spesso, nella scelta di usurpare quegli spazi, avrà contato innanzi tutto la necessità di economizzare materiale scrittorio, stante il suo costo e la difficoltà di approvvigionamento», osserva Stussi [2001: 13], riferendosi non solo a questo caso specifico, ma, più in generale, a certe modalità di scrittura proprie del Medioevo. I notai riversarono insomma negli spazi liberi dei codici il loro amore per la poesia: troviamo così nei *Memoriali bolognesi* versi di Cino da Pistoia, di Cavalcanti, di Dante [cfr. Orlando 1981 e 1999]. Sono le prime attestazioni a noi note della poesia del grande fiorentino, e furono scritte da chi, evidentemente, apprezzava quella poesia, anche se di mestiere non era letterato, ma notaio. Il notaio, dunque, risulta essere un fruitore della letteratura volgare, mentre in altri casi, come già si è detto, proprio il suo mestiere di addetto alla scrittura e alla verbalizzazione lo mette nella condizione ideale per inserire frasi volgari in documenti latini, o per utilizzare direttamente la lingua volgare.

5.2. Il mercante

Bruni [1990: II.710] si è chiesto se sia lecito affiancare al notaio un altro protagonista della cultura medievale, qual è il mercante. Lo stesso Bruni è giunto però alla conclusione che si tratta di esperienze molto diverse, anche per la diversa formazione delle due professioni: il notaio, infatti, vive in una situazione di bilinguismo [cfr. Fiorelli 1994: 564-66]; per educazione, è abituato ad usare il latino negli atti del suo ufficio, anche se il volgare è adoperato dai testimoni e dalle parti che si presentano di fronte a lui. Il notaio traduce, media continuamente tra latino e volgare, ascolta dalla viva voce e trascrive nelle formule latine. Per i suoi studi, ha necessariamente imparato il latino e ha frequentato studi superiori, di grammatica e logica. Il mercante medievale, invece, era meno istruito, anche se non gli mancava una cultura pratica a volte notevole, ad esempio per la conoscenza delle lingue straniere. Non conosceva generalmente il latino: imparava a leggere, scrivere e far di conto, e poi si dedicava alla sua attività pratica, al libro dei conti, alla partita del dare e dell'avere. In molti casi doveva usare la penna, come vedremo; ma il mercante, non conoscendo il latino, era «ignorante di lettere» (dove le «lettere» sono la *litteratura* o *grammatica*, secondo l'accezione del tempo). La testimonianza del retore Boncompagno da Signa ci assicura che già alla fine del sec. XIII i mercanti usavano nella loro corrispondenza il volgare, o tutt'al più un latino corrotto; e la *Cronica* dell'anonimo romano, trecentesca, conferma quest'opinione, menzionando come normale, nelle lettere dei mercanti, l'adozione del volgare con semplicità di stile, cioè senza i raffinati artifici della retorica [cfr. Stussi 1982: 70; Tavoni 1992: 22; Bruni 1987: 20; Stussi 2000].

Gli studi di Branca [cfr. Branca 1986] hanno mostrato quanto la cultura dei mercanti sia stata fondamentale per la fortuna del *Decameron* di Boccaccio. I mercanti, dunque, non erano completamente estranei alla cultura del loro tempo; ciò è vero in particolare nel caso di una città come Firenze, dove del resto il ceto mercantile ebbe un'importanza grandissima. Non a caso riporta all'ambiente alto-mercantile anche la genesi di un codice famoso come il Vaticano 3793, che contiene il patrimonio della nostra più antica poesia (cfr. Antonelli [1993a: 28]; e qui, più avanti, VI.1). È interessante curiosare tra i libri dei mercanti fiorentini, i quali disponevano in genere di piccole biblioteche, al di sotto dei dieci – venti volumi; vi si trovavano con grande frequenza le opere di Dante e di Boccaccio, cioè i testi dei nuovi autori volgari, gli scrittori più letti fino alla prima metà del Quattrocento. Nella seconda metà del secolo anche nelle bibliotechine dei mercanti entrò Petrarca: un'innovazione dettata dal prevalere di un gusto umanistico. E, si noti, di Boccaccio non veniva letto solo il *Decameron*, ma anche la produzione che noi oggi giudichiamo 'minore', come il *Filostrato*, il *Corbaccio*, il *Ninfale fiesolano* [cfr. Bec 1983]. Il mercante leggeva per proprio divertimento, ma il suo rapporto con la scrittura era anche più sostanziale, in quanto aveva che fare con la sua professione. Gli era infatti necessario tenere i conti, annotare i movimenti delle merci, intrattenere rapporti epistolari con i corrispondenti, a volte molto lontani. Bruni [1990: II.709] cita il parere di Leon Battista Alberti, secondo il quale il mercante dovrebbe «sempre avere le mani tinte d'inchiostro», perché deve «scrivere ogni cosa, ogni contratto, ogni entrata e uscita fuori di bottega». Effettivamente i mercanti medievali ci hanno lasciato una gran quantità di scritture pratiche, di grande interesse per il linguista. Si tratta in primo luogo di lettere. Tavoni [1992: 22-23] ricorda l'infaticabile attività epistolare di un mercante dal vastissimo giro d'affari, Francesco Datini. Si pensi che si conserva ancora oggi nell'Archivio di Prato un fondo di 125.000 lettere inviate alla sede centrale della sua azienda tra il 1363 e il 1422 da corrispondenti che stavano in più di trenta paesi del mondo, tra i quali le Indie e la Cina. Di questo materiale, Stussi ha pubblicato alcune lettere mercantili fabrianesi dei primissimi anni del Quattrocento, e un'epistola in volgare laziale del 1385 [cfr. Stussi 1982: 135-154].

L'interesse degli studiosi si è sempre diretto in modo speciale ai mercanti o banchieri fiorentini e toscani, che certo ebbero un'importanza eccezionale: basti pensare che un libro di conti del 1211 è la prima testimonianza di volgare fiorentino [cfr. Schiaffini 1954: 3-15; Castellani 1980: II.73-140; Castellani 1982a: I.21-40 e

II. tavv. 7-20]. A conferma di ciò, si consideri quanto è lo spazio dei testi di carattere mercantile e bancario nella raccolta di Castellani [1952] relativa ai testi fiorentini del sec. XIII: vi si incontrano libri mastri, lettere, conti di mercanzie; i documenti che non possono essere ascritti a questa categoria mostrano comunque che la scrittura è al servizio di esigenze pratiche, dell''utile', anche quando nasce in un àmbito più familiare, come nel caso di libriccioli di crediti, annotazioni di prestiti e acquisti di terre. Questi testi, insomma, «danno il senso preciso, per il periodo che va dalla metà del sec. XIII agl'inizi del XIV, dell'importanza del commercio e del danaro nella vita d'ogni giorno. Sorgon continuamente nuove imprese ed aumentano i profitti; si conquistan mercati e si soverchia, all'estero, la concorrenza delle altre città della Toscana e dell'Italia settentrionale. Siamo nella fase giovane dell'espansione fiorentina» [Castellani 1952: 3]. Ma i mercanti fiorentini non furono gli unici in Italia, e naturalmente sono possibili anche sondaggi in altre zone della Toscana e in altre regioni [cfr. Biasci 1998 e Trifone M. 1998]. Di particolare interesse risulta l'area veneta. Una parte della più antica documentazione del veneziano è appunto di origine commerciale, e permette di affrontare l'interessante capitolo relativo ai contatti linguistici legati ai commerci sull'Adriatico: Stussi [1993a: 107-128] ha delineato un vasto quadro, linguistico, ma anche economico e sociale, della condizione del mercante veneziano dal Medioevo al Cinquecento, mostrando fra l'altro la particolare 'babele linguistica' determinata dalla varietà del commercio marittimo, che faceva convergere nella città lagunare genti diverse, per cui si poteva ascoltare il bergamasco dei facchini, lo slavo dei marinai, il greco dei soldati mercenari (*stradioti*). Risale alla metà del sec. XII la più antica scrittura privata veneziana, che «mostra proprio, sotto un leggero velo latino, una terminologia mercantile volgare» [Stussi 1993a: 115]. Va ricordato, inoltre, che «sono lettere di mercanti alcuni tra i più antichi testi di Siena, di Macerata, di Fabriano, di Sant'Angelo in Vado, di Zara e di Lecce» [Stussi 1982: 71]. E ancora Stussi ha attirato l'attenzione sul fatto che la lettera mercantile non può essere considerata come un documento dialettologico 'puro', perché non solo può tendere a forme di conguaglio, ma inoltre è esposta all'influenza (al «contagio linguistico») del corrispondente.

Il mercante utilizzò altre forme di scrittura, oltre alle lettere missive. Con il nome di «pratiche di mercatura» si indicano di solito quaderni miscellanei, *vademecum* di mercanti, in cui si trovano in maniera abbastanza disorganica cose diverse, come possono essere problemi matematici, tariffe commerciali, notizie astronomiche, scongiuri, proverbi, ricette mediche, notizie di cronaca ecc. [cfr. Stussi 2001: 27-28]. I «libri di famiglia», invece, custoditi tra i beni di casa, sono quaderni in cui uno o più membri della famiglia annotarono avvenimenti familiari e cittadini, memorie, considerazioni personali, dati di interesse patrimoniale. Anche per quanto concerne questi libri, abbiamo l'impressione (forse esagerata) che sia la Toscana a fare la parte del leone: il fatto è che i «libri di famiglia» toscani sono stati pubblicati con particolare cura e dovizia, mentre quelli di altre regioni sono stati trascurati.

Già nel Cinquecento la cultura mercantile perse la sua importanza, a vantaggio di altri elementi propulsori dei meccanismi di sviluppo culturale e linguistico. Evidentemente continuavano ad esistere i mercanti, ma non erano più figure importanti per le sorti dell'italiano. Figure di mercanti e mercanti-banchieri, tuttavia, emersero ancora. Basti pensare a Bernardo Davanzati Bostichi (1529-1606), che ci ha lasciato un trattatello intitolato *Notizia de' cambi* e una *Lezione delle monete*, di grande interesse non solo per lo storico dell'economia, ma anche per chi si occupi della terminologia finanziaria dell'epoca.

Nel Cinquecento continuò la tradizione delle narrazioni di viaggi scritte da mercanti. In questi scritti il linguista può trovare fra l'altro le prime attestazioni di parole poi entrate stabilmente nell'italiano: l'opera di Francesco Carletti, il quale fece il giro del mondo per seguire i propri interessi commerciali, permette di raccogliere una buona messe di forestierismi di questo genere (cfr. IX.6.3). Del resto il resoconto di viaggio del mercante è molto antico nella nostra tradizione: risale almeno al *Milione* di Marco Polo, che però fu scritto in francese, e solo in seguito tradotto in italiano (cfr. VI.6.2).

6. Scienziati e tecnici

6.1. Egemonia del latino

Lo strumento della lingua scientifica fu per lungo tempo solo il latino. Questa situazione durò fino al Rinascimento. Il latino aveva un prestigio che gli permetteva di essere adoperato in settori come la teologia, la filosofia, la matematica, l'astronomia e la geometria. La base delle conoscenze sulla natura, del resto, era costituita dagli autori classici, dalle opere di filosofi come Aristotele, da Plinio (la sua *Naturalis historia* era fonte di nozioni geografiche, botaniche, zoologiche, mediche). Anche nel campo della medicina si usava il latino, lingua in cui erano tradotti e letti in Europa autori arabi come il persiano Avicenna (vissuto a cavallo tra il X e l'XI sec.) e l'arabo di Spagna Averroè (sec. XII). Ci volle tempo perché il volgare potesse competere con il latino, strappandogli il monopolio della cultura, e perché lo scienziato diventasse uno dei protagonisti della storia linguistica italiana. Già Dante ebbe la lungimiranza di antivedere una simile trasformazione, e scrisse in volgare il *Convivio*, opera di filosofia e poesia, che comprende commenti dottrinali in prosa. Altre opere 'scientifiche' di Dante sono tuttavia in latino, come lo stesso *De vulgari eloquentia*, la *Monarchia* o la *Questio de aqua et terra*. S'intende che in riferimento a queste opere usiamo il termine 'scienza' in un senso ampio, abbracciando in un'unica visione campi diversi, come la retorica, la teoria politica, la filosofia, oltre che la fisica e lo studio della natura: in ciò ci adeguiamo alle concezioni dell'epoca, in cui la distinzione tra le cosiddette 'due culture' (l'umanistica e la scientifica) non era netta come è oggi, e la filosofia comprendeva un terreno che noi riconosciamo come proprio di altre discipline.

6.2. Affermazione di un linguaggio scientifico italiano

La vera affermazione di un linguaggio tecnico-scientifico in volgare italiano si è avuta, già l'abbiamo accennato, a partire dal Cinquecento. Il volgare si affermò allora con maggior forza (soppiantando il latino) nei settori della scienza applicata, adatta a risolvere problemi pratici: metallurgia, architettura, ricette medico-alchemiche dei libri detti «di segreti». La scienza di livello più elevato, di tipo universitario, rimase ancora lungamente legata al latino, adoperato anche nelle lezioni accademiche, secondo una tradizione che si trascinò stancamente fino al Settecento, seppure con qualche eccezione per singole discipline. Ancora Vittorio Alfieri, nell'autobiografia, ricorda la profonda noia delle lezioni universitarie in lingua latina. L'università, dunque, fu una roccaforte della conservazione.

Galileo fu il protagonista della svolta culturale che promosse al più alto livello scientifico l'uso del volgare toscano (cfr. X.3.1). Il suo contributo è di eccezionale importanza, anche se esistettero scienziati i quali adoperarono il volgare prima di lui, ad esempio Niccolò Fontana detto il Tartaglia, matematico bresciano vissuto nella prima metà del Cinquecento, fra l'altro traduttore degli *Elementi* di Euclide. Nel settore scientifico, infatti, non va sottovalutata, accanto alla produzione di opere originali, l'azione esercitata dalle traduzioni di opere classiche, le quali furono fondamentali per piegare l'italiano al rigore necessario a questo tipo di impiego. Il linguaggio scientifico, infatti, si differenzia per la sua funzione da quello letterario e poetico. La poesia è per sua natura 'vaga' e suggestiva. La rigorosa univocità e la chiarezza logico-dimostrativa sono invece requisito di ogni linguaggio che ambisca ad essere scientifico, anche se poi i singoli linguaggi scientifici si differenziano quanto al lessico specialistico di cui si avvalgono, che può essere più o meno tecnico, a seconda delle discipline.

L'emergere di una specificità scientifica è stato un processo lento. Ancora nel Settecento, in una situazione ben diversa da quella del Medioevo (la rivoluzione galileiana è ormai avvenuta), «non è sempre possibile tracciare confini certi e universalmente riconosciuti fra i linguaggi scientifici da una parte, la lingua letteraria e della conversazione colta dall'altra» [Giovanardi 1987: 5].

Tra l'altro può capitare che la poesia, magari in forma didascalica, faccia uso di lessico scientifico, o che la scienza venga utilizzata nella divulgazione, quindi nel contesto di un discorso piano e piacevole, non strettamente tecnico. Il linguaggio scientifico può dunque irradiarsi al di fuori del proprio terreno di origine, e costituire motivo di arricchimento per la lingua. La scienza e la tecnica, inoltre, sono una porzione del sapere fondamentale per l'uomo moderno. Gran parte della comunicazione sociale di cui si occupa lo storico della lingua si è svolta (e si svolge), se non nel laboratorio, almeno nella bottega, nell'officina, nella fabbrica (senza contare i libri e i giornali, specialistici o divulgativi, che propongono temi scientifici): la terminologia tecnica si irradia da tutti questi luoghi, e dagli 'addetti ai lavori' arriva anche agli utenti comuni. Basti pensare alla circolazione tra il largo pubblico del linguaggio della meccanica automobilistica (ABS, *differenziale*, *spinterogeno*, *marmitta catalitica*, *retrofit* ecc.), del linguaggio dell'elettronica (*presa scart*, *dolby*, HF), o della diffusione del linguaggio dell'informatica (*floppy*, *interfaccia*, *lettore* di *cd-Rom*, *mouse*, *Ram*).

6.3. Caratteri dell'italiano scientifico

Il linguaggio scientifico moderno, coerente con lo sviluppo del nostro tempo, ha accentuato molto i suoi caratteri specifici, che lo distinguono dalla lingua comune, oltre che da quella letteraria. Difficilmente potrebbe accadere oggi quello che si verificava nel Seicento, quando autori come Redi e Magalotti scrivevano pagine di piacevolissima lettura, ricche tuttavia di un contenuto scientifico ineccepibile e nuove per i temi su cui si soffermavano (cfr. X.3.2). Oggi nemmeno la divulgazione saprebbe avvalersi di una simile elegante piacevolezza di dettato. Il linguaggio scientifico moderno tende invece a fare sfoggio di asperità esoterica, assunta negli ultimi vent'anni anche da alcuni cultori di discipline umanistiche che ambiscono al rigore delle scienze esatte. Molte volte, tuttavia, la scarsa comunicazione con i profani non è esibizione gratuita, ma è conseguenza necessaria e inevitabile di un linguaggio scientifico fortemente codificato, rivolto a specialisti, il quale proprio grazie alla concentrazione di tecnicismi risulta più 'economico' (cioè: evita di sprecare parole inutili per ridefinire i concetti di base).

Oggi molto spesso chi scrive saggi scientifici, specialmente al di fuori del settore delle scienze umane, è tentato di usare l'inglese. Ciò evita i problemi di traduzione (l'inglese è ormai lingua internazionale, come un tempo il latino), e assicura una più facile diffusione all'estero. Se questa tendenza dovesse estendersi, andremo purtroppo incontro ad una progressiva perdita del linguaggio scientifico italiano.

Il linguaggio scientifico può far largo uso della matematica, della formula e della formalizzazione. Lo scienziato moderno adopera largamente procedimenti di suffissazione e composti (come -*paro* 'che genera', o -*patia* 'sofferenza': *oviparo, viviparo, cardiopatia* ecc.; tra i lunghi composti della scienza moderna, ecco l'acido *deossiribonucleico*), oltre alle sigle (AIDS, DNA, UVA ecc.). Lo scienziato, come già abbiamo detto, necessita di una terminologia priva di incertezza evocativa. Deve definire rigorosamente i termini che usa (se non sono già codificati), o deve attenersi al significato prefissato. Questo necessario tecnicismo, già perseguito da Galileo, è uno dei postulati su cui si fonda la scienza moderna.

Fin dall'inizio, l'italiano scientifico fece ricorso al cultismo, coniando vocaboli sulla base delle lingue classiche, anche se Galileo non fu affatto favorevole a questa tendenza (cfr. X.3.1) [cfr. Dardano 1994: 510-20]. Il tecnicismo costruito sul greco e sul latino aveva ed ha in genere il vantaggio di essere 'europeismo'[15], per usare la calzante definizione di Leopardi, il quale fu uno dei più acuti teorizzatori della differenza tra 'parole' e 'termini', cioè tra la dimensione poetica e quella tecnico-scientifica della lingua [cfr. Gensini 1984b: 103 ss.].

Ad un punto di incontro tra linguaggio letterario e scientifico si è collocata in passato la poesia didascalica, di cui esistono esempi interessanti nel Settecento, e di cui qualche saggio si ha anche nel nostro secolo (così la terminologia entomologica impiegata da Gozzano nel poemetto *Le farfalle*). La poesia didascalica, che mette in versi esperimenti scientifici e descrizioni della natura, rappresenta comunque un caso molto particolare, seppure ben radicato nella tradizione classica (si pensi al *De rerum natura* di Lucrezio). Il linguaggio letterario, però, ha approfittato anche in altri modi del linguaggio scientifico. Già nella *Commedia* (cfr. VII.1.2) i tecnicismi della scienza dell'epoca entrano nell'onnivoro versificare dantesco (così termini astronomici come *equatore, meridiana, rota, sfera, emisperio* ecc.). Nel Seicento, Marino ha utilizzato nell'*Adone* il lessico 'moderno' dell'ottica e dell'anatomia (cfr. X.5.2). Il linguaggio scientifico, come altri linguaggi settoriali, è un ingrediente del mistilinguismo stilistico (cfr. IV.4): così in uno scrittore pirotecnico come l'ingegnere' Carlo Emilio Gadda (cfr. XIII.1.3).

7. La forza della norma: i grammatici

7.1. Prime grammatiche italiane

Una lingua, ovviamente, esiste anche prima che i grammatici ne abbiano fissato le norme. L'italiano, ad esempio, vantava già

---

[15] Si pensi ad un termine come *microscopio*, costruito sul greco *micros* 'piccolo' e *scopé* 'osserva', a cui corrispondono con singolare uniformità *microscope* francese, *microscope* inglese, *Mikroskop* tedesco, *microscopio* spagnolo, *microscópio* portoghese.

un'eccellente tradizione letteraria quando, tra Quattro e Cinquecento, si avviarono i primi esperimenti di stabilizzazione della norma. La prima grammatica italiana che si conosca è la cosiddetta *Grammatichetta vaticana*, così chiamata perché tramandata da un codice apografo ('copia dell'originale') della Biblioteca Vaticana (l'originale, oggi perduto, stava nella biblioteca di Lorenzo il Magnifico, a Firenze). Tale grammatichetta è attribuita a Leon Battista Alberti; la data di composizione è discussa: si colloca tra il 1434 e il 1454 ([cfr. Grayson 1964] e Patota 1996; cfr. VIII.2.2). Si tratta di un documento di grande interesse, che ci mostra in che modo è stato determinante il confronto tra italiano e latino. Nelle prime righe di questa grammatica il pensiero dell'autore va ai latini e ai greci, che per primi ricavarono delle regole adatte a far sì che si potesse scrivere in maniera corretta. Gli umanisti riconoscevano che il latino aveva una salda struttura grammaticale, il cui rigore destava la loro ammirazione. Si trattava allora di vedere se il volgare avesse anch'esso una 'regola', o ne fosse irrimediabilmente privo, condannato al disordine, in balia di oscillazioni incontrollabili dell''uso'. Da una ricerca del genere nacque la *Grammatichetta*, la quale, dunque, non deriva affatto «da un bisogno di regolamentazione dell'uso scritto del volgare che a questa data qualcuno sentisse» [Tavoni 1992: 63]; si tratta piuttosto di una sorta di verifica, quasi una sfida per mostrare come anche per il toscano fosse possibile realizzare uno strumento già esistente per il latino. L'opera, però, non ebbe né fortuna né diffusione. La sua esistenza ci permette di fissare un primo punto fermo: per la tradizione umanistica e per la cultura 'alta' del Quattro-Cinquecento, abituata all'uso del latino, la promozione del volgare passava attraverso il riconoscimento della sua capacità di avere delle 'regole'. La 'grammatica' era insomma garanzia del valore della lingua.

La prima grammatica a stampa dell'italiano risale all'inizio del secolo successivo (cfr. IX.3.1): si tratta delle *Regole grammaticali della volgar lingua* di Giovanni Francesco Fortunio (un umanista di probabile origine friulana e di formazione veneziana); tali *Regole* furono pubblicate ad Ancona nel 1516 (Fortunio vi svolgeva le funzioni di podestà) [cfr. Fortunio 1999 e Richardson 2001], ed ebbero poi altre ristampe, che provano il loro successo. Pochi anni dopo, nel 1525, uscirono le *Prose della volgar lingua* di Pietro Bembo (cfr. IX.2.1), un'opera di enorme importanza nella tradizione italiana (cfr. l'edizione critica delle *Prose della volgar lingua* curata da Vela [2001], e l'importante volume miscellaneo curato da Morgana *et alii* [2001]). Nella terza e ultima parte delle *Prose* si trova una vera e propria grammatica dell'italiano, esposta in forma dialogica. Con la prima metà del Cinquecento la figura del grammatico acquista dunque un rilevo speciale, diventando uno dei protagonisti del dibattito linguistico.

Le norme fissate dai grammatici del Cinquecento erano ricavate dagli scrittori che avevano reso grande la lingua: Dante, Petrarca e Boccaccio. Le loro opere fornirono il modello a cui i grammatici si attennero. La grammatica, dunque, si sviluppò dopo che fu disponibile una ricca tradizione letteraria. Lo sforzo di razionalizzazione grammaticale ebbe come effetto una maggiore omogeneità nell'uso da parte degli scriventi. Fino a quel momento, infatti, in assenza di strumenti normativi, chi usava la lingua doveva farsi, in un certo senso, grammatico egli stesso, ricavando da solo le regole, a partire dagli autori letti e ammirati, in particolare da quegli stessi Dante, Petrarca e Boccaccio che furono poi proposti da Fortunio e da Bembo come i più autorevoli maestri di lingua[16]. È evidente che un simile 'fai da te' implicava scelte oscillanti e sovente contraddittorie.

7.2. Grammatiche toscane

Si noti che nella tradizione italiana il primato nel fissare le norme grammaticali appartenne per un certo tempo a letterati che operavano in regioni diverse dalla Toscana (Bembo era veneto, Fortunio era forse friulano di nascita). Dalla Toscana, nel Cinquecento, non vennero opere normative capaci di competere con quelle prodotte dall'editoria di Venezia, che di fatto assunse la *leadership* del settore.

Nella seconda metà del Cinquecento e all'inizio del Seicento si imposero finalmente opere di grammatici toscani, i quali (a differenza di Bembo) riconoscevano l'importanza della lingua fiorentina parlata, pur senza rinnegare il ruolo fondamentale della tradizione scritta. Ci volle dunque un certo tempo perché i grammatici attribuissero valore al 'parlato' (cfr. III.4 e IV.1). La norma dell'italiano si era fissata sulla base di modelli letterari antichi. Con il passare del tempo, invecchiati sempre di più questi modelli, la grammatica italiana divenne a poco a poco una sorta di freno alla libertà della scrittura, per la sua impostazione conservatrice e arcaizzante. La lingua tende per natura al mutamento, mentre la grammatica deve per forza fissare dei punti fermi, eliminando per quanto possibile le oscillazioni e le incertezze. Questo è un dato di fatto inevitabile. Ma in Italia la situazione era complicata dalla lunga abitudine ad assumere come modello gli autori del Trecen-

---

[16] Si noti, a questo proposito, quanto scriveva all'inizio delle sue *Osservationi grammaticali e poetiche della lingua italiana* (1555) il letterato cinquecentesco Matteo di San Martino: «a compor mi disposi le infrascritte regole, non già per farne alcuna determinatione, però che tanto di me non mi prometto, ma come investigator del vero per instruir me stesso ne i miei componimenti» (p. 7) [ora in Sorella *et alii* 1999: 56-57]. L'atteggiamento è ancora quello tipico di chi, desideroso di diventar letterato, deve superare l'ostacolo della lingua, deve cioè fare i conti con una lingua non regolata, e quindi si deve arrangiare come può (non a caso Matteo di San Martino è originario del Piemonte, un'area in quest'epoca culturalmente piuttosto arretrata).

to, appartenenti alla cosiddetta 'epoca d'oro' della lingua: la grammatica era diventata una sorta di deposito della tradizione, un magazzino stracolmo di vecchi ferri arrugginiti, piuttosto che uno strumento di analisi lucida e razionale della lingua contemporanea. La comprensibile azione frenante, propria di ogni grammatica, fu accentuata nell'Ottocento con la fortuna del Purismo (cfr. XII.1).

7.3. La grammatica come strumento didattico

Le grammatiche del Cinquecento furono soprattutto strumento di consultazione per i letterati, non certo per ragazzi che apprendessero la lingua italiana, la quale del resto non era oggetto di studio nelle scuole, le quali coltivavano solo il latino. Ma già a partire dal Settecento, con lo sviluppo di pubbliche scuole superiori di lingua italiana (prima inesistenti), ai grammatici si offrì questo nuovo e importante spazio di intervento (cfr. XI.4): la grammatica, in forma di ordinato manuale, divenne uno strumento fondamentale della pedagogia scolastica, come è ancor oggi[17].

La grammatica, però, non è soltanto uno strumento normativo e scolastico. Il grammatico non svolge esclusivamente il compito di guardiano della lingua, considerata cittadella da difendere a oltranza dall'assalto delle innovazioni. Egli può essere invece un osservatore del mutamento, che registra le spinte innovative come un testimone assolutamente e scientificamente neutrale, o anche (eventualmente) prendendone le distanze (cfr. II.5.2 e II.5.3).

8. Lessicografi e accademici

8.1. Nascita del vocabolario italiano

Accanto alle grammatiche, l'altro grande presidio della norma linguistica è rappresentato dai dizionari. Nella concezione moderna, il vocabolario 'dell'uso' è considerato prima di tutto un testimone della lingua viva, tanto è vero che si ammette comunemente che esso necessiti di aggiornamento per stare al passo con i tempi: le redazioni dei più noti vocabolari italiani sono continuamente impegnate in quest'opera di ammodernamento (cfr. II.6).

---

[17] Le *Regole ed osservazioni della lingua toscana ridotte a metodo* di Salvadore Corticelli, la più importante grammatica del sec. XVIII (la prima edizione è del 1745), si presentano appunto come libro di scuola, per gli studenti del Seminario di Bologna. Non a caso, la prefazione dell'autore è diretta ai «convittori, ed alunni», ai «virtuosi giovani». Il pubblico, dunque, non è più costituito, come al tempo di Bembo, dai dotti e letterati, ma dagli scolari: segno che l'apprendimento dell'italiano stava diventando una procedura istituzionalizzata, regolata da libri di testo (il sec. XVIII è infatti caratterizzato dalle riforme scolastiche, che introducono l'insegnamento dell'italiano nella scuola superiore: cfr. XI.4).

Le edizioni dei vocabolari del nostro tempo si succedono con cadenza abbastanza frequente, proprio per dar conto dei neologismi e dei prestiti che entrano in grande quantità nel patrimonio lessicale della nazione. Questa concezione di vocabolario, aperta alle innovazioni, è molto diversa da quella che fu propria della più antica produzione lessicografica italiana, la quale, invece, ebbe come obiettivo la definizione di un *corpus* chiuso di vocaboli, attraverso lo spoglio del lessico adoperato da autori della letteratura trecentesca, Dante, Petrarca e Boccaccio in primo luogo. I primi vocabolari a stampa, nella prima metà del Cinquecento, nacquero all'insegna di un ideale linguistico non molto diverso da quello delle prime grammatiche, e furono (né altro potevano essere) strumenti al servizio della letteratura[18].

8.2. Lessicografia toscana e Accademia della Crusca

Va osservato che nel campo della lessicografia accadde nel Cinquecento qualche cosa di simile a quello che si era verificato nel settore delle grammatiche: i più antichi vocabolari a stampa dell'italiano furono realizzati lontano dalla Toscana, soprattutto a Venezia, ma anche al Sud, a Napoli (qui fu stampato nel 1536 il *Vocabulario di cinquemila Vocabuli Toschi* di Fabricio Luna). Probabilmente ciò accadde perché i non toscani sentivano un bisogno maggiore di strumenti del genere, non essendo per loro la lingua un fatto 'naturale' e spontaneo. Anche la lessicografia, dunque, come la grammatica, era sfuggita dalle mani dei fiorentini. La cultura di Firenze, tuttavia, seppe intervenire proprio in questo settore con un'efficacia grandissima, attraverso l'Accademia della Crusca (cfr. IX.5.3 e X.1). Questa Accademia, fondata alla fine del Cinquecento (e tutt'ora esistente), è talmente legata alla storia linguistica italiana che tracciare la sua storia significa ripercorrere tutti i dibattiti sulla questione della lingua svoltisi per oltre tre secoli. La Crusca pubblicò nel 1612 un vocabolario molto più ampio di tutti quelli realizzati fino ad allora, e lo presentò con un'autorevolezza tale da farlo diventare il termine di confronto obbligatorio in qualunque discussione sulla lingua (cfr. X.1 e X.2). Si può dire che il dibattito sul vocabolario, avviatosi immediatamente dopo la pubblicazione dell'opera, fu più vivace di quello sulla grammatica. Nel vocabolario, infatti, in quanto selezione del-

---

[18] *Le tre fontane* del friulano venezianizzato Niccolò Liburnio (Venezia, 1526) sono divise in tre libri, dedicati rispettivamente a Dante, Petrarca, Boccaccio, appunto le «tre fontane» a cui il titolo fa cenno, destinate ad alimentare la ricchezza della lingua volgare. Nel 1535 Lucilio Minerbi pubblicò un *Vocabulario* delle parole di Boccaccio. Nel 1539 Francesco Alunno diede alle stampe un lessico delle parole di Petrarca, e lo stesso autore fece uscire nel 1543 un lessico di Boccaccio [cfr. Poggi Salani 1986].

le parole ammissibili, era ancor più vistosamente materializzato il *corpus* della lingua. Gli accademici aspiravano a un controllo totale su questo *corpus*. Il loro vocabolario non fu una semplice registrazione oggettiva delle parole presenti nella tradizione italiana: per arrivare alla selezione delle parole incluse nel vocabolario gli accademici si assunsero anzi la responsabilità di scelte molto ardite, tra le quali l'eliminazione di uno scrittore come Tasso, il più grande autore del secondo Cinquecento. L'operazione lessicografica si presentava quindi come la proposta precisa di un modello linguistico, fiorentino e arcaizzante.

Il modello della Crusca fu così forte che per secoli Accademia e Vocabolario si identificarono, e furono al centro di discussioni molto vivaci e di polemiche. Si pubblicarono nuove edizioni del Vocabolario, altre due nel corso del Seicento, dopo la prima del 1612, e un'altra nel Settecento. Ancora nel sec. XIX vennero ristampati diversi vocabolari che, con aggiunte e interventi vari, non erano altro che delle Crusche camuffate, senza sostanziale rinnovamento dell'impianto, e anzi a volte persino con un irrigidimento dei criteri normativi già propri dell'Accademia di Firenze [19].

8.3. I (grandi) vocabolari specchio della cultura

Non furono molte le realizzazioni lessicografiche italiane che si staccarono dal quadro dominato dalle continue riproposte del repertorio della Crusca, ma alcuni vocabolari furono effettivamente i testimoni delle svolte culturali e di un atteggiamento linguistico disponibile ad accogliere novità di rilievo. Tra il 1797 e il 1805 fu pubblicato a Lucca il *Dizionario universale critico enciclopedico della lingua italiana* di Francesco D'Alberti di Villanova, che segnò un deciso rinnovamento, anche per la disponibilità verso i francesismi, verso alcuni regionalismi, verso le voci tecniche [cfr. Mura Porcu 1990 e Trifone 1992]. Ma l'opera più nuova, tutt'oggi non completamente superata, fu il *Dizionario della lingua italiana* di Niccolò Tommaseo e Bernardo Bellini, la cui pubblicazione fu avviata nel 1861, in non casuale coincidenza con l'Unità italiana (cfr. XII.4.2).

---

[19] È il caso della cosiddetta 'Crusca veronese' del purista Antonio Cesari (1806-1811: cfr. XII.1), presentata dal suo curatore con un fanatismo oltranzista senza pari: Cesari aspirava a sviscerare ancor più a fondo il patrimonio della lingua del Trecento, unico secolo che meritasse a suo giudizio di essere studiato per la perfezione e purezza d'idioma. Un simile atteggiamento era certo insostenibile, tanto è vero che contro Cesari si scatenò la reazione assai polemica di Vincenzo Monti (cfr. XII.2). Anche Leopardi, i Romantici del «Conciliatore» e il Manzoni furono avversi al Purismo di Cesari, il quale tuttavia godette di una fama eccezionale, sproporzionata ai suoi meriti, ed ebbe numerosi seguaci, per quanto tale teoria linguistica possa oggi apparire assurda.

Potremmo chiederci chi siano i lessicografi che hanno lasciato maggiormente il segno nella tradizione italiana. Come abbiamo visto, la posizione più importante è senz'altro occupata dagli Accademici della Crusca, che fecero del vocabolario una sorta di loro specializzazione, quasi un monopolio, entrato in crisi solo nel sec. XIX. Altri grandi lessicografi furono scrittori: così Tommaseo. Non di rado una determinata concezione linguistica si tradusse in un progetto di vocabolario. Questo era già accaduto alla Crusca. Fu anche il caso di Manzoni, il quale progettò un vocabolario completamente diverso da quelli fin allora realizzati in Italia, coerentemente con la sua scelta del fiorentino vivo: tale vocabolario, il cosiddetto Giorgini-Broglio, dal nome dei curatori, fu portato a termine solo dopo la morte del Manzoni stesso (cfr. XII.4.3).

Nell'Ottocento uscirono molti altri vocabolari, di vario tipo e di varia destinazione. Anche in questo caso, non va dimenticato che il vocabolario divenne uno strumento della didattica scolastica, e fu in grado di influenzare il pubblico anche per questa via. Furono pubblicate svariate opere lessicografiche: settoriali specialistiche, dizionari metodici, dizionari puristici contenenti liste di parole da proscrivere. Questo tipo di vocabolario si presentava come un'arma nella battaglia per combattere la 'corruzione' delle parole forestiere, dei barbarismi (cfr. XII.4.4): tale tradizione puristica è durata fino al nostro secolo, come mostra fin dal titolo un libro quale *Barbaro dominio* di Paolo Monelli (1933), repertorio di voci dove si condannavano termini come *bidet* e *biberon*.

9. La burocrazia e la politica linguistica degli stati

9.1. La situazione particolare della Toscana

Come abbiamo già detto, la lingua toscana non deve la sua fortuna all'imposizione di un potere politico accentratore. La letteratura e la cultura sono stati i canali più importanti per la diffusione dell'italiano, lingua che non ha raggiunto la sua stabilità attraverso la forza unificatrice di uno stato moderno dotato di organizzazione burocratica. L'unificazione politica italiana si è realizzata solo nella seconda metà dell'Ottocento, quando la lingua aveva già raggiunto un assetto sicuro. Se la politica linguistica, per ragioni storiche, ha un rilievo secondario per lo sviluppo dell'italiano, ciò non vuol dire però che gli stati preunitari non siano stati protagonisti di importanti scelte, non prive di conseguenze sul piano linguistico. Bisogna prima di tutto distinguere tra la situazione della Toscana e quella del resto della penisola. In Toscana la lingua parlata era vicina a quella scritta e letteraria, e si aveva quindi un'omogeneità altrove impossibile. Non è strano, quindi, che in Toscana il potere politico fosse disponibile alla promozione della lingua volgare. In questo modo la Toscana assumeva una posizio-

ne di vantaggio, attraverso la celebrazione della propria lingua naturale e la rivendicazione del valore dei propri scrittori. Si ebbe
una significativa promozione del toscano alla corte medicea, al
tempo di Lorenzo il Magnifico, nel Quattrocento (cfr. VIII.3), e
nel Cinquecento, sotto Cosimo I (cfr. IX.5). In particolare, Cosimo seppe promuovere una vera e propria politica culturale, finan-
ziando l'Accademia fiorentina, e chiedendole di interessarsi in
modo speciale ai problemi della lingua, e di fissare le regole del
toscano (cosa, quest'ultima, che l'Accademia in realtà non riuscì a
fare). Per Cosimo, la rivendicazione della toscanità del volgare si
inserì in una generale rivalutazione delle tradizioni storiche e artistiche del suo ducato. Come ha scritto Nencioni [1983b:
212-213], «il 'palazzo' della Signoria fiorentina non è la reggia dei
Visconti, degli Sforza, degli Angioini, degli Aragonesi»; a Firenze
il volgare «non è lo strumento di una casta di letterati o di alti
funzionari, ma la lingua dell'intero popolo». La situazione di Firenze era dunque unica nel suo genere, per l'omogeneità tra lingua letteraria e lingua parlata.

9.2. Le cancellerie degli stati come centro di irradiazione della lingua

Diversa la situazione nel resto d'Italia, dove tuttavia si ebbero
casi di adozione precoce del volgare toscano al posto del latino.
Non si dimentichi che anche nel campo giuridico-amministrativo il
latino deteneva un primato quasi assoluto, in quanto lingua del diritto e della giurisprudenza, la cui base stava nel diritto romano.
Eppure il volgare, già nel Quattrocento, fece la sua comparsa in
alcune cancellerie signorili. La 'cancelleria' è la segreteria addetta
al disbrigo degli affari di stato, in cui si conservano atti legislativi
e giudiziari, e in cui scrivani, segretari e notai svolgono il compito
di impiegati alle dipendenze del signore, con l'incarico di mettere
per iscritto norme e bandi; la cancelleria, inoltre, intrattiene la
corrispondenza epistolare politico-diplomatica e amministrativa con
l'interno e con l'estero [cfr. Tavoni 1992: 47 ss.]. È nella cancelleria che si forma, nel Quattrocento, la lingua che usiamo definire
come 'comune', *koinè*, con termine greco[20] (cfr. VIII.5). Una cancelleria, quando adotta l'italiano, tende di necessità ad un conguaglio superregionale, proprio per i contatti che intrattiene al di fuori dei confini. I cancellieri sono generalmente notai, e «hanno
quindi una cultura linguistica latina, di un latino legale, formulare,
pragmatico, alla quale può in alcuni casi accompagnarsi una cultura umanistica» [Tavoni 1992: 50]. Il latino influisce dunque forte-

---

[20] Il termine si ricollega ad una particolare fase della lingua greca, dal tempo di Alessandro Magno in poi, quando si diffuse una lingua comune, al di sopra delle varietà locali.

mente sulla lingua volgare usata nelle cancellerie (anche in quelle fiorentine: cfr. Telve [2000]), a partire dal livello grafico.

9.3. Motivazioni per la scelta del volgare

Il volgare, abbiamo detto, viene utilizzato già nel Quattrocento da alcune cancellerie italiane: a Mantova, a Milano, a Urbino. L'adozione del volgare è stata attribuita in certi casi a scelte del principe; per Milano si è fatto il nome di Filippo Maria Visconti, per Urbino quello di Federico da Montefeltro [cfr. Vitale 1953 e Breschi 1986]. Il volgare viene utilizzato inizialmente in bandi e gride rivolte al popolo (quindi in funzione, possiamo dire, 'divulgativa'), e successivamente nella corrispondenza ufficiale e nelle procedure di giustizia. Non sempre la scelta del volgare è indolore, né incontra il consenso di tutti: quando Emanuele Filiberto introdusse l'italiano nei tribunali del Piemonte, a partire dal 1560-1561, molti avvocati e notai protestarono, e alcuni si ostinarono ad adoperare il latino a cui erano stati sempre abituati, tanto che un editto del 1577 firmato dal Duca di Savoia (ad oltre un decennio dalla riforma) ancora minacciava sanzioni agli inadempienti: segno che non tutti si erano adeguati[21]. La motivazione portata da Emanuele Filiberto per giustificare la scelta del volgare (italiano o francese, a seconda dei territori) richiama esplicitamente un principio di giustizia: il popolo, incapace di intendere il latino, era infatti in balia di notai e avvocati, in grado di ingannare gli ignoranti con verbalizzazioni infedeli. In realtà, accanto a questa motivazione, occorre richiamare un precedente: il re di Francia Francesco I aveva accolto il francese al posto del latino nel 1539. Emanuele Filiberto, adottando l'italiano nel Piemonte, non faceva che seguire l'esempio della Francia. L'italiano veniva accolto dunque con scelta meditata e razionale, al posto di altre alternative possibili: la cancelleria del Duca, infatti, sarebbe stata perfettamente in grado di continuare ad usare il latino, o di usare il francese, la lingua originaria della dinastia sabauda [cfr. Marazzini 1992: 13-18].

9.4. L'adozione di una lingua come scelta di campo e come simbolo nazionale

La scelta di una lingua ufficiale piuttosto che di un'altra può significare una scelta di campo, un'opzione di grande portata storica. Non a caso, nello stesso Piemonte, durante il periodo napoleonico, si introdusse il francese come lingua ufficiale al posto dell'italiano: la

---

[21] Si noti che Emanuele Filiberto era signore di uno stato bilingue, e infatti nella Savoia e nella Valle d'Aosta egli fece adottare non l'italiano, ma il francese.

francesizzazione si interruppe solo per la caduta dell'Impero. Il Piemonte francese avrebbe potuto diventare una realtà irreversibile, tanto più che una parte della classe dirigente vedeva con favore questa
scelta linguistica, che portava a identificarsi con la potente nazione
d'oltralpe. I seguaci della monarchia sabauda allora in esilio, invece,
furono accaniti difensori dell'italiano, e l'italiano stesso finì per diventare l'espressione di sentimenti patriottici e antifrancesi.

Quando la lingua viene sentita come valore nazionale (il nesso
lingua-nazione è una scoperta del Romanticismo: cfr. Vàrvaro
[1984: 10-12]), e magari come difesa verso l'esterno, oltre che
come tangibile segno di unità, si possono manifestare degenerazioni. Tra queste, vi è il rischio di un sentimento di antipatia per
quanto, all'interno della nazione, si presenta come linguisticamente
diverso e disomogeneo. Si è allora tentati di eliminare a forza le
differenze, mediante misure repressive ai danni delle minoranze alloglotte (per l'identificazione di queste minoranze nell'area italiana,
cfr. XIV.4). In molti casi tali minoranze si sono trovate in conflitto con politiche linguistiche centralistiche. Ciò è accaduto anche
in Italia. Dopo l'Unità, ad esempio, entrò in crisi il pacifico bilinguismo che aveva visto convivere per secoli, sotto la monarchia
sabauda, la Valle d'Aosta e il Piemonte. Dall'Unità alla fine del
regime fascista i valdostani dovettero difendere più volte la loro
autonomia, insidiata da molti provvedimenti che miravano a sradi-
care il francese dall'uso pubblico, nelle scuole, nella predicazione,
nell'amministrazione [cfr. Marazzini 1991: 89-101]. Lo statuto speciale della regione, del 1948, ha messo fine a questo conflitto, che
aveva innescato anche rivendicazioni secessionistiche.

Durante il Fascismo la politica linguistica nazionalista e xenofoba turbò la vita di altre minoranze, oltre a quella valdostana (e
in misura ancora maggiore): furono presi di mira in particolare i
tedeschi dell'Alto Adige e le minoranze slovene della Venezia
Giulia [cfr. Klein 1986: 69 ss.]. La lingua, dunque, è tra i primi
bersagli di chi concepisca politiche linguistiche accentratrici, e viceversa proprio attraverso la lingua si manifesta il sentimento di
difesa della propria autonomia o diversità culturale.

9.5. La guerra ai dialetti e la politica linguistica

Anche i dialetti, pur con forza minore rispetto alle parlate alloglotte, esprimono una individualità e diversità regionale. Non a
caso, dunque, nel clima risorgimentale che portò all'Unità d'Italia
si formarono dei movimenti di opinione che avversarono i dialetti,
concepiti come ostacolo sulla strada dell'ideale nazionale. Lo stesso Manzoni non fu favorevole ai dialetti: il suo punto di vista si
avvicina a quello dell'*abbé* Grégoire, che, al tempo della Convenzione nazionale, propose un piano per l'unificazione linguistica
della Francia [cfr. Vecchio 1992 e 1990: 69-83; Marazzini 1989a:

225-231; Gensini 1993: 286]. Tale posizione antidialettale viene definita come 'giacobinismo linguistico' [cfr. Renzi 1981]. Per quanto questa avversione alle lingue di minoranza non sia da condividere (il grande linguista Ascoli faceva notare che lingua e dialetto possono convivere pacificamente, e che non sono raccomandabili «le fermissime rotaje dell'unico uso» [Grassi 1968: 10]), essa può essere facilmente spiegabile, in determinati momenti storici. Dietro di essa possono esserci anche buone intenzioni: un'istanza di educazione popolare, o l'aspirazione ad una maggior omogeneità nella cultura (cfr. ad esempio le idee del classicista Pietro Giordani, di cui si parla in XII.8.3). L'errore sta nel modo in cui questi buoni sentimenti si manifestano: Ascoli faceva notare che l'unità linguistica è sempre un risultato, non un mezzo (cfr. XII.5.4). Ciò vuol dire che l'unità linguistica si realizza da sola quando effettivamente la nazione è riuscita a raggiungere un livello accettabile nell'omogeneità del sapere, nella circolazione di idee, nella scolarità, perché la lingua è «il portato dell'intero organismo della vita nazionale» (Ascoli, in Grassi [1968: 34]).

9.6. La politica scolastica

Uno degli strumenti della politica linguistica è la scuola. Fino al Settecento, però, la scuola superiore fu in lingua latina. Il volgare non era insegnato di per sé, ed era estraneo alla scuola, almeno ufficialmente[22]. Solo in Toscana furono istituite già nel Cinquecento cattedre di lingua toscana nelle università[23]. Negli altri stati italiani non ci furono esperimenti del genere, anche se eccezionalmente si ha notizia dell'uso del volgare, in maniera più o meno occasionale, da parte di qualche professore [cfr. Marazzini 1993: 19-20]. Solo con le riforme del Settecento il toscano entrò nella scuola superiore e nell'università, e si svilupparono vere e proprie politiche scolastiche per la promozione dell'italiano, il quale, tuttavia, all'inizio occupò una posizione assai modesta, ancora ai margini rispetto all'insegnamento della lingua latina, la quale faceva pur sempre la parte del leone (per il Piemonte e per la riforma scolastica di Vittorio Amedeo II, che pur fu tra le più avanzate dell'intera penisola, cfr. Marazzini [1992: 24-25]). Di recente, tuttavia, è stata messa in rilievo l'importanza di scuole, di-

---

[22] Anche se, con molta probabilità, se ne faceva uso fin dal Medioevo anche nelle aule scolastiche, non foss'altro per tradurre e commentare i testi latini e per spiegare le regole della grammatica [cfr. Marazzini 1985a]: lo dimostra fra l'altro la pratica scolastica delle glosse volgari, note di commento apposte a testi nella lingua classica, con equivalenti spesso dialettali e locali.

[23] La prima di queste, quella di Siena, risale al 1588, ma era destinata in prevalenza agli stranieri, in particolare agli studenti tedeschi [cfr. Cappagli 1991 e Maraschio-Poggi Salani 1991]. Si inseriva dunque in una promozione del toscano 'lingua seconda' (come si direbbe oggi).

ciamo così, 'sotterranee', cioè non organizzate dallo stato né strut-
turate in maniera omogenea, tenute da religiosi, presso le parrocchie. Si faceva scuola anche in certe botteghe artigiane, per formare i figli dei mercanti. Le scuole religiose popolari e le scuole private mercantili furono occasioni attraverso le quali alcuni appartenenti a ceti meno elevati della società poterono imparare a leggere
e scrivere in volgare [cfr. Petrucci 1978: 191-193]. Queste scuole,
però, proprio perché private e autonome, non riguardano la politica linguistica degli stati di cui ci stiamo occupando. Gli stati, fino
al Settecento, si disinteressarono dell'educazione popolare, occupandosi solo dell'istruzione universitaria e superiore. Con l'Illuminismo, invece, la diffusione più larga del sapere divenne un problema maggiormente avvertito; risalgono alla seconda metà di questo secolo i primi esperimenti pubblici di scuola popolare. Nella
prima metà dell'Ottocento si realizzarono finalmente esperimenti
di scolarizzazione di massa. Le legislazioni più avanzate si ebbero
in Piemonte e nel Lombardo-Veneto, le situazioni più arretrate in
Meridione e nello Stato Pontificio. Gli esperimenti di scuola popolare diedero vita alle scuole 'comunali', con il compito di insegnare a leggere e scrivere. Nel 1848 il Piemonte riordinò tutta la
materia relativa all'istruzione pubblica mediante la legge Boncom-
pagni, e nel 1859 la legge Casati istituì la scuola elementare gratuita per quattro anni. Questa legge dello stato sabaudo fu poi
estesa all'Italia unita. In realtà l'obbligo scolastico fu largamente
evaso per lungo tempo; inoltre molti maestri insegnavano spesso
usando il dialetto, perché non erano in grado di parlare italiano;
tuttavia questa scuola elementare, pur imperfetta, non deve essere
considerata completamente priva di efficacia per la diffusione del-
l'italiano al livello popolare (cfr. XII.5.2). Quanto abbiamo detto,
inoltre, mostra quanto sia importante, nell'àmbito della storia della
lingua, prendere in esame l'organizzazione delle scuole, i loro programmi, i dati relativi al numero e all'origine sociale degli allievi.
Un simile interesse per la storia della scuola incontra sovente
grandi difficoltà, anche perché non è facile reperire i libri di testo
e gli elaborati degli scolari del passato. I libri di scuola, comuni al
loro tempo, sono diventati rari, subendo la sorte medesima dei libri popolari, consumati dall'uso degli utenti e spesso non ritenuti
degni delle attenzioni di collezionisti e biblioteche.

10. Gli editori e la tipografia

10.1. La rivoluzione della stampa

È noto che l'invenzione della stampa a caratteri mobili fu una
rivoluzione la quale incise profondamente sulla cultura europea, e
non solo su quella italiana di cui noi ci occupiamo. Tra le conseguenze di questa grande innovazione tecnologica (paragonabile a

quella che l'informatica ha prodotto nel nostro secolo, ma forse ancora più decisiva), vi fu una diminuzione del prezzo dei libri, con un aumento delle tirature e una divulgazione mai vista prima. È chiaro che una circolazione dei testi scritti comporta conseguenze anche sul piano linguistico: l'innovazione della stampa influenzò dunque direttamente l'evoluzione della lingua. La stampa produsse una regolarizzazione sempre maggiore della scrittura [cfr. Trovato 1991 e 1998], anche perché l'editoria del Rinascimento italiano, presto sviluppata su di un piano industriale, si trovò a convivere con il trionfo delle idee di Pietro Bembo (cfr. IX.2.1) e se ne fece portatrice: la tipografia italiana favorì nel Cinquecento la diffusione della norma bembiana, e allo stesso tempo se ne avvantaggiò, realizzando una maggiore omogeneità linguistica dei testi, sottraendoli alle oscillazioni tipiche della *koinè* quattrocentesca (cfr. su questo concetto VIII.5).

Come si sa, la stampa è un'invenzione tedesca: la Bibbia di Gutenberg (il primo libro composto a caratteri mobili) uscì a Magonza prima del 1456[24]. In breve tempo la tipografia si diffuse anche in altre nazioni, e con ottimi risultati in Italia, dove molte testimonianze di intellettuali del Quattrocento dimostrano che il ceto colto ebbe piena coscienza dell'importanza della nuova tecnica e del suo significato rivoluzionario [cfr. Quondam 1983: 555 ss.]. I primi tipografi attivi in Italia furono tedeschi, in quanto provenienti da quella nazione, ma l'arte tipografica fu appresa anche da artigiani nostrani, e si concentrò nelle città, in particolare a Venezia. Già nel Quattrocento Venezia divenne la capitale della stampa italiana, e tale rimase a lungo: questa città produsse da sola il 52,39% degli incunaboli italiani. Venezia confermò il suo primato nel Cinquecento e nel Seicento, raggiungendo tra il 1526 e il 1550 il 73,74% della produzione di titoli italiani. Ciò vuol dire che in quel periodo «tre libri su quattro sono stampati da editori-tipografi che risiedono a Venezia, anche se pochi sono veneziani» [Quondam 1983: 584]. Abbiamo usato il termine «incunabolo»: si definisce così, con parola tecnica, il libro quattrocentesco, dal lat. *incunabula* 'fasce' (cfr. *cuna* 'culla'), cioè appartenente al primo periodo dell'arte tipografica appena nata[25]: ma chi ha avuto per le mani un qualunque libro del sec. XV ha avuto modo di vedere che esso non ha nulla di 'infantile', di primitivo o di rozzo, e anzi si presenta in genere stampato con una eccezionale

---

[24] La data non è stampata nell'opera, ma si ricava da un'indicazione manoscritta che compare su di un esemplare conservato a Parigi, una delle quarantasei copie che ci sono giunte tra le forse duecento uscite dalla bottega di Gutenberg.

[25] Il termine latino *incunabula* per indicare i libri del Quattrocento fu introdotto alla fine del Seicento, in un repertorio di *Incunabula Typographiae* stampato ad Amsterdam. In italiano si ha l'oscillazione tra *incunabolo* e *incunabulo*.

qualità di carta e di caratteri. Si può dire insomma che la tipografia nacque matura, prendendo a modello il libro manoscritto, e imitandolo nella forma. In seguito la tipografia si distaccò dal modello del manoscritto e introdusse elementi che prima non esistevano, come il frontespizio, contenente il titolo, il nome dell'autore, la marca tipografica dell'editore, l'indicazione della città e dell'anno di stampa. Tali indicazioni, invece, erano poste non all'inizio, ma alla fine dell'incunabolo. Tralasciamo le questioni attinenti alla forma materiale dell'incunabolo stesso (di pertinenza della biblioteconomia più che della storia della lingua), e torniamo alle città che ebbero grande importanza per la tipografia quattrocentesca. Al primo posto, come si è detto, sta Venezia, dove furono attivi stampatori tra i più grandi della storia del libro, primo fra tutti Aldo Manuzio. La seguono (a distanza notevole) Roma, Firenze, Milano, Bologna. Queste indicazioni non distinguono, naturalmente, tra libro latino e libro italiano. Va tenuto presente che nel primo secolo della stampa la produzione in latino ebbe di gran lunga il primo posto. Non solo il primo libro composto a caratteri mobili fu la Bibbia di Gutenberg, la quale è appunto in latino, ma anche furono in latino i primi libri stampati in Italia (prescindendo dal problema del *Parsons fragment*, di cui parleremo nel prossimo paragrafo): un Cicerone e un Lattanzio, usciti nel 1465 dai torchi di Conrad Sweynheym e Arnold Pannartz (due artigiani tedeschi, appunto), attivi a Subiaco, nel monastero benedettino di Santa Scolastica.

10.2. Gli incunaboli in italiano

Il primo libro volgare italiano oggi conosciuto non è un grande classico, ma un testo popolare devoto: tradizionalmente si faceva riferimento a un'edizione dei *Fioretti di San Francesco* pubblicata probabilmente a Roma nel 1469 [cfr. Quondam 1983: 594 e Trovato 1991: 103], ora si deve tener presente il frammento di un libro di preghiere, il cosiddetto *Parsons fragment*, venduto all'asta nel 1998 a Londra, il quale potrebbe risalire al 1462 ca. [cfr. Marazzini 1999b, e i dubbi sollevati da Donati 1954]. La data resta però incerta e discussa. Se fosse sicura, questo libretto non sarebbe solo la prima opera a stampa in un italiano con vistosi dialettismi settentrionali, ma sanche, in assoluto, il primo libro stampato in Italia. Tra il 1470 e il 1471 uscirono comunque gli autori massimi della letteratura volgare: abbiamo infatti in quegli anni le prime stampe del *Decameron* e del *Canzoniere* di Petrarca. Nel 1472 uscirono diverse edizioni della *Commedia* dantesca. Va tuttavia tenuto presente quanto già dicevamo: i libri in volgare furono per tutto il Quattrocento una minoranza; la loro incidenza sul totale della produzione, calcolata sui titoli presenti nell'*IGI* [26], risulta essere del 20,1% [Quondam 1983: 588 e 639]. L'80% delle opere a stampa, dunque era in latino [27].

La figura che segue (fig. 1) (elaborata sulla base dei dati di Quondam [1983: 589]) mostra l'andamento della produzione dei libri in volgare a partire dal 1469, data tradizionale del primo incunabolo in italiano (i *Fioretti* a cui già abbiamo fatto cenno). Come si vede, tale produzione andò crescendo, con punte molto alte a ridosso del nuovo secolo. Si osservano nel grafico oscillazioni notevoli, ma la linea continua (l'indice della crescita tendenziale) mostra un inarrestabile progresso.

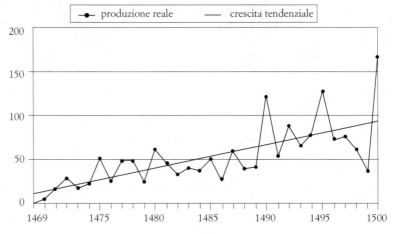

FIG. 1. Incunaboli italiani in volgare. Produzione dal 1469 al 1500.

Si osservi ora anche un'altra figura (fig. 2), che visualizza (sulla base di Quondam [1983: 598 ss.]) la partizione secondo il genere al quale sono ascrivibili gli incunaboli di materia non religiosa pubblicati in lingua italiana. Questa figura serve a darci un'idea del contenuto della produzione quattrocentesca.

---

[26] Con tale sigla si indica l'*Indice Generale degli Incunaboli italiani*, pubblicato tra il 1943 e il 1981 dall'Istituto poligrafico dello Stato (6 voll.).
[27] Interessante è un confronto, proposto da Quondam [1983: 589n], con la produzione di libri in volgare che si riscontra in altre nazioni: risulterebbe che il 19,7% degli incunaboli stampati in area di lingua tedesca era in tedesco, il 24,4% degli incunaboli dei Paesi Bassi era in fiammingo o in olandese, il 29,3% degli incunaboli francesi era in francese, il 55% degli incunaboli stampati in Gran Bretagna era in inglese, il 51,9% degli incunaboli spagnoli era in spagnolo o catalano. Tra le spiegazioni possibili, Quondam avanza tra l'altro la seguente: Italia, Germania, Paesi Bassi e Francia controllavano il mercato internazionale dei libri, e questo mercato era costituito appunto da opere in latino, le quali potevano essere vendute e lette senza difficoltà oltre i confini.

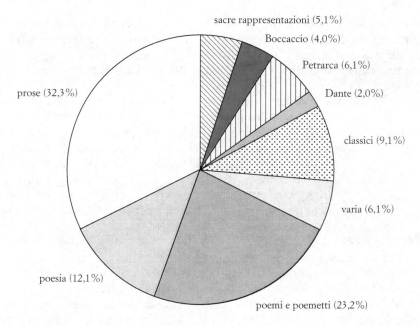

sacre rappresentazioni (5,1%)

Boccaccio (4,0%)

Petrarca (6,1%)

Dante (2,0%)

classici (9,1%)

prose (32,3%)

varia (6,1%)

poesia (12,1%)

poemi e poemetti (23,2%)

Fig. 2.   Tipologia degli incunaboli italiani in volgare.

Come si vede, la porzione occupata dai grandi classici della nostra letteratura, i trecentisti Dante, Petrarca e Boccaccio, è notevole, ma rappresenta pur sempre un settore minoritario. Nel settore delle 'prose', che è statisticamente il più rilevante, entrano anche testi 'scientifici', oltre a libri geografici di grande successo come i viaggi di Marco Polo. Molto importante è la categoria dei volgarizzamenti dai classici greci e latini. Un accenno a parte merita forse un testo come la Bibbia. Quondam [1983: 590] segnala la precocità dei volgarizzamenti di quest'opera: la prima edizione in volgare è del 1471, e nello stesso secolo ne seguirono altre dieci.

Abbiamo detto che la percentuale media degli incunaboli in volgare si aggira attorno al 20% del totale. Non mancano tuttavia casi in cui questa percentuale fu superata. Quondam [1983: 638-639] analizza ad esempio la produzione del tipografo Antonio Zarotto, attivo a Milano tra il 1471 e il 1507 (Milano fu una delle capitali del libro, fino alla dominazione spagnola). Ebbene, nella produzione dello Zarotto il libro in volgare copre il 26% del catalogo, con una percentuale notevolmente al di sopra della media nazionale.

10.3. La tipografia del Cinquecento, il volgare e le correzioni editoriali

Nel Cinquecento le percentuali dei libri in volgare aumentano notevolmente, tanto che alla fine del secolo si può considerare statisticamente normale (salvo, è evidente, alcune eccezioni, come la tipografia di Roma, fortemente legata al latino) un'incidenza sul totale superiore al 60%: il libro in italiano è dunque riuscito a 'sorpassare' il libro in latino, anche se quest'ultimo rappresenta pur sempre una notevole porzione del mercato (cfr. le tabelle elaborate da Marazzini [1993: 33-36]).

Possiamo ricordare alcuni degli editori che nel corso del sec. XVI si dedicarono intensamente al libro in volgare. Nella prima metà del Cinquecento si segnala a Venezia lo Zoppino (soprannome di Nicolò d'Aristotile de' Rossi), che stampa quasi tutti libri in italiano [Quondam 1983: 636], mettendo in catalogo autori come Petrarca, Dante, Boccaccio, Ariosto, per citare solo i maggiori. Giolito de' Ferrari (uno stampatore trasferitosi a Venezia, ma di origini piemontesi) produce solo il 5% di edizioni in latino, una percentuale davvero esigua: tutto il resto è in volgare [cfr. Quondam 1983: 642 e Marazzini 1993: 37]. Dai suoi torchi escono le opere di molti autori della letteratura volgare antichi e moderni (nella sua produzione si contano ben trenta edizioni dell'*Orlando furioso*)[28].

Abbiamo già avuto modo di dire che nel corso del Cinquecento l'editoria raggiunse una considerevole omogeneità linguistica. Nel secolo precedente, invece, la situazione era diversa. Vi era ben più possibilità che il luogo di stampa di un'opera avesse delle conseguenze sul piano della lingua, per l'introduzione di elementi 'locali' (come accadeva, del resto, nella tradizione manoscritta). Trovato [1991: 112] osserva che «il lavoro dei correttori quattrocenteschi riflette in linea di massima l'assenza di una norma e la frammentazione anche tipografica dell'Italia del tempo. Se a Napoli la stampa di un testo toscano (mettiamo il *Decameron*) implica la proliferazione di meridionalismi non necessariamente inconsci, a Venezia correggere un testo mediano o meridionale significa spesso costellarlo di venetismi». Quondam [1983: 664] cita un passo del poligrafo cinquecentesco Girolamo Ruscelli, il quale spiega come i lavoranti delle stamperie, per lo più settentrionali, nel comporre il testo fossero portati a commettere errori, ad esempio introducendo elementi della loro lingua 'lombarda'. Lo stesso Trovato, tuttavia, ha potuto indicare alcuni casi in cui già nel Quattrocento le correzioni editoriali portano nella direzione che fu poi vincente nel sec. XVI, cioè quella del fiorentino letterario. Nel 1477, ad esempio, in un volgarizzamento in prosa dal francese, ripubblicato a Venezia presso Filippo di Piero sulla base di una precedente edizione del 1472, furono introdotte correzioni di questo tipo: *incomencia > incomincia, buovi > bovi, piecore > pecore, ussire > uscire* [cfr. Trovato 1991: 111]. I casi citati (in-

---

[28] È notevole anche l'interesse di questo editore per il teatro, con autori come Aretino, Ruzante, Cecchi. La produzione di scrittori della letteratura volgare raggiunge il culmine nel catalogo del Giolito tra il 1545 e il 1556, per calare bruscamente negli anni post-tridentini, quando passò a stampare molti libri religiosi.

troduzione dell'anafonesi[29], eliminazione di dittonghi impropri, eliminazione di assibilazioni settentrionali) vanno verso la norma fiorentina, anche se in realtà le correzioni non erano affatto sistematiche, tanto è vero che nello stesso testo rimasero vistosi settentrionalismi lessicali, come *barba* per *zio*.

Quanto abbiamo detto sulle correzioni editoriali ci permette di introdurre il discorso su di un personaggio che acquistò sempre maggiore importanza: il correttore tipografico. Prima della normativa di Bembo, come abbiamo visto, poteva aversi un adeguamento alla norma toscana, ma tale adeguamento finiva necessariamente per essere incompleto e anche un po' casuale e contraddittorio. Solo nel libro post-bembiano il problema della regolarizzazione del testo si pone in maniera definitiva. Appunto per questo gli editori utilizzarono dei revisori ben preparati, talora essi stessi autori di opere linguistico-grammaticali; la revisione dei testi destinati alla stampa diventò dunque un vero e proprio mestiere[30]. Nel corso del Cinquecento questa professione acquistò una fisionomia ben precisa, con la crescita di importanza della revisione editoriale, che aveva come scopo la realizzazione di un testo corretto e omogeneo. Attraverso la stampa si arrivò così ad una progressiva regolarizzazione della grafia e dell'uso della punteggiatura. Si pensi che un segno grafico come l'apostrofo fu introdotto per la prima volta proprio da Bembo in occasione della stampa, nel 1501, delle *Cose volgari* di Petrarca [cfr. Trovato 1991: 144]. Nel corso del Cinquecento grafia e punteggiatura andarono verso un modello sempre più uniforme, come già abbiamo detto, e si può dire che alla fine del Seicento le convenzioni grafiche erano ormai sostanzialmente analoghe a quelle moderne, ancora oggi in uso.

La stampa di un testo implica non solo una normalizzazione grafica, ma anche un controllo filologico sulla sua correttezza. I libri del Cinquecento vantano molto sovente le correzioni che sarebbero state apportate dagli editori, con formule che annunciano la «limatissima castigatione», o che promettono un testo «con ogni diligenza corretto» (si trova una tipologia di questi annunzi in Quondam [1983: 654 ss.] e in Trovato [1991: 19 ss.]). In realtà spesso tali annunzi non rispondevano a verità, e avevano soprattutto lo scopo di favorire le vendite. Sul mercato operavano anche editori senza scrupoli dediti alla contraffazione di opere pubblicate da altri. L'esibizione di queste formule, tuttavia, dimostra (almeno indirettamente) che il pubblico aspirava a una buona qualità della stampa. Vi furono comunque casi in cui la revisione edito-

---

[29] Cfr. V.2.7. In realtà non è così pacifico che l'esempio citato (*incomencia* > *incomincia*) sia vera e propria anafonesi, anche se vi è analogia con questo fenomeno. Cfr. comunque, per un approfondimento sulla questione specifica del passaggio *e* > *i* nel verbo *cominciare*, Castellani [1980: I.79].

[30] Trovato [1991: 51-60] fornisce un catalogo dei correttori tipografici quattro-cinquecenteschi.

riale fu condotta da autori di primo piano, che seguirono con ogni cura la revisione della propria opera, come Ariosto per il suo *Orlando furioso*, poema che ebbe tre edizioni (1516, 1521, 1532), l'ultima delle quali seguì le indicazioni delle *Prose della volgar lingua* di Bembo (cfr. IX.3.3).

Trifone [1993] ha messo in evidenza il rapporto tra la diffusione della lingua italiana e la stampa realizzato attraverso i canali della cultura popolare: almanacchi, testi di cantastorie, raccolte di facezie, libri di preghiere, catechismi, manuali pratici e ricettari costituiscono un settore solo in parte esplorato, ma che a suo tempo raggiunse un pubblico molto vasto, diffondendo un italiano che, a differenza di quello dei testi letterari, era caratterizzato da un modello meno uniforme, quasi un «italiano regionale» [cfr. Trifone 1993: 441]. Il pubblico a cui era destinata questa produzione di testi popolari era costituito non tanto da letterati, ma da mercanti, artigiani, popolani, donne, frati, monache.

11. Dalla stampa ai «mass-media»

11.1. Diffusione del libro e divulgazione della cultura

Con il termine *mass-media*, parola inglese (composta di un termine di origine latina quale è *mass* per 'massa' e di *media* plurale del latino *medium* nel senso di 'mezzo', 'strumento', attestato in Bacone), si intendono i 'mezzi di comunicazione di massa', cioè i giornali, la radio, il cinema, la televisione. Come tecnicismo sociologico, il termine *mass-media* è una creazione del nostro secolo, in riferimento alla cultura di massa, la quale viene prodotta in forma industriale, ed è destinata a grandi agglomerati di utenti, laddove la cultura tradizionale era essenzialmente un fatto elitario. Nel paragrafo precedente abbiamo visto come già nel sec. XVI, con l'affermarsi della tecnica della stampa, la diffusione di modelli linguistici omogenei venisse facilitata, in conseguenza della più rapida circolazione di testi scritti e della loro fabbricazione in serie, egemonizzata da centri attrezzati industrialmente, attenti alle esigenze di un 'mercato' (così l'editoria di Venezia). Per diversi secoli, dal Cinquecento all'Ottocento, l'editore-imprenditore continuò ad essere il protagonista della diffusione del sapere, e la stampa dei libri mantenne in esclusiva questa funzione. La storia della stampa, quindi, si collega strettamente alla storia linguistica, ed è contrassegnata da alcune novità che interessano anche la nostra prospettiva di indagine: si pensi ad esempio alla nascita del libro scolastico e all'utilizzazione nella scuola delle opere di interesse linguistico, come le grammatiche (cfr. III.7.3) e le antologie di prose esemplari.

Accanto all'editoria scolastica, non dobbiamo dimenticare le iniziative editoriali che favorirono in varia misura la diffusione del libro italiano, il quale a partire dal sec. XVII, e ancor meglio dal sec. XVIII, soppiantò quello latino in tutti i settori. La lingua italiana trionfava anche come lingua di cultura, e la verifica può essere fatta controllando la produzione editoriale. Erano ormai nate grandi collane di classici italiani che ambivano a riunire e rendere facilmente accessibile l'intero patrimonio linguistico-letterario della tradizione: basti pensare alla «Biblioteca dei Classici italiani» pubblicata a Milano all'inizio dell'Ottocento, un'imponente collezione di ben 249 volumi usciti nel giro di dodici anni, secondo un progetto nato all'insegna di un «amore per lo studio della lingua, ribadito con insistenza nel manifesto programmatico» [Berengo 1980: 13]. Mai prima d'allora era stato raccolto in un'unica collezione un simile *corpus*, che ancora oggi suscita ammirazione.

La fortuna dei libri in italiano, siano essi novità, o siano essi classici della letteratura, come nel caso della collezione milanese della «Biblioteca dei Classici italiani», dimostra che il pubblico (almeno quello colto, s'intende) leggeva con interesse, acquistava volentieri le opere della letteratura nazionale, anche se da noi la divulgazione era senz'altro ad un livello molto più arretrato rispetto alla situazione di un paese come la Francia.

11.2. Il giornale e la sua funzione linguistica

Con il Settecento, e in maggior misura con l'Ottocento, però, accanto al libro acquistò una funzione particolare di divulgazione del sapere (con conseguente influenza linguistica) un altro prodotto dell'industria editoriale, il giornale. Il giornale, in quanto pubblicazione periodica (non necessariamente a cadenza quotidiana o settimanale), poteva essere rivolto allo stesso pubblico colto che acquistava i libri: riviste famose come «Il Caffè» (1764-1766, con uscita di un numero a decade), o la «Biblioteca Italiana» (pubblicata a Milano dal 1816 al 1840, e poi con nuovo titolo fino al 1857), si collocano a un livello 'alto', per un pubblico esperto; questi periodici, trattando varie questioni d'attualità, non mancano di affrontare anche il tema della lingua, entrando nel vivo di un dibattito che in Italia è stato sempre particolarmente vivace. È con l'Ottocento, tuttavia, che si diffondono giornali popolari e giornali quotidiani rivolti ad un pubblico più largo, la cui diffusione fu favorita dalla crescita dell'alfabetismo e dalla maggiore scolarizzazione. Lo storico della lingua è dunque interessato all'esame di questo tipo di produzione scritta, diversa da quella propriamente letteraria. Non si tratta necessariamente di una prosa 'bella'. Del resto il linguista non è «né un moralista né un arbitro» [Beccaria 1973a: 84]. Il linguista ha il compito di descrivere questa prosa, la quale interessa per due ragioni: prima di tutto perché è un campione di lingua 'media', più vicina al parlato di quanto non lo siano la letteratura o la prosa colta della saggistica; in secondo luogo è un terreno in cui si incontrano le innovazioni, le quali lasciano tracce nei giornali prima che nei libri.

Per quanto riguarda la prosa giornalistica dell'Ottocento, siamo molto bene informati sulla situazione della stampa di Milano, il «centro culturale più avanzato dell'Italia napoleonica e risorgimentale» [De Stefanis Ciccone 1990: 2-3]: abbiamo una ricca serie di studi, che si affiancano alle monumentali concordanze della stampa periodica di questa città [cfr. Masini 1977; Bonomi *et al.* 1990; De Stefanis Ciccone *et al.* 1983]. La prosa giornalistica dell'Ottocento risulta dunque essere un genere «non artistico e destinato a entrare in contatto con un pubblico relativamente ampio ed eterogeneo» [Masini 1977: 1]; essa ebbe una grande importanza per la diffusione dell'italiano comune, perché raggiunse molti lettori. Come osserva Beccaria [1973a: 85], «se lo scopo del giornale non è certo quello di diffondere l'italiano, è evidente il gran bene che ha fatto il giornale in questi ultimi cent'anni, oltre che per la diffusione della cultura, anche per la diffusione dell'italiano; è evidente la funzione decisiva di unificazione linguistica assunta da questo potente mezzo di scambio e di alfabetizzazione del cittadino».

Il giornale, oltre che motore del cambiamento e della promozione culturale, è anche ottimo testimone del suo tempo: sulle colonne dei giornali troviamo le prime attestazioni di molti neologismi e forestierismi, proprio perché (pur nell'ossequio ancora forte per la lingua letteraria tradizionale) il giornalista si confronta con l'attualità, con le novità tecnologiche, con i mutamenti del mondo. Ancora oggi la lingua dei giornali mantiene questa inevitabile caratteristica: è il luogo in cui l'effimero lascia traccia di sé, accedendo per la prima volta alla scrittura. Non sempre i neologismi che compaiono sui giornali mettono radici nella lingua; a volte scompaiono in breve tempo, come i novecenteschi *paninaro* e *eskimo* (cfr. per quest'ultimo III.2.2), che vengono meno assieme alle realtà che li hanno prodotti. Il giornale, comunque, è sovente il primo luogo della scrittura in cui questi elementi della lingua viva approdano, così come il giornale (con la televisione) è il primo luogo in cui arrivano le parole forestiere di moda. Il che non vuol dire che nei *mass-media* non entrino anche elementi regionali e locali. Già nella stampa milanese dell'Ottocento si trovava tale componente locale, spiegabile con la situazione linguistica degli anni successivi all'Unità, ancora fortemente differenziata, permeabile al dialettismo involontario. Ma anche ai nostri giorni la RAI-TV resta un canale di diffusione di elementi locali: irradia in genere (assieme al cinema) elementi propri dell'italiano di Roma e anche del dialetto romanesco (per la sua funzione, cfr. III.11.3 e XIII.3.5; cfr. anche il quadro d'insieme proposto da Raffaelli [1983a] e da Trifone [1992b: 93]).

11.3. Radio, cinema e televisione

Tullio De Mauro, nella sua *Storia linguistica dell'Italia unita* (cfr. De Mauro [1972: 110-126, 347-354, 430-459]; e I.3.4), è stato tra i primi ad attribuire grande peso all'influenza linguistica di *media* (cfr. XIII.3.6) come la radio, il cinema e la televisione, oltre che la stampa. La radio era già diventata un canale per raggiungere masse popolari negli anni precedenti la seconda guerra mondiale, come dimostra fra l'altro l'uso che ne fece il Fascismo, il quale fu abile anche nell'utilizzare a scopi propagandistici il cinema. La televisione, nata nel dopoguerra, ebbe un'importanza ancora maggiore e raggiunse (come la radio, ma con più efficacia) anche il pubblico delle fasce più povere, un pubblico non toccato dalla circolazione della stampa, relegato fin allora nel cerchio del dialetto. L'avvento della televisione (negli anni Sessanta, prima che nelle case, la si vedeva nei bar, in una sorta di esperienza collettiva più simile al cinema) fu un'occasione unica, per alcuni, di ascoltare una voce che parlava in lingua italiana, portando nelle campagne, in zone arretrate e legate alla più arcaica cultura rurale, un'immagine del mondo esterno[31].

Va precisato che il linguaggio dei giornali, così come quello della radio e della televisione, resta un concetto generico e astratto, perché in realtà sarebbe più corretto parlare, al plurale, dei linguaggi dei *media*: nel giornale trovano infatti posto temi assai diversi, da quelli della 'terza pagina' culturale, alla cronaca, alla politica, all'economia e alla finanza, allo sport. Non a caso il saggio di Dardano [1973] distingue l'analisi del lessico giornalistico in campi che riconducono appunto ad una pluralità linguistica: ai sottocodici politico, burocratico, tecnico-scientifico, economico-finanziario, al parlato di tipo informale, al registro aulico e al modello del linguaggio pubblicitario, che influisce in modo particolare sui titoli giornalistici, titoli nei quali trionfa la ricerca di brevità e lo stile nominale, caratteristico della prosa del nostro secolo [cfr. Dardano 1973: 300-320]. Tale varietà di sottocodici si ritrova in altri *media*. Anche nella radio e nella televisione esistono infatti trasmissioni di impegno culturale e di livello profondamente diverso, a cui corrisponde un diverso tipo di linguaggio, in relazione al pubblico che si presuppone sia all'ascolto. Oltre ai programmi veri e propri, inoltre, nei giornali e nella televisione ha uno spazio importantissimo la pubblicità, la quale merita di per sé le attenzioni del linguista e del semiologo (cfr. XIII.3.7). I giornali e la televisione, nelle loro varie articolazioni, sono dunque il luogo in cui si manifestano i vari linguaggi settoriali, che per questa via tendono a farsi un po' meno settoriali e ad entrare nella lingua comune.

---

[31] Tale funzione è stata assolta (involontariamente) dalla televisione anche negli ultimi anni, quando la voce e l'immagine italiane sono giunte in un paese come l'Albania, favorendo un apprendimento elementare della nostra lingua, e facendo nascere nel contempo il sogno di una fuga verso l'Italia.

Capitolo 4

Situazioni della comunicazione: la varietà della lingua

1. Lingua scritta e lingua parlata

1.1. Non esiste l'omogeneità linguistica assoluta

Nulla è più distante dalla realtà linguistica dell'assoluta omogeneità, anche se l'omogeneità è stata vagheggiata dalla grammatica normativa, da molti teorici della 'questione della lingua', dalla pedagogia da e ad essi ispirata. La lingua è per sua natura caratterizzata da varietà [cfr. Berruto 1987, 1993a e 1993b], e in questa varietà si esprime (fra l'altro) la creatività del parlante. Nel presente capitolo, dedicato alle situazioni in cui la lingua viene impiegata, avremo modo di prendere in esame alcune delle principali manifestazioni del variare della lingua e le cause di questa varietà, che dipende anche dal livello e dalla situazione in cui si svolge la comunicazione. Ciò non vale solo per il presente. Lo storico, nell'accostarsi ai documenti del passato, deve sempre chiedersi a quale livello e in quale situazione si collochino i testi che esamina.

1.2. Scritto e parlato

Una prima grande differenza va stabilita tra la lingua scritta e la lingua parlata (alcuni usano le categorie di 'codice scritto' e 'codice parlato', o 'stile parlato' e 'stile scritto' [cfr. D'Achille 1990: 13]), e tale differenza sussiste sempre, anche senza che si considerino semplicisticamente lo 'scritto' e il 'parlato' come due entità in opposizione assoluta tra loro [cfr. Nencioni 1983a: 126], visto che oggi l'opposizione tra lingua scritta e lingua parlata tende a essere riassorbita nella visione della lingua come un *continuum* tra due poli, quello del «parlato spontaneo e dello scritto altamente formalizzato» [D'Achille 1994: 41]. Non si scrive come si parla, né si parla come si scrive, anche se ci sono situazioni in cui è giusto contrapporre non tanto lo scritto al parlato, quanto il 'parlato informale' al 'parlato formale': nella tradizione letteraria italiana, in certi casi, il parlato formale ha avuto funzioni proprie della lingua scritta: così nelle orazioni di alto livello retorico, pronunciate (o meglio 'recitate', forse addirittura 'lette') in importanti occasioni pubbliche. In genere, però, la distinzione tra scritto e parlato regge perfettamente. Lo si verifica facilmente attraverso il confronto di testi scritti e di testi tratti da registrazioni di interventi, comunicazioni orali e conversazioni. Nell'oralità ci sono molti elementi che entrano nella comunicazione, assenti nella scrittura: il gesto, l'espressione, il tono della voce ecc. Nella conversazione fitta di battute c'è inoltre un continuo interscambio fra gli interlocutori, e in certi casi c'è anche la sovrapposizione delle loro voci. La battuta dell'uno sarebbe incomprensibile senza il riferimento alla battuta dell'altro. Parola e azione si intrecciano.

La scrittura ha una maggiore 'durata' del parlato. A differenza dell'oralità, permette la correzione, il ripensamento, il succedersi di stesure diverse, fino al raggiungimento di un risultato soddisfacente e ordinato. Il testo scritto, dunque, permette un controllo maggiore delle connessioni testuali, del lessico, della sintassi.

Lo storico della lingua, a differenza del dialettologo, si occupa generalmente di testi scritti. L'analisi di testi orali può essere messa in atto solamente a partire dall'epoca in cui è divenuta possibile la registrazione della voce su disco o nastro, magari accompagnata da immagine, come nel cinema, nella televisione o nelle registrazioni con l'uso di videocamera: è chiaro che si può studiare mediante le registrazioni originali un discorso di Mussolini [cfr. Simonini 1978], mentre la stessa cosa è impossibile (con nostro rammarico) per un discorso di Cavour. Nencioni [1983a: 133] ha osservato tuttavia che non esiste forma di registrazione audiovisiva, per quanto perfezionata, che possa restituirci il parlato nella sua integralità di testo e contesto, perché vanno comunque perduti i presupposti pragmatici del colloquio, spesso diversamente noti agli stessi interlocutori.

1.3. Difficoltà degli studi sul 'parlato'

Un orizzonte di studio in cui l'attenzione all'oralità possa avere un posto di assoluto ed esclusivo rilievo si ha dunque solo per il Novecento, e in considerazione di particolari aspetti: ad esempio interessanti fenomeni come il gergo di caserma [cfr. Renzi 1966 e 1967], il parlato urbano [cfr. ad es. *CSDI* 1989 e Giovanardi 1993] ecc. devono per forza essere colti attraverso materiale orale. Oggi, tuttavia, l'analisi di materiale orale viene usata anche per allestire strumenti di consultazione diversi da quelli tradizionali (cfr. De Mauro [1993 e 1994], e il CORIS/CODIS, il Corpus di Italiano scritto messo in Rete dal Centro Interfacoltà di linguistica

Teorica e Applicata dell'Università di Bologna). L'utilizzazione di materiale orale presenta comunque dei problemi, e richiede un atteggiamento non ingenuamente disposto a ritenere che tutto quanto è 'voce' sia già per questo perfettamente adeguato a documentare la situazione reale. Ben lo sapevano gli studiosi di dialettologia al tempo della redazione dei grandi atlanti linguistici (cfr. II.2), quando si stabilirono norme precise per selezionare gli informatori, i quali non potevano certo essere scelti a caso[1]. Anche per i fenomeni del parlato di oggi in italiano (non solo per il dialetto), occorre pur sempre affrontare il problema dei canali da cui si attingono le informazioni, a meno che lo studioso non faccia appello direttamente alla propria personale esperienza (ciò che, in ogni modo, non può accadere sempre e per tutti i tipi di indagine). Interessante a questo proposito è quanto osserva Còveri [1992: 61-63], in un intervento sugli studi relativi al linguaggio giovanile. Egli nota che negli anni passati spesso ci si è accontentati di studiare il linguaggio dei giovani facendo ricorso a fonti indirette, cioè a testi che in qualche modo riproducevano questo linguaggio. Queste fonti erano sovente opere narrative[2]. È naturale che studiare il linguaggio dei giovani attraverso fonti del genere, cioè attraverso il filtro e l'interpretazione datane da scrittori, comporta rischi di travisamento. La letteratura, è evidente, prende lo spunto dalla realtà, ma lo fa per i propri fini artistici, non a semplice e oggettivo scopo documentario. Alcuni linguisti, consci di questo limite della documentazione scritta, hanno cercato dunque nuovi canali di informazione. È stato preso in esame il linguaggio giovanile come si manifestava attraverso fonti diverse, ad esempio televisive [Còveri 1992: 62]. Nella rassegna di queste fonti entrano diversi tipi di testi scritti, anche se scritti in forme effimere e su materiali non convenzionali, come le magliette o i caschi[3]. Tralasciamo queste forme, e soffermiamoci invece sui citati canali dell'oralità televisiva e radiofonica, che sembrerebbero garantire la massima autenticità. È invece lo stesso Còveri [1992: 62] a metterci in guardia:

---

[1] Il buon informatore, ad esempio, deve conoscere bene il dialetto, e quindi deve essere nato nella comunità ed essere perfettamente inserito in essa. D'altra parte, benché dialettofono, non deve essere l'ultimo degli analfabeti, perché in tal caso avrebbe difficoltà a entrare in contatto con chi conduce l'inchiesta, e non comprenderebbe le sue domande.

[2] Còveri [1992: 61] cita varie opere narrative, che probabilmente non diventeranno pietre miliari della storia letteraria nazionale, ma che sono state utili per raccogliere campioni di vero o presunto 'parlato giovanile'. Sul linguaggio dei giovani, cfr. Giacomelli [1988], Radtke [1993], Giovanardi [1993], Marcato-Fusco [1994], Cortelazzo M.A. [1994], Trifone [1996], Antonelli [1999b], Arcangeli [1999].

[3] Senza contare che il testo di una canzone è certo diffuso in forme orali, ma spesso lo si trova anche stampato, in forma di poesia, magari sul retro del disco o nel libretto che accompagna il CD preferito.

Ma dare ascolto solo a queste fonti può essere fuorviante. Il continuo rinvio tra modello e specchio linguistico che costituisce, secondo Simone [1987], la caratteristica dei mass-media degli anni Ottanta, ossia un fenomeno di circolarità linguistica, ha coinvolto ampiamente il linguaggio giovanile. Stampa per teenagers [...]; trasmissioni televisive [...]; il cinema dei Verdone, dei Pozzetto, dei Calà; l'utilizzazione dei moduli e delle forme del linguaggio giovanile nella pubblicità, non esclusivamente rivolta al target adolescenziale; infine, l'accoglimento di voci e locuzioni del giovanilese hanno creato un groviglio difficilmente dipanabile di rispecchiamenti e di ipercaratterizzazioni. È un gioco di specchi in cui emittente e destinatario si scambiano continuamente i ruoli con fenomeni di rapidissima messa in circolo e quindi forte labilità di moduli linguistici, incessantemente riutilizzati in contesti diversi da quelli di origine, a volte con intenti caricaturali [...], commerciali (la pubblicità del motorino *figo*, della chitarra *tosta*) e diffusionali[4].

Non è dunque facile come sembra a prima vista cogliere la lingua viva nelle sue manifestazioni reali, specialmente quando non si fa direttamente parte del gruppo posto sotto osservazione. In certi casi si è fatto ricorso ad uno strumento come il questionario (ampiamente utilizzato da molti anni, in forme raffinatissime, nell'analisi dialettologica), sottoponendo una lista di domande e di parole a gruppi di giovani [cfr. Banfi-Sobrero 1992: 99-136 e 195-203][5].

La registrazione della lingua parlata, anche di quella contemporanea, pone dunque dei problemi di metodo, nella selezione dei canali e degli informatori. Come si è detto, però, sono problemi che si ha occasione di affrontare solo quando si studia la realtà contemporanea. La maggior parte della storia linguistica italiana va invece ricostruita, per ovvie ragioni, sulla base di documenti e testi scritti, nei quali, tuttavia, a volte affiorano le tracce dell'oralità. Ecco il punto: è vero che lingua scritta e lingua orale hanno un funzionamento in buona parte diverso, ma di fatto a volte nelle scritture si avverte l'influenza dell'oralità, con differenti gradazioni,

---

[4] La tesi di Còveri è confermata da una interessante testimonianza di Antonio Ricci, il quale racconta come nacque il particolare impasto linguistico della trasmissione televisiva *Drive in*; il linguaggio dei 'paninari' fu in parte accolto, in parte arricchito, ad esempio con la forma meridionale *troppo giusto* e con l'abuso di desinenze in -*azzo* (*paninazzo*, *schiaffazzo*); si usò un finto inglese mistificato (forme come *arrapescion*, *inchiappettescion*), e via di questo passo. «Insomma – conclude Ricci [1992] –, praticamente fu elaborato a tavolino il paninarese che, per un certo periodo, tanto influenzò il linguaggio giovanile». La creazione televisiva guardava dunque ai giovani, ma ne esagerava le manifestazioni; al tempo stesso i giovani guardavano la televisione, e imitavano la caricatura di se stessi, in un processo, per altro, sostanzialmente effimero (cosa di cui risulta ben cosciente lo stesso Ricci [1992]).

[5] In Banfi-Sobrero [1992: 137-138] è riprodotto il questionario usato per l'inchiesta sul linguaggio giovanile: ad esso ci si può ispirare per ricerche analoghe. Sempre Banfi-Sobrero [1992: 213-223] contiene un piccolo lessico del linguaggio giovanile.

tanto da permettere una sorta di classificazione dei testi, come quella messa in atto da D'Achille [1990], il quale, per studiare alcuni fenomeni del 'parlato' presenti anche nella tradizione scritta[6], ha tenuto conto di una serie di caratteri delle fonti scritte, tra i quali la loro natura privata, la loro 'spontaneità', il loro rapporto con versioni orali (si pensi ad esempio ad un testo 'dettato' o 'verbalizzato'). Un caso particolare è costituito dal testo teatrale, che, almeno quando si ispira a un certo realismo e a una certa verosimiglianza, può essere considerato una 'simulazione di parlato', o, per usare l'espressione di Nencioni [1983a], un «parlato recitato». Naturalmente il «parlato recitato» non è un véro parlato a tutti gli effetti, perché in realtà si tratta di un testo scritto da un autore per essere messo in scena da attori che lo 'interpretano' con la loro voce, magari a distanza di secoli dalla stesura del testo[7]. Vi sono tuttavia autori teatrali che, pur nel loro intento d'arte, documentano bene certi aspetti del parlato, specialmente nella sintassi (così Pirandello: cfr. XIII.1.3). Il 'parlato' viene anche introdotto nella narrativa, ad esempio nelle novelle, nelle quali la voce del narratore lascia spazio a dialoghi tra i personaggi, quasi come in una commedia [cfr. Testa 1991]: questi dialoghi possono avere come scopo la caratterizzazione del personaggio, il quale parlerà in modo da staccarsi nettamente dalla voce del narratore e anche da quella di altri personaggi. Le sue battute potranno avere un carattere più dialettale, più popolare, anche se nella tradizione italiana si è avuto il caso di un parlato novellistico ispirato al modello di Boccaccio, per conseguenza cristallizzato e tipizzato, disponibile verso i moduli del toscano popolare, ma non altrettanto verso le forme settentrionali, le quali venivano filtrate quasi completamente. Il parlato del teatro, quindi, benché interessi lo storico della lingua, non potrà mai essere assunto come documento del parlato reale di una determinata epoca, anche se in esso si potranno occasionalmente trovare elementi utili anche in questa prospettiva (cfr. ad es. XI.6.2). Non si dovrà mai dimenticare che il teatro e i dialoghi presenti nella narrativa sono prima di tutto

---

[6] Si tratta dei seguenti fenomeni, considerati tipici del 'parlato': 1) le dislocazioni, anticipazioni o posticipazioni, del tipo «il giornale lo leggo», «la fumi la pipa?» ecc.; 2) il *che* polivalente; 3) il *ci* attualizzante davanti al verbo («ci ho parlato»); 4) le concordanze a senso; 5) il doppio imperfetto nel periodo ipotetico dell'irrealtà («se potevo, venivo»); 6) i pronomi obliqui di terza persona in funzione di soggetti (*lui* per *egli*).

[7] Secondo Nencioni [1983a: 175] il parlato scenico del teatro può essere detto un «parlato programmato». In esso, per esempio, non ci sono quelle forme di ridondanza e di spreco e quei conati che nella lingua comune hanno pur sempre potere di informazione: pur imitando il parlato reale, il parlato del teatro per forza deve eliminare o diminuire le incertezze, le esitazioni, le false partenze, le ripetizioni, le interruzioni, i pentimenti, le ritrattazioni proprie del parlato vero in situazione reale. Come nota ancora Nencioni (ivi), esiste anche un parlato senza parlante: nella comunicazione radiofonica, telefonica, filmica, televisiva.

creazione letteraria, in cui l'autore si muove con la libertà propria di ogni scrittore.

2. La lingua dei colti e quella degli incolti: varietà diastratiche

2.1. Definizione della 'varietà diastratica'

La lingua cambia in dipendenza del livello culturale e sociale di chi la usa. In III.4.3 abbiamo preso in esame il concetto di 'italiano popolare', l'italiano di chi non riesce a staccarsi dal dialetto, e per conseguenza contamina i codici, dando luogo a quelli che per la norma letteraria e colta sono veri e propri 'errori'. Per i linguisti gli 'errori' sono prima di tutto fenomeni da interpretare e comprendere, indicandone la genesi e le motivazioni. I linguisti, infatti, parlano di 'varietà diastratiche' per indicare differenze che si riscontrano nell'uso dei diversi strati sociali, i quali non hanno lo stesso livello di cultura [cfr. Berruto 1993b: 56-70]. Il concetto di 'varietà diastratica' o 'varietà sociale', elaborato dalla sociolinguistica nell'analisi sincronica, può essere utilizzato fruttuosamente anche da parte dello storico della lingua. Di fronte a un documento del passato bisogna sempre chiedersi a quale livello sociale si collochi lo scrivente. Sarebbe certo un grave errore di prospettiva confondere un testo prodotto da un semicolto con lo *standard* medio della sua epoca, o (peggio) con il livello 'alto' della lingua di cultura. Nello studio delle varie fasi diacroniche dell'italiano occorre dunque sempre tener presente che non esistono solo i ceti sociali acculturati e partecipi del dibattito letterario, ma anche i ceti più bassi, i quali non sempre sono assolutamente estranei all'italiano (anche se la maggior parte della comunicazione popolare avveniva un tempo attraverso il dialetto).

2.2. Differenze sociali dell'uso linguistico nei documenti scritti del passato

L'esame dei testi classificabili come 'italiano popolare', risalenti però alla fase storica anteriore all'Unità d'Italia, permette di approfondire il discorso relativo alle differenze sociali della lingua. Bruni [1992a], nei vari capitoli dedicati alle singole regioni italiane, offre una gran quantità di indicazioni utili per uno studio del genere: non staremo a ripetere qui quanto abbiamo già detto ai capp. I.4.2 e III.4.3 (a cui, ovviamente, si rinvia), ma ci limiteremo a ribadire che oggi i linguisti sono vivamente interessati a scritture di questo tipo, le quali vengono pubblicate in gran numero[8]. Maraschio [1993: 203-211] ha potuto persino sintetizzare

---

[8] Anche gli storici (in particolare coloro che si occupano della cosiddetta 'microstoria') hanno sovente occasione di pubblicare documenti del genere, di cui è

ed esemplificare per campioni le principali tendenze della grafia della 'gente comune', così come si manifestano dal Cinquecento all'Ottocento, in Toscana e fuori di Toscana.

Di particolare interesse, per chi si occupi dei livelli 'bassi' dell'uso linguistico, è estendere l'osservazione a testi scritti su supporti non convenzionali, come i graffiti, i cartelli diffamatori [cfr. Trifone 1992b: 176-177], gli ex voto [cfr. Marazzini 1993: 224-225 e Bianchi-De Blasi-Librandi 1993: 254-258]. Qui è più facile trovare elementi del parlato popolare. Alcuni tra i più antichi documenti della lingua italiana sono graffiti e scritte murali (cfr. V.5 e V.6): non è detto, però, che siano per questo il prodotto di scriventi appartenenti ad un ceto sociale basso. A quest'epoca, infatti, la mancanza di una norma linguistica codificata e riconosciuta rendeva normale il ricorso a forme della lingua viva, variamente filtrate attraverso la grafia latineggiante; si tratta dunque di varietà diatopiche, cioè geografiche (cfr. IV.3), più che di varietà diastratiche. A partire dal Cinquecento, però, con l'affermarsi della codificazione bembiana, chi si discosta dalla norma scivola in maniera più evidente in una scrittura definibile come 'semicolta' o 'popolare'.

Occorrerà ancora precisare che nel passato poteva accadere che individui appartenenti al ceto elevato fossero, per varie ragioni, in grado di esprimersi in un italiano che all'aspetto rivela la sua parentela abbastanza stretta con quello dei semicolti. Ciò accade ad esempio in regioni periferiche rispetto alle grandi correnti culturali nazionali, o in momenti storici in cui la classe dirigente non ha occasione di frequentare buoni studi, anche per la mancanza di un'organizzazione scolastica adeguata [cfr. Marazzini 1991: 212-214]. Possono scrivere come 'semicolti' anche gli studenti di oggi, nonostante la sperimentata organizzazione degli studi del nostro paese [cfr. Bruni 1987: 216-227 e 505 ss.]. Questi studenti, in certi casi, sono giunti (per quanto sembri incredibile) fino all'università: cfr. ad esempio i temi svolti da allievi della facoltà di Architettura di Roma commentati da Bruni [1987: 507-514]. Di fronte a fatti del genere, lo storico della lingua evita reazioni emotive, e procede a un'analisi del materiale, cercando di individuare le caratteristiche del testo (interferenze con il dialetto, affioramenti di italiano popolare, perdita di informazione per incapacità dello scrivente di governare la sintassi, prolissità, equivoci semantici ecc.).

---

evidente l'interesse nella prospettiva linguistica. Si pensi, a titolo di esempio, a Ginzburg [1976], in cui si trovano le lettere e i verbali di interrogatorio di un eretico friulano del Cinquecento, il mugnaio Domenico Scandella detto Menocchio. Cfr. anche, tra i tanti esempi che si possono citare, Petrolini [1980] (per il sec. XVI), Mortara Garavelli [1979-1980] ora, rivisto, in Mortara Garavelli [1995: 105-69] (per il sec. XVII), Matarrese [1993: 281-293] (per il sec. XVIII), De Blasi [1991] (per il sec. XIX).

A parte le eccezioni e le situazioni di incertezza, antiche e moderne (come quelle dei citati studenti universitari studiati da Bruni), sta di fatto che a partire dal Cinquecento si può dire che l'italiano letterario divenne (in linea generale) «lingua della comunicazione scritta ai diversi livelli della società» [Bianconi 1991: 51]. Da allora in poi, quanto più è modesto il livello culturale dello scrivente, tanto più emergono vistosi gli elementi legati al dialetto. La varietà diastratica bassa è dunque permeabile alle varietà diatopiche (cioè alle diversità linguistiche legate alla diversa provenienza del parlante, che ha alle spalle l'uno o l'altro dialetto).

3. Varietà diatopiche

3.1. Definizione della 'varietà diatopica'

Le varietà diatopiche della lingua (dal greco *diá* 'attraverso' e *tópos* 'luogo') sono definibili anche come 'varietà geografiche'. Il concetto è stato elaborato prima di tutto in riferimento alla situazione dell'italiano novecentesco. De Mauro [1972] ha mostrato che l'italiano parlato oggi nel nostro paese non è uniforme, ma varia da regione a regione (abbiamo 'varietà regionali' di italiano o 'italiani regionali': cfr. XIV.6 e Telmon [1990 e 1993]). Le differenze riguardano prima di tutto il livello fonetico e fonologico, ma anche quello morfologico e lessicale. I parlanti settentrionali, ad esempio, non distinguono tra le *e / o* rispettivamente aperte e chiuse, laddove un parlante toscano o romano sente questa differenza come dotata di valore fonematico: *pésca* è per lui l'atto del pescare, *pèsca* è il frutto. Un parlante settentrionale, per cogliere la differenza, dovrà riflettere sul diverso valore etimologico delle due *e*, o dovrà consultare il vocabolario, perché la distinzione non gli è affatto naturale. Abbiamo detto che toscani e romani avvertono l'apertura e chiusura delle *e / o* come rilevante, tanto da attribuirle capacità distintiva tra parole omografe; ma l'italiano di Roma non è identico a quello toscano, e vi sono casi in cui un romano usa la vocale chiusa, mentre un fiorentino pronuncia la vocale aperta o viceversa (fior.: *èbbe* – rom.: *ébbe*; fior.: *colónna* – rom.: *colònna*)[9]. Come dicevamo, le differenze riguardano anche il livello lessicale e sintattico: forme come *tengo fame* per 'ho fame' o *il pesce vuol cotto bene* sono chiari segni di un italiano regionale di tipo meridionale. Ma sarebbe inutile qui passare in rassegna le innumerevoli differenze che separano le varietà regionali di italiano. Interessante invece è osservare che le varietà diatopiche possono dividere una stessa regione: nelle Marche, ad esempio, in di-

---

[9] Si veda l'elenco delle divergenze tra pronunzia fiorentina e pronunzia romana in Bertoni-Ugolini [1939: 34-40] (cfr. XIII.2.2).

pendenza dalla diversa situazione dialettale delle zone di Pesaro, Macerata e Ascoli, ci sono tratti diversi di italiano regionale. Né si tratta di un caso unico: si pensi ancora al Piemonte, in cui le zone di Alessandria o di Novara si diversificano dalla pronuncia di Torino o di Cuneo. Non stiamo parlando, si badi, solo dei dialetti, ma anche del modo con cui l'italiano viene parlato quotidianamente.

La varietà diatopica si riconosce dunque nel parlato e nelle scritture, anche se è vero che quanto più è basso il livello di cultura dello scrivente, quanto più egli non è in grado di aderire al modello del toscano letterario, tanto più affiorano i tratti locali. È dunque teoricamente possibile periziare un qualunque testo alla ricerca della sua origine geografica, anche se di fatto tale ricerca non è semplice, visto che uno scrivente colto, dal Cinquecento in poi (cioè dalla codificazione bembiana), può essere stato in grado di censurare gli elementi regionali, cancellando le tracce della varietà diatopica. Di fatto, qualche elemento rivelatore finisce per restare quasi sempre [cfr. Poggi Salani 1990]. Bisogna però ricordare che tutta la storia della lingua italiana, in quanto storia dell'affermazione di un modello unitario, è stata appunto una battaglia per cancellare le differenze locali. La teorizzazione linguistica, fin dal *De vulgari eloquentia* di Dante (cfr. I.1.1 e VI.4), ha indicato la via dell'uniformità: Dante ha condannato tutti i volgari che sapessero di 'plebeo' e di 'locale', identificando in pratica le due categorie in una sola, e contrassegnandole negativamente, in contrapposizione alla lingua 'illustre', non locale. Il processo di eliminazione dei tratti locali fu di fatto confermato fin dal Trecento dall'imitazione del linguaggio toscano delle Tre Corone, e fu poi sancito nella grammatica di Bembo. La lingua poetica realizzò in maniera più completa l'espunzione dei localismi, anche in virtù del suo carattere formalizzato e selettivo: la tematica d'amore, di modello petrarchesco, toccando poche situazioni e pochi oggetti selezionati, non aveva bisogno di una grande varietà linguistica. La poesia lirica divenne presto 'maniera', e fu relativamente facile imparare a scrivere in una lingua poetica omogenea, senza rivelare la propria provenienza dialettale.

I problemi si posero in maniera diversa nella prosa, specialmente in quella di tipo pratico, nella quale entravano la terminologia quotidiana e il lessico tecnico dell'artigianato o delle arti. Quanto alla terminologia relativa alle cose di tutti i giorni, basta prendere in esame testi come i settecenteschi 'libri di maneggio' (studiati da Rossebastiano [1979 e 1980]) per verificare la consistenza dei dialettismi con cui si indicano gli oggetti domestici (*capulore* 'coltello a mezzaluna', *cassulo* 'mestolo', *scumoire* 'schiumarole' ecc.). Si noti che questi 'libri di maneggio', in cui venivano registrate le spese per la gestione della casa, appartengono ad un orizzonte che non è affatto plebeo: essi sono relativi all'amministrazione di una famiglia nobiliare piemontese. Documenti del genere, però, non erano soggetti al controllo linguistico che veniva esercitato invece su testi letterari o ufficiali, e quindi risentono vistosamente dell'uso regionale. La codificazione dell'italiano 'illustre', del resto, non riguardava affatto questi scritti, per i quali sarebbe stata superflua una 'risciacquatura di panni in Arno'.

3.2. Spinte per il superamento delle differenze geografiche nel linguaggio comune e familiare

La toscanizzazione delle scritture familiari, alla ricerca della denominazione toscana degli oggetti di uso comune, divenne un assillo degli scriventi solo più tardi, a metà dell'Ottocento e dopo la diffusione delle idee linguistiche di Manzoni (cfr. XIII.3.4). Un libro come *L'idioma gentile* di De Amicis (1905) dedica molte pagine all'uso dell'italiano in famiglia, e suggerisce toscanismi relativi a oggetti della tavola, dell'arredo, della casa. Uno stimolo a scelte del genere veniva anche dai dizionari nomenclatori e dai vocabolari domestici (cfr. XII.4.4) [10], che furono impiegati anche nella didattica scolastica. Si tratta comunque di un'esperienza pedagogica che acquista importanza solo dopo l'Unità d'Italia. In precedenza l'esistenza di varietà diatopiche non era considerata in fondo un grave ostacolo alla comunicazione interregionale, per la quale, a livello medio-basso, si ricorreva a quello che Foscolo definiva «linguaggio itinerario» [cfr. Migliorini 1978: 592-593]: era il modo di esprimersi di coloro che per necessità (ad esempio per affari e per commercio) si muovevano in regioni diverse dalla propria, e adottavano perciò una lingua che eliminava ciò che era strettamente regionale (cfr. XI.5.2). Già nella seconda metà del Cinquecento il letterato piemontese Stefano Guazzo, nel trattato *Della civil conversazione*, aveva teorizzato una lingua del genere, riservandola all'uso orale dei ceti più elevati della società, e accettando che in essa potessero entrare anche parole non toscane, purché non di àmbito troppo ristretto (erano cioè da bandire i localismi troppo vistosi, propri della plebe).

Insomma, in tutta la storia linguistica italiana il problema dell'esistenza di varietà diatopiche (pur senza che esistesse, è ovvio, questa moderna definizione tecnica) è stato avvertito come uno di quelli con cui era necessario fare i conti se si voleva ottenere una omogenea lingua sovraregionale. Non tutti furono comunque del parere che fossero da eliminare completamente le parole non to-

---

[10] In Marazzini [1991: 242-246] è riportato un passo tratto da un libro educativo della seconda metà dell'Ottocento (*Sentire e meditare* della Contessa della Rocca di Castiglione, 1880) in cui si seguono le tappe della toscanizzazione di un'orfanella del basso popolo piemontese internata in un collegio femminile. Questa scolara dialettofona impara a dire *biancheria* invece di *lingeria*, *cassetto* invece di *tiretto*, *cassettone* invece di *comò*.

scane. La spinta al livellamento ebbe dunque due motori: un principio estetico-letterario, delineatosi con chiarezza in teorici come Dante e Bembo (che non investì la lingua quotidiana, ma solo quella letteraria); un principio pratico e sociale, divenuto più impellente con il formarsi della nazione italiana quale unità politica autonoma (che ebbe come obiettivo anche l'unificazione della lingua parlata).

3.3. Le esigenze della Chiesa

Prima dell'Unità si erano dimostrati sensibili ai problemi posti dalla varietà della lingua parlata gli esponenti della gerarchia ecclesiastica, i quali sapevano bene che i predicatori dovevano parlare al pubblico di regioni diverse senza sfigurare [cfr. Marazzini 1993: 96-114]. Non a caso il predicatore Francesco Panigarola racconta come il generale dei francescani Luigi Pozzi (in carica dal 1565 al 1571) si preoccupasse di far soggiornare nella città di Firenze tutti i giovani frati destinati alla carriera della predicazione. Lo scopo non era quello di imparare riboboli, né di scimmiottare il fiorentino del basso popolo, bensì quello di prendere confidenza con la lingua viva (non solo con quella letteraria), e di eliminare dalla loquela dei giovani frati un colorito dialettale e regionale troppo stretto (cfr. IX.8.2).

4. Il mistilinguismo

Il parlante o scrivente italiano si è trovato molto spesso al centro di una serie di campi di forza divergenti: è stato attirato dal toscano, lingua conosciuta attraverso i modelli della letteratura, o ammirata nel 'parlato' popolare di Firenze; è stato condizionato dal suo dialetto di origine, spesso molto diverso dal toscano; è stato influenzato dagli strumenti libreschi di consultazione di cui disponeva. Inoltre il parlante non toscano è vissuto in una condizione di 'diglossia', perché si trovava a parlare un dialetto d'uso quotidiano, necessario e diffuso, collocato però ad un livello di prestigio molto inferiore rispetto alla lingua letteraria, considerata la sola 'nobile'. Le persone colte, inoltre, conoscevano il latino, considerato anch'esso (ovviamente) 'nobile'. La condizione che abbiamo descritto, la quale costituisce il tipico 'ambiente' in cui si muove lo scrivente italiano del passato, era quanto mai favorevole allo svilupparsi di fenomeni di lingua mista, in cui entravano elementi diversi, attinti alle diverse possibili fonti citate. La contaminazione che ne deriva può essere definita con termine tecnico come 'mistilinguismo'. Il 'mistilinguismo', cioè la mescolanza di elementi linguistici diversi, nello scritto o nel parlato, poteva manifestarsi sia involontariamente, per 'errore', sia volontariamente, per deliberata scelta stilistica.

Nella storia linguistica italiana, prima della codificazione definitiva della lingua letteraria, ci sono casi di mistilinguismo molto accentuato, in settori diversi, dalla predicazione, alla prosa narrativa, alla scrittura cancelleresca e di *koinè* (cfr. VIII.1.3, VIII.1.4, VIII.5). Il mistilinguismo fu sfruttato nella commedia del Cinquecento, nella quale è dato ascoltare, accanto all'italiano letterario, dissonanti voci dialettali e persino gergali (cfr. IX.6.4).

Molto note, molto discusse e assai interessanti, anche per la loro valenza teorica, sono le pagine saggistiche di Contini [1970a: 169-192, 567-586, 601-619], il quale ha utilizzato il 'mistilinguismo' come categoria-guida per individuare un filone stilistico presente in tutta la tradizione letteraria italiana, da Dante al Novecento (cfr. VII.1.2, VIII.1.2, XII.7.4, XIII.1.3). Nel mistilinguismo stilistico, oltre alle parole italiane e dialettali, possono entrare anche cultismi e tecnicismi.

5. Varietà diafasiche

Diafasico, dal greco *diá* 'attraverso' (indicante differenza) e *phásis* 'voce', è termine tecnico per indicare differenze linguistiche relative allo stile della comunicazione, che può svolgersi a livelli diversi [cfr. Berruto 1993b: 70-86]. Seguendo un'ideale scala discendente, potremmo parlare di livello molto elevato o aulico, colto, formale (o ufficiale), medio, colloquiale, informale, popolare, familiare, basso-plebeo. Ad ognuno di questi 'stili' o 'registri' corrisponde una forma linguistica differente quanto a scelte sintattiche e lessicali.

Dardano [1991: 117-118] ha illustrato la differenza di registro commentando varianti di un immaginario ma verisimile dialogo tra due viaggiatori che si trovano nello stesso scompartimento di un treno. Se un viaggiatore si rivolge all'altro dicendo «Le dispiacerebbe aprire il finestrino?», la sua battuta si colloca ad un livello formale, adeguato allo scambio comunicativo tra due persone che non si conoscono. Il messaggio «Dai, apri 'sto finestrino» appartiene a un registro di tipo colloquiale-familiare, benché il contenuto della comunicazione sia sostanzialmente identico. La forma, però, è molto diversa.

La definizione dei registri e stili della comunicazione orale interessa soprattutto i sociolinguisti. Lo storico della lingua, tuttavia, in diverse occasioni dovrà tener conto del livello o registro in cui si colloca il documento che ha occasione di prendere in esame. Una lettera familiare, ad esempio, o un diario privato, potranno essere scritti in uno stile molto meno elevato rispetto a un'orazione o a un testo poetico. È anche interessante notare che molte tendenze innovative proprie dell'italiano di oggi si manifestano prima di tutto ad un livello diafasico medio-basso (cfr. IV.1.3, nota 6): è il caso del pronome *gli* usato al posto di 'a lei' e 'a loro', di *lui*, *lei*, *loro* usati come soggetti, dell'uso del *ci* davanti ad *avere* (*c'hai*), del *che* polivalente, della 'dislocazione a sinistra' (ovvero: *Carlo l'ho visto* al posto di *Ho visto Carlo*), dell'uso dell'imperfetto nell'ipotetica dell'irrealtà o dell'indicativo al posto del congiuntivo nelle dipendenti (*se sapevo, venivo prima*; *credo che Mario viene*). Uno stesso parlante, dunque, può a volte adottare qualcuna delle forme citate, abbandonandola tuttavia in altre situazioni e in altri contesti, i quali richiedano una comunicazione di livello formale più elevato.

Capitolo 5

Origini e primi documenti dell'italiano

1. Dal latino all'italiano

L'italiano (come quasi tutte le parlate regionali della penisola, che normalmente definiamo 'dialetti') deriva dal latino. Ha la stessa origine delle altre lingue romanze (il portoghese, lo spagnolo, il catalano, il francese, l'occitano o provenzale, il rumeno). Tutte queste lingue non derivano però dal latino classico degli scrittori, bensì dal cosiddetto 'latino volgare'. In effetti una gran quantità di parole italiane discende da parole latine (cfr. XIV.1), e trova una corrispondenza in altre zone della Romània (così si chiama l'area romanza nel suo complesso). Si veda, ad esempio, in questo schema (fig. 3) tratto da Renzi [1976: 55], un piccolo 'albero genealogico' che mostra i continuatori del latino volgare FUMUS o FUMU(M) (se si preferisce far riferimento alla forma dell'accusativo: cfr. V.2.11), continuatori caratterizzati in questo caso da una grande omogeneità. Si osserverà che nello schema sono stati inseriti, accanto alle lingue romanze da noi elencate in precedenza, anche il friulano e il sardo, che hanno una loro specificità glottologica (cfr. XIV.4.3 e XIV.4.4), la quale li rende 'lingue', anche se di fatto oggi sono pressoché equivalenti, per la loro funzione sociale, ai comuni dialetti italiani:

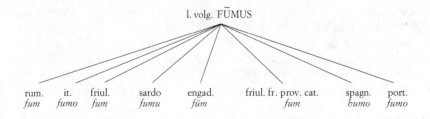

FIG. 3. Schema di FUMUS.

Un esame come quello ora compiuto sull'evoluzione della parola latina FUMUS[1] può essere definito di tipo 'comparativo', in quanto gli esiti romanzi vengono paragonati tra loro e ricondotti alla parola originaria dalla quale derivano; questa parola (eventualmente attestata nel latino classico e letterario, ciò che accade nell'esempio qui esaminato) viene presupposta come propria del 'latino volgare', la lingua a cui gli studiosi fanno riferimento per spiegare l'origine degli idiomi romanzi.

Il concetto di 'latino volgare', pur fondamentale per i linguisti, ed elaborato nel corso di una lunga riflessione da parte degli studiosi (cfr. I.1.4, I.1.6, I.2.1), risulta pur sempre discutibile e forse anche un po' equivoco [cfr. Meillet 1933: 239; Renzi 1976: 128 e Zamboni 2000: 17-21], anche se tale equivocità non va eccessivamente drammatizzata, una volta che ci si sia intesi su ciò che si vuol definire con la designazione tradizionale [cfr. Castellani 1984: 3]. Infatti il concetto di 'latino volgare' viene di solito usato per indicare i diversi livelli linguistici che esistevano nel latino, dove già le fonti classiche distinguono tra il latino letterario vero e proprio da una parte, e dall'altra i vari *sermo plebeius*, *sermo militaris*, *sermo rusticus*, *sermo provincialis*, cioè le lingue popolari dei soldati, dei rustici, dei provinciali. Queste distinzioni rinviano quindi a livelli sociolinguistici differenti, e sottolineano il fatto che gli illetterati, gli incolti, i 'rustici', i provinciali parlavano in modo diverso dalle persone colte e dai romani istruiti della capitale. Nello stesso tempo, però, il concetto di 'latino volgare' fa anche riferimento a uno sviluppo diacronico, che vede emergere nella tarda latinità usi linguistici spesso all'origine degli sviluppi romanzi. Il concetto di 'latino volgare' finisce dunque per mescolare due elementi di natura disomogenea, una componente sociolinguistica (sincronica) e una componente diacronica. Di fatto il latino, come tutte le lingue vive, mutò nel corso del tempo, tanto che territori dell'Impero conquistati in epoca diversa ricevettero un latino in parte differente, o non furono più raggiunti da certe innovazioni che si svilupparono successivamente. Emblematico è il caso del tipo PLUS che si sostituì a MAGIS nel comparativo. Il latino letterario aveva un comparativo organico, ad es. la forma ALTIOR 'più alto' da ALTUS. Questa forma fu sostituita dalla costruzione analitica equivalente all'italiano «*più* + aggettivo». Se però si considera l'intera area della Romània, si osserva che il comparativo analitico venne costruito in maniera diversa, come si vede nella cartina di fig. 4.

Riferendoci alle antiche designazioni geografiche delle aree, troviamo il tipo MAGIS in Iberia e in Dacia, il tipo PLUS in Gallia e in Italia. Si deve osservare che il tipo MAGIS è presente nelle

---

[1] Converrà qui notare che, per generale convenzione, si usa il carattere tipografico maiuscoletto per le parole latine che sono etimo di quelle volgari.

aree laterali dell'Impero, il tipo PLUS al centro. Secondo l'interpretazione di Bartoli [1945: 99-104], ciò vuol dire che, essendosi già
imposta la forma MAGIS nei territori conquistati, in una fase successiva si irradiò da Roma (dal centro dell'Impero) un'innovazione, il tipo PLUS, la quale però non fece in tempo a raggiungere i
territori laterali della Romània, i quali conservano a tutt'oggi la
fase più antica.

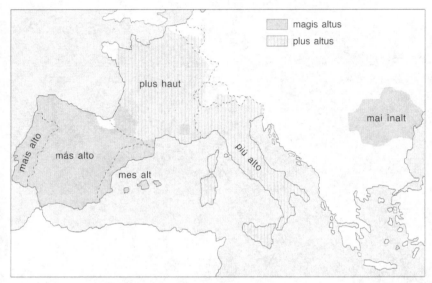

FIG. 4. Forme del comparativo di maggioranza.
    Fonte. Tavagliani [1972: 258]

Il latino non aveva dunque un'unità linguistica assoluta. Si
tratta del resto di un dato intuitivo, che può essere assunto *a priori*, senza necessità di dimostrazione: non esistono lingue diffuse in
un'area tanto grande che non risentano di fenomeni di differenziazione geografica, oltre che sociolinguistica. Basti pensare alla situazione dell'inglese nel mondo di oggi. È stata recentemente pubblicata una *Storia delle lingue inglesi*, con un plurale, nel titolo, che
si riferisce appunto alla varietà con cui tale lingua è parlata da
popoli che vivono molto lontano gli uni dagli altri [cfr. McCrum
et al. 1992]. Sarà utile a questo proposito osservare la cartina di
fig. 5, la quale rappresenta la diffusione del latino nell'Impero romano (l'Impero raggiunse la sua massima espansione all'inizio del
II sec. d.C., al tempo di Traiano).

Come si osserva, il latino non si impose allo stesso modo
ovunque. La penetrazione fu forte in Iberia, Gallia, Rezia, Norico,
Dalmazia, Dacia e in una parte dell'Africa settentrionale (limitata-
mente alla fascia costiera). Nella parte orientale dell'Impero, inve-

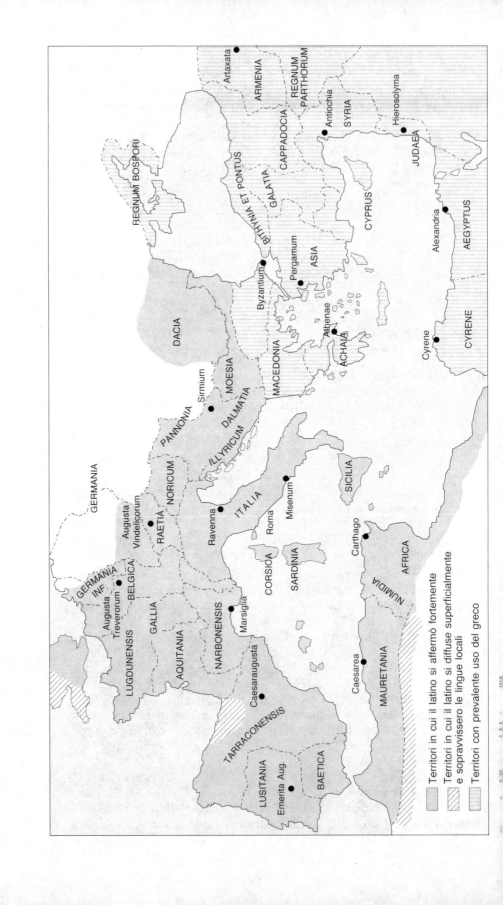

Territori in cui il latino si affermò fortemente

Territori in cui il latino si diffuse superficialmente e sopravvissero le lingue locali

Territori con prevalente uso del greco

ce, e in particolare in Egitto, Palestina, Macedonia, Grecia, Asia Minore, prevalse l'uso del greco, l'unica lingua di cultura dell'antichità di fronte alla quale i romani provassero rispetto, tanto da farne oggetto di studio da parte del loro ceto colto. L'atteggiamento dei romani nei confronti delle altre lingue dei popoli con cui vennero a contatto fu in sostanza di disinteresse e di disprezzo; si pensi che anche in latino, come in greco, il termine «straniero» equivale a «barbaro», con allusione al *bar bar* di una lingua incomprensibile. In effetti il prestigio del latino sui popoli sottomessi (a parte, come abbiamo detto, quelli che parlavano greco) era fortissimo; il colonialismo romano impose il latino assieme alle leggi latine, alla cultura latina. Si pensi alla diffusione capillare dei teatri nei territori conquistati, e all'afflusso di provinciali a Roma, in una capitale fortemente internazionalizzata per la convergenza di persone di ogni parte del mondo conosciuto, ma ben fiera della propria tradizione, resa raffinata dall'assorbimento di molti elementi della cultura greca. La forza del latino era tale da farsi sentire ovunque, anche nelle aree di più difficile romanizzazione. Castellani [1985] ha descritto i rapporti tra romani e germani, in una delle zone di confine tra le più pericolose. Conquistata la Gallia, i romani si trovarono i germani come popolo confinante. Nei primi anni dell'era volgare le aquile romane arrivarono fino al fiume Elba, ma nel 9 d.C. vi fu la disfatta della selva di Teutoburgo, ad opera del capo cherusco Arminio. Di lui ci viene tramandato un interessante aneddoto dallo storico Tacito. Si legge negli *Annali* (libro II, X) che Arminio insultava i romani (e il proprio fratello Flavo che stava nell'esercito romano con un nome, evidentemente, latinizzato), gridando dalla sponda di un fiume verso la sponda opposta, dove si trovavano gli avversari. Si poteva vedere dall'altra sponda del fiume Arminio minaccioso che imprecava frammischiando al suo discorso molte parole latine, perché (osserva Tacito) aveva prestato servizio militare nelle guarnigioni romane: «cernebatur contra minitabundus Arminius proeliumque denuntians; nam pleraque Latino sermone interiaciebat, ut qui Romanis in castris ductor popularium meruisset» («si scorgeva dall'altra parte [del fiume] Arminio minaccioso, in atto di provocare a battaglia, frammischiando molte parole latine, in quanto aveva fatto servizio militare negli accampamenti romani come capitano dei suoi connazionali»). È una prova in più dell'influenza che l'esercito romano aveva anche dal punto di vista linguistico, diffondendo la conoscenza almeno rudimentale della lingua latina tra coloro che venivano in qualche modo a contatto con esso. La Germania non fu tuttavia latinizzata, a differenza della Gallia, e il confine fu fissato a lungo sulla sponda del fiume Reno, perdute le terre fra Reno e Danubio. Secondo Castellani [1985: 9] non vi è dubbio che l'uso del germanico rimanesse sempre vivo nella Germania romana, anche se alcune parole latine entrarono, tramite i territori di confine, nelle lingue germaniche occidentali, come il ted. *Münze* 'moneta', ingl.

mint 'zecca', da MONETA, o il ted. *Strasse,* ingl. *street* da STRATA. A partire dal IV sec. entrarono anche nel latino dei germanismi. Germanismo è ad esempio un termine come *guerra,* germanico occidentale *WERRA (alto ted. *werra* 'confusione, mischia, tumulto'), che prese il posto del latino BELLU(M). Si può legittimamente supporre che *WERRA entrasse nel latino fin da quest'epoca, visto che è «difficilissimo immaginare che in Italia e nella penisola iberica si siano aspettati i tempi di Carlo Magno per trovare un sostituto al lat. *bellum,* di cui non rimane la minima traccia nella Romània» [Castellani 1985: 14][2]. Nessuna traccia ha lasciato BELLU(M), salvo – potremmo aggiungere – in parole di origine cólta, come *belligerante, bellicoso,* che non hanno che fare con lo sviluppo naturale e popolare della lingua. Comunque non è sempre facile distinguere i germanismi entrati nel latino in epoca antica, e quelli venuti successivamente, ad esempio i franchismi del VI-VII sec.

Quanto abbiamo detto avrà già suggerito un'immagine del latino parlato diversa da quella della lingua letteraria, esposta a varie tensioni e influenze, specialmente nei territori di frontiera. A questo si deve aggiungere la variabilità sociale, che esiste in ogni lingua (cfr. IV.2.1), e che era certo presente anche nel latino. I ceti colti, infatti, come ci insegna la sociolinguistica, parlano sempre in modo diverso dagli illetterati. La situazione sociolinguistica del latino può essere illustrata mediante uno schema (fig. 6) elaborato da Castellani [1985: 8].

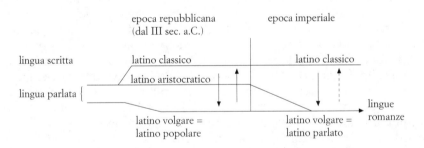

epoca repubblicana   epoca imperiale
(dal III sec. a.C.)

lingua scritta   latino classico   latino classico

lingua parlata {   latino aristocratico

latino volgare =   latino volgare =   lingue
latino popolare   latino parlato   romanze

FIG. 6.

Lo schema distingue prima di tutto tra la lingua scritta e la lingua parlata. Al livello della lingua scritta, si situa il latino classico, con la sua continuità culturale, a cui si avvicina il latino parlato dai ceti colti aristocratici dell'età repubblicana. Al di sotto di questo livello sta il latino popolare, che può essere in parte già

---

[2] A un prestito dell'età di Carlo Magno, dal francone *werra,* pensa invece Tagliavini [1972: 274].

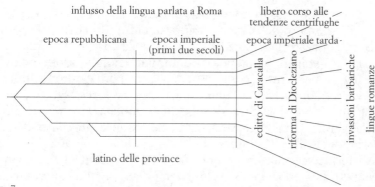

Fig. 7.

identificato con il 'latino volgare' di cui dicevamo in precedenza. Il latino parlato dai ceti colti in età imperiale andò via via avvicinandosi al livello popolare, dando origine a quel latino parlato o 'latino volgare' da cui sono nate le lingue romanze. Le quattro frecce verticali indicano i rapporti di reciproca influenza tra il livello letterario e il livello popolare del latino, rapporti che mutano in epoca tardo-imperiale, quando il latino parlato influenza solo marginalmente o occasionalmente una lingua ormai cristallizzata e regolata dalla normativa dei grammatici. A quel punto la frattura tra scritto e parlato è forte e insanabile.

Lo stesso Castellani ha visualizzato in un altro schema la dimensione geolinguistica dello sviluppo del latino, inquadrandola in una prospettiva storica [cfr. Castellani 1985: 8]. Questo secondo schema (fig. 7) mostra la progressiva espansione geografica del latino nel corso dell'età repubblicana e imperiale, che comportò la nascita di un 'latino delle province', la cui omogeneità fu garantita dalle forze centripete attive durante il lungo periodo in cui l'Impero poté esercitare la propria forza militare e culturale sui territori occupati. Solo dopo i primi due secoli le forze centrifughe presero il sopravvento (le linee dello schema cessano di essere raffigurate come parallele, e divergono l'una dall'altra); nel latino delle varie regioni si avviò allora un processo di differenziazione, sul quale incisero poi le invasioni barbariche; il processo si concluse con la nascita delle lingue romanze. I due schemi illustrano dunque lo stesso sviluppo, dal latino volgare alle lingue neolatine, considerandolo però da due punti di vista differenti.

Uno dei mezzi per ricostruire gli elementi del latino volgare che sono all'origine degli sviluppi romanzi è la comparazione tra le lingue neolatine. Quando si riporta una parola al suo etimo latino-volgare, accade a volte di individuare l'esistenza di una forma lessicale non attestata nel latino scritto, la quale viene indicata convenzionalmente facendola precedere da un asterisco: l'italiano *puzzo* può essere riportato al lat. parlato *PŪTIU(M), da PUTĒRE[3]. PUTĒRE è attestato nel latino scritto, mentre di PŪTIU(M) è solo possibile ipotizzare l'esistenza sulla base della forma moderna.

Il latino volgare conteneva comunque molte parole presenti anche nel latino scritto, come FUMUM. Altre parole furono innovazioni del latino parlato, e non sono attestate nello scritto, come PUTIUM. In altri casi ancora si ebbe un cambiamento nel significato della parola latina letteraria, la quale assunse un senso diverso nel latino volgare. È il caso di TESTA(M), che era all'origine un vaso di terracotta, ma che a poco a poco sostituì CAPUT: evidentemente TESTA(M) ebbe in un primo tempo un significato ironico, e designò il CAPUT in maniera scherzosa, come noi possiamo dire «zucca», «coccia» o «crapa». Poi la sfumatura ironica sparì, e il termine assunse *in toto* il significato nuovo, anche se *capo* sopravvive nell'italiano, come parola dotta e 'nobile'. Spostamenti di significato di questo genere sono abbastanza numerosi: si consideri ancora l'italiano *fuoco*, derivato da FŎCUS, che in latino non era un fuoco qualunque (il latino letterario aveva il termine IGNIS), ma il focolare domestico. Lo stesso termine *casa* deriva da una parola che in latino indicava una capanna, una baracca, una casa di campagna, mentre il termine classico era DŎMUS, che ancora sopravvive, ma con il significato di 'duomo', cioè di grande edificio religioso per il culto (nel sardo, parlata molto conservativa, invece, *sa domo* è ancora 'la casa', come in latino). Il francese ha *maison*, da MANSIONE(M) 'dimora', pur se la parola CASA(M) era diffusa anche nell'area gallo-romanza, come dimostrano tra l'altro i toponimi La Chaise-Dieu, Lacaze, Sacaze. Si noti che l'italiano ha anche *magione*, antico gallicismo, presente fin dall'italiano medievale. Quest'ultimo esempio dimostra che la ricostruzione dell'origine delle parole non si esaurisce in una descrizione ad albero genealogico, come quella che abbiamo esemplificato per il tipo FUMU(M); spesso l'albero è 'contaminato', per cui è vero che l'italiano *magione* deriva dal latino, ma sarebbe sbagliato non tener conto del rapporto con la lingua francese, cioè con una lingua 'sorella' dell'italiano. Renzi [1976: 57] ha visualizzato il fenomeno nello schema che segue (fig. 8), per il quale ha usato (rifacendosi alla critica testuale) proprio il termine di «contaminazione» da noi ripreso; per 'contaminazione' si intende in questo caso l'influenza dei rami paralleli, che condiziona la trasmissione verticale dell'albero. Non si deve insomma tener conto solamente dei rapporti di derivazione dal latino, ma anche delle eventuali influenze esercitate sulle linee tratteggiate poste tra un ramo e l'altro:

---

[3] Per seguire il processo di trasformazione che porta da PUTIUM a *puzzo*, cfr. V.2.15.

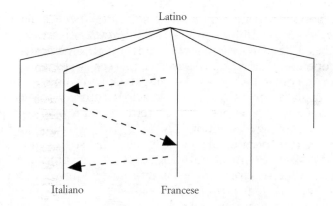

Latino

Italiano   Francese

Fig. 8.

Il confronto tra le lingue romanze e la ricostruzione etimologica dei derivati dal latino non sono gli unici strumenti per la conoscenza del latino volgare. Esiste anche una serie di testi che possono darci informazioni utili per intravedere (se non proprio vedere) alcune caratteristiche del latino parlato di livello popolare, o del latino tardo. Alcuni autori classici hanno scritto a volte in maniera meno formale e sorvegliata. Si sottraggono alle norme dell'uso classico alcuni libri dedicati a materie pratiche, come i trattati di agricoltura, di cucina, di medicina, di veterinaria. Lo stesso Cicerone è autore di lettere in cui si trovano «diverse calcolate concessioni a uno stile colorito, familiare, idiomatico, – conveniente al genere letterario e ai soggetti trattati», cosicché si può dire che «il codificatore principale del latino ufficiale ci ha tramandato così coscientemente, e per calcolato effetto artistico, testimonianze di latino non letterario» [Renzi 1976: 145]. Anche i testi teatrali latini contengono elementi di parlato, soprattutto quelli di Plauto. Importante dal nostro punto di vista è poi un romanzo come il *Satyricon* di Petronio Arbitro (I sec. d.C.). Come ha notato Bruni [1987: 179], in Petronio coesistono forme come *pulcher, formosus* e *bellus*: il primo aggettivo era destinato a sparire nelle lingue moderne, mentre gli ultimi due sono all'origine delle forme romanze, lo spagnolo *hermoso*, l'italiano *bello*, il francese *beau*. Del resto *bellus* si trova anche nel poeta Catullo, del I sec. a.C., e in Cicerone, oltre che in Plauto: a dimostrazione del fatto che si trattava di un'alternativa affettivo-familiare al più letterario e sostenuto *pulcher*. Le forme affettive e familiari presero poi molte volte il sopravvento, rimpiazzando il tipo lessicale prima dominante. In Petronio troviamo inoltre *unus* con funzione di indefinito anziché di numerale, così come sarà poi nelle lingue romanze: *unus de nobis* 'uno di noi', *unus servus Agamemnonis* 'uno schiavo di Agamennone', si legge nel *Satyricon* (44, 10 e 26, 8). Anche il latino degli autori cristiani, specialmente all'inizio, è deliberatamente umile e popolare. Tale carattere si vede assai bene nella versione *Vetus latina* della Bibbia, prima della *Vulgata* di San Gerolamo: anche quest'ultima è ricettiva nei confronti di alcuni elementi del latino popolare. Tra le fonti per la conoscenza del latino volgare possiamo ancora citare le iscrizioni dei lapicidi, che a volte contengono degli 'errori' significativi (ma le scritture pubbliche in latino sono in genere abbastanza corrette, perché opera di professionisti) [cfr. anche Zamboni 2000: 57-61]. Molto interessanti sono le scritture occasionali, come quelle che si trovano sulle pareti delle case di Pompei, graffiti e scritte murali tracciate da gente comune. Queste scritte (oggi lasciate in deplorevole stato di abbandono, senza alcuna protezione dal sole e dalla pioggia) non sono ovviamente posteriori alla data del 79 d.C., quando l'eruzione del Vesuvio segnò la fine della città. Citeremo una di esse, un graffito su di una pittura murale a cui fanno riferimento Castellani [1984: 9] e Del Popolo [1989: 4], traendola dal *CIL*, il *Corpus inscriptionum latinarum*, che dedica un intero volume alla città campana (mi limito a introdurre la distinzione moderna tra U e V, estranea alle abitudini grafiche del latino): QUISQVIS / AMA VALIA / PERIA QUI N/OSCI AMA[RE] / BIS[T]ANTI PE/RIA QUISQUU/IS AMARE VOTA («Chi ama, viva; muoia chi non sa amare; e muoia per due volte chi vuol vietare l'amore»). Si osservino la caduta di -T[4] finale nei verbi AMA, PERIA, VOTA (cfr. V.2.11), il passaggio di E atona prevocalica a I in PERIA < PEREAT (VOTA è forma del verbo VOTARE, attestato anche nel latino arcaico per VETARE). Possiamo ricordare infine l'esistenza di lettere private di gente comune, come quelle del soldato Claudio Terenziano (papiri di Karanis, Alto Egitto, inizio del II sec. d.C.) e quelle di Rustio Barbaro (reperite in una località egiziana più vicina al Mar Rosso, scritte su cocci [cfr. Durante 1981: 32-33 e Zamboni 2000: 62-64]). Nelle lettere di Terenziano si osserva l'omissione (ma non costante) della -M dell'accusativo. Si consideri ancora quest'altra iscrizione, rinvenuta a Pompei (cito la B 22 dall'ampia e interessante scelta di Pisani [1975: 117-126]): PUPA QUE BELA IS, TIBI ME MISIT QUI TUUS ES: VAL[E], cioè «ragazza che sei bella, a te mi mandò chi è tuo: salve», dove si nota il termine PUPA (il latino classico ha il diminutivo PUPILLA), poi continuato nelle lingue romanze, soprattutto nel senso di 'bambola', già attestato in Varrone; in BELA (a parte lo scempiamento, che forse è solo errore grafico) notiamo il termine alternativo al classico PULCHER, sul quale ci siamo già soffermati; IS sta per ES 'sei'; nell'ES ('è') finale cade la -T, che si conserva invece in MISIT.

Un particolare rilievo, tra i documenti del latino volgare, ha la

---

[4] Qui e in seguito, useremo il trattino davanti ad una lettera per indicare che essa sta in posizione finale: *-t* è la *t* finale di una parola, ad esempio in *amat*.

cosiddetta *Appendix Probi* (riproduzione fotografica in Roncaglia [1965: 32-33]), così chiamata perché il documento stesso segue, nel codice che l'ha trasmesso, gli *Instituta artium* di un grammatico tardo indicato come Probo, da non confondere con l'altro più famoso grammatico, il Marco Valerio Probo del I sec. d.C., con cui non ha alcuna relazione. L'*Appendix Probi* è una lista di 227 parole o forme o grafie non corrispondenti alla buona norma, tramandate da un codice scritto a Bobbio intorno al 700 d.C., codice ora conservato nella Biblioteca Nazionale di Napoli. La lista di parole è tuttavia reputata di solito più antica del codice: benché si sia discusso sulla sua datazione, la si è riferita al III-IV sec., e oggi gli studiosi la collocano ancor più in là, nel V o VI sec. d.C. [cfr. Poli 1999: 391 e Zamboni 2000: 52-53]. Un maestro di quest'epoca (presumibilmente romano) avrebbe raccolto le forme errate in uso presso i suoi allievi, e le avrebbe affiancate alle corrette, secondo il modello «A non B», come negli esempi che seguono (il testo completo si legge in Pisani [1975: 170-181]):

> speculum non speclum
> vetulus non veclus
> columna non colomna
> frigida non fricda
> turma non torma
> solea non solia
> auris non oricla
> oculus non oclus
> viridis non virdis.

Non sempre la forma attestata nell'*Appendix Probi* è quella che ha dato origine agli sviluppi romanzi, ma tali sviluppi sono tuttavia evidenti nelle voci citate qui sopra. SPEC(U)LU(M) ha dato origine a *specchio*, con passaggio di -CL- a -*kkj*-[5], come in VET(U)-LU(M) > VECLU(M) > *vecchio*, come in ORICLA > *orecchia*, e come in OC(U)LU(M) > OCLU(M) > *occhio* (cfr. V.2.16). Si osservi l'evoluzione delle vocali toniche (cfr. V.2.2) in COLŬMNA > COLOMNA (da cui, con assimilazione regressiva, *colonna*: cfr. V.2.20), in TŬRMA > TORMA, in SŎLEA > SOLIA > *soglia*. Costante è la caduta della vocale postonica nei proparossitoni: VET(U)LUS, FRIG(I)DA > FRICDA (da cui poi *fredda*), VIR(I)DIS > VIRDIS (che è all'origine del nostro *verde*). L'*Appendix Probi* è l'occasione per riflettere sulla presenza nel latino volgare di una serie di tendenze aberranti rispetto alla norma classica, avvertite come 'errori' dall'insegnante nel rapporto con i suoi allievi, e che tuttavia contenevano (almeno in parte) gli sviluppi della successiva evoluzione verso la lingua

---

[5] Una lettera o un gruppo di lettere vengono poste fra due trattini, come nei due casi or ora citati, per indicare che sono all'interno di parola.

nuova destinata a formarsi e affermarsi nei secoli seguenti. L'*'erro-re'*, dunque, è una deviazione rispetto alla norma, ma nell'errore medesimo possono manifestarsi tendenze innovative importantissi-me. Il futuro della lingua, in questo come in altri casi, non è ne-cessariamente in mano ai grammatici e alle persone colte (cfr. III.4.1), le quali esercitano piuttosto una funzione di freno, rifa-cendosi a modelli conservativi. Finché questi modelli reggono, l'*'errore'* combattuto viene posto in una condizione marginale, di minoranza. Ma quando l'errore si generalizza, l'infrazione diventa essa stessa norma per tutti i parlanti. Naturalmente solo con il senno di poi si può sapere quale 'errore' avesse in sé potenzialità effettive di successo, e quale invece manifestasse tendenze secon-darie e ristrette, destinate a cadere senza diventare 'sistema'. Si può dire che la lingua è governata da una 'censura collettiva', e solo le innovazioni che superano questa censura possono essere accolte, mentre le altre si perdono. Si noti che la riflessione sul problema della norma, a cui ci ha condotti l'*Appendix Probi* (e su cui potremo ritornare in seguito, ad esempio occupandoci dei grammatici che hanno stabilizzato la lingua italiana), ha una note-vole valenza didattica: a tutti gli insegnanti può accadere di assu-mere (volenti o nolenti) il ruolo di testimoni e di censori che rico-nosciamo nel maestro romano dell'*Appendix Probi*.

Abbiamo visto come nel latino volgare serpeggiassero tendenze innovative, spinte endogene verso la differenziazione dai modelli di lingua colta e letteraria. Gli studiosi fanno riferimento di solito a fenomeni di 'sostrato': il latino si impose su lingue preesistenti, che non mancarono di influenzare l'apprendimento della lingua di Roma. Limitandoci alla sola area italiana, possiamo pensare alle lingue dell'Italia preromana, all'etrusco (sparito senza lasciare trac-cia), all'osco-umbro ecc. Alcuni fenomeni linguistici, specialmente in passato, sono stati riportati all'influenza del sostrato, cioè all'a-zione esercitata dalla lingua vinta su quella dei vincitori (cfr. I.2.2): si è spiegata con il sostrato celtico la presenza delle vocali turbate (cfr. V.2.1) nel settentrione d'Italia, con il sostrato osco-umbro si è spiegata la tendenza all'assimilazione di -ND- > -*nn*- e -MB- > -*mm*- nei dialetti centro-meridionali (cfr. V.2.20). In osco-umbro, infatti, corrispondevano forme locali assimilate a quelle la-tine non assimilate: ad esempio *ùpsannam* corrispondeva al lat. *operandam*. Il fatto che in quell'area il latino abbia subìto un'evo-luzione in cui si è manifestata la tendenza a esiti analoghi, ha con-dotto a pensare al riaffiorare di un fenomeno sommerso ma mai spento, come fatto di 'sostrato', per l'appunto. Si tratta di una spiegazione la quale risulta affascinante, perché riporta il presente a un retaggio antico, facendolo rivivere nella lingua. Si osservi la cartina (fig. 9) che segue (tratta da Tagliavini [1972: 102]), che mostra i confini dell'area interessata all'assimilazione di -ND- e

-MB-; il confine nord-orientale del fenomeno corrisponde pressappoco al limite meridionale del territorio un tempo occupato dai Galli (il fiume Esino). Se la teoria del sostrato è vera, ciò significa che ancor oggi quel confine sopravvive nella distinzione tra le parlate marchigiane di sostrato italico e quelle settentrionali di sostrato celtico.

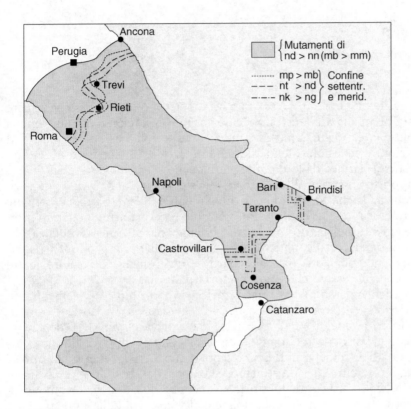

Fig. 9. L'area attuale di *nd* > *nn*.

  Fonte: Tagliavini [1972: 102].

Al sostrato etrusco è stata riportata da alcuni la cosiddetta 'gorgia toscana', la spirantizzazione delle occlusive sorde (cfr. V.2.1 e XIV.7) intervocaliche (anche in fonosintassi), per cui in Toscana si dice *la hasa* anziché *la casa* e *amiho* anziché *amico*. Altri, tuttavia, hanno dato spiegazioni diverse del fenomeno.

Un altro problema lungamente discusso negli studi sulla formazione dell'italiano è stato quello del ruolo del 'superstrato': si intende con questo termine l'influenza esercitata da lingue che si sovrapposero al latino, come avvenne al tempo delle invasioni barbariche. Possiamo raffigurare il 'sostrato' e il 'superstrato' nello schema di fig. 10:

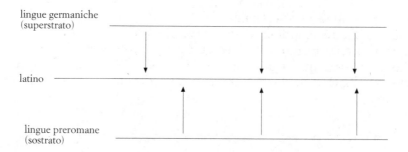

FIG. 10.

Alle definizioni di sostrato e superstrato possiamo aggiungere ancora quella di 'adstrato', cioè l'azione esercitata da una lingua confinante. Oggi, a differenza che nei secoli passati, si tende ad attribuire un ruolo meno rilevante all'azione di 'superstrato' esercitata sul latino dalle lingue germaniche degli invasori. Di fatto, l'apporto lessicale all'italiano di queste lingue non è di grande rilevanza, anche se si possono individuare diverse parole di origine germanica (escludendo, naturalmente, i germanismi penetrati precocemente nel latino, dei quali abbiamo parlato in precedenza). Si tratta anche di distinguere tra i germanismi portati in Italia rispettivamente dai goti, dai longobardi e dai franchi, per citare le tre ondate successive che investirono la penisola.

Richiamiamo alcuni dati storici: i goti, più precisamente gli ostrogoti, entrarono in Italia nel 489, guidati da Teodorico, con l'avallo dell'imperatore di Bisanzio, che voleva eliminare Odoacre, il quale aveva deposto Romolo Augustolo (476, caduta dell'Impero romano di Occidente). Il regno gotico finì con la guerra intrapresa dagli eserciti di Giustiniano, guidati da Belisario e Narsete (535-553), narrata dallo storico Procopio di Cesarea, testimone di quei fatti. Come si vede, il dominio dei goti sull'Italia non fu molto lungo. La lingua gotica ci è nota soprattutto grazie alla traduzione della Bibbia fatta nel IV sec. dal vescovo Ùlfila (conservata dal Codice argenteo della biblioteca di Uppsala e da palinsesti dell'Ambrosiana di Milano). I termini goti entrati nell'italiano sono meno di una settantina, e tra essi si possono citare le voci *astio*, *bega*, *bronza* 'carbone ardente', *melma*, *nastro*, *rebbio* 'ramo o punta d'una forca', *scherano*, *stecca*, *strappare* [cfr. Castellani 1985: 151-153].

I longobardi, a differenza dei goti, non giunsero in Italia come rappresentanti dell'autorità imperiale; la loro invasione, avvenuta nel 568, fu più violenta e brutale, anche perché i loro costumi erano immuni da una romanizzazione, o da un rispetto per il ricordo della romanità, che nei goti era stato in qualche modo presente. L'invasione longobarda ha dunque il carattere di una vera e propria frattura. Il loro dominio, inoltre, durò molto più a lungo, fino alla venuta dei franchi, nell'VIII sec., e lasciò una traccia persino nella denominazione di gran parte dell'Italia settentrionale, chiamata «Lombardia», nome che poi si restrinse fino a designare la regione geografica attuale. Il termine «Lombardia» è denominazione di origine bizantina, derivata dal nome dei longobardi: designava originariamente tutto il territorio occupato da questo popolo, in contrapposizione alla Romània (ancor oggi detta «Romagna»), la 'terra dei Romani', governata dai Bizantini, eredi orientali dell'Impero di Roma, che continuarono a tenere Esarcato e Pentapoli anche nel periodo longobardo [cfr. Gasca Queirazza *et al.* 1990: 359].

Le parole longobarde che sono state contate nell'italiano e nei dialetti italiani sono oltre duecento, tra arcaiche e moderne, dialettali e di lingua [cfr. Castellani 1985: 159]. Il longobardo era già caratterizzato (o lo fu presto, nel suo stato 'maturo') da quella che si definisce la 'seconda mutazione consonantica' che caratterizza il tedesco meridionale, un complesso di fenomeni per cui, ad esempio, al sassone antico *opan* 'aperto' (cfr. inglese *open*) corrisponde l'antico tedesco *offan* (ted. mod. *offen*), e al sassone antico *etan* 'mangiare' (inglese *to eat*) corrisponde il tedesco moderno *essen*, con passaggio rispettivamente $p > ff$ e $t > ss$. Ciò può permettere la distinzione, in certi casi, tra un prestito longobardo e uno gotico o franco, anche se tale criterio di distinzione è stato contestato da qualche studioso [cfr. Castellani 1985: 159-162]. Risalgono alla presenza longobarda i toponimi in *-ingo* e *-engo*, oltre al toponimo *Gualdo* ('bosco') e *Fara* ('insediamento a scopo militare o agricolo'). Sono longobardi termini come *guancia, stinco, nocca, zazzera, grinfia, stamberga* (**stain* 'pietra', **berga* 'alloggio'), *panca, scranna* 'seggiola, sedile del giudice', *scaffale, federa, gruccia, palla, truogolo, zaffata, zeppa* 'cuneo', *zaffo* 'tappo della botte', *strale* 'freccia', *staffa, spalto* (all'origine, forse 'palizzata', poi 'muro', 'verone'), oltre a una serie di termini giuridici o tecnici, come *aldio* 'semilibero', *arimanno* 'uomo libero', *mundio* 'tutela', *guidrigildo* 'prezzo di composizione delle offese private', *faida, gastaldo* (all'origine 'amministratore dei beni del re', e poi 'amministratore di una tenuta'). Inoltre sono longobardi verbi «concreti ed espressivi» [Castellani 1985: 177] come *arraffare, ghermire, russare, schernire, scherzare, spaccare, spruzzare* (e *sprizzare*), *tuffare*.

Come osserva Castellani [1985: 179], l'insediamento dei franchi ebbe un carattere diverso da quello dei goti e longobardi. Non si trattò di una popolazione trasferitasi tutta quanta nella nuova sede, ma di un certo numero di nobili con i loro fedeli, un'*élite* che si insediò ai vertici del potere civile e militare. Quella gente era in genere di stirpe franca, ma tra loro erano anche burgundi, bavari, alamanni. Una delle difficoltà più grandi, nel caso delle parole di cui si suppone la derivazione franca, è stabilire con certezza che non si tratti di prestiti dall'antico francese, prestiti venuti in una fase successiva. Sono probabilmente da considerare franchismi termini come *bosco, guanto, dardo, gonfalone, usbergo, biondo*. All'influsso franco, di tipo germanico, va collegato un influsso gallo-romanzo, come fa notare Castellani [1987a: 3-4]. Infatti i nobili franchi che vennero in Italia dovevano essere bilingui, e il loro seguito non era prevalentemente germanofono: non a caso le truppe di Carlo il Calvo, nell'842, risultano parlare la 'rustica romana lingua', il francese antico (cfr. V.3). In Italia, in epoca carolingia, fu presente anche clero francese. L'influenza d'oltralpe si fece sentire poi fortemente nei secc. XI e XII, con la diffusione anche da noi della letteratura provenzale e di quella francese, tanto che nel Duecento vi furono trovatori settentrionali che poetarono in lingua d'*oc*, mentre opere come il *Tresor* di Brunetto Latini e il *Milione* di Marco Polo furono scritte in francese. Ritornando comunque al periodo carolingio, entrarono allora termini relativi all'organizzazione politica e sociale: *conte*, *marca*, *conestabile* (COMES STABULI), *cameriere*, *balìa* 'potestà', *barone*, *dama*, *lignaggio*, *sire* 'signore', *varvassore* (*barbassore*), *vassallo*.

2. Nozioni di grammatica storica

Le modificazioni subite dal latino nel suo processo di trasformazione non sono state casuali: in esse si riscontra una certa regolarità, e possono quindi essere individuate determinate regole di sviluppo. Queste regole, inoltre, possono essere organizzate in forma così sistematica da fornire una descrizione metodica per ciascuna delle lingue romanze. È il campo della 'grammatica storica', la quale va ben distinta dalla grammatica descrittiva e da quella normativa. Mentre queste ultime si occupano delle norme che governano una lingua nella sua fase più recente, sulla base dell'uso sincronico contemporaneo, la grammatica storica si occupa invece dello sviluppo diacronico della lingua medesima (cfr. II.3). Le 'leggi' della grammatica storica sono differenti da lingua a lingua. Anche i dialetti italiani possono essere oggetto di un'indagine diacronica, in cui la 'grammatica storica' trova un fertile campo di applicazione. Si noti che la grammatica storica ha un contenuto tecnico elevato: vi si esercita una competenza necessariamente molto diversa da quella propria dello storico della cultura o dello storico della letteratura. Sarà bene precisare che le cosiddette 'leggi' della grammatica storica hanno una loro indubbia validità, ma non sono prive di eccezioni e di anomalie. Le 'leggi fonetiche' della grammatica storica vanno comunque intese piuttosto nel senso di 'tendenze dominanti' presenti nel sistema.

2.1. Nozioni elementari di fonetica

Non ci si può accostare alla grammatica storica senza possedere alcune nozioni di fonetica, le quali permettono di padroneggiare la terminologia comunemente adoperata nella descrizione dei fenomeni linguistici. In particolare è necessario conoscere la classificazione delle vocali e delle consonanti.

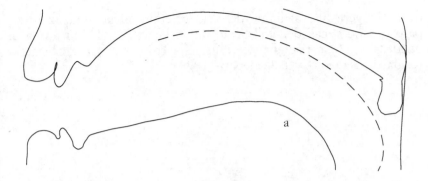

Fig. 11. Articolazione di /a/.

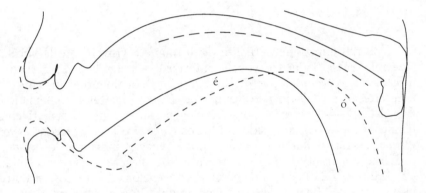

Fig. 12. Articolazioni di /é/ e /ó/.

Le vocali possono essere classificate in base al loro punto di articolazione. La fonetica articolatoria è la disciplina che si occupa di questo settore della linguistica, la quale ha una precisa relazione con lo studio dell'anatomia dell'apparato fonatorio. Utilizzeremo pertanto alcune figure ricavate da Canepari [1979: 27-33], le quali ci permetteranno di meglio comprendere i movimenti che si verificano nell'articolazione dei suoni vocalici, i quali interessano la bocca, e in particolare la lingua. La fig. 11 mostra la posizione della lingua mentre viene pronunciata la vocale *a*, detta 'media', la quale può servire da punto di riferimento, visto che la pronuncia delle altre vocali richiede uno spostamento della lingua stessa. La fig. 12 mostra le articolazioni di *é* e di *ó*. Per articolare la *é* la lingua si sposta in avanti e in alto, verso il palato (la linea tratteggiata delle figg. 11 e 12 indica la più alta zona possibile di articolazione delle vocali); per articolare la *ó* la lingua si sposta indietro, verso il velo palatino. Per articolare la *i* si deve avere un ulteriore avanzamento della lingua rispetto alla *é*, mentre per pronunciare la *u* la lingua deve giungere fino al limite del velo palatino. Si possono raggruppare le sette vocali dell'italiano in uno schema (fig. 13) in forma di quadrilatero (che risulta preferibile rispetto a quello tradizionale a forma di triangolo: cfr. Canepari [1999a: 14-15]):

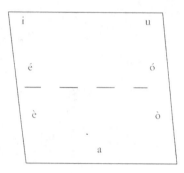

FIG. 13. Quadrilatero vocalico.

Tale raffigurazione permette di distinguere visivamente la vocale 'centrale bassa' *a*, le tre vocali 'anteriori' o 'palatali' *i, é, è*, le tre 'posteriori' o 'velari' *u, ó, ò*[6]. La *e* e la *o* si distinguono in 'chiuse' e 'aperte', e in italiano tale distinzione *é/è, ò/ó* ha valore fonematico (cfr. V.2.2). Possiamo aggiungere che vi sono lingue e dialetti che hanno anche le vocali cosiddette 'turbate', la *ö* e la *ü* (francese *soeur* e *dur*), assenti nell'italiano. Esiste poi la vocale 'indistinta' o 'muta', presente nel francese *de* (la si trova anche in certi dialetti nostrani: cfr. V.2.6 e V.2.8), che indicheremo convenzionalmente così: *ë* (altri usano invece il segno detto *schwa*, simile a una *e* rovesciata: ə).

Le vocali possono inoltre essere distinte, a seconda della loro durata, in 'lunghe' e 'brevi' (tale distinzione era importantissima nel latino classico: cfr. V.2.2). Le vocali che portano l'accento sono dette 'toniche', altrimenti sono 'atone'.

Combinazioni particolari di suoni sono i dittonghi, che possono essere 'ascendenti' (*piède, uòmo*) o 'discendenti' (*fài, càusa*), a seconda che la sonorità diminuisca o aumenti nel passaggio dal primo al secondo elemento. La *i* e la *u* (chiamate *iod* e *waw*, pron. *iod* e *uàu*) che entrano nei dittonghi vengono pronunciate in una maniera che si può definire intermedia tra quella di una vocale e quella di una consonante. Prendono quindi il nome di 'semiconsonanti' (alcuni chiamano però 'semivocali' le *i* e le *u* dei dittonghi ascendenti, che sono più vicine al suono vocalico vero e

---

[6] Tra le varie possibili convenzioni per indicare le vocali aperte e chiuse, oltre a quella che adopera gli accenti grave e acuto (da noi qui adottata), è frequente anche quella che pone sotto la vocale un punto (vocale chiusa) o una cediglia (vocale aperta; es.: ẹ / ę). Ancora diversa è però la notazione usata nell'Alfabeto fonetico internazionale, in cui *è* aperta è indicata con /ɛ/, *ò* aperta con /ɔ/, la *é* stretta con /e/, la *ó* stretta con /o/.

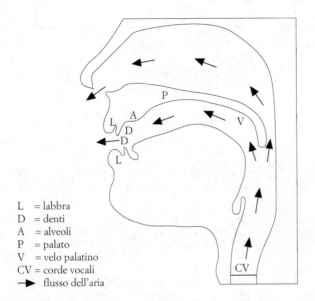

L   = labbra
D   = denti
A   = alveoli
P   = palato
V   = velo palatino
CV = corde vocali
➤   flusso dell'aria

FIG. 14.

proprio). Vengono rappresentate convenzionalmente con un mezzo cerchio sottostante aperto verso il basso: i̯, u̯ (in alternativa, *iod* viene indicato con *j*, *waw* con *w*).

Le consonanti vengono pronunciate con un restringimento o con un'occlusione del flusso d'aria. Nel primo caso sono dette 'fricative', nel secondo caso sono dette 'occlusive'. La combinazione delle prime e delle seconde produce le 'affricate'. Le consonanti possono essere inoltre 'sorde' o 'sonore': nelle sorde non si ha vibrazione delle corde vocali, nelle sonore sì. Avremo pertanto, a seconda del punto di articolazione (che può essere il velo palatino, le labbra, il palato, la zona dei denti o delle labbra), la classificazione che segue, nella quale introdurremo una serie di segni convenzionali per rendere univoco il rapporto tra grafia e pronuncia[7]:

Occlusive

	sorde	sonore
labiali	/p/	/b/
dentali	/t/	/d/
velari	/k/ (it. *casa*)	/g/ (it. *gaio*)

[7] Si osservi che si tratta di una classificazione elementare, finalizzata agli usi che ricorrono in questo volume. Per approfondimenti, si veda la sintesi che si trova in Stussi [1988: 65-70], finalizzata allo studio della filologia. Per una informazione complessiva più ampia sui problemi di fonetica e fonologia, cfr. Dardano [1991: 186-205]; per approfondimenti ulteriori, e per la definizione di una diversa terminologia, cfr. il testo specifico di Canepari [1979]. Si osservi ancora che le due barre che chiudono una lettera (/x/) indicano che essa è considerata in quanto fonema (cfr. V.2.2 e XIV.2.2).

Se l'occlusione della cavità orale si combina con il passaggio di aria nel naso, si ottengono le consonanti 'nasali':

	Nasali	
labiale	/m/	
dentale	/n/	
palatale	/ɲ/	(it. *ogni*)
velare	/ŋ/	(it. *fango*)

Se la lingua occlude solo la parte centrale della cavità orale, lasciando libere le zone laterali, avremo le consonanti 'laterali':

	Laterali	
dentale	/l/	
palatale	/ʎ/	(it. *figlio*)

La /r/ è consonante 'vibrante', perché la lingua produce una serie di ostruzioni che si susseguono rapidamente, come vibrazioni; in certi casi, però, la /r/ viene eseguita in maniera diversa, poco o non vibrante, come nella cosiddetta 'r moscia'.

Abbiamo infine le 'fricative', nelle quali, come già accennato, si realizza un restringimento nel flusso dell'aria fino a produrre un attrito o fruscio:

Fricative (continue)		
	sorde	sonore
alveolari (sibilanti)	/s/ (it. *sano*)	/z/ (it. *rosa*)
labio-dentali	/f/	/v/
palatali (sibilanti)	/ʃ/ (it. *pesce*)	/ʒ/ (franc. *je*)

Abbiamo già dato la definizione di 'affricate'. Nell'italiano abbiamo:

Affricate		
	sorde	sonore
dentali	/ts/ (it. *alzare*)	/dz/ (it. *zero*)
palatali[8]	/tʃ/ (it. *cena*)	/dʒ/ (it. *giallo*)

Si osservi che alcuni dei segni convenzionali da noi adottati possono essere sostituiti da altri. La laterale palatale, ad esempio, anziché con il segno /ʎ/, viene a volte indicata con /l̶/; la nasale palatale con /ñ/ anziché con /ɲ/; la sibilante alveolare sonora con /ś/ anziché con /z/, ecc. Le affricate, che combinano due tipi di suoni, vengono rappresentate in genere con simboli fonetici che

---

[8] Più precisamente 'prepalatali'.

rendono esplicita questa loro natura complessa (cfr. anche XIV.2.2), ma c'è chi usa segni diversi. Si tenga presente che la notazione fonetica è convenzionale, e il sistema usato deve sempre essere segnalato in apposite avvertenze, in forma di note o tabelle poste da ogni autore di saggi linguistici. Non di rado si adotta, come abbiamo fatto noi, un sistema semplificato, che non può dar conto di tutte le sfumature di una lingua viva, ma è utile per una prima approssimazione, o per obiettivi limitati. Le riviste specializzate hanno in genere una notazione fonetica prestabilita redazionalmente.

Esistono anche notazioni codificate a livello internazionale, come l'alfabeto fonetico internazionale o IPA (International Phonetic Alphabet) [cfr. Simone 1990: 108-111 e Crystal-Bertinetto 1993: 158-159]. Nella descrizione dell'italiano e dei suoi dialetti spesso si fa riferimento alla simbologia adoperata da G. Rohlfs nella sua grammatica storica [cfr. Rohlfs 1966-1969: I.XXXV-XXXVI]. La differenza delle notazioni non deve comunque spaventare: sarà sufficiente controllare sempre il sistema adottato da ogni singolo autore; quando si debba usare per proprio conto una notazione fonetica, si dovrà stare attenti alla coerenza della scelta (un segno dovrà avere una sola chiave di lettura, e sempre quella).

2.2. Il sistema vocalico tonico dell'italiano

La lingua italiana ha un sistema di sette vocali (cfr. V.2.1), perché *é* ed *è* costituiscono opposizione fonematica, cioè possono distinguere due parole altrimenti identiche: *pésca* ('atto del pescare') – *pèsca* ('frutto'). Il sistema dell'italiano, così come quello delle altre lingue romanze, si è formato dallo sviluppo del sistema vocalico latino. Il latino aveva dieci vocali, distinguibili in cinque lunghe e cinque brevi (per questa distinzione cfr. V.2.1). Ad un certo punto, però, la 'quantità' vocalica latina non fu più avvertita, cessò di avere rilevanza, e si trasformò in 'qualità': i parlanti pronunciarono le lunghe come strette e le brevi come aperte. Nel caso dell'italiano, la trasformazione del sistema vocalico latino può essere schematizzata come segue (fig. 15):

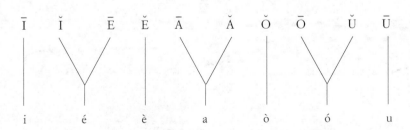

FIG. 15. Sistema vocalico dal latino all'italiano.

Possiamo verificare il mutamento attraverso alcuni esempi: la parola latina VĪNU(M)[9] diventa in italiano *vino*, con passaggio da ī lunga a *i*; il latino VĬRIDE(M), con la prima Ĭ (breve) pronunciata sempre più aperta, diventa l'italiano *vérde*, attraverso il passaggio intermedio VĬR(I)DE(M); GŬLA(M) dà l'italiano *góla*, e la ō (lunga) di NŌS ha per esito l'italiano *nói*.

Questo sistema eptavocalico dell'italiano non solo si differenzia da quello di altre lingue romanze, come il francese o lo spagnolo, ma si distacca anche da quello di altre parlate italiane.

2.3. Altri tipi di vocalismo

Il sistema vocalico dell'italiano, abbiamo detto, si differenzia da altri sistemi. Ci limiteremo al confronto con il sardo e il siciliano.

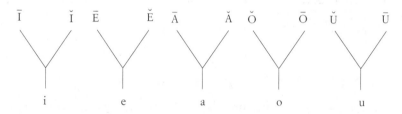

FIG. 16. Vocalismo tonico sardo.

Come si vede, il sistema sardo (per l'esattezza, logudorese) è pentavocalico, con conguaglio in unico esito di ciascuna vocale latina breve e lunga. Il lat. NĬVE(M) > *néve*[10] in it., ma *nive* in sardo. Il lat. NŬCE(M) > *nóce* in toscano, ma *nuke* in sardo.

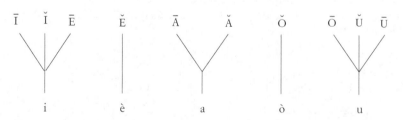

FIG. 17. Vocalismo tonico siciliano.

[9] Per il significato del maiuscoletto, cfr. nota 1 a p. 138.
[10] I segni '<' e '>' (virgolette angolari) indicano rispettivamente 'derivato da' e 'che dà origine a', in base alla direzione del vertice della virgoletta stessa.

In siciliano NĬVE(M) > *nivi*, STĒLLA(M) > *stidda*, CRŬCE(M) > *cruci*, VŌCE(M) > *vuci*. Come si vede, il vocalismo tonico è un elemento distintivo importante per stabilire la provenienza geografica di un testo. Si osservi ancora che il toscano (e quindi l'italiano) non conosce le vocali turbate *ö* e *ü*, che si riscontrano in certe zone dell'Italia settentrionale, ad esempio in Piemonte, Liguria e Lombardia, e che sono caratteristiche anche del francese.

2.4. Il dittongamento

In italiano la *è* < Ĕ tonica, se in posizione di sillaba libera (cioè di sillaba terminante per vocale), dà origine a un dittongo: PĔ-DE(M) > *piede*. Anche la *ò* da Ŏ (breve) dittonga, se tonica in sillaba libera: BŎ-NU(M) > *buono*. Tuttavia in alcuni casi non troviamo il dittongo nella posizione in cui è previsto da questa legge fonetica. La mancanza è dovuta a una serie di anomalie: nella lingua poetica, ad esempio, si affermarono già nel Medioevo forme come *bono* al posto di *buono* per influenza dei Siciliani (cfr. VI.1), e si radicarono nel linguaggio letterario. Nel fiorentino del Cinquecento, poi, si ebbe la scomparsa del dittongo preceduto da consonante + *r*: *breve* < *brieve* < BRĔ-VE(M). All'inizio dell'Ottocento il dittongo *uo* venne eliminato dopo suono palatale (*gioco* < *giuoco*, *figliolo* < *figliuolo*). Il fiorentino popolare eliminò *uo* in tutte le posizioni: *òmo*, *bòna* al posto di *uomo*, *buona*. Il dittongo, inoltre, manca in parole di origine dotta, che sono state introdotte in italiano sulla base del modello latino, e che non hanno subito l'evoluzione propria della lingua popolare; è il caso di *spècie* < SPĔCIE(M), *pòpolo* < PŎPULU(M).

2.5. La monottongazione

I dittonghi latini AE e OE si trasformarono rispettivamente in Ĕ breve e Ē lunga già all'inizio dell'era volgare: LAETU(M) > *lieto* (con dittongamento: cfr. V.2.4), POENA(M) > *péna*; il dittongo AU resistette più a lungo, anche se i primi casi di monottongazione del tipo CAUDA(M) > CODA si verificarono già in epoca classica. L'esito italiano di AU è *ò*, come in AURU(M) > *òro*.

2.6. La metafonesi

La metafonesi (ma alcuni autori usano il termine *metafonia*) è un fenomeno linguistico che non interessa il toscano, ma si ritrova in altre zone d'Italia. Può essere definita così: una modificazione del timbro di una vocale per influenza di una vocale che segue. Si ha quando le vocali finali estreme (cfr. lo schema vocalico in V.2.1) influenzano la tonica che precede, aumentandone la chiusu-

ra se è già chiusa, facendola dittongare se è aperta. Nell'Italia settentrionale la metafonesi è limitata in genere a *é* > *i*, *ó* > *u* davanti a *-i* finale. In certi casi, però, essa interessa anche la *a*, che
per effetto di una *-i* finale presenta un'evoluzione in palatale,
come nel tipo settentrionale *kamp* (sing.) contro il plurale *kèmp*
(si noti che la *-i* del plurale è poi caduta). Stussi [1988: 76] per
illustrare la metafonia richiama l'esempio del poeta duecentesco
Giacomino da Verona, in cui si ha *dulçi* (pl.) ma *dolçe* (sing.) [11],
digni (pl.) ma *degna* (sing.). Nell'Italia meridionale la metafonesi è
di tutti i tipi: Stussi [1988: 76] fa riferimento al titolo della famosa raccolta secentesca di fiabe napoletane di Basile, *Lo cunto de li
cunti overo lo trattenemiento de peccerille*, in cui abbiamo *ó* > *u*
sia davanti a *-i* (*cunti*), sia davanti a *-o* derivata da precedente *u*
(*cunto*); nello stesso tempo *è* > *ie* davanti a *-o* < *-u* (*trattenemiento*). La vocale che ha determinato il fenomeno metafonetico,
dunque, può anche avere subito successivamente un'ulteriore evoluzione. Riferendoci alla lingua parlata, possiamo notare che in napoletano si ha l'opposizione tra il maschile *russë* < RŬSSU(M) e il
femminile *rossa* < RŬSSA(M): l'esito *russë* è condizionato dalla metafonesi, dovuta alla -U finale del maschile, poi trasformatasi in vocale muta. Nel femminile, come si vede, il fenomeno non agisce,
perché la vocale finale è una -A. Come abbiamo detto, la metafonesi è sconosciuta al toscano. Si tratta pertanto di un importante
elemento distintivo, nel caso in cui ci sia richiesto di stabilire la
provenienza geografica di una forma linguistica o di un testo.

2.7. L'anafonesi

Questo, invece, è un fenomeno tipico del fiorentino e di una
parte della Toscana, ma è assente nelle altre parlate italiane; può
essere considerato dunque un elemento distintivo con funzione
opposta alla metafonesi, in quanto la sua presenza ci permette di
localizzare un testo proprio in Toscana, escludendo le altre regioni
d'Italia. L'anafonesi è il fenomeno per il quale una *é* tonica si trasforma in *i* davanti a nasale palatale [ɲ] [12], davanti a laterale palatale [ʎ], provenienti rispettivamente da NJ e LJ, e ancora davanti a
nasale velare [ŋ], e *ó* tonica si trasforma in *u* davanti a nasale velare [ŋ] (soprattutto nella combinazione /ŋ/ + /g/). In toscano abbiamo dunque: *gramigna* < GRAMĬNEA(M), *famiglia* < FAMĬLIA(M),
vinco < VĬNCO, *lingua* < LĬNGUA(M), *giunco* < IŬNCU(M), *fungo* <

---

[11] La *ç* nei testi antichi dell'Italia settentrionale ha il valore di una moderna
z, che può essere sorda o sonora a seconda dei casi.
[12] Ma quando la nasale palatale [ɲ] deriva non da -NJ- ma da -GN- la *é* tonica si conserva: LĬGNU(M) > *legno* (cfr. V.2.15).

FŬNGU(M) [cfr. Castellani 1952: 21 e 1980: I, 73 ss.]. In altre zone d'Italia troveremo invece i tipi *fameglia*, *lengua*, *fongo* ecc.

2.8. Vocalismo atono

Ecco lo schema del vocalismo atono dell'italiano, che (a differenza di quello tonico) non distingue tra chiuse e aperte (fuori d'accento tutte le vocali sono chiuse):

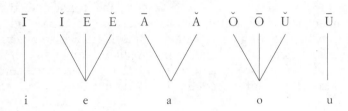

FIG. 18. Vocalismo atono italiano.

Il vocalismo atono del sardo è identico a quello tonico (cfr. V.2.3). Quello del siciliano si riduce ai soli tre timbri estremi del triangolo vocalico (cfr. V.2.1):

FIG. 19. Vocalismo atono siciliano.

Si osservi che le vocali atone finali si indeboliscono giungendo a un suono indistinto in alcune zone del meridione, come Salento, Basilicata e Campania. Questo suono può essere rappresentato con il segno della *e* muta (ad esempio *ë*, che abbiamo usato in V.2.6, o con il segno di *schwa*: cfr. V.2.1). Nella grafia dei dialetti meridionali questa *e* muta viene scritta come una normale *e* (ad esempio da parte del poeta lucano Albino Pierro [cfr. Stussi 1988: 79]). Nelle parlate settentrionali italiane le vocali finali tendono a cadere, anche se maggior resistenza dimostra la *-a*. Il toscano, per contro, ha una naturale tendenza a far finire le parole per vocale, e quindi a conservare le vocali finali: una parola toscana come *cane* < CANE(M) ha come corrispondente in piemontese e lombardo *can*.

Già nel latino parlato era caduta la vocale mediana di molte parole sdrucciole (accentate sulla terz'ultima sillaba): DŎM(I)NA(M)

> *donna*, CAL(I)DU(M) > *caldo*: si tratta di una sincope (caduta) della vocale postonica in penultima sillaba. I seguenti, invece, sono esempi di sincope della vocale intertonica (tra accento primario e accento secondario): BONITĀTE(M) > *bontate* > *bontà* (con caduta ulteriore del *-te* finale), CEREBĔLLU(M) > *cervello*.

2.9. Passaggio di 'e' pretonica a 'i'

Nel toscano la *e* pretonica (o 'protonica') tende a chiudersi in *i*, come in NĔPŌTE(M) > *nepote* > *nipote*. In diversi casi, tuttavia, il fenomeno non si riscontra, per vari motivi. Ciò accade ad esempio in vocaboli di origine straniera, come il francesismo *dettaglio*, o in parole in cui la *e* è stata ripristinata sul modello del latino (*eguale*, *delicato*, contro *iguale*, *dilicato*). La *e* è presente anche in alcuni derivati, per influsso della parola da cui provengono (*telaio*, da *tela*).

2.10. Labializzazione della vocale pretonica

Una vocale pretonica palatale (*e*, *i*) che venga a trovarsi vicino a un suono labiale (*p*, *b*, *m*, *f*, *v*) o labiovelare (*kw*, *gw*: cfr. V.2.17) può diventare labiale (*u*, *o*), come nel caso di AEQUĀLE(M) > *eguale* > *uguale*, DEBĒRE > *devere* > *dovere*, DEMANDĀRE > *demandare* > *domandare*.

2.11. Consonanti finali

Le consonanti latine -T, -S, -M in posizione finale subiscono nel passaggio all'italiano un indebolimento e poi un dileguo. Come si sarà notato, nelle parole latine usiamo collocare la -M dell'accusativo tra parentesi tonda, per indicare la caduta di questa consonante nel passaggio alla forma volgare (la derivazione delle parole italiane va rapportata alla forma morfologicamente più vicina, e quindi una parola come *voce* va ricondotta alla forma VOCEM, non al nominativo VOX; la forma dell'accusativo, caso più usato, prese ad un certo punto il sopravvento, salvo in certi casi, come HOMO > *uomo*: cfr. Rohlfs [1966-1969: II.344]; e cfr. anche V.2.24).

2.12. Consonanti doppie

Le doppie latine si conservano in italiano e nei dialetti meridionali, ma non nelle parlate settentrionali. Hanno dato luogo quasi sempre a consonante doppia italiana anche i gruppi consonantici latini CT e PT: LACTE(M) > *latte*, SEPTE(M) > *sette* (cfr.

V.2.19). Un caso particolare di raddoppiamento è quello che si produce in fonosintassi, cioè nel contatto tra due parole: AD CASAM > /akkasa/, TRES CANES > /trekkani/. La grafia italiana moderna (a differenza di quella antica) registra il fenomeno solo quando si è prodotta l'"univerbazione', cioè la riduzione ad una sola parola (es.: *soprattutto, sebbene*). Questo rafforzamento è caratteristico del toscano e delle varietà centro-meridionali, mentre è raramente praticato nell'Italia settentrionale (cfr. XIV.2.3).

2.13. Sonorizzazione delle occlusive sorde intervocaliche

Nell'Italia settentrionale le occlusive sorde intervocaliche *k, p, t* passano alle corrispondenti sonore *g, b, d* (cfr. V.2.1), subendo una 'lenizione' (indebolimento e conseguente sonorizzazione) (ma cfr. anche XIV.5.2); talora si arriva alla caduta della consonante che si è sonorizzata. In toscano il fenomeno della sonorizzazione avviene solo di rado: PATĔLLA(M) > *padella*, LŌCU(M) > *luogo*. Di contro, si vedano esiti settentrionali come URTĪCA(M) > piem. *ürtía* e milan., ven. ecc. *urtiga*. Quanto al passaggio *p > b*, si osservi che questa *b* di solito diventa *v* (cioè l'occlusiva labiale sonora diventata fricativa): CAPĪLLI > piemontese e milanese *cavei* (cfr. V.2.22).

2.14. Palatalizzazione di 'k' e 'g' (esiti di C e G + E, I)

La pronuncia del latino classico CĒRA e GĔLU era con occlusiva velare sorda, così come in CANIS (quindi: *kera, ghelu*). Ma le vocali palatali *e, i* hanno finito per influenzare la pronuncia della consonante che precede. Si manifestò così abbastanza presto (è attestata già nel III sec. d.C.) la tendenza a pronunciare le velari *k* e *g* come palatali davanti a vocali palatali (cfr. la terminologia fonetica in V.2.1), come appunto nell'italiano *cera, gelo*. L'antica pronuncia delle occlusive velari latine si è conservata nel sardo logudorese, che ha *kentu* 'cento', *nuke* 'noce', *ghirare* 'girare', *ghelare* 'gelare'. Diversa la situazione dell'Italia settentrionale, dove l'evoluzione andò verso le affricate dentali sorde e sonore, per poi passare alle corrispondenti sibilanti: CĔNTU(M) > *sent* 'cento', NŬCE(M) > *nus* 'noce'. La palatalizzazione di C e G latine interessa la grande maggioranza delle lingue romanze. Si osservi che l'antica pronuncia del latino con le occlusive velari davanti a vocale palatale è conservata in alcuni prestiti latini di epoca antica a lingue come il basco, il berbero, il celtico insulare [cfr. Tagliavini 1972: 173]. Nel tedesco troviamo parole come *Keller* ('cantina') < CELLĀRIUM e *Kaiser* < CAESĂRE(M), che attestano l'antica pronuncia.

2.15. Esiti consonante + J

È questo un capitolo dei più complicati nella fonetica storica italiana. Riducendo al minimo l'analisi, potremmo osservare che nel passaggio dal latino all'italiano le consonanti (tranne R e S) quando sono seguite da J si rafforzano: FACIO > *faccio*, SĒPIA(M) > *seppia*. Il nesso latino -TJ- diventa normalmente in italiano l'affricata dentale sorda intensa /ts/: VĬTIU(M) > *vezzo*. In certi casi risalgono allo stesso etimo latino due parole italiane, con i due diversi esiti: PRĔTIUM > sia *prezzo* che *pregio*. -DJ- si trasforma in italiano in affricata dentale sonora intensa: RĂDIUM > *razzo*, ma può anche avere come esito l'affricata palatale sonora intensa, come lo stesso RĂDIUM > *raggio*. Il nesso latino -LJ- dà la laterale palatale intensa: FĪLIU(M) > *figlio*. Il nesso -NJ- dà in italiano la nasale palatale intensa: IŪNIU(M) > *giugno* (allo stesso esito giunge il nesso latino -GN-, che in epoca classica veniva invece pronunciato *gh* + *n*, come ancor oggi in spagnolo; così LĬGNU(M) > *legno*).

2.16. Esiti di consonante + L

I nessi latini di consonante + L passano in italiano a consonante + *i*: FLŌRE(M) > *fiore*, PLĀNU(M) > *piano*, CLĀVE(M) > *chiave*, CLAMĀRE > *chiamare*. In Italia meridionale il nesso latino -PL- > *ki*: PLUS > (napoletano) *chiù*, (italiano) *più*. In posizione intervocalica la consonante + L raddoppia: NĔB(U)LA(M) > *nebbia*. Il nesso latino -TL- passa a -CL-, seguendone l'evoluzione: VĔT(U)LU(M) > VĔCLU(M) > *vecchio*.

2.17. La labiovelare

Si chiama 'labiovelare' il nesso *kw* o *gw* formato dalla velare *k/g* e dalla semiconsonante *w* (cfr. V.2.1). Nel passaggio dal latino all'italiano la labiovelare iniziale *kw* (grafia QU) rimane intatta solo davanti ad *a*; negli altri casi si riduce all'occlusiva velare *k*. Ecco un esempio di conservazione: QUĂNTU(M) > *quanto*; ecco la riduzione a *k*: QUĬD > *che*.

2.18. Prostesi

Si ha quando c'è l'aggiunta di una vocale non etimologica all'inizio di una parola, per rendere la pronuncia più facile: *in ispecie*, *per iscritto*. Il fenomeno inverso, con caduta di vocale, si chiama *aferesi*: Vangelo < EVANGELIUM.

2.19. Epitesi ed epentesi

Epitesi è l'aggiunta di un suono non etimologico alla fine di una parola, per facilitarne la pronuncia. L'italiano antico conosce ad esempio l'epitesi di *-e*: *piùe*, *fue* per *più*, *fu*.

L'epitesi di *-ne*, già presente in Iacopone da Todi, esiste ancora oggi in alcune zone dell'Italia centrale, dove si sente dire *con mene* 'con me', *none* 'no', *sine* 'sì' ecc.

L'*epentesi* è l'inserimento di un suono non etimologico all'interno di una parola. Per esempio, in *inverno*, si è avuta l'epentesi di *n* rispetto al latino HĪBĔRNU(M).

2.20. Assimilazione

È il fenomeno per cui un suono diventa simile a un altro che gli si trova vicino. È 'regressiva' quando il suono che precede diventa simile a quello che segue (il secondo suono, insomma, influisce sul primo); è 'progressiva' quando il suono che segue diventa simile a quello che precede (il primo suono influisce su quello che segue). Ecco alcune assimilazioni regressive che si verificano nel passaggio dal latino all'italiano: ŎCTO > *otto*, SĔPTE(M) > *sette*. Si può dire che anche la metafonesi (cfr. V.2.6) è un fenomeno di assimilazione regressiva che opera a distanza. Un'assimilazione progressiva caratteristica dei dialetti centro-meridionali è il passaggio -ND- > -*nn*-, come in QUANDO > *quanno*, così come -MB- > -*mm*- (cfr. fig. 9 a p. 149).

2.21. Dissimilazione

È il fenomeno opposto all'assimilazione (cfr. V.2.20). Si ha quando due suoni simili situati vicino nella stessa parola si differenziano: ARBŎRE(M) > *albero*, con dissimilazione della prima *r*, a causa della seconda; VENĒNU(M) > *veleno*, con dissimilazione di *n* in *l*, a causa della seconda *n*.

2.22. Spirantizzazione di -B- intervocalica

Si chiama così il passaggio dell'occlusiva labiale sonora latina in posizione intervocalica a una spirante labio-dentale ('spirante' equivale a 'fricativa'): HABĒRE > *avere*.

2.23. Elementi di morfologia storica: articoli e preposizioni

Nel passaggio dal latino alle lingue romanze si ebbe la perdita delle consonanti finali (ad esempio della -M dell'accusativo: cfr.

V.2.11) e la perdita dell'opposizione tra vocali brevi e vocali lunghe (cfr. V.2.2). Si ebbe dunque nella lingua latina un collasso del sistema delle declinazioni, che instaurò un processo di semplificazione morfologica. La scomparsa dei casi fu surrogata dall'introduzione di una serie di forme e costruzioni 'analitiche'. Si consideri ad esempio il latino classico FĪLIA MATRIS, che diventa in italiano *la figlia della madre*, attraverso un passaggio intermedio che possiamo ricostruire come ILLA FILIA DE ILLA MATRE. Come si vede, il latino classico in sole due parole dice quanto l'italiano esprime con quattro. Il latino è dunque 'sintetico', mentre il passaggio dal latino classico a quello volgare implica l'introduzione di elementi morfologici 'analitici', articoli e preposizioni (per questa terminologia, cfr. I.2.1). Gli articoli determinativi italiani *il*, *lo*, *la* ecc. derivano dai dimostrativi latini ILLU(M), ILLA(M) ecc., che cambiarono la loro funzione, affievolendo via via il valore dimostrativo, e divennero di uso via via più frequente già a partire dal II sec. d.C. [cfr. Zamboni 2000: 115]. Dal numerale latino UNU(M) deriva l'indeterminativo *un*, *uno*. Si vedano esempi della nuova funzione di UNUM e di ILLU nel passo in latino medievale tratto dal *Breve de inquisitione* presentato in V.3 e nel documento presentato in V.5. Tra le parlate dell'area romanza, il sardo (cfr. XIV.4.4) si caratterizza per avere gli articoli derivati non da ILLU(M), ma da IPSU(M), nelle forme *su*, *sa*, *sos*, *sas*.

Tra gli elementi 'analitici' che assumono rilievo nuovo nel latino volgare e poi nelle lingue romanze ci sono le preposizioni, che presero *in toto* la funzione di specificazione che nel latino classico era affidata ai casi. Alcune delle preposizioni latine si conservarono, come AD, DE, CUM, CONTRA, IN, SUPRA, altre si persero (PROPTER, ERGA, APUD ecc.). Altre ancora si formarono dalla combinazione di elementi latini: *avanti* < AB ANTE, *dentro* < DE INTRO, *dietro* < DE RETRO ecc.

2.24. Elementi di morfologia storica: il nome

Abbiamo detto che le parole italiane derivano dall'accusativo delle parole latine (cfr. V.2.11). Ciò è generalmente vero, seppure con qualche eccezione, come *uomo*, *sarto*, *moglie*, che derivano da nominativi. La derivazione dall'accusativo è particolarmente evidente negli imparisillibi della terza declinazione latina: *monte* < MŌNTE(M) (nominativo MŌNS), *amore* < AMŌRE(M) (nominativo AMOR).

Il latino aveva tre generi di nomi, il maschile, il femminile e il neutro. Quest'ultimo è sparito nelle lingue romanze, lasciando solo qualche traccia. I nomi neutri latini si sono trasformati per la maggior parte in maschili, ma molti neutri plurali in -*a* sono diventati femminili singolari attraverso una fase in cui valevano come collettivi: FŎLIA > *foglia*, MIRABĬLIA > *meraviglia*.

2.25. Elementi di morfologia storica: il verbo

Caratteristico è il futuro delle lingue romanze (e quindi dell'italiano), che si è formato differenziandosi completamente dal futuro latino. Il futuro dell'italiano deriva infatti dall'infinito del verbo + il presente di HABĒRE. Invece di CANTABO 'canterò' (che si confondeva con l'imperfetto CANTABAM), il latino volgare vide affermarsi il tipo analitico CANTARE + HABEO > *cantarò* > *canterò*. Sul modello di questo futuro è nato anche il condizionale (che in latino non c'era), formato dall'infinito del verbo + il perfetto di *avere* (*cantare + ei, esti, ebbe* ecc.). Anche il passivo latino fu sostituito da forme analitiche (AMATUS SUM al posto di AMOR); analitico è pure il passato prossimo *ho cantato* < HABEO CANTATUS (per la definizione del concetto di 'analitico' contrapposto al tipo 'sintetico' del latino classico, cfr. V.2.23 e I.2.1).

2.26. Elementi di sintassi storica

Nel latino classico era normale la costruzione con il verbo posto alla fine della frase, dopo il complemento indiretto e il complemento oggetto, secondo questo modulo (riprendo l'esempio da Dardano [1991: 92]): *Miles gladio hostem necat.* Il latino volgare, invece, preferì l'ordine diretto, soggetto-verbo-oggetto-complemento indiretto: *Miles necat hostem gladio.* Questo è anche l'ordine delle parole nell'italiano, a meno che non si voglia imitare in qualche modo il latino (ciò che è accaduto diverse volte nella storia linguistica del nostro paese, specialmente in contesti saturi di cultura umanistica e di ammirazione per gli scrittori della classicità).

Il latino classico costruiva la frase oggettiva mediante accusativo più infinito, secondo il tipo: *Dico amicum sincerum esse.* Il latino volgare, al posto di questo costrutto, introdusse una congiunzione subordinante *quod* o *quia* + verbo all'indicativo: *Dico quod illu(m) amicu(m) est sinceru(m)*, da cui l'italiano: *Dico che l'amico è sincero.*

Mentre il latino mostrava una propensione per le frasi subordinate, l'italiano rivela una preferenza per la coordinazione, come il latino volgare, anche se alcuni prosatori colti, imitando il latino classico, finirono per reintrodurre modelli di costrutto ipotattico. Si osservi che alcuni testi latini (per esempio le Sacre scritture nella versione della *Vulgata* di San Gerolamo, scritta a cavallo tra il IV e il V sec.) mostrano una sintassi più semplice, più vicina alle forme del latino volgare.

3. Quando nasce una lingua: il problema dei 'primi documenti'

La genesi di una lingua è un fenomeno lungo e complesso. Nel caso del passaggio dal latino alle lingue romanze, la trasformazione durò secoli, e si svolse sul piano dell'oralità, visto che il latino continuò a mantenere il ruolo di lingua della cultura e della scrittura. Nel corso del tempo, però, lo stesso latino cambiò, in parte per l'ignoranza degli scriventi, oltre che per nuove abitudini ormai invalse. Si parla di un 'latino medievale' come di un'entità specifica a sé stante, diversa dal 'latino classico', e, naturalmente, diversa anche dal 'latino volgare' (per quest'ultimo, cfr. V.1). Vi fu dunque un lungo lasso di tempo in cui la lingua volgare, formatasi dalla trasformazione del latino volgare, esistette nell'uso, sulla bocca dei parlanti, ma ancora non venne utilizzata per scrivere. In questa fase, interamente affidata all'oralità, non furono prodotti documenti: manca dunque a noi posteri la possibilità di avere campioni di questa lingua. Ad un certo punto, però, l'esistenza del volgare cominciò a farsi sentire, almeno in maniera indiretta. La si avverte nel latino medievale, che lascia trapelare in modo a volte evidentissimo i volgarismi, tanto che ci si accorge facilmente che chi scriveva quel latino in realtà stava pensando in un'altra lingua, e si limitava non di rado a una traduzione superficiale. Si legga ad esempio questo passo, tratto da un documento senese del 715 d.C., il *Breve de inquisitione* (che si conserva nell'Archivio Capitolare di Arezzo):

iste Adeodatus episcopus isto anno fecit ibi fontis, et sagravit eas a lumen per nocte, et fecit ibi presbitero uno infantulo abente annos non plus duodecim, qui nec vespero sapit, nec madodinos facere, nec missa cantare. Nam consubrino eius coetaneo ecce mecum abeo: videte, si potit, et cognoscite presbiterum esse [13].

Si tratta di una verbalizzazione giudiziaria: il messo regio Gontrando viene inviato a Siena per un'inchiesta, e stende un *breve*, un verbale che serve come resoconto di quanto ha fatto [14]. Nel *breve* trovano posto le deposizioni dei religiosi interrogati. È una situazione, questa dell'interrogatorio giudiziario con deposizione di testimoni, che in seguito, in analoghe circostanze, darà luogo ad alcuni dei primi documenti volgari (così nei Placiti campani, cfr. V.7, o nelle Testimonianze di Travale, cfr. V.8.5). Qui è troppo presto perché ciò accada: il verbalizzatore resta dunque fedele al suo latino notarile, che si presenta però molto libero rispetto alla

---

[13] Il passo citato si legge in Avalle [1965: 5] e in Roncaglia [1965: 146], con la traduzione che qui utilizzerò: «Questo vescovo Adeodato quest'anno vi fece il fonte (battesimale) e lo consacrò di notte a lume (di torce). E vi fece prete un ragazzino dell'età di non più che dodici anni, che non sa celebrare né vespero né mattutino, né cantar Messa. In verità, ecco, ho qui con me un cugino suo coetaneo. Vedete e giudicate se può essere un prete».

[14] «Breve» è nel Medioevo un documento probativo redatto da un notaio per conservare il ricordo di un negozio giuridico. Il termine rimase più a lungo nell'uso della curia pontificia, per indicare un documento contenente una dichiarazione o decisione papale.

norma grammaticale (si osservi ad esempio *potit* al posto di *potest*), e risente del parlato. Si noti l'abolizione delle desinenze dell'accusativo in *fecit presbitero uno infantulo, vespero, missa cantare*; si noti, ancora, il numerale *unus* latino usato ormai come articolo indeterminativo. Il lessico, inevitabilmente, contiene parole nuove, tecnicismi giuridici o liturgici, come *vespero, madodinos, missa*. Non è che un esempio tra i tanti delle caratteristiche del latino medievale, che però non va guardato solo come frutto di 'ignoranza' e di errori, ma piuttosto come la realizzazione di una serie di «registri intermedî» (per usare l'espressione di Avalle [1965: IX]) tra il latino della tradizione e il volgare. Si potrebbe dire che questo non è vero latino, così come non è vero volgare: è un latino che si ispira al volgare.

Perché si affermasse la dignità delle nuove parlate romanze, tuttavia, era necessario che si accettasse di metterle per iscritto e si prendesse l'abitudine di farlo sistematicamente. Il problema non era tanto semplice, e non solo per ragioni puramente tecniche. Le ragioni tecniche discendono dal fatto che non è facile scrivere una lingua che in precedenza sia stata sempre orale, e non abbia tradizione di cultura alle proprie spalle. La resa grafica di certi suoni o fonemi può creare seri problemi, e deve essere conquistata per approssimazione (si veda, ad esempio, in V.6, nell'iscrizione di San Clemente, la parola *fili* 'figli', che va letta appunto *figli*, nonostante la grafia; è il problema della grafia della palatale laterale originata dal lat. LJ, che noi oggi scriviamo con il gruppo consonantico *gli*: cfr. V.2.15). Se si può azzardare un paragone un po' approssimativo, è come se un individuo si trovasse oggi a dover scrivere improvvisamente il proprio dialetto: anche se conoscesse quel dialetto e lo parlasse, avrebbe comunque difficoltà a metterlo su carta (a meno che non fosse già al corrente di una serie di soluzioni grafiche specifiche, appositamente elaborate); si appoggerebbe comunque, per forza di cose, alle norme della lingua italiana, l'unica lingua che tutti siamo abituati a scrivere fin dalla scuola elementare. Mettere per iscritto una lingua orale è dunque un'operazione complessa, che implica una scelta difficile, la quale può essere determinata solo da profonde ragioni di ordine culturale. Se cercassimo queste ragioni, per i volgari italiani, dovremmo orientarci verso il sec. XIII: solo allora alcune scuole di scrittori scelsero la nuova lingua in maniera motivata o sistematica, tenendo presente il modello di altre letterature volgari, nate e sviluppatesi oltralpe. Se invece ci accontentiamo di documenti più modesti, capaci di mostrare la presenza occasionale del volgare in carte di uso pratico, in atti notarili, in graffiti murali, in elenchi di conti, in versicoli di scarso valore, allora possiamo trovare qualche cosa anche prima di tale secolo. La caratteristica dei documenti antichi del volgare è comunque la casualità: casualità nella loro realizzazione, che è sempre dovuta a eventi accidentali, i quali non di rado sfuggono alla nostra piena comprensione; casualità nel ritrovamento: oggi disponiamo di un *corpus* ben definito di antichi documenti italiani [cfr. Castellani 1976], ma nulla esclude che altri possano aggiungersi a quelli noti: il *Conto navale pisano*, non a caso, è saltato fuori fortunosamente a Philadelphia, negli USA (cfr. V.10), dove nessuno di primo acchito avrebbe pensato di trovare qualche cosa del genere. È chiaro che la consistenza degli antichi documenti condiziona il nostro modo di conoscere e interpretare l'affacciarsi della lingua volgare alla ribalta della storia. In questo senso, ogni nuova scoperta è un passo avanti, che pur si colloca in un quadro generale destinato a non mutare radicalmente. Eppure le nuove testimonianze, anche quelle apparentemente piccole, aiutano a meglio riflettere sul rapporto tra volgare e latino, tra lingua scritta e lingua parlata, o mostrano l'antichità di certi fenomeni linguistici che ancor oggi sono vivi e vitali. Non a caso F. Sabatini, presentando il suo studio sul graffito della catacomba di Commodilla (cfr. Sabatini [1987], e qui, più avanti, V.5), ha fatto riferimento alla categoria della «rusticità» linguistica come elemento necessario per l'affermazione della coscienza del volgare in quanto lingua autonoma, e ha invitato a tener conto anche della «disposizione psicologica» da cui nascono i singoli documenti antichi del volgare.

Ci sono casi in cui la 'disposizione psicologica' di cui si parlava è facilmente individuabile. Se consideriamo ad esempio il primo documento della lingua francese, i Giuramenti di Strasburgo dell'842, non possiamo aver dubbi sull'intenzionalità di chi ha introdotto il volgare. La situazione, infatti, è 'ufficiale', e non lascia spazio a equivoci. Nella *Storia dei figli di Ludovico il Pio* di Nitardo (morto nell'844, quindi contemporaneo agli eventi di cui parla), scritta in latino, si legge che il 14 febbraio dell'842 Ludovico il Germanico e Carlo il Calvo (nipoti di Carlo Magno), di fronte ai loro eserciti, giurarono alleanza contro il fratello Lotario. Ludovico il Germanico era sovrano di un territorio di lingua tedesca; Carlo il Calvo era sovrano di un territorio galloromanzo. Ognuno dei due re giurò nella lingua dell'altro: Carlo giurò in tedesco, Ludovico in francese; i capi dei rispettivi eserciti, invece, giurarono nella propria lingua. Lo storico Nitardo ci ha trasmesso le formule dei giuramenti: il giuramento di Ludovico è il più antico documento del francese. Come si vede, l'intenzionalità nell'uso del volgare è in questo caso evidente, come dicevamo, perché è legata ad una situazione pubblica e ufficiale come un patto di alleanza tra due sovrani.

Se paragoniamo questo documento a quelli relativi alla nostra lingua, riscontriamo un'analogia e una sostanziale differenza: l'analogia sta nel fatto che anche il cosiddetto 'atto di nascita' della lingua italiana, il Placito Capuano (cfr. V.7), è una formula connessa a un giuramento; la profonda differenza sta nel fatto che il documento italiano (più tardo di oltre un secolo) non si lega a un evento storico di rilievo, ma nasce da una piccola controversia giudiziaria di portata locale. Il primo documento dell'italiano è dunque in tono 'minore' rispetto a quello della lingua francese. Si osservi che anche i più antichi documenti del provenzale sono giuramenti (non processuali, però, ma di fedeltà [cfr. Tagliavini 1972: 494]). Ciò dimostra che, seppure con una certa casualità e con stento, il volgare comincia a essere scritto intenzionalmente in circostanze che esigono l'uso di una 'formula', la quale deve essere recitata e intesa in maniera univoca, per non dar luogo a equivoci (ciò conferma, fra l'altro, che il latino era ormai sentito come una lingua morta).

Uno dei problemi che si devono affrontare esaminando gli antichi documenti volgari è, abbiamo detto, la loro intenzionalità, la quale sola può farci capire se ci troviamo di fronte ad un vero testo della nuova lingua. A volte, infatti, non è facile fissare una separazione tra il latino e il volgare, soprattutto quando il latino è modellato sul volgare stesso, e rappresenta il 'registro intermedio' di cui ha parlato Avalle [cfr. Avalle 1965: IX, e anche Zamboni 2000: 200-4]. L'esame del cosiddetto *Indovinello veronese* ci può aiutare a comprendere questo problema. Un codice scritto in Spagna all'inizio dell'VIII sec. e approdato già in epoca antica a Verona dopo varie peregrinazioni (vi è conservato tutt'ora), reca nel margine superiore di un foglio due note in scrittura corsiva, risalenti all'VIII sec. o all'inizio del IX [testo in Castellani 1976: 13]. La seconda di queste noticine è in latino corretto:

+ gratias tibi agimus omnip(oten)s sempiterne d(eu)s

La prima, invece, si presenta in forma diversa:

+ se pareba boves alba pratalia araba & albo versorio teneba & negro semen seminaba

La notizia delle postille fu data nel 1924, e subito ci si interrogò sul significato della frase, nella quale vi fu qualcuno che, preso dall'entusiasmo, poiché si parlava di buoi e di aratura, ravvisò il frammento di un'antichissima cantilena di un bifolco. Più tardi Vincenzo De Bartholomaeis, filologo e storico della letteratura, risolse il problema interpretativo grazie all'aiuto imprevisto di un'allieva del I anno dei suoi corsi, la quale si ricordò di un indovinello popolare che aveva una grande somiglianza con quello che allora veniva chiamato il «Ritmo di Verona», e suggerì al maestro la soluzione dell'enigma: il 'Ritmo', cosa ben più modesta dell'antica cantilena rurale, era in realtà un indovinello che alludeva all'atto dello scrivere, simile a quello utilizzato da Giovanni Pascoli in una poesia di *Myricae*, *Il piccolo aratore*, nei versi che seguono: «Scrive [...] (la nonna ammira): ara bel bello, / guida l'aratro con la mano lenta; / semina col suo piccolo marrello: / il campo è bianco, nera la sementa» [cfr. Fassò 1993: 25-26]. Anche una volta individuato il significato generale del testo, restavano aperti molti problemi. Non era facile, intanto, concordare su di un'interpretazione letterale, dal momento che non era chiaro il senso di tutte le parole, a cominciare dal *se pareba* iniziale, interpretato variamente, prima di tutto come 'spingeva innanzi' (in Veneto si sente ancora dire *parare* per 'spingere avanti i buoi aggiogati'), ma anche come 'somigliava' e come 'appariva', e persino, leggendolo tutto unito, *separeba*, come 'appaiava'. L'interpretazione del verbo *se pareba* condiziona la scelta del soggetto sottinteso dei quattro verbi della frase: sono stati proposti i seguenti soggetti: 'lo scrittore', 'la mano', 'le dita', 'la penna'. Il più probabile tra questi è 'lo scrittore' [cfr. Castellani 1976: 24-25], il quale verrebbe dunque paragonato a un aratore che spinge avanti i buoi, arando campi bianchi (il foglio), reggendo un aratro bianco (la penna d'oca), e seminando un seme nero (l'inchiostro). Si noti che *versor* nel senso di 'aratro' è tipico di molti dialetti settentrionali. Ma il problema forse più importante è ancora un altro: dobbiamo o non dobbiamo collocare questo testo tra i più antichi documenti del volgare italiano? Si tratta insomma di stabilire quale fosse la coscienza linguistica dello scrivente, anche tenendo conto del fatto che l'indovinello, come abbiamo visto, si presenta appaiato a una postilla scritta in buon latino: ciò sembrerebbe testimoniare che la postilla 'volgare' si discosta appositamente dal codice linguistico della prima annotazione. Non è provato, però, che la mano che ha vergato le due postille sia la medesima, e anzi autorevoli interpreti lo escludono [cfr. Castellani 1976: 14]. In sostanza, la postilla è stata giudicata variamente: come italiano volgare, come 'semi volgare', come vero e proprio 'latino', seppure scorretto. La questione è probabilmente irresolubile. È comunque giusto prendere atto della presenza di volgarismi, come *se* invece di *sibi*, *pareba* invece di *paraba* (accanto agli imperfetti in *-aba*: *araba*, *seminaba*), *negro* invece del lat. *nigro*. Una parola come *versorio* è volgare nel significato (che è uguale al dialettale *versor*), ma latina nella forma. Detto questo, sarà ben difficile attribuire il titolo di 'primo documento della lingua italiana' a un testo così controverso, anche se l'operazione sarebbe affascinante, vista la sua antichità, antichità maggiore persino rispetto ai Giuramenti di Strasburgo.

4. I glossari

Nel 1963 è stato pubblicato il cosiddetto *Glossario di Monza*, risalente forse ai primi decenni del X sec., un glossarietto bilingue romanzo-romaico (greco bizantino) conservato nell'ultima carta di un codice della Biblioteca Capitolare di Monza [cfr. Sabatini 1996: I, 41-74]. Si tratta di un elenco di poco più di sessanta lemmi in cui, accanto alla voce latino-romanza viene data la voce greco-bizantina, secondo questo modello:

de capo: cefali
colo: trahilos
gula: garufas
marti: triti
mercor: tetras[15].

La lettura delle parole contenute nella colonna di sinistra (*marti* e *mercor* sono giorni della settimana, 'martedì' e 'mercoledì') spiega la definizione di 'romanzo' che abbiamo usato per questo tipo di *rustica romana lingua*, che non si identifica nel latino, ma molto spesso si avvicina alle forme del dialetto dell'Italia settentrionale, anche se non è stato possibile localizzare in maniera assolutamente precisa il testo. Si noti che lo scrivente non ha affiancato al termine latino-romanzo una parola volgare, né ha voluto affiancare al termine volgare una parola latina: il suo interesse andava all'equivalente greco, paragonato con termini che dovevano riuscirgli familiari, termini a mezza strada tra il latino e la lingua parlata. Anche in questo caso ci avviciniamo a quel concetto di 'registro intermedio' a cui abbiamo già fatto riferimento (cfr. V.3). Non potremo dunque considerare il *Glossario di Monza* come uno dei primi documenti del volgare italiano (esso assomiglia piuttosto a quei testi che, come l'*Indovinello veronese*, stanno a mezza strada tra il latino e la nuova lingua parlata), ma converrà ricordare la sua esistenza anche per individuare quello che si può definire un vero e proprio filone, costituito dalle glosse bilingui, che accostano una parola nota ad una meno nota, la quale necessita di spiegazione. Del resto nello stesso *Editto di Rotari*, la prima stesura scritta delle leggi longobarde (sec. VII: se ne veda almeno il passo antologizzato in Viscardi *et al.* [1956: 66-71]), come fa notare Tagliavini [1972: 481], si trova la spiegazione di certi termini mediante sinonimi più popolari: «... novercam suam, idest matrinia...». Se allarghiamo il nostro orizzonte al di là dei confini dell'Italia, possiamo ricordare l'esistenza del *Glossario di Reichenau*, redatto nella Francia settentrionale probabilmente alla fine del sec. VIII, che cerca di spiegare con perifrasi o con parole più popolari determinate espressioni della Vulgata. Il termine *galea*, ad esempio, che è del latino classico, viene spiegato con *helmus*, che ha ugualmente forma latina, ma è termine germanico entrato nelle lingue romanze d'Occidente. Non si può dire che le glosse di Reichenau siano 'in francese', ma certo sono scritte in un latino meno dotto, in uso nella Francia settentrionale a quell'epoca, e quindi contengono elementi che si ritroveranno più tardi nella lingua francese. Elenchi del genere sono sempre interessanti per il linguista, che vi rintraccia tratti propri del parlato. Un documento molto più tardo, che interessa l'area piemontese, ci conferma la

---

[15] La successione in cui compaiono gli esempi qui scelti non è quella originale. Il testo completo si legge ora in Castellani [1976: 41-44].

durata dell'abitudine di raccogliere glosse di questo tipo, che sono come piccoli vocabolari in embrione: risale all'inizio del sec. XIII (anche se è stato trasmesso da un codice più tardo) il testo (scoperto da G. Gasca Queirazza) di alcune glosse come la seguente: «Parapsis vulgariter dicitur *scutella*» [cfr. Marazzini 1991: 127-129]. Da una parte c'è il termine latino colto, *parapsis* 'piatto', dall'altra il termine d'uso popolare (*vulgariter dicitur*, precisa il glossatore: 'volgarmente si dice'). Si noti che la parola *scutella* compare in grafia 'nobilitata' rispetto alla reale pronuncia, che doveva essere *scudela*, con la *l* semplice e con la sonorizzazione dell'occlusiva intervocalica tipica del settentrione d'Italia (cfr. V.2.13).

5. Il graffito della catacomba di Commodilla a Roma

Le più antiche testimonianze italiane di scritture volgari sono, come abbiamo già accennato, per la maggior parte carte notarili o documenti processuali, verbali; cioè, in sostanza, documenti d'archivio. Caso diverso e curioso è quello dell'iscrizione della catacomba romana di Commodilla, la quale è un anonimo graffito tracciato sul muro. Non ci si stupisca dell'importanza di questa scritta murale: capita a volte che messaggi effimeri del genere assumano agli occhi dei posteri un rilievo documentario notevole, come accade ad esempio per le scritte pompeiane, tracciate prima dell'eruzione del Vesuvio del 79 d.C., le quali danno informazioni sulla vita quotidiana del tempo, e anche permettono di compiere osservazioni linguistiche sul latino vivo (cfr. V.1). L'interesse del graffito della Catacomba di Commodilla deriva dal fatto che si tratta di un'antica testimonianza (antica all'incirca come i Giuramenti di Strasburgo) la quale, benché sembri a prima vista conservare un aspetto latineggiante, almeno in un punto, come vedremo, vistosamente rivela il suo reale carattere di registrazione del 'parlato'. L'analisi di un documento del genere (condotta da Sabatini [1966 e 1987][16]) ha dovuto affrontare una serie di difficili problemi, a cominciare dall'esatta datazione. Il graffito, infatti, in quanto messaggio occasionale, non porta alcuna indicazione cronologica.

L'iscrizione si trova, come abbiamo detto, in una cappella sotterranea della catacomba romana di Commodilla, la 'cripta' dei santi Felice e Adàutto, la cui scoperta avvenne nel 1720. Subito dopo una frana rese impossibile l'accesso al locale, e nessuno entrò più nella catacomba fino all'inizio del secolo scorso (1903), quando l'iscrizione fu finalmente segnalata agli studiosi[17]. Secondo

---

[16] Ringrazio il prof. Sabatini, che mi ha gentilmente fornito la riproduzione qui utilizzata (fig. 20 di p. 175), ricavata dalla fotografia mediante una speciale tecnica che evidenzia assai bene il tracciato del graffito.

[17] L'iscrizione si conserva ancora oggi, ma è stata danneggiata da vandali depredatori nel 1971, e poi discutibilmente restaurata.

gli archeologi, la cappella fu utilizzata come luogo di culto fino al
IX sec., allorché i corpi dei due santi, prima qui sepolti, furono
traslati altrove: a questo punto, verosimilmente, il luogo cadde in
abbandono. È logico pensare che l'iscrizione, vigorosamente incisa
nello stucco della cornice di un affresco che risale al VI-VII sec.,
sia stata fatta prima che la cappella fosse abbandonata. Abbiamo
dunque due indicazioni cronologiche, un termine *post quem* (VI-
VII sec., la data dell'affresco) e un termine *ante quem* (la metà
del IX sec., epoca dell'abbandono della cappella). Come si vede,
siamo ben prima del Placito Capuano del 960, tradizionalmente
indicato come il più antico documento del volgare italiano (cfr.
V.7). Ecco il testo dell'iscrizione, qui rimpicciolito (fig. 20; la dimensione originale è cm 11 × 6,5; riproduzione fotografica in Sabatini [1987], ora in Sabatini [1996: I, 173-217]):

FIG. 20.

Il graffito si può così trascrivere: «NON / DICE / RE IL /
LE SE / CRITA / A BBOCE». Cioè: «Non dicere ille secrita a
bboce», 'non dire (que)i segreti a voce alta'. L'interpretazione ci
riporta ad un ambiente religioso in cui non ci si riferisce affatto a
dei segreti qualunque, ma a qualche cosa di molto tecnico e preciso: le 'orazioni segrete' della messa. L'iscrizione sarebbe dunque

da attribuire a un religioso, forse un prete che celebrava il rito sacro nella catacomba, il quale voleva invitare i suoi colleghi a recitare a voce bassa il Canone della messa, secondo un uso documentato a partire dal sec. VIII, e poi in misura maggiore in età carolingia. Anche questa indicazione cronologica concorda dunque con le precedenti, e anzi restringe la fascia cronologica già individuata. Inoltre i paleografi hanno osservato nel graffito la coesistenza di caratteri capitali romani e di lettere onciali: caratteristici dell'onciale (così nota A. Petrucci, cit. in Sabatini [1987: 30]) sono ad esempio i trattini ornamentali della L nella quarta riga. Si osservi che la scrittura onciale, tipica della cultura romana cristiana, «fu adoperata largamente in tutto l'occidente latino dal IV all'VIII-IX sec., cioè per tutto l'alto medioevo sino alla cosiddetta 'rinascenza carolingia'» [Petrucci 1989: 64].

Dal punto di vista linguistico, il tratto più notevole si riscontra a partire dall'osservazione della particolare grafia di «a bboce» (= 'ad alta voce'): come si vede dal facsimile, la seconda B, più piccola, è stata aggiunta successivamente nel poco spazio rimasto libero. Tale grafia rende in maniera fedele la pronuncia con betacismo (passaggio di V a B: lat. VOCEM > *boce*) e raddoppiamento fonosintattico (cfr. XIV.2.3). Resta da capire perché questa B sia stata posta in un secondo tempo. Si può osservare a questo proposito che, nella scrittura (specialmente scrivendo con la lentezza richiesta dall'incisione di un graffito su di una superficie verticale), un fenomeno fonosintattico può sfuggire: rileggendo, però, l'autore dell'incisione (o eventualmente qualcun altro per lui) si accorse che il testo non rendeva appieno il dettato orale, e allora inserì la seconda B, un «volgarismo a tutto tondo» [Sabatini 1987: 26], con «una sorta di compiaciuto perfezionismo nell'insolita traduzione grafica del parlato» [Trifone 1992b: 11]. Si noti ancora che *secrita* (femm. plurale, in quanto significa 'le orazioni segrete') va letto *secreta*, perché la *i* è semplicemente una grafia per é da Ē latino (cfr. V.2.2), secondo un uso che si riscontra nelle scritture precarolinge. Quanto a ILLE, si tratta del dimostrativo latino ormai usato qui in funzione di articolo (cfr. V.2.23).

6. L'iscrizione della basilica romana di San Clemente

Benché decisamente più tarda, questa iscrizione si apparenta al graffito della catacomba di Commodilla per il fatto di essere anch'essa 'romana', e per la sua natura 'murale', di parola esposta allo sguardo (cfr., per le caratteristiche di quello che viene definito come il «visibile parlare», la cui tradizione continua anche in seguito, Ciociola [1992; 1997]). Tuttavia, mentre il graffito della catacomba di Commodilla è frutto di una certa casualità, in quanto è stato aggiunto in forma parassitaria e posticcia sopra l'intonaco preesistente, l'iscrizione della basilica di San Clemente rientra invece in un progetto grafico ben più complesso: si tratta di un affresco in cui parole in latino e in volgare sono state dipinte fin dall'inizio accanto ai personaggi rappresentati, per identificarli e per mostrare il loro ruolo nella storia narrata.

Il dipinto fu riportato alla luce nel 1861 [cfr. Raffaelli 1987: 39n], ed è tutt'ora visibile nella basilica sotterranea di San Clemente (a Roma, non lontano dal Colosseo). Esso narra una storia miracolosa: vi si vede il patrizio romano Sisinnio, il quale ha ordinato ai suoi servi di catturare Clemente; i servi sono stati pronti a ubbidire, ma si illudono di aver legato il sant'uomo; in realtà trascinano con grande fatica e scarso successo una pesante colonna. Oltre a Sisinnio (posto sulla destra rispetto all'osservatore, con il braccio alzato in segno di comando), sono rappresentati i tre servi Albertello, Carboncello e Gosmari, che trascinano la colonna mezzo sollevata, posta davanti a due archi; il servo sulla sinistra solleva la colonna con un palo, gli altri due tirano, facendo forza con una corda. Il pittore ha aggiunto una serie di parole che hanno funzione di didascalia, o che indicano le frasi pronunciate dai personaggi raffigurati: queste frasi sono in un volgare vivace e popolarescamente espressivo; costituiscono dunque una testimonianza eccezionale per il suo carattere e per la sua antichità. Anche in questo caso si deve affrontare un problema di datazione. Si sa che il muro di sostegno su cui è stato dipinto l'affresco risale al restauro della basilica realizzato dopo il 1084. Si sa anche che la nuova basilica di San Clemente, costruita sopra la chiesa più antica, fu consacrata nel 1128. L'affresco si colloca dunque tra queste due date, ma pare che sia stato dipinto negli anni immediatamente successivi alla costruzione del muro, cioè alla fine del sec. XI. Nel bozzetto che segue (fig. 21) è indicata la posizione delle varie scritte che si leggono sull'affresco (il richiamo è costituito dalle lettere alfabetiche, dalla A alla G; le barre indicano i frequenti 'a capo': la scrittura, infatti, ha non di rado un andamento verticale, per inserirsi negli spazi rimasti liberi tra le figure).

Come si vede, latino (B e C) e volgare (A, D, G) coesistono; del resto è in latino anche un'iscrizione posta subito sopra la scena del miracolo del santo in cui si leggono i nomi dei committenti: «Ego Beno de Rapiza cum Maria uxor mea pro amore Dei et Beati Clementi[s] PGR[F]» ('Io Beno di Rapiza con mia moglie Maria per amor di Dio e di San Clemente feci fare per grazia ricevuta'). Il latino è dunque adottato nelle parti più 'elevate' del testo, per indicare l'intenzione di chi ha fatto dipingere l'affresco, o per esprimere il giudizio morale sull'accaduto (mi riferisco alle didascalie B e C: «Duritiam cordis vestris saxa traere meruistis», frase che si può così tradurre: 'Per la durezza dei vostri cuori, avete meritato di trascinare delle pietre'; l'accusativo *duritiam* ha il valore di un ablativo causale; si osservi che *vestris* è errato rispetto alla 'norma' grammaticale latina). Il volgare, per contro, esplode vivace sulla bocca dei personaggi, con marcato espressionismo plebeo, nelle didascalie A e G: 'Fagliti dietro con il palo, Carboncello', cioè 'fai a lui te dietro, spingilo dietro con il palo': si noti la successione dei pronomi in *fàlite*, dal lat. FAC (IL)LI TE, e si noti ancora, in *dereto* 'dietro', dal lat. DE RETRO, la caduta della seconda R (nell'italiano *dietro* cade invece la prima), e il mancato dittongamento della tonica. La battuta G, traducibile 'Figli di puttane, tirate', discende fino al turpiloquio. Non vi è ombra di dubbio, quindi, sul carattere volgare del testo, la cui caratterizzazione di 'parlato' spicca rispetto alle parole latine. Molti problemi esistono invece per l'esatto riferimento delle parole ai singoli personaggi, e anche per la lettura di certe parti dell'iscrizione oggi scarsamente visibili, o che hanno subito ritocchi nel corso di restauri.

A: «FALITE DERETO/CO LO PALO/CARVON/CELLE»
B: «D/U/R/I/TIAM COR/DIS/V(EST)/RIS»
C: «S/A/X/A/TRAERE/MERUI/S/TIS»
D: «ALBERTEL/TRAI(TE)»
E: «GOS/MARI.»
F: «SISIN/IUM»
G: «FILI/DELE/P/U/T/E/TRA/I/TE»

FIG. 21.

Va osservato che lo stato attuale di conservazione di questa preziosa testimonianza di volgare romanesco del sec. XI è pessimo, anche per l'umidità della basilica sotterranea (si veda la riproduzione fotografica in Roncaglia [1965, a fronte di p. 216]). Disponiamo di copie dell'affresco fatte in tempi più vicini alla sua scoperta, quando la conservazione era migliore. Purtroppo la più antica di queste copie, realizzata dal pittore Guglielmo Ewing, non risulta molto fedele all'originale, ed è quindi da considerare inaffidabile. Merita invece fiducia un acquerello pubblicato da Joseph Wilpert, che è stato utilizzato dagli studiosi per l'esatta trascrizione del testo, trascrizione sulla quale, comunque, non c'è unanime consenso. Il principale punto in discussione è la dicitura D del nostro schema, in cui alcuni leggono il plurale «tràite», altri, per contro, «trai», singolare, senza le ultime due lettere, del resto oggi non più visibili (per questo le abbiamo poste entro parentesi uncinate). La lettura «trai» o «tràite», inoltre, condiziona l'attribuzione della battuta, collegandosi allo spinoso problema del nesso tra le parole in volgare e i personaggi in scena (il problema è insomma il seguente: chi sta parlando? a chi sta parlando?). Sono state avanzate a questo proposito varie interpretazioni (per un esame delle tesi dei diversi studiosi, tra i quali Monteverdi, Pellegrini, Folena, Castellani Pollidori, Chiarini, cfr. Castellani [1976: 115-118] e Raffaelli [1987: 40-53]). In sintesi, esistono le seguenti proposte alternative:

a) qualcuno ritiene che tutte le battute in volgare siano pronunciate da Sisinnio; in questo caso i nomi di *Albertel* e *Gosmari* non sarebbero semplici didascalie per identificare il personaggio dipinto (come è invece la scritta *Sisinnium*), ma farebbero parte della battuta. La lettura andrebbe da destra a sinistra. Sisinnio parla, e dice: «Fili de le pute, tràite![18]. Gosmari, Albertel, tràite! Fàlite dereto colo palo, Carvoncelle!»;

b) altri ritengono che Sisinnio pronunci solo la battuta «Fili de le pute, tràite» (oppure questa battuta, più «Gosmari, Albertel, tràite»), e che il resto sia detto dai servi; ma vi è dissenso tra gli studiosi sull'attribuzione di queste o quelle parole a questo o a quel servo. Sono state prese in considerazione tutte le combinazioni possibili. Per citarne solo due, potrebbe essere ad esempio il solo Gosmari a parlare, rivolgendosi a Carboncello e ad Albertello, oppure parlerebbero sia Carboncello, rivolto ai compagni («Albertel, Gosmari, traite»), che Albertel e Gosmari, rivolti a Carboncello («Falite dereto colo palo, Carvoncelle»). Il problema nasce dal fatto che, a differenza del moderno 'fumetto', in questa realizzazione antica del rapporto figura/parola non è stabilito in maniera chiara dove debbano stare le parole rispetto al personaggio che le pronuncia. Si osservi ad esempio come la didascalia A sia stata dipinta presso Carboncello, che sicuramente non la pronuncia. La posizione si giustifica con l'ottica inversa rispetto a quella del moderno fumetto: la didascalia sta lì perché *si riferisce* a quel personaggio, trattandosi di un messaggio a lui diretto. La didascalia G, invece, adottando altro criterio, è stata posta dal pittore accanto a Sisinnio, cioè accanto al personaggio che pronuncia la battuta.

Comunque si ricostruisca il testo, legando le parole all'uno o all'altro attore in scena (in effetti l'affresco ha l'andamento di una scena teatrale), resta pur sempre il fondamentale contrasto tra il latino 'nobile' e il volgare plebeo, in un accostamento che spicca straordinariamente, e che rivela in chi ha ideato la composizione un atteggiamento consciamente ispirato ad una volontà stilistica. Quanto alla lingua dell'iscrizione, si osserva il passaggio da *rb* a *rv* in *Carvoncelle*, passaggio attestato nel romanesco antico (cfr. il

---

[18] «Tràite» è la lettura accolta da Castellani [1976: 119], dal lat. volg. *TRAGITE con ĭ. Altri (Lazzeri, Pasquini) hanno letto «traìte».

tipo *varva* per *barba*, oggi non più presente a Roma, ma caratteristico dell'Italia meridionale, attestato nella *Cronica* dell'Anonimo romano: cfr. il glossario nell'ed. di Porta [1979], in cui compare anche *carvonara* 'trincee', 'fosse'); *fili* va letto «figli» [cfr. Castellani 1976: 118]: tale era la pronuncia del gruppo *li* già nel latino volgare del III sec.; si noti che la grafia del latino non offriva ancora nessun mezzo alternativo per indicare il nuovo fonema.

7. L'atto di nascita dell'italiano: il Placito Capuano del 960

Nella nostra esposizione abbiamo sconvolto l'ordine cronologico, facendo subito seguire all'illustrazione del graffito della catacomba di Commodilla (cfr. V.5) l'iscrizione della basilica di San Clemente (cfr. V.6). Abbiamo fatto ciò in ossequio alla localizzazione romana dei due documenti e alla loro particolare natura, ma non dobbiamo dimenticare che tra il graffito e l'iscrizione dipinta intercorrono più di due secoli. In mezzo si colloca il Placito Capuano, che gode del privilegio di essere comunemente considerato l''atto di nascita' della nostra lingua, anche perché si tratta di un documento 'ufficiale', in quanto verbale di un processo (qualche cosa di più, insomma, di un graffito sul muro o di una pittura votiva): proprio in riferimento alla data di questo testo, il 960, si è celebrato nel 1960 il 'millenario' della lingua italiana, e Bruno Migliorini volle pubblicare allora la sua *Storia della lingua italiana*, per farla coincidere con questa ricorrenza (cfr. I.3.1).

La scoperta del Placito Capuano non è recente come quella dei documenti che abbiamo fin qui preso in esame. Già nel 1734 il benedettino padre Erasmo Gàttola, editore delle carte del monastero di Montecassino (dove il Placito era ed è tuttora conservato), dimostrando notevole acume, aveva messo in evidenza il carattere volgare della formula ricorrente nel documento, testimonianza di quella che gli pareva una balbuziente e ancora barbarica lingua italiana. La scoperta, però, non ebbe per molto tempo risonanza. Solamente nel Novecento il Placito è stato studiato nella maniera che merita e ha avuto il posto d'onore tra gli antichi testi notarili della nostra lingua. Tale posto d'onore si spiega d'altra parte con il fatto che nel Placito, a differenza che nell'Indovinello veronese (cfr. V.3), non vi può essere dubbio sulla chiara e cosciente separazione tra latino e volgare. Chi ha scritto si è reso perfettamente conto di utilizzare due lingue diverse, il latino notarile e il volgare parlato. Abbiamo dunque qui la prova (come, del resto, nell'iscrizione della basilica di San Clemente, che però è posteriore) di una cosciente distinzione tra i due codici linguistici, impiegati nello stesso testo con scopi e funzioni differenti.

Il Placito Capuano del 960 è un verbale notarile, scritto su foglio di pergamena, relativo a una causa discussa di fronte al giudice capuano Arechisi. Al suo cospetto si erano presentati l'abate del monastero di Montecassino e un tal Rodelgrimo di Aquino. Rodelgrimo, con una sua memoria, rivendicava in lite giudiziaria il possesso di certe terre, a suo giudizio abusivamente occupate dal monastero. L'abate di Montecassino, per contro, invocava il diritto che oggi definiamo di *usucapione*, affermando che quelle terre erano utilizzate dal monastero ormai da trent'anni, ciò che per la legge longobarda (la zona in cui si svolsero questi fatti era parte del Ducato longobardo di Benevento) costituiva titolo per il possesso definitivo. Nel giorno stabilito, si presentarono di fronte al giudice tre testimoni, i quali, tenendo in mano la memoria presentata da Rodelgrimo, recitarono uno alla volta una formula testimoniale con la quale davano ragione alla tesi dell'abate; quindi i testimoni giurarono sui Vangeli di aver detto la verità. La causa si concluse con la promessa da parte di Rodelgrimo, impegnativa anche per i suoi eredi, di non ritornare sulla questione. D'ordine del giudice Arechisi fu redatto un verbale da parte del notaio Atenolfo. Proprio durante la redazione di questo verbale fu compiuta una scelta inconsueta rispetto alle abitudini del tempo. È chiaro, infatti, che il dibattito orale di fronte al giudice, con l'intervento di testimoni, doveva svolgersi già allora in volgare, non in latino. Il latino, però, in quanto unica lingua della cultura e della scrittura, era impiegato per tutti i tipi di verbali, notarili e di giustizia. Le eventuali formule testimoniali pronunciate in volgare durante il dibattimento venivano tradotte in latino nel corso della verbalizzazione del processo. Questa procedura può forse apparire strana a noi moderni, ma in realtà era quanto di più naturale si potesse allora immaginare. Vedremo che la traduzione in latino degli atti processuali durò molto a lungo, ancora fino al Cinquecento e al Seicento (cfr. IX.1). Se è lecito un paragone che calza solo in parte, potremmo immaginare un processo di oggi in cui un testimone incolto parli in un dialetto rustico, essendo incapace di usare l'italiano. Ebbene, in questo caso potrebbe accadere che la verbalizzazione scritta fosse fatta traducendo quel dialetto in italiano medio, con un processo di filtraggio analogo a quello che comunemente accadeva nel Medioevo nel rapporto tra il volgare e il latino, essendo quest'ultimo l'unica lingua di cultura (anche se poi in quel latino affioravano vari elementi volgari, tracce del complesso processo di adattamento linguistico del testo, nel suo passaggio dall'oralità alla formalizzazione della scrittura giuridica). Nel caso del Placito Capuano, però, le cose andarono diversamente. Per motivi che non sono chiari, la verbalizzazione, fatta, come sempre, in latino, arrivò in quell'occasione a includere vere e proprie formule testimoniali volgari: non scritte in un latino che assume andamento volgare, ma in volgare autonomo, in una lingua nuova che contrasta con il testo latino del documento. Tali formule ricorrono ben quattro volte. La prima volta la formula 'valida' viene fissata dal giudice Arechisi, prima della convocazione dei testimoni. Successivamente, durante l'apposita udienza, ogni testimone si presenta di fronte al giudice e recita la formula, sempre uguale, tanto è vero che il verbale avverte che i tre testimoni hanno parlato «quasi ex uno ore», quasi con una bocca sola, ciò che è garanzia giuridica della verità delle loro affermazioni. Vediamo dunque, scegliendo un passo tratto dalla parte finale del Placito, in che modo il terzo testimone, il chierico e notaio Gariperto, recita la formula:

Ille autem [Garipertus], tenens in manum memoratam abbreviaturam [si tratta della memoria presentata da Rodelgrimo], et tetigit eam cum alia manu, et testificando dixit: «*Sao ko kelle terre, per kelle fini que ki contene, trenta anni le possette parte s(an)c(t)i Benedicti*»[19].

Come si vede, il contrasto tra italiano e latino è netto, anche se si tratta di un latino che risponde ai caratteri propri dell'uso notarile dell'epoca, con le tipiche 'sgrammaticature' (si noti *tenens in manum*, con l'accusativo al posto dell'ablativo). Abbiamo proposto poc'anzi, riferendoci a una possibile situazione moderna, un paragone con la verbalizzazione italianizzata di una testimonianza processuale in dialetto, ma in realtà il paragone è poco calzante, perché Gariperto (come i due testimoni che l'hanno preceduto) è chierico, e per di più notaio: è chiaro dunque che potrebbe parlare perfettamente nel latino giuridico. La formula, inoltre, viene ripetuta sempre identica, dopo essere stata fissata dal giudice nella precedente udienza. Non è quindi in tutto e per tutto un frammento 'naturale' di lingua parlata, ma è una formula già assoggettata a una certa formalizzazione. La scelta di scriverla in volgare piuttosto che in latino non va spiegata tanto con il desiderio di essere fedeli al parlato dei testimoni, quanto come un modo per rivolgersi a un pubblico diverso, più vasto e probabilmente estraneo a quella causa: come dire che era interesse del monastero di Montecassino divulgare il più possibile il risultato del processo, per evitare nuove contestazioni dello stesso genere.

Sgombrato il campo da un'eccessiva ingenua fiducia nel valore di documento 'parlato' della formula del Placito, potremo tuttavia osservare che vi si riconoscono i caratteri di un vero idioma 'loca-

---

[19] «Ed egli, tenendo in mano la predetta memoria, e toccandola con l'altra mano, rese la seguente testimonianza: *So che quelle terre, entro quei confini che qui si descrivono, trent'anni le ha tenute in possesso l'amministrazione patrimoniale di San Benedetto*». Converrà qui avvertire che i segni di punteggiatura (in particolare le virgolette che individuano il testo in volgare) sono introdotti dagli editori moderni, ma non esistono ovviamente nel documento antico, in cui la scrittura segue sempre identica, senza segnali esterni, anche là dove scatta il cambiamento di codice linguistico. Il testo latino integrale, con traduzione italiana, si legge in Roncaglia [1965: 191-195]. Riproduzione fotografica del Placito (a colori, ma tagliata nella parte superiore e inferiore) *ibidem*, a fronte di p. 208; riproduzione in bianco nero, ma più leggibile, in Migliorini [1978], a fronte di p. 96. Per la bibliografia dei facsimili dei Placiti, si veda Castellani [1976: 76].

le', caratterizzato anche da una forma che ancora sopravvive nei dialetti meridionali: così *kelle* per 'quelle' [cfr. Rohlfs 1966-1969: I.163]. Si è discusso a lungo se questa lingua 'parlata' sia stata sottoposta a un filtraggio attraverso le abitudini grafiche latine. Sicuramente nella formula ci sono latinismi, come il nesso *ct* in *Sa(n)c(t)i Benedicti* (la pronuncia sarà stata *santi Beneditti*), e come il sintagma stesso *parte Sancti Benedicti*, tecnicismo giuridico, capostipite del tipo linguistico che ancora oggi troviamo nei nomi delle vie e delle piazze: Piazza San Giovanni, Via Garibaldi [cfr. Migliorini 1978: 94]. Come osserva Castellani [1976: 66], non è necessario considerare latinismi grafie come *contene* (la pronuncia meridionale sarà stata anche allora *condene*, con sonorizzazione dopo nasale), la quale ha una giustificazione strutturale, in quanto la grafia *nd* avrebbe potuto suggerire semmai l'assimilazione *connene*, tipica delle pronunce a sud della linea Roma-Ancona (cfr. V.2.20). Soprattutto si è discusso a lungo sul *Sao* iniziale, che sta al posto di quello che modernamente sarebbe, in quella zona, un *Saccio* (< lat. SAPIO). Si è anche pensato, per spiegare questa forma, ad un influsso settentrionale, o ad un tentativo di superamento del dialetto da parte dello scrivente. Ma più di recente si è ipotizzato che *Sao* sia in realtà un elemento non estraneo alle antiche parlate campane, forse comune sia all'Italia settentrionale sia a quella meridionale [cfr. Castellani 1976: 69-71].

La formula del Placito Capuano del 960 non è isolata; essa si colloca nella serie di quelli che si è soliti definire i 'Placiti campani', con riferimento alla regione di provenienza, la Campania. Infatti in altre tre carte notarili analoghe, una di Sessa Aurunca e due di Teano, risalenti al 963, si trovano formule molto simili, che qui riportiamo (riprendendo il testo da Castellani [1976: 61-62]):

Placito di Sessa Aurunca, marzo 963: «Sao cco kelle terre, p(er) kelle fini que tebe monstrai, P(er)goaldi foro, que ki contene, et trenta anni le possette».

Memoratorium di Teano, luglio 963: «Kella terra, p(er) kelle fini q(ue) bobe monstrai, S(an)c(t)e Marie è, et trenta anni le posset parte S(an)c(t)e Marie».

Placito di Teano, ottobre 963: «Sao cco kelle terre, p(e)r kelle fini que tebe monstrai, trenta anni le possette parte S(an)c(t)e Marie».

Come si vede, le formule si apparentano in maniera notevole con quella del Placito Capuano del 960, tanto da confermare l'impressione di una sorta di codificazione giuridica o formalizzazione della lingua parlata. Si osservi, tra gli elementi linguisticamente interessanti riscontrabili in queste tre ultime formule, il raddoppiamento fonosintattico in *Sao cco* (cfr. V.2.12) e la presenza dei pronomi *bobe* < VOBIS, *tebe* < TIBI.

8. Il filone notarile-giudiziario

8.1. Il volgare nei documenti notarili

Un buon numero dei più antichi documenti italiani è dovuto alla penna di notai (cfr. III.5). Abbiamo visto, del resto, che anche il Placito Capuano (cfr. V.7) è stato scritto proprio da un notaio, incaricato dal giudice della verbalizzazione processuale. I notai erano la categoria sociale che aveva più frequentemente occasione di usare la scrittura, e proprio per le loro funzioni erano continuamente impegnati in un lavoro di transcodificazione dalla lingua quotidiana alla formalizzazione giuridica del latino. Non è strano, quindi, che proprio gli appartenenti a questa categoria fossero tra i primi a lasciare spazio, più o meno volontariamente, alla nuova lingua viva, al volgare, che, del resto, per distrazione o ignoranza, finiva per affiorare non di rado anche nel loro modesto latino, un latino che sovente non è altro che un volgare superficialmente travestito. Lo storico della lingua, però, non può collocare tra i primi documenti dell'italiano le infiltrazioni di volgare in testi che aspirano ad essere latini, cioè che, nell'intenzione dello scrivente, hanno abito latino. Occorre che vi sia da parte dello scrivente stesso una reale intenzionalità nell'uso della nuova lingua, verificabile al di là di ogni dubbio, magari proprio attraverso il confronto diretto tra i due codici linguistici diversi e contrastanti, come accade, l'abbiamo visto, nell'iscrizione della basilica di San Clemente e nel Placito Capuano. I documenti che esamineremo ora si caratterizzano per una sicura presenza di elementi volgari, coesistenti in vario modo con la scrittura latina.

8.2. La 'Postilla amiatina'

Oltre che nel corpo vero e proprio dei documenti notarili, il volgare può affiorare in forma di postilla, cioè in forma di testo aggiunto al rogito vero e proprio. La cosa non è strana, e rientra anzi in una consuetudine. Vedremo anche in seguito che il notaio medievale ebbe spesso l'abitudine di inserire nelle scritture della sua professione testi diversi, con una certa libertà e fantasia: i notai bolognesi dell'età di Dante, ad esempio, usarono scrivere dei versi per riempire gli spazi bianchi dei loro registri (cfr. III.5.1). Altre volte il notaio aggiungeva commenti o osservazioni personali. È quanto accade nella cosiddetta 'Postilla amiatina'. Nel gennaio del 1087 due coniugi donarono i loro beni all'abazia di San Salvatore di Montamiata. Il notaio estensore dell'atto in lingua latina (su di una pergamena che oggi si conserva nell'Archivio di Stato di Siena) aggiunse alla fine la seguente postilla (riprendo il testo da Castellani [1976: 103]):

ista car(tula) est de caput coctu ille adiuvet de ill rebottu q(ui) mal co(n) siliu li mise in corpu.

Non è facile spiegare il significato della frase, né il suo rapporto con la donazione all'abazia. Nel 1909, pubblicando per la prima volta il documento, Pier Silverio Leicht, accogliendo un suggerimento del filologo Ernesto Monaci, suppose che *caput coctu* fosse il soprannome di uno dei due donatori (oggi diremmo «Testadura» o «Capotosto», o forse «Testa calda»), e immaginò che il commento del notaio fosse da attribuire al fatto che Capocotto aveva dilapidato le sue sostanze in *rebottu*, in una ribotta o crapula. In realtà *ribotta* è parola recente, del sec. XIX; *rebottu* va invece connesso con il francese *ribaut* 'ribaldo' [cfr. Castellani 1976: 104-105]. I versi significherebbero: 'Questa carta è di Capocotto: essa lo aiuti da quel ribaldo che tal consiglio gli mise in corpo'. Il commento del notaio si riferirebbe a fatti precedenti, a noi ignoti, che sarebbero stati all'origine dell'atto di donazione: ma non sappiamo quale sia il 'cattivo consiglio' che avrebbe portato Capocotto vicino alla rovina. Gli studiosi (Monteverdi, Ruggieri) hanno anche osservato che la postilla ha un andamento ritmico. Più di recente è stata avanzata l'interpretazione (L. Cocito) che *rebottu* alluda al Maligno, al Diavolo; il senso della postilla sarebbe il seguente: 'Egli (Iddio) lo aiuti dal Maligno che gli mise in corpo il cattivo consiglio'. Dal punto di vista linguistico, si osserva la presenza delle *u* finali al posto delle *o* in *coctu, rebottu, consiliu, corpu*: si tratta di una caratteristica tutt'ora presente nel territorio del monte Amiata (cfr. Rohlfs [1966-1969: I.145], che cita l'uso di *capu, tantu, dopu* a Pitigliano e di *santu, itu, cugnatu* ad Arcidosso). L'osservazione dei caratteri linguistici del testo, paragonabili con la parlata ancor oggi viva nella zona, compensa il fatto che il senso esatto del documento ci sfugge almeno in parte.

8.3. La 'Carta osimana'

Nel caso di un altro documento notarile, la Carta osimana del 1151, il volgare affiora non in una postilla, ma all'interno del vero e proprio testo latino. Si tratta del latino «lamentevole», secondo la definizione di Castellani [1976: 149], con il quale è stato steso il rogito mediante il quale Grimaldo vescovo di Osimo dona a Bernardo abate di Chiaravalle di Fiastra la chiesa di Santa Maria in Selva presso Macerata. Il documento, scritto nella città di Osimo, è conservato a Roma, nell'Archivio di Stato, Fondo dell'abbazia di Chiaravalle di Fiastra; è stato fatto conoscere all'inizio del nostro secolo. L'affiorare del volgare avviene qui senza apparente motivazione, se non quella di uno slittamento nel codice di comunicazione più spontaneo e familiare; ecco un campione di tale slittamento, nel mezzo di una frase in latino:

...Bernardu abbas de monesterio de beata Santa Maria de Claravalle v(e)l a meisq(ue) sucesorib(us) da mo (n)na(n)ti i(n) p(er)petuu(m)...[20].

Il volgarismo, nel breve passo citato, è *da mo nnanti*, 'd'ora in avanti' (*mo'* al posto di 'ora' predomina ancora oggi nell'Italia meridionale, in contrapposizione al toscano *ora* e al settentrionale *adesso*; questa risulta essere la più antica attestazione di tale *mo'* [cfr. Castellani 1976: 152]). È curioso osservare che l'area marchigiana si affaccia sulla scena del nascente italiano in maniera abbastanza vistosa: di qui provengono altre due carte notarili, la Carta fabrianese del 1186 e la Carta picena del 1193.

8.4. La 'Carta fabrianese' e la 'Carta picena'

La Carta fabrianese del 1186, la cui conoscenza risale al nostro secolo, è una pergamena che si conserva nell'archivio comunale di Fabriano: si tratta di un atto originale con cui un nobile si accorda con il monastero di San Vittore delle Chiuse circa la ripartizione dei «frutti» di un loro «consorzio», una serie di possedimenti di cui sono dati i confini e alcune indicazioni di toponimi, tra i quali Castellani [1976: 189] ha potuto identificare con sicurezza almeno *Colcinlu*, Colcello, a 17 km da Fabriano. Anche in questo caso il documento alterna latino e volgare, scivolando dall'uno all'altro codice.

La Carta picena, del 1193, fa parte del fondo dell'abazia di Chiaravalle di Fiastra conservato a Roma, che già abbiamo avuto modo di citare per la Carta osimana. Si tratta di un rogito per una vendita di terre, che contiene però una parte in volgare, la quale rende chiaro come la terra ceduta fosse in realtà un pegno per garantire la restituzione di un prestito. È stata avanzata l'ipotesi che il notaio abbia inserito nell'atto una nota non ufficiale relativa alla convenzione ufficiosamente stipulata tra le due parti: ciò spiegherebbe come mai quella scritta fosse in volgare, «cosa che non sorprende, trattandosi della registrazione pura e semplice d'un'intesa privata, senz'obbligo di stile e formule notarili» [Castellani 1976: 202].

8.5. Le 'Testimonianze di Travale'

Al gruppo delle carte giudiziarie appartengono due pergamene del 1158 conservate nell'Archivio vescovile di Volterra. Nella se-

---

[20] Trad.: «... (a te) Bernardo abate del monastero della beata Santa Maria di Chiaravalle o dai miei successori d'ora in poi in perpetuo...». Gli editori moderni correggono però il *meisq(ue)* in *suisque*, e la traduzione diventa allora: «e ai suoi successori».

conda parte di una di queste pergamene tal giudice Balduino ha raccolto le testimonianze di sei «boni homines» di Travale (località oggi in provincia di Grosseto) a proposito dell'appartenenza di certi casali, e proprio nella sintesi di quanto hanno detto i testimoni affiora il volgare, nel bel mezzo del testo latino, specialmente là dove vengono riportate in maniera più fedele le parole di alcuni dei «boni homines», in forma di vera e propria citazione. In particolare, ricorrono alcune frasi di senso compiuto. «Io – dice fra l'altro il secondo testimone – de presi pane e vino p(er) li maccioni[21] a T(r)avale» ('Io presi di là pane e vino per i muratori a Travale'). Il sesto testimone racconta di un certo Manfredo, che, dovendo fare la guardia alle mura di Travale, così si comportò: «Sero ascendit murum et dixit: *Guaita, guaita male; non mangiai ma mezo pane*. Et ob id remissum fuit sibi servitium, et amplius *no(n) tornò mai a far guaita...*» ('La sera salì sulle mura e disse: la guardia, fa male la guardia, perché non mangiai mai altro che mezzo pane. E a causa di ciò gli fu condonato il servizio, e in seguito non tornò mai a far la guardia'; il senso è insomma: fa male la guardia chi, come me, non ha mangiato abbastanza, non ha mangiato nulla più di mezzo pane). Come si vede, latino e volgare si alternano senza una ragione apparente, ma il volgare è preferito là dove viene introdotto l'aneddoto (in fondo si tratta proprio di una tipica storia di motto ben riuscito e premiato: si pensi a certi racconti di Boccaccio, ad esempio alla novella di Chichibìo e la gru).

8.6. La 'Dichiarazione di Paxia'

Tra le carte notarili si colloca anche un documento di provenienza completamente diversa, l'unico che ci riconduca al settentrione d'Italia, più precisamente alla Liguria. Si tratta della cosiddetta 'Dichiarazione di Paxia', databile tra il 1178 e il 1182, conservata nell'Archivio di Stato di Savona. Una vedova, tale Paxia, dichiara la consistenza dei beni del defunto marito e dei debiti che le restano da pagare. Il testo inizia in latino, poi scivola nel volgare, ed è interessante anche per l'elenco di una serie di arredi domestici, oggetti, vestiti. Si osservi che la *x* del nome proprio Paxia ha valore di fricativa palatale sonora (come nella *j* del francese *journal* o nella *g* della pronuncia toscana di *stagione*), tanto è vero che il nome della donna potrebbe essere modernamente trascritto come 'Pagia' (così ha fatto Roncaglia [1965: 212]). Tale *x* ricorre in diverse parole della Dichiarazione, come *camixoto* 'camiciotto' e *pixon* 'pigione' [cfr. Castellani 1976: 174].

---

[21] Secondo Castellani [1976: 161] è parola germanica. Cfr. il fr. *maçon* 'muratori'. In Isidoro di Siviglia si trova *maciones*, latinizzato.

8.7. Documenti sardi

Se si fa riferimento all'area italiana nel suo complesso, sulla base della geografia politica di oggi, anche la Sardegna (la quale ha una sua specificità linguistica, tale da renderla dal punto di vista glottologico una zona autonoma: cfr. XIV.4.4) può entrare nel nostro discorso. Dall'isola provengono diversi documenti risalenti al sec. XI e XII, con un'abbondanza tale da stupire, e che Tagliavini [1972: 517] attribuiva alla «cultura arretrata dell'isola», in cui il latino era scarsamente conosciuto, ciò che avrebbe reso inevitabile la redazione in volgare dei documenti. Il più antico dei testi sardi volgari è la carta del giudice Torchitorio, del 1070-1080, conservata nell'Archivio Arcivescovile di Cagliari, trasmessa però non in originale, ma da una tarda copia quattrocentesca [cfr. Roncaglia 1965: 207; si legge in Monteverdi 1948: 25-29]. Databile tra il 1080 e il 1085 è un privilegio emesso da un giudice di Torres, Mariano di Laconi, a favore di mercanti pisani, su richiesta del vescovo di Pisa, conservato all'Archivio di Stato di Pisa (testo in Monaci [1912: 4-5]; in Monteverdi [1948: 29-30]; in Tagliavini [1972: 519, con facsimile alla p. precedente], ma cito dall'ed. interpretativa di Blasco Ferrer [1993: 41]). Qui il volgare segue un breve e consueto *incipit* latino: «In nomine D(o)m(ini) [am(en)]. Ego iudice Mariano de Lacon faço ista(m) carta ad onore de om-(ne)s homines de Pisas p(ro)·ssu toloneu[22] ci mi pecterunt...» ('In nome di Dio amen. Io giudice Mariano di Laconi faccio questa carta in onore di tutti i cittadini di Pisa per il dazio [o meglio: per l'esenzione dal dazio] che mi chiesero'). Come si vede, in questa scrittura non mancano i latinismi, specialmente grafici, come l'*h* di *homines* (ma l'*h* non c'è in *onore*), e *pecterunt* è addirittura un ipercorrettismo in cui il nesso latino *ct* viene introdotto in *petterunt* (da PETĔRE 'chiedere'). Osserva Roncaglia [1965: 207] che sarebbe però sbagliato scambiare per latinismi gli elementi che sembrano tali, ma sono in realtà tratti tipici del volgare logudorese, come la conservazione delle consonanti -*t* ed -*s* finali in *pecterunt, omnes homines de Pisas*. Si noti che *ssu* (la grafia originale del ms. è *xu*) è l'articolo sardo (*su*, nella grafia moderna, da IPSU(M), cfr. V.2.23). I caratteri del volgare sardo, come si diceva, sono molto diversi da quelli dei volgari italiani veri e propri, ma il legame tra l'isola e il continente è confermato anche dal soggetto di questa carta, che concede un privilegio appunto a marinai di Pisa. Si osservi, per concludere, che i documenti antichi dell'area sarda sono molti, sia in forma di fogli sciolti, sia in forma di *con-daghi* (dal greco medievale KONTAKION, usato per indicare il bastone su cui si avvolgevano le pergamene, ma il cui significato era anche quello di *breve* o *memoratorium*): i *condaghi* erano inizial-

---

[22] Cfr. lat. TELONEUM o TELONIUM 'ufficio e banco dei gabellieri'.

mente degli atti di donazione a favore di chiese o monasteri, ma poi il termine passò ad indicare l'apposito registro in cui questi atti venivano trascritti. Si conservano diversi *condaghi* del XII e XIII sec. (cfr. l'elenco in Blasco Ferrer [1984: 65 e 1995], e in Loi Corvetto-Nesi [1993: 25]; *ibidem* [111-112] riporta con commento il *condaghe* di S. Maria di Bonacardo, del sec. XII).

9. Il filone religioso nei primi documenti dell'italiano

Al filone religioso potrebbero essere ricondotti anche due documenti tra i più antichi, di cui abbiamo già parlato, e che abbiamo isolato per il loro carattere 'murale': il graffito della catacomba di Commodilla (cfr. V.5) e l'iscrizione della basilica di San Clemente (cfr. V.6). In effetti entrambi sono nati in ambienti adibiti al culto, e si legano a tematiche religiose. Tratteremo però ora di un documento religioso che non è graffito né dipinto sull'intonaco dei muri. Nel 1880, in un codice della biblioteca Vallicelliana di Roma, fu scoperta la Formula di confessione umbra. Questo codice, contenente svariati opuscoli, proveniva dal monastero di Sant'Eutizio presso Norcia. Siamo – si noti – in un'area dell'Italia centrale non molto distante dalle Marche, la regione di cui abbiamo parlato in V.8.3 e V.8.4, osservando che ben tre antichi documenti volgari notarili provengono proprio di lì. In effetti, sia detto per inciso, ci sono regioni che sembrano essere fortemente presenti nella documentazione più antica del volgare, come il Lazio, la Campania, l'area umbro-marchigiana, e per contro ci sono aree meno presenti, o assenti, come l'Emilia-Romagna, anche se il loro ruolo emergerà in seguito. La data del documento umbro di cui ci stiamo occupando può essere fissata tra il 1037 e il 1080 ca., con una preferenza per il periodo più recente, stando ai dati paleografici [cfr. Castellani 1976: 81]. Il testo è una vera e propria formula di confessione, abbastanza ampia, che il fedele poteva recitare o leggere. È interessante osservare che Norcia, luogo di provenienza del testo, si trova nella zona metafonetica dell'Umbria: e il documento, infatti, mostra la presenza della metafonesi (cfr. V.2.6), ad esempio in forme come *dibbi* < DĒBUI, *nui* < *noi* < NŌS, *puseru* < *PŌSĔRUNT, *prisu* < *PRĒSUM < PREHENSUM. Si conservano anche le *-u* finali da -UM e -UNT latini: *battismu, puseru, meu* ecc.

Tra i testi religiosi di interesse linguistico si possono collocare anche i *Sermoni subalpini*, che provengono da una zona d'Italia eccentrica rispetto ai luoghi che abbiamo avuto occasione di citare: i *Sermoni* sono infatti una raccolta di prediche in volgare piemontese. L'importanza del documento è grandissima, in quanto si tratta di una delle prime raccolte di prediche conosciute in una lingua neolatina. Inoltre non si tratta di testi brevi o brevissimi, come quelli che abbiamo avuto occasione di leggere fin qui, ma di un *corpus* di ben 22 testi piuttosto ampi. Il manoscritto si conserva in un codice pergamenaceo della Biblioteca Nazionale di Torino, e ha avuto diverse edizioni, l'ultima delle quali si deve a W. Babilas [1968]. La datazione dei *Sermoni* può essere collocata a cavallo tra il sec. XII e il XIII. I testi alternano parti in latino (così l'*incipit* delle prediche e le citazioni scritturali) al corpo vero e proprio del discorso, che è in volgare locale, caratterizzato da alcuni esiti propri anche del piemontese moderno, dei quali uno dei più caratteristici è il passaggio di *a* tonica ad *e* negli infiniti della prima coniugazione: *doner* 'donare', *intrer* 'entrare' ecc. (il fenomeno si riscontra anche nel francese); richiama il francese la conservazione della -*s* finale per indicare il plurale (ad es. *veels* 'vitelli', *lairuns* 'ladroni').

Alla seconda metà del sec. XII o ai primi del XIII risale un frammento di soli tre versi volgari in un dramma in latino sulla Passione (Archivio dell'Abazia di Montecassino): «...te portai nillu meo ventre/quando te beio moro presente/nillu teu regno agime a·mmente» (cito il testo da Varanini [1972: 4]).

10. Documenti pisani

Molto recente è la scoperta, da parte di I. Baldelli, di una carta pisana che si può collocare tra la metà del sec. XI e la metà del sec. XII. Questa carta ha avuto una vicenda fortunosa: l'antico documento, ridotto al rango della nostra carta straccia, già nel sec. XII fu tagliato e parzialmente cancellato e riscritto, ed in seguito fu utilizzato per la costruzione della rilegatura di un nuovo codice, fatto non insolito nel Medioevo, quando il materiale pergamenaceo veniva riciclato in questo modo, e documenti antichi giudicati ormai di nessun interesse venivano trasformati in coperte di nuovi codici, in fogli di guardia. Del resto ancora nelle legature del Cinquecento è dato trovare rinforzi, incollati sul dorso, ricavati da pergamene medievali ridotte in lacerti ancora leggibili, che talora si possono ricomporre in frammenti più grandi. In genere questi frammenti non hanno particolare interesse. Nel caso della carta pisana, però, le cose stanno ben diversamente. Si noti che la scoperta della carta in questione non è avvenuta in Europa, ma in America, perché il codice è oggi proprietà della Free Library di Philadelphia. Qui Baldelli ha avuto la ventura di scoprire il testo, che risulta essere un elenco di spese navali, o forse, più precisamente, un riepilogo delle spese sostenute per l'armamento di una squadra navale [cfr. Castellani 1976: 127]. La localizzazione toscana e pisana del testo discende da considerazioni di ordine linguistico: si riscontra infatti il dittongamento *ie* di Ĕ breve tonica in sillaba libera nella parola *matieia*, plurale di **matieio* < MATĔRIUM, it. moderno *madiere*, termine tecnico che indica un particolare pezzo in legno conficcato nella carena della nave; si riscontra anche l'esito in *i* del nesso latino -RJ- (ad es. nel termine *mannaia*). Questi sono caratteri tipicamente toscani, ma propria dell'antico pisano (oltre che del lucchese e pistoiese) è la conservazione di *au* davanti a *l*: nel testo abbiamo *taule* 'tavole'. Già abbiamo detto che *matieia* è un tecnicismo: il testo abbonda di parole settoriali della marineria e dell'artigianato ad essa collegato.

Tanto più interessante è questa carta se si tiene conto del fatto che proviene dalla Toscana, la culla della lingua italiana nei secc. XIII e XIV, regione che però, in questa fase iniziale, non è più presente di altre. Si osservi, seguendo l'osservazione di Roncaglia [1965: 213], come addirittura Firenze sia per ora assente: il più antico testo volgare fiorentino (un frammento di libro di conti di banchieri: cfr. Castellani [1980: II.73-140; 1982a: I.21-40 e II. tavv. 7-20]) si colloca al di là della soglia del Duecento.

Ancora a Pisa ci riporta un documento più tardo, ma pur sempre anteriore alla soglia del sec. XIII, edito e descritto finalmente in maniera appropriata in un recente intervento di A. Stussi [cfr. Stussi 1990]: si tratta di una iscrizione su di un sarcofago del Camposanto, un'epigrafe che si inquadra nel ben noto tema del morto che parla al vivo. Si legge sul sarcofago marmoreo: «+H(OM)O KE VAI P(ER) VIA PREGA D(E)O DELL'ANIMA MIA, SÌ COME TU SE' EGO FUI, SICUS EGO SU(M) TU DEI ESSERE».

11. Primi documenti letterari

Un vero sviluppo della letteratura italiana si ebbe solamente nel sec. XIII, a partire dalla scuola poetica fiorita alla corte di Federico II, la cosiddetta Scuola siciliana. Non mancano tuttavia anche in precedenza alcuni documenti che hanno un carattere poetico, o che si presentano in versi, seppure sempre in forma frammentaria o occasionale. A ben vedere, il carattere ritmico, con presenza di rime, si riscontra a partire da un testo antico come l'*Indovinello veronese* (cfr. V.3), il quale, non a caso, fu interpretato inizialmente (a torto) come un 'canto' di bifolchi; e si potrebbe osservare che anche la 'Postilla amiatina' (cfr. V.8.2) sembra avere una forma metrica [cfr. Castellani 1976: 105-106]. Un documento poi rivelatosi falso (o almeno non così antico: cfr. Pistarino [1964]), come l'iscrizione del Duomo di Ferrara, fu considerata nel Settecento un piccolo campione di antichissima poesia, anche perché sembrava retrodatare la produzione di versi alla prima metà del sec. XII, permettendo all'Italia di competere con le due letterature che si svilupparono prima della nostra, la francese e l'occitana. In realtà, anche se l'iscrizione di Ferrara fosse stata autentica, l'Italia non avrebbe potuto vantare qualche cosa di così antico come la francese *Sequenza di Sant'Eulalia*, del IX sec. [cfr. Tagliavini 1972: 486-487], o di valore così alto come la *Chanson de Roland*, il primo vero capolavoro della letteratura di Francia, nel sec. XI. Alla prima metà del sec. XI risale il *Poema di Boezio* in provenzale, e forse un po' più antico è il ritornello romanzo di una celebre *Alba bilingue* (si chiama *alba* una poesia che parla del sorgere del mattino) [cfr. Tagliavini 1972: 495-497]. Se cerchiamo tracce di componimenti poetici italiani nel sec. XI, restiamo a mani vuote. Qualche cosa è dato trovare a partire dalla seconda metà del sec. XII, nella forma che comunemente viene definita 'ritmo'. Il 'ritmo' è un nome generico che indica un componimento in versi delle origini: il nome allude al fatto che la sua metrica si accosta alla versificazione *rhythmica* medievale piuttosto che a quella moderna [cfr. Beltrami 1991: 67-69 e 356][23]. Si trovano quattro versi volgari in una memoria latina esaltante le vittorie delle milizie di Belluno e di Feltre su quelle di Treviso nel 1193 e 1196, trasmessa però da copie cinquecentesche. È il cosiddetto *Ritmo bellunese* (ricavo il testo dalla ricostruzione di Castellani [1976: 214]):

> De Castel d'Ard av li nost bona part.
> I lo getà tut intro lo flum d'Ard.
> Sex cavaler de Tarvìs li plui fer
> Con sé dusé li nostre cavaler[24].

Altri versi in volgare italiano, risalenti al sec. XII, sono usciti dalla penna di autori non italiani, ma che in Italia ebbero occasione di soggiornare. Il trovatore provenzale Rambaldo di Vaqueiras ha scritto «le prime strofe regolari che ci siano pervenute nella nostra lingua» [Roncaglia 1965: 235], in un celebre *Contrasto* tra un giullare che parla provenzale e una donna genovese (anteriore al 1194). Suo è anche un altro singolare componimento, il discordo plurilingue[25] in cui compaiono cinque idiomi diversi, il provenzale, l'italiano, il francese, il guascone, il gallego-portoghese. Ecco i primi versi della strofa italiana (cito da Roncaglia [1965: 239]):

---

[23] Così definisce il 'ritmo' Orlando [1993: 168]: «Si tratta di una definizione, dovuta ai moderni filologi, che indica un componimento dei primi secoli della nostra letteratura spesso composto da giullari. Il ritmo è perlopiù costituito di lasse monorime di versi marcati da anisosillabismo e avvicinabili, appunto, alla versificazione ritmica mediolatina».

[24] «Del Castel d'Ardo ebbero i nostri buona parte. / Essi lo gettarono tutto dentro il fiume Ardo. / Sei cavalieri di Treviso i più fieri / condussero con sé i nostri cavalieri». I caratteri linguistici di questo testo sono settentrionali: si osservi ad esempio la caduta delle vocali finali in *nost*, *part*, *flum*, *cavaler*, *fer* (cfr. V.2.8).

[25] Nella metrica provenzale si definisce 'discordo' un testo strofico nel quale le strofe sono diverse l'una dall'altra per numero di versi, rime ecc. [cfr. Beltrami 1991: 342]. Il 'discordo plurilingue', però, in cui compaiono lingue diverse, tra loro 'discordanti', ha in realtà struttura strofica regolare [cfr. Orlando 1993: 133].

Io son quel che ben non aio
ni jamai non l'averò,
ni per april ni per maio
si per madonna non l'ò.

Nelle corti dell'Italia settentrionale in questo periodo si usa ascoltare poesia provenzale, non italiana. Per trovare versi italiani dobbiamo forse scavalcare la soglia del sec. XIII, visto che a quella data alcuni spostano ora [cfr. Roncaglia 1965: 241] il cosiddetto *Ritmo laurenziano*, che comincia «Salva lo vescovo senato, lo mellior c'umque sia nato» (lo si legge in Contini [1960: I.3-6]). Alla fine del XII sec. o poco oltre si collocano il *Ritmo cassinese* e il marchigiano *Ritmo su Sant'Alessio* (testi in Contini [1960: 7-13 e 15-28]). Del resto nel sec. XIII i tempi sono maturi, con un poeta del valore di San Francesco, e con la nascita, finalmente, di una vera scuola poetica in Sicilia.

Recentemente, però, due nuovi componimenti poetici sono venuti ad arricchire il panorama della letteratura italiana delle Origini (la scoperta, o meglio riscoperta, è merito di A. Stussi: cfr. Stussi [1999a, con riproduzioni fotografiche, e 1999b]). Si tratta di un ritrovamento di importanza davvero eccezionale, che pone molti problemi. La collocazione cronologica di questi due testi sembra essere analoga a quella del *Ritmo su Sant'Alessio* e del *Ritmo Laurenziano*: la fine del XII secolo o poco oltre. Il primo testo è una canzone di decasillabi, il cui primo verso è *Quando eu stava in le tu' catene* ("Quando io stavo nelle tue catene"). Il secondo testo si compone di cinque endecasillabi: il primo è *Fra tuti quî ke fece lu Creature* ("Fra tutti quelli che fece il Creatore"). Sono le più antiche testimonianze di poesia lirica d'amore in volgare italiano, conservate sul *verso* di una pergamena il cui *recto* contiene un contratto di vendita in latino, datato 1127. La pergamena fu scritta e conservata a Ravenna. Le poesie di cui parliamo potrebbero essere di origine settentrionale (tale ipotesi è preferita da Castellani [2000: 532]), ma potrebbero anche avere origine diversa, meridionale, e aver acquisito i tratti settentrionali in seguito. In realtà la scoperta fa nascere il dubbio che sia esistita una tradizione poetica in lingua italiana anche prima della Scuola Siciliana [cfr. Castellani 2000: 484-85]. Anche Castellani [2000: 533] ammette la possibilità che l'autore del testo abbia subito un influsso letterario proveniente dall'estrema Italia meridionale, e l'ipotesi è assunta come certa da Coluccia [2000: 29].

1. Dai provenzali ai poeti siciliani

Vi è differenza tra l'uso occasionale del volgare all'interno di documenti notarili o giudiziari (cfr. V.7 e V.8), e l'adozione del volgare stesso come lingua letteraria, se non impiegata in tutte le occasioni di scrittura d'arte, almeno utilizzata nella poesia lirica. La scelta del volgare, anche se riservata alla poesia (e dunque assai circoscritta), implicava pur sempre una maggiore considerazione della nuova lingua, una sua promozione, che vedeva impegnato non un singolo, ma un gruppo omogeneo di autori, socialmente collocati in posizioni molto rilevanti. Questa fu la caratteristica di una vera e propria 'scuola', la prima scuola poetica italiana: l'evento si realizzò all'inizio del sec. XIII, nell'ambiente colto e raffinato della *Magna curia* di Federico II di Svevia, in Italia meridionale. Quando si sviluppò la scuola poetica che chiamiamo 'siciliana' (in riferimento prima di tutto al fatto che il fulcro del regno di Federico era la corte di Sicilia, come ci conferma Dante nel *De vulgari eloquentia*, 1.12: «regale solium erat Sicilia»), altre due letterature romanze si erano già affermate, riscotendo notevole successo anche al di qua delle Alpi: la letteratura francese in lingua d'*oïl* e la letteratura provenzale in lingua d'*oc*. La lingua d'*oc*, in particolare, esercitava un grande fascino: era essa stessa, per eccellenza, la lingua della poesia, una poesia incentrata sulla tematica dell'amore (un amore intellettualizzato, espresso in forme raffinate e stilizzate). La poesia in lingua d'*oc* si era sviluppata nelle corti dei feudatari di Provenza, Aquitania e Delfinato. La sua influenza, come dicevamo, si era estesa al di qua delle Alpi: troviamo poeti provenzali ospitati in Italia settentrionale, presso famiglie nobili come i marchesi di Monferrato, i Malaspina, gli Estensi, i da Romano [cfr. Bruni 1990: II.597-602]; troviamo d'altra parte poeti italiani che scrivono essi stessi versi provenzali, imitando i trovatori. Anche i poeti siciliani fecero qualche cosa del genere, in quanto imitarono la poesia provenzale: ma (qui sta l'innovazione) essi ebbero l'idea di sostituire a quella lingua forestiera un volgare italiano, il volgare di Sicilia. Questa sostituzione (per quanto il poetare rientrasse in un semplice gioco di corte) fu indubbiamente geniale, e decisiva per la nostra tradizione poetica, come dimostra fra l'altro il giudizio assai positivo che Dante diede di quella scuola, e come attesta l'eredità (anche linguistica) che essa lasciò alla nostra letteratura[1].

Per valutare la scelta linguistica compiuta dai poeti della corte di Federico, occorre tener presente che l'adozione del siciliano non era affatto dettata da un gusto per la popolarità 'naturale'. Ci si può chiedere anzi, con Bruni [1990: I.232], perché fosse adottato proprio il siciliano insulare, e non uno degli idiomi del Meridione continentale. «Non è facile rispondere – conclude Bruni –, tanto più se si considera che Federico II, trascorsi a Palermo gli anni della fanciullezza, [...] non tornò quasi mai nell'isola. Tra le varie lingue che egli padroneggiava, parlava il volgare del *sì* con inflessione siciliana? È probabile, ma su questa base non si può costruire molto; di più vale la constatazione che è siciliano l'iniziatore della lirica sveva, Giacomo da Lentini». L'ambiente in cui fiorì quel movimento poetico è quanto di più raffinato si possa immaginare: ne fanno parte i membri della corte, funzionari imperiali di altissimo livello, ministri. Lo stesso imperatore Federico poetò in quella lingua, benché non fosse siciliano di nascita. La corte federiciana era un ambiente internazionale, disponibile persino agli apporti della cultura araba, che il sovrano apprezzava. Egli era (ovviamente) in grado di usare il latino, come si vede tra l'altro nella prosa del suo trattato di falconeria, *De arte venandi cum avibus* ('L'arte di cacciare con gli uccelli da preda'). Alcuni dei poeti 'siciliani', come l'imperatore, non sono affatto siciliani: Percivalle Doria (che affianca il siciliano al provenzale) è ligure[2], e i nomi stessi rivelano l'origine continentale di Giacomino Pugliese, di Rinaldo d'Aquino, dell'Abate di Tivoli. Ciò dimostra vieppiù che la scelta del siciliano fu dotata di valore formale, e infatti il volgare della poesia siciliana (coe-

---

[1] Di questa eredità fa parte anche l'invenzione di una forma metrica fortunatissima come il sonetto, utilizzato poi largamente, e sopravvissuto fino al nostro secolo. Giacomo da Lentini è unanimemente considerato l'inventore del sonetto, e ne ha lasciate le prime prove [cfr. Orlando 1993: 187].

[2] Molto giustamente Baldelli [1993: 582] richiama come esemplare la vicenda del genovese Percivalle Doria: «podestà in città dell'Italia padana (Asti, Parma) e transalpine (Arles, Avignone), è autore di liriche provenzali; nel 1258, nell'anno in cui passa al servizio di Manfredi come vicario per il ducato di Spoleto, per la Marca Anconitana e per la Romagna, compone un serventese in provenzale in lode del re. Subito dopo, nel periodo del suo vicariato, fra il 1258 e il 1264, quando la morte lo colse nell'attraversare il fiume Nera con l'esercito, compone le due canzoni siciliane che gli attribuiscono i codici. Il Percivalle 'provenzale' appartiene cioè al Settentrione, mentre il Percivalle 'siciliano' è culturalmente e fisicamente legato alla poesia siciliana».

rentemente con la tematica di quella poesia d'amore) è altamente formalizzato, raffinato. Vi entrano in gran numero termini provenzali, o arieggianti la lingua provenzale, come le forme in -*agio* (*coragio* 'cuore') e in -*anza*: *amanza, intendanza, allegranza, speranza, dimoranza, credanza, leanza.* Le forme provenzali o comunque francesizzanti, benché frequenti, non sono obbligate: a volte si alternano a quelle italiane. Coletti [1993: 8] fa notare ad esempio la compresenza di *chiaro* e *clero*, di *acqua* e *aigua.* In certi casi la forma, apparentemente italiana, deriva in realtà da un calco semantico[3] del provenzale: così nel caso di *partenza* e *far partenza* (Giacomo da Lentini) per 'divisione' e 'separare', *guardare* per 'proteggere'.

La presenza dei provenzalismi nella poesia siciliana si spiega molto facilmente con l'influenza che (come abbiamo detto) la letteratura in lingua d'*oc* esercitò sulla corte di Federico. In passato, però, all'inizio dell'Ottocento, vi furono resistenze (dettate anche da un certo spirito patriottico) ad accogliere il primato cronologico della poesia di Provenza e ad ammettere la sua funzione di guida: Giulio Perticari (cfr. I.1.6) immaginava che i poeti della scuola siciliana avessero scritto nella lingua 'illustre' comune, una lingua sovraregionale, diffusa in tutt'Italia, derivata dalla (mitica, in realtà mai esistita) lingua 'romana intermedia'. I provenzalismi venivano spiegati non come prestiti diretti, ma come eredità dell'antica lingua 'intermedia', che era stata comune a Italia e Provenza. Lo studioso francese Raynouard contestò in parte questa tesi, in nome dell'evidente primato cronologico dei poeti in lingua d'*oc*, da cui, come aveva ammesso già Pietro Bembo nel sec. XVI (cfr. IX.2.1), gli italiani avevano imparato a far poesia. Anche Dante, nel *De vulgari eloquentia* (cfr. I.1.1 e VI.4), aveva avuto chiara coscienza della linea storica che portava dai provenzali ai siciliani. Però proprio in Dante stava la radice dell'opinione che ritroviamo a distanza di secoli in Perticari: anche Dante pensava che i siciliani, staccandosi dal volgare plebeo dell'isola, avessero poetato in una lingua illustre sovraregionale. La difficoltà di giudicare esattamente il vero carattere della lingua dei poeti siciliani era dovuta al fatto che sia Dante sia Perticari leggevano questi poeti in una forma diversa da quella autentica. La tradizione del testo è in questo caso determinante, e merita soffermarsi su questo punto per l'importanza della questione, per la sua esemplarità, e anche per comprendere l'esistenza di problemi interpretativi che hanno provocato grandi discussioni in passato, e talora ne accendono di nuove (cfr. Sanga [1992], ora contestato efficacemente da Castellani [2000: 509-16]).

Il *corpus* della poesia delle nostre origini (compresa quella dei siciliani) è stato trasmesso da codici medievali scritti da copisti to-

---

[3] Cfr. per questo concetto III.2.

scani[4]. Nel Medioevo copiare non era operazione neutrale, che garantisse sempre il rispetto dell'originale. Chi copiava poteva anzi sentirsi libero di intervenire per qualche motivo, ad esempio per migliorare, per chiarire punti oscuri: i copisti toscani intervennero appunto sulla forma linguistica della poesia siciliana, con una vera operazione di 'traduzione', eliminando per quanto possibile i tratti siciliani che stridevano alle loro orecchie. Nel corso dei secoli, essendosi perduta ogni coscienza di questo intervento, la forma toscanizzata fu presa per buona. La sconfitta degli Svevi e l'avvento degli Angioini – come nota Baldelli [1993: 583] – portò con sé anche la distruzione fisica dei manoscritti di origine siciliana o meridionale[5]. Ecco perché Dante poté ritenere che i siciliani si fossero totalmente liberati dai tratti locali della loro parlata: in realtà la 'pulizia' (se vogliamo chiamarla così) era stata fatta dopo, e da altri. Uno studioso tutto sommato serio come Perticari poteva dunque supporre in buona fede, depistato da quanto aveva sotto gli occhi, che la lingua dei siciliani fosse un volgare illustre 'comune', anteriore e indipendente dall'affermazione del toscano; era una valutazione sbagliata, ovviamente, ma in effetti la cronologia sembrava dargli ragione: se quei poeti avevano scritto (così sembrava) in una lingua dall'aspetto 'italiano', e l'avevano fatto prima che si sviluppasse la letteratura toscana, doveva dedursene (così pareva) che la lingua italiana non derivava dal toscano, ma era esistita anche *prima* dell'affermazione letteraria di Firenze. Perticari non sospettava certo che proprio l'intervento toscano avesse 'regolarizzato' quella lingua. Tale (giusto) sospetto fu avanzato, attor-

---

[4] I manoscritti antichi, del Duecento o primo Trecento (in sostanza quelli che si leggevano al tempo di Dante), i quali hanno trasmesso il patrimonio poetico della nostra più vetusta poesia, sono proposti ora in edizione interpretativa nel I volume del *CLPIO* [1992]. Tale volume contiene anche un'introduzione molto ampia e importante per lo studioso di storia della lingua italiana, in cui sono appunto discussi problemi di lingua e di grafia. Il vantaggio di leggere i testi in tale trascrizione, piuttosto che in un'edizione critica ricostruttiva, sta nel fatto che queste raccolte di testi o questi canzonieri, con la loro specifica veste linguistica, magari modificata dai copisti, sono stati il canale reale della diffusione dei componimenti. L'edizione critica, invece, restituisce pur sempre un testo non corrispondente a quello 'storico', quella che andava per le mani degli antichi lettori, anche se questo testo non-storico dovrebbe essere più 'vero', in quanto più vicino all'originale. Esistono insomma due 'verità' del testo: una è legata all'autore, l'altra all'effettiva circolazione dell'opera. Non sempre queste due 'verità' coincidono.

[5] Ora però è stato ritrovato a Zurigo un frammento di componimento della Scuola Siciliana, di Giacomino Pugliese (ne abbiamo anche la versione completa e toscanizzata, nel Codice Vaticano 3793), trascritto da una mano non italiana in calce a un documento giuridico del 1234-35 [cfr. Brunetti 2000]. Tra l'originale siciliano e questo testo ci furono dei passaggi intermedi (si riconosce l'intervento di un copista veneto-friulano), ma il documento è tuttavia molto antico, e i versi non subirono il processo di toscanizzazione del Vaticano 3793. Il frammento conferma la presenza dei sicilianismi già visibili nelle trascrizioni toscanizzate [cfr. Castellani 2000: 486 e Coluccia 2000: 27-28].

no alla metà dell'Ottocento, dal filologo (e provenzalista) modenese Giovanni Galvani. Galvani osservò come nel Medioevo potesse accadere che un testo di origini toscane, passando per le mani di copisti settentrionali, venisse 'settentrionalizzato' mediante l'introduzione di tratti linguistici regionali, inesistenti nell'originale: un processo del genere, ma in senso inverso, poteva essere avvenuto nel caso della poesia siciliana, la quale si sarebbe toscanizzata passando per mani toscane. Galvani seguiva un indizio importante: egli per primo valorizzò la fondamentale testimonianza (anche per noi preziosa) del cinquecentista Giovanni Maria Barbieri. Barbieri (il quale, vissuto nel sec. XVI, era stato uno studioso della poesia provenzale) aveva avuto a suo tempo per le mani un codice (il 'Libro Siciliano', poi definitivamente perduto) contenente alcuni testi poetici siciliani che si presentavano in una forma vistosamente 'siciliana', diversa da quella comunemente nota. Barbieri aveva trascritto alcuni di quei versi, ma le sue carte erano rimaste inedite fino al Settecento. Anche al momento della loro pubblicazione non avevano attirato tuttavia l'attenzione degli studiosi. Del resto, persino dopo che Galvani ebbe intuito la verità, ci volle del tempo perché fosse comunemente accettata la tesi della 'sicilianità' della poesia della corte di Federico II: il dibattito sulla vera natura della lingua poetica siciliana si protrasse ancora tra Otto e Novecento, coinvolgendo i migliori filologi. In effetti si tratta di una delle più importanti questioni della nostra tradizione letteraria.

Veniamo dunque al concreto, e vediamo in quale forma sono trasmessi i pochi testi e frammenti trascritti dal Barbieri, i quali risultano di grandissima importanza per lo storico della lingua. Tra essi vi è l'intera canzone di Stefano Protonotaro *Pir meu cori alligrari* [cfr. Contini 1960: I.129 ss.], oltre ad un frammento del figlio di Federico II, Re Enzo. Ecco questo frammento così come si trova nelle carte di Barbieri (cito da De Bartholomaeis [1927: 88]; testo critico in Panvini [1962: 661]):

> Alegru cori, plenu
> Di tutta beninanza,
> Survegnavi s'eu penu
> Per vostra inamuranza;
> Ch'il nu vi sia in placiri
> Di lassarmi muriri talimenti,
> Ch'iu v'amo di buon cori e lialmenti.

La sicilianità è vistosa: si notino le vocali finali -*u* e -*i* al posto delle -*o* ed -*e* toscane, la *u* al posto della *o* in *inamuranza*, le *i* al posto di *e* toscana, in posizione tonica, in *placiri*, *muriri* (qui anche nell'atona finale; e la *u* si discosta dal corrispondente toscano *o*: cfr. il vocalismo tonico e atono del siciliano rispettivamente in V.2.3 e V.2.8). Benché sostanzialmente fedele all'originale, il testo Barbieri ha pur qualche menda che rende necessario l'intervento del filologo per ristabilire la forma antica: *amo* (al posto di *amu*), ad esempio, non è un tratto siciliano. Per avere un'idea dell'intensità del processo di toscanizzazione, metteremo ora a confronto la trascrizione in forma toscanizzata con quella in forma siciliana. Ecco alcuni versi della canzone *S'eo trovasse pietanza* di Re Enzo, così come compaiono nelle carte Barbieri e nel Codice Vaticano 3793 [6]:

> *Trascrizione di Barbieri:*
> La virtuti ch'ill'àvi
> D'alcìrm' e guariri
> A lingua dir nu l'ausu,
> Per gran timanza ch'azo nu ll'isdegni

> *Codice Vaticano 3793:*
> La vertute ch'il àve
> D'ancider me e guerire
> A lingua dir non l'auso,
> Per gran temenza c'agio no la sdingni [7].

Il confronto mette in evidenza la sostituzione dei tratti siciliani con quelli toscani. Ma una traccia di questa sostituzione resta anche nelle rime imperfette che si ritrovano nelle versioni toscanizzate dei poeti della prima scuola, rime come *conduce : croce*, *ora : pintura*, *uso : amoroso*, *avere : morire*, le quali diventano perfette solo se riportate alla lingua originale (*conduci : cruci*, *ura : pintura*, *usu : amurusu*, *aviri : muriri*). I copisti procedettero nel modo che ora esemplificheremo su questi versi di Giacomo da Lentini, come si presentano nel Codice Vaticano Latino 3793 [cfr. Migliorini 1978: 132 [8]]:

> Madonna, dire vi voglio
> come l'Amore m'à *preso*;

---

[6] Seguo il confronto di De Bartholomaeis [1927: 91]. Testo critico in Panvini [1962: 220]. Si rammenti che il Codice Vaticano 3793 è il più ricco e il più famoso manoscritto della lirica italiana antica, «grande latore della tradizione poetica italiana» [Antonelli 1993a: 29]. Contiene testi dei poeti siciliani, dei poeti 'municipali' toscani, di Guittone, Guinizelli, Rustico Filippi ecc. Dante, nel *De vulgari eloquentia*, dimostra di aver avuto sotto mano una raccolta molto simile o identica a questo codice, il cui nucleo principale fu scritto tra la fine del sec. XIII e l'inizio del sec. XIV. Sui Siciliani cfr. ora Coluccia-Gualdo [1999].

[7] Il trigramma *ngn* della parola *sdingni* è grafia normale nel Medioevo per la nasale palatale [cfr. Maraschio 1993: 153], ed equivale a *sdigni* (va letto allo stesso modo). Fa da parallelo a questa grafia l'analoga *lgl* per la palatale laterale, grafia che si può vedere nella citazione della nota seguente (*volglio* equivale a *voglio*).

[8] In realtà Migliorini [1978: 132] fa notare che nel Codice Vaticano 3793 il testo si presenta scritto di seguito, senza gli a capo, con un punto che segna la fine del verso, con una divisione delle parole diversa da quella moderna ecc. Ecco un saggio di trascrizione diplomatica: «Madonā dire uiuolglio. come lamore mapreso. jnuerlo grande orgolglio. cheuoi bella mostrate...». Si noti la grafia *-lgli-* per *-gli-*.

inver lo grande orgoglio
che voi, bella, mostrate, e' non m'aita.
Oi lasso, lo me' core
ch'è 'n tanta pena *miso*,
che vede che si more
per non amare, e tenolosi [= *tenelosi* 'se lo tiene'] in vita.

Abbiamo evidenziato con il corsivo una rima imperfetta (*preso* : *miso*) che ricorre nel testo toscanizzato. Il copista ha facilmente corretto l'originale *priso* in *preso*, così come *amuri* in *amore*; ma quando si è trovato di fronte il *miso*, non ha voluto sostituirvi *messo*, troppo distante dal modello (avrebbe distrutto la rima) o un *meso*, che non esisteva in toscano. Ha lasciato dunque la parola come l'aveva trovata, sostituendo però alla rima perfetta originale la rima imperfetta *preso* : *miso*. È questa una spia dell'operazione di travestimento in panni toscani.

La lezione della poesia siciliana fu decisiva per la nostra tradizione lirica. Non solo si stabilizzò la 'rima siciliana'[9] (ancora usata nell'Ottocento da Manzoni, nel *nui* del *Cinque maggio*[10]), ma divennero normali in poesia i condizionali meridionali in *-ìa* (il tipo *crederìa*, contro il toscano *crederèi*).

2. Documenti centro-settentrionali

2.1. La linea maestra della lirica italiana: dal Sud al Centro-Nord

Con la morte di Federico II (1250) e il tramonto della casa Sveva, che comportò la fine dei focolai di cultura i quali avevano alimentato la prima scuola poetica italiana, venne meno la poesia siciliana, anche se forse ne restò localmente qualche ricordo, testimoniato solo in maniera indiretta dalla sopravvivenza di riprese testuali, metriche e tematiche in alcune poesie meridionali del Trecento e del Quattrocento [cfr. Coluccia 2000: 39]. La sua eredità passò in Toscana e a Bologna, con i cosiddetti poeti siculo-toscani e gli stilnovisti. Questa è la linea maestra della poesia italiana, che porta dunque dal Meridione verso l'area centro-settentrionale.

2.2. La poesia religiosa   .

Prima di passare ad esaminare il linguaggio poetico della lirica siculo-toscana e stilnovista, è necessario un cenno ad alcuni generi

---

[9] Ad esempio in Guinizelli: *sorpriso* : *miso*, o in Jacopone: *sceso* : *miso* : *paradiso*.
[10] *Vui* per *voi* si trova anche in Dante lirico, in Cino da Pistoia ecc., analogamente a *nui* per *noi*. E non si dimentichi il *lume* : *come* nella *Commmedia* di Dante (*Inf.*, X, 67 e 69), rima siciliana ristabilita grazie all'autorità di Contini, al posto dell'arbitraria regolarizzazione *lome* : *come*, corrente nelle vecchie edizioni scolastiche [cfr. Stussi 1993a: 222].

particolari, diversi dalla lirica d'amore, primo fra tutti la poesia religiosa. Dobbiamo assegnare un lieve anticipo cronologico rispetto alla scuola siciliana al *Cantico di frate sole* di San Francesco (non a caso Contini [1970b] lo collocò in posizione di apertura della sua antologia dedicata alle *Origini*). Il *Cantico*, databile al 1223-1224, noto anche con il titolo latino *Laudes creaturarum*, è scritto in un volgare in cui si riconoscono elementi umbri [cfr. Pozzi G. 1993: 6-7]. Va detto che questo testo, da noi oggi considerato monumento insigne di poesia, per molti secoli fu tramandato in ambiente francescano e non fu preso affatto in considerazione come documento letterario (venne trascurato ad esempio nella *Storia della letteratura italiana* di De Sanctis).

La tradizione delle 'laudi' religiose (*Laudes*, abbiamo visto, è il titolo latino del *Cantico*) ebbe comunque un grande sviluppo, oltre che nel Duecento, anche nel Trecento e nel Quattrocento, quando i testi laudistici (dedicati a Gesù, alla Madonna, ai santi ecc.), trascritti in appositi quaderni ('laudari'), furono utilizzati dalle confraternite come preghiere cantate. Poiché la poesia laudistica è di origine centrale (cfr. i testi dugenteschi raccolti da Varanini [1972]), con forte prevalenza umbra (ma anche marchigiana e toscana), e poiché i laudari nel Trecento e nel Quattrocento si diffusero capillarmente nell'Italia settentrionale, le laudi stesse, comprese alcune di Jacopone da Todi (1230-1306), queste ultime ben presto circolanti in veste toscanizzata, finirono per esercitare una funzione linguistica importante, diventando uno dei canali di diffusione di moduli centrali in area settentrionale [cfr. Gasca Queirazza 1962]. Il riferimento a Jacopone, poeta di eccellente levatura, non deve fuorviare: la maggior parte delle laudi erano infatti componimenti anonimi, di modesta qualità letteraria, in una lingua quotidiana e assai poco ricercata. Molte comunità religiose utilizzavano un loro laudario manoscritto, realizzato attingendo a quello di altre comunità. Non è facile seguire i canali di diffusione di questi laudari, ricostruire la rete di rapporti che li legano. Indizi di rilievo sembrano indicare ad esempio con un buon grado di probabilità che laudari liguri furono all'origine di laudari diffusi in Piemonte. In essi, infatti, si ritrovano le stesse laudi, a dimostrazione dell'esistenza di un modello comune. Nel passaggio dall'area centrale al settentrione d'Italia, inoltre, le laudi subirono manomissioni linguistiche, accogliendo settentrionalismi. Va sottolineato tuttavia che la base linguistica delle laudi resta (tranne qualche caso di laude composta in dialetti settentrionali [cfr. Tavoni 1992: 276-282]) di tipo centrale. Per le ragioni che abbiamo detto, possiamo concludere che i laudari settentrionali sono molto interessanti agli occhi dello storico della lingua, almeno quanto lo sono i laudari centrali, umbri e toscani. Eppure allo stato attuale abbondano edizioni di laudari centrali, mentre scarseggiano quelle dei laudari settentrionali. Va precisato che i laudari settentrionali a noi giunti sono in genere tardi, quattrocenteschi e cinquecenteschi;

il che non vuol dire, tuttavia, che essi non derivino da manoscritti più antichi perduti e distrutti (usurati, forse, visto l'impiego intensivo che se ne faceva), quindi già da tempo in uso presso le comunità dei fedeli e le confraternite. Come in tutti i casi di tradizione popolare, risulta difficilissimo chiarire cronologie, nessi e rapporti.

2.3. La poesia didattica e moraleggiante del nord Italia

In Italia settentrionale fiorì nel Duecento una letteratura in volgare molto diversa da quella sviluppatasi nel raffinatissimo ambiente della corte di Federico II. Tra gli autori di questa letteratura in versi di carattere moraleggiante ed educativo, ricorderemo il cremonese Girardo Patecchio, Uguccione da Lodi, Giacomino da Verona e il milanese Bonvesin de la Riva. Come si vede, l'area prevalente di questa letteratura è 'lombarda'. La lingua di questi scrittori è fortemente settentrionale, non essendo ancora in nessun modo presente l'imitazione dei modelli letterari toscani (la letteratura toscana, a quest'epoca, doveva ancora affermarsi). Come collocare queste particolari esperienze linguistico-letterarie nell'àmbito di una storia della lingua letteraria italiana? Qualcuno ha in pratica optato per l'espunzione: «il fatto stesso che la lingua di queste poesie sia oggi riconoscibile solo coll'ausilio dei glossari, che il suo studio alimenti non già la storia della lingua ma la dialettologia italiana ci dice che essa appartiene sì, e in pieno, alla storia delle lingue d'Italia e quindi a quella dell'italiano; ma che si iscrive solo provvisoriamente e senza successo in quella dell'italiano letterario» [Coletti 1993: 6]. Deve comunque essere chiaro che il volgare settentrionale del Duecento tendeva a emergere letterariamente, a farsi 'illustre', anche se poi, nel confronto con la letteratura toscana, il successo di quest'ultima spazzò via questi esperimenti. Un sintetico quadro linguistico della situazione dell'Italia settentrionale, con riferimento a documenti e testi, nell'àmbito di un più vasto esame delle condizioni generali della Penisola, si ha in Vidossi [1956].

3. I siculo-toscani e gli stilnovisti

Dobbiamo imparare a tener conto di una situazione geograficamente differenziata, dove non valgono solo le differenze tra nord, centro e sud Italia, ma anche distinzioni più precise: «L'area toscana in cui si ebbe la prima notevole espansione dell'uso del volgare scritto è quella occidentale, fra Pisa e Lucca, con i centri che fra il sec. XI e il XII facevano direttamente o indirettamente capo a Pisa (come Volterra): e ciò in relazione al prevalere, politico, economico e sociale, dell'area occidentale appunto nei secoli XI e XII» [Baldelli 1993: 584]. In quest'area si sviluppò la poesia detta 'siculo-toscana', che ebbe i suoi centri in Pisa (con Tiberio Galiziani, Pucciandone Martelli) e Lucca (con Bonagiunta, Inghilfredi); un altro centro fu Arezzo (con Guittone). Firenze si affermò solo nella seconda metà del Duecento: tra il 1260 e il 1280 (si rammenti che Dante nacque nel 1265) a Firenze vi erano diversi rimatori (tra i quali Chiaro Davanzati, Monte Andrea, Neri de' Visdomini, Rustico Filippi). Il loro stile (a parte il caso un po' diverso di Rustico, che ha un'esperienza duplice, in quanto usa un fiorentino più idiomatico nella poesia comica, differente anche nel linguaggio da quella 'cortese', pure da lui praticata [cfr. Mengaldo 1971]) riflette quello dei poeti siciliani (anche nella metrica: si pensi alla fortuna del sonetto). In essi si ritrovano molti gallicismi e sicilianismi [cfr. Baldelli 1993: 587]. Tra i sicilianismi di questi poeti fiorentini si possono notare le -*i* finali al posto di -*e*, in sostantivi singolari come *calori*, *valori*, *siri* ('sire'), in verbi alla terza persona singolare (*ardi* 'arde'). Alcuni sicilianismi di questi poeti passeranno anche agli stilnovisti e a Dante, poi a Petrarca, e di qui all'intera tradizione lirica italiana (condizionali in -*ìa*, futuri in -*aio*, participi passati analogici in -*uto*, e *i* e *u* toniche dove il fiorentino ha *e* e *o* toniche chiuse) [cfr. Baldelli 1993: 586]. Baldelli [ivi] cita come esemplari alcuni versi del fiorentino Carnino Ghiberti (si leggono in Contini [1960: I.372, vv. 37-42]), in cui ricorre un vistoso meridionalismo come *chiaceriami* per *piaceriami* (per l'esito di PL- in toscano e nell'Italia meridionale, cfr. V.2.16), e in cui ricorrono rime in -*u*- come *dipartuto* : *dormuto*. In Galletto Pisano (già morto ai primi del Trecento) troviamo il vistoso sicilianismo *miso*, fuori rima (cfr. Contini [1960: I.284, v. 1]; cfr. inoltre Coletti [1993: 19 ss.], dove sono elencati anche molti provenzalismi e gallicismi di Guittone d'Arezzo e di Chiaro Davanzati). In Toscana si stava in sostanza immettendo nella lingua locale tutta la tradizione lirica disponibile, attingendo oltralpe e alla Sicilia. Questo fece sì che la lingua letteraria si sviluppasse in qualche misura già 'matura', ad onta della sua novità, grazie al riferimento alla tradizione precedente.

È noto che Dante attribuì a Guinizelli la svolta stilistica che avrebbe portato alla nuova poesia d'amore, nella quale egli stesso si collocava. Dal punto di vista dello storico della lingua, tuttavia, si deve prendere atto di una sostanziale continuità fra la tradizione poetica anteriore e quella stilnovista. Permangono cioè gli elementi che abbiamo già avuto modo di mettere in evidenza: i gallicismi, i provenzalismi, i sicilianismi. Attingendo allo spoglio di Coletti [1993: 30 ss.] possiamo citare i seguenti gallicismi presenti in Guinizelli: *riviera* 'fiume', *rempaira* 'ritorna', *fer esmire* 'specchiarsi', *giano* 'giallo'; i seguenti provenzalismi: *sclarisce*, *enveggia* 'invidia', oltre alla serie in -*anza* (i consueti *allegranza*, *intendanza*, *amanza* ecc.); sono sicilianismi le forme *saccio* 'so', *aggio* 'ho', *have* 'ha', *miso* 'messo', *feruto* 'ferito', *sorpriso* 'sorpreso'. Nella miscela linguistica di Guinizelli, in cui entrano i citati elementi, segno di una lingua 'illustre', entrano anche alcune forme che richiamano il bolognese, come *saver* 'sapere', *donqua* 'dunque', *cò* 'capo', come i gerundi *volgiando, siando,* come l'assibilazione di *c* davanti a vocale palatale (*dise* 'dice'). Di fatto, però, i tratti settentrionali sono molto meno marcati rispetto a quelli che si ritrovano nelle coeve rime popolareggianti dei *Memoriali bolognesi* (sui quali cfr. III.5.1)[11]. In Guido Cavalcanti, l'amico di Dante, troviamo, come in Guinizelli, le forme suffissali in -*anza,* i meridionalismi di origine siciliana (come *ave, feruta, saccio, priso*), le rime 'siciliane' del tipo *noi : altrui,* i consueti provenzalismi. Sono presenti anche tratti toscani, come il condizionale in -*ebbe* (accanto a quello tradizionale in -*ìa*), il pronome personale *io* a fianco del siculotoscano *eo,* la *i* prostetica (*istar* 'stare': cfr. V.2.18), le forme dittongate come *priego, fuoro,* la forma *fue* 'fu'.

4. Dante teorico del volgare

Le idee di Dante sul volgare si leggono nel *Convivio* e nel *De vulgari eloquentia.* Nel *Convivio* (sul quale cfr. Segre [1974: 227-270]) il volgare viene tra l'altro celebrato come «sole nuovo» destinato a splendere al posto del latino, per un pubblico che non è in grado di comprendere la lingua dei classici: il giudizio di Dante nasce dunque, oltre che da una fiducia profonda nelle possibilità della nuova lingua, da un'istanza di divulgazione o comunicazione più larga ed efficace[12]. Altra questione toccata in entrambi i testi (ma risolta nell'uno e nell'altro in maniera diversa) è la maggiore o minore dignità dell'una e dell'altra lingua: nel *Convivio* il latino è reputato superiore in quanto utilizzato nell'arte, nel *De vulgari eloquentia,* invece, la superiorità del volgare viene riconosciuta in nome della sua naturalezza, ma la letterarietà della lingua latina diventa uno stimolo per la regolarizzazione del volgare.

Il *De vulgari eloquentia,* composto nell'esilio, ma prima della *Commedia,* lasciato interrotto al II libro, è il primo trattato sulla lingua e sulla poesia volgare, ed è un saggio avanzatissimo nel quadro della cultura europea del Medioevo. Nonostante ciò, fino al Cinquecento esso rimase sconosciuto, o fu citato in maniera vaga, senza che fosse stato letto per davvero. Non ebbe dunque, a diffe-

---

[11] Come osserva Del Popolo [1989: 21], i testi siciliani e toscani che uscirono dalla loro regione ed entrarono nei *Memoriali bolognesi* subirono un processo inverso rispetto a quello della poesia siciliana. La poesia siciliana fu toscanizzata; i testi meridionali e toscani furono a volte 'bolognesizzati'. Il primo verso della canzone *Madonna, dir vo voglio* di Giacomo da Lentini (trascritta nel 1288 nei *Memoriali*) diventa *Madonna, dir ve voio* [cfr. Orlando 1981: 49 e Contini 1960: I.51].

[12] Cfr. anche la *Vita nuova,* dove al cap. XXV si dice che chi poetò per primo in volgare lo fece per farsi intendere da «donna, a la quale era malagevole d'intendere li versi latini».

renza di altre opere di Dante, una sorte molto felice [cfr. Marazzini 2000]. Fu 'riscoperto' nella prima metà del sec. XVI, e allora
pubblicato in traduzione italiana dal letterato vicentino Trìssino,
uno dei protagonisti del dibattito sulla 'questione della lingua' (cfr.
Pistolesi [2001], e qui IX.2.3). Anche dopo la pubblicazione, però,
la fortuna del trattato non fu pacifica, né completa, né senza contrasti, anche perché le sue tesi furono utilizzate in chiave polemica
nelle dispute sulla 'questione della lingua'; ciò fece mancare la piena serenità di giudizio, anche se di fatto, in questo modo, il *De
vulgari eloquentia* finì per essere al centro dell'attenzione, come
uno dei testi fondamentali per il dibattito linguistico del Rinascimento. Nel corso di queste discussioni, alcuni insinuarono il sospetto che il trattato non fosse di Dante, che ci si trovasse di fronte ad un falso. La tesi della falsità del *De vulgari eloquentia* non
era disinteressata: faceva comodo soprattutto alla cultura fiorentina,
che mal tollerava le pagine in cui Dante aveva condannato duramente (come vedremo) il volgare toscano, preferendogli il bolognese e il siciliano illustre, e negando che il toscano stesso potesse
identificarsi con la lingua degna della volgar poesia. Nel 1577 venne finalmente pubblicato a Parigi, a cura del fuoruscito fiorentino
Jacopo Corbinelli, il testo originale latino del *De vulgari eloquentia*.
Le contrastanti valutazioni sul trattato dantesco, pur apprezzato nel
Settecento da intellettuali come Gravina e Muratori, non finirono
qui: nell'Ottocento Alessandro Manzoni tentò di sminuirne l'importanza, affermando che il *De vulgari eloquentia* non aveva per
oggetto la lingua in generale, né l'italiano in maniera specifica, ma
solo la poesia. Questa era un'osservazione sottile, basata sul fatto
che buona parte del trattato discute effettivamente problemi retorici e metrici. Agli occhi di Dante, però, l'intreccio tra i due temi
era indissolubile, e solo la perfetta definizione del concetto di 'lingua' permetteva la fondazione di una letteratura in volgare.

Dante, procedendo secondo la logica della cultura del suo
tempo, ma con un'originalità eccezionale nell'impianto e nello sviluppo delle argomentazioni, e cosciente della novità del tema scelto ad oggetto di indagine, muove dalle origini prime, dalla creazione di Adamo: stabilisce che fra tutte le creature l'unico essere
dotato di linguaggio è l'uomo; dunque il linguaggio stesso caratterizza l'essere umano in quanto tale, diversificandolo ad esempio
dagli animali bruti, gerarchicamente più in basso di lui, e dagli
angeli, posti più in alto. L'origine del linguaggio e delle lingue
(per questo tema cfr. I.1) viene ripercorsa attraverso il racconto
biblico: nodo centrale è l'episodio della Torre di Babele. La storia
delle lingue naturali, nella loro varietà, incomincia proprio qui:
loro caratteristica è il mutare nello spazio, da luogo a luogo, e nel
tempo, visto che le lingue medesime sono tutte soggette ad una
continua trasformazione. La 'grammatica' delle lingue letterarie,
come quella del greco e del latino, secondo Dante, è una creazione artificiale dei dotti, intesa a frenare la continua mutevolezza

degli idiomi, garantendo la stabilità senza la quale la letteratura stessa non può esistere. Anche il volgare, per farsi 'letterario', per arrivare a una dignità paragonabile a quella del latino, deve acquistare stabilità, distinguendosi dal parlato popolare.

Per arrivare a definire i caratteri del volgare letterario, Dante procede in maniera ordinata, seguendo la diversificazione geografico-spaziale delle lingue naturali e concentrando la sua attenzione su spazi geografici via via più ristretti. La sua attenzione si concentra sull'Europa, dove nei paesi del Nord e del Nord-Est (che noi diremmo germanici e slavi) si parlano lingue in cui *sì* si dice *iò*; nei paesi del Centro-Sud si parla la lingua d'*oïl* (il francese), la lingua d'*oc* (il provenzale), il volgare del *sì* (l'italiano); in Grecia e nelle zone orientali è diffuso il greco. Questa è l'Europa linguistica secondo Dante, il quale, sempre procedendo dal generale al particolare e avendo come obiettivo una trattazione approfondita dell'area italiana, si avvicina passo passo al suo scopo, venendo a trattare del gruppo linguistico costituito da francese, provenzale e italiano (volgari i quali hanno comune origine, come dimostrano le concordanze lessicali di parole come *Dio*, *amore*, *mare*, *terra*, *cielo* ecc.). Si restringe quindi finalmente alla sola area italiana, la quale risulta diversificata al suo interno in una quantità di parlate locali. Dante esamina queste parlate alla ricerca del volgare migliore, definito *illustre* (e anche *aulico*, *curiale*, *cardinale*). L'esame viene condotto in base a criteri che a noi possono sembrare a volte stravaganti e riduttivi, ma dimostrano comunque un eccezionale interesse per la realtà empirica delle lingue viventi, ciò che fa di Dante un 'glottologo' e 'dialettologo' *ante litteram*[13]. L'esame delle varie parlate si conclude con la loro sistematica eliminazione: tutte, nella loro forma naturale, sono indegne del volgare illustre. La condanna colpisce non solo volgari 'impuri', di confine, come il piemontese; il giudizio è negativo per il friulano, il sardo, il romanesco, il marchigiano e via dicendo. Tra le più severe condanne c'è quella per il toscano e il fiorentino. Migliori degli altri risultano il siciliano e il bolognese, ma – si noti – non nella loro forma popolare, bensì nell'uso di alto livello formale fattone rispettivamente dai poeti della corte di Federico II e da Guinizelli. Il discorso si sposta ora dalla lingua alla letteratura: Dante, abbiamo detto, sta cercando una lingua ideale, 'illustre', priva di tratti locali e popolari, selezionata e formalizzata ad un livello 'alto'. Le realizzazioni di questa lingua vengono identificate nei modelli di stile a cui gli stilnovisti e Dante stesso guardavano con maggior ammirazione. La nobilitazione del volgare deve avvenire dunque attra-

---

[13] Celebre, ad esempio, è l'osservazione secondo la quale a Bologna la lingua parlata a Strada Maggiore è diversa da quella di Borgo San Felice: la varietà linguistica, dunque, esiste per Dante anche all'interno di una medesima città. L'osservazione nasceva dalla personale esperienza dello scrittore, che ben conosceva Bologna.

verso la letteratura. Ecco perché il toscano viene condannato, al pari delle altre parlate italiane: non solo la lingua popolare toscana non interessa Dante (in questa fase, per lo meno), ma inoltre la condanna colpisce poeti come Guittone d'Arezzo, caratterizzati da uno stile rozzo e plebeo, ben diverso (nel giudizio di Dante) da quello dei siciliani e degli stilnovisti. Il trattato *De vulgari eloquentia* da libro di linguistica si trasforma dunque in trattato di teoria letteraria, oltre che in profilo 'militante' di storia e di critica (se vogliamo usare delle categorie 'moderne'): viene passata al vaglio la tradizione poetica volgare, giudicata nei suoi risultati qualitativi, allo scopo di tracciare una linea che conduca a Dante stesso e al suo gruppo.

Le pagine di condanna del toscano, del fiorentino, e delle pretese di toscani e fiorentini, furono tra le più discusse nel corso del dibattito sulla questione della lingua, specialmente nel sec. XVI. La parte iniziale del I libro, in cui si parla della creazione del linguaggio e del suo sviluppo storico (sulla base di quella che potremmo definire una 'linguistica biblica'), ha destato molto interesse ai nostri tempi, tra gli storici e gli studiosi di linguistica, i quali hanno dibattuto in maniera anche vivace sull'interpretazione da attribuire ad alcuni termini e concetti, e sulla matrice di alcune idee dantesche (per una sintesi di questi problemi, cfr. Corti [1993], con ampia bibliografia).

5. Dante lirico

In linea generale si può dire che le «prime esperienze poetiche di Dante appaiono ben radicate nella cultura e nella poesia volgare di Firenze, sia per i temi, sia per le strutture linguistiche, stilistiche e metriche» [Baldelli 1993: 589]. Prevedibile, dunque, la presenza di sicilianismi e gallicismi di vario genere. Però, come osserva Coletti [1993: 38-40], attraverso l'analisi attenta agli indici statistici si riscontra una certa diminuzione degli apporti tradizionali, come le parole con suffissi in *-anza* e *-enza*. Diminuiscono anche le dittologie sinonimiche, mentre il lessico della poesia (pur nella sua relativa limitatezza) segna una crescita quantitativa, e le possibilità linguistiche sono affidate anche a una struttura della frase più variata. Ancora Baldelli [1993] osserva come alcune forme strettamente e vistosamente legate alla tradizione siano presenti solo nelle liriche della prima giovinezza di Dante, e poi non più. È il caso del meridionalismo *saccio* 'so', dei provenzalismi *avvenente* e *parvente* 'parere, opinione' (provenzale *parven*)[14], *dimoranza* ecc.

---

[14] Nella *Commedia*, nel *Paradiso*, *parvente* compare cinque volte, ma sempre nel senso di *parere* lat., con il significato di 'visibile', 'che appare', 'che si manifesta'.

Nella *Vita nuova* Dante, commentando in prosa una scelta delle proprie poesie, realizzò un connubio particolare tra i due generi (per un orientamento su quest'opera, cfr. Gorni [1993]). La priorità va comunque alla lirica, e la prosa è qui posta al suo servizio, in funzione gerarchicamente inferiore.

6. La prosa

6.1. Il ritardo della prosa

Confrontato con l'alto sviluppo qualitativo della poesia, il livello della prosa duecentesca (della quale si può vedere l'ampia rassegna antologica allestita da Segre-Marti [1959]) appare più modesto. Come ricorda Serianni [1993: 451], non solo vi è il ben noto 'ritardo' per il quale vediamo sorgere la letteratura italiana solamente dopo l'affermazione delle altre letterature d'oltralpe, ma inoltre vi è da noi uno sfasamento tra prosa e poesia, a svantaggio della prosa. E Coletti [1993: 65] osserva giustamente che dopo cent'anni da questo avvio, al tempo di Boccaccio, la prosa italiana era ancora alla ricerca dei suoi modelli e delle sue autorità, mentre la poesia si era già a quel punto ben organizzata in una solida 'tradizione'. Se si prende in esame quello che può essere definito il testo narrativo più interessante e originale del sec. XIII, il *Novellino*, si può osservare una vistosa semplicità sintattica[15], quasi una povertà, che in certi periodi della nostra storia linguistico-culturale fu additata a modello, e in altri fu contestata radicalmente. Noi, oggi, guardiamo a questa prosa come documento del tempo, e non ci poniamo certo questioni relative ad una sua canonizzazione 'esemplare'.

6.2. Il primato del latino e i volgarizzamenti

Il latino, nel Duecento, ha il primato assoluto nel campo della prosa, come strumento di comunicazione scritta e di cultura: sono in latino quasi tutti i documenti giuridici, giudiziari, amministrativi, contabili, oltre alle scritture filosofiche, religiose, mediche ecc.

---

[15] Tale povertà è anche più vistosa in certe traduzioni duecentesche: cfr. Coletti [1993: 65-66], che cita due esemplari passi dal *Tristano riccardiano* e dalla *Tavola ritonda*, in cui ricorre una elementarità sintattica risolta nella paratassi, nella ripetizione delle stesse parole e degli stessi moduli, nella prevalenza del discorso diretto. Quanto al *Novellino*, si tenga presente che questo titolo è dovuto ad una consuetudine recente (la prima attestazione è del Cinquecento: cfr. Battaglia Ricci [1993: 61]), e che titoli antichi erano *Libro de novelle e di bel parlar gentile* (si noti il riferimento al 'parlare') e, nella edizione *princeps* (la prima ed. a stampa), *Le cento novelle antiche*. Il raccoglitore, se non l'autore, di queste novelle dovette essere fiorentino.

A volte si tratta di un latino che assume forme domestiche, in cui affiorano tracce di un espressivo parlato in lingua volgare: così è ad esempio nella *Chronica* di frate Salimbene de Adam (1221-1287), in cui non solo la sintassi ha un andamento ben lontano da quello canonico del latino, ma ricorrono parole come *truffa, ribaldus* 'ribaldo' e *raviolos* 'ravioli' (si vedano almeno i passi antologizzati in Viscardi *et al.* [1956: 969-983] e in Contini [1970b: 22-29]). Il volgare, per essere autonomo, non solo deve emergere rubando terreno al latino, ma ne è necessariamente influenzato (e non poco). Lo dimostrano i 'volgarizzamenti', un genere costituito da traduzioni, rifacimenti e imitazioni di testi, prima di tutto classici. Il 'volgarizzamento' è un concetto che va precisato: non equivale esattamente a quello che noi intendiamo per 'traduzione', perché l'uomo medievale, come già abbiamo visto, aveva nel rapporto con le sue fonti un atteggiamento libero, e tradurre poteva significare per lui intervenire in maniera più o meno pesante [cfr. Folena 1991b; Segre 1974: 49-78 e 271-300]. Nel 'volgarizzare', cioè nel trasporre in volgare partendo da un testo latino o francese, si realizzava di fatto una scrittura di alto valore sperimentale e si stabilivano le strutture della prosa italiana. Niente di strano, dunque, che le traduzioni di cui stiamo parlando risentano degli originali latini o francesi: molto spesso il verbo viene posto in clausola, alla latina; anche la sequenza determinante-determinato viene ripresa dal latino (cfr. i latinismi citati da Segre [1974: 57]), per cui non si dirà «erano desiderosi di lode, e larghi donatori di pecunia», ma piuttosto «erano di lode desiderosi, e di pecunia larghi donatori», seguendo l'originale, che dice «laudis avidi, pecuniae liberales erant» [16]. In confronto al grande debito della prosa del Duecento nei confronti del latino, minore risulta l'influenza del francese, anche se esso fu addirittura usato da alcuni scriventi italiani: basti pensare alla stesura originale del *Milione* da parte di Rustichello da Pisa, nel 1298, sotto la dettatura di Marco Polo nel carcere di Genova (il *Milione*, opera che godette di immediata fortuna, si diffuse poi in volgarizzamenti anche toscani); tra coloro che scrissero in francese ricordiamo ancora Martino da Canal, autore de *Les estoires de Venise*, e anche un toscano come Brunetto Latini, il maestro di Dante, autore del *Tresor* [cfr. Paccagnella 1983: 127 ss.]. Se alcuni italiani usavano il francese addirittura per scrivere le loro opere, riconoscendogli il pregio di essere la più piacevole tra le lingue (cfr. le opinioni in proposito di Brunetto Latini e di Martino da Canal, citate in Paccagnella [1983: 127]), niente di strano che il francese influenzasse i volgarizzatori. L'in-

---

[16] In questo caso c'è anche il latinismo lessicale *pecunia* per 'denaro'; il verbo, però, è stato collocato nella posizione propria del volgare, non alla fine della frase, come in latino. L'esempio, che ricavo da Serianni [1993: 454], è dal volgarizzamento del *De coniuratione Catilinae* di Sallustio che si deve al pisano Bartolomeo di San Concordio.

fluenza del francese sul volgare italiano si può verificare nel gran numero di prestiti lessicali: va notato tuttavia [cfr. Serianni 1993: 455] che moltissime di queste parole francesi, pur presenti nei volgarizzamenti duecenteschi, non riuscirono a varcare la soglia del XIV sec. Attingendo ad una traduzione del *Tesoro* di Brunetto Latini (più precisamente al passo riportato in Segre [1969: 67-84]), si possono citare come esempio alcuni di questi vistosi francesismi, quali *giadì* 'un tempo' (fr. *jadis*) e (comunissimi, questi ultimi, anche in altri testi) *argento* per 'denaro', *vile* per 'città' (cfr. fr. *argent* e *ville*).

6.3. Varietà linguistica della prosa duecentesca

Nel Duecento alle due lingue di comune impiego nella prosa, cioè il latino e il francese, non si contrappone ancora un tipo unico di volgare: «tra i volgari italiani non ce ne è ancora uno che si sia imposto nettamente sugli altri» [Serianni 1993: 456]. Predomina una sostanziale varietà. Ci sono testi in prosa dall'aspetto fortemente settentrionale, ad esempio veneto. C'è una posizione di prestigio da assegnare a un centro di cultura come Bologna, città di Guido Faba, autore della *Gemma purpurea* (trattato di retorica con alcune formule in volgare) e soprattutto autore dei *Parlamenta et epistole*, modelli di prosa epistolare e di oratoria [cfr. Marazzini 2001: 47-52]. Il volgare presente nel latino della *Gemma* si riduce a ben poca cosa, mentre assai interessanti sono i *Parlamenta*, che contengono modelli di oratoria e di lettere in lingua bolognese illustre, lingua fortemente esposta all'influenza del latino. Si tratta di un esperimento tanto più notevole, perché l'autore vuole applicare al volgare le regole retoriche, offrendo al pubblico modelli di prosa 'elegante'. In questa prosa i tratti dialettali vengono in gran parte eliminati, anche se non schivati del tutto; come nota Serianni [1993: 457], le forme *voi* e *noi* sono prive di metafonesi (cfr. V.2.6), e si discostano dunque dalla parlata locale seguendo il modello del latino (*nos* e *vos*), ma la metafonesi fa capolino in *audirite* e *intenderite*, laddove il latino non offre più la forma a cui appoggiarsi direttamente. Salde risultano le consonanti sorde intervocaliche (abbiamo *benignità*, *necessità*, *paternità*), contro la tendenza dei dialetti settentrionali alla sonorizzazione (cfr. V.2.13). Le vocali finali atone sono anch'esse salde (contro la tendenza dei dialetti gallo-italici: V.2.8), ma «di tanto in tanto la filigrana dialettale originaria è leggibile attraverso vocali anetimologiche» [Serianni 1993: 457]; le vocali finali vengono cioè introdotte a posteriori, senza potersi appoggiare alla lingua parlata (in cui tali vocali non esistono), e quindi a volte la ricostruzione risulta arbitraria: *de la vostro pietà*, *che l'uno abisognasso*, *a grandi fidança*. Ad onta degli affioramenti di tratti locali, comunque, si tenga presente che questa è una prosa elevata: in essa, in ossequio alle norme della retorica medievale, entrano elementi che potremmo definire di natura 'poetica', come il *cursus*, consistente in particolari clausole ritmiche preformate, impiegate per terminare il periodo. Nella prosa di Guittone d'Arezzo (sul quale cfr. Segre [1974: 95-175]), oltre al *cursus*[17], oltre ai latinismi, si trova anche un lessico di evidente origine poetica, poi calato nella prosa: così i meridionalismi di origine siciliana (ad esempio *aggio* 'ho', *saccio* 'so').

Abbiamo detto che non esiste una prosa-modello che in questo secolo si imponga su quella delle altre regioni, e abbiamo fatto riferimento ad una varietà di realizzazioni, in cui il settentrione d'Italia non ha minor rilievo rispetto alla Toscana. Di fatto però, il ruolo della Toscana sta emergendo, ma non ancora quello di Firenze; centri diversi da Firenze hanno un rilievo notevole: Guittone è di Arezzo, come è di Arezzo frate Ristoro, autore dell'importante trattato scientifico intitolato la *Composizione del mondo* (1282), unico libro di scienza dell'epoca che tenti la via del volgare. In questo testo troviamo già diversi tecnicismi che saranno presenti poi nella *Commedia* di Dante, come *epiciclo, equatore, zodiaco* ecc. [cfr. Serianni 1993: 452][18].

La nostra attenzione si è concentrata soprattutto sulla prosa letteraria, ma non dobbiamo dimenticare che le occasioni per le quali si prendeva la penna erano sovente molto più pratiche, legate all'orizzonte degli interessi quotidiani, economici. Già abbiamo avuto occasione di indicare l'importanza delle scritture mercantili per la documentazione dell'antico fiorentino (cfr. III.5.2). Documenti analoghi, di un'area un po' più vasta (estesa all'intera Toscana), sono stati raccolti da Castellani [1982a], che ha corredato la raccolta con un volume di fotografie dei manoscritti, assai utile per chi voglia avere un'idea più precisa dell'aspetto delle scritture di quest'epoca. A volte i documenti in volgare sono di carattere 'pubblico', sia in forma di conti di spese amministrative comunali, sia, nel caso migliore, senza legame con questioni di conti e denaro: così il trattato di pace fra i Pisani e l'emiro di Tunisi (cfr. la trascrizione in Castellani [1982a: 383-394]), risalente al 1264, in cui i titoli dei vari capiteletti, inizialmente in latino («Prologus pacis», «Terminus pacis»), passano poi al volgare (tra essi: «Di non fare male», «De li fondachi», «De li corsali pisani»). Se i titoli sono a volte in latino, il testo è comunque tutto in volgare, almeno fino alla formula notarile finale, in cui si accenna all'operazione di traduzione 'ufficiale' dall'arabo, secondo una procedura (ovviamente) necessaria per un trattato 'internazionale'.

---

[17] Eccone un esempio, che ricavo da Del Popolo [1989: 20]; si tratta della *salutatio* epistolare ai fiorentini, dopo la battaglia di Montaperti (1260). Si ha una parola piana + sdrucciola + piana: *Infatuàti mìseri Fiorentìni...*: le due ultime parole costituiscono un *cursus velox*, nella forma di un polisillabo sdrucciolo seguito da un quadrisillabo piano (e inoltre questo *incipit* ha nel suo complesso un andamento di endecasillabo). Sul *cursus*, cfr. Del Popolo [1990: XLV-XLVI].

[18] *Epiciclo* e *equatore* sono tecnicismi usati da Dante anche nel *Convivio*.

1. La «Commedia» di Dante

1.1. Dante e il successo del toscano

Dante è un autore di tale statura da permettere (se non da richiedere perentoriamente) una trattazione autonoma rispetto al suo secolo: non a caso nella *Storia della lingua italiana* di Migliorini (cfr. I.3.1-I.3.2) gli è stato dedicato un intero capitolo, in quanto 'padre' dell'italiano (secondo la definizione dell'autore).

Non si correrà mai il rischio di insistere troppo sull'importanza anche linguistica delle opere di Dante. Già abbiamo visto (cfr. I.1.1 e VI.4) la profondità e acutezza delle tesi esposte nel trattato *De vulgari eloquentia*; abbiamo avuto modo di rilevare l'importanza del suo apporto allo sviluppo della prosa, con la *Vita nuova* e con il *Convivio*. L'eccezionalità assoluta della *Commedia*, tuttavia, permette di isolare quest'opera tra le altre. Essa è scritta in una lingua diversa da quella teorizzata nel *De vulgari eloquentia*, e il suo stile utilizza risorse ben più vaste di quelle proprie della poesia lirica stilnovista. Probabilmente il trattato teorico sul volgare fu lasciato incompiuto proprio perché Dante aveva imboccato una strada diversa. La ricchezza tematica e letteraria della *Commedia*, inoltre, assolutamente maggiore di tutte le opere della tradizione fin allora esistente, favorì una promozione del volgare, dimostrando di fatto, al di là di ogni discorso teorico, che la nuova lingua aveva potenzialità illimitate. Ecco perché il successo del poema di Dante e il successo della lingua italiana (toscana) già nel Trecento andarono di pari passo. Si aggiunga che, mentre lo stilnovismo è fenomeno legato all'esperienza di Dante nella sua patria, la *Commedia* è opera compiuta in esilio, che si collega linguisticamente, sì, alla Toscana e a Firenze, ma si proietta sull'Italia settentrionale, che ospitò il poeta durante la maggior parte del lavoro di composizione. Si profila dunque un connubio tra Nord e Centro, che sta alla base della crescita rapida della fortuna accordata ai modelli letterari del volgare, per cui già nel Trecento ci sono autori che si sforzano di toscaneggiare imitando Dante, e si staccano così dalla loro lingua naturale. Il successo della *Commedia* fu il cavallo di Troia del successo della lingua toscana, ciò che a noi più interessa in questa sede. Il toscano iniziò così la sua espansione, destinata a completarsi nel giro di alcuni secoli. Il processo fu reso irreversibile da una serie di circostanze eccezionali, prima di tutto dal fatto che nello stesso Trecento altri due autori toscani produssero opere scritte in fiorentino, degne di suscitare la massima ammirazione: il *Canzoniere* di Petrarca e il *Decameron* di Boccaccio formano con la *Commedia* una triade giustamente celebrata, tanto che i tre autori sono stati uniti nella designazione di 'Tre Corone', a indicare la loro supremazia e il loro elevarsi di larga misura su tutti gli altri. Senza questi tre autori, probabilmente la storia linguistica italiana sarebbe stata diversa, anche se si può ammettere che per ragioni intrinseche, oltre che per fatti di natura economico-sociale, il fiorentino fosse una lingua dotata di particolari potenzialità: vivacissima era la società fiorentina, opulenta, con intensi rapporti mercantili con il resto d'Italia; il fiorentino occupava una posizione mediana tra le parlate italiane, ciò che lo rendeva adatto a penetrare sia al Nord che al Sud; il fiorentino era abbastanza simile al latino, più di altre parlate dell'Italia del tempo: anche questo poteva favorire il suo successo. Ma tale successo non ci sarebbe comunque stato senza la letteratura: si può verificare in quest'occasione come la letteratura fu determinante per le sorti della lingua in un paese come il nostro, che non aveva unità politica, non era uno 'stato' o 'nazione' nel senso proprio del termine, e quindi non poteva contare sull'effetto unificante di una corte e di una burocrazia centralizzata (cfr. III.3).

1.2. Varietà linguistica della «Commedia»

Abbiamo già avuto occasione di dire che Bruno Migliorini, nella sua *Storia della lingua italiana*, ha definito Dante il 'padre' del nostro idioma nazionale. Per quanto una simile definizione possa suonare un po' retorica, non si può negare la sostanziale verità di tale giudizio, che va riferito soprattutto al Dante della *Commedia*, più che al Dante lirico e al Dante prosatore. Credere alla dignità e alle potenzialità dell'italiano, alla fine del sec. XIII, poteva essere un atto di fede, dettato dalla fiducia nella produzione poetica, che si era affermata soprattutto nel genere lirico. Certo, però, non c'era ancora la possibilità di contrapporre alla grande tradizione del latino un'opera che fosse monumento imperituro, la quale destasse l'ammirazione di tutti. Realizzare un'opera del genere, usando una lingua nuova, imprimendole un'accelerazione tale che essa fosse in grado di toccare tutti gli argomenti, di esprimere tutte le pieghe dell'animo umano, di descrivere tutti i paesaggi possibili, di avventurarsi in tutti i settori, nella filosofia, nella teologia, nella scienza, nella politica, nella polemica, nell'invettiva, nella profezia, non era certo cosa facile. Eppure la *Commedia* è tutto questo e altro ancora; è opera universale, di quelle che segnano in maniera indelebile lo sviluppo di una letteratura, e che appartengono nel contempo, nel senso più generale, all'intera civiltà umana. È chiaro che una lingua capace di produrre un'opera del valore della *Commedia* è di per sé matura: dà la prova della sua perfezione e duttilità. Non a caso la valutazione del volgare, nel Quattrocento, passò attraverso la valutazione dell'opera di Dante (e di quella di Petrarca e Boccaccio). Vi fu anche chi allora affermò che sarebbe stato meglio scrivere la *Commedia* in latino, ma viceversa altri vantarono i pregi del volgare proprio partendo dalla considerazione che il poema di Dante era stato scritto nella lingua nuova. Quando, nel Cinquecento, furono sollevate riserve sul realismo di certe parti del poema dantesco, e queste riserve investirono il giudizio sulla lingua (o meglio, su certa parte della lingua di Dante, quella più cruda e realistica), non venne tuttavia meno una valutazione complessiva di ammirazione verso la *Commedia*.

Vediamo dunque in che modo, attingendo a quali fonti, Dante poté incrementare il patrimonio linguistico dell'italiano, restituendo ai suoi lettori la sensazione di una lingua matura e completa, ricca di forme almeno quanto il latino. Il confronto va fatto prima di tutto proprio con la lingua dei classici: «La grande presenza di latinismi nella *Commedia* è uno degli elementi che più differenzia la lingua della *Commedia* dalla lingua delle liriche dantesche nel loro complesso» [Baldelli 1993: 605]. Si tratta di un latinismo [osserva ancora *ibidem*: 606] che viene a Dante da canali diversi: la letteratura classica, le Sacre Scritture, la filosofia tomistica e la scienza medievale.

È d'obbligo, quando si parla del latinismo nella lingua di Dante, citare il canto VI del *Paradiso*, con il lungo discorso di Giustiniano, in cui (coerentemente con il personaggio e con la materia, cioè la storia provvidenziale dell'Impero) molti termini sono costruiti con l'ausilio della lingua classica, come si può verificare negli esempi che seguono (tutti tratti da quel canto): «Quinzio che dal *cirro/negletto* fu nomato» (*cirro negletto* 'capigliatura arruffata', da cui il nome di Cincinnato: si noti l'attenzione all'etimologia del nome proprio), «l'alpestre rocce, Po, di che tu *labi*» ('le rocce delle Alpi dalle quali tu, fiume Po, scorri veloce': il verbo *labi* è modulo poeticamente illustre, che viene da Orazio, Ovidio e Virgilio), «Cesare per voler di Roma il tolle» (*tolle* vale 'lo prende su di sé' [1]), «là dov'Ettore si *cuba*» ('là dove Ettore dorme il sonno eterno, giace'; tale latinismo è usato da Dante solo in quest'occasione), «di quel che fé col *baiulo* seguente / Bruto con Cassio nell'inferno *latra*» (*baiulo* qui sta per 'portatore dell'aquila imperiale', cioè imperatore, e si riferisce a Ottaviano Augusto: ma si noti che è un termine non classico, dove valeva 'facchino', ma del latino delle Scritture: cfr. in *II Regum*, 18, 22, e, in *Atti Apost.*, III, 2, il verbo *baiulabatur* 'veniva portato'; quanto a *latra* per 'grida', 'abbaia', è uno di quei latinismi che sono sopravvissuti fino all'italiano di oggi), «dal *colubro* / la morte prese *subitana* e *atra*» (*colubro* per 'serpente', usato per la prima volta da Dante, sopravvive nell'italiano moderno come tecnicismo; *subitana* vale 'improvvisa'; *atra dies* è il giorno della morte in Virgilio, *Eneide*, VI, 429; in Orazio, *Odi*, I, si parla di *atrum... venenum*). Si potrebbe proseguire in questa analisi, ricordando fra l'altro che il *lito rubro* ('Mar Rosso') che segue, al v. 79 dello stesso Canto VI, è citazione dell'*Eneide*, VIII, 686, o che l'*era fatturo* del v. 83 è latinismo morfologico, che ricalca il costrutto perifrastico latino *facturus erat*. I campioni sui quali ci siamo soffermati avranno comunque già mostrato la forza della componente classica, la presenza della citazione letteraria degli autori pagani e dei testi cristiani (*baiulo*, ma anche *colubro*). Quanto al latinismo scientifico, esso può essere usato al di fuori del suo contesto originario, come il famoso «*tetragono* ai colpi di ventura» (*Par.*, XVII, 24), che risale al latino *tetragonus* 'quadrato' (Boezio). Restano legati al loro valore tecnico termini come *emisperio*, *dilibra*, *inlibra* [2] ecc. Nello stesso passo in cui ricorrono questi tre tecnicismi latini, Dante usa *cenit*, lo 'zenit', parola ricavata dall'arabo (in realtà frutto di una lettura erronea del termine arabo [cfr. *DELI*: s.v.]), ben nota agli astronomi e ai naviganti medievali (è noto che nella *Commedia* vi sono importanti passi in cui Dante rivela un'ottima conoscenza dell'astronomia).

Il plurilinguismo (o multilinguismo) è una delle categorie che sono state utilizzate per definire la lingua poetica di Dante (cfr. Contini [1970a: 171]; cfr. IV.4), in contrapposizione al filone lirico della letteratura italiana, che ha il suo massimo esponente in Petrarca. Il plurilinguismo, contrapposto al monolinguismo lirico, significa una scelta dettata dalla disponibilità ad accogliere ele-

---

[1] Non si tratta necessariamente di termine 'aulico', come ritengono alcuni commentatori: questo latinismo ricorre in tutto cinque volte nel poema, sempre in posizione di rima, e la rima è probabilmente il motore della scelta lessicale. La rima è spesso in Dante motivo di invenzione linguistica: è linguisticamente produttiva.

[2] *Dilibra* e *inlibra* sono in rima tra loro, in *Par.*, XXIX, 4 e 6. Al v. 6 ricorre anche il tecnicismo *emisperio*. Nei versi che seguono Beatrice usa due parole latine: *ubi* e *subsisto*. Il latinismo, infatti, non va a volte isolato, in Dante, ma più spesso lo si trova a grappolo, in contesto appropriato e favorevole a tale scelta lessicale.

menti di provenienza disparata: non solo i latinismi che abbiamo esaminato, ma anche i termini forestieri, plebei, le parole toscane e anche alcune non toscane. Tale varietà nelle scelte lessicali deriva da una varietà del tono, in quanto le situazioni della *Commedia* vanno dal profondo dell'inferno alla visione di Dio, dai dannati e dai diavoli all'empireo. Si passa, dunque, dal livello basso (con il linguaggio violentemente realistico) e dal turpiloquio (si pensi ai canti di Malebolge, il XXI e XXII dell'*Inferno*, con i *raffi*, i *runcigli* con relativo verbo *arruncigliare*; e il canto XXI si chiude, infatti, finale celebre, con il *cul* che fa *trombetta*), al livello più alto, al sublime teologico. È vero però, come nota Mercuri [1993: 313], che le parole 'forti' e realistiche entrano a volte con «violenta irruzione» anche nei contesti elevati, come il «lascia pur grattar dov'è la rogna» detto da Cacciaguida (*Par.*, XVII, 129), o come «cloaca» e «puzza» nelle parole di San Pietro (*Par.*, XXVII, 25-27).

Benché nella *Commedia* siano presenti latinismi, provenzalismi, e persino interi passi in latino (Cacciaguida, in *Par.*, XV, 28-30 si rivolge a Dante in latino) o in provenzale (il discorso di Arnaud Daniel in *Purg.*, XXVI, 139 ss.), il poema, nel suo complesso, si presenta come opera fiorentina, la più vistosamente fiorentina tra quelle scritte da Dante. Questa sostanziale fiorentinità, che sembra contraddire le tesi del *De vulgari eloquentia* (fino al punto che in *Inf.*, XX, 130 troviamo il toscanismo *introcque* 'intanto', condannato in maniera esplicita nel trattato, I, 13), non significa però appiattimento su di una selezione rigida di forme. Il discorso non riguarda tanto i tratti dialettali di altre regioni, quasi sempre «molto esibiti ed estraniati» [Coletti 1993: 49]: *issa* lucchese di Bonagiunta (*Purg.*, XXIV, 55), il sardismo *donno* di Michele Zanche (*Inf.*, XXII, 88)[3], il *sipa* bolognese di Venedico Caccianemico (*Inf.*, XVIII, 61), il probabile settentrionalismo *barba* per 'zio' (*Par.*, XIX, 137) ecc. Conta piuttosto il fatto che Dante si senta libero di fronte ai tratti morfologici del fiorentino del suo tempo, quando ragioni di gusto personale lo richiedono. Baldelli [1993: 608] cita il caso del termine *serocchia*, che è l'unico usato nei documenti fiorentini del Duecento e Trecento; ma Dante usa *serocchia* solo due volte, e sempre in rima, mentre impiega più largamente *suora* e *sorella*: quest'ultimo si è imposto nell'italiano letterario, e certo l'uso dantesco ha favorito questa affermazione, resa agevole anche dall'analogia con *fratello*. Più in generale, si può parlare di una polimorfia della lingua di Dante nella *Commedia* [cfr. Coletti 1993: 50 e Baldelli 1993: 608 ss.], che riguarda l'alternanza di forme dittongate e non dittongate (*core/cuore*, il primo molto più frequente; *foco/fuoco*, ma il secondo usato una volta sola; ma c'è solo

---

[3] Gli altri due casi in cui ricorre *donno* nella *Commedia* sono invece evidenti latinismi, da *dominus* 'signore'.

buono, e non *bono*[4]), la presenza di *i* o *e* in protonia (ad es. *virtù* prevale decisamente su *vertù*, pur presente quattro volte), o ancora di *a* in protonia (*danari*, *giovanetto* sono presenti tanto quanto *denari* e *giovinetto*, con pari incidenza statistica), le forme dei verbi, come (per fare un solo esempio) le forme del condizionale (il tipo siciliano in *-ia* e quello del toscano in *-ei*: *vorria* e *vorrei* compaiono ciascuno una volta, *avria* è più presente di *avrei*, ma *direi* più di *diria*). Questo polimorfismo non rimase senza conseguenze, ma produsse a sua volta una tendenza alla polimorfia nella lingua italiana, diffusasi proprio a partire da questo modello. La libertà di Dante nei confronti della lingua, da lui plasmata entro uno stampo personalissimo, si può verificare anche nei neologismi, come i verbi a prefisso *in-*, tra i quali i due del famoso verso di *Par.*, IX, 81: «s'io m'*intuassi* come tu t'*inmii*».

Un discorso sul linguaggio di Dante nella *Commedia* non dovrebbe prescindere dal fatto che si tratta di linguaggio poetico, in cui entrano elementi determinanti di natura ritmico-metrica e retorica. La trattazione dovrebbe quindi allargarsi alla struttura dell'endecasillabo, alla terzina, alle figure ritmico-sintattiche, alle similitudini, ai parallelismi ecc. Tutto questo non potrà essere discusso qui, per evidenti ragioni di spazio. Inoltre una trattazione come la nostra non deve necessariamente aver come esito il discorso sullo stile, per quanto stile e lingua, in questo caso, formino un binomio quasi indissolubile.

1.3. Strumenti per lo studio della lingua di Dante: le «Concordanze» e l'«Enciclopedia dantesca»

Come per alcuni altri grandi autori della tradizione italiana, anche per Dante sono state allestite delle concordanze (cfr. II.5), le quali permettono una rapida e facile consultazione e l'immediato reperimento di forme, parole e costrutti. Tra tutte queste concordanze, conviene oggi far uso di quella che utilizza il testo critico fornito da G. Petrocchi[5]: *Concordanze della Commedia di Dan-*

---

[4] Qui come altrove, faccio riferimento al testo critico della *Commedia* allestito da Petrocchi secondo l'antica vulgata (cfr. la nota seguente). È chiaro che queste osservazioni di carattere fonetico, stante la situazione testuale, vanno considerate con cautela, come indicazione di massima, non come valori assoluti.

[5] A differenza di quanto accade per Petrarca e Boccaccio, noi non abbiamo alcun autografo di Dante. Il più antico manoscritto della *Commedia* a noi pervenuto risale al 1336 (si conserva nella biblioteca comunale di Piacenza, ed è noto come «Landiano»). Non è passato molto tempo dalla morte di Dante, ma il testo risulta già alterato in più punti, perché gli anni precedenti avevano segnato «in modo indelebile la trasmissione dell'opera, che ebbe un successo immediato e una proliferazione forse tumultuosa di copie, inizialmente delle singole cantiche, quando ancora era vivo l'autore» ([Stussi 1988: 103]; per una sintesi dei problemi legati alla diffusione e all'edizione della *Commedia*, cfr. Mercuri [1993]). L'edizione di Petrocchi (1966-1967) è fondata sull'esame dei codici dell'antica vulga-

te Alighieri, a cura di L. Lovera, con la collaborazione di R. Bettarini e di A. Mazzarello, 3 voll., Torino, Einaudi, 1975. Questo indispensabile strumento può essere oggi sostituito senza svantaggi con le concordanze elettroniche, facilmente reperibili, consultabili mediante qualunque *personal computer*. Va tenuto presente che (ovviamente) anche la *LIZ* (cfr. II.5.1) comprende la *Commedia*, nel testo critico di Petrocchi, e il programma di interrogazione di cui è dotata è molto efficiente e veloce, tanto da renderlo preferibile di gran lunga rispetto ad altri. La *LIZ*, fra l'altro, permette immediati raffronti con il linguaggio di tutta la tradizione poetica, dai siciliani all'Ottocento.

Uno strumento di consultazione da cui non si può prescindere quando ci si occupa di Dante e della letteratura medievale in generale è la pregevolissima *Enciclopedia dantesca* diretta da Umberto Bosco, in cinque volumi, uscita a Roma, Istituto dell'Enciclopedia Italiana, dal 1970 al 1976. Le voci di questa enciclopedia, tutta dedicata a Dante, poste in ordine alfabetico, toccano ogni sorta di problemi relativi a personaggi, movimenti politici e spirituali, toponimi, popoli ecc.; a noi interessa soprattutto segnalare che molte voci sono di interesse linguistico (con riferimento alle parole usate da Dante e al dibattito sulla 'questione della lingua') e metrico. Importantissimo per gli studi linguistici è il VI volume di appendice che si aggiunge ai primi cinque e completa l'*Enciclopedia*, intitolato *Appendice. Biografia, lingua e stile, opere* (1978). Questo volume, non più alfabetico, ma composto di interventi monografici, comprende il saggio *Lingua e stile delle opere in volgare di Dante* di I. Baldelli, e un saggio sulle *Strutture del volgare di Dante*, impostato in chiave di linguistica storico-descrittiva, realizzato con il contributo di diversi autori.

2. Il linguaggio lirico di Petrarca

La caratteristica dominante del linguaggio poetico di Petrarca è la sua selettività, che esclude molte parole usate da Dante nella *Commedia*, inadatte al genere lirico. Sarà anche bene precisare subito che la parte dell'opera petrarchesca scritta in volgare è estremamente ridotta rispetto a quella latina (la quale comprende i generi epistolare, filosofico, narrativo ecc.), e che il *Canzoniere* stesso

ta, cioè i codici anteriori al 1355. L'edizione citata non è un punto di arrivo definitivo, ma una soluzione provvisoria che, selezionando con il citato criterio cronologico i manoscritti da esaminare, ha risolto una serie di problemi pratici, vista la grande quantità dei codici della *Commedia* (che risultano essere più di seicento: cfr. l'elenco datone da Petrocchi [1994: I, 481-567]. Dopo l'edizione Petrocchi, comunque, sono state allestite ben due edizioni critiche della *Commedia* tra loro molto diverse: una di Lanza [1995] e l'altra di Sanguineti [2000]; cfr. Abardo [2001] e Inglese [1999: 144-154].

rappresentava una sorta di elegante divertimento dello scrittore, a cui dedicò senza dubbio molte cure, ma a cui non avrebbe mai pensato di affidare quasi per intero la propria immortalità letteraria. Il titolo stesso di questa raccolta di poesie ordinata in canzoniere è in latino, non in volgare: *Rerum vulgarium fragmenta* ('Frammenti di cose volgari'), di solito abbreviato dagli studiosi nella sigla *RVF*, o tradotto in italiano come *Canzoniere*. È curioso che siano in latino anche le postille apposte dallo stesso Petrarca al codice che si suole indicare come 'degli Abbozzi', il Vaticano Latino 3196 (di cui si ha l'edizione eliotipica, l'edizione fototipica, l'edizione diplomatica, e infine, a cura di A. Romanò, l'edizione interpretativa: cfr. le specifiche indicazioni bibliografiche in Antonelli [1993b: 466]; ora si ha l'ed. critica a cura di Paolino [1996]), dove compaiono annotazioni come le seguenti: «hic videtur sonantior», «hic placet pre omnibus», «hoc plus placet», «dic aliter hic»[6] ecc. Se teniamo conto della familiarità che Petrarca aveva con il latino, della sua abitudine ad usarlo come normale strumento per la comunicazione culturale e per la riflessione, sembra quasi che si rovesci (paradossalmente) quella che a noi moderni pare una certezza: il volgare non è qui la lingua 'naturale', ma la lingua di un raffinato gioco poetico, in omaggio a una tradizione che dai siciliani arriva a Petrarca attraverso Dante (sui dantismi in Petrarca si vedano Trovato [1979], e le sintesi di Soletti [1993: 617-618] e Coletti [1993: 65 ss.]); la lingua 'naturale' dell'uomo colto, quella che Petrarca impiega nella maniera più spontanea e che forse gli costa persino meno fatica, è proprio il latino, con cui infatti postilla le poesie volgari, annotando i propri brevi autogiudizi. Giustamente Coletti [1993: 58] osserva che il volgare è per Petrarca lo strumento di una esercitazione letteraria, senza che dietro questo gusto poetico ci sia, come c'era in Dante, un ambizioso progetto culturale basato sulla promozione di nuovi ceti sociali e sulla divulgazione del sapere mediante la nuova lingua, 'sole nuovo' destinato a brillare al posto del latino. Su questo punto, anzi, è probabile che Petrarca la pensasse ben diversamente. Sul repertorio tradizionale del linguaggio poetico, in ogni modo, Petrarca compie una scelta che sarà decisiva per la nostra tradizione lirica. Accoglie una sola rima siciliana (*voi: altrui*, *RVF*, 128, 72), consacra la rima grafica e non fonica (*ò : ó, è : é*), elimina alcuni gallicismi come *fidanza, fallanza, beninanza, dilettanza*, pur mantenendone altri, quali *rimembranza* e *baldanza* (entrambi già nella poesia dei siciliani, usati da Giacomo da Lentini e poi anche da Dante). Si delinea una tendenza del linguaggio lirico al 'vago', inteso nel senso di una genericità antirealistica (il contrario

---

[6] 'questo sembra più sonoro', 'questa soluzione (mi) piace più delle altre', 'questo (mi) piace di più', 'di' diversamente qui'. Gli esempi citati si ritrovano nell'apparato di Paolino [1996: rispettivamente 879, 858, 880, 857].

di quanto accade nel corposo realismo della *Commedia*), testimoniato anche dalla polivalenza di certi termini, i quali, come l'aggettivo *dolce*, entrano in un numero molto grande di combinazioni diverse. Soletti [1993: 613] cita a questo proposito *dolce loco*, *dolce favella*, *dolce riso*, ma anche *dolce pianto*, *dolce veneno*, *dolce rapina*, e persino *dolce è la mia morte*. Eppure la lingua di Petrarca, selezionata e ridotta nelle scelte lessicali, accoglie un buon numero di varianti, canonizzando un polimorfismo (già presente in Dante) in cui si allineano la forma toscana, quella latineggiante, quella siciliana o provenzale: *Deo/Dio*, *degno/digno*, *fuoco/foco*, *mondo/mundo*, *oro/auro*[7].

Sul piano della sintassi, Petrarca fa largo uso di una *dispositio* che muta l'ordine regolare delle parole, anticipando il determinante rispetto al determinato (alla latina), o anticipando l'infinitiva dipendente rispetto alla principale [cfr. Del Popolo 1989: 35]: la collocazione delle parole, insomma, si sottrae alla banalità del quotidiano. Inoltre ricorrono chiasmi, antitesi, *enjambements*, anafore, allitterazioni, e si ritrovano binomi di aggettivi («Solo e pensoso»), spesso di significato analogo («tardi e lenti»). Sono caratteristiche, già verificabili in parte nella tradizione più antica, che diventeranno tipiche del linguaggio lirico italiano. Sul linguaggio di Petrarca, comunque, si veda ora Vitale [1996].

Come abbiamo detto, il Codice Vaticano Latino 3196 raccoglie e tramanda minute delle liriche di Petrarca; possediamo anche la redazione definitiva del *Canzoniere* petrarchesco, il Codice Vaticano Latino 3195 (di quest'ultimo esiste un'ottima edizione diplomatica di Modigliani [1904], oltre ad una fototipica: cfr. le indicazioni di Antonelli [1993b: 466]; l'edizione critica è quella di Contini [1964], a cui ha fatto seguito l'edizione commentata di Santagata [1996]), giunta nel 2000 alla IV edizione. Siamo dunque nella condizione di verificare in maniera precisa i problemi grafici postisi nell'uso del volgare e le soluzioni adottate dallo scrittore. In altri casi (ad esempio per la *Commedia* di Dante, di cui non conosciamo l'autografo) ci è più difficile giudicare in maniera precisa sulle abitudini grafiche dell'autore, le quali possono essere state modificate dalla tradizione testuale. Petrarca, come era normale al suo tempo, scrive ancora in maniera unita *sualuce*, *almio*, *delbel*, *laprima*, *belliocchi*[8]. Come si vede, venivano uniti al nome i possessivi, le preposizioni, gli articoli a volte persino certi aggettivi. Manca l'apostrofo, che fu introdotto solo all'inizio del Cinquecento. Il sistema dei segni di interpunzione si riduce a pochi elemen-

---

[7] Può essere interessante un paragone con la *Commedia*, dove *Deo* compare una sola volta in posizione di rima, dove non si trovano mai *auro*, *mundo* e *digno*, dove *fuoco* ricorre una sola volta.

[8] Traggo gli esempi dalla trascrizione diplomatica della Canzone alla Vergine, autografa del Petrarca (si legge in Modigliani [1904: 158]), riportata in parte da Maraschio [1993: 166].

ti, con valore diverso da quello moderno, tra cui punto, sbarra obliqua e punto esclamativo. Sono presenti anche molti latinismi grafici, come le *h* etimologiche in *huomo, humano, honore* (ma *ora, erba*), le *x* (*extremi, excellentia, dextro*[9]), i nessi *-tj-* (*gratia, letitia, pretioso*). Per l'affricata, Petrarca usa abitualmente la *ç* (*sença* 'senza', *ançi* 'anzi'; ma corregge *potença* di un copista in *potentia*, alla latina [cfr. Maraschio 1993: 167]). Sono presenti i segni di abbreviazione, come il comunissimo tratto di penna posto sulla vocale a segnalare una consonante nasale: *lāpa* 'lampa', *nō* 'non', *cōtra* 'contra', o come l'altrettanto comune taglio nella gamba della *p* per indicare l'abbreviazione di *per*.

3. La prosa di Boccaccio

L'importanza del *Decameron* per la prosa italiana è accentuata dal fatto che, a differenza di quanto era accaduto nella poesia, la prosa trecentesca non era ancora stabilizzata in una tradizione salda. Non si può dire che mancassero esempi importanti a cui ispirarsi: basti pensare alla *Vita nuova* e al *Convivio* di Dante; ma queste due opere erano state concepite come legate strettamente alla poesia (la *Vita nuova* commenta una scelta delle liriche giovanili di Dante, il *Convivio* è un commento dottrinale ad una serie di canzoni), ciò che non attribuiva ancora sufficiente autonomia alla loro prosa. Un modello di prosa narrativa era nel *Novellino* (cfr. VI.6.1), ma non si trattava di una prosa adatta a tutti i contesti, né esso offriva un campionario ampio e complesso di situazioni. Il salto di qualità che si ha con il *Decameron* di Boccaccio è davvero molto grande.

Nella tradizione italiana la prosa di Boccaccio assunse una funzione egemonica, specialmente quando, nel Cinquecento, teorici e grammatici, seguendo Bembo, indicarono in essa il modello a cui attenersi. Tale modello acquistò ancor più autorità grazie a Lionardo Salviati e all'Accademia della Crusca (cfr. IX.5.3 e X.1). Benché vi fossero fieri avversari del modello boccacciano di prosa toscana, tuttavia questo modello influenzò largamente coloro che scrissero in italiano, e quest'influenza si esercitò per secoli. Ancora nell'Ottocento i manzoniani, sostenendo i diritti della lingua viva, dirigevano la loro polemica contro alcune caratteristiche del periodare di Boccaccio, diventate una sorta di 'maniera' attraverso l'imitazione di moduli sintattici ripetuti fino alla sazietà. Converrà rilevare subito che lo stile 'alla Boccaccio' che imperversò per tanto tempo, dominando il gusto di tutti i pretesi sostenitori della 'buona lingua', faceva in parte torto alla capacità stilistica dello scrittore trecentesco: il periodare boccacciano che divenne canoni-

---

[9] Compare però anche *destro*.

co era, sì, presente nel *Decameron*, ma il *Decameron* stesso offriva in molte sue parti modelli ben differenti, che però non riscossero lo stesso successo. Nelle novelle di Boccaccio ricorrono situazioni narrative molto variate, in contesti sociali diversi. Tutte le classi si muovono sulla scena, dai regnanti alle prostitute, così come compaiono quadri geografici e ambienti molto differenti. Lo scrittore non ha rinunciato affatto, nella sua ricerca di realismo, a una caratterizzazione anche linguistica che sapesse cogliere queste diversità. Qua e là compaiono voci che introducono elementi diversi dal fiorentino: il veneziano di monna Lisetta (VI, 2) e di Chichibìo (VI, 4), il senese di Tingoccio (VII, 10) e di Fortarrigo (IX, 4), il toscano rustico nella novella del prete di Varlungo e di madonna Belcolore (VIII, 2). Il gioco linguistico entra nella burla, ad esempio nella predica di frate Cipolla (VI, 10), con effetti di sapore espressionistico. Si può ammettere, con Serianni [1993: 475], che è eccessivo definire la varietà presente nelle novelle come una sorta di «plurilinguismo programmatico», visto che prevale uno stile nobile come costante ricerca di regolarità. Sta di fatto, però, che le novelle mostrano sovente una disposizione a concedere spazio alla vivacità del dialogo, e che questo dialogo aderisce sapientemente ai moduli del parlato, con vivaci scambi di battute in cui entrano elementi popolari e anacoluti. Coletti [1993: 78] ricorda le forme che risultavano assai sgradite ai grammatici del Cinquecento, come le popolaresche repliche del pronome: «che mi potrestù far tu?» (IX, 6), o gli anacoluti di cui si diceva, come il seguente: «Il Saladino, il valore del quale fu tanto [...] gli venne a memoria un ricco giudeo...» (I, 3), per non citare il *che* polivalente, tipico del parlato (sul quale cfr. anche i campioni raccolti da D'Achille [1990: 231-232]). Stussi [1993a: 133] ha esaminato le edizioni cinquecentesche del *Decameron* mostrando come ci si permettesse allora di correggere certe forme idiomatiche e regionali usate da Boccaccio[10]. Tuttavia lo stile che divenne 'boccacciano' per eccellenza, e fu poi imitato anche troppo, è quello caratterizzato dalla complessa ipotassi, come si ritrova soprattutto nella cornice delle novelle, e specialmente nelle parti più 'nobili' ed elevate. È uno stile magniloquente, in cui le subordinate si accumulano in gran numero, e la cui struttura è resa più complessa dalle inversioni di sapore latineggiante e dalle posposizioni dei verbi in clausola. Qualunque lettore (anche poco esperto) dell'opera di Boccaccio è stato sicuramente colpito da questo tipo di sintassi, che si snoda in lente volute, e precipita alla fine del periodo, là dove si incontra il verbo. Giustamente Serianni [1993: 471] ricorda che già nel corso delle polemiche scatenatesi all'inizio del Sei-

---

[10] Vennero introdotte le *piaghe d'Iddio* al posto delle *plaghe*, e l'espressione sicilianeggiante *miso lo foco all'arma* divenne *messo il fuoco nell'anima* (il riferimento è rispettivamente alla novella IV, 2 e alla novella VIII, 10).

cento attorno ai modelli proposti dal vocabolario della Crusca alcuni giudicarono questo stile come manierato e innaturale. Tra
essi Paolo Beni, letterato padovano, il quale ricordava un passo
del *Decameron* (II, 8) la cui citazione può servire ancor oggi per
mettere in evidenza questo stile particolare:

> E avanti che a ciò procedessero, per non lasciare il regno senza go-
> verno, sentendo Gualtieri conte d'Anguersa gentile e savio uomo molto
> loro fedele amico e servidore, e ancora che assai ammaestrato fosse nel-
> l'arte della guerra, per ciò che loro più alle dilicatezze atto che a quelle
> fatiche parea, lui in luogo di loro sopra tutto il governo del reame di
> Francia general vicario lasciarono, e andarono al lor cammino[11].

Questo periodo può essere definito come 'sbilanciato a sinistra', secondo il modello del latino. La principale, infatti, arriva
solo dopo una sequenza di ben cinque subordinate, ed è preceduta dal *lui* complemento oggetto anteposto; si noti la posizione del
verbo *lasciarono*, in fine della frase, e si noti anche la presenza del
gerundio, che abbonda nel periodare di Boccaccio. Non si fa certo fatica a trovare esempi analoghi in tutto il *Decameron*. Coletti
[1993: 79] cita un passo da II, 7 in cui «sei subordinate, di cui
una implicita (una di primo grado, a sua volta reggente di altre
due, e una di secondo, che ne regge altre due), precedono la
principale»[12].

Come abbiamo detto, il riferimento a questa complessità sintattica non esaurisce il discorso sullo stile di Boccaccio, il quale
anzi sa essere vario come sono vari gli scenari delle sue novelle e
i personaggi che vi si muovono. Si tratta, però, dei moduli che furono maggiormente imitati e che pesarono fortemente sulla stabilizzazione normativa della lingua italiana, così come furono imitati
i nessi largamente usati da Boccaccio per regolare il funzionamento e la successione del periodo, con i frequenti *adunque*, *allora*,
appresso, *come che*, *avvenne che*, *mentre*, *quando*, e furono imitate
certe sue preferenze, come l'uso del relativo per iniziare il periodo, con *Al quale*, *A cui... disse/rispose* ecc. in funzione di raccor-
do immediato (il fenomeno è segnalato da Coletti [1993: 79]). Al
di là di questa utilizzazione particolare di alcuni moduli sintattici
fatta da grammatici, teorici e imitatori, e applicata poi più o meno
forzosamente a contesti assai diversi da quello narrativo, la prosa
di Boccaccio resta comunque un esempio di eccezionale ricchezza.
Una parte del suo fascino è affidata all'uso di elementi ritmici, dal
cursus agli artifici ritmico-musicali più ricercati, gli omoteleuti, i

---

[11] Il passo, richiamato da Beni [1983: 8-10], è analizzato (come già si è detto) da Serianni [1993: 471].
[12] Ecco il passo di Boccaccio: «Ma per ciò che, come che gli uomini in varie cose pecchino disiderando, voi, graziose donne, sommamente peccate in una,
cioè nel disiderare d'esser belle, in tanto che, non bastandovi le bellezze che dalla natura concedute vi sono, ancora con maravigliosa arte quelle cercate d'acre-
scere, mi piace raccontarvi...».

parallelismi sintattici, le simmetrie del periodo, le allitterazioni, l'uso delle figure retoriche (se ne veda la campionatura in Del Popolo [1989: 37-38 e 40-42]). Benché, come abbiamo visto, in essa entrino elementi vari, attinti anche alle parlate italiane di Toscana e non di Toscana (usati a scopo di caratterizzazione realistica), magari al latino e al francese, sta di fatto che la prosa di Boccaccio, nelle sue forme normali, non mimetiche, è fiorentina di livello medio-alto: «L'acclarata individuazione dell'autografo [del *Decameron*] (il famoso *Hamilton 90* scritto da Boccaccio verso il 1370 e recante la quasi totalità del testo) ci consente di collocare puntualmente le strutture grammaticali della lingua boccacciana nel quadro del fiorentino coevo» [Serianni 1993: 473]. Alcuni tratti appaiono leggermente arcaicizzanti, come l'uso costante nel *Decameron* del numerale *diece* anziché *dieci*, che si era imposto nella seconda metà del Trecento (anche Dante, nella *Commedia*, usa quasi sempre *diece*); altre forme vanno in direzione moderna, come *tu ami, canti* ecc. al posto del dugentesco *tu ame*, o come i perfetti *perdé, uscì* anziché *perdeo, uscio*, usati dallo stesso Boccaccio nel *Teseida* [cfr. Serianni 1993: 474]. Boccaccio non usa mai le forme popolari o innovative (le ritroveremo nel fiorentino quattro-cinquecentesco) quali *arò* per *avrò*, *arei* per *avrei*, *missi* per *misi*.

Anche nel caso di Boccaccio possiamo verificare (seguendo la sintesi di Maraschio [1993: 165-169]) la grafia dell'autore, avvalendoci del prezioso autografo all'esistenza del quale già abbiamo fatto cenno, il codice *Hamilton 90* conservato a Berlino, interamente di mano dello scrittore. Nella grafia di Boccaccio, come in quella di Petrarca, si notano latinismi, come le *x* (*exempli*), il nesso *-ct-* (*decto* 'detto'), usato a volte anche per indicare il raddoppiamento (*stecte*, altre volte scritto *stette*), come la forma *advenuto* per 'avvenuto', come le *h* etimologiche in *herba*, *habito*, *honore*, *honesto*, *huomo* (ma non nelle forme del verbo *avere*). L'affricata dentale è resa dalla *ç*, come in Petrarca, ma anche dalla *z*, e queste consonanti vengono sempre scritte scempie, indipendentemente dal loro valore fonetico sordo o sonoro: *scioccheça* 'sciocchezza', *magnificençe* 'magnificenze', *mezano* ecc. Anche qui, come in Petrarca, ricorrono le usuali abbreviazioni delle nasali e di *per*. Il sistema dei segni di interpunzione è più ricco che nel *Canzoniere* di Petrarca: si trovano virgola, punto e virgola, due punti (con valore di pausa lunga), il punto, la sbarra obliqua (che abbiamo già trovato in Petrarca), il punto interrogativo usato anche per le interrogative indirette, degli appositi segni di 'a capo', e un *coma*, simile al punto esclamativo, ma con valore di punto e virgola.

4. Prosa minore dell''aureo Trecento': la Toscana

Come già abbiamo detto, l'importanza intrinseca dei modelli linguistici trecenteschi, sui quali di fatto si fondò la prima grande espansione del toscano al di là dei confini della regione in cui tale lingua era nativa e originaria, è accentuata dal fatto che grammatici e teorici del Cinquecento vollero canonizzare quei modelli in forme abbastanza rigide, escludendo alternative. Non solo l'imitazione delle Tre Corone fu un dato di fatto, dunque, ma inoltre fu caldamente consigliata da teorici e grammatici, e tale consiglio fu ripetuto in forme fortemente ingiuntive fin dal sec. XVI (e ciò ancora nel primo Ottocento, al tempo del Purismo). A fianco dei grandi del Trecento, come Petrarca e Boccaccio, furono collocati autori minori di un secolo reputato 'aureo', perché si riteneva che in esso si fosse realizzato un miracoloso connubio tra scrittori e popolo: l'abate Cesari, vissuto nella prima metà dell'Ottocento, celebre esponente del Purismo (cfr. XII.1), era convinto che nel Trecento tutti gli autori toscani, anche i minori e minimi, avessero avuto la dote di scriver bene, e fossero quindi degni modelli di perfetta prosa. Nel sostenere queste tesi non faceva che riprendere alcune idee del cinquecentista Salviati, il quale era stato del parere che il popolo fiorentino del Trecento avesse avuto una lingua migliore di quella moderna. Il 'purismo' consiste appunto nell'identificazione di modelli linguistici ritenuti esenti da difetti, modelli scelti in genere nel passato. Si arrivò a volte ad attribuire un valore sproporzionato ad autori trecenteschi minori di cui veniva esaltata la freschezza, limpidezza e semplicità di linguaggio. Godettero di una fama del genere due scrittori religiosi, Domenico Cavalca e Iacopo Passavanti. Il primo dei due fu autore di volgarizzamenti. La sua opera più rinomata di traduttore è la versione delle *Vite dei santi padri*; nel *Prologo* dichiara di aver usato uno «stile semplice», e mostra di essersi voluto rivolgere a «uomini semplici e non litterati», cioè a coloro che non conoscevano il latino [cfr. Bruni 1990: I.87]. Iacopo Passavanti è autore dello *Specchio di vera penitenza*, opera morale e dottrinale che rielabora la materia svolta nella predicazione quaresimale, a Firenze, nel 1354. Queste opere, ancora nell'Ottocento, erano considerate determinanti per la formazione dei giovani, anche a scopo di educazione linguistica. Già nel Cinquecento, furono celebrati i meriti della cronaca fiorentina di Giovanni Villani, continuata poi dal fratello Matteo e dal figlio di quest'ultimo, Filippo. Altra cronaca celebrata per i suoi pregi di lingua è la *Cronica delle cose occorrenti ne' tempi suoi* di Dino Compagni, che narra i fatti accaduti a Firenze dal 1280 al 1312.

5. Primi successi del toscano

Il titolo di questo paragrafo (che riprende una formula di Coletti [1993: 83]) può essere chiarito da una frase (spesso citata [cfr. Coletti 1993: 87 e Soletti 1993: 618, e prima Migliorini 1978:

214, Paccagnella 1983: 137, Del Popolo 1989: 30]) del rimatore e metricologo padovano Antonio da Tempo, il quale, già nel 1332, affermava che la lingua toscana «magis apta est ad literam sive literaturam», è la più adatta alla letteratura, e inoltre è quella più diffusa e meglio comprensibile («ideo magis est communis et intelligibilis»). Questo equivaleva a un aperto riconoscimento, assai precoce, del primato del toscano sulle altre lingue regionali. Di fatto l'influenza del toscano si esercitò, con particolare efficacia sopra i poeti delle altre regioni italiane, anche se la situazione era tale da favorire processi di ibridismo e di contaminazione di codici linguistici, e in certi casi anche di alternanza dei codici stessi. Nel tardo Trecento, ad esempio, il petrarchista padovano Francesco di Vannozzo usò il dialetto in componimenti satirici e polemici: del resto il contesto della satira e della polemica permetteva tradizionalmente un linguaggio più realistico, meno selezionato (si pensi a rimatori come il senese Cecco Angiolieri). Occorre dunque osservare il progresso del toscano badando ai generi e sottogeneri letterari. In ogni modo, anche imitando i toscani, i poeti settentrionali si lasciavano facilmente sfuggire dei settentrionalismi. Un altro poeta settentrionale, Nicolò de' Rossi, ci permette di osservare un interessante cammino di avvicinamento ai modelli centrali. Egli aveva studiato a Bologna negli stessi anni (1314-1318) in cui vi si laureava Cino da Pistoia. Come in altri casi, contano molto gli spostamenti dei toscani, che di frequente si muovevano verso l'Italia settentrionale, come già aveva fatto Dante. Nella lingua poetica di Nicolò de' Rossi convivono forme diverse, toscane e settentrionali. In ogni modo egli si sforza di eliminare le forme troppo scopertamente locali, e introduce elementi toscani, fino al punto di arrivare all'ipercorrettismo', cioè alla correzione di una forma giusta: ciò accade ad esempio quando, nel tentativo di ripristinare le consonanti geminate, su influsso toscano, e contro la tendenza del dialetto, si trova a introdurre tali consonanti in parole che invece in toscano sono scempie: *scierra* 'schiera', *vomitto* 'vomito' ecc. Ancora in area veneta, troviamo uno dei primi imitatori di Dante, Giovanni Quirini, che toscaneggia in maniera meno approssimativa.

Tra gli autori di poemi, l'influenza di Dante si esercitò anche su coloro che sembravano volerne prendere le distanze, come Cecco d'Ascoli, autore del fortunato poema *L'Acerba*. Ancor più visibile l'influenza dantesca sul fiorentino Fazio degli Uberti, autore del poema in terza rima *Dittamondo*. Questi poemi sanciscono tra l'altro il trionfo della terzina, anche se la terzina usata da Cecco d'Ascoli è diversa dalla terza rima dantesca (in Dante abbiamo le seguenti rime: ABA BCB CDC ecc.; nell'*Acerba*: ABA CBC DED FEF ecc. [cfr. Beltrami 1991: 363]). Sono in terzine dantesche i *Trionfi* di Petrarca.

6. I volgarizzamenti

Già abbiamo avuto modo di parlare dell'importanza dei volga-rizzamenti per la formazione della prosa italiana. Questo tipo di libera traduzione continua anche nel Trecento, in forme che si av-vicinano in certi casi a veri e propri rifacimenti del testo originale. Tra i volgarizzamenti si possono citare *Le vite dei santi padri* di Domenico Cavalca. Anche i *Fioretti di San Francesco* sono una traduzione dal latino.

È un volgarizzamento da una precedente redazione latina dello stesso autore la bella *Cronica* dell'Anonimo romano contenente la *Vita di Cola di Rienzo* (databile circa al 1360), un testo che per la sua forza narrativa può essere collocato tra i capolavori del secolo. La lingua, in questo caso, non è il toscano, ma l'antico romane-sco, che si presentava in forme 'meridionali' prima della toscaniz-zazione cinquecentesca della parlata di Roma. La redazione roma-nesca nasce ancora una volta da un intento divulgativo, come di-chiara l'autore stesso. Si tratta di farsi capire dai «vulgari merca-tanti e aitra moita bona iente la quale per lettera [= latino] non intenne» [ed. Porta 1979: 6]. Già nella frase citata si possono os-servare alcune caratteristiche proprie del romanesco arcaico, in cui ricorrono fenomeni tipicamente 'meridionali', come l'esito *ie-* di G + vocale palatale (*iente* 'gente' [cfr. Rohlfs 1966-1969: I.156]) e l'assimilazione di -ND- (cfr. V.2.20). Altri volgarizzamenti, sia da opere latine sia da opere toscane, furono realizzati nelle varie lin-gue locali: ad esempio in siciliano, in napoletano, in ligure ecc. La prosa, molto più della poesia, manteneva in certi casi l'impronta della zona geografica, resistendo all'omologazione toscana.

Alcuni volgarizzamenti sono molto interessanti per lo studio di settori tecnici del linguaggio, ad esempio quello scientifico [cfr. Librandi 1995] e scientifico-filosofico-morale [cfr. Geymonat 2000].

7. L'«Epistola napoletana» di Boccaccio

Può sembrare paradossale, ma uno dei più antichi testi in vol-gare napoletano è una lettera scritta dal toscano Giovanni Boccac-cio, un'*Epistola* databile al 1339 [cfr. Sabatini 1975: 107 e Sabati-ni 1996: 435]. Dobbiamo prendere atto della sua esistenza come uno dei primi esempi di quella che con definizione moderna si potrebbe chiamare 'letteratura dialettale riflessa' (cfr. III.1.3), cioè letteratura dialettale cosciente di essere tale, volontariamente di-stinta dal codice della lingua letteraria, che Boccaccio, evidente-mente, era in grado di padroneggiare alla perfezione. Si tratta di uno scritto di tono scherzoso, in cui l'autore si è dedicato a una sorta di divertimento occasionale, rivolgendosi all'amico fiorentino Francesco de' Bardi. È noto che il soggiorno napoletano fu molto importante per la formazione di Boccaccio e per la sua conoscenza dell'ambiente mercantile. L'*Epistola* nasce in questo ambiente, e si presenta in una lingua napoletana marcata in senso comico, ricostruita così come poteva farlo un non napoletano che volesse imitare 'a orecchio' il parlato vivo del tempo. Non solo dunque sono registrati quei tratti linguistici che venivano invece evitati nell'uso scritto letterario o ufficiale dei napoletani del tempo, ma ricorrono persino degli 'ipercorrettismi', se così vogliamo chiamarli, nel senso che il dittongo napoletano viene introdotto anche in parole che in napoletano non l'hanno: *nuostra, nuome, fratiello*. Nel caso di *fratiello*, la forma napoletana sarebbe stata *frate*, ma Boccaccio ha inserito un dittongo metafonetico nella forma toscana *fratello* [cfr. Bianchi-De Blasi-Librandi 1993: 214-221]. L'esperimento di Boccaccio, per quanto occasionale e scherzoso, è importante dal punto di vista linguistico, perché mostra un uso volontario di un volgare diverso dal proprio, identificato nelle sue caratteristiche fonetiche, lessicali e sintattiche. L'impiego di un volgare locale, di solito, avveniva in modo diverso, come assunzione a livello 'illustre' di una lingua locale, depurata per quanto possibile dagli elementi considerati non adatti alla scrittura, o livellata ad un uso comune accettato nella zona. Boccaccio, invece, porta molto più in là la mimesi del parlato vivo, e lo fa con gli occhi di un forestiero che soggiornando in un luogo diverso dalla propria patria ha imparato a usare la lingua locale.

Capitolo 8

Il Quattrocento

1. Latino e volgare

1.1. Il rifiuto umanistico del volgare e il confronto con il latino

Già abbiamo avuto modo di vedere (cfr. VII.2) come Petrarca, iniziatore dell'Umanesimo, affidasse la parte che riteneva più solida del proprio messaggio letterario ad una lingua diversa dal volgare. Nello scrivere latino, egli si ispirava a Cicerone, Livio, Seneca, Virgilio, Orazio, e misurava consapevolmente la differenza tra quei modelli e il latino medievale corrente ai suoi tempi. Dante, per contro, usando il latino 'moderno', non si era posto un problema di questo genere. Petrarca avviò dunque un processo che fu determinante per gli sviluppi della lingua, e non solo di quella classica: il confronto con il latino degli autori 'canonici', infatti, fu decisivo per la formazione di una mentalità grammaticale applicata in seguito anche alla stabilizzazione normativa dell'italiano. Il nuovo gusto classicistico orientò verso una concezione della lingua intesa quale frutto di imitazione dei grandi modelli letterari. In seguito – come dicevamo – quest'idea fu trasferita dal terreno degli studi classici a quello della teorizzazione normativa sull'italiano. Di fatto, però, la svolta umanistica che incominciò con Petrarca ebbe come conseguenza una 'crisi' del volgare [cfr. Migliorini 1978: 230], la quale tuttavia non arrestò l'uso del volgare stesso, là dove esso era divenuto comune, ma semplicemente lo screditò agli occhi della maggior parte dei dotti, mentre nell'uso pratico esso continuava a farsi strada. «L'egemonia dell'umanesimo certo non si estendeva, se non sporadicamente e debolmente, alle pratiche linguistiche scritte e orali dei mercanti, dei predicatori, degli scrittori di cose religiose in genere [...], nonché dei tecnici, le quali sono nel loro insieme responsabili di un'ingentissima produzione linguistica in volgare» [Tavoni 1992: 57-58]. La 'crisi' del volgare riguardò dunque il giudizio che molti umanisti diedero di questa lingua, nel confronto con quella dei classici. 'Crisi' del volgare vi fu dunque in quei casi in cui uomini di alta cultura disprezzarono apertamente la lingua moderna o la ignorarono. A volte il volgare fu guardato come una sorta di oggetto di curiosità, pur non rilevante sul piano letterario, nel quadro di una «persistente, fondamentale estraneità del movimento umanistico non fiorentino verso la problematica del volgare come lingua di cultura» [Tavoni 1992: 83][1].

Vi furono umanisti della prima generazione che non usarono il volgare, come Coluccio Salutati (1331-1406), la cui figura sta al centro dell'Umanesimo fiorentino nei primissimi anni del Quattrocento. Dirigendo per decenni la cancelleria fiorentina, Salutati ebbe modo di influire largamente, diffondendo il proprio stile latino, elaborato sulla base dei modelli ciceroniani. È significativo che lo stesso Coluccio Salutati venga introdotto da Leonardo Bruni (1374-1444) tra gli interlocutori del *Dialogus ad Petrum Paulum Histrum*[2], e lì lo si ascolti esprimere rammarico per il fatto che Dante, pur sapiente e abile poeta, non avesse preferito usare il latino per realizzare la *Commedia*: il latino avrebbe certo coronato nel miglior modo la sua gloria letteraria. Ma vi erano tesi antivolgari ben più radicali di quella di Salutati. Ancora nel citato dialogo *Ad Petrum Paulum Histrum*, l'umanista fiorentino Niccolò Niccoli dichiara ad esempio che Dante avrebbe dovuto essere rimosso dalla schiera dei letterati e lasciato in compagnia di lanaioli, fornai, e altra gente del genere: evidente è la squalificazione di ogni scelta linguistica non latina. Sono opinioni espresse in un dialogo letterario, perciò (forse) un po' radicalizzate a scopo retorico, ma certo fondate su giudizi reali e correnti[3]. Tra i pochi che la pensavano in maniera diversa, Leonardo Bruni sembra celebrare i meriti di Dante indipendentemente dalla lingua da questi usata, dimostrando così un atteggiamento di disponibilità che ritroveremo più avanti in Leon Battista Alberti (1404-1472), il cui ruolo è centrale per il decollo del cosiddetto 'Umanesimo volgare fiorentino' (cfr. VIII.2). Del resto il Bruni era un grande estimatore di Dante, tanto da avere scritto una *Vita* del poeta (1436 ca.) nella quale aveva affermato non esserci sostanziale differenza tra lo scrivere in latino o in volgare, così come non vi era differenza nello scrivere in greco o in latino (si noti il paragone, che poneva l'italiano allo stesso livello delle lingue classiche): ogni lingua, secondo il Bruni,

---

[1] In questo contesto si spiegano ad esempio gli occasionali interventi con cui alcuni umanisti si preoccuparono di formulare osservazioni sui volgari parlati nelle varie regioni, e sulla loro reciproca diversità [cfr. Dionisotti 1968: 16-17 e Tavoni 1992: 79-83].

[2] È il nome umanisticamente latinizzato di P.P. Vergerio di Capodistria.

[3] La conferma della verosimiglianza del giudizio negativo del Niccoli sul volgare, che in passato è sembrata a qualcuno un semplice artificio retorico, si ha ora in Trovato [1985].

ha la sua perfezione, quando chi scrive sappia essere elegante dici-
tore. Uno scrittore aveva dunque il diritto di essere giudicato non
per la lingua adottata, ma per la qualità delle proprie realizzazioni.

Ci volle un po' di tempo perché si affermasse questo principio, della parità potenziale delle lingue antiche e di quelle moderne. Si noti che solo per questa via il volgare poteva ottenere universale riconoscimento, superando ogni pregiudizio. Immediata
conseguenza di una tesi del genere era una speciale considerazione
degli scrittori, avendo essi in mano il destino della lingua (cfr.
III.3). Sono idee accolte dall'Umanesimo volgare fiorentino. Ma
tale disponibilità si manifestò solo nella seconda metà del secolo,
e in particolare a Firenze. L'atteggiamento più comune fu diverso:
il disprezzo per il volgare, ancora nella seconda metà del sec. XV,
era un fatto «umanisticamente normale», per usare le parole di
Dionisotti [1968: 46]. Possiamo citare ancora, per mostrare un
esempio di pregiudizio umanistico, il parere di Giorgio Valla, il
quale accennava con sufficienza alle *cantiunculas*, alle 'canzoncine'
in italiano per il popolo degli indotti scritte da Dante e Petrarca,
a cui avevano tenuto dietro altri autori di nessun conto (cfr. ivi il
passo di Valla). E nel 1477 l'anziano Francesco Filelfo (il quale
non aveva mai disdegnato il volgare da lui definito 'toscano') poteva ripetere che si scriveva in volgare solo quello che non era destinato ai posteri («quod nolumus transferre ad posteros», secondo
l'espressione riportata da Devoto [1974: 266]). Insomma, nel «XV
secolo la cultura letteraria è dominata dal movimento umanistico,
cioè da un movimento che si esprime in latino e nel latino si riconosce, additando nella letteratura classica il vivo patrimonio da
perpetuare e arricchire e nella lingua latina lo strumento privilegiato della conoscenza, della dottrina e della letteratura» [Tavoni
1992: 57]. Il latino era preferito in quanto lingua più nobile, capace di garantire l'immortalità letteraria. L'uso del volgare, secondo l'opinione di questi dotti, risultava accettabile solo nelle scritture pratiche e d'affari, cioè nelle materie senza pretese d'arte. Gli
umanisti avevano di fronte la grande tradizione del latino, ben superiore rispetto a quella del volgare, e di fatto erano portati a giudicare la situazione contingente del loro tempo come immutabile:
credere nel volgare era insomma come scommettere su di un in-
certo futuro, laddove il latino rappresentava una certezza apparentemente indiscutibile. La posizione umanistica poteva dunque arrivare a ignorare il volgare (Tavoni [1992: 65] ha parlato di una
vera e propria «rimozione»), nella convinzione che nell'Italia antica e moderna non fosse esistita altra tradizione culturale se non
latina.

Anche le prime discussioni (che risalgono a quest'epoca) sul-
l'origine del volgare e sui suoi rapporti con il latino classico, non
nacquero da un interesse rivolto in maniera determinante alla nuova lingua e alla sua affermazione, ma furono piuttosto il frutto di

ricerche storiche avviate quando gli umanisti si posero il problema di come potesse essere avvenuto il crollo della romanità, in quali fasi si fosse articolato, e se esso fosse da attribuire totalmente all'urto della civiltà di Roma con gli invasori barbari. Gli studi sull'origine del volgare incominciarono dunque nel momento in cui nacque una storiografia interessata a definire in maniera più precisa il trapasso dall'antichità al Medioevo (cfr. I.1.2).

1.2. Macaronico e polifilesco

La cultura umanistica produsse alcuni tipi di scrittura letteraria in cui latino e volgare entrarono in simbiosi, o almeno in un rapporto stretto, a volte a scopo comico, più raramente con intento serio. Una simile mescolanza di codici colpisce il lettore moderno, anche perché ricorda la coesistenza di latino e volgare che si trova in certe scritture pratiche o in certe prediche quattrocentesche (cfr. VIII.1.3 e VIII.5): si può dire insomma che nel secolo dell'Umanesimo e nel primo Cinquecento gli esperimenti di mistilinguismo tra latino e volgare furono frequenti e portarono a un livello d'arte quella che era in fondo una pratica comune. In questi esperimenti letterari, però, la contaminazione è volontaria e studiata, non casuale; non nasce da ignoranza del volgare o dalla difficoltà di trovare espressioni e parole toscane; è anzi controllata in maniera sapiente da autori che potrebbero certo scrivere diversamente. Esistono due forme di contaminazione 'colta' tra volgare e latino: il 'macaronico' e il 'polifilesco'. Si può osservare che la loro esistenza tocca in maniera marginale lo sviluppo della lingua italiana, in quanto si tratta più che altro di esperimenti propri del periodo umanistico. Ci limiteremo dunque a brevi cenni che illustrino la differenza tra le due forme citate.

Con il termine 'macaronico' si designa un linguaggio (e un genere poetico) nato a Padova alla fine del Quattrocento. Tale linguaggio è caratterizzato dalla latinizzazione parodica di parole del volgare, oppure dalla deformazione dialettale di parole latine, con forte tensione espressionistica tra le due componenti poste a coesistere, quasi anzi a cozzare violentemente tra loro. Una di queste componenti, quella dialettale, è bassa, corporea, plebea, l'altra (la latina, che si esprime anche nella metrica) è aulica. Di qui nasce un contrasto che permette particolari effetti d'arte. Dal punto di vista dell'invenzione linguistica, il 'macaronico' consiste nella formazione di 'parole macedonia'. A una parola volgare può essere applicata una desinenza latina: *cercabat* 'cercava' ('cercare' + *-abat* imperfetto latino), *ficavit* 'ficcò' ('ficcare' + *-avit* perfetto latino), *putannarum* 'delle puttane' ('puttana' + *-arum* genitivo plurale latino); in altri casi parole esistenti sia in latino sia in volgare vengono usate nel significato proprio del volgare, come *casa* (che in latino significa 'capanna'); parole latine vengono legate in costrutti sintattici tipicamente volgari: *propter non perdere tempus* 'per non perdere tempo'. Si danno casi di termini dialettali latinizzati, e il sistema flessionale del latino viene soppiantato largamente dall'uso delle preposizioni, per cui si troverà *Regina de Franza, factam de ferro* ecc. [cfr. Paoli 1959; Paccagnella 1979 e Tavoni 1992: 163-167]. Il risultato è un latino che sembra pieno di 'errori'. Si noti però che l''errore' non è dovuto a imperizia. L'autore macaronico è anzi un ottimo latinista, che tuttavia gioca con l'idioma dei classici. Si tratta dunque di una scelta volontaria dello scrittore, a scopo comico, realizzata mediante una tecnica che si può definire di 'abbassamento' del tono, attraverso molti espedienti, quelli di cui già abbiamo parlato e altri ancora, ivi compresa l'utilizzazione rovesciata della retorica, che si ha ad esempio quando in un contesto del genere vengono calate citazioni di autori classici, o quando vengono introdotti paragoni tra elementi di per sé incommensurabili (cose grandi e nobili accostate a cose piccole e ridicole), o quando entrano in gioco elementi repellenti (corollario delle figure umane 'macaroniche' sono ad esempio i pidocchi, gli occhi cisposi, il moccio che cola dal naso ecc.), ridicoli, osceni [cfr. Paccagnella 1984: 83 ss.]. La poesia macaronica (il cui nome deriva da un cibo, il *maccarone*, cioè un tipo di gnocco: come si vede, si tratta di un'origine vistosamente 'corporea', parodica rispetto alla natura 'eterea' della poesia) è, come abbiamo detto, il risultato di un gioco umanistico, un divertimento di gente colta. Non a caso l'origine di questo linguaggio conduce all'ambiente dell'università padovana, laboratorio fervido per esperimenti di questo tipo [cfr. Paccagnella 1984: 71 ss.]. Iniziatore tradizionalmente riconosciuto del genere è Tifi Odasi («Tifi» è pseudonimo umanistico), ma il più illustre esponente è Teofilo Folengo (1491-1544). Uno sviluppo del linguaggio macaronico si ebbe anche tra Torino, Pavia e Asti [cfr. Tavoni 1992: 162-163].

Bisogna distinguere tra il 'macaronico' e il 'polifilesco', quest'ultimo detto anche 'pedantesco' (e, con riferimento a realizzazioni cinquecentesche, 'fidenziano', dal titolo dei *Cantici di Fidenzio* del vicentino Camillo Scroffa [cfr. Trifone 1981]). Un'interessantissima quanto eccezionale prova del linguaggio prosastico pedantesco si ha nell'*Hypnerotomachia Poliphili* (= 'Guerra d'amore in sogno dell'amatore di Polia'), romanzo anonimo[4] pubblicato nel 1499 a Venezia in una splendida edizione illustrata, di qualità tale da far ritenere questo libro il più bello tra quelli prodotti dall'Umanesimo italiano. Si tratta di un'opera scritta in un «volgare che supporta l'estrema dose di latinizzazione possibile, al limite dello snaturamento» [Tavoni 1992: 169]. Dicevamo della diversità fra il

---

[4] L'autore è un Francesco Colonna, identificato ora in un domenicano veneziano, ora in un romano, signore di Palestrina (la prima identificazione sembra più probabile [cfr. Pozzi-Ciapponi 1980: II.3-7]).

macaronico e il polifilesco. A differenza del macaronico, il polifile-sco non è una scrittura comica e parodica, ma (presumibilmente) seria. Il volgare che viene combinato con il latino non è di tipo dialettale, bensì toscano, boccaccesco, con patina settentrionale il-lustre. Il latino usato dall'autore si ispira a scrittori diversi da quelli della latinità 'aurea', rifacendosi fra l'altro ad Apuleio e Pli-nio. I latinismi lessicali usati sono a volte veramente stupefacenti, come quando parla di *achi crinali* 'forcine per capelli' (il termine viene da Apuleio [cfr. Tavoni 1992: 261n]), o di una fronte *di cincinni capreoli silvata* ('frondeggiante di ben composti viticci', con allusione a dei semplici capelli riccioluti: cfr. ivi). Gli esempi del genere potrebbero moltiplicarsi, visto l'impasto linguistico del-l'opera. Si noti che questo linguaggio non nasce in un contesto completamente estraneo a commistioni del genere. La commistione con latinismi è abbastanza vistosa anche nella prosa colta dell'epo-ca, specialmente nella *koinè* padana quattro-cinquecentesca (cfr. VIII.4 e 5), anche in scritture che non si prefiggono scopo d'arte: ma nell'*Hypnerotomachia Poliphili* la ricerca del raro e dello stra-vagante raggiunge risultati unici nel loro genere[5].

1.3. Fenomeni di mescidanza nella predicazione

Nell'Italia settentrionale, nella seconda metà del Quattrocento, troviamo alcuni predicatori (come Bernardino da Feltre e Valeria-no da Soncino) che si esprimono con un linguaggio in cui il lati-no e il volgare si mescolano in modo tale da ricordare il linguag-gio macaronico. Non a caso gli studiosi si sono posti il problema di un eventuale nesso intercorrente tra questi 'sermoni mescidati' (misti di latino e volgare) e il macaronico, senza arrivare peraltro a un accordo (cfr. la sintesi di queste discussioni in Tavoni [1992: 163-165]). La mescolanza tra latino e volgare non è certo una no-vità della predica quattrocentesca, ma viene direttamente ereditata dalla tradizione medievale. Già nella predica medievale, infatti, il latino non solo serviva come punto di partenza, con il riferimento a qualche versetto della Bibbia, ma ricorreva sovente più volte nel corpo della predica stessa, come citazione delle Scritture o dei pa-dri della Chiesa. I sermoni mescidati, tuttavia, portano all'estremo limite questa commistione. Le espressioni e frasi latine si trovano a convivere con una robusta dialettalità, così vigorosa e corposa da far pensare che in essa ci sia a volte un certo gusto per il co-mico. Si può citare a questo proposito il seguente esempio di Ber-nardino da Feltre (tratto da una predica inserita nell'antologia di Contini [1976: 580-582]):

---

[5] Sui vari livelli d'interferenza tra latino e volgare che si realizzano nella prosa dell'*Hypnerotomachia Poliphili*, cfr. anche Serianni [1993: 485-486].

Pauperes in mundo ab omnibus sono scazati e refutati etc. *Item, in magnis curtibus, si gallina vadit in pallatium vel cameram domini*: Dond'è venuta questa gallina? caza, caza etc. O povera galinetta, *quottidie facit ovum* et è scazata etc.[6].

Ci si è chiesti [cfr. Tavoni 1992: 40-41] se le versioni scritte dei sermoni mescidati riflettano l'effettiva realtà, e se i predicatori si esprimessero davvero così: indubbiamente le versioni scritte possono aver subito un certo grado di adattamento, ma non c'è ragione di pensare che esse si distacchino completamente dalla predicazione reale.

1.4. Altri casi di contaminazione tra latino e volgare

Come già abbiamo detto, nel Quattrocento le scritture mostrano frequentissimamente la compresenza di latino e volgare, e possono avere al loro interno un gran numero di latinismi. Ciò accade ovviamente anche in testi che non hanno intenti d'arte, ma rispondono semplicemente a scopi pratici, come le epistole, le relazioni, i diari, i libri di famiglia e persino i ricettari[7]. Il latinismo nel contesto di un documento volgare è spesso legato a una consuetudine. In una lettera, ad esempio, accade frequentemente che siano in latino le formule iniziali e finali, con cui ci si rivolge al destinatario e con cui si prende commiato. Tra i tanti esempi che si possono dare, citerò l'epistola di Esterolo Visconti al duca Francesco Sforza del 19 dicembre 1451, riprodotta da Tavoni [1992: 215-218]. In essa ci si rivolge con il vocativo latino allo Sforza, chiamandolo «Illustrissime Princeps et excellentissime Domine. Domine mi singularissime»; è in latino pure l'indicazione della data e del luogo: «Datum Crene [Gallarate] die xviiii° decembris 1451»; ed è infine in latino la sottoscrizione del mittente, che si firma «Eiusdem Domini Vestri Servitor Hesterolus Vicecomes». Si noti che tutto il resto della missiva è in volgare. Tra le lettere dell'aristocratico Galeotto del Carretto, letterato della corte dei Marchesi di Monferrato, si trovano intestazioni in latino e altre in volgare. Tra le epistole riportate da Marazzini [1991: 149-153], è in latino l'intestazione della lettera del 1494 al marchese di Mantova Francesco Gonzaga; anche la data e la formula

---

[6] «I poveri nel mondo sono scacciati e rifiutati ecc. Così nelle grandi corti, se una gallina va nel palazzo o nella camera del signore: donde è venuta questa gallina? cacciala, cacciala ecc. O povera gallinetta, ogni giorno fa l'uovo ed è scacciata ecc.».

[7] Nel ricettario popolare romanesco di Stefano Baroncello (ca. 1434-1449) antologizzato da Tavoni [1992: 295-300] (l'ed. è di Ernst [1966]) per guarire una malattia della vista viene suggerito ad esempio uno scongiuro in latino: attraverso canali del genere, fra l'altro, le formule latine entravano nella cultura popolare.

di chiusura sono in latino (il testo vero e proprio della missiva è invece in italiano). Scrivendo invece il 5 novembre 1505 a Isabella Gonzaga, Galeotto intesta in volgare: «A la Illustrissima et excellentissima madama la Marchesana de Mantua Signora mia colendissima» (si noti il latinismo *colendissima*); la chiusa e la data della medesima lettera sono tuttavia in latino. Nella risposta di Isabella, scritta da un segretario, è ancora in latino il saluto: «Bene valete. Mantue, 28 novembris 1505»[8]. Come si vede, sono possibili varie combinazioni, e il latino resiste di più là dove ricorrono formule obbligate, legate alla consuetudine epistolare. In un testo di natura giuridica in volgare, saranno sicuramente in latino molti termini tecnici, o, caso più frequente, se sarà in latino il testo vero e proprio, saranno in volgare alcune frasi o i termini in qualche modo diversi dal contesto[9], soprattutto se si presentano in forma di vere o presunte 'citazioni' del parlato (secondo un procedimento del resto molto antico, che abbiamo trovato fin dai Placiti cassinesi: cfr. V.7). Qualche cosa del genere si trova anche nel *Liber visitationis* di Atanasio Calceopulo (antologizzato da Tavoni [1992: 338-344]). Si tratta del verbale di una visita pastorale compiuta nel 1457-1458 in monasteri basiliani di rito greco dell'estremo Sud d'Italia. Il verbale, redatto in latino, «include registrazioni in volgare di una vivacità addirittura brutale» [*ibidem*: 339], come la seguente: «... *et deridet Grecos, (et) q(ua)n(do) audit eos dicer(e) officiu(m) dicit*: 'Guarda, officio d(i) merda, q(ui)sto greco'»[10]. Del resto l'abitudine di mescolare in varie occasioni italiano e latino in un medesimo documento durerà ancora nel secolo seguente, in un contesto molto più favorevole al volgare, quando l'affermazione dell'italiano sarà ormai ben più avanzata (cfr. ad esempio IX.1).

---

[8] Il giorno del mese, qui come altrove, è tuttavia indicato alla maniera moderna, perché i latini avrebbero detto «IV Kal. Decembris» (questo è il giorno che nel calendario latino corrisponde al 28 novembre).

[9] Interessante è a questo proposito l'editto del Marchese di Monferrato del 1° giugno 1500 per l'istituzione del mercato di Pontestura, di cui un passo è stato antologizzato da Marazzini [1991: 154-156]. Qui si realizza una curiosa commistione tra volgare e latino. «Il documento vero e proprio è in latino, un latino cancelleresco [...]. Il documento marchionale fa poi riferimento ad una lettera inviata dai signori del castello di Camino, Gottifredo e Averaldo Scarampi, scritta da Camino in data 23 maggio 1500. Questa lettera è in volgare. L'editto prosegue in latino, e ad un certo punto riporta la trascrizione di un altro documento arrivato alla cancelleria dall'esterno: si tratta del regolamento del mercato, presentato dalla comunità di Pontestura, e già accettato dagli Scarampi. [...] Ci troviamo insomma di fronte a tre distinti elementi: 1) il testo latino della cancelleria; 2) la lettera degli Scarampi (uscita dalle mani loro, o di un loro segretario: siamo al livello della piccola nobiltà di provincia); 3) le norme vere e proprie per il mercato (proposte dalla comunità, e poi passate, forse, attraverso aggiustamenti della cancelleria e degli stessi Scarampi [...]). Il documento marchionale si chiude in latino [...]» [Marazzini 1991: 154].

[10] Il testo del *Liber visitationis* è stato pubblicato da Vàrvaro [1986].

Anche nelle lettere quattrocentesche, oltre alle formule iniziali e finali citate, sono frequenti inserimenti occasionali di frasi e parole latine. Molte di esse sono semplicemente formule correnti, così comuni che la loro latinità passa in pratica inavvertita agli occhi dei lettori del tempo: *cum* 'con', *maxime* 'massimamente', *quondam* 'un tempo', *non solum* 'non solo', *insuper* 'in aggiunta', *ultra* 'oltre', *autem* 'd'altra parte' ecc.[11]. In tutti i tipi di testi quattrocenteschi si riscontrano naturalmente molti latinismi grafici e lessicali, inevitabili se si pensa all'uso comune che ancora si faceva del latino e alla dimestichezza che tutte le persone colte avevano con questa lingua.

2. Leon Battista Alberti

2.1. Una nuova fiducia nel volgare

Abbiamo avuto modo di vedere come lo sviluppo del volgare quale lingua di cultura fosse in qualche modo rallentato dalla preferenza, in genere esclusiva, accordata dagli umanisti alla lingua dei classici. Mancava dunque un autore, un letterato con la stoffa di teorico, dal prestigio indiscusso, che manifestasse piena fiducia nell'italiano. È vero che una simile operazione era stata anticipata da Dante nel *De vulgari eloquentia* (cfr. VI.4), ma il trattato dantesco non era conosciuto nel Quattrocento, e quindi non poteva avere influenza, né forse l'avrebbe comunque avuta tra gli umanisti. Tanto più dunque risulta innovativa la posizione di Leon Battista Alberti, versatile figura di intellettuale, la cui opera fu incisiva in vari settori (fu tra i grandi architetti del secolo). Egli iniziò il movimento definibile come 'Umanesimo volgare', ed elaborò un vero programma di promozione della nuova lingua. Rientrano in questo quadro realizzazioni di poesia e soprattutto di prosa, una prosa di tono alto, impiegata finalmente per trattare argomenti seri e importanti, come la si trova nel trattato *Della famiglia* e nei volgarizzamenti dei saggi scientifici *De pictura* e *Ludi rerum mathematicarum*. La posizione teorica espressa dall'Alberti nel *Proemio* al III libro del citato *Della famiglia* si ricollega alle tematiche affrontate nelle discussioni umanistiche sul passaggio dal latino all'italiano (cfr. I.1.2). Riprendendo le posizioni di Biondo Flavio, contro il Bruni, l'Alberti attribuisce la causa della perdita della lingua latina alla calata dei barbari. In questo modo si sarebbero introdotti nel linguaggio «barbarismi e corruttela del proferire».

---

[11] Nel citato editto per l'istituzione del mercato di Pontestura (cfr. nota 9) ricorrono, proprio nella parte in volgare (il 'regolamento' del mercato), diversi termini latini, alcuni comuni, come *nisi solum* 'se non solamente', *similiter* 'similmente', *et casu que* 'e nel caso che', *seu* 'ovvero', altri di natura tecnica, come *exempto* 'libero da tasse e da vincoli, non soggetto a pedaggio'.

Compito del volgare, pur nato dalla barbarie, è dunque quello di riscattare se stesso, facendosi «ornato» e «copioso» come il latino. L'Alberti era convinto che bisognasse imitare i latini prima di tutto in questo: nel fatto che avevano scritto in una lingua universalmente compresa, di uso generale; come il latino classico, anche il volgare aveva il merito di essere lingua di tutti, ma occorreva mirare ad una sua promozione a livello alto, da affidare ai «dotti». Il latino, dunque, indicava al volgare la strada da percorrere. Non a caso la nobile prosa dell'Alberti (sulla quale si vedano Ghinassi [1961], Dardano [1963], Tavoni [1992: 180-187], Serianni [1993: 483-484]) è caratterizzata da una forte incidenza dei latinismi, soprattutto a livello sintattico, oltre che lessicale e fonetico (ma senza i patologici eccessi che abbiamo descritto come propri dello stile polifilesco: cfr. VIII.1.2). L'imitazione del latino si unisce però all'«uso disinvolto di molti tratti popolari coevi» [Serianni 1993: 483] della lingua toscana, che era la lingua dell'Alberti, anche se egli era nato a Genova, ed era rientrato a Firenze, la città della sua famiglia, solo all'età di venticinque anni, nel 1429. L'influenza del latino sulla sintassi dell'Alberti dà esiti che si discostano comunque in maniera molto netta dal modello ipotattico e ritmico di Boccaccio (cfr. VII.3), anche perché la prosa trecentesca non esercita alcun fascino su di lui, né viene considerata un esempio da imitare.

2.2. La «Grammatica della lingua toscana»

All'Alberti è attribuita anche un'altra eccezionale impresa: la realizzazione della prima grammatica della lingua italiana, prima grammatica umanistica di una lingua volgare moderna. Questa *Grammatica della lingua toscana* è tramandata da un unico codice apografo scritto per il Bembo, conservato nella Biblioteca Vaticana (per questo la si conosce anche con il nome di *Grammatichetta vaticana*, dove il diminutivo allude alla piccola mole dell'opera)[12]. Una breve premessa anteposta al testo chiarisce il collegamento con le dispute umanistiche, polemizzando contro coloro i quali ritenevano che la lingua latina fosse propria solamente dei dotti (è la tesi del Bruni: cfr. I.1.2). Già abbiamo visto come e perché, nella prospettiva dell'Alberti, fosse importante riconoscere nel latino una lingua comune a tutti gli antichi romani (non solo propria dei dotti): era così possibile stabilire un'analogia con la situazione moderna del volgare. La *Grammatichetta vaticana* nasce da una

[12] Se ne veda l'ed. di Grayson [1964], e ora di Patota [1996]. Cfr. anche la monografia di Patota [1999] e il saggio di Bonomi [1999].

sorta di sfida: dimostrare che anche il volgare ha una sua struttura grammaticale ordinata, come ce l'ha il latino (e alle categorie del latino si rifà appunto la *Grammatichetta* [cfr. Vineis 1974]). Essa, pur cronologicamente precoce, tanto da detenere un eccezionale primato rispetto alle altre lingue europee, non ebbe purtuttavia influenza, perché non circolò e non fu data alle stampe. La prima grammatica dell'italiano destinata ai torchi uscì ben più tardi, nel 1516 (cfr. IX.3.1) [13].

Caratteristica della grammatica dell'Alberti è l'attenzione prestata all'uso toscano del tempo, verificabile fra l'altro in alcune indicazioni relative alla morfologia: così la scelta dell'articolo *el* anziché *il*, così la preferenza per l'imperfetto in *-o* [cfr. Patota 1993: 100]. Quanto all'articolo, *il* era stata la forma prevalente a Firenze fino alla metà del Trecento (adoperata da Dante, Petrarca e Boccaccio), ma nel Quattrocento si era affermato appunto il tipo *el*, adottato dalla *Grammatichetta*. Analogamente, a Firenze, l'imperfetto del tipo *io amavo* (sconosciuto alle Tre Corone) aveva preso il sopravvento nel sec. XV sulla forma *io amava*. La norma a cui si rifà la *Grammatichetta* sta dunque nell'«uso», non negli autori antichi, per i quali non dimostra alcuna propensione. Non a caso Tavoni [1992: 63] ha parlato per l'Alberti di un tentativo di «rifondazione» del volgare.

2.3. Il Certame coronario

La promozione della lingua toscana da parte dell'Alberti culminò in una curiosa iniziativa, il *Certame coronario* del 1441. Egli organizzò una gara poetica in cui i concorrenti si affrontarono con componimenti in volgare. La giuria, composta da umanisti, non assegnò tuttavia il premio, facendo in pratica fallire il Certame, che pur aveva avuto una certa risonanza. Alla giuria fu indirizzata un'anonima *Protesta* (pubblicata in Gorni [1972: 167-178]), attribuibile all'Alberti stesso, la quale può essere definita, con le parole di Tavoni [1992: 65], «un documento straordinario di questo momento critico nella storia della lingua letteraria italiana, e [...] nella storia degli assetti culturali in Italia». In essa si lamenta fra l'altro che gli avversari del volgare ritenessero indegno che una lingua come l'italiano pretendesse di gareggiare con il latino: veniva dunque criticata la consueta posizione conservatrice propria della tradizionale cultura umanistica.

---

[13] Tra le grammatiche delle lingue europee, la più antica è dunque quella spagnola, la *Gramática de la lengua castellana* di Antonio Nebrija, stampata nel 1492.

3. L'Umanesimo volgare alla corte di Lorenzo il Magnifico

3.1. L'aspirazione al 'primato' di Firenze

A Firenze, nell'età di Lorenzo il Magnifico, si ebbe finalmente «un forte rilancio dell'iniziativa in favore del toscano, politicamente voluta e sostenuta al più alto livello» [Tavoni 1992: 68]. I protagonisti di questa svolta, anticipata da Leon Battista Alberti (egli era, già l'abbiamo detto, di famiglia fiorentina), furono, oltre a Lorenzo de' Medici, l'umanista Cristoforo Landino e il Poliziano.

Landino fu cultore della poesia di Dante e di Petrarca, fino al punto di introdurre la lettura di questi autori persino nella cittadella universitaria, sostanzialmente refrattaria alla cultura volgare. In nessun'altra città avrebbe potuto svilupparsi un simile culto dei poeti trecenteschi; ma qui tale esperienza, pur nuova in parte, aveva buone radici, ricollegandosi alle *Lecturae Dantis* che risalivano già al Boccaccio. Landino espone tesi che in parte ricordano quelle di Leon Battista Alberti, e che nel loro complesso saranno poi riprese ancora nel sec. XVI: nega la naturale inferiorità del volgare rispetto al latino e invita i concittadini di Firenze a darsi da fare perché la città ottenga il «principato» della lingua. Si noti il rilievo di questo concetto di «principato» della lingua. Lorenzo il Magnifico, nel proemio al *Comento* per alcuni dei propri sonetti, composto probabilmente tra il 1482 e il 1484, prospettando un mirabile sviluppo futuro del fiorentino, una crescita della sua maturità, parla, analogamente, di un «augumento al fiorentino imperio». Lo sviluppo della lingua si lega dunque ora a una concezione 'patriottica', viene inteso come patrimonio e potenzialità dello stato mediceo, collocato alla pari delle molte risorse di arte e di cultura proprie di questa regione: un tema che, nel maturo Cinquecento, sarà sfruttato abilmente dalla politica di Cosimo I de' Medici.

3.2. Landino traduttore di Plinio

Nel quadro dell'Umanesimo volgare fiorentino si collocano altre iniziative di Landino: il suo commento a Dante, e anche l'impegnativa traduzione in volgare della *Naturalis historia* di Plinio (1476), un testo particolarmente difficile per la gran quantità di tecnicismi legati al contenuto scientifico-enciclopedico dell'opera. Landino sosteneva la necessità che il fiorentino si arricchisse con un forte apporto delle lingue latina e greca: la traduzione, dunque, aveva una funzione importante. Nel tradurre, diede spazio a voci toscane popolari [cfr. Tavoni 1992: 321-322], tanto più evidenti se si confronta questa sua traduzione con quella napoletana di Giovanni Brancati, cronologicamente di poco successiva. Brancati tradusse il testo latino di Plinio, in polemica con l'esito toscano di Landino, in una lingua che può essere definita 'di *koinè*', e che l'autore chiama «non pur napolitano ma misto» ('misto' nel senso che i napoletanismi stanno accanto ai latinismi; (cfr. gli esempi evidenziati in Tavoni [*ibidem*: 322] e Camillo [1991]).

3.3. La «Raccolta aragonese»

Nel 1477 Lorenzo il Magnifico inviò a Federico, figlio del re Ferdinando di Napoli, una raccolta di poesie, nota comunemente con il nome di *Silloge* o *Raccolta aragonese*. Questa raccolta antologica della tradizione letteraria volgare andava dai pre-danteschi e dallo Stilnovo (con una valutazione altamente positiva di Cino da Pistoia) fino a Lorenzo de' Medici, arrivando quindi alla poesia contemporanea fiorentina. L'antologia di versi era accompagnata da un'importante epistola, che oggi viene attribuita a Poliziano, segretario privato di Lorenzo. Si noti che nel 1476, l'anno precedente a quello dell'invio della *Silloge*, Federico, erede al trono di Napoli, aveva incontrato Lorenzo a Pisa, e in tale occasione i due avevano discusso di letteratura volgare, a proposito degli autori che avevano poetato in lingua toscana. L'anno successivo Lorenzo inviava dunque a Federico la raccolta selezionata di quegli autori, unendovi (per mano di Poliziano, come abbiamo detto) l'elogio di quella lingua e di quella letteratura, in primo luogo di Dante e Petrarca:

> Né sia però nessuno che questa toscana lingua come poco ornata e copiosa disprezzi. Imperocché se bene e giustamente le sue ricchezze ed ornamenti saranno estimati, non povera questa lingua, non rozza, ma abundante e pulitissima sarà reputata. Nessuna cosa gentile, florida, leggiadra, ornata; nessuna acuta, distinta, ingegnosa, sottile; nessuna alta, magnifica, sonora; nessuna finalmente ardente, animosa, concitata si puote immaginare, della quale non pure in quelli duo primi, Dante e Petrarca, ma in questi altri ancora, i quali tu, signore, hai suscitati [si riferisce agli autori minori compresi nella raccolta], infiniti e chiarissimi esempli non risplendino[14] [Simioni 1913-1914: I.5-6].

Con Lorenzo il Magnifico e con la sua esaltazione del fiorentino, che egli stesso e Landino riconoscevano «comune» a tutta l'Italia, per la prima volta la promozione del volgare e la rivendicazione delle sue possibilità (anche contro le tesi dei fautori del latino) si collegavano ad un preciso intervento culturale e letterario, non disgiunto da un disegno 'politico' in senso lato, visto che erano proprio i Toscani a rivendicare il valore della loro tradizione e della loro lingua.

---

[14] Il congiuntivo in *-ino* è la forma fiorentina dell'epoca, qui adottata, laddove il fiorentino 'aureo' dell'epoca di Dante aveva *-ano*. Accolgo la correzione di «si bene e giustamente» in «se bene...» proposta da Tavoni [1992: 74n].

3.4. Realizzazioni di linguaggio poetico in Toscana

La vitalità dell'Umanesimo volgare fiorentino esige dunque che si presti particolare interesse alle realizzazioni poetiche di Lorenzo e del suo *entourage*. Il volgare viene assunto in questo caso a soggetto di un esercizio letterario colto, in ambiente d'*élite*, da parte di autori che sono in grado di gustare appieno le bellezze della letteratura classica, i quali tuttavia, per le ragioni teoriche di cui abbiamo già parlato, mostrano una speciale disponibilità anche per l'adozione di modi e forme della lingua popolare. Significativo, da questo punto di vista, l'esperimento della letteratura rusticale, a cui appartiene la *Nencia da Barberino*, poemetto di Lorenzo de' Medici, «che sceneggia con benevolo divertimento un Eden rusticale parlante uno stilizzato dialetto mugellano» [Tavoni 1992: 142]. Esistono quattro redazioni di questo poemetto, di diversa lunghezza; tra queste, si ritiene probabile che sia di Lorenzo quella in venti ottave, del ms. Ashburnhamiano 419 della Biblioteca Medicea Laurenziana di Firenze. Questa versione ha una caratterizzazione dialettale la quale è assente o ridotta nelle altre redazioni. Vi troviamo le forme rustiche *migghiaio* per 'migliaio', *begghi* per 'begli', assunti come elementi popolari.

Molto più complessa l'esperienza poetica di Poliziano, che, con la sua raffinatissima cultura, fu in grado di usare tre lingue: il greco, il latino e il toscano [cfr. Roggia 2001]. Particolarmente interessanti sono le *Stanze per la giostra di Giuliano de' Medici*, composte tra il 1475 e il 1478, e lasciate incompiute. Mentre è chiaramente avvertibile l'«intarsio di tessere lessicali, preferibilmente rare, desunte dalle più varie fonti letterarie latine e volgari» [Tavoni 1992: 117], per l'esatta caratterizzazione fono-morfologica di questa lingua poetica si pongono problemi di natura filologica, poiché esistono sei diversi manoscritti che tramandano il testo, e l'*editio princeps* del 1494 non fu curata dall'autore. Benché i manoscritti presentino diverse oscillazioni (ad esempio nell'alternanza dell'articolo *il* e *el*), non vi è dubbio che nell'insieme l'aspetto fono-morfologico «aderiva completamente o quasi all'uso linguistico contemporaneo» [Ghinassi 1957: 2].

Ancora nell'ambiente mediceo assistiamo alla prima trasposizione su di un piano colto di un genere popolare che godeva grande fortuna, quale era il cantare cavalleresco. Si trattava di una forma poetica in ottave che veniva portata sulle piazze da canterini, cantastorie professionisti, per l'intrattenimento di un pubblico medio-basso. Il *Morgante* di Luigi Pulci (1432-1484) era destinato a tutt'altro pubblico: fu composto su richiesta di Lucrezia Tornabuoni, madre di Lorenzo il Magnifico, fra il 1461 e il 1481. Esso si inserisce insomma in una generale tendenza al ricupero colto di forme popolari, che caratterizza in larga misura buona parte della letteratura del rinascimento mediceo. Per comprendere quanto sia interessante, dal punto di vista linguistico, un autore come il Pulci, basti far riferimento ad alcune sue singolari realizzazioni. Egli scrisse ad esempio al giovane Lorenzo una lettera in 'furbesco' (si tratta del primo caso di uso del gergo nella nostra letteratura) e compilò un *Vocabolista*, raccolta lessicale ad uso privato, la quale può essere considerata una sorta di antecedente (se non di primo tentativo, ciò che forse sarebbe troppo) di un vocabolario italiano (veri vocabolari si ebbero solo nel secolo successivo) [15]. In questa raccolta di oltre settecento vocaboli sono riuniti latinismi tradotti con parole dell'uso comune («*latebra*, luogo nascosto e segreto»), voci di botanica, zoologia, anatomia, termini gergali («*mecco*, puttaniere»). È stato osservato che «la funzione probabilmente solo autodidattica del dizionarietto è rivelata dal fatto che molte delle voci registrate si ritrovano poi nel *Morgante*» [Della Valle 1993: 30] [16]. Nel *Morgante* si riscontra una notevole varietà lessicale («esuberante e eclettico mosaico», lo definisce Soletti [1993: 645]): «è in effetti una miniera di lessico realistico, ad ampio spettro di componenti tecniche, con intrusioni esotiche, grande ricchezza di fraseologia idiomatica, aperto alle neoconiazioni lessicali, alle alterazioni espressionistiche, a un uso spinto dei giochi di parole e delle onomatopee» [Tavoni 1992: 111-112].

Un altro autore fiorentino, il Burchiello (Domenico di Giovanni), è rimasto famoso (fino a dare il nome al 'cantare alla burchia') per aver coltivato un genere di poesia comica fondata sul gioco di doppi sensi e sull'invenzione verbale, fino ai limiti del non senso e dell'incomprensibilità. È interessante osservare che il linguaggio di questa poesia si ricollega al precedente della letteratura realistico-giocosa, una tradizione comico-burlesca che risale a poeti due-trecenteschi come Cecco Angiolieri e Rustico Filippi. Nel Burchiello si ritrova l'imitazione della parlata altrui, in tre sonetti, uno dei quali fa la parodia del veneziano, l'altro del senese, e l'altro ancora (scritto dopo un soggiorno a Roma nel 1445-1449) del romanesco (cfr. Tavoni [1992: 152 e 301-307], dove il sonetto romanesco è commentato e annotato).

3.5. La prosa toscana

Il rapporto con il parlato è avvertibile anche nella produzione novellistica toscana, specialmente nelle parti dialogate, dove a scopo mimetico possono emergere veri e propri plebeismi; così nei *Motti e facezie del Piovano Arlotto* (editi da Folena: cfr. Segre

[15] Il 'furbesco' è il gergo della malavita e dei pitocchi, che trovò una vivace utilizzazione nella letteratura del sec. XVI. Quanto alla lettera del Pulci e alla sua raccolta lessicale, cfr. Tavoni [1992: 111], Ageno [1962: 84-93], Della Valle [1993: 30-31].

[16] *Mecco*, ad esempio, si ritrova nel *Morgante*, XIV, ottava 9: «ladro, stupratore e mecco» (in rima con *becco*).

[1974: 359-363]) e nella *Novella del Grasso Legnaiolo*, così nelle *Novelle* del senese Simone Sermini. Il genere novellistico, ovviamente, in questa accettazione del parlato e della popolarità si colloca su di un piano diverso rispetto alla prosa colta 'nobile', di ispirazione latineggiante, quale abbiamo incontrato ad esempio nella saggistica di Leon Battista Alberti (cfr. VIII.2).

Un ruolo particolare ebbero i romanzi di Andrea da Barberino, e soprattutto i *Reali di Francia*, un genere tipicamente popolare, che circolò per secoli, tanto che ne furono stampate ancora edizioni ottocentesche, le quali venivano lette con passione o ascoltate dai più umili popolani. Non vi è dubbio che la lettura di questa modesta narrativa collaborò a far circolare modelli di prosa italiana tra un pubblico avvezzo al dialetto. La lunga fortuna di questo testo, la cui importanza è dunque inversamente proporzionale alla qualità, renderebbe necessario un riferimento alle vicende linguistiche del popolo nei secoli successivi al XV di cui qui ci occupiamo: dovremmo insomma imboccare la strada che conduce a discutere della formazione del cosiddetto 'italiano popolare' (su questo argomento, cfr. III.4.3). Serianni [1993: 477] ha giustamente paragonato questo tipo di narrativa a certa letteratura di consumo a noi contemporanea (ad esempio i «romanzi rosa»), in cui situazioni, modi e soluzioni stilistiche si iscrivono nella categoria della prevedibilità: le storie raccontate sono in fondo sempre uguali a se stesse, con minime e insignificanti variazioni. Si tratta di una prosa con poche pretese, che ricorda il colorito popolare della narrativa preboccacciana, con indifferenza per le ripetizioni: «essendo per l'afanno del dì alquanto afannati». Vista la lunga fortuna editoriale dei *Reali*, Serianni [1993: 478] ha provato a confrontare un breve campione di quattro diverse edizioni, uscite dal sec. XVII al XIX, con il probabile testo originale ricostruito nell'edizione Vandelli-Gambarin. Analogo esperimento è stato fatto da Bartoli Langeli-Infelise [1992: 962] (in parte ripreso come 'esercitazione pratica' in Marazzini [1993: 344-345]) sulla base di un confronto a tre, fra l'edizione del 1491, un'altra del 1610, e una terza della fine del Seicento. Confronti del genere mostrano con molta chiarezza la revisione grafica e la 'ripulitura' linguistica a cui fu via via sottoposto questo testo, destinato al consumo popolare. L'espressione «A nocte vegnente» dell'ed. 1491, ad esempio, nell'ed. 1610 è «La notte seguente», più semplice, meno latineggiante, e (a livello di grafia) senza il nesso latino -*ct*-. Poco più innanzi, nello stesso brano, l'ed. 1491 porta l'articolo *el* («el qual»), normale nel fiorentino quattrocentesco, che risulta sostituito da *il* nell'ed. 1610. Confronti di questo genere non hanno certo valore ecdotico, perché non vi è nessuna prova di una relazione diretta tra le varie edizioni citate; semplicemente servono a saggiare le tendenze delle varie epoche, poiché gli editori, nell'apportare le correzioni, si limitavano a seguire, per quanto potevano e con il minimo dispendio di fatica, la moda corrente.

4. La letteratura religiosa e la sua influenza

Già in VI.1.2 abbiamo avuto modo di accennare all'importanza della letteratura religiosa per la circolazione tra il popolo (anche in regioni diverse dalla Toscana e lontane dall'Italia mediana) di modelli linguistici toscani o centrali. Nel Quattrocento troviamo i laudari (cfr. VI.1.2) in uso presso molte comunità dell'Italia settentrionale, e anche in zone come il Piemonte, in cui la letteratura toscana non era certo di casa, visto il suo forte scarto linguistico rispetto al volgare locale, i cui esiti si avvicinano in parte alla lingua francese. Nel dialetto piemontese, ad esempio, gli infiniti dei verbi latini in -ARE hanno esito in -é (CANTARE > canté). Un tratto linguistico del genere, estremamente caratteristico per la sua specificità, ci permette di verificare i casi in cui le scritture piemontesi si sforzano di staccarsi dalla parlata locale, e mirano ad una toscanizzazione, o almeno ad un livello di *koinè* sovraregionale (sul concetto di *koinè*, cfr. III.5 e VIII.5). Si consideri ad esempio la *Passione di Revello* (cfr. Cornagliotti [1976]; brani antologizzati in Marazzini [1991: 157-161] e Tavoni [1992: 282-286]), una lunghissima sacra rappresentazione del 1490 rappresentata a Revello presso Saluzzo, nel Piemonte occidentale. Ebbene, benché questo testo sia ricco di forme settentrionali e locali, vi si trovano i regolari esiti toscani in -*are* di verbi come *pregare*, *avisare*, *temptare*, *perdonare*, *maraveglare*[17] 'meravigliare', *fare* ecc. (il piemontese avrebbe al loro posto delle forme in -é o -*er*).

Le sacre rappresentazioni erano messe in scena per un pubblico popolare, e quindi erano un'altra occasione in cui, come nel caso delle laudi, gli incolti dialettofoni potevano incontrare una lingua più 'nobile' e toscanizzata; in certi casi la toscanizzazione era meno marcata che nella *Passione di Revello*: più legato alla parlata locale è ad esempio, per restare in area piemontese, il *Judicio della fine del mondo*, di cui abbiamo una stampa del 1510, ma che certo fu rappresentato prima di tale data (cfr. Beccaria [1978] e il passo antologizzato da Marazzini [1991: 162-166]). Al di là degli esempi piemontesi che qui abbiamo citati, dobbiamo comunque prendere atto dell'importanza della letteratura religiosa per la diffusione di forme dell'italiano tra il popolo. La sacra rappresentazione – si noti – era un genere coltivato pure in Toscana.

Anche la predicazione si rivolgeva al popolo, e quindi aveva bisogno del volgare. Il volgare della predicazione sarà stato in certi casi molto vicino al dialetto, o volgare locale 'illustre' (sulla predicazione, cfr. anche VIII.1.3). Nel Quattrocento, però, abbiamo già casi in cui la lingua toscana esercita anche in questo campo un prestigio al di là dei suoi naturali confini geografici. Tra i pre-

---

[17] Il nesso -*gla*- va qui letto, naturalmente, come -*glia*-, trattandosi di una resa grafica della palatale.

dicatori spicca la figura di San Bernardino da Siena [cfr. Castellani 1982c; Coletti 1983; Tavoni 1992: 35-38 e 205-210; Librandi 1993: 347-351]. I testi scritti delle sue prediche (ma non sono autografi[18]: e pertanto non sono affidabili per quanto concerne fonetica e morfologia, anche se sono utili per sintassi, stile, lessico) riescono a trasmettere abbastanza bene i caratteri dell'oralità, e realizzano il suo programma di un parlar «chiarozzo chiarozzo, acciò che chi ode, ne vada contento e illuminato, e none imbarbagliato» [Varese 1955: 45; cfr. Tavoni 1992: 37 e Librandi 1993: 348]. San Bernardino voleva far uso di una lingua semplice e colloquiale, con frequenti esempi tratti dalla vita quotidiana, citando mestieri, situazioni comuni, luoghi familiari agli ascoltatori. La toscanità di Bernardino lo mette al riparo, ovviamente, da effetti ai nostri occhi divertenti, ma certo un po' grotteschi, propri delle prediche settentrionali 'mescidate', di cui abbiamo parlato in VIII.1.3. Si noti che Bernardino era cosciente della necessità di adeguare il linguaggio della propria predicazione alle esigenze del pubblico di luoghi diversi: «Quando io vo predicando di terra in terra, quando io giogno in uno paese, io m'ingegno di parlare sempre sicondo i vocaboli loro; io avevo imparato e so parlare al lor modo molte cose. El *mattone* viene a dire el fanciullo, e la *mattona* la fanciulla» (cito il passo dalla XXIII delle *Prediche volgari* da Tavoni [1992: 38n]). *Mattone* e *mattona* sono appunto settentrionalismi lessicali.

Diverso il caso di Savonarola, un non-toscano, proveniente dall'Italia settentrionale, che approdò a Firenze, e vi dovette esercitare la sua missione, parlando ai cittadini dal pulpito. Egli fu quindi costretto ad una sorta di 'toscanizzazione': lo faceva notare già nel sec. XVI lo scrittore fiorentino Gelli [cfr. Marazzini 1993: 97n]. Come osserva Tavoni [1992: 201-202], commentando un esempio tratto dalle *Prediche di Amos*, le eventuali tracce settentrionali presenti nel 'parlato' della predicazione di Savonarola avrebbero potuto essere cancellate dal raccoglitore del testo, il tachigrafo fiorentino Lorenzo Violi, che fece stampare il ciclo nel 1497 con l'approvazione di Savonarola. La veste linguistica di queste prediche si presenta più toscanizzata rispetto alle lettere autografe coeve, in cui compaiono cospicue tracce settentrionali [cfr. Tavoni 1992: 201].

Il fatto stesso che i predicatori si muovessero da luogo a luogo e facessero esperienza di un pubblico sempre diverso, li spingeva a raggiungere il possesso di un volgare che fosse in grado di comunicare al di là dei confini di una singola regione. Non si dimentichi che il predicatore era in genere un professionista, il qua-

---

[18] Lo fa notare Castellani [1982c: 411], il quale ricorda che le prediche senesi del 1427 furono stenografate dall'onesto e precisissimo cimatore di panni Benedetto di Maestro Bartolomeo.

le veniva chiamato in occasione della quaresima o in particolari momenti del ciclo liturgico. Probabilmente tale predicatore, da uomo esperto del suo mestiere, poteva fare come dice San Bernardino, cioè adottare alcune parole proprie del posto in cui si trovava, ma doveva essere comunque in grado di depurare la propria lingua naturale, toscana o non toscana che fosse, degli elementi vernacolari, incomprensibili ad un pubblico diverso da quello della sua regione di origine.

5. La lingua di «koinè» e le cancellerie

La poesia volgare ebbe fin dall'inizio una maggiore uniformità rispetto alla prosa, tanto da formare molto presto una sorta di sistema omogeneo. La prosa, invece, risentì maggiormente di oscillazioni, anche perché il modello di Boccaccio, il più autorevole e accettato, apparteneva a un genere letterario circoscritto (la novella), e non tutte le occasioni di scrittura potevano essere riportate automaticamente e adeguatamente a questo stesso modello. Infatti la prosa non si poteva certo limitare al solo uso novellistico-narrativo, ma aveva bisogno di estendersi a settori extraletterari, all'impiego privato e familiare, cancelleresco, scientifico ecc. Ognuno di questi momenti richiedeva un grado diverso di formalizzazione, e quindi un diverso compromesso con i volgari regionali. Si può parlare a questo proposito di una varietà di *scriptae*, lingue scritte attestate dai documenti dell'epoca, collocate in precisi spazi sociali e geografici (vi è una *scripta* alto-italiana, settentrionale, lombarda, veneta ecc.; vi è una *scripta* di corte, di cancelleria, dei mercanti ecc.). La definizione di queste *scriptae* non riguarda solo il Quattrocento, visto che tradizioni diverse esistevano anche prima; ma nel Quattrocento (il riferimento vale in primo luogo per l'Italia settentrionale) esse mostrano una tendenza al 'conguaglio', cioè all'eliminazione dei tratti più vistosamente locali, tanto che non è sempre facile circoscriverle geograficamente in un territorio preciso, 'dialettale'. Nel Quattrocento, dunque, il conguaglio di queste *scriptae* si fa più marcato, ed esse evolvono verso forme di *koinè*, termine tecnico con cui si indica una lingua comune superdialettale[19]. La *koinè* quattrocentesca consiste appunto in una lingua scritta che mira all'eliminazione di una parte almeno dei tratti locali, e raggiunge questo risultato accogliendo largamente latinismi, e appoggiandosi anche, per quanto possibile, al toscano.

La diffusione di una tale lingua non si può spiegare a prescindere dall'azione esercitata dalle corti signorili. Nella cultura signorile (a differenza che in quella umanistica) «il crescente prestigio dell'Umanesimo non significò affatto mortificazione del volgare,

---

[19] Per l'origine del concetto di *koinè*, cfr. III.9.2, nota 20.

ma anzi aumento della sua espansione e ramificazione» [Ghinassi 1976: 19]. Proprio a partire dal Quattrocento le manifestazioni scritte del volgare, nelle diverse situazioni d'uso (le quali possono essere lettere pubbliche o private, pubbliche gride, scritture notarili e mercantili, cronache ecc.), accanto a una possibile differenziazione geografica (più o meno marcata, come si è detto, per l'influenza 'normalizzatrice' di fenomeni di *koinè*), mostrano anche una differenza che può essere attribuita allo «spessore sociolinguistico» [Ghinassi 1976: 21]. Il maggiore o minore livellamento è dunque segno di uno sforzo cosciente, di un tentativo di superare il particolarismo, di un'aspirazione a raggiungere un livello sovraregionale: di *koinè*, appunto. Non si deve dimenticare che una forte spinta in tale direzione fu data dall'uso del volgare nelle cancellerie principesche, ad opera di funzionari, in genere notai (cfr. III.9.2). I documenti volgari nella cancelleria viscontea cominciano dal 1426. Tale data segna addirittura un ritardo rispetto a Mantova [cfr. Ghinassi 1976: 12] e Urbino. Nella prima metà del sec. XV si comincia a usare il volgare anche nelle cancellerie di Venezia e Ferrara. Come osserva Tavoni [1992: 49], la «tendenza alla reciprocità nella corrispondenza fra stati è un fattore di 'contagio' nella sostituzione del volgare al latino». Sostituzione che, comunque, è ancora ben lungi dall'essere totale, e dà luogo piuttosto a fenomeni complessi di coesistenza delle due lingue, in parte diversi da luogo a luogo. L'uso delle cancellerie, per forza di cose, veniva ad essere influenzato dai gusti linguistici e letterari della corte signorile, di cui cancellieri e segretari facevano parte. I cortigiani, inoltre, non erano necessariamente legati in maniera definitiva a una medesima corte, ma spesso si muovevano dall'una all'altra. Non è un caso, dunque, che le testimonianze più significative del processo di italianizzazione delle *koinai* regionali siano «nelle lettere dei rappresentanti diplomatici dei vari principati, i quali, per le ragioni stesse del loro ufficio, erano costretti a spostarsi di corte in corte, di stato in stato, e si trovavano perciò di fronte alla necessità obiettiva di adeguare il loro volgare originario ai volgari che via via incontravano, di conguagliarlo con essi o, meglio, di attenuarlo fino a farne uno strumento neutro, usabile in ogni ambiente» [Ghinassi 1976: 23].

L'azione dei modelli letterari toscani, abbiamo visto, influì sul livellamento delle *koinai*, probabilmente esercitandosi anche al di là dell'àmbito della vera e propria scrittura d'arte: non si può negare infatti che molti scriventi, i quali utilizzavano le *koinai*, erano lettori attenti degli autori toscani, e potevano quindi più o meno consciamente trasportare nelle scritture di uso pratico forme incontrate nei testi della letteratura. Lo scarto tra scrittura pratica e scrittura letteraria rimaneva tuttavia ben marcato. È noto il caso di Boiardo, le cui lettere private sono a un livello di formalizzazione e di toscanizzazione molto minore rispetto alle opere poetiche, in particolare rispetto alle liriche d'amore. Nelle lettere di

Boiardo non si trovano tanto tratti dialettali tipicamente emiliani, quanto vistose caratterizzazioni di elementi genericamente settentrionali (per il lessico si può citare *barba* 'zio', *lune* 'lunedì', *magnano* 'fabbro' ecc.). Non manca qualche toscanismo di matrice letteraria, come l'articolo *il* al posto di *el*[20], mentre caratteristica è la presenza dei latinismi, che si ritrova del resto in ogni scrittura di *koinè*. Il latinismo è una soluzione linguistica assolutamente naturale, senza nulla di artificioso o esibito (siamo ben lontani dagli eccessi del polifilesco, che pure può aver preso le mosse proprio da abitudini scrittorie di questo genere: cfr. VIII.1.2). Il latinismo non segna una marcatura stilistica; esso «non è sempre e solo macchia dotta, ma soccorre naturalmente a riempire una lacuna lessicale lasciata dall'artificiale coscienza toscana dello scrivente, che d'altra parte non si vuol colmare ricorrendo al dialettalismo; e adempie perciò spesso a una funzione non puramente ornamentale e stilistica, ma più immediatamente strutturale» [Mengaldo 1963: 260]. Ciò vuol dire insomma che nell'incertezza di un uso non ancora codificato da grammatiche e vocabolari (che non esistevano), il latinismo era un punto di appoggio sicuro e insostituibile.

La prassi linguistica di *koinè*, normale negli ambienti di corte e nell'uso cancelleresco (cfr. Drusi [1995: 143-226], con raccolta di documenti, e Vignali [2001], con ampio repertorio lessicale basato sullo scrittore Jacopo Caviceo, ma cfr. anche indici e glossario in Ricci [1999]), si sviluppò anche nell'uso tecnico-scientifico, sia nel Quattrocento che all'inizio del Cinquecento: si pensi alla *Summa de arithmetica* di Luca Pacioli, alla scrittura del matematico Tartaglia [cfr. Piotti 1998], al commento a Vitruvio del pittore e ingegnere lombardo Cesare Cesariano (cfr. IX.6.1). Gli scrittori, da parte loro, avvertirono con particolare sensibilità il vantaggio insito nella tendenza al conguaglio. Ghinassi [1976: 23-24] ha dimostrato come Baldassar Castiglione, partito nelle sue lettere da un linguaggio cortigiano corrispondente alla *koinè* cancelleresca mantovana, se ne staccò mediante piccole ma irreversibili conversioni linguistiche, man mano che veniva a contatto con le corti più importanti d'Italia: al termine della sua permanenza alla corte di Urbino eliminò ad esempio in maniera definitiva le forme metafonetiche *nui* e *vui* per 'noi' e 'voi' (per il concetto di metafonesi, cfr. V.2.6), le quali sono molto frequenti (anche se non costanti) nelle scritture sia settentrionali che meridionali (*noi* e *voi*, oltre al resto, avevano il pregio di ricordare più da vicino il vocalismo latino)[21].

---

[20] L'articolo *el* prevale ad esempio su *il* nell'uso della cancelleria di Milano e di Mantova [cfr. Tavoni 1992: 51 e 53].

[21] *Nui* e *vui* sono dominanti (tanto per citare alcuni occasionali campioni) nelle scritture della cancelleria di Milano; si ritrovano nel *Memoriale* di Borso d'Este per Alfonso d'Aragona (1444), nella lettera del patrizio veneziano Giovan-

6. Fortuna del toscano letterario

6.1. Modelli della lingua toscana nelle corti d'Italia

Il volgare toscano acquistò di fatto un prestigio crescente fin dalla seconda metà del Trecento, a partire dalla presenza fuori di Toscana di autori come Dante e Petrarca, i quali si mossero variamente nell'area settentrionale. Precoce fu la diffusione della *Commedia*, così come del *Canzoniere*. Il *Decameron* non fu da meno, anche se in certe zone periferiche come il Piemonte esso poté magari giungere (ma è un caso-limite) tradotto in francese[22]. A parte una regione eccentrica e francesizzata come il Piemonte, gli inventari quattrocenteschi delle biblioteche di famiglie signorili della pianura Padana mostrano una buona penetrazione delle Tre Corone, accanto a una diffusione notevole della letteratura romanzesca francese, la quale occupava allora uno spazio rilevantissimo nel settore di quello che si può definire come il 'piacevole intrattenimento'[23]. Con scopi diversi, invece, si formavano le biblioteche di studio, di taglio propriamente umanistico, in cui avevano spazio esclusivo gli autori latini. Il pubblico ideale, di rango signorile, è in quest'epoca bilingue o persino trilingue: legge libri italiani, francesi, latini.

A Milano l'apertura verso la letteratura toscana era stata sensibile, legata ad una precisa scelta. Filippo Maria Visconti, che leggeva Petrarca e Boccaccio, fece compilare intorno al 1440 un commento all'*Inferno* dantesco, e fece commentare Petrarca dal Filelfo. Nella seconda metà del secolo, Ludovico il Moro avrebbe chiamato alla sua corte il poeta burlesco toscano Bellincioni, e alla chiamata non sarebbero stati estranei obiettivi linguistici, stando a quanto scriveva nel 1493 il Tanzi: «Per l'ornato fiorentino parlare di costui, et per le argute, terse e prompte sue rime, la città nostra venesse a limare et polire il suo alquanto rozo parlare» (cito da Vitale [1983: 355]). Altre testimonianze, e tra esse quella di Landino, dimostrano la simpatia con cui Ludovico il Moro guardava alla lingua fiorentina. Nella cerchia del Moro era vivo il culto per gli antichi scrittori toscani, presi a modello dai rimatori di corte, ad esempio dal petrarchista Gasparo Visconti [cfr. Bongrani 1986]. Le opere di Dante e Petrarca non stavano soltanto nella biblioteca principesca di Pavia (di cui abbiamo gli inventari), ma anche nelle mani di autorevoli personaggi e di aristocratici milanesi, come Carlo Trivulzio, magistrato sforzesco morto nel 1496, che

---

ni Bolani (viceconsole della colonia veneziana di Lecce) al Duca di Candia (cfr. per tutti questi esempi Tavoni [1992: 51, 227, 255]).

[22] Furono anche molto diffuse quelle che noi oggi giudichiamo le opere 'minori' di Boccaccio.

[23] Cfr. anche i dati statistici sulla composizione degli incunaboli in volgare in III.10.2.

aveva «adornato la sua libreria con la *Commedia*, il *Decameron* e l'opera volgare del Petrarca» [Vitale 1983: 365]. Anche la tipografia milanese (come quella mantovana), a partire da incunaboli pubblicati negli anni Settanta del Quattrocento, aveva concesso spazio alle opere dei grandi trecentisti toscani: questa diffusione a stampa di testi italiani prodotti in terra lombarda va sottolineata, perché è il segno, allo stesso tempo, di una richiesta del mercato e di un effetto che si ripercuote sul mercato medesimo, indirizzandolo in maniera positiva verso la letteratura volgare (sull'importanza della tipografia cfr. del resto III.10). Inoltre Vitale [1983: 365-366] ha insistito giustamente sul favore goduto a Milano, negli ultimi decenni del Quattrocento, dalla letteratura e dalla lingua fiorentina contemporanea (non solo, quindi, da quella trecentesca), anche per la circolazione di uomini, oratori, ambasciatori, funzionari o podestà fiorentini, o di mercanti appartenenti a famiglie quali Rucellai, Portinari, Antinori e così via.

Assieme a Firenze e a Milano, la città all'avanguardia nella stampa dei libri in volgare era Venezia. Fin dal 1470 dai torchi veneziani (Vindelino da Spira) era uscito il *Canzoniere* di Petrarca, nel 1471 il *Decameron*. Ma la letteratura e la lingua volgare trovavano spazio anche nelle corti minori dell'Italia padana. Nell'ambiente emiliano, tra Reggio e Ferrara, ad esempio, operava Boiardo (1441-1494), che si dedicava all'imitazione petrarchesca negli *Amorum libri* (sui quali vi è un esemplare studio di Mengaldo [1963]), dove la toscanizzazione è più forte rispetto all'emiliano illustre' dell'*Orlando innamorato*. A Mantova il mecenatismo dei Gonzaga si era esercitato nei confronti di autori come Leon Battista Alberti e Poliziano, che proprio qui compose nel 1480, per una festa di corte, l'*Orfeo*.

6.2. Un caso di toscanizzazione nel Settentrione d'Italia: la lirica di Boiardo

Matteo Maria Boiardo arrivò alla poesia in volgare dopo un'esperienza di poeta in lingua latina. Il linguaggio della poesia lirica volgare di Boiardo è stato studiato in un magistrale saggio di Mengaldo [1963], da cui si ricava fra l'altro l'esemplarità del modo di procedere di questo autore settentrionale (visse a Ferrara, alla corte degli Estensi). Egli operò in una dimensione definibile dal punto di vista linguistico come 'acronica', nel senso che, volontariamente sradicato dal proprio terreno linguistico 'dialettale', assimilò librescamente il toscano, senza per altro percepire questo linguaggio come una lingua vera e viva, nei suoi sviluppi diacronici. Boiardo non è ancora influenzato (per ragioni cronologiche) dalla letteratura medicea dell'Umanesimo volgare, e il suo punto di riferimento è il Trecento, in particolare la poesia di Petrarca, ma anche il volgare poetico precedente. Un altro importante punto di riferimento, come sempre nella poesia cortigiana, è per lui il latino. Sono dunque frequenti i latinismi, che si riflettono anche sul vocalismo tonico, in cui ricorrono *i* e *u* al posto di *e* ed *o*: *simplice*, *firma*, *summo*. Le forme *nui* e *vui* sono frutto di una coincidenza tra l'esito settentrionale metafonetico (cfr. V.2.6) e la tradizione poetica di matrice siciliana (cfr. VI.1). Un tratto toscano è l'anafonesi, in *lingua*, *vermiglio* (cfr. V.2.7), anche se l'esito locale è presente in parole come *gionto* 'giunto', *ponto* 'punto', *longo* 'lungo'. Nel consonantismo, il settore delle scempie e delle geminate (cfr. V.2.12) è l'unico in cui prevale la fonetica locale: troviamo ad esempio, in posizione di rima, *tuto* 'tutto' : *aiuto* : *arguto* (la posizione di rima, si noti, è garanzia dell'autenticità di questa lezione).

Interessante è il confronto tra la poesia lirica di Boiardo e il suo poema (incompiuto), l'*Orlando innamorato*. Tale confronto, tuttavia, è reso più difficile dal fatto che non possediamo l'originale, e nemmeno le due edizioni *principes* quattrocentesche. Le due più antiche edizioni del poema che ci sono giunte, del 1487 e del 1506, ci sono arrivate in unica copia, e tale rarità si spiega con il carattere 'popolare' del testo, ciò che comporta sempre una forte deperibilità del libro, una vera e propria 'usura'. Abbiamo inoltre un manoscritto dell'*Orlando innamorato*, ma esso è posteriore al 1495. Le due stampe presentano un colorito più dialettale, mentre il manoscritto è maggiormente toscanizzato (cfr. su tutto questo Tavoni [1992: 121-122], con relativa bibliografia). Insomma, in questo come in altri casi vi è un problema filologico che condiziona e precede la descrizione dei caratteri linguistici del testo. Osserva comunque Tavoni [1992: 123] che, qualunque sia stata la veste dell'originale, è certo che i contemporanei lessero il poema nella forma che si riscontra nelle stampe, quella più vicina al 'padano illustre'.

6.3. Il linguaggio della lirica nell'Italia meridionale

Durante il periodo in cui si instaurò a Napoli la corte della dinastia aragonese (1442-1502), fiorì una poesia cortigiana di cui sono esponenti autori come Francesco Galeota (su cui cfr. Formentin [1987]), Joan Francesco Caracciolo, Pietro Jacopo de Jennaro. Anche la lingua di questi autori, come quella dei coevi scrittori settentrionali, può essere studiata confrontandola con la *koinè* meridionale, con il toscano letterario e anche con il toscano contemporaneo, «giunto nel Sud per molte vie, fra cui quella principe della *Raccolta Aragonese* contenente un'ampia scelta di poeti fiorentini quattrocenteschi» [Corti 1956: LXVIII]. Tavoni [1992: 102-104] ha sintetizzato i tratti linguistici di questi poeti che, come nei lirici del nord Italia, si distinguono dal toscano; ne ricorderemo qui alcuni: oscillazione tra forme anafonetiche fiorentine e forme senza anafonesi; oscillazione tra *ar* protonica locale e *er* fiorentino-letteraria nei futuri e condizionali dei verbi; oscillazione tra i possessivi *toa*, *soa* e i toscani *tua*, *sua*. Specificamente meridionali sono fra l'altro: le forme come *iorno* 'giorno', *iace* 'giace' (passaggio DJ e J a *j*); gli articoli *lo* e *lu*; forme del futuro in *-aio* e *-aggio*.

La generazione successiva dei poeti meridionali, che ha come rappresentanti Cariteo e Sannazaro, si distacca maggiormente dai tratti linguistici locali. Quanto al Sannazaro, di particolare importanza è la sua *Arcadia*. Esistono due diverse redazioni di quest'opera, che appartiene al genere bucolico, nel quale si alternano egloghe pastorali e parti in prosa. La prima redazione risale al 1484-1486, la seconda fu pubblicata nel 1504 [cfr. Corti 1964 e 1969: 281-304]. Il libro del 1504 ebbe una grande fortuna in Italia e in Europa, e fu imitato anche nella lingua. Dopo la pubblicazione dell'*Arcadia*, Sannazaro si dedicò esclusivamente alla produzione poetica in latino.

Come abbiamo detto, nell'*Arcadia* ci sono parti in prosa, che collegano le varie egloghe poetiche. Questa prosa è particolarmente interessante perché è «la prima prosa d'arte composta fuor di Toscana, in una lingua appresa *ex novo*» [Folena 1952: 1], ed è anche «il primo esempio [...] di revisione linguistica in senso toscaneggiante ad opera di uno scrittore linguisticamente 'periferico'» [Serianni 1993: 486].

7. La prosa narrativa non toscana

«I contatti con la lingua locale sono in genere [...] più intensi nella prosa, specie in quella narrativa, anche per esigenze immediate di realismo» [Coletti 1993: 110]. Ciò vale senz'altro per la novellistica toscana, la quale raggiunge vistosi effetti di aderenza al 'parlato', specialmente nelle parti dialogate, come già abbiamo detto altrove (cfr. VIII.3.5). Fuor di Toscana, la prosa narrativa rivela la presenza di idiotismi settentrionali, come nelle *Porretane* del bolognese Sabadino degli Arienti. Molti meridionalismi si rintracciano nelle novelle di Masuccio Salernitano, il quale imita Boccaccio. In Masuccio Salernitano «la lingua locale comincia però a diventare anche un ingrediente stilistico che serve a caratterizzare con più vivo realismo personaggi e situazioni e, di conseguenza, opera non solo accanto, ma anche in opposizione al latinismo e alle forme letterarie dotte» [Coletti 1993: 112].

1. Italiano e latino

Nel Cinquecento il volgare raggiunse una piena maturità, ottenendo nel contempo il riconoscimento pressoché unanime dei dotti, che gli era mancato durante l'Umanesimo (cfr. VIII.1.1). In questo secolo assistiamo dunque a un vero e proprio trionfo della letteratura in volgare, con il fiorire di autori tra i massimi della nostra tradizione, come Ariosto, Tasso, Aretino, Machiavelli, Guicciardini. Oltre a conseguire un simile successo letterario, il volgare scritto raggiunse nel Cinquecento un pubblico molto ampio di lettori, conquistando nuovi spazi in tutti i settori del sapere, iniziando così un irreversibile processo di erosione del monopolio del latino. La storia della lingua italiana nel periodo dal Cinquecento al Settecento potrebbe essere vista proprio come una lotta serrata con il latino, a cui venne tolto progressivamente spazio.

Nel Rinascimento, naturalmente, il latino non era affatto in posizione marginale. Anzi, la maggior parte dei libri pubblicati era ancora in tale lingua, e il latino resisteva saldamente al livello più alto della cultura. Si avvertiva però un clima nuovo. La crisi umanistica del volgare era ormai superata. Gli intellettuali avevano generalmente fiducia nella nuova lingua. Tale crescente fiducia derivava anche dal processo di regolamentazione grammaticale allora in corso. Determinante fu la pubblicazione di un libro del quale non si correrà mai il rischio di sopravvalutare l'importanza: le *Prose della volgar lingua* di Pietro Bembo. Avremo modo di ritornare su quest'opera e sul suo autore (cfr. IX.2.1). Qui basterà anticipare che un libro del genere si colloca in posizione rilevantissima nel processo di stabilizzazione normativa. Si ebbero allora le prime grammatiche a stampa dell'italiano e i primi lessici, e a volte lessici e grammatiche si fusero nella stessa opera. Tale produzione normativa ebbe successo. La maggior parte dei lettori non era interessata tanto alle discussioni sulla natura del volgare (queste appassionavano un pubblico più colto e raffinato), ma cercava semplicemente delle risposte pratiche, cioè una guida per scrivere correttamente, liberandosi dagli eccessivi latinismi e dialettismi. Le conseguenze di tutto ciò sono evidenti: verso la metà del Cinquecento si assiste al definitivo tramonto della scrittura di *koinè*, tipica del Quattrocento e dell'inizio del Cinquecento (cfr. VIII.5), la quale, nelle sue vistose contaminazioni fra parlata locale, latino e toscano, rimase d'allora in poi appannaggio degli scriventi meno colti. Nessun letterato e nessun addetto alla cancelleria di qualunque stato italiano del maturo Cinquecento avrebbe utilizzato, se non con vergogna e demerito, una lingua così rozza, ormai spazzata via dalla diffusione di una norma largamente accettata. Attraverso questa regolamentazione normativa e attraverso il conseguente livellamento, l'italiano raggiunse uno *status* di lingua di cultura di altissima dignità, con un prestigio considerevole anche all'estero.

Va comunque ribadito che, pur se il volgare nel sec. XVI si collocò nei confronti del latino in una posizione di forza molto maggiore rispetto al secolo precedente, il latino stesso ebbe una posizione rilevante, in molti settori ancora egemonica. Prendiamo il caso della pubblica amministrazione e della giustizia (tenendo presente che la situazione era diversa da stato a stato della penisola, e non ci è possibile tracciare un panorama completo). Migliorini [1978: 314-315] osserva che nel sec. XVI la maggior parte degli statuti editi nelle città italiane era ancora in latino, ma in alcuni casi essi cominciavano ad essere pubblicati in volgare, specialmente quelli delle associazioni mercantili: così a Bologna nel 1550 e a Lucca nel 1555[1]. Pur se non disponiamo di ricognizioni sistematiche, possiamo procedere sulla base di indicazioni parziali. In Lazio, ad esempio, attorno alla metà del Cinquecento molti comuni tradussero in volgare i propri statuti già scritti in latino [cfr. Trifone 1992b: 160-163]. La metà del secolo, dunque, sembra segnare una svolta.

Per quanto riguarda il diritto e l'amministrazione della giustizia, il latino aveva una netta prevalenza, specialmente nel terreno dello *ius* inteso a livello superiore (la tradizione del diritto romano dura del resto ancor oggi). Il latino era pane quotidiano per i giuristi. La giustizia, però, non consiste solo nelle disquisizioni dei teorici del diritto. Nella pratica di tutti i giorni, nelle verbalizzazioni delle inchieste, nei processi, il volgare a poco a poco trovava spazio, più o meno ufficialmente. Migliorini [1978: 316] ha fornito un paio di campioni interessanti, relativi a interrogatori e processi del sec. XVI, uno condotto a Venezia dal Sant'Uffizio nei confronti dell'editore Giolito de' Ferrari, l'altro istituito dal vesco-

---

[1] In volgare, a Firenze, esistevano già nel Duecento statuti di compagnie religiose. Nel Trecento si ebbero gli statuti comunali in volgare. Statuti in volgare si ebbero nel Trecento anche a Perugia, Siena, Ascoli.

vo di Squillace contro Tommaso Campanella (1599). In entrambi i casi assistiamo alla mescolanza dei due codici, quello latino e quello italiano, ma in forma diversa. L'inquisitore veneziano scrive il verbale in latino e registra le risposte in italiano; l'inquisitore calabrese mescola latino e italiano in maniera meno sistematica, anche se l'italiano ricorre in particolare là dove la testimonianza viene trascritta in forma di discorso indiretto. Nelle carte processuali dell'eretico friulano Menocchio (studiate, pur senza intenti linguistici, da Ginzburg [1976]) le verbalizzazioni degli interrogatori davanti ai giudici sono in volgare, e le formule latine hanno la funzione di didascalia, come nel canonico «Interrogatus... respondit...». In latino è però la sentenza di condanna. Queste forme di coesistenza tra volgare e latino nelle carte giudiziarie potranno essere meglio verificate attraverso il grande e vario *corpus* di documenti relativi al processo del Sant'Offizio contro Giordano Bruno e al processo napoletano a Tommaso Campanella, per i quali si dispone delle edizioni allestite da Firpo [1985 e 1993]. Vi si trovano verbali, memoriali, difese, rapporti di informatori, dai quali emerge un variato intreccio tra latino e italiano, tra 'scritto' e 'parlato', tra formula giudiziaria e registrazione della viva voce. Ricorderò ad esempio la deposizione di un aguzzino della Gran Corte della Vicaria, il quale descrive davanti al giudice il comportamento di Campanella dopo che era stato sottoposto a quasi quaranta ore di tortura. Il verbale relativo a tale testimonianza si apre e si chiude in latino. In volgare sono le parole dell'aguzzino, il quale, fra l'altro, riporta l'espressione 'forte' usata da Campanella: «Si pensavano che io era coglione che voleva parlare» [cfr. Firpo 1985: 230]. Nei verbali dell'interrogatorio e della tortura, comunque, si scivola facilmente dal latino all'italiano: «Et cum fuisset ligatus per pedes, dicebat hoime che mi ammazzati» [cfr. Firpo 1985: 216].

Marazzini [1993: 24-25] ha preso in esame un interessante campione che dà un'idea del rapporto intercorrente tra italiano e latino nel campo del diritto civile, in riferimento all'uso di vari stati italiani. Si tratta dei 'privilegi'[2] concessi all'ed. del *Decameron* di Salviati (1582). Ebbene, su undici privilegi (il dodicesimo è emesso dal re di Francia) concessi al *Decameron* da governanti di stati italiani, ben sette sono integralmente in latino[3], due mescola-

---

[2] I 'privilegi' erano delle concessioni con cui, in un'epoca che non conosceva ancora il moderno concetto giuridico di 'diritto d'autore', veniva attribuita un'esclusiva sulla stampa ad un singolo tipografo, impedendo ai suoi concorrenti di riprodurre e commerciare la stessa opera.

[3] I sette privilegi in latino sono emessi dalle seguenti autorità: 1) Francesco de' Medici per la Toscana; 2) Carlo Emanuele I di Savoia per il Piemonte; 3) Repubblica di Genova; 4) Guglielmo marchese di Mantova; 5) Ottavio Farnese duca di Parma e Piacenza; 6) Alfonso II duca di Modena, Reggio e Ferrara; 7) Viceré di Sicilia (contiene qualche citazione in italiano).

no italiano e latino[4], e due sono integralmente in italiano (quello emesso dal governatore spagnolo di Milano e quello di Francesco Maria II duca di Urbino). Il latino è dunque maggioritario, anche se i dati di questo sondaggio possono un poco stupire chi tenga conto del contesto generale della politica linguistica di alcuni dei regnanti che hanno emesso i privilegi di cui stiamo parlando. Per quanto riguarda il Piemonte, ad esempio, l'uso del latino nel 'privilegio' contrasta con la scelta compiuta fin dal 1560-1561 da Emanuele Filiberto, il quale aveva introdotto l'italiano nelle procedure giudiziarie, nelle verbalizzazioni, negli atti notarili (cfr. III.9.3).

Si noti che, nel quadro degli stati italiani, il Piemonte non era affatto in posizione arretrata su questa materia. Senz'altro molto più conservatrice era la prassi della Repubblica di Genova e del vicereame di Sicilia, in cui si usò il latino ancora nel Seicento nella stesura delle leggi e nella cancelleria, anche se furono in volgare i pareri e le norme per regolare la vita pubblica. È interessante osservare come le scritture giuridico-normative contengano elementi locali: per la Liguria si possono citare termini come *camallo* per 'scaricatore di porto' [cfr. Beniscelli-Coletti-Còveri 1992: 58 e 60], e le gride, gli avvisi e le tariffe della Lombardia cinque-secentesca mostrano una fitta serie di parole regionali, il cui uso tende a diventare stabile [cfr. Bongrani-Morgana 1992: 113-114]. Nelle zone sottoposte al governo spagnolo, come la Lombardia e il Regno meridionale, entrarono nel linguaggio delle cancellerie e nelle pubbliche gride molti ispanismi, come *alborotto* 'tumulto', *aprieto* 'urgenza', *papeli* 'documenti' ecc. [cfr. Beccaria 1968: 34-47]. Allargando lo sguardo ad aree periferiche rispetto al centro geografico della penisola, si può osservare che in Sardegna l'amministrazione spagnola mostrò un atteggiamento ostile verso il volgare italiano, tanto che venne avanzata la richiesta di tradurre in sardo o in catalano gli statuti di alcune città [cfr. Loi Corvetto 1992: 897; Loi Corvetto-Nesi 1993: 55]. Lo spagnolo durò nella tradizione amministrativa dell'isola fino al passaggio alla monarchia sabauda (e anche oltre). Nell'isola di Malta (ceduta nel 1530 ai Cavalieri dell'Ordine Gerosolimitano) l'italiano fu usato a partire dal Cinquecento nella prassi amministrativa e cancelleresca [cfr. Cassola 1992: 864]. L'italiano in forme non di rado venetizzate fu usato accanto al latino in Dalmazia, in particolare a Ragusa [cfr. Metzeltin 1992].

Per avere un'idea del rapporto tra italiano e latino è utile anche considerare il reciproco peso delle due lingue nella produzio-

---

[4] Quello del Doge di Venezia e quello degli Anziani della Repubblica di Lucca (in entrambi i casi è italiano il testo, ma in latino l'intestazione del documento).

ne di libri. Seguendo Migliorini [1978: 317 ss.] si può far riferimento ai vari generi, in cui lo spazio occupato dalla lingua classica è differente: quasi esclusivamente in latino si presentano la filosofia, la medicina e la matematica. Il volgare viene usato nella scienza quando si tratta di stampare opere di divulgazione, tanto che (non a caso) ha uno spazio rilevante nei testi di 'arti applicate', come l'arte di fondere i metalli, i ricettari di medicina, cosmesi, culinaria, la stessa architettura, che non ha affatto il rango di disciplina accademica. Quanto al settore umanistico-letterario vero e proprio, il volgare trionfa nella letteratura, e si afferma vistosamente nella storiografia, grazie a Machiavelli e Guicciardini, i quali inaugurano una tradizione (che aveva un precedente più modesto nelle cronache medievali: cfr. VII.4).

A parte il discorso qualitativo sull'affermazione del volgare nei vari generi e sottogeneri, si può prendere in considerazione una serie di dati quantitativi, seguendo le elaborazioni statistiche di Marazzini [1993: 31-41] (cfr. anche III.10), da cui risulta il rapporto complessivo tra italiano e latino nella produzione editoriale di alcune città. Limitandoci a trascegliere i dati relativi al sec. XVI, noteremo che la percentuale più alta di libri in volgare viene stampata dall'editoria di Venezia (la quale afferma fortemente il suo primato), seguita dall'editoria di Firenze (con percentuali leggermente inferiori, appena al di sotto del 75%: il restante 25% della produzione è in latino). Nella seconda metà del Cinquecento si può considerare 'normale', nella produzione di un editore medio, una percentuale tra il 60 e il 75% di libri in italiano, e una percentuale tra il 40 e il 25% in latino. Fanno eccezione alcune città, le quali si segnalano per una situazione diversa e più arretrata: nella Roma della seconda metà del Cinquecento la produzione di libri in volgare è al di sotto della soglia del 50% (la maggior parte dei libri prodotti è dunque in latino!); a Torino e a Pavia accade la stessa cosa, ma per motivi diversi: sono città 'periferiche' rispetto al 'centro' toscano, caratterizzate da una forte presenza della cultura universitaria, legata alla lingua latina, mentre a Roma il latino è egemonico nella produzione libraria in quanto lingua della Chiesa, la quale si mantiene piuttosto distante dalla letteratura profana volgare. Anche a Napoli, nella seconda metà del sec. XVI, la cultura universitaria rallenta l'espansione della produzione di libri in volgare. Si noti che i dati da noi or ora commentati riguardano la seconda metà del secolo, la quale segna ovunque un progresso sostanziale rispetto alla prima metà, in cui ben difficilmente il libro in volgare sorpassa la percentuale del 50%, ed è anzi in generale in minoranza più o meno netta rispetto al libro in latino. Queste indicazioni, sia chiaro, si riferiscono al complesso della produzione libraria, indipendentemente dal genere e dal contenuto dei singoli libri.

2. La 'questione della lingua'

2.1. Pietro Bembo: dalle edizioni aldine del 1501-1502 alle «Prose della volgar lingua»

Abbiamo già accennato all'importanza dell'opera linguistica di Bembo (cfr. IX.1, e il denso e sintetico saggio di Pozzi [1989: 170-204]). Nell'avvio di questa attività è rilevante il sodalizio con l'editore veneziano (romano di origine) Aldo Manuzio, uno dei grandi maestri dell'arte tipografica italiana ed europea. Manuzio, già l'abbiamo detto, aveva stampato nel 1499 l'*Hypnerotomachia Poliphili* (cfr. VIII.1.2), libro dalla lingua satura di latinismi. Il secondo libro in volgare stampato da Manuzio fu l'edizione delle *Lettere* di Santa Caterina, nel 1500. Il volgare usato da Manuzio stesso nella premessa anteposta a quest'opera non ha ancora nulla di quella che sarebbe stata poco più tardi la lingua proposta da Bembo. Vi si riconoscono anzi forme che richiamano la *koinè* settentrionale [cfr. Durante 1981: 163]. Nel 1501 Manuzio stampava due classici, Virgilio e Orazio, scegliendo un formato editoriale di piccole dimensioni, 'tascabile', che avrebbe reso famose le sue edizioni, celebri anche per il carattere tipografico corsivo, detto appunto 'aldino'. Nello stesso anno usciva, sempre in piccolo formato, il Petrarca volgare curato da Bembo. L'evento è di grande importanza storica e culturale. Si era avviata una rivoluzionaria collaborazione. Lo stampatore Manuzio, nella premessa a questa edizione del Petrarca, difendeva il testo dalle rimostranze di coloro che vi avrebbero eventualmente potuto riconoscere un allontanamento dalle tradizionali grafie latineggianti, eredità della *koinè* quattro-cinquecentesca. Tale allontanamento dalla consuetudine era visibile fin dal titolo del libro, che era *Le cose volgari di Messer Francesco Petrarca*, e non le *cose vulgari*. Alcuni sostenevano – così osservava Manuzio – che occorresse scrivere *vulgari* «conciosia cosa che nel latino *vulgo* si dica, et non volgo», e al latino, sempre a giudizio di costoro, «si dee la volgare lingua accostare più che puote» (così si legge nella prima pagina della dedica ai lettori apposta al libro da Aldo Manuzio, riprodotta fotograficamente in Bonora [1966: 260]). Un taglio netto con la tradizione latineggiante, dunque. Ma le innovazioni introdotte da Bembo erano anche di maggiore portata: la forma linguistica di quel testo di Petrarca era quella su cui si sarebbero fondate in seguito le teorizzazioni delle *Prose della volgar lingua*. Compariva inoltre qui per la prima volta il segno dell'apostrofo, ispirato alla grafia greca, destinato a diventare presto stabile in italiano. L'anno dopo, nel 1502, Aldo pubblicò la *Commedia* curata dal Bembo.

Negli stessi anni in cui uscivano il Petrarca e il Dante aldini, Bembo scriveva gli *Asolani*, stampati nel 1505, anch'essi presso il Manuzio. In questa prosa trattatistica e filosofica era già in atto l'imitazione linguistica di Boccaccio, quale poi sarebbe stata teorizzata nelle *Prose*. La novità rispetto al Quattrocento stava nel fatto che Bembo ricavava da Boccaccio una lezione di lingua, prima che di stile, come ha notato Dionisotti [1966: 26]:

Non era questione di stile; era questione di grammatica. Quando il Bembo si accinse alla stesura dell'opera sua, egli naturalmente scriveva *giazzo* e *abbrazzo* e *trezza* e per contro *paccia, impaccire, preciosi, anci, nanci, dianci, dinanci,* e *cusino*, e quanto a morfologia, *voi vi maraviglia-vi*, e sempre come seconda persona del plurale, *desti, potresti*, e come terza persona singolare del congiuntivo, *credi, dichi, naschi, possi, siedi*, e come terza plurale, *faccino, habbino, possino, sapessino, soglino*. E così via. Tali forme erano normali allora, talune anche in Toscana, ma il Bembo dovette accorgersi ben presto che l'uso boccaccesco era diverso, e puntigliosamente corresse.

Bembo aveva avuto modo di studiare con cura il linguaggio che imitava. Nel 1501 e 1502 aveva scritto con le sue mani, per le citate edizioni aldine, l'intero testo di Petrarca e di Dante, e vi sono poche parole negli *Asolani* che non abbiano riscontro nel Boccaccio, mentre i latinismi di gusto umanistico sono quasi del tutto eliminati [cfr. Dionisotti 1966: 27]. Nei dieci anni successivi alle due edizioni aldine, Bembo scrisse gran parte delle *Prose*.

Forse in nessun altro secolo il dibattito teorico sulla lingua ebbe tanta importanza come nel Cinquecento, anche perché l'esito di queste discussioni fu la stabilizzazione normativa dell'italiano. La 'questione della lingua', cioè l'interminabile serie di discussioni sulla natura del volgare e sul nome da attribuirgli, non va intesa come un'oziosa diatriba di letterati, ma come un momento determinante, in cui teorie estetico-letterarie si collegano a un progetto concreto di sviluppo delle lettere. Al centro di questo dibattito possiamo collocare le *Prose della volgar lingua*, pubblicate a Venezia nel 1525: è l'*editio princeps* (così, in riferimento alla tipografia quattro-cinquecentesca, si usa chiamare la prima edizione a stampa di un'opera, classica, medievale o moderna che sia), di cui abbiamo l'edizione critica, con le varianti rispetto al manoscritto, e le varianti del manoscritto medesimo, il quale è conservato nella Biblioteca Vaticana di Roma [cfr. Vela 2001] (per le successive edizioni, del 1538 e 1549, cfr. Sorella [2001]). Le *Prose* sono divise in tre libri, il terzo dei quali contiene una vera e propria grammatica dell'italiano, la quale però risulta poco sistematica ai nostri occhi di moderni, anche perché il trattato ha una forma dialogica. Non è dunque una grammatica schematica e metodica, ma una serie di norme e regole esposte nella finzione del dialogo, dalle quali tuttavia emerge un chiaro profilo dell'italiano, quale Bembo teorizzava.

Il dialogo che costituisce le *Prose* è idealmente collocato nel 1502; vi prendono parte quattro personaggi, ognuno dei quali è portavoce di una tesi diversa: Giuliano de' Medici (terzo figlio di Lorenzo il Magnifico) rappresenta la continuità con il pensiero dell'Umanesimo volgare, Federico Fregoso espone molte delle tesi storiche presenti nella trattazione, Ercole Strozzi (umanista e poeta in latino) espone le tesi degli avversari del volgare, e infine Carlo Bembo, fratello dell'autore, è portavoce delle idee di Pietro. La finzione del dialogo, abbiamo detto, riporta all'inizio del secolo. Si noti, del resto che i primi due libri delle prose erano già pronti nel 1512, anche se l'opera fu data alle stampe più tardi.

Nelle *Prose* viene svolta prima di tutto un'ampia analisi storico-linguistica, prendendo le distanze dalla tesi pseudo-bruniana, la forma vulgata e mistificata della tesi che era stata proposta da Leonardo Bruni a proposito dell'origine del volgare (cfr. I.1.2). Secondo la tesi pseudo-bruniana, l'italiano era già esistito al tempo dell'antica Roma, come lingua popolare. Bembo non accetta questa ricostruzione storica, e ne individua anzi i rischi, facendo osservare a Ercole Strozzi (sostenitore del primato del latino) che non ci sarebbe alcun valido motivo di adottare una lingua che a suo tempo era stata «per vile scacciata» dalle scritture degli autori classici. Adottando invece, come faceva Bembo, il punto di vista di Biondo Flavio, secondo il quale il volgare era nato dalla contaminazione del latino ad opera degli invasori barbari, il volgare stesso risultava un'entità nuova, ed era possibile (come era emerso già nel pensiero di Leon Battista Alberti: cfr. VIII.2.1) un suo riscatto tramite gli scrittori e la letteratura. Il principio adottato è dunque quello di un possibile mutamento della qualità delle lingue, la cui eventuale 'barbarie' originaria non risulta irreversibile. L'italiano era andato progressivamente migliorando, osservava Bembo, mentre un'altra lingua moderna, il provenzale, che pure aveva preceduto l'italiano nel successo letterario, era andata progressivamente perdendo terreno. Il discorso si spostava dunque sulla letteratura, le cui sorti venivano giudicate inscindibili da quelle della lingua.

Quando Bembo parla di lingua volgare, intende senz'altro il toscano: ma non il toscano vivente, il toscano parlato nella Firenze del sec. XVI, bensì il toscano letterario trecentesco dei grandi autori, di Petrarca e di Boccaccio (in parte anche quello di Dante). Questo è un punto fondamentale della tesi bembiana: egli non nega che i toscani siano avvantaggiati sugli altri italiani nella conversazione; ma questo non è oggetto del trattato, che non si occupa del comune parlato, ma della nobile lingua della letteratura. Il punto di vista delle *Prose* è squisitamente umanistico, e si fonda sul primato della letteratura. Tanto è vero che il vantaggio dei toscani nella conversazione è visto addirittura come un elemento di rischio: proprio la comunanza del fiorentino moderno con la lingua popolare risulta dannosa, in quanto i letterati fiorentini possono essere portati più di altri ad accogliere parole popolari che macchiano la dignità della scrittura. La lingua non si acquisisce dunque dal popolo, secondo Bembo, ma dalla frequentazione di modelli scritti, i grandi trecentisti, appunto. Non si coglierebbe il vero significato culturale delle *Prose*, e non si potrebbe apprezzare la carica ideale del libro, se non si riconducesse questa presa di distanza dalla lingua fiorentina viva e popolare a una matrice classicistica. Bembo sapeva perfettamente che la scelta del modello costituito dalle Tre Corone riportava indietro nel tempo, con un salto nel passato tale da far dubitare che egli volesse parlare «a' morti più che a' vivi». Ma la teoria di Bembo voleva appunto coniugare la modernità della scelta del volgare con un totale distacco dall'effimero, secondo un ideale rigorosamente classicistico, la cui natura è squisitamente e (direi) implacabilmente letteraria. Requisito necessario per la nobilitazione del volgare era dunque un totale rifiuto della popolarità. Ecco perché Bembo non accettava integralmente il modello della *Commedia* di Dante, di cui non apprezzava le discese verso il basso nelle quali noi moderni riconosciamo invece un accattivante mistilinguismo (cfr. VII.1.2). Da questo punto di vista, il modello del *Canzoniere* di Petrarca non presentava difetti, per la sua assoluta selezione linguistico-lessicale (cfr. VII.2). Qualche problema, invece, poteva venire dalle parti del *Decameron* in cui emergeva più vivace il parlato (cfr. VII.3). Bembo si preoccupava infatti di precisare che il modello linguistico a cui si doveva far riferimento non stava nei dialoghi delle novelle del *Decameron*, ma nello stile vero e proprio dello scrittore (nel «corpo delle composizioni sue»). Lì era il vero Boccaccio, caratterizzato dalla sintassi fortemente latineggiante, dalle inversioni, dalle frasi gerundive. Questo fu il modello assunto nelle *Prose*, e imitato dallo stesso Bembo.

Si dice di solito che la teoria di Bembo colloca la perfezione linguistica nel passato, identificandola in alcuni modelli ritenuti perfetti, imbalsamandoli e costringendo a imitarli. Di fatto la teoria di Bembo ebbe queste conseguenze, già implicite nel ciceronianismo dello scrittore, che trasportò la sua concezione della lingua latina nella teoria della lingua volgare: Bembo era favorevole a una regolamentazione del latino rigidamente aderente al 'periodo aureo' della classicità, cioè fondata sul binomio Virgilio-Cicerone (a cui corrispondevano per il volgare Petrarca e Boccaccio). È vero che Bembo era convinto che la storia linguistica italiana avesse raggiunto una vetta qualitativa insuperata nel Trecento, con le Tre Corone. È altrettanto vero, però, che egli non escludeva che il volgare, così giovane in confronto al latino, potesse ancora raggiungere risultati eccellenti, proprio attraverso la nuova regolamentazione proposta nelle *Prose*.

La soluzione di Bembo fu quella vincente. Essa formalizzava in maniera rigorosa e teoricamente fondata quanto era avvenuto nella prassi: il volgare si era diffuso in tutt'Italia come lingua della letteratura attraverso una più o meno cosciente imitazione dei grandi trecentisti. Ora la grammatica di Bembo permetteva di portare a compimento quel processo spontaneo, depurando il volgare stesso dagli elementi eterogenei della *koinè* primo-cinquecentesca.

Nel clima del classicismo, inoltre, la sua teoria aveva le carte in regola per essere gradita a una classe colta abituata al culto del passato (certo ben più di noi moderni, che siamo per contro affascinati dal mito romantico dell'originalità e dell'innovazione).

2.2. La teoria cortigiana

Un curioso destino ha voluto che le fonti più ricche di notizie sulla teoria cortigiana fossero proprio gli scritti degli avversari: è lo stesso Bembo, nelle *Prose della volgar lingua*, a parlare dell'opinione di Calmeta, secondo la quale il volgare migliore è quello usato nelle corti italiane, e specialmente nella corte di Roma. Una formulazione forse più precisa della teoria di Calmeta è data da un altro letterato del Cinquecento, Ludovico Castelvetro: secondo l'interpretazione di quest'ultimo risulterebbe che Calmeta faceva riferimento a una fondamentale fiorentinità della lingua, la quale si doveva apprendere sui testi di Dante e Petrarca e doveva essere poi affinata attraverso l'uso della corte di Roma, una corte che effettivamente era luogo al di sopra del particolarismo municipale. Nel Cinquecento, infatti, Roma era una «città cosmopolita per eccellenza: la sua popolazione, essendo allora per quattro quinti non indigena, era molto esposta alla penetrazione di mode linguistiche determinate da quella corte papale, sempre più italiana, che, col Piccolomini prima e coi Medici poi, aveva visto crescere in particolare la presenza toscana» [Stussi 1982: 39]. A Roma si realizzava quindi un fenomeno verificabile peraltro anche in altre corti: la circolazione di genti diverse favoriva il diffondersi di una lingua di conversazione superregionale di qualità alta, di base toscana, ma disponibile ad apporti diversi.

Il fascino della corte di Roma come centro elaboratore della lingua aveva attirato anche altri, non solo il Calmeta. Mario Equicola (1470-1525) aveva parlato in un primo tempo di una lingua capace di accogliere vocaboli di tutte le regioni d'Italia, mai plebea, con una coloritura latineggiante, il cui modello stava nella lingua di corte di Roma, «la quale de tucti boni vocabuli de Italia è piena, per essere in quella corte de ciascheuna regione preclarissimi homini» (cito da Ricci [1999: 213]). Lo stesso Equicola, nel *De natura de amore* del 1525, dichiarava di aver usato una lingua definibile come «commune» (sull'Equicola, oltre alla fondamentale edizione della Ricci [1999], cfr. anche Pozzi [1989: 101-118]). Identico aggettivo era usato per definire la propria scelta linguistica da Baldassar Castiglione nel *Cortegiano*, uscito nel 1528 [cfr. Pozzi 1989: 119-136]. La differenza tra questo ideale linguistico e quello di Bembo sta nel fatto che i fautori della lingua cortigiana non volevano limitarsi all'imitazione del toscano arcaico, ma preferivano far riferimento all'uso vivo di un ambiente sociale determinato, quale era la corte. Questa teoria, che anche negli ultimi anni ha continuato ad attirare l'attenzione degli studiosi [cfr. Drusi 1995 e Giovanardi 1998], può essere collegata senz'altro alla prassi scrittoria di *koinè* (cfr. VIII.5), anche se la teorizzazione venne quando ormai la letteratura in lingua di *koinè* era tramontata. Bembo obiettava ai sostenitori della lingua 'comune' che una lingua 'cortigiana' era un'entità difficile da definire in maniera precisa, non riconducibile all'omogeneità. In effetti proprio questo difetto fece sì che la teoria cortigiana, pur basata su di una tradizione vitale e sulla reale esperienza di ambienti di primaria importanza, non uscisse vincente dal dibattito cinquecentesco. La teoria arcaizzante di Bembo aveva su di essa il considerevole vantaggio di offrire modelli molto più precisi, nel momento in cui i letterati avevano necessità di una norma rigorosa a cui attenersi.

2.3. La teoria 'italiana' di Trissino

Analogie con la teoria cortigiana presenta la tesi del letterato vicentino Giovan Giorgio Trissino (1478-1550), teoria strettamente legata alla riscoperta del *De vulgari eloquentia* di Dante (cfr. I.1.1 e VI.4). Nel 1529 Trissino diede alle stampe il trattato dantesco, non nella forma latina originale, ma in traduzione italiana. Nello stesso anno egli pubblicò il *Castellano*, un dialogo in cui sosteneva che la lingua poetica di Petrarca era composta di vocaboli provenienti da ogni parte d'Italia, e non era quindi definibile come 'fiorentina', bensì come 'italiana'[5]. Le idee di Trissino erano comunque note da tempo, così come già in precedenza egli aveva fatto conoscere il contenuto del *De vulgari eloquentia*, libro dimenticato per tutto il Quattrocento. La tesi di Trissino negava dunque la fiorentinità della lingua letteraria, e faceva appello alle pagine in cui Dante aveva condannato la lingua fiorentina, contestandone ogni pretesa di primato letterario. In fondo, tutta la teoria di Trissino si sviluppa in funzione della riscoperta e riproposta del *De vulgari eloquentia*. Naturalmente Trissino era convinto che la *Commedia* fosse stata scritta da Dante in ossequio ai principi esposti nel trattato, e ne rappresentasse la coerente realizzazione. Trissino, inoltre, aveva proposto una riforma dell'alfabeto italiano, in particolare con l'introduzione di due segni del greco, *epsilon* e *omega* [cfr. Maraschio 1993: 214-216]. Su questa riforma ortografica, così come sulla definizione di lingua 'italiana', si discusse a lungo, e generalmente in maniera piuttosto critica.

---

[5] Il titolo di questo dialogo prende il nome dal fatto che portavoce delle idee di Trissino nella finzione dialogica è Giovanni Rucellai, 'Castellano' di Castel Sant'Angelo a Roma, cioè comandante della celebre fortezza papale. Il dialogo è ambientato appunto in questa fortezza, e si immagina avvenuto nel 1524.

2.4. La cultura toscana di fronte a Trissino e a Bembo

È evidente che alla cultura toscana non piacque la riproposta del *De vulgari eloquentia* messo in circolazione da Trissino, anche se Trissino esercitò una certa influenza su di un gruppo di giovani intellettuali del capoluogo toscano, tra i quali Cosimo Rucellai (nipote di Giovanni, il 'Castellano': cfr. IX.2.3, nota 5), Luigi Alamanni e Francesco Guidetti. La più interessante reazione fiorentina alle idee di Trissino è il *Discorso o dialogo intorno alla nostra lingua* attribuito a Machiavelli [cfr. Pozzi 1975b; Sozzi 1976; Martelli 1978; Dionisotti 1980: 267 ss.; Castellani Pollidori 1978 e 1981; Trovato 1982]. In questo testo, scritto in maniera vivace e brillante, viene introdotto Dante stesso, il quale dialoga con Machiavelli, facendo ammenda degli errori commessi scrivendo il *De vulgari eloquentia*. Si noti che non è in questo caso contestata l'autenticità del trattato dantesco (come si fece in seguito), ma semplicemente Dante viene «sgannato» ('cavato d'inganno'), corretto per i suoi errori, condotto ad ammettere di aver scritto in fiorentino, non in lingua 'curiale' (cioè non in lingua comune o cortigiana). Trissino non è mai nominato espressamente, ma si parla di certi letterati non toscani (in particolare di «vicentini»: Trissino era appunto di Vicenza) che volevano indebitamente farsi maestri di lingua. Viene inoltre rivendicato il primato linguistico di Firenze contro le pretese dei settentrionali, contro «coloro che sono sì poco conoscitori de' beneficii ch'egl'hanno havuti da la nostra patria, che e' vogliono accomunare con essa lei nella lingua Milano, Vinegia, Romagna, et tutte le bestemmie di Lombardia» (cito dall'ed. Trovato [1982: 70]). Il *Discorso o dialogo* di Machiavelli rimase però inedito fino al Settecento, e quindi non influì direttamente sul dibattito cinquecentesco.

Ben presto si ebbe una polemica sull'autenticità del *De vulgari eloquentia* (polemica assente, come abbiamo visto, in Machiavelli), favorita dal fatto che Trissino non rese mai pubblico il testo originale latino dell'opera. Il testo latino fu stampato solo nel 1577, a Parigi, dal letterato Jacopo Corbinelli, fuoruscito fiorentino. A quella data, però, erano ormai morti i protagonisti del dibattito linguistico della metà del secolo, e ciò tolse mordente alla novità filologica. La traduzione di Trissino continuò a circolare più dell'originale latino, fino a quando i due testi non furono uniti, ciò che accadde molto più tardi, nel 1729, nell'edizione delle opere complete di Trissino curata da Scipione Maffei.

Molti letterati fiorentini del sec. XVI, come Ludovico Martelli, Giovan Battista Gelli e Benedetto Varchi, insinuarono dunque che troppo poco si sapeva per giudicare dell'autenticità del trattato *De vulgari eloquentia*, in cui si individuavano fra l'altro delle contraddizioni rispetto alle idee espresse da Dante nel *Convivio* e nella *Commedia*. Il giudizio sul *De vulgari eloquentia* si fa a volte assai pesante: Varchi, ad esempio, affermò che il trattato conteneva vere e proprie sciocchezze, cose che Dante non avrebbe mai potuto scrivere. Il trattato divenne insomma riferimento per gli avversari delle teorie linguistiche fiorentiniste, ben contenti di trovare un alleato in un fiorentino illustre come Dante. Al *De vulgari* furono per contro avversi tutti coloro che ebbero fiducia nel primato naturale della lingua fiorentina vivente.

2.5. L'«Hercolano» di Varchi

Le teorie che abbiamo fin qui sintetizzato rappresentano le posizioni fondamentali della 'questione della lingua', così come fu dibattuta nella prima metà del sec. XVI. Tali posizioni furono variamente riprese in seguito, anche al di là dei confini cronologici del Cinquecento. Come abbiamo avuto modo di dire, dal dibattito uscì vincente la tesi fiorentinista arcaizzante di Bembo. La cultura fiorentina, pur respingendo la posizione bembiana, non trovò il modo di contrapporsi ad essa in maniera convincente. La situazione mutò solo nella seconda metà del secolo, quando uscì l'*Hercolano* di Benedetto Varchi (1570) pubblicato nello stesso anno a Firenze e a Venezia, un'opera molto importante, di cui abbiamo ora l'edizione critica [cfr. Sorella 1995, con esauriente introduzione e ampio glossario].

Varchi, fiorentino, aveva maturato un'esperienza culturale al di fuori della sua città, essendo stato esule a causa di trascorsi politici antimedicei. A Padova aveva avuto modo di frequentare l'Accademia degli Infiammati, dov'era viva la lezione di Bembo; aveva conosciuto di persona Bembo stesso, per il quale mostrò sempre deferenza. Rientrato a Firenze dopo il perdono accordatogli da Cosimo de' Medici (1543), Varchi ebbe il merito d'introdurre il bembismo nella città che più gli era naturalmente avversa. L'opposizione fiorentina al bembismo non si era tradotta in uno sforzo di elaborazione culturale significativo. Di fronte al trionfo generale delle idee contenute nelle *Prose della volgar lingua*, a Firenze si rischiava di cadere in una posizione provinciale e marginale. La stessa cultura senese, attraverso uno studioso intelligente come Claudio Tolomei (autore del *Polito*, del 1525, e del *Cesano*, pubblicato nel 1555), aveva fatto sentire la propria voce con più efficacia in campo linguistico, opponendo però al fiorentino un più generico modello 'toscano'.

La rilettura di Bembo condotta da Varchi non fu affatto fedele, e anzi risultò alla fine un vero e proprio tradimento delle premesse del classicismo volgare (sulle quali cfr. IX.2.1). Ciò servì però a rimettere in gioco il fiorentino vivo, dandogli un ruolo e una dignità. Fu una vera e propria riscoperta del 'parlato', nel quadro di una teoria generale della lingua ispirata alla Bibbia (come era stato il *De vulgari eloquentia*: cfr. I.1.1), ma alla filosofia naturale. Per Varchi, ad esempio, la pluralità dei linguaggi non va spiegata con la maledizione babelica, ma con la naturale tendenza alla varietà propria della natura umana. Essa non è una 'punizione' inflitta agli uomini, ma un vantaggio, in quanto parte integrante della perfezione dell'universo. Inutile veniva reputata la ricerca del primo linguaggio umano (secondo il *De vulgari eloquentia*, questo era stato l'ebraico). Il concetto di lingua veniva discusso da Varchi nell'àmbito di una concezione sociale del linguaggio, e veniva proposta anche una classificazione delle lingue basata su di una serie precisa di elementi: la loro provenienza dall'estero o la loro 'originale' esistenza in un luogo, il loro patrimonio di cultura e di letteratura, la loro natura di idiomi vivi o idiomi morti[6], la loro comprensibilità[7]. In sostanza, pur molto concedendo all'ideale della lingua scritta teorizzato da Bembo, Varchi affiancava a questo modello la lingua parlata di Firenze (un parlato non privo di tratti idiomatici e di vivaci modi di dire, per il quale l'autore ribadiva tuttavia di aver fatto riferimento all'uso del 'popolo', ma non a quello del basso popolo o «popolazzo»: cfr. III.4). Molte pagine dell'*Hercolano* contengono liste di espressioni proverbiali fiorentine, allo scopo di esemplificare la ricchezza e varietà di questa lingua parlata.

La revisione del bembismo operata da Varchi è di estrema importanza. Essa vanificava l'austero rigore delle *Prose della volgar lingua*, caratterizzate dalla loro attenzione per il ruolo dei grandi scrittori, e dall'affermazione che la città di Firenze, in quanto luogo concreto e reale, non poteva vantare alcun primato. L'*Hercolano* sanciva invece il principio che esisteva un'autorità 'popolare' (seppure non propria del «popolazzo») da affiancare a quella dei grandi scrittori. Questi principi permisero a Firenze di esercitare di nuovo un controllo sulla lingua, controllo che era mancato completamente nella prima metà del sec. XVI.

3. La stabilizzazione della norma linguistica

3.1. La prima grammatica a stampa della lingua italiana

Le teorizzazioni elaborate nell'ambito delle dispute sulla 'questione della lingua' non avrebbero certo potuto incidere sull'effettiva prassi scrittoria e sulle abitudini degli utenti senza un corrispettivo sviluppo degli strumenti normativi. Nel Cinquecento si

---

[6] Nella terminologia usata da Varchi, 'non vive' sono le lingue che non si parlano più, mentre sono 'mezze vive' le lingue che non si parlano, ma, come il latino, vengono ancora scritte.

[7] Tale comprensibilità è intesa sulla base della capacità di comprendere propria di un parlante fiorentino, ed è usata come metro per misurare il grado di parentela dei vari idiomi: i dialetti italiani, ad esempio, risultavano comprensibili, ma 'disuguali' rispetto al fiorentino, perché gerarchicamente inferiori.

ebbero dunque le prime grammatiche e i primi vocabolari, nei quali si riflettono le proposte teoriche, in particolare quella di Bembo. Si stabilizza così anche la terminologia linguistico-grammaticale (cfr. Poggiogalli [1999], con utilissimo *Glossario*). Abbiamo già avuto modo di osservare (cfr. IX.2.1) che il III libro delle *Prose della volgar lingua* è esso stesso una vera e propria grammatica, seppur esposta in forma dialogica. Non fu tuttavia questa la prima grammatica della lingua italiana data alle stampe. Bembo, con suo disappunto, era stato preceduto da Giovan Francesco Fortunio, letterato friulano di nascita e di formazione veneziana: questi, nel 1516, mentre si trovava a esercitare la funzione di podestà ad Ancona, stampò in quella città le *Regole grammaticali della volgar lingua* [cfr. Pozzi 1972-1973; Marazzini-Fornara 1999 e Richardson 2001]. Quest'opera non ha certo alle spalle una teorizzazione sistematica come quella delle *Prose della volgar lingua*, ma non si può dire che si discosti completamente dall'ideale bembiano. La base delle norme proposte da Fortunio sta infatti nei grandi scrittori del Trecento, senza però che si manifestino le riserve bembiane nei confronti del linguaggio della *Commedia*. Fortunio si dimostrava cosciente della novità della propria opera, la prima del genere[8]. Tuttavia l'«ordito di questa grammatica è estremamente scarno. Le parti del discorso di cui si dà conto sono ridotte volutamente a quattro (il nome, il pronome, il verbo, l'avverbio)» [Patota 1993: 102]. Note sparse sono dedicate all'aggettivo, al participio, alla congiunzione, alla preposizione e all'interiezione. Numerose ristampe dimostrano che l'opera di Fortunio ebbe una buona accoglienza, e fu effettivamente utilizzata dagli utenti, almeno fino a quando non furono disponibili grammatiche capaci di divulgare le teorie bembiane.

3.2. Sviluppo della produzione grammaticale e dei primi lessici

Attorno alla metà del Cinquecento furono disponibili diverse grammatiche che illustravano con chiarezza la lingua teorizzata da Bembo. Esse non si proponevano ambiziosi obiettivi teorici, ma avevano uno scopo eminentemente pratico, riconoscibile anche nella loro forma, didatticamente fruibile più di quanto fosse quella delle *Prose della volgar lingua*. Nel 1550 uscirono ad esempio le *Osservazioni nella volgar lingua* di Ludovico Dolce, che ebbero molte ristampe: si trattava di un libretto di piccole dimensioni, facile da consultare, un'opera «commoda assai per li principianti», come scrisse un contemporaneo, il Lombardelli [cfr. Trabalza

---

[8] Abbiamo già avuto modo di dire che la prima grammatica italiana in assoluto, composta nel Quattrocento, non ebbe alcuna diffusione: essa, dunque, non costituisce un precedente paragonabile a questa nuova realizzazione cinquecentesca: cfr. VIII.2.2.

1908: 127]. Nel 1562 l'editore Sansovino di Venezia (figlio del celebre architetto), nella cui produzione si riscontra un'attenzione non banale per le questioni linguistiche [cfr. Marazzini 1983], pubblicò le *Osservationi della lingua volgare de diversi uomini illustri*, che riproponevano riunite in un solo volume ben cinque opere grammaticali della prima metà del secolo, di Fortunio, Bembo, Acarisio, Jacomo Gabriele e Rinaldo Corso [cfr. Peirone 1971]. Sulla linea di Bembo si collocano sostanzialmente i *Commentarii della lingua italiana* di Girolamo Ruscelli, usciti postumi nel 1581. A Napoli, M.A. Flaminio aveva ricondotto a «metodo», ordinandole in forma alfabetica, le *Prose* di Bembo [cfr. Sabbatino 1995: 71-72; Marazzini 1999b: 8]. Il Flaminio aveva anche compendiato la grammatica di Fortunio [cfr. Bongrani 1996].

Nel fiorire di grammatiche, pubblicate soprattutto dall'editoria veneta, si segnala l'assenza di opere prodotte dall'editoria di Firenze, la quale non fu in grado di tenere il passo con il capoluogo lagunare, anche perché in Toscana si sentiva senz'altro molto meno il bisogno di consultare strumenti normativi di questo genere. Il malumore toscano per l'ingerenza di grammatici e teorici forestieri in quella che veniva pur sempre reputata una lingua prima di tutto patrimonio locale, e non proprietà comune, non seppe tradursi in un'adeguata risposta sul piano normativo. A Firenze si ebbe solamente la grammatica di Giambullari, uscita nel 1552, con la prefazione di Gelli. Questo libro, che voleva proporre la norma della lingua parlata a Firenze, rivolgendosi ai non fiorentini ed ai giovani, rappresenta tuttavia un fallimento. Cosimo de' Medici aveva chiesto all'Accademia fiorentina di stabilire le regole della lingua in maniera 'ufficiale', e per contro l'Accademia stessa non arrivò a un accordo[9]. L'esperimento di Giambullari fu dunque realizzato a titolo personale, e non ebbe molto successo. Vide la luce, come abbiamo detto, nel 1552, con il titolo *De la lingua che si parla e scrive in Firenze*[10].

---

[9] Nel 1550 l'Accademia fiorentina, organo della politica culturale di Cosimo de' Medici, aveva affidato ad una commissione (di cui facevano parte anche Gelli, Giambullari e Varchi) l'incarico di stabilire le regole della lingua. L'anno dopo fu costituita una seconda commissione, ma Gelli non ne fece più parte, perché si era convinto che una lingua viva come il fiorentino non potesse essere fermata nella sua libera crescita: la normativizzazione grammaticale risultava dunque per ora prematura. Il suo punto di vista fu chiarito nel *Ragionamento sopra le difficultà di mettere in regole la nostra lingua* pubblicato poi, come abbiamo detto, assieme alla grammatica di Giambullari. L'Accademia di Firenze non riuscì dunque a realizzare una grammatica 'ufficiale' del toscano.

[10] Questo titolo è assai appropriato, ma non ha riscontro nei manoscritti dell'autore, tanto è vero che per la moderna edizione critica di quel testo la curatrice ha preferito *Regole della lingua fiorentina*, secondo l'indicazione di uno dei due autografi della Biblioteca Nazionale di Firenze [cfr. Bonomi 1986]. Benché la grammatica di Giambullari si ponesse in posizione antagonistica rispetto alle altre opere del genere, nonostante le sue premesse, essa risulta di fatto abbastanza tradizionale, perché gli esempi proposti sono tratti generalmente dagli

Oltre alle grammatiche, fin dalla prima metà del Cinquecento si diffusero e furono assai bene accolti i primi lessici, antenati dei vocabolari. Essi contenevano un numero relativamente limitato di parole, ricavate da spogli condotti sugli scrittori, Dante Petrarca e Boccaccio in primo luogo. Tra i più antichi libri del genere citeremo *Le tre fontane* di Niccolò Liburnio, del 1526, un'opera che «si colloca all'incrocio tra retorica, grammatica e lessicografia» [Poggi Salani 1986: 52], e che si presenta come un aiuto per scrivere correttamente. Le 'tre fontane' a cui allude metaforicamente il titolo sono i tre grandi trecentisti, le Tre Corone, da cui scaturisce la lingua regolata. Tra il 1535 e il 1543 compaiono diversi lessici dedicati a un singolo autore-modello, Boccaccio o Petrarca. Ancora a Dante Petrarca e Boccaccio si rifà il napoletano Fabricio Luna, autore di un *Vocabulario di cinquemila vocabuli toschi* (1536). Assomma in sé tutti i desiderabili strumenti della regolamentazione normativa il *Vocabolario, grammatica, et ortographia de la lingua volgare*, stampato a Cento nel 1543 da Alberto Acarisio [cfr. Trovato 1988]. Più ampia è *La fabrica del mondo* (1548) di Francesco Alunno di Ferrara. Si tratta del più noto vocabolario della prima metà del Cinquecento, strutturato in forma di dizionario metodico, con un indice alfabetico per ritrovare facilmente le voci.

3.3. Gli scrittori di fronte alla grammatica di Bembo

L'adozione della soluzione linguistica proposta da Bembo, e comunque il riferimento più preciso al modello di Petrarca e Boccaccio, aveva il grande vantaggio di liberare gli scriventi italiani dall'incertezza. Non è un caso che lo stesso Bembo fosse invitato da Castiglione (nonostante quest'ultimo professasse idee linguistiche diverse: cfr. IX.2.2) a rivedere il testo del *Cortegiano*. Ma l'effetto più noto della grammatica di Bembo si ebbe su di un grande capolavoro quale l'*Orlando furioso*, perché Ariosto corresse la terza e definitiva edizione del poema seguendo proprio le indicazioni delle *Prose*. Delle tre edd. dell'*Orlando furioso*, rispettivamente del 1516, 1521 e 1532, la prima risente ancora del padano illustre, benché sia già notevolmente toscanizzata (molto più, ad esempio, dell'*Orlando innamorato*). In essa vi sono oscillazioni nell'uso delle consonanti doppie, nell'uso di *c* e *z* davanti a vocale (*roncino* per 'ronzino'); vi si trovano forme come *giaccio, giotto, iusto* per 'ghiaccio', 'ghiotto', 'giusto'; abbondano i latinismi lessi-

scrittori del Trecento, Petrarca prima di tutti, poi Dante e Boccaccio. Se si va alla ricerca di quell'«uso moderno» a cui l'autore fa così spesso riferimento, si constata che esso riguarda in realtà un numero limitato di casi: tra essi, le forme del tipo *arò* per 'avrò' nel futuro, e il condizionale *arei* per 'avrei'. Sono forme che si ritrovano in autori come Cellini, Machiavelli, Gelli, mentre risultano estranee alle Tre Corone [cfr. Manni 1979].

cali, che già sappiamo essere tipici della *koinè* padana (*crebro, dicare, difensione* ecc.).

I ritocchi dell'ed. 1521 sono relativamente pochi, mentre l'ed. del 1532 tiene decisamente conto, come abbiamo detto, dei suggerimenti delle *Prose della volgar lingua*, che si situano appunto tra le ultime due stampe dell'*Orlando furioso*. Ci restano anche prove dirette della deferenza di Ariosto per Bembo, il cui elogio è posto fra l'altro nel canto XLVI del poema (ottava 15). Tra le correzioni introdotte sistematicamente, possiamo ricordare la sostituzione dell'articolo maschile *el* con *il,* le desinenze del presente indicativo prima persona plurale regolarizzate in *-iamo,* la prima persona singolare dell'imperfetto in *-a* (*andava* anziché *andavo*), alla maniera dei trecentisti ecc.[11].

Una simile elaborazione, nel capolavoro della letteratura italiana del primo Cinquecento, non è senza significato, anche se le indicazioni della grammatica di Bembo non furono, per Ariosto, una folgorazione improvvisa. Già da tempo egli si muoveva verso la toscanizzazione. Ma nelle *Prose* aveva trovato finalmente una regolarizzazione univoca e ben motivata del sistema linguistico [cfr. Segre 2001]. Stella [1976] ha avuto l'idea di mettere a confronto le correzioni dell'*Orlando furioso* con le lettere private di Ariosto. Nelle lettere anteriori al 1516 spiccano forme non dittongate come *mei* per 'miei', *dece* per 'dieci', *balestreri* per 'balestrieri', *forasteri* per 'forestieri', *bancheri* per 'banchieri' ecc. Alcune forme del genere resteranno ancora nella prima e nella seconda ed. del poema (*cavaller, destrer, guerrer, prigioneri, cimero, visera*), ma nella III ed. vi saranno solo tre casi di mancato dittongamento *ie*: *prigionera* (II, 65, 8), *visera* (XVII, 102, 1), *destrero* (XXXI, 71, 7). Nell'ed. del poema realizzata dal tipografo veneziano Valgrisi nel 1556 [sulla quale cfr. Trovato 1991: 282-287], il letterato Girolamo Ruscelli intervenne con gli ultimi ritocchi, ed eliminò anche queste tre eccezioni. Ciò dà un'idea di quale fosse il 'bisogno di grammatica' degli scrittori italiani, almeno fuori di Toscana. È evidente che un toscano come Machiavelli preferiva invece far appello alla propria naturale padronanza della lingua, e non accettava di imitare le forme arcaiche usate dalle Tre Corone. Ma il naturalismo linguistico poteva trovare fautori solo in Toscana, perché altrove l'adozione dell'italiano non aveva nulla di 'naturale': era anzi il frutto di una scelta libresca e di cultura.

4. L'italiano come lingua popolare e pratica

Al di fuori della letteratura, nei settori pratici, nel Cinquecento si assiste ad una crescita sostanziale dell'impiego della lingua

---

[11] Per un esauriente esame delle correzioni introdotte, cfr. Migliorini [1957: 178-186], Coletti [1993: 145-148], Soletti [1993: 656-660].

italiana, che possiamo verificare nelle scritture e nelle stampe. Aumentano le occasioni di scrivere, cresce l'uso della lingua, a volte utilizzata anche da persone di scarsa cultura. L'analfabetismo era molto diffuso, soprattutto nelle campagne; sembra però, in base a studi recenti, che nelle città, in particolare a Roma, non mancassero popolani in grado di leggere e scrivere, come hanno dimostrato vari lavori di Armando Petrucci dedicati ad esplorare settori prima trascurati dalla ricerca [cfr. Petrucci 1978 e 1982]. Una delle 'scoperte' più affascinanti di Petrucci è stato il quaderno di Maddalena, pizzicarola trasteverina all'epoca del sacco di Roma. Nel cap. III.4 abbiamo già parlato del quaderno di Maddalena, in cui si trovano sottoscrizioni e registrazioni autografe di popolani, gente con uno *status* sociale innegabilmente assai basso, i quali tuttavia riescono a scrivere, seppur a stento. Ovviamente le scritture popolari e semipopolari sono caratterizzate da regionalismi e dialettismi. Il modello omogeneo di lingua toscana diffuso con il successo delle teorie di Bembo e con la produzione grammaticale e lessicografica agisce soprattutto sugli scriventi colti. Al di sotto di questo livello non mancano forme ibride, che si incontrano largamente in diari privati, libri di famiglia, quaderni di annotazioni (come quello di Maddalena), lettere di tipo comune (non destinate alla pubblicazione e comunque prive di intento d'arte): tutte quelle forme di scrittura, insomma, che rispondono solo alle necessità della vita quotidiana. Lo storico della lingua che voglia verificare la diffusione a livello medio del modello toscano-letterario è dunque particolarmente attento a quelle fonti archivistiche e documentarie che gli permettono di esaminare un *corpus* di testi ricco, attraverso il quale sia possibile ispezionare la varietà di usi legati alle diverse condizioni sociali degli scriventi. Indicazioni utili si ricavano dalle varie sezioni (ognuna dedicata a un diverso quadro regionale) presenti in Bruni [1992a]. Recentemente sono stati presi in esame da Bianconi [1991] i carteggi dei cardinali Carlo e Federico Borromeo, conservati nella Biblioteca Ambrosiana di Milano, i quali, per ricchezza e varietà, possono dare un'idea delle diverse forme di italiano non letterario impiegate tra la fine del Cinquecento e l'inizio del Seicento. Alcune lettere inviate ai Borromeo sono di evidente matrice semicolta, e mostrano un uso approssimativo dell'italiano. Lo si può verificare in questo brano tratto da una missiva proveniente da Claro, nella Lombardia svizzera, risalente al 1582; un certo Battista chiede di ottenere un lavoro presso il monastero del paese:

Lustrissimo bonsignore gardinalo bono romeo de santa prosedia quale sarà per avisarve de quelo gerigo de antonio bulo qualmente facio feda mi batista farei curador de li monige del monesterio de santa maria de claro...[12]

---

[12] Testo da Bianconi [1991: 44]. La traduzione dovrebbe essere questa (al-

È una lingua satura di elementi dialettali, che, uniti all'incapacità di governare la sintassi, rendono il testo quasi incomprensibile. Le forme settentrionali interessano prima di tutto la fonetica (sonorizzazioni di occlusive sorde intervocaliche; esito in affricata palatale di CL- latino: CLERICUS > *gerigo*), sonorizzazione di C- iniziale in *gardinalo*; pronome personale *mi* per 'io'; desinenze dei nomi in *-e* regolarizzate in *-o* per il maschile e *-a* per il femminile: *gardinalo* 'cardinale', *prosedia* 'prassede', *feda* 'fede').

Il genere della lettera è uno dei primi in cui è dato trovare l'italiano prodotto dai semicolti. Non sempre però il livello è così basso. Marazzini [1993: 221-222] ha esaminato un passo di una missiva scritta nel 1599 da un capitano sabaudo, il quale informa i suoi superiori sul diffondersi della peste in un piccolo centro non lontano da Torino. Qui gli elementi locali sono certo attenuati rispetto all'esempio precedente, anche perché questo funzionario è sicuramente abituato a usare la penna per stendere relazioni d'ufficio. Si notano tuttavia ipercorrettismi, scempiamenti, dialettismi lessicali, come *codisella* 'bubbone', assibilazioni: «si è visitatto Cattalina Bergha d'anni 50 in circha con una codisella negra malligna nella cossia sinistra...»[13].

Campioni dell'italiano dei semicolti si rintracciano nei diari, come la *Cronaca* tenuta da don Giorgio Franchi parroco di Berceto (sull'Appennino parmense), nella quale scorre la vita di un paesino di montagna tra il 1544 e il 1557, cronaca edita e accuratamente studiata dal punto di vista linguistico da Petrolini [1980 e 1981-1984]. Testi del genere non sono troppo rari, e mostrano la diffusione dell'italiano in forme caratterizzate da vistosi tratti regionali.

A volte le fonti per lo studio della lingua popolare sono anomale e imprevedibili, ben diverse dai consueti documenti, del tipo di quelli che abbiamo fin qui citato. Tra queste particolari testimonianze di italiano popolare si possono ricordare le dediche degli *ex voto*, come quello napoletano, del 1596, presentato da Bianchi-De Blasi-Librandi [1993: 256-257], in cui si legge: «Sipione De Martino avendo uno figlio tiberio che lavorava a lo Spirito Santo per frabicatore dui altri voltavano lo manganiello con lo barile pieno de rapilleca alto 126 palmi dove dette in testa di detto tiberio...»[14]. Il dialetto affiora nella fonetica (mancata palatalizza-

cuni punti restano tuttavia di dubbia interpretazione): «Illustrissimo buon signore cardinale Borromeo di Santa Prassede, così come vi dirà quel chierico Antonio Bulo così faccio fede io Battista che farei il tuttofare nel monastero delle monache di Santa Maria di Claro...». Testo riprodotto anche in Marazzini [1993: 220-221].

[13] Trad.: «si è visitato Caterina Berga d'anni 50 all'incirca con un bubbone nero maligno nella coscia sinistra...».

[14] Trad.: «Scipione De Martino avendo un figlio Tiberio che lavorava alla costruzione della chiesa dello Spirito Santo come muratore, altri due muratori giravano l'argano con attaccato il barile pieno di pietrame all'altezza di 126 palmi, da dove cadde e colpì in testa detto Tiberio...».

zione di s- in *Sipione*, metatesi in *frabicatore*, dittongo metafonetico in *manganiello*), e anche nel lessico (*manganiello* 'macchina per
sollevare i pesi', *rapilleca* 'lapilli, pietre').

Non tutti i documenti di lingua d'uso comune sono manoscritti. Anche certi libri a stampa offrono materiale per la verifica di
un italiano extraletterario ricco di termini quotidiani. Così i 'libri
di segreti', ovvero le raccolte di ricette medico-alchemiche, culinarie, igienico-sanitarie [cfr. Camillo 1985], così i ricettari di cucina
[cfr. Catricalà 1980 e 1982], i trattati di dietetica [cfr. Camillo
1982]. Tutte queste sono opere in cui si ritrova una terminologia
tecnica e settoriale estranea alle problematiche dell'italiano poetico
e letterario, ma legata alla vita quotidiana del tempo e alle necessità pratiche della comunicazione[15].

5. Il ruolo delle accademie

5.1. L'Accademia padovana degli Infiammati e Sperone Speroni

L'italiano aveva dunque una sua realtà 'povera' (cfr. IX.4). Ma
i decisivi progressi per la crescita qualitativa del volgare vennero
compiuti in ambienti di livello molto più alto, là dove i dotti di-
battevano problemi teorici e normativi, e dove si formava il gusto
degli scrittori. Va sempre tenuta presente questa stratificazione so-
cio-culturale, che si riflette direttamente nell'uso della lingua.

Già abbiamo visto, parlando dell'esperienza veneta di Benedetto Varchi, come per lui sia stata decisiva l'esperienza nell'Accademia padovana degli Infiammati, dove aveva conosciuto le idee linguistiche di Bembo. Questa Accademia, fondata nel 1540, era fre-
quentata anche da Sperone Speroni, autore di un importante dialogo *Delle lingue*, pubblicato nel 1542 (lo si legge in Pozzi [1988:
277-335], e ora si dispone anche dell'ed. condotta sull'autografo
[cfr. Sorella 1999]). Tale dialogo si immagina avvenuto a Bologna
nel 1530. In esso viene introdotto Pietro Bembo in persona, a difendere le proprie idee, mentre le altre posizioni nella questione
della lingua sono rappresentate da un 'cortegiano' (sostenitore, ovviamente, della 'teoria cortigiana') e da Lazzaro Bonamico (difensore del latino). Nel dialogo viene introdotto successivamente, narrato da uno scolaro che ne è stato testimone, un altro dialogo
(con procedimento a scatole cinesi), che esprime una posizione assai originale: quella del filosofo aristotelico Pietro Pomponazzi
detto il Peretto (1462-1524). Quest'ultimo dichiarava che la filosofia avrebbe dovuto essere trasportata dalle lingue classiche, dal latino e dal greco, alla lingua volgare, con ricchezza di traduzioni e

---

[15] Su settori specifici del lessico tecnico, quello dei pesci e quello della meccanica, cfr. la ricca schedatura di Rossi [1984] e Manni [1980], oltre a Folena
[1991a: 169-199]. Cfr. anche gli esempi portati da Camillo [1991].

con conseguente modernizzazione e democratizzazione della cultura. Il latino e il greco gli sembravano addirittura un ostacolo alla diffusione del sapere. Paradossalmente e polemicamente, egli arrivava ad affermare che per parlar di filosofia qualunque lingua era buona, anche la milanese o la mantovana (emerge una concezione utilitaristica, strumentale, democratica e anticlassicistica della lingua). Naturalmente si trattava di una posizione troppo controcorrente perché potesse avere reale influenza in un secolo come il Cinquecento [16].

5.2. L'Accademia fiorentina

Le accademie, come quella degli Infiammati di cui si è or ora parlato, svolsero nel Cinquecento una funzione di primo piano, in quanto in esse si organizzarono gli intellettuali e vennero dibattuti i principali problemi culturali sul tappeto. L'accademia fu quindi il luogo in cui vennero affrontate molte questioni linguistiche di attualità: basti pensare alla già citata Accademia fiorentina (cfr. IX.3.2), nata nel 1541 dall'Accademia degli Umidi; dal 1542 essa divenne un organismo 'ufficiale', patrocinato e finanziato dal duca di Toscana Cosimo de' Medici. Abbiamo visto come questa accademia, di cui fecero parte linguisti come Varchi, Gelli e Giambullari, non fu tuttavia in grado di realizzare, nonostante le speranze del duca, una grammatica 'ufficiale' della lingua toscana.

5.3. L'Accademia della Crusca e Salviati

La più famosa accademia italiana che si occupò di lingua fu quella della Crusca, ancor oggi attiva. La sua fondazione risale al 1582. Inizialmente gli appartenenti ad essa si dedicarono a innocui passatempi, componendo «cicalate» e orazioni scherzose, secondo il gusto del tempo. Nel 1583, con l'ingresso di Lionardo Salviati (la cui figura esercitò un'influenza insostituibile), cominciarono ad affermarsi seri interessi filologici. La Crusca, nella prima fase della sua esistenza, si fece conoscere per la polemica, condotta soprattutto da Salviati, contro la *Gerusalemme liberata* di Tasso, a sostegno del primato dell'Ariosto (cfr. IX.7.3). Lo stesso Salviati raggiungeva nel frattempo solida fama come autore degli *Avvertimen-*

---

[16] Va osservato peraltro che le opere filosofiche di Pomponazzi sono scritte in latino. È un'obiezione che viene rivolta allo stesso Pomponazzi, nel dialogo dello Speroni, dal suo contraddittore, l'umanista Lascaris, il quale gli chiede come mai, credendo tanto nel volgare, non si fosse fatto egli stesso 'Redentore' di questa lingua, ovviamente utilizzandola nei suoi libri. Peretto se la cava rispondendo di essersi reso conto troppo tardi di come stavano le cose.

ti della lingua sopra 'l Decameron (1584-1586), libro filologico e grammaticale, che venne dopo un intervento compiuto sul testo di Boccaccio, per renderlo 'castigato', per spurgarlo dalle parti ritenute moralmente censurabili. Tale celebre operazione di censura è nota come la «rassettatura» del *Decameron*. Salviati si era insomma 'fatto le ossa' come filologo proprio massacrando il capolavoro di Boccaccio, per toglierne tutto quanto vi potesse apparire immorale e antireligioso (come richiedeva il clima culturale della Controriforma). La sua «rassettatura», commissionata dal granduca Francesco di Toscana per compiacere a Sisto V, veniva dopo quella analoga (ma giudicata non ancora sufficiente) messa in atto nel 1573 dai «Deputati» dell'Accademia fiorentina, tra i quali Vincenzio Borghini (sul quale cfr. Pozzi [1975a]). L'intervento di una censura moralistica, certo repellente al nostro gusto di moderni, fu dunque, per paradosso, l'occasione per la nascita e lo sviluppo di un'attenzione 'filologica' per il testo del *Decameron*. Nel capolavoro di Boccaccio, cioè nel libro indicato fin dall'inizio del secolo come il più importante modello della prosa toscana, venivano ora distinti disinvoltamente i «contenuti» dalla «forma» linguistica. Appunto per 'salvare' il libro di Boccaccio, per tramandarne lo stile, giudicato ammirevole, si accettava di intervenire pesantemente, mutilando il testo (cfr. l'esempio proposto da Marazzini [1993: 280-282]). Tuttavia è inutile scandalizzarsi troppo di fronte alle due «rassettature», le quali furono un inevitabile tributo pagato ai tempi.

Quando Salviati entrò nella Crusca, aveva già terminato il suo lavoro per 'ripulire' il *Decameron*. L'Accademia della Crusca, come si è detto, seguendo proprio gli interessi di Salviati, si avviò verso l'attività filologica. Nel 1590 l'Accademia deliberò di rivedere e correggere il testo della *Commedia* di Dante [cfr. Parodi 1974: 33 e Vitale 1986: 125]. Allo scopo vennero collazionati diversi codici, messi a confronto con la stampa aldina del 1502, quella che era stata curata da Bembo. Nel 1595 uscì a Firenze *La Divina Commedia* di Dante Alighieri ridotta a migliore lezione dall'Accademia della Crusca [cfr. Parodi 1974: 33]. Vitale [1986: 125] ha osservato che si trattò di un lavoro «tanto dal punto di vista filologico vano e arbitrario, quanto significativo del rinato, pieno interesse per la lingua di Dante», per un autore che proprio la teoria di Bembo aveva finito per collocare in secondo piano rispetto a Petrarca. Al contrario, l'«Inferigno»», cioè Bastiano de' Rossi (Salviati, da parte sua, si fregiava del nome accademico di «Infarinato»), nella lettera-prefazione, indicava ai lettori il poema di Dante come «la migliore parte della nostra favella», prendendo visibilmente le distanze da quello che era stato il giudizio espresso nelle *Prose della volgar lingua*, dove la lingua di Dante era stata guardata con sospetto per il suo eccesso di realismo. Nella valutazione dell'opera di Dante le ragioni linguistiche entravano dunque in maniera non indifferente.

6. La varietà della prosa

6.1. Le traduzioni, la saggistica e la prosa tecnica

La diffusione ormai molto ampia della lingua italiana nei libri del Cinquecento rende necessario un esame differenziato dei vari generi e delle varie discipline. L'architettura fu ad esempio uno dei settori in cui l'italiano si impose decisamente. Ciò avvenne non solo nelle opere nuove, ma anche traducendo ciò che si presentava in latino. In latino era ancora il quattrocentesco trattato *De re aedificatoria* di Leon Battista Alberti, che fu tradotto in volgare da Cosimo Bartoli con il titolo *L'Architettura* (stampato a Firenze dal Torrentino nel 1550). Fra le traduzioni determinanti per la stabilizzazione del lessico tecnico, la più importante fu senz'altro quella del maestro latino dell'architettura, Vitruvio, l'autore a cui già Leon Battista Alberti si era ispirato[17]. La prima traduzione italiana a stampa di Vitruvio si era avuta all'inizio del sec. XVI, da parte del pittore e ingegnere lombardo Cesare Cesariano (su di essa cfr. Cartago [1983]). Questa traduzione era nelle forme tipiche della *koinè* settentrionaleggiante, ben diversa, dunque, da quella data alle stampe più tardi, nel 1556, da un intellettuale veneto come Daniele Barbaro, amico di Speroni, di Varchi, di Bembo medesimo. Tra le due traduzioni passa una grande differenza, verificabile anche nel campione brevissimo che darò qui, mettendo a confronto un passo di Cesariano e uno corrispondente di Barbaro, e fornendo a riscontro il testo latino, tratto dall'edizione allestita dall'umanista e architetto Fra Giocondo da Verona nel 1511[18]:

Vitruvio, *De architectura*, dal libro V, cap. III:
Cum forum constitutum fuerit, tum deorum immortalium diebus festis ludorum spectationibus eligendus est locus theatro quam saluberrimus, uti in primo libro de salubritatibus in moenium collocationibus est scriptum.

Traduzione di C. Cesariano, ed. 1521:
Quando sarà constituito il Foro alhora in li giorni festivi de li Dei imortali per le expectatione de li ludi: e da eligere uno loco al Theatro

---

[17] L'opera di Vitruvio era stata 'riscoperta' nel sec. XV da Poggio Bracciolini, ma in realtà questa riscoperta va ridimensionata nel suo significato, visto che il testo di Vitruvio circolava già tra gli umanisti e nella cerchia di Petrarca fin dalla seconda metà del Trecento [cfr. Tafuri 1978: 392]. La leggenda della 'riscoperta' di Vitruvio, comunque, è una riprova dell'importanza che veniva attribuita a quell'autore per i destini dell'architettura moderna, ispirata a quella classica.

[18] I tre testi che metto a confronto sono presenti nella raccolta allestita da Marotti [cfr. Marotti 1974: 95-96, 106, 147], che li ha però sottoposti a un adattamento grafico (nella punteggiatura, nell'uso delle maiuscole, negli accenti ecc.). Qui invece riproduco i due testi volgari con criteri di assoluta fedeltà e di massima conservatività, dopo revisione sulle stampe originali. L'opera di Cesariano è stata ristampata in anastatica a cura di B. Blom (London, 1968).

che sia molto saluberrimo: si como e scripto i[n] lo primo libro de la salubritate in le collocatione de le moenie [...].

Traduzione di D. Barbaro, ed. 1556:
Fornito il Foro elegger bisogna il luogo molto sano per lo Theatro, dove ne i dì solenni à i Dei si facciano i giochi. La ragione de i luoghi sani s'è dimostrata nel primo libro, quando parlamo[19] de far le mura d'intorno la Città [...].

Il campione, pur molto breve, mostra assai bene che il testo di Cesariano è vincolato dal latino, non solo nelle scelte lessicali (*constituito* dove il lat. ha «constitutum», *expectatione* per 'vista', 'osservazione'; *giorni festivi* per 'giorni consacrati'; *ludi* per 'giochi'; *eligere* per 'eleggere', 'scegliere'; *salubritate* per 'salute'; *moenie* per 'mura'), ma anche nella costruzione della frase. Barbaro, viceversa, è più libero nell'orientare lessico e sintassi verso modelli alternativi. Si noti che *fornire* per 'finire', 'portare a termine' (*fornito il foro*) è verbo usato da Petrarca e Boccaccio, dunque di alta tradizione letteraria (un esempio dell'uso di tale accezione si ritrova infatti ancora nel «s'adopra / di *fornir* l'opra anzi il chiarir dell'alba» del v. 37 del *Sabato del villaggio* di Leopardi). Lo si trova anche, più volte, nelle *Prose della volgar lingua* di Bembo [cfr. ed. Dionisotti 1966: 146 e 154].

La trattatistica architettonica raggiunse nella seconda metà del Cinquecento una maturità assoluta, e quindi una perfezione terminologica notevole, tanto che molte parole italiane, relative all'architettura civile e militare, entrarono nelle altre lingue europee [cfr. Migliorini 1978: 425-426], come *facciata* (fr. *façade*, sp. *fachada*), *balcone* (fr. *balcon*, sp. *balcón*, ingl. *balcony*), *casamatta* (fr. *casemate*, sp. *casamata*, ingl. *casemate*) ecc.

Fra i grandi trattati di architettura che lo storico della lingua può prendere in considerazione per individuare tecnicismi in uso dal Rinascimento in poi, si possono citare, dopo l'opera di Sebastiano Serlio (pubblicata quasi tutta nella prima metà del secolo), i libri di maestri che, al culmine di una vita spesa nella realizzazione di splendidi edifici, si dedicarono alla trattatistica: così Andrea Palladio (*I quattro libri dell'architettura*, 1570[20]) e Iacopo Barozzi da Vignola, autore della *Regola delli cinque ordini di architettura* (1562).

Anche la trattatistica d'arte, nel settore della pittura e della scultura, può offrire molto materiale allo storico della lingua. Dal 1550 al 1568 uscirono le *Vite* di Vasari, che appartengono allo stesso tempo alla saggistica critica e al genere biografico [cfr. Nencioni 1983a: 69-88]. L'autobiografia di Cellini, in parte dettata

---

[19] Le forme del perfetto in *-amo* nella prima persona plurale sono diffuse nel fiorentino del Quattrocento e del Cinquecento, e sono prescritte dalla grammatica dell'Alberti [cfr. Manni 1979: 149-151 e Rohlfs 1966-1969: II.568].
[20] Sulla terminologia di Palladio, cfr. Cartago [1981].

a un ragazzo, è un esempio un po' particolare, perché le vicende personali si mescolano alle osservazioni relative al lavoro dell'artista. Il risultato è un interessante stile dal vivace sapore di 'parlato': non a caso la bellezza linguistica di questo testo fu riscoperta nel sec. XVIII da Giuseppe Baretti, il quale propose Cellini come un modello di lingua antiaccademica, nata da un sentimento naturale e libero dell'espressione. Lo definì «il meglio maestro di stile che s'abbia l'Italia» (*La frusta letteraria*, IV, 15 novembre 1763).

Senza dubbio le traduzioni dei classici costituiscono un capitolo fondamentale per la storia dell'italiano, per i suoi progressi nei vari campi disciplinari e per il suo arricchimento lessicale. Proprio nel confronto con il latino (come era già accaduto nel caso dei volgarizzamenti medievali) la lingua italiana affinò le proprie capacità e sperimentò le proprie potenzialità [cfr. Scavuzzo 1994 e Sestito 1999]. Un posto di primo piano, per la loro importanza nella cultura del Cinquecento, occupano le traduzioni di Aristotele, tra le quali va ricordata la *Retorica* volta in italiano da Annibal Caro. Nel 1571 un'altra traduzione della *Retorica* fu realizzata da Alessandro Piccolomini, e più tardi Piccolomini tradusse la *Poetica*, di cui vi è anche una celebre traduzione di Castelvetro[21]. Quanto all'altro grande filosofo dell'antichità, Platone, nel 1574 si ebbe la traduzione dei suoi *Dialoghi*, ad opera di Sebastiano Erizzo.

Nel campo delle scienze naturali, si continuò a tradurre la *Storia naturale* di Plinio, di cui una famosa versione italiana era stata data nel Quattrocento dal fiorentino Landino (cfr. VIII.3.2). Nel 1561 uscì la traduzione del Domenichi: si pensi che quello di Plinio era un libro fondamentale anche per la cultura del Rinascimento, e ancora gli scienziati dell'Accademia del Cimento (ad esempio il Redi) dovettero discuterne le affermazioni, contraddicendole sulla base delle loro esperienze[22]. Lo stesso Domenichi tradusse anche Plutarco e Polibio. L'abbondanza delle traduzioni rispondeva a un desiderio di divulgazione e veniva incontro ad un pubblico che non sempre era in grado di comprendere il latino. Ne *Il Brancatio della vera disciplina et arte militare* (Venezia, 1582), compendio dei *Commentari* di Cesare, si legge ad esempio che l'autore, con la sua opera, intende rivolgersi agli uomini d'arme, sapendo che essi sono «poco amici di legere cose gravi, & di gran volume (benché pertinenti al mestier loro)». Da parte sua, Michelangelo Florio, traduttore del *De re metallica* di Giorgio Agricola (1563), che è un grande trattato sulle miniere e sulla metallurgia, spiegava di non aver voluto seguire Bembo, perché il pubblico a cui si rivolgeva non aveva «forse mai sentito nomina-

---

[21] Una *Retorica* («squallida e massiccia», secondo la graffiante definizione di Dionisotti [1967: 247]) fu pubblicata da Bartolomeo Cavalcanti (1559). Sulla storia della retorica in Italia, cfr. ora Marazzini [2001].

[22] Sulle traduzioni di Plinio, cfr. ora l'articolato saggio di Camillo [1991], e Tavoni [1992: 70-74 e 318-324].

re» quel letterato [cfr. Manni 1980: 143]. Nella prefazione rivolta ai lettori precisava senza remore di non aver tradotto il libro «per que' soli che lambiccati si sono il cervello nel Boccaccio, nel Dante, e nel Petrarca: ma per tutti coloro, cui la natura, o la pratica, o l'arte gl'ha fuori di tali autori insegnata la lingua italiana». In realtà Florio era toscano di origine (anche se non 'fiorentino', come invece dichiarava proprio nel frontespizio della sua traduzione); probabilmente la sua esibita ostilità nei confronti della lingua letteraria e accademica derivava dal fatto che era stato costretto a impiegare una notevole quantità di latinismi (dei quali si scusava nella citata prefazione, adducendo a propria giustificazione il fatto che il volgare non aveva le parole corrispondenti, o, se le aveva, erano note solo a una cerchia ristretta di tecnici e artigiani) e di tecnicismi 'moderni', come *crocciuolo* 'crogiolo', *cavicchia* 'chiodo di ferro', magari toscani, ma certo non attestati nelle scritture degli autori trecenteschi, la cui lingua era senz'altro in questo caso una camicia troppo stretta[23].

La traduzione fu, come ho detto, il settore che meglio funzionò come banco di prova delle capacità dell'italiano, e alcuni autori ne ebbero piena coscienza. Lo prova la versione degli *Annali* di Tacito, a cui attese tra il 1596 e il 1600 il fiorentino Bernardo Davanzati Bostichi (1529-1606), sforzandosi di gareggiare in concisione con l'originale (il famoso «stile tacitiano», sintetico, caratterizzato dalla *brevitas*). In questo modo intendeva dimostrare la brevità, l'arguzia, la «fierezza» dell'idioma fiorentino, e controbattere le censure rivolte alla lingua italiana dall'umanista francese Henri Estienne, autore di un saggio sulla *Précellence du langage français* (1579)[24]. Estienne aveva condannato una precedente traduzione tacitiana di Giorgio Dati (1563) per la sua assoluta incapacità di adeguarsi all'originale latino. La traduzione di Davanzati fu dunque fatta «per onore della lingua che noi favelliamo in Firenze, mostrandola capace di brevità più che corneliana», come scriveva in una lettera ai colleghi Accademici Alterati [cito da Bonora 1966: 559]. Davanzati rinunciava alla floridezza dello stile boccacciano, e cercava una nuova semplicità nell'imitazione dello stile dei trecentisti minori, utilizzando anche elementi del parlato e popolari, seguendo in ciò un suo ideale di «scriver semplice, proprio e naturale, quasi come si favella», secondo quanto egli stesso dice (cito dall'ed. Bindi [1852-1853: I.LXXVII]). È interessante osservare come Davanzati parlasse della *brevitas* tacitiana, alla qua-

<hr>

[23] Cfr. Agricola [1563: 211 e 324].

[24] In questo trattato Estienne voleva dimostrare che la lingua francese non era inferiore a nessun'altra, nemmeno all'italiano, il cui prestigio era allora grandissimo. Come si vede, l'italiano godette di grande prestigio internazionale proprio quando l'Italia non aveva una posizione politica di rilievo, non essendo stato nazionale. Il declino internazionale dell'italiano iniziò nel Settecento, con la progressiva crescita del ruolo del francese.

le si era ispirato, dandone un bilancio in cifre, da uomo abituato alla concretezza della contabilità (aveva esercitato la professione del banchiere). Così scriveva, facendo il paragone tra la lunghezza del primo libro degli *Annali* di Tacito nelle tre lingue, latina, francese e italiana (quest'ultima nella sua traduzione):

> ho dettato con parole, e proprietà fiorentine il primo libro de' suoi Annali [di Tacito], e con tutti li nostri disavantaggi delli articoli, e d'altro[25], torna scandagliato[26] migliaia di lettere sessantatre; il latino, sessantotto; il franzese stampato in Lione, più di cento. Onde le cento parole nostre vagliono e fruttano per centotto latine corneliane, e per censessanta franzesi... [Bindi 1852-1853: I.LXXI; il passo è citato anche da Serianni 1995: 142].

Le parole, dice con una certa ironia, «vagliono e fruttano»: sono come denari dati a prestito, e le parole italiane valgono di più delle francesi. L'italiano, dunque, dimostrava di essere moneta migliore, di essere più sintetico rispetto all'idioma d'oltralpe[27].

Non solo attraverso le traduzioni si rivelò la maturità della prosa italiana nel campo della saggistica storica e politica. Nel 1532 fu stampato a Roma, assieme alla *Vita di Castruccio Castracani*, il trattato *De principatibus* di Machiavelli (nello stesso anno si ebbe un'edizione fiorentina). Il *Principe* è uno splendido esempio di prosa, molto diverso dal modello proposto da Bembo. Machiavelli scrive in un fiorentino ricco di latinismi. È stato osservato che nella sua prosa ricorrono latinismi crudi (in latino del resto è persino il titolo, *De principatibus*, e in latino sono i titoli dei vari capitoli: ma, si noti bene, nella tradizione manoscritta, non nella stampa del 1532), latinismi come *tamen* e *etiam*, i quali non hanno affatto una funzione nobilitante, ma piuttosto ricollegano questa scrittura a quella quattrocentesca di tipo cancelleresco (cfr. VIII.1.4; cfr. Serianni [1993: 502] e Pozzi [1975a: 49-72]). Il fiorentino di Machiavelli accoglie tratti sociolinguisticamente bassi, non si arresta di fronte a elementi plebei, tanto da dar l'impressione a volte di qualche cosa di trascurato (così osservava un lettore autorevole come Ugo Foscolo [cfr. Serianni 1993: 503]). Naturalmente questa lingua, non levigata secondo i canoni del classi-

---

[25] Si riferisce al fatto che il latino non ha articoli, ciò che comporta automaticamente una maggior brevità.

[26] *Scandagliato*: calcolato con esattezza (l'accezione è ricavata metaforicamente dal tecnicismo marinaresco).

[27] Davanzati, inoltre, compose opere minori, che non possono passare inosservate anche dal nostro punto di vista, perché permettono di avere informazioni su particolari settori del linguaggio tecnico cinquecentesco: il *Trattato della coltivazione toscana delle viti e di alcuni arbori* ci introduce alla terminologia dell'agricoltura; la *Notizia de' cambi* e la *Lezione delle monete* sono fonti preziosissime per avere informazioni sull'interessante settore dell'economia e della finanza, nonché sulla terminologia bancaria, di cui i mercanti facevano largo uso.

cismo, ha una forza e vitalità speciale, dovuta anche alla particolare sintassi, la quale mira ad una logica stringente, che non lasci alternative al lettore[28]. Contributi di Machiavelli alla prosa storica sono anche i *Discorsi sopra la prima Deca di Tito Livio* e le *Istorie fiorentine*.

Nella seconda metà del Cinquecento fu stampata per la prima volta la *Storia d'Italia* di Guicciardini, autore morto nel 1540. La lingua di Guicciardini evita di scendere alle forme popolari, come aveva fatto Machiavelli.

6.2. Il linguaggio scientifico

Il volgare, abbiamo detto, prevaleva nel settore della scienza applicata o diretta a fini pratici, non nella ricerca di tipo accademico, non tra gli scienziati di alto livello, salvo poche eccezioni. Tra queste si possono ricordare le opere del senese Pierandrea Mattioli, che visse a lungo all'estero, medico alla corte imperiale, autore dei *Commentarii* all'opera del greco Dioscoride. I *Commentarii* (1544) ebbero numerose ristampe, arricchite di bellissime silografie, che non sono semplici 'decorazioni', ma ci fanno intendere il valore pratico dell'opera, la quale serviva appunto a identificare e classificare, a mo' di erbario (con l'ausilio dell'immagine), le piante utili a fini medicinali. Il libro di Mattioli (di cui esisteva anche l'edizione in latino) appartiene allo stesso tempo al campo delle scienze naturali e della medicina, perché l'uso medicinale delle piante comportava una descrizione e classificazione botanica. Siamo dunque di fronte a un'opera in cui si riconosce un forte valore pratico; ciò giustifica il fatto che sia scritta in italiano. Non si tratta, insomma, di vera e propria ricerca accademica, anche se l'autore era medico illustre, al servizio di regnanti. Si aggiunga il fatto che Mattioli era toscano, e per ciò favorito nel possesso della lingua[29].

La scelta del volgare acquista tuttavia un rilievo particolare nel caso di Galileo. Essa non è senza precedenti, perché esisteva una tradizione di libri pratico-scientifici a cui si poteva far riferimento; ma ciò non sminuisce l'importanza del suo operato, segno inequivocabile di rinnovamento. Infatti la voce di Galileo giungeva da un settore refrattario al volgare, quello della scienza universitaria, non dal settore della meccanica applicata e dell'artigianato. Le sue

---

[28] Serianni [1993: 502-503] indica, tra le forme fiorentine usate da Machiavelli, il plurale maschile analogico in *-e* («nelle parti più debole»), il possessivo plurale *mia* («mia disagi e periculi»), *gnene* per 'gliene', e il passaggio di mediopalatale a dentale nel tipo *stiavo* 'schiavo'.

[29] Per un esempio (tra i tanti) di questo suo riferirsi alla toscanità, cfr. Mattioli [1604: I.524]: «Chiamasi il Soncho volgarmente in Toscana *cicerbita* e *crespine* anchora...».

speculazioni avevano un contenuto teorico che andava al di là di semplici indicazioni tecnico-pratiche. Proprio questo livello alto (che tuttavia si collega all'esperienza dei tecnici, migliorandola e promuovendola) rende particolarmente significativa la sua scelta linguistica. Rinunciando al latino, Galileo finiva per pagare un prezzo: il volgare, infatti, aveva lo svantaggio di limitare la circolazione internazionale. Persino i 'libri di segreti' (le raccolte di ricette di vario tipo, medico-alchemiche, culinarie ecc.) si erano diffusi in Europa non solo grazie alle traduzioni francesi, tedesche e inglesi, ma anche mediante quelle latine, che potevano essere lette senza difficoltà dalle persone colte di tutte le nazioni. Galileo e i suoi amici, del resto, erano perfettamente coscienti del fatto che l'italiano era in quel momento molto meno vantaggioso del latino per una comunicazione con gli scienziati degli altri stati europei (cfr. X.3.1).

6.3. La prosa di viaggio

Nel settore dei libri geografici, va registrato prima di tutto un fatto editoriale di grande rilievo: la pubblicazione della raccolta *Navigazioni e viaggi* di Ramusio, cioè la silloge di tutti i testi del genere fin allora disponibili, riunita in un *corpus* ampio e completo (uscì tra il 1550 e il 1559 presso l'editore Giunti di Venezia). I testi in essa compresi andavano dalla Classicità e dal Medioevo al sec. XVI (ne faceva parte persino Marco Polo).

L'interesse linguistico della letteratura di viaggio consiste prima di tutto nella possibilità di reperire in essa neologismi e forestierismi, legati alla descrizione di nazioni e luoghi esotici. In secondo luogo questa letteratura può esprimere interessi linguistici specifici, quando accade che il viaggiatore si occupi degli idiomi parlati o scritti con cui è venuto a contatto. È rimasta famosa, ad esempio, un'annotazione del mercante fiorentino Sassetti: in una lettera del 1586 diretta a Bernardo Davanzati [cfr. Bramanti 1970: 501-502] egli segnalò una serie di curiose concordanze tra alcune parole indiane e le corrispondenti italiane[30]. Nella linguistica è esistita insomma quella che si può legittimamente definire una stagione dei viaggiatori. Proprio costoro furono i primi a venire a contatto con realtà sconosciute alla cultura occidentale. Anche la Chiesa partecipò alla scoperta delle civiltà esotiche, attraverso i missionari. Tra gli ordini più attivi vi furono i Gesuiti, a cui ap-

---

[30] Le osservazioni di Sassetti rimasero però isolate. Non ne seguì nulla, ma di fatto egli aveva intuito qualche cosa che avrebbe appassionato gli studiosi del Settecento e dell'Ottocento, quando, osservando le concordanze esistenti con il latino e le lingue germaniche, si giunse a riconoscere il rapporto di parentela tra la lingua sanscrita e le lingue dell'Europa: cfr. I.1.7.

partenne il maceratese Matteo Ricci, missionario in Cina (su di lui, e sulle «strategie della comunicazione gesuitiche», cfr. Poli [1989-1990]). La lingua dei *Commentari della Cina* del Ricci è relativamente povera e disadorna (egli diceva di aver finito per disimparare l'italiano nel lungo soggiorno all'estero), ma l'opera ebbe successo. Le descrizioni della Cina di Matteo Ricci furono utilizzate da Daniello Bartoli (cfr. X.2.3). Tra i viaggiatori 'statici', che utilizzarono materiale di altri, si può collocare anche il piemontese Botero (fu nella Compagnia di Gesù, da cui però uscì a trentasei anni di età), autore delle *Relazioni universali* (1596), opera nella quale descrisse tutte le parti del mondo conosciuto: nella sua lingua si riconoscono diversi ispanismi, giunti a lui attraverso i testi originali spagnoli di cui si servì come fonte [cfr. Beccaria 1968: 115-116].

Lo spagnolo aveva allora una grande importanza come lingua internazionale. Carletti, che compì il giro del mondo, dice che per cavarsela in un viaggio come il suo era sufficiente parlare spagnolo e portoghese [cfr. ed. Silvestro 1958: 113]: queste due lingue avevano allora la funzione che oggi è propria dell'inglese. Carletti, viaggiatore estremamente attento agli usi e costumi dei popoli visitati, usa nei suoi *Ragionamenti*[31] molti di quei neologismi e forestierismi che, come dicevamo, rendono linguisticamente interessanti le pagine delle cronache di viaggio; tra gli altri, possiamo ricordare i *cochos* gustati a Capo Verde e a Goa (le noci di cocco, frutti comunemente noti allora, lo annota lo stesso Carletti, con il nome di 'noci d'India'), le *badanas* ('banane', incontrate a Capo Verde), le *patatas* ('patate'), le *canoee* ('barchette tutte d'un pezzo', in uso in America centrale), il *cià* (poi affermatosi come *thè*, con la grafia alla francese, o *tè*) che si beveva in Cina e in Giappone, l'*ananas*, le *mestizze* (le donne nate da incrocio tra portoghesi e bengalesi), la *monsone* (la stagione dei grandi venti che

---

[31] L'ed. moderna di Silvestro [1958] si intitola *Ragionamenti del mio viaggio intorno al mondo*. L'ed. del 1701 (la *princeps*) si intitolava invece *Ragionamenti sopra le cose da lui vedute ne' suoi viaggi sì dell'Indie Occidentali e Orientali, come d'altri paesi*. L'ed. moderna corregge notevolmente il testo dell'ed. 1701, che era stato seguito da tutte le ristampe successive. Bisogna tener presente che il testo dell'ed. 1701 fu rivisto da alcuni accademici della Crusca, con il preciso scopo di intervenire sullo stile, per renderlo più elegante e scorrevole. Si dice che tra i revisori ci fosse Magalotti, ma la notizia non è provata [cfr. Silvestro 1958: XIII]. Interessante è tuttavia che prima della pubblicazione (postuma) si sentisse il bisogno di questa revisione linguistica, che interessò la sintassi, e che trasformò il testo, rendendolo più elegante e sorvegliato, ma che allo stesso tempo gli fece perdere una parte della freschezza originaria. La scrittura vera del mercante Carletti, riproposta dall'ed. Silvestro, era certo meno colta, meno raffinata, come è lecito aspettarsi da un uomo che non esercitava il mestiere del letterato, ma che semplicemente raccontava, facendo uso della propria lingua naturale toscana, le eccezionali esperienze vissute.

soffiano per tre o quattro mesi) [32]. Carletti (come altri suoi colleghi mercanti) aveva sviluppato una particolare attenzione alle lingue, tanto che non solo ci dà una sommaria descrizione della scrittura giapponese e di quella cinese, ma non di rado allinea termini equivalenti in lingue diverse: «certo legno come quello che si chiama verzino, che loro [i giapponesi] chiamano *suò* e li Portughesi *sapon*» [33]; e ancora: «vento tuffone [= 'tifone'], che è quel medesimo che nell'isole Filippine è chiamato da' Castigliani *huracan*» [34]. Carletti usò anche iberismi molto marcati, che non misero radice nella lingua italiana, come *ortalizza* (spagnolo *hortaliza* 'ortaggio') per 'verdura' e *ghisare* (spagnolo *guisar* 'preparare le vivande') per 'cucinare' [cfr. Beccaria 1968: 58]. Del resto negli scritti di tutti i viaggiatori ricorrono generalmente molti ispanismi, non sempre duraturi, sia come prestiti di necessità (così possono essere considerati alcuni dei termini già citati), sia come citazioni, dovute al contatto con gli spagnoli: così si può considerare *plata* per 'argento', *veraniglio* per 'estate di San Martino' e *tabardillo* 'febbre pestilenziale', che ricorrono in Sassetti [Beccaria 1968: 23 e 59].

6.4. Il mistilinguismo della commedia

Fin dalla prima metà del Cinquecento la commedia si rivelò come il genere ideale per la realizzazione di un vivace mistilinguismo (cfr. IV.4), o per la ricerca di particolari effetti di 'parlato' [35]. Al 'parlato' mirarono in particolare molti autori toscani, a cominciare da Machiavelli, il quale, nel *Discorso o dialogo* (cfr. IX.2.4), se la prende con Ariosto, che avrebbe scritto commedie in cui, non avendo voluto usare il dialetto e non conoscendo il toscano

---

[32] Carletti usa *monsone* con l'articolo femminile, e la intende come una stagione particolare, in coerenza con l'etimologia araba del termine (ar. *mausim*, 'stagione', appunto). La parola, usata anche da Sassetti nella forma *monzao*, arrivò ai viaggiatori attraverso il portoghese e lo spagnolo [cfr. *DELI* s.v.]. Gli esotismi, nell'ordine in cui li ho nominati, si trovano nell'ed. Silvestro [1958: 10, 11, 44, 28, 188, 200, 221, 197].

[33] Il passo è nell'ed. Silvestro [1958: 140].

[34] Il passo è nell'ed. Silvestro [1958: 193]. Molte delle parole spiegate da Carletti sono entrate nell'italiano, non, come è evidente, attraverso i *Ragionamenti*, ma attraverso contatti internazionali, con la mediazione, come si è accennato, del portoghese e dello spagnolo. Si pensi alle citate *badanas* (la parola *banana* proviene dall'Africa equatoriale [cfr. Migliorini 1978: 424]), al *thè* (in Sassetti ricorre la forma *cià*, in Maffei tradotto dal Serdonati la forma *chia* [cfr. Silvestro 1958: 188 e Migliorini 1978: 424]), ai *monsoni*, a *tifone*, a *uragano* [cfr. Beccaria 1968: 115n].

[35] Per il problema, completamente diverso, del linguaggio tragico, un buon punto di partenza è Raffaelli [1973], che ha preso in esame il teatro di Federico Della Valle. Si dispone ora della sintesi di Sorella [1993]. Del resto la tragedia si presenta in versi, non in prosa. I problemi da essa posti ci riconducono quindi a temi diversi.

parlato, avrebbe ottenuto un risultato scarso e poco credibile. La ricerca di 'parlato' propria del teatro toscano è esemplificata in maniera clamorosa dal fiorentino Giovan Maria Cecchi (1518-1587): egli, per rendere saporoso e colorito il dialogo delle proprie commedie, le riempì di motti e proverbi, di riboboli, «con quel gusto vernacolo e paroliero che suggerì ai nostri ottocenteschi puristi la riesumazione, dopo secoli d'abbandono, del teatro cecchiano e, nel 1883, financo la sua introduzione con decreto ministeriale tra i testi di scuola» [Borsellino 1962: 124]. Da questo esibito virtuosismo linguaiolo derivano espressioni come le seguenti (ne scelgo alcune dal primo atto de *L'Assiuolo*, stampato nel 1550): «le son cose che non si gettano in pretelle» ('che non si fanno in fretta': cfr. Sacchetti, novella 169; *pretelle* sono gli stampi per i metalli fusi), «non valete tre man di noccioli» ('non siete buoni a niente')[36], «feciono mula di medico» ('aspettarono fuori', come la mula del medico durante le visite), «i beccafichi gli fanno afa» ('i cibi prelibati lo nauseano'). Analoghe esibizioni di linguaggio popolare toscano si possono trovare anche in testi senesi, come *La pellegrina* di Girolamo Bargagli, membro dell'Accademia degli Intronati (fratello di Scipione, l'autore del *Turamino* [cfr. su quest'ultimo Serianni 1976]). Tuttavia, come si diceva, la caratteristica più evidente della lingua della commedia è data dalla compresenza di diversi codici per i diversi personaggi, secondo tendenze che presto finirono per cristallizzarsi, e che si ritrovano anche nella commedia dell'arte: agli innamorati si addice il toscano, ossia l'italiano rarefatto e stucchevole della tradizione poetica, ai vecchi il veneziano o il bolognese, per i capitani e per i bravi è adatto lo spagnolo (o servono le parlate meridionali), ai servi conviene il bergamasco, o il milanese, o il napoletano [cfr. Cortelazzo 1980: 73]. Giambattista Della Porta, letterato e scienziato napoletano, ne *La fantesca* (1592) impiegò diversi tipi tradizionali: tra essi la figura del pedante, che si esprime in forme auliche e latineggianti, rovesciate ad effetto comico (ad es., nell'atto IV, scena II: «[tu pensi che io] abbi la crumena così vacua che non possa far pentirti del tuo stultiloquio?», per dire «tu pensi che io abbia il borsellino così vuoto che non possa farti pentire delle tue parole stolte?»); non può mancare il capitano spagnolo, erede del militare fanfarone plautino, che parla in spagnolo, una lingua che doveva essere abbastanza familiare a un napoletano della seconda metà del sec. XVI [cfr. Beccaria 1968: 165 e 266], e sovente dalla sua bocca esce un vero e proprio fiume di parole, un'orgia verbale, con effetti che vanno ricercati anche sul piano del significante, come ha notato Altieri Biagi [1980: 45-46]. Abbiamo citato la figura del pedante, linguisticamente molto ben caratterizzata, con

---

[36] Cfr. Boccaccio, *Decameron*, IX, 5: «non saprebbero accozzare tre man di noccioli!».

un linguaggio comico 'artificiale', in cui il latino è volto a scopo ridicolo, ad esempio quando (nei contesti più diversi, anche drammatici) viene snocciolato il 'paradigma' a cui appartiene una parola, appunto perché il pedante non dimentica mai di citare le regole e le formulette didattiche della grammatica (cfr. gli esempi citati da Altieri Biagi [1980: 49] e la ricca analisi di Stäuble [1991: 33-60]). Non si può dimenticare che uno dei più famosi personaggi del genere si trova nel *Candelaio* di Giordano Bruno, e che costui (il suo nome è Manfurio) non si sottrae alla convenzione che lo vuole far parlare in forme latineggianti e pretenziose: nelle sue battute il latino si mescola con il fidenziano e con il volgare, quest'ultimo ridotto al minimo. Tutta la commedia di Giordano Bruno (così come quella dei suoi dialoghi filosofici in italiano) si caratterizza comunque per una particolare vitalità linguistica, che giunge fino ad arditi giochi di parole, all'allitterazione vistosa, alla proliferazione semantica della variazione sinonimica, al turpiloquio, alla satira più feroce, ispirata ai giochi verbali dell'Aretino. Quanto all'uso caricaturale del dialetto, sarà da osservare che alcuni autori introducono personaggi che sanno utilizzare diverse parlate: Andrea Calmo, nella *Rodiana* (II, 8 e IV, 14), approfitta per due volte dell'abilità polilinguistica di un servo che imita napoletano, francese, milanese, raguseo, spagnolo, fiorentino, e di un vecchio causidico, che usa spagnolo, francese, napoletano, pugliese, mantovano, genovese e arabo. Ne *Las Spagnolas* [cfr. Lazzerini 1978], anch'essa del Calmo, vero esempio di commedia poliglotta, si parla bergamasco, veneziano, toscano, pavano[37], e inoltre lo Stratioto (soldato greco) si esprime nel suo grechesco (greco-veneto), un carbonaio in italo-tedesco, mentre nel prologo parla un pedante raguseo, che usa schiavonesco e pedantesco allo stesso tempo (cfr. Stussi [1993a: 81 e 79-80] per un accenno alle bellissime lettere scritte dal Calmo in un dialetto veneziano con inflessioni arcaiche). Del resto Venezia, città vivacissima, al centro dei traffici commerciali dell'Adriatico, crogiuolo di genti diverse, era l'ambiente adatto per sollecitare il plurilinguismo: «Lo sfruttamento della reale eterogeneità linguistica dell'ambiente veneziano, produce [...] i più vari esperimenti, dallo schiavonesco (cioè il croato), al bergamasco, al linguaggio dei buli, alle varietà lagunari e anche, con un impegno per così dire manualistico, al gergo» [Stussi 1993a: 77].

Anche nella *Tabernaria* (II, 3) del già citato Della Porta troviamo forme di plurilinguismo: un servo imita la parlata di tre smargiassi forestieri, un siciliano, un veneziano e un bolognese [cfr. Cortelazzo 1980: 61]. Nella stessa commedia e in altre ricorrono

---

[37] Il pavano è il dialetto popolare del contado di Padova, usato anche da Ruzante nelle sue celebri opere teatrali, che sono tra i capolavori della letteratura dialettale del Cinquecento. Cfr. Milani [2000].

giochi comici basati sulla mancata comprensione tra uno spagnolo e i personaggi che parlano italiano, ciò che genera buffi equivoci [cfr. Beccaria 1968: 307-308][38].

Quanto al linguaggio della Commedia dell'arte, bisogna accettare un dato di fatto: il testo «orale e fluttuante delle rappresentazioni improvvise dei comici dal '500 al '700» è «inesorabilmente perduto» [Spezzani 1970: 363-354], anche se alcuni elementi possono essere ricavati dai repertori per maschere, come l'*Arte rappresentativa premeditata e all'improvviso* (1699) del siciliano Andrea Perrucci, e dagli scenari o canovacci delle commedie (su queste fonti cfr. ancora l'ampio e documentato saggio di Spezzani [1970]). Falavolti [1982] ha pubblicato una raccolta di scrittori di commedie i quali esercitarono il mestiere di attore, veri e propri comici dell'arte, ma che tuttavia non si affidarono soltanto all'improvvisazione, e lasciarono testi scritti, redatti con visibile intento letterario (non solo canovacci d'uso pratico). Queste opere teatrali mostrano una vivacità linguistica veramente notevole[39].

[38] Sulla lingua delle commedie del Della Porta si vedano anche le indicazioni di Sirri [1989: 249-274].

[39] Pier Maria Cecchini, ferrarese, usò nell'*Amico tradito* (1633) il consueto mistilinguismo bergamasco (il servo Bagattino), veneziano (Pantalone), bolognese (il Dottore, che adopera anche citazioni latine), ma in forme comprensibili anche per un pubblico sovraregionale (si tratta insomma di dialetti 'convenzionali'); Silvio Fiorillo, napoletano, attivo tra la sua città e l'Italia settentrionale (Mantova, Milano, Bologna), introdusse Pulcinella nel teatro, con la sua parlata napoletana (lo stesso Fiorillo era in grado di recitare in spagnolo, come Capitan Matamoros, altra variante del soldato fanfarone). Forse è ancora più interessante il caso di Giovan Battista Andreini, che introdusse nella sua commedia *Lo schiavetto* il gergo furbesco, cioè il linguaggio segreto proprio dei malavitosi (gergo sul quale abbiamo informazioni grazie a specifiche opere pubblicate nel sec. XVI, come il *Modo nuovo de intendere la lingua zerga*, che si legge ora in Camporesi [1973]), e il linguaggio degli ebrei (sul gergo, cfr. la sintesi di Marcato [1994] e Brambilla Ageno [2000: 459-621]). Si veda anche Colombo [2001] su Nicolò Barbieri. Nella sua ricerca di effetti comici, il teatro del Cinque-Seicento sfruttò a fondo la varietà dei dialetti italiani e la presenza delle lingue straniere, utilizzando per i suoi fini la complessa situazione linguistica che di fatto c'era nel nostro paese, adattandola però a una sorta di cristallizzazione scenica, a una convenzione ormai prevedibile, resa comprensibile a tutti proprio attraverso una sorta di stilizzazione. Ciò spiega anche come mai il dialetto, attraverso le convenzioni del teatro cinquecentesco, assunse una connotazione comica, che condizionò, almeno in parte, il giudizio espresso su di esso: il veneziano, ad esempio, era giudicato lingua di buffoni dal Doni, e per Varchi tutti i dialetti erano lingue di Zanni [cfr. Cortelazzo 1980: 51]. Paradossalmente, tuttavia, gli stessi toscani mostrarono più comprensione per la letteratura integralmente dialettale, piuttosto che per quella che utilizzava elementi regionali nel contesto della lingua comune; i toscani, insomma, impegnati nel coltivare e celebrare il primato dell'idioma fiorentino, quando guardarono alle altre regioni, preferirono forme letterarie che, nella loro scelta di assoluta dialettalità, evitassero di entrare direttamente in concorrenza con la letteratura toscana, e si collocassero viceversa in un orizzonte diverso e isolato. Anton Francesco Doni, ad esempio, lodò la scelta del dialetto pavano compiuta da Ruzante, e apprezzò uno scrittore in veneziano come Andrea Calmo [cfr. Cortelazzo 1980: 56].

6.5. L'epistolografia

Nel sec. XVI le raccolte di lettere, anche di autori famosi (come Bembo, Caro o Tasso), costituirono un genere tra i più fortunati e diffusi [cfr. Quondam 1981: 30 e 277 ss.]. La grande maggioranza di questi libri fu stampata a Venezia, città che si riconferma anche in questo come la capitale dell'editoria del Rinascimento. Non a caso Traiano Boccalini, in una centuria dei suoi *Ragguagli di Parnaso* [cfr. Quondam 1981: 135], scherzava in maniera mordace sulla quantità 'stomachevole' dei libri di lettere di mediocre qualità prodotti da segretari di poco talento.

Il *Secretario* di Francesco Sansovino (1564 e 1578) è un vero «testo chiave», come osserva Quondam [1981: 58]. Il «segretario» citato nel titolo risulta essere la figura emblematica del nuovo genere epistolare moderno, del quale si fa quotidiana esperienza appunto nelle cancellerie signorili. Infatti tra i libri di lettere si segnalano quelli composti da segretari, con alle spalle una carriera al servizio di potenti.

Accanto alla pubblicazione dei modelli epistolari, fiorisce una manualistica che propone i precetti per redigere una lettera adatta a ogni esigenza, tenendo conto dei grandi epistolografi della tradizione classica, accanto agli autori moderni.

7. Il linguaggio poetico

7.1. Ariosto

Già abbiamo visto (cfr. IX.3.3) come Ariosto adeguasse la propria lingua al modello toscano delle Tre Corone, eliminando i settentrionalismi e accettando i dettami della grammatica di Bembo. Abbiamo anche visto che Machiavelli, in nome del proprio naturalismo filofiorentino, criticò il linguaggio teatrale di Ariosto, giudicandolo innaturale (cfr. IX.6.4). A parte il problema del linguaggio teatrale, l'esito finale del bembismo di Ariosto è il segno della riuscita di questa teorizzazione linguistica, che nell'*Orlando furioso* si traduce in un risultato esemplare: lo scrittore realizza una lingua chiara, elegante, regolata. Soletti [1993: 659] parla di un 'tono medio' che si coglie nella lettura complessiva del poema, ottenuto anche attraverso l'eliminazione di epiteti preziosi di gusto alessandrino, sostituiti, al pari dei termini prosaici o quotidiani, da aggettivi più sobri e indeterminati: è il caso del *nettunio* Egeo che diventa *canuto*, o della *sicania valle* che diventa *solinga*.

7.2. Il petrarchismo

Il petrarchismo è caratteristico del linguaggio poetico cinquecentesco. Si tratta di una soluzione coerente con il modello di

Bembo, e Bembo stesso, nelle sue liriche, rappresenta perfettamente questo gusto letterario. Il petrarchismo nella cultura italiana ed europea significa in primo luogo la scelta di un vocabolario lirico selezionato e di un repertorio di *topoi*; ma la sostanziale omogeneità dei materiali linguistici non impedisce una certa varietà di esiti stilistici [cfr. Soletti 1993: 651-653]. Colpisce anche la quantità della produzione poetica. «Scrivere versi petrarchizzando per encomio, per amore, per gioco galante o mondano (ma anche per dare voce a passioni politiche o ad ansie ed inquietudini religiose), diviene un fatto di stile di vita, di costume. L'esercizio poetico si allarga e si ramifica a fasce più ampie di lettori e di produttori, e di questa espansione le numerose raccolte di poetesse sono palese documento» [Soletti 1993: 652].

7.3. Torquato Tasso e le polemiche con la Crusca

I rapporti tra Tasso (il più grande poeta della seconda metà del Cinquecento) e la Crusca (cfr. IX.5.3) costituiscono un capitolo celebre nelle discussioni linguistico-letterarie della fine del Cinquecento. L'attacco dell'Accademia della Crusca alla *Gerusalemme liberata* non deve far pensare che Tasso avesse preso le distanze dalla lingua toscana o avesse esplicitamente teorizzato un'aperta ribellione ai modelli letterari affermatisi nella prima metà del sec. XVI. In realtà egli non mise mai in discussione la sostanziale toscanità della lingua italiana. Semmai prese le distanze dai dialetti, per celebrare il primato della lingua toscana, come quando scrisse: «pregio il tosco sermon che tanto abbonda – di colti detti; co 'l parlar materno – l'altre favelle ho parimente a scherno – d'udir fra l'alpe e 'l mar che ne circonda»[40]. Non riconobbe però il primato fiorentino: la tradizione 'toscana' (non dice mai 'fiorentina') è sentita da lui (favorevole, piuttosto, a un ideale che si collega alla 'linea cortigiana') come un patrimonio culturale comune, non come qualche cosa di geograficamente limitato. Il riconoscimento della 'toscanità', da parte sua, non si accompagnò pertanto a una celebrazione dei diritti della lingua fiorentina moderna, e nemmeno al culto per le forme arcaiche, secondo il gusto di Bembo. A questo modello, Tasso contrapponeva una prosa in cui prevaleva la paratassi sull'ipotassi, con una diminuzione delle clausole. La prosa di Tasso, quindi, proprio per la sua tendenza alla modernità sintattica, si poneva come una cosciente alternativa alla forma che Salviati voleva proporre e canonizzare.

La polemica con la Crusca, però, non riguardò lo stile di Tasso prosatore, e nemmeno la sua poesia lirica, né i versi dell'*Amin-*

---

[40] I versi sono citati da Devoto [1957: 183], e si leggono in Flora [1952: 868].

ta. Lirica e favola pastorale, a differenza della *Gerusalemme*, furono largamente imitate anche a Firenze: basti pensare all'influenza che esercitarono sul melodramma, in particolare su di un autore come Rinuccini (cfr. X.4). Imitare il Tasso lirico, la cui poesia pareva fatta apposta per accompagnarsi alla musica, non costituiva dunque un problema; in questo modo si affermarono ancor di più forme di versificazione cantabili, nelle quali Calcaterra [1951: 41-68] ha riconosciuto uno degli aspetti tipici della poesia del secondo Cinquecento, a cui Tasso diede un contributo decisivo, così come un contributo forse altrettanto importante venne dal *Pastor fido* di Guarini, che si colloca sulla stessa linea.

Tra le accuse rivolte a Tasso epico, alcune ebbero per oggetto questioni di lingua e di stile. Orazio Lombardelli, nel *Discorso intorno ai contrasti che si fanno sopra la Gerusalemme liberata*, sintetizzò in 16 punti i rimproveri che la Crusca aveva mosso alla *Gerusalemme*; di questi, almeno cinque hanno che fare con lo stile. Vediamo le specifiche osservazioni che furono mosse a Tasso relativamente al nostro campo di interessi (tralasciamo, per contro, le questioni attinenti a problemi diversi, come la struttura del poema e l'invenzione della trama) [41]:

> punto n. 5: lo stile di Tasso epico è «oscuro», è uno «stil laconico, distorto, sforzato, inusitato, ed aspro»;
> punto n. 6: la sua è «favella troppo culta»;
> punto n. 7: il suo linguaggio è una mistura di voci «latine, pedantesche, straniere, lombarde, nuove, composte, improprie»;
> punto n. 8: i suoi versi sono «aspri»;
> punto n. 9: Tasso potrebbe avere «locuzione più chiara».

Questi cinque 'punti' sintetizzano i termini della questione, così come furono dibattuti dai contemporanei. Per entrare nell'ottica della Crusca, è bene soffermarsi prima di tutto su di un aspetto che emerge dal punto n. 5 della sintesi di Lombardelli, dove viene rivolto al poeta il rimprovero di essere stato sforzato e innaturale, lontano dal «natural modo di favellare» [cfr. Sansone 1957: 567]. L'accusa si può comprendere solo se si ritorna al confronto, che è un *topos* in quella polemica, tra la *Gerusalemme* e l'*Orlando furioso*. I cruscanti giudicavano che Tasso, rispetto ad Ariosto, non fosse facile da intendere, specialmente quando le sue ottave venivano ascoltate durante una lettura ad alta voce; Tasso costringeva dunque il suo pubblico alla lettura silenziosa, a un esame visivo del testo, e questo era un modo per superare l'ostacolo della «legatura distorta» [cfr. *Controversie* 1827-1828: I.334].

---

[41] I 16 'punti' del Lombardelli si leggono integralmente in *Controversie* [1827-1828: II.14]; una selezione simile a quella che segue si trova in Ruggieri [1944-1945: 47]. Sulle polemiche attorno alla *Gerusalemme liberata*, cfr. anche Vitale [1992a: 127-142].

La «legatura», nella terminologia grammaticale del tempo, è appunto la costruzione sintattica. Si poneva quindi un problema di sintassi e di disposizione delle frasi nella struttura ritmica dell'ottava. Anzi, la questione sintattica e metrico-sintattica precedeva quella del lessico. Anche sul lessico i puristi trovavano da ridire, in quanto Tasso avrebbe usato un numero eccessivo di latinismi e alcune parole «lombarde». Queste ultime, tuttavia, erano sfuggite qualche volta anche ad Ariosto, e in fondo non erano il vero nodo della questione [cfr. Chiappelli 1957: 95 e Vitale 1992a: 139]; più che i lombardismi, i latinismi erano motivo di preoccupazione, nell'ottica toscanista: potevano costituire un legame ideale con la tradizione della lingua cortigiana, che aveva sempre considerato il latinismo una riserva a cui ricorrere con la sicurezza di essere intesi da un pubblico largo di persone colte, senza essere costretti a optare per la forma fiorentina, meno conosciuta. Il latinismo era insomma non di rado una validissima alternativa al fiorentinismo, e come tale non era gradito ai fiorentini [42]. Effettivamente nel lessico della poesia epica Tasso mostra una predilezione per il latinismo, in continuità, del resto, con le opzioni 'nobili' della tradizione petrarchesca. I versi da noi già citati, in cui dichiara di apprezzare il «sermon tosco», così seguitano: «Ma da fonte latino in lui [nel tosco sermon] derivo / pur alcun nome, o ver l'adorno e fingo». E nei *Discorsi dell'arte poetica* aveva affermato che «il sublime e il peregrino» nascono non solo dalle parole straniere (provenzali, francesi, spagnole e dalle traslate), ma anche dalle parole prese dalla lingua «latina, pure che loro si dia la terminazione della favella toscana» [Poma 1964: 45]. Il latinismo è parte dello stile ispirato alla «gravitas» e alla «seria compostezza» o «sostenuto aulicismo», che arriva fino a «esiti enfatizzati» [così Romboli 1979: 634 e 636]. Si conferma con Tasso la tendenza alla serie lessicale 'nobile', per cui non dirà «a mezzogiorno» (= Sud), ma «d'in verso l'austro» (*G.L.*, XVIII, 54, 4), non «solleva», ma «estolle» (*G.L.*, II, 37, 1), non «tracce» ma «vestigia» (*G.L.*, VII, 23, 1), non «vicino» ma «propinquo» (I, 78, 3), non «casa» ma «magion» (VIII, 1, 3; sono alcuni degli esempi richiamati da Romboli [1979: 637]). Il latinismo lessicale è uno degli elementi utilizzati per far conseguire alla poesia, e soprattutto a quella epica, il livello elevato.

Indubbiamente le critiche della Crusca mostrano uno scarso apprezzamento nei confronti del nuovo gusto letterario, visto che

---

[42] Salviati, ad esempio, citava il verso di Tasso «scende, ed ascende un suo destriero in fretta» (*G.L.*, XX, ottava 117), costruito sul latino *conscendere equum*, laddove i toscani avrebbero optato per il caso indiretto, «ascendere su di un destriero» [Sansone 1957: 571]. Del resto altre volte Tasso usa il costrutto *ascendere su* (cfr. *G.L.*, XVII, ottava 85, v. 5), e il caso stigmatizzato da Salviati era dovuto a ragioni ritmiche, in nome delle quali il poeta non aveva certo timore di variare liberamente un costrutto sintattico, appoggiandosi al latino.

Tasso si era necessariamente staccato (in parte, almeno) dal modello di Ariosto, senza preoccuparsi delle norme bembiane, a cui invece aveva fatto a suo tempo riferimento l'autore del *Furioso*. Ma sarebbe errato pensare che nel dibattito attorno alla *Gerusalemme* fossero in discussione realmente tutte le quisquilie lessicali a cui fece appello Salviati. Tasso, anzi, ebbe buon gioco a dimostrare che le proprie scelte lessicali non si erano in realtà discostate da quelle dei grandi scrittori del passato, in particolare da Petrarca. La violenza con cui Salviati (su questo letterato, cfr. IX.5.3) attaccò Tasso ha un significato più profondo. Quando Salviati accusava Tasso «di non intender la lingua, della qual fa*ceva* professione» (così ne *L'infarinato primo*, in *Controversie* [1827-1828: II.205]), era guidato piuttosto dal fastidio nei confronti di quella stella di prima grandezza nel mondo della letteratura volgare, la quale, ancora una volta, brillava lontano da Firenze, e sembrava non riconoscerne il primato. L'«imperio» di Firenze sulla lingua era un mito ambizioso a cui Salviati aveva dedicato tutta la propria vita [cfr. Maraschio 2001]. Questo «imperio», al quale egli si riferiva anche nella polemica allora in corso [cfr. *Controversie* 1827-1828: II.200], richiedeva l'ossequio da parte dei letterari forestieri, e Tasso non si adattava a tributarlo. Anzi, nella sua *Apologia*, l'autore della *Gerusalemme* proponeva la distinzione tra fiorentino antico e fiorentino moderno, contestando che i fiorentini potessero ambire ad essere migliori giudici di altri, i quali fossero competenti di letteratura (nessun privilegio per la nascita fiorentina, dunque); e arrivava ad affermare che la lingua volgare era ormai qualche cosa di separato dal 'volgo', avendo acquisito una dimensione colta, non popolare: come dire che Firenze non aveva più ragioni per avanzare diritti sul dominio 'naturale' della propria lingua, perché questo dominio non esisteva. E ancora, Tasso osservava, acutamente, che la lingua di Dante era stata più fiorentina di quella di Petrarca, ma meno 'poetica' (dove il termine 'poetico' allude alla formalizzazione di una lingua non realistica, vaga, allusiva, largamente utilizzabile, e di fatto utilizzata, come modello); Petrarca, per contro, era stato più 'poetico', ma meno fiorentino. Le risposte di Salviati su questi due punti (la continuità tra fiorentino antico e fiorentino moderno, e la minor fiorentinità di Petrarca rispetto a Dante) furono, come era facile prevedere, estremamente risentite[43].

Le dispute tra Tasso e Salviati, cioè tra il più grande scrittore della seconda metà del Cinquecento e l'animatore dell'Accademia destinata a contribuire di più allo sviluppo degli strumenti linguistici normativi e di consultazione, mostrano il profilarsi di un divorzio: mentre l'Accademia stava per coronare il suo progetto isti-

---

[43] Le affermazioni di Tasso e la replica di Salviati si leggono in *Controversie* [1827-1828: II.246-251].

tuzionale, inteso a regolare in maniera decisiva la lingua italiana, la repubblica delle lettere prendeva autonomamente un'altra strada, in opposizione e in conflitto rispetto a quell'autorità normativa. Tale divorzio sarebbe continuato nel Seicento. Da Firenze venne il miglior vocabolario, non certamente la miglior letteratura.

7.4. Teoria poetica e stile di Tasso

Un'ottima guida per cogliere le tendenze stilistiche presenti nella poesia di Tasso, e soprattutto nella *Gerusalemme liberata*, sono le sue pagine di teorico, contenute nel quinto libro dei *Discorsi del poema eroico*, dedicato in maniera specifica all'«elocuzione», intesa come problema che non riguarda solo l'oratore e l'attore, ma il poeta (l'elocuzione', nella retorica classica, è «l'atto di dare forma linguistica alle idee» [cfr. Mortara Garavelli 1989: 111]). In queste pagine Tasso spiega in che modo possa essere raggiunto l'ideale di magnificenza, ovvero di «grandezza e di gravità» [Poma 1964: 203] a cui aspirava, e che costituiva poi il vero motivo di attrito rispetto alla concezione della Crusca. Il primo carattere della 'gravità' sta, sorprendentemente, a giudizio di Tasso, in ciò che chiama «asprezza». Gli esempi che porta, ricavati da Petrarca, mostrano che con questo termine egli designa la presenza di forti allitterazioni (Tasso cita, con lezione qua e là diversa da quella accolta da Contini [1964], *RVF*, 239, 16: «Ella si sta pur come aspr'alpe a l'aura»; e *RFV*, 344, 10-11: «né gran prosperità il mio stato avverso / può consolar del suo bel spirto sciolto»), o anche «il concorso di vocali», dovuto alla presenza di dialefe, che fa sì che le vocali «non s'inghiottono», cioè non si fondono tra loro nella lettura.

Un altro espediente tecnico per raggiungere lo stile «magnifico e sublime» sta, secondo il Tasso dei *Discorsi*, nei «versi spezzati», ovvero nell'uso dell'*enjambement*. Egli cita a questo proposito due esempi di Petrarca ed uno di Della Casa, ma è facile ricondurre il discorso alla sua poesia, poiché l'*enjambement* ha un rilievo speciale nella *Gerusalemme* [cfr. tra gli altri Fubini 1948: 256-270 e Devoto 1957: 177]. Il calcolo degli indici quantitativi, rapportati con quelli dell'*Orlando furioso*, mostra in Tasso una proporzione del 17,7 su 100 stanze, contro il 6,5 su 100 di Ariosto. Il rapporto è quasi di tre a uno. Sovente l'*enjambement* è caratterizzato da forme 'forti', che separano il sostantivo dal suo aggettivo (si vedano numerosi esempi in Fubini [1948: 256 ss.]). L'uso dell'*enjambement* permette di distanziare il verso dalla monotonia della prevedibilità metrica, ed è la base per una serie di effetti di sospensione, rallentamento e variazione del ritmo. Naturalmente l'*enjambement* di Tasso non è paragonabile a quello delle *Satire* di Ariosto: come avverte Fubini [1948: 258], esso non serve a far scendere la poesia verso la prosa, ma, al contrario, vuole sublimare il verso in funzione lirica. Intento non dissimile hanno gli accumuli di elementi congiunti da «e», i quali, a giudizio di Tasso, «accrescono forza nel parlare», come nell'esempio di Petrarca: «al tuo nome *e* pensieri *e* 'ngegno *e* stile» (*RVF*, 366, 127). Questo si pone, a suo giudizio, come un caso particolare del più generale espediente stilistico dell'enumerazione, che può essere ottenuta anche mediante «dissoluzione», cioè per asindeto, mediante semplice accostamento di elementi, senza l'uso della congiunzione «e». Egli osserva però (citando Demetrio Falereo) che «l'istessa congiunzione replicata dimostra un non so che d'infinito» [Poma 1964: 207]. L'enumerazione risulta essere uno degli stilemi più comuni in Tasso (cfr. Chiappelli [1957: 84-89], a cui rinvio per i numerosi esempi), e viene realizzata più frequentemente in polisindeto, soprattutto quando vi è crescendo o *climax*, espediente anch'esso teorizzato nei *Discorsi* come consono allo stile «magnifico» [Poma 1964: 216]. Interessante è l'emergere, proprio nella definizione tassiana del valore stilistico dell'accumulo enumerativo per polisindeto, di un riferimento all'indeterminato, all'indefinito, inteso come caratteristica della poesia di livello 'sublime'. Anche in questo senso, Tasso inaugura un rinnovamento del linguaggio poetico, segnando una svolta nella tradizione petrarchesca in cui pure si inserisce. Proprio nella poesia di Tasso emerge in maniera marcata la ricerca di un lessico poetico capace di rendere il senso dell'indeterminato e del vago, cioè di adempiere alla stessa funzione attribuita dall'autore, come abbiamo visto, alla sovrabbondanza di congiunzioni. Noi moderni, osservando questa tendenza, pensiamo subito a Leopardi, che ne fece uno dei punti di forza della propria poesia. Leopardi, si noti, era un grande estimatore di Tasso, attraverso il quale filtrò la tradizione del linguaggio poetico petrarchesco. Il riferimento a Leopardi è sufficiente a dimostrare la durata del modello tassiano, la sua importanza nella storia del linguaggio della lirica italiana.

Tasso sottolineava inoltre l'utilità di «duplicare le parole», in forma di endiadi e di anafora [cfr. Poma 1964: 209], e (sempre citando il precedente di Petrarca) consigliava di «cominciar il verso con i casi obliqui», posponendo il soggetto, come in effetti si riscontra in diverse delle sue rime[44].

---

[44] Ad esempio in questi tre *incipit*: «De la città, per cui natura e 'l cielo / raccolse quanto ha in sé diviso il mondo / di bel e di gentil, nel core ascondo / la trionfale imago [...]»; «De le mie colpe e del mio grave errore / adamantino smalto in me ristretto / era per lungo sdegno intorno al petto, / là dove spunta ogni suo strale Amore»; «Di vincitor, che 'n Campidoglio ascenda, / altri pur ne descriva il carro e 'l lauro, / e i ricchi doni suoi d'argento e d'auro, / e le sue varie pompe orni e distenda». Sono formule analoghe ad alcuni *incipit* di ottave del poema: «Di nobil pompa i fidi amici ornaro / il gran ferètro... » (*G.L.*, III, 67); «D'ira, di gelosia, d'invidia ardenti, / chiaman gli altri Fortuna ingiusta e ria» (*G.L.*, V, 76). Si osservino, negli esempi citati, i molti latinismi. Nel penultimo esempio si noti, in *ferètro*, lo spostamento di accento per diastole, assai co-

8. La Chiesa e il volgare

8.1. La traduzione della Bibbia e la lingua della messa

La Chiesa fu tra i protagonisti della storia linguistica nel periodo dal Concilio di Trento alla fine del Seicento, e gli studiosi concordano ormai sulla necessità di tenerne conto in maniera debita [cfr. Coletti 1983 e Librandi 1993]. La lingua ufficiale della Chiesa restò il latino, ma il problema del volgare emerse nella catechesi[45] e nella predicazione: questi sono i settori in cui effettivamente l'azione del clero per la diffusione dell'italiano si fece sentire.

Il rapporto tra la Chiesa e la lingua volgare fu affrontato anche nel dibattito che si svolse al Concilio di Trento. Il Concilio discusse la legittimità delle traduzioni della Bibbia. Gli studi di Coletti [1983: 203] e D'Agostino [1988: 37] hanno dimostrato che i padri del Concilio di Trento non arrivarono a una decisione radicale e specifica su questo punto, in pratica affidandolo alle scelte dei papi. I pontefici intervennero successivamente con le liste dell'*Indice* dei libri proibiti. Nel 1559 Paolo IV riservava un'apposita menzione alle Bibbie volgari, delle quali era vietato il possesso senza apposita licenza del Santo Uffizio. La proibizione fu ribadita più volte in seguito, nel Cinquecento e nel Seicento, e si attenuò solo a partire dal sec. XVIII[46]. Non deve stupire l'atteggiamento finale di intransigenza del papato, che si allineò in pratica alle posizioni più rigide emerse nel Concilio. La questione in gioco, dietro il problema della traduzione, era quella della libera interpretazione della Scrittura. La diffusione del solo testo latino, al contrario, avrebbe reso il libro sacro più distante dagli interpreti meno colti, garantendo la funzione di controllo della gerarchia ecclesiastica[47].

---

mune nel linguaggio poetico italiano ancora nell'Ottocento [cfr. Serianni 1989a: 109]. Le strutture binarie e ternarie preferite da Tasso sono state studiate da Minesi [1980: 104-107]. Esse si presentano sia in forma di parallelismo che in forma di chiasmo. Ecco due esempi del primo tipo e del secondo, entrambi tratti dal *Torrismondo*, suggeriti da Minesi [1980: 105]: «*indegnamente* a me quest'aura spiri / e *'ndegnamente* il sole a me risplenda» (vv. 249-250); «[...] *so ben* ch'io de sio; / quel che tema, *io non so* [...]» (vv. 24-25).

[45] Il *Catechismus ad parochos*, approvato da Pio V e pubblicato in latino nel 1566, secondo le direttive emanate dal Concilio di Trento (almeno in parte, era una risposta al catechismo di Lutero), fu scritto in latino, e fu rivolto ai parroci, non direttamente ai fedeli. Questo testo fu tradotto nelle varie lingue volgari, e se ne ricavarono dei compendi a brevi domande e risposte, destinati ai ragazzi.

[46] Nella seconda metà del Settecento, infatti, si ebbe la traduzione della Bibbia del toscano Antonio Martini, che fu poi arcivescovo di Firenze.

[47] Su questo tema scrisse più tardi in maniera molto lucida Paolo Sarpi, avversario severo del latino, nel caso in cui questa lingua fosse destinata a mantenere la plebe nell'ignoranza. Nella *Relazione dello stato della religione* Sarpi afferma che il latino è causa di uno scollamento tra i fedeli e la religione, perché, a suo giudizio, proprio «dall'esser fatti i servizi divini in lingua incognita» derivava il fatto che «il popolo, ritrovandosi presente alla messa, non resta di trattare i

Al Concilio di Trento, comunque, si affrontò dapprima il problema della traduzione della Sacra Scrittura, che venne discusso nel febbraio-giugno 1546. È noto che la riforma protestante aveva puntato proprio sulla lettura diretta della Bibbia, facendo della comprensibilità di quel testo una questione decisiva: in tale direzione si era mosso appunto Lutero con la famosa versione in tedesco, di cui è nota l'enorme importanza per la storia della lingua e della letteratura germanica. Tale traduzione era uscita a poco a poco, a partire dal 1522. Questo non poteva certo essere dimenticato dai partecipanti al Concilio, alcuni dei quali vedevano nella Bibbia in mano a tutti una rischiosa fonte di errori e di eresie. Altri erano fautori della traduzione della Bibbia, in nome del fatto che la «chiave della scienza» non poteva essere strappata di mano agli indotti. Questi ultimi proposero una traduzione 'autentica' della Bibbia nelle diverse lingue nazionali (il Concilio aveva ovviamente un'ottica ecumenica, non solo italiana). Prevalse la posizione di un gruppo maggioritario che preferì far cadere ogni riferimento alla questione, lasciando decidere, come si è detto, ai pontefici (mentre veniva ribadita la legittimità e 'ufficialità' della *vulgata* di San Gerolamo, la traduzione latina che per secoli era stata usata dalla Chiesa).

La discussione sul tema della Messa ricalca in qualche modo quanto si è detto a proposito della traduzione della Bibbia. Anche in questo caso era necessario contrapporsi alla tendenza manifestata dal mondo protestante. Veniva sottolineata in maniera particolare la funzione di lingua 'sacra' propria del latino. Al latino, inoltre, era riconosciuto il carattere di lingua universale: esso garantiva un'omogeneità internazionale nel messaggio della Chiesa, che le lingue nazionali, per contro, avrebbero incrinato o reso più difficile da controllare. Ancora una volta, però, pur di fronte a una tendenza dominante sostanzialmente orientata a guardare con diffidenza la scelta moderna del volgare parlato, si deve prendere atto dell'estrema prudenza del Concilio, che non pronunciò una condanna definitiva della Messa in volgare, anche se di fat-

negozi suoi soliti, come si quella congregazione non fosse fatta per servizio di Dio, ma per convenire insieme a dare ordine a' fatti suoi, e però i gentiluomini trattano insieme i loro affari, i mercatanti le lor faciende, et i giovani oziosi non hanno luogo più commodo d'essercitare i loro amori che la propia chiesa...» (si rammenti che *propio* per *proprio* è usuale nell'italiano del tempo). Notava infine Sarpi che le preghiere latine venivano recitate dal popolo come formule taumaturgiche, storpiate in modo spesso blasfemo («invece d'orare, [il popolo] bestemmia»), proprio per la generale ignoranza del latino: «Ho io veduto molti, non senza mia gran compassione, segnarsi la gola, quando udivano dire nella messa *sursum corda*: non per altro, salvo perché in lingua italiana il laccio si noma corda» (i popolani, insomma, intendevano *sursum corda* 'in alto i cuori' come un riferimento all'impiccagione: per questo si segnavano la gola). Anche nella *Istoria del Concilio tridentino* si vede bene che fra Paolo Sarpi parteggia per quei prelati che al Concilio si schierarono su posizioni progressiste, relativamente all'adozione del volgare nella liturgia.

to nella Chiesa Cattolica la Messa venne celebrata in latino fino al secolo.

8.2. La Chiesa, la questione della lingua e la predicazione

Il volgare, respinto dai 'piani alti' della cultura ecclesiastica, confermava viceversa il suo ruolo decisivo nel settore che risentiva direttamente del confronto con i fedeli: il momento della predica. Anzi, il Concilio di Trento, nei suoi decreti, insisteva proprio sul fatto che la predicazione in lingua volgare era uno dei compiti a cui i parroci non dovevano assolutamente sottrarsi, e che questa predicazione doveva svolgersi proprio durante la Messa, cioè entro il rito pronunciato in latino (e le cose rimasero in questo modo, si noti, fino al Concilio Vaticano II del 1962-1965). La predicazione era quindi una sorta di oasi del volgare, unico momento in cui la comunicazione diretta con il fedele richiedeva l'uso di una lingua largamente comprensibile. Ciò non toglie che ancora esistesse la predicazione in latino, ma di fatto essa era destinata solo ad un pubblico d'*élite*, quale simbolo di uno *status* culturale elevato, o per circostanze particolarmente solenni. Non era certo la condizione comune in cui la Chiesa trasmetteva la propria lezione alla gran massa dei fedeli. In ogni modo la Chiesa dovette affrontare, con forza anche maggiore dopo il Concilio di Trento, una vera e propria 'questione della lingua', non limitata solamente al confronto tra latino e italiano. Infatti, anche una volta ammesso che il volgare fosse da adottare solo nel momento specifico dell'omelia, restava da stabilire che forma e che qualità esso dovesse avere.

Il primo elemento di cui si deve prendere atto è la forte influenza del bembismo anche nel campo della predicazione. L'influenza di Bembo e delle *Prose della volgar lingua* (nelle quali veniva proposto un modello di italiano letterario nobile e 'classico', ispirato ai grandi scrittori del Trecento: cfr. IX.2.1) è facilmente riconoscibile già nel primo grande predicatore del periodo storico che stiamo esaminando, il francescano Cornelio Musso (1511-1574). Può essere interessante osservare che Musso era stato allievo, a Padova, di Bembo stesso [cfr. Santini 1923: I.37], e che le sue prediche a stampa portano la prefazione di un altro letterato di Padova, Bernardino Tomitano, a cui la lezione di Bembo non era certo estranea, giunta attraverso l'Accademia degli Infiammati di Sperone Speroni (cfr. IX.5.1; sul Tomitano, cfr. Vitale [1978: 70] e Daniele [1989: 31-49]). Il legame con Padova e con gli Infiammati, insomma, è una spia dell'interesse linguistico che andava assumendo anche la predicazione, del tentativo messo in atto per sottrarla all'approssimazione stilistica e per porre rimedio alla mancanza di eleganza letteraria. La predicazione si presentava come un settore in qualche modo vergine, ricollegabile, evidentemente, alle regole dell'oratoria antica, ma sostanzialmente nuovo, a differenza dell'oratoria politica e giudiziaria, in cui il confronto con il passato è immediato, quasi in forma di competizione tra antichi e moderni. Non a caso, molte volte i grandi predicatori del secondo Cinquecento ritornano, come Panigarola, sul tema di quella che definiscono la *perniciosa dulcedo*, la pericolosa dolcezza delle arti oratorie dei pagani. Per la cultura cristiana, si tratta di fare i conti con la cultura retorica e impadronirsene, mettendo quel patrimonio di conoscenze al servizio della verità religiosa [cfr. Marazzini 2001: 164-176]. Questo fu l'intento di un libro come *Il predicatore ovvero Demetrio Falereo. Dell'elocuzione* del francescano Francesco Panigarola, che fu anche vescovo di Asti.

Il predicatore di Panigarola, uscito postumo nel 1609, rappresenta senz'altro il trattato più importante per il rinnovamento della prosa della predicazione, per renderla adeguata ai dettami della retorica, assolutamente distinta dal livello popolare. Panigarola procedette alla stesura del *Predicatore* con il preciso intento di compiere un'applicazione della cultura alla fede. Questo è forse il primo caso in cui un esponente della gerarchia cattolica, nell'esercizio del suo ministero, interviene nella disputa normativa sull'italiano. Nel *Predicatore* trova posto una sezione specifica relativa alla «lingua, che ha da adoperare il predicator italiano» [Panigarola 1609: II.5]. Vi si trova non solo l'adesione ai principi fiorentinisti di Bembo [cfr. Coletti 1983: 222], ma, in più, la teorizzazione del primato della lingua fiorentina parlata, giudicata come la più adatta al pulpito. Vi si trova anche la dimostrazione che nella Chiesa si era diffusa l'abitudine di «risciacquare i panni in Arno» (per usare l'espressione di Manzoni: cfr. XII.7.3, nota 30), e che, almeno nell'ordine dei Francescani (a cui apparteneva Panigarola), questo programma di educazione linguistica veniva perseguito con una strategia sistematica. Non solo, infatti, Panigarola consiglia di imparare il buon italiano sulle grammatiche, ma esorta caldamente a soggiornare a Firenze per qualche tempo [cfr. Panigarola 1609: II.35]. A questo proposito, si sofferma sulla propria esperienza personale, e racconta come il generale dei frati minori avesse voluto il suo soggiorno a Firenze proprio in considerazione del fatto che egli (assieme ai suoi compagni) avrebbe dovuto dedicarsi alla predicazione. Questo è un aneddoto raccontato da Panigarola [1609: II.31] in riferimento al suo soggiorno fiorentino:

A noi dà una grandissima paura la memoria, che teniamo d'un caso che ci occorse a Firenze, ove garreggiando noi insieme, un altro religioso lombardo e noi [Panigarola era nato a Milano], intorno all'imparare della fiorentina lingua, e parendoci a tutti due d'esser passati molto avanti, noi sentimmo un giorno, che parlando il nostro emulo più fiorentinamente ch'egli sapeva con una monaca di San Giorgio, essa domandata una compagna: «Deh venite Suor Tale – disse – se volete haver gusto: sentite un poco il Padre Tale somiglia tanto nel ragionare al nostro Vellettaio». Il quale Vellettaio di questi lombardi era che stringhe e bindelli vanno gridando per le città[48].

Va osservato che il tentativo di Panigarola volto a ottenere una lingua della predicazione situata a un alto livello di cultura trova un perfetto corrispondente nelle idee del cardinal Federico Borromeo. Borromeo lamentava che a Milano ci fosse «tanta carestia di persone che scrivano correttamente Toscano, che il dare una scrittura acciò sia copiata non è altro che renderla assai peggiore di quella che era e farvi dentro mille errori» (cito il passo, in una lettera del 1612, da Morgana [1991: 13]). Conscio di questi problemi, egli sottopose le sue prediche a un lungo processo di revisione linguistica, partendo dal principio che anche l'oratoria sacra doveva utilizzare le «parole che furono già vestimenta, et adobbi, et ornamenti delle favole, e delle novelle» [cito da Morgana 1991: 19], cioè strumento della letteratura profana.

La predica post-bembiana, dunque, sembra accettare, almeno nei suoi esemplari di livello più alto, la sfida della letteratura, sfruttando al massimo gli artifici retorici. Sta di fatto che nella seconda metà del sec. XVI vennero appunto alla luce molte opere retoriche (per la maggior parte in latino, ma talora anche in volgare), le quali dimostrano che la Chiesa cercava di stabilire le norme per una predicazione colta, di livello alto, e anche dimostrano che esisteva un pubblico di religiosi pronti ad aggiornarsi, desideroso di imparare. Non si dimentichi che proprio in quell'epoca si era fatto pressante per i sacerdoti il dovere di spiegare la Bibbia ai fedeli, colmando le proprie lacune culturali, talora assai gravi [cfr. Allegra 1981: 902-904 e Rusconi 1981: 996].

Certo non tutta la predicazione tardorinascimentale si sarà adeguata immediatamente a questo modello di letterarietà. Sarà sopravvissuta anche una predicazione più popolare. Santini [1923: 27] ricorda ad esempio la predicazione degli Oratoriani, con San Filippo Neri, a partire dal 1548; nelle *Regole* del Santo si legge: «I nostri Padri nel sermonare si accomodino soprattutto alla capacità del volgo senza cercare in alcun modo pomposo il vano applauso del popolo» [cito da Santini 1923: I.27]. La funzione educativa rivolta al popolo minuto (quello stesso per il quale venivano aperte scuole popolari presso le parrocchie, canale non privo di importanza per la diffusione dell'alfabetismo) sembra qui distinguersi ormai in maniera netta dalla funzione spettacolare assunta dalla predica di livello alto-letterario, funzione che si accentuerà nel corso del sec. XVII. In prospettiva linguistica hanno certamente qualche interesse i fenomeni di gestualità e di coreografia che, pur presenti anche prima, si svilupperanno maggiormente nel Sei-

---

[48] Era cioè un venditore ambulante che parlava quella lingua la quale più tardi fu definita 'mercantile' o 'linguaggio itinerario' (cfr. XI.5.2), lingua propria di coloro che per il loro mestiere dovevano viaggiare frequentemente per l'Italia.

cento, tali da trasformare la predica in una sorta di monologo teatrale, magari con il supporto di veri e propri trucchi scenici, quali
le catene sbattute, le plateali corse giù dal pulpito, e anche l'esibizione di corde al collo e di teschi, come ci conferma la testimonianza di Paolo Sarpi [cfr. Cozzi 1969: 303]. Questi elementi ac-
crescevano il fascino spettacolare della predica, e quindi la sua capacità di influire linguisticamente sul pubblico, molto più di altre
forme di oratoria.

1. Il Vocabolario dell'Accademia della Crusca

Già abbiamo avuto occasione di osservare come la più famosa accademia italiana che si occupò di lingua fu quella della Crusca (cfr. IX.5.3). L'Accademia della Crusca ebbe un'importanza eccezionale. Tanta influenza può apparire persino sorprendente, se si pensa al contesto in cui tale organismo si trovò ad operare. A differenza dell'Accademia fiorentina (cfr. IX.5.2), infatti, la Crusca fu un'associazione privata, che contò solo sulle sue forze, senza sostegno pubblico, in un'Italia divisa in stati diversi, ciascuno con la propria fisionomia e la propria tradizione; un'Italia, quindi, poco adatta ad assoggettarsi ad un'unica autorità normativa, tanto è vero che le polemiche suscitate dall'Accademia furono innumerevoli e roventi. Eppure la Crusca portò a termine il disegno di restituire a Firenze il magistero della lingua, così come avevano auspicato Varchi e Salviati nel sec. XVI (cfr. IX.2.5 e IX.5.3), e costrinse tutti gli italiani colti a fare i conti, d'allora in poi, con il 'primato' della città toscana. L'attività della Crusca non fu certo esente da critiche, come dicevamo. Per secoli essa fu un'istituzione avversata, ma nessuno, comunque, poté permettersi di ignorarla. La sua presenza fu sempre viva, talora ossessiva, ingombrante e fastidiosa.

Non c'è dubbio che il contributo più rilevante della Crusca si ebbe quando questa accademia si indirizzò alla lessicografia, ciò che avvenne a partire dal 1591 [cfr. Parodi 1974: 34]. In quell'anno gli accademici discussero sul modo di fare il Vocabolario, e si divisero gli spogli da compiere, mettendo a punto un procedimento razionale di schedatura. Lo stesso Salviati aveva accennato tempo prima all'idea di un vocabolario della lingua toscana [cfr. Vitale 1986: 122]. La prova della rigida fedeltà dell'Accademia alle teorie del maestro sta soprattutto nel canone degli autori spogliati per il Vocabolario, il cui elenco corrisponde a quello fornito da

Salviati, anzi dipende da esso, salvo poche aggiunte del resto non incoerenti con quel modello medesimo. Da Salviati, soprattutto, veniva agli accademici la caratteristica impostazione (di fatto profondamente antibembiana) secondo la quale gli autori minori e minimi erano giudicati degni, per meriti di lingua, di stare fianco fianco ai 'grandi' della letteratura. Agli occhi di Salviati (e poi degli accademici) i problemi del 'contenuto' (l'abbiamo già visto nel caso della «rassettatura») si ponevano su di un piano diverso da quello della forma; i meriti linguistici potevano accoppiarsi a una grande modestia della sostanza: certi antichi volgarizzatori, ad esempio, si erano dimostrati incapaci di comprendere i testi latini che cercavano di tradurre, ma, nonostante la loro crassa ed evidente ignoranza, nell'ottica della Crusca, essi erano validi modelli, perché avevano 'scritto bene'.

Come abbiamo visto, al momento della realizzazione del Vocabolario Salviati era già morto. È interessante osservare come dopo di lui non ci fosse nell'Accademia una figura di spicco che potesse raccoglierne l'eredità. Dei cinquanta accademici presenti a Firenze tra il 1591 e il 1592, nessuno aveva una precisa competenza lessicografica o linguistica [cfr. Parodi 1974: 44]. Erano piuttosto dei veri e propri dilettanti, in molti casi in giovane età, non ancora noti per meriti letterari. Questo sostanziale 'dilettantismo' del gruppo non deve essere messo in evidenza come un fatto negativo, e anzi accresce il loro merito, soprattutto alla luce del risultato raggiunto. Per criticabile che fosse sul piano dei principi ispiratori, infatti, il lavoro fu condotto con una coerenza metodologica e un rigore che andavano al di là di tutti i precedenti. La squadra dei lessicografi fiorentini andò formandosi da sé, e mantenne inoltre una notevole collegialità nelle sue scelte, forse anche, come si diceva, per la mancanza di figure in grado di egemonizzare l'operato degli altri. In questo senso, quello della Crusca fu un vocabolario concepito attenendosi alle regole fissate all'interno dell'Accademia.

Il lavoro fu organizzato così bene da riuscire relativamente breve, diviso com'era tra i numerosi appartenenti all'*équipe* di schedatori. Nel 1595 lo spoglio, avviato nel 1591, era già stato pressoché portato a termine [cfr. Parodi 1974: 47]. Fu affrontato allora il problema spinoso del finanziamento, che da solo basta a dimostrare come i tempi fossero cambiati rispetto alla prima metà del secolo. La Crusca, alla fine del Cinquecento, non era affatto nella situazione favorevole che era stata propria dell'Accademia fiorentina di Cosimo I. Per stampare il Vocabolario, opera di grossa mole, occorrevano denari: ciò costrinse gli accademici ad autofinanziarsi, visto che non trovavano chi si accollasse le spese. Sul piano generale, si può dire che ciò comportò anche una loro sostanziale libertà, una non-ingerenza delle autorità, almeno fino alla seconda metà del Seicento. La necessità di trovare da soli i finanziamenti per il vocabolario giustifica appieno la loro tendenza a realizzare l'opera come una sorta di impresa commerciale, stando attenti a rientrare nelle spese. Si noti che, nonostante la novità dell'opera, non si poteva essere certi del suo successo di mercato. L'accademico Riccardo Romolo Riccardi, mercante fiorentino, non aveva voluto arrischiare i propri soldi nell'impresa, temendo appunto che il libro non fosse venduto [cfr. Parodi 1974: 65]. Il rischio giustifica anche gli sforzi compiuti per assicurare al volume i «privilegi» di vendita nei diversi stati[1]. Non si dimentichi che la situazione italiana, da questo punto di vista, era estremamente sfavorevole, perché la frammentazione politico-amministrativa aumentava il rischio delle edizioni-pirata, e inoltre frazionava il mercato. Ciò spiega come mai risultasse molto conveniente per la Crusca ottenere il «privilegio» in una nazione come la Francia. Probabilmente si spiega con elementi di natura economica anche la scelta di far stampare l'opera a Venezia piuttosto che a Firenze. Ciò comportò non pochi problemi pratici. Ci restano le istruzioni che accompagnarono nel 1610 il segretario dell'Accademia, Bastiano de' Rossi, lo «'Nferigno», incaricato di controllare da vicino il procedere della stampa, e di provvedere a quanto si sarebbe reso necessario durante le ultime correzioni. Basta leggere tali istruzioni (pubblicate ora da Parodi [1974: 66-68]) per verificare quanto l'Accademia, anche in quell'occasione, demandando a un solo membro una responsabilità speciale, difendesse tuttavia la sua collegialità, affidando al segretario un mandato molto vincolante, garantendosi che egli non potesse abusare della sua posizione di privilegio sul luogo della stampa: ogni settimana avrebbe dovuto inviare le bozze a Firenze, all'Accademia; non avrebbe dovuto correggere o mutare «cosa veruna» di sua «fantasia», e nel caso di voci che all'ultimo minuto presentassero dubbi o fossero irrimediabilmente imprecise per qualche omissione, avrebbe dovuto eliminare senza emendare.

Bastiano de' Rossi era inoltre incaricato di stendere la lettera dedicatoria da premettere al Vocabolario, ma anche in questo caso era tenuto a mandarla all'Accademia, per avere il suo *placet*. Il *Vocabolario degli Accademici della Crusca* uscì dunque nel 1612, presso la tipografia veneziana di Giovanni Alberti. Sul frontespizio portava l'immagine del frullone o buratto, lo strumento che si usava per separare la farina dalla crusca (esso era appunto l'emblema dell'Accademia), con sopra, in un cartiglio, il motto «Il più bel fior ne coglie», allusivo alla selezione compiuta nel lessico, per analogia alla selezione tra la farina (il «fiore») e la crusca (lo scarto)[2].

---

[1] Sul 'privilegio', cfr. IX.1, nota 2.
[2] Il nome stesso dell'Accademia della Crusca si presta a questa interpretazione, che mostra in allegoria quale sia la funzione selettiva esercitata sul patrimonio lessicale. All'origine, però, la Crusca prese la sua designazione dalle «cruscate», discorsi burleschi recitati dagli accademici («crusconi») in un esercizio privo di ogni serio impegno culturale. Solo in seguito il nome subì la risemantizzazione 'seria' a cui si è fatto cenno [cfr. Migliorini 1978: 367].

Si è già detto che l'impostazione del Vocabolario della Crusca fu essenzialmente legata all'insegnamento di Salviati, anche se l'opera fu realizzata dopo la sua morte. Va precisato dunque, che il Vocabolario non fu affatto ispirato a ortodossi criteri bembiani. La lezione delle *Prose della volgar lingua* sopravviveva, ma filtrata attraverso l'interpretazione fiorentinista di Varchi e Salviati (cfr. IX.2.5 e IX.5.3). Gli Accademici, in sostanza, fornirono il tesoro della lingua del Trecento, esteso al di là dei confini segnati dall'opera delle Tre Corone (che pure ne erano la base), arrivando a integrare con l'uso moderno. Ma il problema che si poneva non era tanto o soltanto quello dell'uso moderno, quanto quello della selezione delle *auctoritates*. Infatti gli schedatori, più che esibire l'apporto della lingua viva, avevano cercato di evidenziare la continuità tra la lingua toscana contemporanea e l'antica, trecentesca (secondo i principi di Salviati). Le parole del fiorentino vivo, insomma, erano documentate di preferenza attraverso gli autori antichi. Ecco perché il massimo sforzo era stato compiuto per scovare lessico in quegli autori del passato, anche a costo di ricorrere a fonti manoscritte, semiprivate, non verificabili da parte dei lettori. Era stato dato l'avvio alla pratica discutibile di citare «testi a penna», cioè manoscritti fiorentini inediti, in possesso degli accademici, i quali ne avevano cavato parole altrove irreperibili. Tale pratica avrebbe irritato in seguito (non a torto) gli avversari della Crusca. È vero d'altra parte che questa scelta derivava anche dall'insoddisfazione per le edizioni a stampa allora disponibili per molti testi, o (in certi casi) per la mancanza di edizioni, ed è quindi altrettanto vero che nasceva così il gusto per la filologia, applicata alla letteratura del Duecento e Trecento, la quale si sviluppò parallelamente all'attività della Crusca. Ma l'eccesso nel gusto per la filologia si proiettò negativamente su di un vocabolario che ambiva a definire un patrimonio lessicale a cui tutti avrebbero dovuto attingere. Il Vocabolario largheggiava nel presentare termini e forme dialettali fiorentine e toscane [cfr. Vitale 1986: 135], come *assempro* 'esempio'[3], *calonaca* 'canonica'[4], *caro* 'carestia', *brobbio* 'vergogna', *danaio* 'denaro' (d'uso comune fin dal *Novellino*), *manicare* 'mangiare'[5], *ricadìa* 'molestia', *serqua* 'dozzina', *uguanno* 'quest'anno' (usato nel *Novellino* e nel *Decameron*, in quest'ultimo

---

[3] *Assempro*, per la verità, porta il rinvio ad *Esemplo*. È parola usata da G. Villani, come *brobbio* che segue.

[4] *Calonaca* è posto subito a fianco di *Calonica*; mentre *calonica* è certificato sull'autorità di Boccaccio, nel caso di *calonaca* il Vocabolario non porta esempi, rifacendosi verosimilmente all'uso toscano (il termine ricorre nelle *Vite* del Vasari, nella biografia di Brunelleschi).

[5] *Manicare* per 'mangiare' è toscanismo condannato come plebeo da Dante nel *De vulgari eloquentia*, ma usato nella *Commedia*, e attestato dalla Crusca con l'esempio di Boccaccio. Tuttavia Boccaccio l'aveva usato nel discorso diretto (cfr. *Decameron*, I, 1; VIII, 7; IX, 7), in contesto adatto a contenere termini del parlato popolare.

solo due volte e sempre nel discorso diretto). I lemmi identici si moltiplicavano per la presenza di varianti proprie della lingua antica non ancora normalizzata (*Befania* – *Epifania*, *brobbio* – *obbrobrio*, *adulterio* – *avolterio*, *chintana* – *quintana* ecc.).

Per quanto riguarda la scelta della grafia, invece, il Vocabolario si collocò sulla linea dell'innovazione, distaccandosi in buona parte dalle convenzioni ispirate al latino (le *h* etimologiche e i nessi del tipo *ct*), seguendo in ciò un aggiornamento gradito alla cultura toscana. Notevoli erano anche la coerenza e l'omogeneità di applicazione delle scelte ortografiche, tanto che si può dire che il Vocabolario «costituisce una tappa importante nella storia della grafia italiana» [Mura Porcu 1982: 335]. Furono in sostanza seguiti i principi esposti da Salviati negli *Avvertimenti*.

Un problema a cui già ho fatto cenno è quello della presenza degli autori moderni nella prima Crusca. Si insiste di solito sul carattere arcaizzante del Vocabolario (notevole è l'esclusione di Tasso, il più grande scrittore del secondo Cinquecento, contro il quale, del resto, Salviati aveva duramente polemizzato: cfr. IX.7.3).

Nonostante il dissenso che si manifestò immediatamente, il Vocabolario assunse senz'altro un prestigio sovraregionale. Il Tesauro, ad esempio, che pure non fu mai d'accordo in via teorica con il fiorentinismo cruscante, diede tuttavia una serie di indicazioni per sfruttare appieno le potenzialità della Crusca facendo uso anche della tavola lessicale latino-italiana di cui il Vocabolario era corredato (il passo, da *Dell'arte delle lettere missive*, è stato evidenziato da Marazzini [1984: 101]). Il lessico latino – spiegava Tesauro – poteva servire da guida per la ricerca del lessico italiano [6]. Il passo di Tesauro dimostra che persino un avversario del Vocabolario della Crusca poteva essere costretto a raccomandare l'uso di questo strumento, se non altro per sfruttare la sua innegabile ricchezza.

L'accademia trasse dunque dalla realizzazione del Vocabolario una forza nuova, legò definitivamente la propria autorità alla lingua, si accollò un compito di aggiornamento e di revisione che durò per secoli.

2. L'opposizione alla Crusca

2.1. Paolo Beni

L'opposizione al Vocabolario della Crusca e ai criteri che lo avevano ispirato si manifestò fin dal 1612, anno della pubblicazio-

---

[6] È da notare che il più noto vocabolario latino del Cinquecento, il cosiddetto «Calepino», cioè il *Dictionarium* pubblicato da Ambrogio Calepino nel 1502, ebbe una serie di ristampe nel Cinque e Seicento. Questo dizionario portava la traduzione italiana della parola latina, a cui a poco a poco si aggiunsero le traduzioni in altre lingue moderne, francese, spagnolo, inglese, tedesco. Per la bibliografia relativa ai dizionari plurilingui del Cinquecento, destinati prevalentemente ai mercanti, cfr. Lepschy [1990-1994: II. 242-243].

ne dell'opera. Il primo avversario dell'Accademia di Firenze fu Paolo Beni, professore di umanità nell'università di Padova, autore di un'*Anticrusca* (1612) nella quale venivano contrapposti al canone di Salviati gli scrittori del Cinquecento, e in particolare il Tasso, il grande escluso dagli spogli del Vocabolario. Beni partiva dal presupposto che la lingua italiana esistesse come patrimonio comune, secondo i dettami della vecchia 'teoria cortigiana'. Tale patrimonio comune, a suo giudizio, si estendeva anche al di là dell'italiano scritto, e arrivava a interessare il parlato: egli affermava infatti che le pronunce della Campania, dell'Umbria, delle Marche, e naturalmente quella di Roma, potevano essere messe a confronto con quella di Firenze; arrivava persino a vantare la dolcezza di certe pronunce settentrionali, quali si potevano udire nella sua Padova, a Venezia, a Vicenza [cfr. Beni 1983: 80]. A parte queste curiose incursioni sul terreno del parlato, la maggior parte del trattato di Beni è dedicata a polemizzare contro la lingua usata da Boccaccio (più ancora che contro la Crusca), indicandone le irregolarità e gli elementi plebei. Tale intento è affermato anche nel sottotitolo dell'opera, dove l'autore annuncia il suo programma, consistente appunto nel dimostrare come «l'antica [lingua, cioè quella del Trecento] sia inculta e rozza, e la moderna regolata e gentile». Beni, insomma, partiva da un giudizio complessivamente negativo sulla letteratura del Trecento. Del resto il libro di Beni pubblicato nel 1612 non è che una sezione limitata del lavoro di questo autore. Una gran parte della sua *Anticrusca* rimase inedita fino al nostro secolo, quando il manoscritto, che si credeva perduto, ricomparve in America, nella biblioteca della Cornell University [cfr. Casagrande 1982]. I capitoli inediti ci aiutano a mettere meglio a fuoco il pensiero di questo linguista 'modernista', difensore di Tasso e del *Pastor fido* del Guarini, avversario di Salviati e delle «anticaglie» del dialetto fiorentino, nemico della turgida sintassi di Boccaccio, pronto a prendere partito per Petrarca contro Dante, desideroso di rifondare la lessicografia italiana su basi diverse da quelle dell'Accademia di Firenze.

2.2. Alessandro Tassoni

Critico nei confronti della Crusca fu anche il modenese Alessandro Tassoni (celebre autore del poema eroicomico *La secchia rapita*), che approntò un elenco di osservazioni, utilizzate dagli accademici per la seconda edizione del Vocabolario, nel 1623 [cfr. Masini 1987][7].

[7] Sotto il nome di Tassoni furono pubblicate nel 1698 delle *Annotazioni sopra il Vocabolario della Crusca*, le quali erano in realtà di un altro modenese, Giulio Ottonelli [cfr. Fanfani Bussolini 1970].

La polemica contro la Crusca di Tassoni si caratterizza per una sostanziale asistematicità, affidata com'è a una serie di postille al Vocabolario, nelle edizioni del 1612 [cfr. Masini 1984 e 1996] e del 1623. Dalla prima serie di appunti ebbe origine lo scritto dell'*Incognito da Modana contro ad alcune voci del Vocabolario della Crusca*, inviato a Firenze all'Accademia, che rimase inedito, in un codice oggi alla Biblioteca Nazionale di Firenze (ne ha curato l'ed. Puliatti [1975: 123-149]). Si trovano molte osservazioni linguistiche anche nei *Pensieri*. L'opposizione di Tassoni alla Crusca, dunque, non si articola in una trattazione ordinata. Si tratta piuttosto di una serie di note e postille polemiche, talora vivacissime, le quali non di rado sembrano anticipare per il loro radicalismo alcuni degli argomenti antifiorentini che saranno consueti negli interventi degli Illuministi, nel sec. XVIII. Seppure non esposto in maniera metodica, il pensiero di Tassoni esprime la protesta (certo condivisa da diversi letterati settentrionali) contro la dittatura fiorentina sulla lingua. Tassoni proponeva infatti di adottare nel Vocabolario espedienti grafici per contrassegnare con evidenza le voci antiche e le parole da evitare. A suo giudizio la confusione, provocata dalla Crusca, tra queste voci e quelle legittime, risultava perniciosa per gli utenti, e in particolare per i «forestieri» e per la «gioventù». Tassoni, nei *Pensieri*, ironizza sulla condizione di un ipotetico «segretario» moderno che, per restringersi nell'imitazione di Boccaccio, cominciasse una lettera con una formula come «Quantunque volte meco pensando riguardo...», o ancora ironizza su quell'improbabile scrittore di storia che fosse costretto a un *incipit* del tipo: «L'Aurora già vermiglia cominciava, appressandosi il sole, a divenir rancia...». Anche quest'ironia serviva a combattere la pedissequa imitazione dei modelli trecenteschi.

Tema fondamentale della riflessione di Tassoni è l'improponibilità dell'arcaismo linguistico. Ciò è coerente con il disprezzo dimostrato per un'altra forma di passatismo, cioè per l'uso e abuso del latino negli scritti tecnici di materia medica e legale: Tassoni è cioè ostile a ogni culto della tradizione che ostacoli comunque la modernità e la semplicità della comunicazione [cfr. Puliatti 1985: 5 e 1979: 34-35].

È molto interessante osservare che Tassoni, anziché a Firenze, guarda, in alternativa, a Roma. Non si tratta semplicemente di un superficiale collegamento alla cinquecentesca 'teoria cortigiana', a cui pure sembra vicino per il suo risoluto antifiorentinismo. Entra in gioco anche l'esperienza personale, per la sua lunghissima permanenza a Roma, e per il rifiuto (almeno fino agli ultimi anni della propria vita) di ritornare nella provincia modenese, proprio per rimanere al centro di una vita culturale 'italiana'. Molte volte, quindi, fin dalle sue prime annotazioni ricorre il riferimento all'uso linguistico di Roma, contrapposto a quello di Firenze.

Coerentemente con la sua posizione antibembiana, antifiorentina e antiarcaizzante, Tassoni, nel poema eroicomico *La secchia ra-*

pita, non manca di utilizzare voci e frasi di vari dialetti centro-settentrionali (bolognese, bresciano, modenese, padovano, romanesco), secondo una forma di gioco linguistico che si addice del resto allo stile comico (cfr. gli esempi segnalati da Puliatti [1985: 13-14n]).

2.3. Daniello Bartoli

Tra coloro che non furono favorevoli all'Accademia di Firenze, un posto particolare spetta a Daniello Bartoli (1608-1685), gesuita, scrittore molto noto per la sua elegante prosa, autore di una celebre opera grammaticale, *Il torto e il diritto del Non si può*, pubblicata nel 1655, e poi, arricchita, nel 1668[8]. Questo libro uscì sotto lo pseudonimo di Ferrante Longobardi.

Il modo di procedere di Bartoli nei confronti della Crusca (e, più in generale, nei confronti dell'autoritarismo arrogante dei grammatici) è assai sottile: non si tratta, in questo caso, di una polemica diretta e violenta nei confronti del Vocabolario, né di affermazioni teoriche destinate *a priori* a controbattere il metodo seguito dall'Accademia, verso la quale in certi momenti Bartoli esibisce persino una certa deferenza. Egli, invece, riesaminando i testi del Trecento sui quali si fonda il canone di Salviati, dimostra che proprio lì si trovano oscillazioni tali da far dubitare della perfetta coerenza di quel canone grammaticale. Va osservato che Bartoli non segue uno schema sistematico, ma che *Il torto e il diritto del Non si può* è costituito da una serie di osservazioni eterogenee. Spigolando tra queste osservazioni, non è difficile trovare riferimenti critici al Vocabolario di Firenze: ad esempio la Crusca registra solo *il carcere* maschile, e per contro Bartoli mostra che *la carcere* femminile e *le carceri* si trovano in Giovanni e Matteo Villani, autori considerati maestri di lingua fiorentina (osservazione LXXVI). Bartoli usa non di rado una pungente ironia nei confronti di ogni forma di rigorismo grammaticale[9]. In questa ironia si rivelano doti di scrittore satirico e si inaugura un gusto per la polemica linguistica destinato ad avere seguito. Il titolo stesso del

---

[8] Tra le altre opere di Bartoli di interesse linguistico vi è una curiosa raccolta di voci, ordinate secondo criteri di affinità tematica, come per costituire il nucleo di un originalissimo dizionario metodico. Questa raccolta, conservata manoscritta nell'*Archivum Romanum Societatis Iesu*, è stata pubblicata da Mortara Garavelli [1982].

[9] Un esempio tra i tanti, dall'osservazione XLIII: «Chi vuol vedere, a suo costo, la battaglia de' Lapiti, e de' Centauri, chiami a cenar seco una brigata di Grammatici, e dia loro a discorrere...»; o ancora, con ironia sicuramente diretta contro la Crusca, dall'osservazione LXXVIII: «Le parole antiche, e i modi di dire, che sono già per nuovo uso dimessi, trovandoli ne' vecchi scrittori, come sante reliquie dell'antichità, si voglion mirare [= 'guardare'] con venerazione, ma non toccarsi».

libro di Bartoli, con quel riferimento al «torto» e al «diritto» del «non si può» (cioè all'illegittimità o legittimità dei veti posti dai grammatici), vuole mettere a fuoco la questione centrale: il grammatico deve usare con cautela il suo diritto di condanna e di veto; come scrive Bartoli nella prefazione *Ai lettori*, chi ha maggiori conoscenze, «tanto va più ritenuto in condannare»; e a coloro che sono esperti di cose di lingua – egli continua – «non udirete uscir di bocca, se non se il fallo sia inescusabile, un di que' NON SI PUO', che in altri val quanto: NON MI PIACE».

L'opera principale del Bartoli non è però quella linguistica, ma una monumentale *Istoria della compagnia di Gesù* (pubblicata dal 1650 al 1673), in cui descrisse anche i quadri geografici esotici (come il Giappone e la Cina) in cui si erano svolte e si svolgevano le attività missionarie dei suoi confratelli gesuiti. Bartoli, che non viaggiò mai, utilizzò per il suo lavoro gli scritti di coloro che erano stati effettivamente in missione, a cui si aggiunsero materiali d'archivio e «uno stillicidio di documenti che ad ogni approdar di nave portoghese o spagnola venivano puntualmente recapitati in Europa» [Mortara Garavelli 1975: 10].

2.4. Le edizioni 1623 e 1691 del Vocabolario: sviluppo della Crusca e della cultura linguistica toscana

La fortuna del Vocabolario della Crusca è confermata dalle due edizioni che ebbe nel sec. XVII, dopo la prima del 1612. La seconda edizione uscì nel 1623; fu analoga alla prima, salvo per una piccola serie di aggiustamenti e per alcune giunte e correzioni. La terza edizione, stampata a Firenze (non più a Venezia, come le precedenti) nel 1691, si presenta invece vistosamente diversa fin dall'aspetto esterno: tre tomi al posto di uno (mantenendo il formato *in folio*), con un corrispondente aumento del materiale, verificabile sia nella quantità dei lemmi, sia negli esempi e nella definizione delle voci. La terza Crusca, insomma, fece un salto quantitativo notevole, consolidando il primato dell'accademia di Firenze nel campo della lessicografia. Del resto il lavoro per realizzare questa nuova edizione si era protratto per molto tempo. Anche dal punto di vista qualitativo i cambiamenti erano sensibili [cfr. Vitale 1986: 273-333]. I lavori per questa riedizione durarono ben trent'anni, e alla fine risultarono decisivi i contributi di accademici quali Carlo Dati, Alessandro Segni, Francesco Redi, Lorenzo Magalotti e il giovane Anton Maria Salvini. La statura culturale di alcuni di questi collaboratori ci aiuta a comprendere l'evoluzione positiva di questa terza edizione rispetto alle due precedenti. Il binomio Redi-Magalotti, costituito da due letterati-scienziati di primo piano, spiega la cura con cui la nuova Crusca diede conto del linguaggio scientifico, includendo tra l'altro Galileo fra gli autori spogliati[10]. Non c'è dubbio, insomma, che le forze intellettuali che diedero vita alla III ed. del Vocabolario erano più vivaci di quelle che pur avevano saputo realizzarne la prima stampa.

Molte sono le novità della terza edizione rispetto alle precedenti [cfr. ancora Vitale 1986: 299 ss.]. Per prima cosa si fece ricorso con maggiore larghezza alla indicazione V.A. (= «Voce antica») per segnalare le voci introdotte nel vocabolario non per proporle all'uso dei moderni, ma a semplice scopo storico-documentario[11]. Le voci marcate con «V.A.», insomma, non dovevano servire come modello, ma come strumento per facilitare la lettura degli scrittori antichi. Si tenga tuttavia presente che tale indicazione limitativa non colpiva *tutte* le voci antiche, ma solo quelle che, a giudizio degli accademici, non avevano più alcuna vitalità, tanto da sconsigliarne l'uso.

Ciò non toglie che il patrimonio della lingua antica raccolta nel vocabolario risultasse ancora aumentato, per una serie nuova di spogli. Sul versante della 'modernità', venne dato uno spazio maggiore che in passato a voci non documentate nell'epoca d'oro della lingua italiana (il Trecento), ma che risultavano dall'uso di autori moderni (Buonarroti il Giovane, Caro, Della Casa, Firenzuola, Guicciardini, Varchi ecc.), come *avvertenza*, *baldracca*, *barare*, *cannoniera*, *drammatico*, *efferato*, *esangue*, *neutralità*, *peculiare*, *prefazione* ecc. Ancor più decisiva, per mostrare la svolta moderatamente innovativa del Vocabolario, è la serie di voci attestate da scrittori di scienza del Seicento. Tra queste (e sono molte), si possono citare a titolo di esempio *microscopio* (con attestazioni di Redi), *occhiale* (nel senso di cannocchiale, con esempi di Galilei e Redi), *parallelepipedo* o *paralellepipedo* (Magalotti), *edizione* (Redi), *emorroide* (Redi). Queste e altre voci furono scelte sull'autorità di scrittori contemporanei, dando la preferenza ai toscani, e in diversi casi agli stessi collaboratori dell'Accademia della Crusca (così Redi e Magalotti). In effetti la Crusca poteva approfittare della circostanza fortunata per la quale Galileo e l'Accademia del Cimento univano il merito scientifico a una salda e innegabile toscanità: l'inserimento di costoro nel Vocabolario aveva insomma il vantaggio di mettere d'accordo (una volta tanto) il gusto per la lingua toscana e l'aggiornamento 'moderno'. Gli spogli dei vocabolaristi mostrano inoltre una notevole accondiscendenza (anche eccessiva, questa) per gli scrittori toscani più legati al gusto locale e ribobolaio, come Michelangelo Buonarroti il Giovane e Lorenzo

---

[10] Sull'inserimento di Galileo tra gli autori citati nella Crusca, fin dalla II ed. (Galileo era diventato Accademico nel 1605), cfr. Parodi [1984] e Manni [1985].

[11] Già nella premessa *À lettori* dell'ed. 1612 del Vocabolario si accennava alla presenza di tale indicazione: «Alcuni altri (benché pochissimi) i quali potrebbe parere altrui, che ritengano, in qualche cosa, un po' dell'antico, a molte delle lor voci, abbiamo usato di dire, *voce antica*».

Lippi. Tra gli «Autori moderni citati in difetto o in confirmazion degli antichi» troviamo poi diverse presenze significative di non toscani, sia appartenenti al passato che contemporanei: Iacopo Sannazaro (che tuttavia era già stato citato, in qualche raro caso, dalla seconda Crusca), Baldassar Castiglione (che nel *Cortegiano* aveva espresso un ideale linguistico antifiorentino), il poeta Gabriello Chiabrera (di nascita savonese), il romano Pietro Sforza Pallavicino (autore di una famosa storia del Concilio di Trento, scritta a nome della Curia papale, in risposta a quella di Sarpi[12]), il predicatore Paolo Ségneri (cfr. X.7.2). Quanto ad Annibal Caro, marchigiano fiorentinizzato, era già stato inserito negli spogli della seconda Crusca, così come Giovan Battista Guarini, autore della favola pastorale *Il pastor fido*. Tuttavia l'autore il cui inserimento nella terza Crusca risulta più significativo (in quanto corregge un'ingiusta condanna durata troppo tempo) è Torquato Tasso. Vistosa, nella tavola delle assenze, l'esclusione di Marino: ma l'ambiente fiorentino era saldamente attestato su posizioni ostili agli 'eccessi' del Barocco (e il Marino, inoltre, non aveva mai dato prova di ossequio verso l'Accademia). In conclusione, per tirare un bilancio del risultato della terza Crusca che tenga conto anche dei proponimenti dei compilatori, le pagine dell'edizione 1691 dedicate alla spiegazione dei criteri generali seguiti per realizzare l'opera propongono una sapiente miscela che concilia la continuità rispetto all'indirizzo arcaizzante (la linea di Salviati) con una disponibilità verso il nuovo, testimoniata dall'inclusione tra le autorità grammaticali di nomi come Castelvetro, Buommattei, Bartoli. Si faceva strada «una ben più prudente e misurata interpretazione del criterio fiorentinistico-arcaizzante che era stato il cardine delle premesse critiche [...] della prima Crusca» [Vitale 1986: 304].

3. Il linguaggio della scienza

3.1. Galileo e il linguaggio della scienza

Non c'è dubbio che la prosa del Seicento debba molto allo sviluppo del linguaggio scientifico, che in questo secolo raggiunse

---

[12] L'*Istoria del concilio tridentino* di Paolo Sarpi fu pubblicata in italiano, a Londra, nel 1619. È oramai tramontata l'ipotesi romanzesca della copia dell'*Istoria* trascritta a insaputa dell'autore e trafugata per la stampa. Si trattava comunque di un testo clandestino, a cui era affidato un messaggio politico, ciò che fece trascurare certe importanti cure di carattere letterario o linguistico. Esistono due diverse redazioni del testo dell'*Istoria*: l'edizione londinese, e il ms. conservato ora alla Biblioteca Marciana di Venezia, steso da un amanuense di Sarpi. Tra i due testi esistono piccole discordanze. Si tratta comunque di un'opera scritta in una lingua lontanissima dal gusto fiorentino e cruscante, una lingua che sovente ricorre al latinismo, e in cui non è assente la lezione di Guicciardini. Alla *Istoria* di Sarpi fu appunto contrapposta, da parte ecclesiastica, l'*Istoria del Concilio di Trento* (1656-1657; II ed. 1664) del cardinale Sforza Pallavicino.

esiti elevati, prima di tutto per merito di Galileo. Galileo aveva scritto in italiano fin da quando aveva 22 anni, allorché aveva composto il breve saggio *La bilancetta*; ciò denota una precoce preferenza per la lingua moderna; ma il suo insegnamento universitario a Padova (se non altro quello pubblico) fu verosimilmente in latino. Un suo biografo, Niccolò Gherardini, afferma che egli tenne anche lezione in italiano «per compiacere alla voglia degli scolari, la maggior parte oltramontani, e per mettere in riputazione il parlar toscano, con adattare acconciamente i termini d'esso alle conclusioni di filosofia e mathematica» [cito da Migliorini 1948: 136]. Viviani, allievo e biografo di Galileo, non riporta questa notizia, anzi la nega [cfr. ivi], ma afferma (forse con più cognizione di causa) che Gustavo di Svezia, nel corso di un viaggio in Italia, giunto a Padova, si fermò molti mesi, frequentando le lezioni di Galileo, in particolare facendosi spiegare nella casa privata dello scienziato la sfera, le fortificazioni e la prospettiva, con l'intento di acquisire nozioni tecniche, e anche per imparare le «vaghezze della lingua toscana».

La scelta tra le due lingue non era né facile né scontata, ma era dettata dalla fiducia *a priori* nel volgare, e anche dalla volontà di staccarsi polemicamente dalla casta dottorale. Galileo, ad esempio, nella prefazione a *Le operazioni del compasso geometrico e militare*, aveva affermato di aver usato il volgare per raggiungere coloro che avessero più interesse per la milizia che per la lingua latina. Un intento divulgativo è quindi riconoscibile, anche se non è forse l'unica spiegazione. A Galileo, inoltre, non mancò mai la fierezza della propria lingua toscana, in quanto figlio di quella regione[13]. Questa naturalezza illumina effettivamente la prosa di Galileo e degli scienziati toscani in genere, che non sono impacciati (come può invece capitare ad autori di altre regioni) nel descrivere oggetti minuti e cose quotidiane, particolari di animali e piante, strumenti. Galileo, dunque, scelse coscientemente il toscano, anche se all'inizio gli capitò di usare talora il latino, come nel *Sidereus nuncius*. Anche il latino di Galileo, comunque, ha caratteristiche innovative. Spongano [1949: 102] ha dimostrato che egli non usa «le parole più pure, ma le più pronte; non esclusivamente quelle consacrate dalla classicità e confermate dall'uso letterario di questa lingua». Alla fine, però, la scelta del volgare risultò di gran lunga prevalente. Il latino assunse la funzione di termine di confronto negativo, a cui rivolgersi in una sorta di controcanto polemico: ciò

---

[13] Quanto alla sicurezza di Galileo e alla sua fiducia nel toscano, basti pensare a certe notazioni polemiche, come quelle che pose sui margini di un esemplare del libro del Sarsi, *Ratio ponderum Librae et Simbellae* (il Sarsi è l'avversario contro cui Galileo combatté nel *Saggiatore*: come è noto, si tratta di uno pseudonimo, sotto il quale si celava il gesuita Orazio Grassi, professore di matematica al Collegio Romano). Tra queste notazioni, la prima che si legge inizia così: «Se voi aveste cognizione della lingua toscana...».

è particolarmente evidente nel *Saggiatore* (1623), dove sono riportate le tesi dell'avversario scritte in latino e confutate in italiano, così da dar vita a un continuo dialogo tra le due lingue, corrispettivo di due diverse visioni della scienza, direttamente messe a confronto.

Una volta compiuta la scelta del volgare, Galileo dovette far sì che la lingua italiana si adattasse perfettamente ai compiti nuovi che le venivano assegnati. In questo egli si rivelò estremamente abile. Lo si verifica facilmente confrontando una qualunque sua pagina con quella di autori a lui precedenti, e non mi riferisco solo agli scrittori 'pratici'; anche un grande matematico come Tartaglia aveva impiegato una lingua poco raffinata, che aveva infastidito i lettori colti; egli, nei suoi *Quesiti, et inventioni diverse* (1546), opera dedicata prevalentemente a problemi di algebra, aveva dichiarato di usare un «rozzo e basso stile», adatto a «cose mechaniche e plebee» [cfr. Altieri Biagi 1965: 15-16]. Galileo, invece, pur scegliendo il volgare, non si collocò mai al livello 'basso-popolare'. Favorito dalla sua origine toscana, e temperato dal suo soggiorno lontano dalla patria (nel periodo padovano), seppe raggiungere un tono elegante e 'medio', perfettamente accoppiato alla chiarezza terminologica e sintattica, ciò che lo distingue dalla prosa favolosa e profetica di autori come Giordano Bruno e Campanella. Non rinunciò per altro a mostrare in alcuni suoi scritti alcune 'macchie' di lingua toscana viva e parlata, così come non rinunciò al sarcasmo, alla *boutade* scherzosa, al riso caricaturale, e anche (all'occorrenza) alle frasi idiomatiche e al paradosso. Questo 'parlato' vivace e brioso, ottenuto mediante l'uso di elementi colloquiali calati in un impasto sostanzialmente ma non vistosamente o fastidiosamente dotto, va in parte ascritto, come si diceva, alla patria toscana e al gusto rinascimentale, ma è anche «la risposta polemica al gergo elitario e scolastico, la contrapposizione anche stilistica di un metodo 'moderno' che nulla ha da spartire con il vecchio paradigma aristotelico-tolemaico» [Battistini 1978: 308].

Migliorini [1948: 154-156] ha messo bene in evidenza lo sforzo compiuto da Galileo per raggiungere il rigore logico e dimostrativo e la chiarezza linguistico-terminologica, senza i quali non ci può essere discorso scientifico, come dichiara con assoluta evidenza una frase di Galileo [citata da Geymonat-Brunetti 1967: 206]: «Quello che in tutte le scienze demostrative è necessario di osservarsi, doviamo noi ancora in questo trattato seguitare: che è di proporre le diffinizioni dei termini propri di queste facultà». A questo proposito, a conferma ulteriore, si può ricordare [con Migliorini 1948: 156] una massima espressa da Galileo nelle sue considerazioni su Tasso: «parlar oscuramente lo sa fare ognuno, ma chiaro pochissimi». Altieri Biagi [1965: 37] ha così definito il carattere della revisione terminologica a cui Galileo era interessato:

una revisione sistematica della terminologia scientifica che si esplica [...]

nel rifiuto di gran parte di essa, nella traduzione in termini quantitativi di termini prima legati a motivi teleologici, animistici, nella assunzione di termini chiaramente definiti e di valore convenzionale, continuamente rianalizzabili e sostituibili dal discorso, tali che non diventino mai cogenti della libertà del pensiero.

Migliorini [1948: 146] ha messo in evidenza termini per i quali Galileo ha provveduto a fissare il significato in maniera univoca, in modo da far affidamento nel prosieguo del ragionamento su concetti chiari. Così il *candore* della luna: «questo tenue lume secondario, che nella parte del disco lunare non tocco dal Sole si scorge (il quale, per brevità, con una sola parola nel progresso chiamerò *candore*)»; così il termine *momento*, che era già adoperato nell'uso tecnico, e già diffuso anche nella lingua comune, tanto da aver dato origine a una serie di metafore come «negozio di poco momento» o «cose di momento»: era lo stesso Galileo a ricordare questa diffusione, essendo stato rimproverato di aver usato una parola estranea all'italiano [cfr. Altieri Biagi 1965: 44-46]. Proprio la difesa fatta da Galileo della parola *momento* ci aiuta a comprendere la sua tecnica di nominazione, il suo metodo di promozione della lingua comune a livello di scienza. Diversi sono i casi in cui la parola *momento* ricorre prima di Galileo, e non tutti riportano a trattazioni di scienza; anche quando non si tratta di testi scientifici, tuttavia, ricorre sempre il richiamo a un oggetto particolare: la bilancia o stadera [cfr. *GDLI*: s.v.]. Questo contesto ci aiuta a capire quale fosse la differenza tra il concetto di «momento» e il concetto di «peso», a cui anche Galileo fa riferimento quando, come suo solito, propone una definizione precisa del termine [cito il passo da Altieri Biagi 1965: 46]:

> Momento è la propensione di andare in basso, cagionata non tanto dalla gravità del mobile, quanto dalla disposizione che abbino tra di loro diversi corpi gravi, mediante il qual momento si vedrà molte volte un corpo men grave contrapesare un altro di maggior gravità: come nella stadera si vede un picciolo contrapeso alzare un altro peso grandissimo, non per eccesso di gravità, ma sì bene per la lontananza dal punto donde viene sostenuta la stadera.

Galileo, dunque, prende le mosse dalla cognizione comune, dalla terminologia toscana più diffusa, dal concetto di «momento di stadera» talmente antico e comune da ritrovarsi anche nel volgarizzamento medievale di San Bernardo, o nel Bembo, o in Jacopo Nardi [cfr. gli esempi in *GDLI*: X.753]. La sua definizione, però, rende univoco il concetto, lo razionalizza in maniera problematica, stabilendo in maniera inequivocabile la differenza tra il «momento» e il «peso» dovuto alla gravità. Altre definizioni di Galileo preciseranno ancora (e poi amplieranno) il medesimo concetto al di là del suo originario e più semplice impiego nel contesto della bilancia o stadera, per arrivare al «momento di un grave nell'atto della percossa», estendendo cioè il «momento» dalla statica alla dinamica. Ma anche la nuova definizione si rifà a un concetto che Galileo stesso dice essere diffuso tra i «meccanici» (il passo è ripreso da Altieri Biagi [1965: 48] e Manni [1985: 129]; quest'ultima studiosa ha dimostrato che la definizione galileiana di *momento* fu accolta sinteticamente dalla II Crusca):

> Momento, appresso i meccanici [= 'i tecnici e gli esperti di meccanica'], significa quella virtù, quella forza, quella efficacia, con la quale il motor muove e 'l mobile resiste; la qual virtù depende non solo dalla semplice gravità, ma dalla velocità del moto...

Galileo, dunque, quando nomina e definisce un concetto o una cosa nuova, preferisce attenersi ai precedenti comuni ed evita di introdurre terminologia inusitata o troppo colta. Migliorini [1948: 147] ha osservato che tutti gli esempi a nostra disposizione dimostrano come Galileo, più che alla coniazione di vocaboli nuovi, si affidasse alla tecnificazione di termini già in uso, ed evitasse di utilizzare il greco e il latino. Preferì invece parole semplici e italiane, pur senza respingere gli eventuali tecnicismi greci e latini già esistenti e affermati, come *sesquialtero*, *transonoro*, *apogeo*, *parallasse*, *linee stereometriche*, *linee tetragoniche*. Quando però toccò a lui stesso la responsabilità di scegliere, si comportò diversamente. Si pensi allo strumento che egli nominò inizialmente come *cannone* o *occhiale*, e che poi prese il nome di *cannocchiale*[14]. Presto l'oggetto assunse la denominazione di *telescopio* (che poi mantenne per la specializzazione astronomica); ma il nome greco non fu coniato da Galileo, il quale però, pur senza abbandonare l'uso degli altri nomi, finì per adottare quel termine colto, che infatti si ritrova comunemente nel *Saggiatore* e nel *Dialogo sopra i due massimi sistemi*[15]. Osserva Migliorini [1948: 150] che ogni qual volta «troviamo un'invenzione galileiana designata con un nome dotto,

---

[14] *Cannone* esisteva nel comune uso tecnico, anche prima di Galileo, nel significato di 'tubo', sia che esso fosse di legno, sia di metallo (cfr. *GDLI*: II. 642], con esempi di Biringuccio, del volgarizzamento di Pier de' Crescenzi, di Cellini). Galileo prese quindi la parola più semplice e comune per indicare una delle componenti utilizzate nello strumento che aveva costruito. L'altra componente era l'«occhiale», cioè la lente, tanto che per un po' di tempo circolarono espressioni come «occhial di Fiandra» o «occhial di Galileo» per indicare il nuovo oggetto [cfr. *GDLI*: XI.756]; Galileo stesso compose le due parole, creando *cannocchiale*, nel momento stesso in cui descrisse la fabbricazione del nuovo strumento [cfr. *GDLI*: II.641]. Il *cannocchiale* divenne nel Seicento un oggetto di curiosità, come si può verificare sia nel titolo di libri come il *Cannocchiale aristotelico* di Tesauro, sia per la sua utilizzazione in feste e balletti di corte [cfr. Marazzini 1991: 207].

[15] Le tre denominazioni dell'«ammirabile stromento / per cui ciò ch'è lontan vicino appare», cioè *cannone*, *occhiale* e *telescopio* si ritrovano curiosamente affiancate nel giro di pochi versi nell'*Adone* del Marino, canto X, ottave 42-44. Il termine *telescopio* fu gradito anche a Michelangelo Buonarroti il Giovane [cfr. Tommaseo-Bellini: s.v.]. E si veda Redi: «quell'occhiale lungo, che con greco vocabolo chiamasi telescopio» [ivi].

possiamo asserire con quasi assoluta certezza che il nome fu foggiato da altri». Le denominazioni dotte, analoghe a *telescopio*, tuttavia, ebbero fortuna; i grecismi si affermarono nel linguaggio della scienza fin dal sec. XVII, e ancora oggi costituiscono un patrimonio ingente (cfr. anche XIV.1). Tra i grecismi che si diffusero a partire dall'inizio del Seicento, con circolazione internazionale, si può citare il *microscopio*, e il *termometro*. Il *barometro*[16] si chiamava inizialmente *tubo di Torricelli*, dalle esperienze condotte dall'allievo di Galilei. Gli stessi accademici del Cimento denominarono *idrostammo*, alla greca, lo strumento che Galileo chiamava *bilancetta*. Il gusto di Galileo, dunque, fu in certo modo contrario a quella che sarebbe stata poi la tendenza del linguaggio scientifico moderno, ben più largamente disposto al grecismo e al cultismo. La scelta di assoluta semplicità di Galileo è ben illustrata dall'adozione di un'espressione come *macchie solari*, per indicare quelle chiazze che il cannocchiale gli aveva permesso di individuare sul sole. Assecondando un più accentuato gusto per i termini colti, osserva sempre Migliorini [1948: 152], qualcuno avrebbe potuto parlare magari di 'macole' o di 'eliomi'. La scelta di Galileo non ebbe il sopravvento, ma non mancò di avere influenza su certi settori della scienza. Ancor oggi nella fisica e nell'astronomia non si assiste alle «orge terminologiche dei chimici o dei medici. Ora, pur senza esagerare con l'attribuirgli influenze esclusive, – conclude Migliorini [1948: 152] – Galileo ha certamente contribuito per la sua parte a indirizzar quelle scienze per tal via».

Ancora Migliorini [1948: 154-155] ha mostrato come nel lessico di Galileo ritornino con frequenza alcune parole-chiave che rispecchiano concetti fondamentali del suo pensiero e del suo metodo, come le *esperienze chiare*, gli *esempi sensati* e *certi*, l'*osservazione* che deve essere *esquisita*, *puntuale*, le *dimostrazioni necessarie*, le *conclusioni naturali*, *necessarie* ed *eterne* ecc. La sua sintassi si snoda evitando le inversioni tipiche dello stile letterario boccacciano, di moda ai suoi tempi. Questo svolgimento logico del pensiero, calato in una pagina intesa come luogo della dimostrazione razionale, è tipico del nuovo atteggiamento scientifico, e va posto in relazione con quanto si è detto in precedenza sulla sua tendenza ad adottare termini comuni, ma solo dopo averli accuratamente definiti, dopo averli resi univoci, come si richiede appunto al linguaggio scientifico, che deve essere sottratto all'incertezza e all'interpretazione arbitraria. È evidente che questo modo di procedere, nelle pagine di uno scienziato come Galileo, raggiunge la sua massima perfezione e concentrazione proprio nel momento in cui interviene la formula matematica; il calcolo, infatti, si trova frequentemente nei suoi scritti, sia in quelli che hanno una forma più vistosamente trattatistica, e che affrontano problemi specifici, sia nei

---

[16] Cfr. l'inglese *barometer* usato dal fisico Robert Boyle [cfr. *DELI*: I.118].

libri di portata più generale, come lo stesso *Dialogo sopra i due massimi sistemi*.

Galileo mostra inoltre di avere notevoli doti letterarie. Abbiamo già riconosciuto la sua vivacità polemica; possiede anche un'eccezionale capacità descrittiva, che gli permette di passare disinvoltamente dalle minuzie del mondo degli insetti alle regole generali della fisica e dell'astronomia. Ne è esempio una famosa pagina del *Dialogo sopra i due massimi sistemi* (riproposta come esemplare anche da Geymonat-Brunetti [1967: 192-193]), nella quale Galileo spiega il suo principio della «relatività». La prosa di Galileo (in questo caso, e nel *Dialogo dei massimi sistemi* meglio che altrove) si rivolge a tutti gli uomini in grado di intendere, non ai soli tecnici e non ai soli scienziati. Siamo al livello di quella che potremmo definire come una divulgazione di livello altissimo, e questa prosa trae appunto forza dalla descrizione precisa di particolari minuti. Tale tendenza descrittiva, che sembra trasformare la scienza in un racconto, sarà accentuata oltremisura in alcuni degli Accademici del Cimento, ad esempio in Redi e Magalotti.

3.2. La scienza piacevole: Redi e Magalotti

Abbiamo visto come il linguaggio scientifico di Galileo si caratterizzi, oltre che per il suo rigore, anche per la sostanziale aderenza a moduli della lingua toscana parlata, utilizzati all'interno di uno stile che, senza mai essere 'basso', evita però ogni paludamento, ogni abuso di magniloquenza (cfr. X.3.1). Abbiamo già detto che proprio la sua toscanità avvantaggiò Galileo, distendendo non di rado il suo stile in una naturale colloquialità. Queste caratteristiche si rintracciano anche in autori toscani come Redi e Magalotti, esempi notevolissimi di prosa scientifica del Seicento.

Di Francesco Redi (medico di origine aretina al servizio del granduca di Toscana) sono famose le esperienze sulle vipere e sulla generazione dei vermi, oltre che una serie di osservazioni su animali e piante esotiche. Per quanto si sia potuto ridimensionare la figura di Redi scienziato, egli resta tra i fondatori della biologia moderna, per la sua instancabile lena nell'inventare esperimenti mediante i quali mise in discussione, partendo da un atteggiamento di programmatico scetticismo, le pseudoverità tramandate dalle fonti antiche. Le prose di Redi sono appunto descrizioni di esperimenti, ricavate da appunti presi in laboratorio, e svolte come relazione, la quale prende in genere la forma epistolare, ciò che rende anche più naturale il tono di amichevole conversazione, che non disdegna a volte l'accenno scherzoso [cfr. Pavese 1970].

Redi divideva la propria attività tra il settore scientifico e quello umanistico. La combinazione di cultura scientifica e letteraria forma una miscela indubbiamente eccezionale, anche se non unica tra gli accademici del Cimento. In effetti lo stesso Galileo non era stato estraneo a queste due diverse 'anime', pur se in lui lo scienziato prevaleva decisamente. In Redi, invece, le due componenti sono equilibrate, e la vena letteraria viene esibita persino con civetteria. Frequente è ad esempio da parte sua la citazione di versi, in maniera sorprendente e persino fuorviante, nel bel mezzo della descrizione di qualche esperienza. Sovente i versi citati sono di Dante. La poesia è utilizzata non tanto come termine di confronto (ciò capita a volte per le fonti classiche, in cui ci sono notizie sugli animali oggetto dell'esperimento), ma si presenta piuttosto come una vera e propria divagazione, un gioco 'umanistico'. Redi si preoccupa insomma che la sua pagina risulti sempre variata, e conceda al lettore delle pause [17].

Redi, dunque, portò al massimo sviluppo, fino ai limiti dell'eccesso, la tendenza alla discorsività narrativa propria anche di certe pagine di Galileo. La lingua toscana, nella sua naturalezza, è una componente essenziale di uno stile disinvolto che si avvale a volte del proliferare di sinonimi, quasi in funzione espressiva: i rami di «ossiacanta o spinbianco» sono «sulla propria pianta [...] incatorzoliti, stravolti, rigonfiati, inteneriti...» [Altieri Biagi-Basile 1980: 663]; si sfiora, in certi casi, il gioco verbale: «quelle tante sorte di galle, di gallozzole, di coccole, di ricci, di calici, di cornetti e di lappole che son prodotte dalle querce, dalle farnie, da' cerri, da' sugheri, da' lecci, e da altri simili alberi da ghianda» [ibidem: 671]. Il termine popolare toscano può essere proposto a fianco di quello colto: «quella clematide, che in Toscana si chiama vitalba» [ibidem: 664] [18]; «il sapor degli acerbi [datteri] esser dee molt'aspro ed astringente, o come suol dire la plebe, strozzatoio» [Ferrari 1895: 239]. E ancora, per citare un toscanismo, si noti il morso della vipera che ha «leggermente accarnato» [ibidem: 183], per dire che è andato poco a fondo nella carne, o l'uso di «cacchioni» per indicare i vermi prodotti dalle uova delle mosche sulla carne [Altieri Biagi-Basile 1980: 597], o ancora si osservi il riferimento alle «moscaiuole» [ivi], le reti protettive d'uso domestico destinate a proteggere i cibi dalle mosche; e si veda il «cacchione o vermicciuolo» che cerca di entrare nel barattolo attraverso qual-

---

[17] Il gusto narrativo che si riscontra in questa prosa, e che le dà l'apparenza di una sapiente divulgazione (in realtà si tratta di esperimenti inediti, che aprivano nuove frontiere alla scienza, e per la prima volta descritti), ci fa comprendere le ragioni della grande fortuna di Redi scrittore. Nel Settecento, quando la cultura dell'Illuminismo si pose seriamente il problema di una prosa che fosse allo stesso tempo istruttiva e piacevole, che fosse insomma paragonabile ai modelli di divulgazione rintracciabili soprattutto nella letteratura francese, si guardò a Redi. I prosatori italiani erano infatti, per la maggior parte, di difficile lettura, e richiedevano al loro pubblico un certo sforzo. Redi (con Magalotti) era un'eccezione.

[18] Vitalba si trova infatti nel Novellino, in Boccaccio (Ninfale fiesolano), in Cellini.

che fenditura, che Redi chiama «gretola» [*ibidem*: 599] [19]. Il gusto per la denominazione d'uso, per la freschezza della lingua parlata può arrivare fino all'impiego disinvolto del francesismo corrente, nel caso in cui questo francesismo esista e sia saldamente affermato: Redi, nelle *Esperienze intorno alla generazione degli insetti*, in poche pagine usa molte volte il color *doré*, colore di un bruco a sedici gambe ritrovato nel giardino di Boboli, colore della farfalla nata dal bruco stesso, di altri bruchi, di una crisalide [*ibidem*: 686-687]. Quanto a Magalotti, per esiti analoghi a quelli di Redi, si può citare (a titolo di esempio) il granchio posto sotto vuoto pneumatico che sta «come infingardito, o più tosto rattratto» [*ibidem*: 891], il *calderugio* per 'cardellino' [*ibidem*: 889], o il naso di certi animali che è «un succìno vivo e sensitivo» [*ibidem*: 943], un «giacchio che rasciuga tutto un vivaio» [*ivi*] [20].

4. Il melodramma

Vi sono buoni motivi per accordare al melodramma uno spazio speciale tra le altre forme di teatro e di poesia, prima di tutto per la novità di questo genere, nato a cavallo tra Cinque e Seicento e destinato ad un grande successo nel sec. XVII. L'Italia assunse per lungo tempo una posizione egemonica per ciò che riguarda la produzione di opere liriche. Il melodramma, inoltre, permette di affrontare la questione del rapporto tra parola e musica, così come fu posto dai teorici del tardo Rinascimento, nell'àmbito della riflessione sull'antica tragedia greca: il melodramma del primo Seicento fu un tentativo di ricreare la tragedia antica, che si immaginava fosse stata eseguita dai greci con l'accompagnamento del canto. Il melodramma nacque anche dalla volontà di non sacrificare il testo del libretto alle esigenze della melodia.

Il rapporto tra poesia e musica non era certo una novità del sec. XVI, trattandosi di fenomeno documentato fin dal Medioevo: sappiamo che molte poesie di Dante erano destinate a essere cantate. Nel Rinascimento, poi, aveva assunto una particolare importanza la forma del madrigale. Tasso, ad esempio, scrisse molte poesie destinate alla musica e al canto, e altre volte i versi furono impiegati per la musica, anche se erano nati in un contesto diverso: Claudio Monteverdi musicò l'episodio tassiano di Tancredi e Clorinda [cfr. Ronga 1957: 203]. Il rapporto tra la musica e la poesia era considerato stretto: anche un teorico come il fiorentino Vincenzo Galilei (il padre di Galileo), autore del *Dialogo della musica antica*, cita componimenti di Petrarca tra gli esempi di testi

---

[19] *Cacchioni, gretola*, non a caso, sono toscanismi 'popolari' che si trovano in Burchiello.

[20] *Calderugio* si trova già in Sacchetti e in Lorenzo de' Medici. Il *giacchio* è una rete da pesca menzionata già da Boccaccio.

musicati e musicabili. Tuttavia una semplice utilizzazione della poesia da parte dei musicisti ci permetterebbe solamente di affermare che il canto fu un ulteriore canale di diffusione dei modelli della prosa letteraria italiana, i quali già si imponevano con la loro forza tra il pubblico dei letterati. Nell'àmbito della riflessione teorica della fiorentina Camerata dei Bardi (dalla quale il melodramma ebbe origine), il rapporto tra la parola e la melodia fu affrontato in maniera più profonda e sistematica: così nel *Dialogo della musica antica* pubblicato nel 1581, in lingua italiana, dal già citato Vincenzo Galilei.

La proposta di dare alla musica spessore e profondità, rispettando l'intonazione realistica propria della parola nelle diverse situazioni comunicative, si legava alla riflessione allora in corso sull'esecuzione della tragedia presso gli antichi greci. Nell'ambiente della Camerata del conte Bardi prevaleva la convinzione che l'antica tragedia greca fosse stata a suo tempo interamente cantata. Il teatro del Cinquecento, per contro, almeno fino a quel momento, era stato recitato, non cantato, e la musica era rimasta confinata negli intermezzi. Un ampliamento dello spazio riservato al canto e alla musica, così come era nel programma della Camerata, doveva misurarsi con la capacità narrativa del testo. Il problema fu risolto dal Peri e dal Caccini nella partitura dell'*Euridice*. Le testimonianze del tempo riconoscono questa svolta impressa al canto, un canto che permetteva di comprendere e intendere il testo, senza deformarlo.

La Camerata dei Bardi aveva avuto occasione di mostrare le proprie capacità già nel 1589, nelle feste per le nozze di Ferdinando de' Medici con Cristina di Lorena [cfr. Solerti 1904: I.42], ma la nascita del melodramma avvenne più tardi, nel 1600, con la rappresentazione dell'*Euridice*, in occasione delle nozze di Maria de' Medici. La collocazione nell'àmbito delle feste di corte non va trascurata: il melodramma si caratterizza come un tipo di spettacolo d'*élite*, in quanto forma di divertimento che richiede scenografie e allestimenti complessi e dispendiosi. Questo ci aiuta a delimitare la sua influenza linguistica nella giusta dimensione, quella della corte. Va però tenuto conto del fatto che il successo della nuova forma artistica fu subito grande, come dimostra l'imitazione che si ebbe in altre città italiane, con risultati di particolare valore a Mantova e a Venezia. La produzione di libretti, a partire dal Seicento, ebbe dimensioni quantitative strepitose [cfr. Solerti 1904: I.153n]. Tale dato quantitativo è anch'esso determinante per cogliere appieno l'importanza letteraria e linguistica del melodramma.

Il linguaggio poetico del melodramma, così come si presenta nelle realizzazioni di inizio secolo, ad esempio in Rinuccini, appartiene a un orizzonte prevedibile, in quanto si inserisce nella linea della lirica petrarchesca, rivisitata attraverso la memoria di Tasso, in particolare dell'*Aminta*. Si possono riconoscere citazioni e ripre-

se, nell'àmbito di una tradizione rigidamente codificata, alla quale
il librettista del melodramma non ha alcuna intenzione di sfuggire,
semplicemente preoccupandosi di variare le forme metriche impiegate, ad esempio caratterizzando il Coro con strofe di versi più
brevi e cantabili. Nei versi dell'*Euridice* di Rinuccini la ripresa di
topoi e di lessico si accompagna all'uso di una serie di espedienti
anch'essi tradizionali, ben noti alla poesia lirica e anche epica di
Tasso, ad esempio il larghissimo uso delle reduplicazioni, sia ag-
gettivali, sia di sostantivi analoghi per significato, sia, talora, di sostantivi analoghi, accompagnati inoltre da identici o analoghi aggettivi. E ancora si possono ricordare le concatenazioni di «e», i
giochi di opposizione (del tipo: «dove *ghiaccio* divenne il mio bel
foco»: v. 318) [21]. Questo linguaggio poetico, già tipico della lirica
tassiana, si diffuse ulteriormente attraverso il melodramma, in cui
si accentuò la propensione per la poesia cantabile, per i versi brevi, per le ariette, in una linea che, attraverso progressive trasformazioni, conduce da Tasso verso il gusto di Metastasio, nel sec.
XVIII [22].

5. Il linguaggio poetico barocco

5.1. Elementi innovativi

Se è vero, come ha scritto Luigi Russo, che «il molto malfa-
mato Seicento è un secolo rivoluzionario» [Russo 1960: 1], ciò si
può verificare assai bene nell'evoluzione del linguaggio poetico.
Con Marino e il marinismo, a partire dall'inizio del Seicento, le
innovazioni si fanno ancora più accentuate che nel Tasso. Il catalogo degli oggetti poetici si allarga notevolmente rispetto alla tradizione, anche se non siamo di fronte a una vera e propria contestazione esplicita, perché gli autori si muovono nel solco di convenzioni in parte rispettate: ad esempio gli schemi metrici e le ca-
denze ritmiche sono ancora quelle petrarchesche (mediate però attraverso la lezione di Tasso e di Guarini). Nel settore del lessico
agiscono le spinte innovative che allargano considerevolmente le
possibilità di scelta. La poesia barocca estende il repertorio dei

[21] Il trapasso di *ghiaccio* in *foco* è canonico nella tradizione lirica italiana fin
da Guinizelli e dagli stilnovisti, e si ritrova in Petrarca (*RVF*, 150, 6 e 220, 14),
in Lorenzo de' Medici, in Sannazaro, nelle *Rime* di Bembo, in Tasso.
[22] Sul linguaggio tecnico della musica, nei trattati, e sul linguaggio del melodramma, nei testi poetici cantati in scena e tramandati dalla librettistica, si vedano Nicolodi-Trovato [1994; 2000], e l'ampio saggio sistematico di Bonomi
[1998], in cui il tema si lega al dibattito sui caratteri dell'italiano e al suo primato come lingua dolce e poetica, di cui molto si discusse nel Settecento. Sugli sviluppi successivi del linguaggio del melodramma, cfr. Telve [1998]. Infine, sul linguaggio della musica moderna *pop* e *rock*, saturo di anglismi, cfr. Quarantotto
[1994] e Scrausi [1996].

temi e delle situazioni che possono essere assunte come oggetto di poesia, e il rinnovamento tematico comporta un rinnovamento lessicale, presente tuttavia anche là dove il contenuto resta maggiormente legato alla tradizione. Si considerino i riferimenti botanici. Proprio Marino pone, accanto alla *rosa* (il fiore barocco per eccellenza), una serie di piante diverse, sovente corredate con il loro epiteto, molte delle quali, del resto, non erano ignote alla tradizione poetica precedente, ma che ora vengono citate in una forma ben più esibita: l'*amaranto*, il *vago acanto*, la *bella clizia*, la *pallida ed essangue violetta*, il *fresco* o *bianco* o *ambizioso giglio*, l'*anemone*, il *fiordaliso*, il *narciso*, il *biondo* o *vivace croco*, il *tenero ligustro*, il *papavero vermiglio* o *greve*, la *granadiglia*, la *calta*, l'*iri*, i *garofani*. La poesia barocca utilizza un'ampia gamma di animali, canonici e non. Nel Marino troviamo il *pardo leggiadro*, il *fiero leone*, la *leonza invitta*, l'*aspra* o *libica pantera*, il *serpe*, la *lepre*, la *damma*, il *daino*, l'*elefante*, l'*ippopotamo*, l'*orso*, la *giovenca*, il *pavone*, il *pettirosso*, il *rossignuolo*, la *civetta*, il *grillo* e la *cicala*, la *formica*, la *torpedine*, il *gallo*, la *mosca*, l'*aquila*, il *cigno*, il *falcone*, il *parpaglione*, la *farfalla*. Nel Lubrano ci sono il *baco* da seta, la *lucciola*, la *remora*, la *tarma*, il *ragno* (ricavo gli esempi dalla consultazione della LIZ, sulla quale cfr. II.5.1; ma cfr. anche Massano [1958: 289]), con una estensione verso il regno degli insetti, tanto più significativa, se si pensa che nello stesso sec. XVII la prosa scientifica si dedicava alla descrizione del regno animale, nelle sue forme più minute, con l'aiuto dell'«occhialino» o «microscopio», volgendo l'attenzione proprio verso i vermi, i bachi, le crisalidi. La prosa scientifica, frutto del nuovo spirito di osservazione e del gusto sperimentale, frutto cioè del metodo di Galileo, aveva descritto con interesse il regno animale anche in alcune delle sue forme repellenti, come le vipere e i vermi. I poeti barocchi non furono da meno e arrivarono a utilizzare gli stessi strumenti della scienza, sfruttando le più aggiornate ricerche zoologiche per attingere nuovo lessico.

5.2. L'«Adone» del Marino

Quanto abbiamo detto sul rapporto tra poesia barocca e linguaggio scientifico vale anche per un caposcuola come Marino. Vi sono nell'*Adone* alcune famose ottave in cui lo scrittore, in una complessa allegoria, introduce l'anatomia del corpo umano e adopera termini anatomici per tentare una descrizione (mai sperimentata prima in poesia) dell'occhio, dell'orecchio, del naso, e del funzionamento di questi organi. Il lessico dell'anatomia, ricavato dai trattati anatomici del tempo, viene introdotto per celebrare i 'sensi' e la 'macchina' umana. Altre ottave dell'*Adone* (X, 39-42) utilizzano la descrizione della luna fatta da Galileo, a ribadire la disponibilità della letteratura verso le scoperte della scienza, almeno nel loro aspetto meraviglioso e stupefacente, e fino a concludere coll'elogio del «picciol cannone» con i suoi «due cristalli» (il cannocchiale galileiano, appunto).

Un consistente filone della poesia barocca che fa capo a Marino utilizza dunque il lessico scientifico, assieme alla tematica e agli oggetti emblematici della scienza. La scienza ha così una sorta di riconoscimento o canonizzazione da parte della letteratura. Questo nuovo indirizzo non resta senza conseguenze sul piano delle scelte lessicali. Marino, nel canto VI dell'*Adone*, dove parla dell'anatomia dell'occhio umano, usa parole come *nervi*, *orbicolare*, *pupilla*, *circolo visivo*, *cristallo* (= 'cristallino'), *albume*, anche se questo lessico, nuovo nella poesia[23], tratto dalla terminologia dei trattati di ottica e di anatomia (sulle fonti a cui attinse il poeta, cfr. Colombo [1967: 90-91]), viene poi utilizzato nel contesto del tradizionale linguaggio poetico 'nobile', sperimentato da secoli. Si crea insomma quella miscela tra vecchio e nuovo che sarà caratteristica anche della poesia didascalica del Settecento. Con il Marino, comunque, non siamo all'interno della poesia di genere didascalico. Il suo è un poema, ma anomalo; la varietà dei generi compresi in questo poema permette l'inserimento di parti quasi didascaliche, in realtà funzionali alla costruzione di simbologie destinate a stupire i lettori per la loro eccezionalità.

La presenza del lessico scientifico nella poesia di Marino conferma dunque la tendenza al rinnovamento, attraverso vari procedimenti. Tra questi si può ricordare l'inserimento di forestierismi e di parole provenienti dalla tradizione comica. Baldelli [1958] ha messo in evidenza l'uso nell'*Adone* di elementi satirici e comico-berneschi provenienti dal *Morgante* del Pulci e dai *Mattaccini* del Caro[24]. Nella lingua poetica dell'*Adone* entrano inoltre alcune parole recenti, come *canario* (*Adone*, VII, 74), balletto allora di moda. Tra le parole nuove usate nell'*Adone*, Baldelli [1958] cita inoltre *tavolini* (XIII, 240), e *gabinetti*, nel senso di *cabinet* francese (ivi), cioè 'stipo', mobile a cassetti, mentre in Italia, nel Seicento, si andava affermando il significato di 'camera intima' e 'camera segreta', in senso politico. Quest'ultimo termine, si noti, veniva già osservato e discusso dai contemporanei, nel corso delle polemiche

---

[23] Nel caso di *pupilla*, c'era il precedente di Dante, *Par.*, II, 144 e XX, 37. *Cristallo* per 'cristallino' è impiegato anche da T. Campanella [cfr. *GDLI*: s.v.], autore caratterizzato da un linguaggio poetico scabro e innovativo, legato al ricordo della *Commedia* di Dante piuttosto che alla tradizione petrarchesca.

[24] Del resto il gusto per l'invenzione comico-linguistica proprio di Marino si può verificare facilmente anche analizzandone certa prosa epistolare: è evidente il suo gusto inventivo nel gioco con i francesismi esibito nella notissima lettera a Lorenzo Scoto.

sul poema del Marino, polemiche che investirono anche la lingua usata dallo scrittore [cfr. Panciera 1990: 65][25].

Nell'*Adone* dunque, entra l'attualità: entra il cannocchiale, usato per guardare la luna, ed entrano le lodi di Galileo [cfr. Canevari 1901: 29]. Vengono usati cultismi, grecismi, latinismi, non di rado di provenienza scientifica; si possono citare a questo proposito tutti i tecnicismi dell'anatomia, della chiromanzia, della scherma, dell'equitazione e della mascalcia [cfr. Colombo 1967]. Come si vede, il rinnovamento del lessico si allarga parallelamente alle situazioni della poesia, che vanno mutando ed estendendosi al di là del ristretto catalogo petrarchesco. Si arriva non solo a parole composte e derivate inedite o poco comuni, come *ingarzonire* 'diventar ragazzo' (*Adone*, III, ottava 24), *isoleggiare* per 'grandeggiare' (XIX, ottava 137), *lingueggiare* 'lampeggiare' (IV, ottava 236) (queste ultime sono state evidenziate da Canevari [1901: 162]), ma anche a quelle 'finte', cioè inventate, previste da Tesauro nel suo *Canocchiale aristotelico* (cfr. X.6), parole, cioè, che sono simili a quelle comuni, ma non ad esse eguali, e che hanno un significato comico [cfr. Elwert 1967: 89-90 e Massano 1958: 294]; a questo proposito si può citare la *Murtoleide* del Marino (*Fischiata* XXIX): «Murtola, tu ti stilli e ti lambicchi – quel cervellaccio da giocar a scacchi, – e da far orioli ed almanacchi – e ti *sprucchi, collepoli* e *rincricchi*»[26].

[25] Attorno all'*Adone* si sviluppò un dibattito in cui entrarono anche questioni linguistiche, oltre che valutazioni di tipo contenutistico e stilistico. Si discusse in particolare attorno alle parole «peregrine» (gli esotismi), attorno ai cultismi, ai dialettismi e ai forestierismi, che alcuni, come lo Stigliani, gli rimproverarono (cfr. su questo tema Panciera [1990]). Tra i forestierismi messi sotto accusa c'erano, naturalmente, le parole spagnole usate nell'*Adone*, parole come *ciaccona* 'tipo di ballo', *cartiglio* 'scritta su di una insegna', *amariglio* 'giallo argento', *granadiglia* 'fiore della passione' [cfr. Beccaria 1968: 95 e 280]. Si può osservare dunque che le discussioni sull'*Adone*, e in particolare quelle sulle voci 'peregrine', ricrearono una situazione in qualche modo analoga a quella che si era verificata al tempo del dibattito sulla *Gerusalemme liberata*, quando era stata rimproverata a Tasso la sua scelta, appunto, di parole troppo colte, di parole dialettali e di parole forestiere.

[26] A proposito di termini nuovi impiegati nella poesia barocca, sarà da registrare che lo Stigliani arriva a fare la parodia dei neologismi, nel *Sonetto nello stile di moda*, dove ricorrono *annevata, imprata* [cfr. Elwert 1967: 84]. Neologismi dello Stigliani sono citati da Besomi [1972: 15 ss.] (lo stesso Besomi [1972: 58-60] fornisce uno spoglio di derivazioni suffissali usate dall'Imperiali). Nella poesia barocca è da segnalare anche la presenza di parole impoetiche e quotidiane, come in Marino il termine *traveggole* [cfr. Elwert 1967: 85]. La poesia barocca conferma quindi il suo carattere di linguaggio «svariato e pittoresco» [Elwert 1967: 86]. Anche Chiabrera amò il latinismo, fino a latineggiare nei neologismi (*disamabile, disviscera, disbranda*), o creare neologismi alla greca: *stuoladdensato, curvaccigliato, corinfestatrice, vitichiomato, spemalettatore* (sono esempi tratti dal ditirambo *In questa angusta terra*, citato da Elwert [1967: 105]). La caratteristica più evidente di Chiabrera, tuttavia, pare essere la grande varietà delle forme metriche [cfr. Cerisola 1990: 13-14 e Bertone 1991].

5.3. Varietà di situazioni poetiche e di metafore

L'innovazione delle immagini della poesia barocca, nella sua capacità di toccare elementi e oggetti insoliti, od oggetti soliti in modo insolito, può essere ben esemplificata dalle descrizioni del seno femminile. Nella tradizione poetica «sen» era analogo a «petto», «cuore», ma esso diventa sempre più spesso la celebrazione anatomica della mammella, acquistando una carnalità prima già evocata allusivamente dal Tasso (*Aminta*, atto I, scena II: «le poma del seno acerbe e crude»), ora condotta a forme poeticamente originali e ardite; così in Marino, ne *La Lira*, dove ci sono diverse poesie dedicate al *Seno*, in cui si parla del «dolce sentier tra mamma e mamma» (componimento XVII), o dei «due vivi scogli», metafora, quest'ultima, subito ripresa dall'Achillini, in *Donna scapigliata e bionda*, dove si parla dei «vivi scogli de le due mammelle». E Giuseppe Artale mise sul seno della donna una pulce, nel sonetto *Pulce sulle poppe di bella donna*, così come Paolo Zazzaroni (*Ad un pulice, per cagion del quale vide scoperto il seno a bella donna*). E anche sul pidocchio si esercita il gusto metaforico, per cui il piccolo essere diventa, con notevole iperbole, «belva d'amor», o «un'idra» [cfr. Elwert 1967: 56-57], così come la zanzara viene definita «tromba errante» [cfr. *ibidem*]. Si può osservare [seguendo Elwert 1967: 76] una tendenza che vale la pena di assumere come caratteristica generale della poesia marinista: mentre lo stile di Petrarca era caratterizzato dalla ricchezza delle similitudini, quello dei marinisti è uno stile molto ricco di metafore. Accanto alla ricchezza delle metafore, i poeti barocchi utilizzano figure retoriche come il bisticcio e la paronomasia.

Si diceva del catalogo di situazioni nuove, nelle quali ha modo di trovare collocazione il nuovo lessico. Basti pensare alla figura principale della lirica, alla bella donna. La donna è ora ritratta in sembianze inusitate, assolutamente non petrarchesche (e nemmeno tassiane), come dimostra la rapida ricognizione che segue, attraverso la quale possiamo catalogare alcuni 'tipi' fissi, veri *topoi* che non di rado si ripetono in più di un autore. L'immagine ideale della donna lascia il posto a fantasie erotico-sadiche: ecco la bella frustata, la bella che assiste ad una esecuzione capitale; l'immagine stessa della donna si deforma, o si caratterizza attraverso imperfezioni: ecco la donna brutta ingioiellata, la bella nana, la bella con i capelli rossi, la bella balbuziente, la bella con gli occhiali; oppure vengono evocati mestieri realistici, che implicano un riferimento alla cronaca e alla quotidianità: ecco la bella lavandaia, la bella filatrice di seta, la bella ricamatrice, la bella dipanatrice, la bella che si fa monaca.

6. Il «Cannocchiale aristotelico» di Tesauro

Si guarda comunemente al *Cannocchiale aristotelico* di Emanuele Tesauro (I ed. 1654; ed. definitiva 1670) come al trattato
più significativo per intendere la poetica del Barocco. Molte parti
di questo libro, oltre che fornire una serie di riflessioni di carattere letterario, toccano direttamente problemi di natura linguistica.
Vi è, prima di tutto, una polemica (rilevante da un punto di vista
teorico) contro il dogmatismo grammaticale e contro l'autorità pe-
dantesca. Essa si traduce in una concezione della lingua intesa
come qualche cosa di libero, destinato a mutare nel corso del
tempo. Le parole nascono, crescono e muoiono, e ciò avviene per
ragioni più o meno nobili, ma tutte efficaci: «per il comerzio de'
forestieri, per l'idiotismo de' plebei, per la licenza de' Poeti, per
la sazietà degli orecchi, et per l'oblio delle menti» ([Tesauro 1682:
147]; questo passo è stato messo in evidenza da Raimondi [1961]
e da Vitale [1986: 277 ss.]). Se molte concause operano per rendere la lingua un sistema aperto e mutevole, ne deriva una sostanziale avversità per formulazioni normative vincolanti, come sono i
principi dell'Accademia della Crusca. In particolare, secondo Tesauro, lo scrittore è libero di sottrarsi alle convenzioni grammaticali, perché «non pecca contra l'Arte chi pecca voluntariamente
contra l'Arte»[27], nel senso che è legittima la violazione della norma, purché fatta consciamente, da parte di chi conosce l'esistenza
di essa. Tesauro contrappone la *cacofonia* alla *cacozelia*: la cacofonia, cioè il cattivo suono, è un vizio di forma, ma la cacozelia è il
difetto (non certo meno grave) di quelli che errano per essere
troppo ossequiosi verso le norme artistiche convenzionali. Sono
stigmatizzati, insomma, il conformismo e la banalità. Anche le parole straniere, definite «barbarismi» dai puristi, se utilizzate con
abilità divengono «eleganze», e anzi le parole forestiere, proprio
perché inusitate nella nostra lingua, hanno un effetto migliore di
quello che si riscontra nell'idioma da cui provengono, perché diventano «pellegrine»: già Tasso aveva usato il termine per designare parole inusitate, capaci di dare eleganza al testo con il loro effetto di sorpresa sul lettore. Un simile elogio dell'imprevedibilità,
dell'originalità e della libertà non poteva andare d'accordo (è evidente) con il tradizionalismo cruscante, e questo ci permette di
comprendere come mai la poesia barocca, che mise in pratica
questa libertà, non fosse ben vista a Firenze. In Toscana si ebbe
un atteggiamento assai tiepido nei confronti del gusto letterario
'moderno', e questa cautela finì per evitare anche gli eccessi della
ricerca di originalità.

Tornando alle idee linguistiche di Tesauro, si può osservare

---

[27] Cito questa massima dalla *Filosofia morale* di Tesauro da Vitale [1986:
277].

che la sua polemica contro gli arcaismi lessicali ritorna anche in *Dell'arte delle lettere missive*, un trattatello di stile epistolare, nel quale si legge (il passo è stato evidenziato da Marazzini [1984: 102]):

Ma circa i vocaboli, di alcune cose voglioti far cauto. La prima è, che tra le voci toscane, come tra le latine, alcune sono state anticamente propriissime, ed usitate, ed eleganti, le quali oggidì più non sono in uso appresso loro, che le brache alla martingala. Anzi molti vocaboli anche oggi da' moderni toscani sono usitati, e molto propri, che dagli altri italiani, e principalmente dalla nostra Cisalpina non sono intesi.

Quinci tu dei fuggire come pestilenza, l'affettation di alcuni strani spiriti, i quali scrivendo Lettere, o predicando in Lombardia, e potendo valersi di vocaboli buoni, ed usitati dagli scrittori italiani, e da tutti ben intesi, vanno frugando nella Crusca vocaboli astrusi, e disusati dagli stessi toscani, overo usati da loro, e loro propri, ma non altrove intesi, infilzandoli come gioie nelle lettere, o ne' discorsi, per parer più eleganti, toscaneggiando tra' lombardi.

Si noti il suo confronto tra la 'moda' linguistica e l'uso del vestire, e si osservi che, a giudizio di Tesauro, la maturità della lingua italiana, cominciata nel sec. XVI (non certo nel Trecento!), andava ancora crescendo: la lingua moderna, dunque, risulta sicuramente migliore di quella antica. Gli pareva che l'uso dell'italiano scritto andasse guadagnando di qualità di giorno in giorno, tanto che «per ben parlare Toscano, più non è mestier di bere ad Arno» [Tesauro 1682: 150; cit. da Vitale 1986: 280]. A una simile affermazione non è estranea l'eco delle posizioni, nel dibattito sulla 'questione della lingua', avverse al monopolio fiorentino.

Diverse pagine del *Cannocchiale aristotelico* discutono, alla luce delle teorie di Aristotele, quella che è la figura retorica più caratteristica della poesia barocca: la metafora [cfr. Marazzini 2001: 176-182]. Il *Cannocchiale*, da un certo punto di vista, è un vero e proprio trattato della metafora. Aristotele, nella *Retorica*, aveva accennato alla metafora come a uno strumento di effettiva conoscenza della realtà, in quanto essa sarebbe capace di cogliere l'analogia esistente tra cose di per sé differenti. Sulla base di questo spunto, la trattatistica barocca poté considerare la metafora come il fulcro dell'attività poetica, diretta conseguenza dell'«argutezza», frutto di un «ingegno» distinto dalla semplice capacità razionale dell'uomo. Infatti l'«ingegno» è facoltà creativa, produttrice di accostamenti inusitati (nella metafora, appunto). L'ingegno non è razionalità, tanto è vero che la poesia, secondo Tesauro, consiste in qualche cosa di simile alla follia: anche i matti – osserva – sono eccezionali fabbricatori di metafore e di simboli, così come i poeti; anche i matti (come i poeti) sono dunque di «bellissimo ingegno» [cfr. Gensini 1987: 19 e 1993: 32-40]. La teoria della metafora produttrice di significati è qui portata alle estreme conseguenze, a cui non arrivano però tutti i teorici del Barocco.

7. Sviluppo letterario della predicazione religiosa nel sec. XVII

7.1. La predicazione barocca

La predicazione 'barocca' presenta una serie di costanti, che Bolzoni [1984: 1067] riassume nelle seguenti caratteristiche: forte uso di esclamazioni, presenza di interrogazioni, di invocazioni, di chiuse a effetto, di elencazioni; negli accumuli lessicali si instaurano a volte giochi di rima, allitterazioni, assonanze; spesso ci sono anafore. Le prediche di Panigarola (cfr. IX.8.2) sembrano anticipare questa tendenza, confermando l'ipotesi che il gusto 'barocco' si affermasse precocemente come sviluppo di elementi già vivi nella cultura del Rinascimento. Anzi, talora la predica tardo-cinquecentesca presenta arditezze retoriche anche maggiori della letteratura barocca vera e propria. Non a caso, commentando le *Dicerie sacre* del Marino, uno specialista come G. Pozzi [1960: 47] ha potuto indicarne il modello proprio nella predicazione della fine del Cinquecento, e in particolare in Panigarola. Specialmente nelle ultime opere di questo autore si sviluppò una particolare tensione verso la metafora e la ridondanza lessicale, spesso in forma di *climax* o di gioco verbale. Tralasciando lo sviluppo delle metafore[28], osserviamo alcuni dei procedimenti retorico-sintattici a cui fa riferimento lo studioso (cito i passi, tratti da *I discorsi sopra le sette parole di Cristo in Croce*, da G. Pozzi [1960: 47]):

Anco il mare fecondo di pesci, abbondante di coralli, errario di gioie, nutrimento di terre, radice di metalli, fonte di rugiade, albergo di fiumi, congionzione di stranieri, antemurale di pericoli, mentre scherza con loro e lambisce i scogli, mentre si fa or di color di cielo ed or di neve, mentre or minaccia or grida e lascia adorno il lito delle ricchezze sue, di pietre, di conchiglie, di gemme, al sicuro non può parere più bello e più leggiadro.

Soave pioggia che spegne la polve, che tempra il caldo, che rinfresca l'aria, che desta i fiori, che sveglia l'erbe, che rinforza le biade, che rinverde i frutti, che ristora i bruti, che refrigera gli uomini.

E, soprattutto, si noti questa enumerazione o accumulo di parole, che pare voler creare una serie *ad infinitum*, non casuale, tuttavia, ma giocata in parte sull'accostamento di opposti (si vedano ad esempio le coppie *remunerare/castigare*, *esaltare/abbassare*, *punire/premiare*), in parte sulla rima (la serie in *-ifica*), sui monosillabi con identica vocale (la serie *fa, sa, ha*):

---

[28] Per le quali cfr. questi esempi di Panigarola citati da G. Pozzi [1960: 27 e 47]: «Io dalla ripa di questo pergamo, nel viaggio della Passione arrivo nel fiume d'Audienza sì cara...»; «Quando io le merci di queste parole ch'ho in petto, di questi concetti miei voglio mandare nelle città degli animi, subito nel porto della mia bocca le carico sopra la navicella della mia voce».

Per questo ogni giorno [Dio] crea, genera, forma, governa, regge, misura, pesa, compatisce, distribuisce, divide, tempra, ordina, abbellisce, remunera, castiga, esalta, abassa, punisce, premia, prevede, provede, salva, sana, giustifica, gratifica, santifica, glorifica, comanda, opera, vuole, può, fa, sa, ha, e niente è che non faccia.

Sono accumulazioni che non sempre, dunque, esprimono solo una sorta di caotico accozzamento di elementi, ma che spesso seguono invece un ordine, non di rado di *climax*, cioè di 'crescendo'.

Le *Dicerie sacre* di Marino si collegano alla predicazione religiosa: pur essendo il Marino un laico, egli imita lo stile e il genere della predica, dimostrando così che questa forma letteraria esercitava ormai un fascino indiscutibile, in quanto forma regolare e specifica di oratoria 'moderna'. Sta di fatto che Marino poté influenzare i predicatori, fornendo loro, attraverso le fortunate *Dicerie*, temi e modelli [cfr. Pozzi G. 1954: 184], imitati da religiosi che ambivano a una letterarietà 'alla moda'. Credo che si debba a questo successo 'letterario' il fatto che già nella seconda metà del Cinquecento le raccolte di prediche avessero affiancato le raccolte di discorsi 'laici', le orazioni politico-giudiziarie o celebrative. Nel Seicento, comunque, le raccolte di prediche, sotto il titolo di *Panegirici*, *Quaresimali* e simili, furono pubblicate in quantità enorme, superiore a qualunque altra epoca precedente o futura (cfr. Arrigoni [1906: 25], e Di Cesare [1989: 134]; basti vedere del resto la grande quantità di autori minori ai quali ha fatto riferimento Santini [1923]).

I titoli stessi di alcune orazioni sacre del Seicento mostrano un gusto non troppo lontano dal marinismo. Belloni [1943: 516-517] ha attirato l'attenzione su formule in cui ricorre una ricerca esacerbata dell'ossimoro, secondo un gusto confermato dal titolo di un trattato del padre Giovanni Azzolini, dedicato ai *Paradossi retorici*. Lo stesso Azzolini scrisse prediche come *La caduta sublime*, *L'orrore dilettevole*, *La perdita vittoriosa*, *La debolezza trionfante*, *La povertà doviziosa*, *La miseria felice*, *La miseria ristoratrice*, *La sterilità feconda*, *La saggia pazzia*, *La pace guerriera*. Tra le prediche di Agostino Coltellini si può ricordare *Il mutolo che favella*, titolo analogo a *Il mutolo loquace* delle *Prediche quaresimali* (1664) di padre Londres; tra le prediche del Londres troviamo altri titoli costruiti sul meccanismo oppositivo dell'ossimoro, come *La morte che avviva*, *La morte vivente*, *Le perdite vittoriose*, *La quiete turbata*, *La felicità infelice*, *La bassezza sublime*, *L'impiagato che sana* [cfr. Di Cesare 1989: 141]. Titoli costruiti secondo questo sperimentato artificio della 'sorpresa' sono dunque molto comuni nel Seicento, così come è comune l'uso di formule sorprendenti nel contenuto vero e proprio della predica, nella forma dei 'motti' predicabili, motti riuniti anche in apposite raccolte, come *Le imprese sacre* di Paolo Aresi. L'artificio, dunque, diventò a poco a poco il carattere dominante della predica, fino all'eccesso della 'trovata' gratuita.

7.2. Padre Paolo Ségneri e le 'missioni rurali'

Nel quadro della predicazione secentesca occupa un posto particolare il padre gesuita Paolo Ségneri, anche perché gli fu riconosciuta autorità linguistica dai compilatori della III ed. del Vocabolario della Crusca. Ségneri, che fu il più famoso predicatore del sec. XVII, prese le mosse da una sorta di riforma dello stile barocco invalso al suo tempo. Tuttavia in un riesame recente [cfr. Di Cesare 1989: 146-147] è stato osservato che, almeno nella forma linguistica e nella struttura del sermone, Ségneri pare sostanzialmente legato alla tradizione che lo precede. Veramente rivoluzionario, invece, è che un predicatore del suo livello si rivolga programmaticamente non tanto a un pubblico cittadino, più colto, maggiormente in grado di apprezzare le raffinatezze della retorica ecclesiastica, ma alle masse rurali. Certamente Ségneri predicò anche nelle città, di fronte a personaggi di alto rango. Ma il suo vero pubblico fu quello popolare, quantitativamente molto più ampio. C'è da chiedersi, allora, quale modello linguistico poté arrivare a un pubblico del genere. Ségneri inventò le «missioni rurali», una sorta di corrispettivo nostrano delle missioni verso i paesi esotici a cui si dedicavano ampiamente i gesuiti. Queste «missioni rurali» consistevano nel raggiungere un pubblico solitamente trascurato, costituito dalla gente di campagna, che abitava nelle località più sperdute, nelle pievi isolate, mai visitate dai predicatori di grido. Durante le sue missioni, che duravano gran parte dell'anno, padre Ségneri, tra il 1665 e il 1692, muovendosi nell'Italia centro-settentrionale, visitò una gran quantità di parrocchie rustiche. Siamo informati sulla sua tecnica spettacolare di 'conquista' del pubblico, tanto più dopo il ritrovamento di una sorta di brogliaccio che, a quanto pare, il Ségneri stesso utilizzò per scrivere non solo le prediche che doveva pronunciare in quelle occasioni, ma anche per annotare i gesti, gli espedienti scenici (a questo proposito è stata usata la formula di «teatro missionario» [cfr. Marucci 1979: 88]) che dovevano accompagnare i discorsi. Gesti e scenografia non erano affatto lasciati al caso. La grande affluenza popolare alle sue prediche ci obbliga a considerare la sua predicazione anche dal punto di vista dell'efficacia per la diffusione dell'italiano, se non altro per l'influenza sulla conoscenza passiva della lingua: per molti suoi uditori questa doveva essere un'occasione unica ed eccezionale per sentir parlare un oratore di qualità elevata. Sappiamo che Ségneri fu sempre considerato modello di stile. Ci si potrebbe chiedere allora se le prediche pubblicate in raccolte come il *Quaresimale* e quelle effettivamente pronunciate durante le missioni rurali fossero sostanzialmente identiche, o se tra esse non corresse una rilevante differenza. Non è possibile rispondere a questa domanda con assoluta certezza, ma alcuni indizi possono far ritenere che anche di fronte a un pubblico incolto Ségneri non abbassasse il livello linguistico della propria oratoria, e non si piegasse comunque mai alla più vistosa popolarità. Il brogliaccio ritrovato negli archivi della Compagnia di Gesù, e attribuito – come si è detto – a Ségneri medesimo, oltre a mostrare la coscienza che egli ebbe nell'uso delle strategie gestuali e nelle coreografie ben orchestrate, contiene testi affini a quelli che possediamo nella versione a stampa. Il confronto tra alcuni campioni mostra che il testo a stampa (com'era prevedibile) risulta senz'altro più curato, più ricco (ad esempio, quanto alle moltiplicazioni lessicali consuete nella predicazione del Seicento), ma non è radicalmente diverso da quello del manoscritto. Si noti inoltre, a conferma ulteriore di quest'ipotesi, che Ségneri stesso, parlando della propria predicazione e dello stile in essa impiegato, ne volle sottolineare il carattere sempre elevato, escludendo qualunque compromesso con la popolarità divulgativa e con la facile improvvisazione. Non tutti i predicatori, comunque, tra quelli che avvicinavano il pubblico contadino, organizzando analoghe «missioni rurali», si preoccupavano di avere un supporto scritto per i propri discorsi.

7.3. L'antifiorentinismo di Paolo Aresi

Già abbiamo visto (cfr. IX.8.2) che anche nella Chiesa si dovette affrontare la 'questione della lingua', allo scopo di prendere partito nei confronti del toscano, e di stabilire lo spazio da concedere alle risorse del toscano parlato. Riflessi di questo dibattito si trovano nel trattato l'*Arte di predicar bene* di Paolo Aresi. L'Aresi, sia chiaro, è un difensore della dignità del volgare. A suo giudizio esso è uno strumento degno di trattare problemi di retorica ecclesiastica. Aresi non ignora l'esistenza della predica pronunciata in dialetto, in lombardo, napoletano, fiorentino (il fiorentino è dunque ridimensionato, posto alla pari delle altre lingue locali); ma il dialetto non risulta accettabile per due motivi: perché fa venir meno l'obbligo della nobiltà del dettato (nobiltà assente nella parlata popolare); perché sarebbe comunque impossibile per un predicatore itinerante (e un vero professionista della predicazione risulta essere necessariamente tale) far uso di molte parlate diverse. La soluzione proposta è dunque quella dell'«italiano comune» (formula che, evidentemente, si rifà ad una specifica posizione nell'ambito della questione della lingua): l'«italiano comune» si stacca dal parlato popolare, ma evita di avvicinarsi al fiorentino, in quanto esso suonerebbe 'falso', e darebbe un tono di eccessivo artificio

alla predica[29]. Analoghi concetti ricorrono in un'altra più celebre
opera dell'Aresi, le *Imprese sacre*, nella prefazione delle quali (nella dedica *Al discreto e benigno lettore*) viene ribadita la scelta della «nostra lingua italiana comune». Qui, rispondendo in anticipo a
quelli che lo avrebbero potuto rimprovererare per non aver seguito «le maniere del dir Fiorentino, e dello scrivere di loro Accademici[30]», Aresi sembra però attenuare le ragioni teoriche della sua
scelta, affermando che essa dipende soprattutto da impossibilità
pratica, perché «non basta dire *all'oncontro, l'omperatore, confessoro, loica*[31], e simili per favellar bene Fiorentino, ma bisogna posse-
der la forza, e la proprietà delle voci, e delle frasi, e sapere in
qual occasione, e maniera hanno da usarsi; il che a chi non è Fiorentino, o non ha praticato lungamente in Fiorenza, come non ho
fatto io, che appena di passaggio l'ho veduta, ha quasi dell'impossibile [...] Io dunque ho stimato più sicuro vestir questi miei concetti di panno nostrano, che far loro vesti di seta Fiorentina, nelle
quali delle pezze forestiere apparissero».

8. Le reazioni alla poetica del Barocco

È noto che già alla fine del Seicento, con la fondazione del-
l'Arcadia (avvenuta a Roma nel 1690), si ebbe una reazione alle
concezioni poetiche del Barocco in nome di un rinnovato classicismo e in nome della razionalità della poesia. Le «colonie» dell'Arcadia si diffusero in tutt'Italia, con diverse migliaia di adepti.
Questo, comunque, ha che fare solo indirettamente con questioni
linguistiche, anche se di fatto va sottolineato che modelli del linguaggio letterario non furono più gli autori di maggior successo
nel sec. XVII, a cominciare da Marino (destinato anzi a diventare
il simbolo di una stagione da condannare). A partire dalla fine del
Seicento si sviluppò e prese piede il giudizio sul 'cattivo gusto'
del Barocco. Tale giudizio fu costantemente ripetuto dagli illuministi del Settecento, fino a diventare luogo comune. È interessante
osservare tuttavia che la reazione antibarocca si ebbe in Francia
prima che in Italia, e che proprio qui maturò una posizione che
non solo condannava la letteratura del nostro paese e quella della
Spagna (altro grande centro della cultura barocca); soprattutto va

---

[29] L'argomento ricorda una tesi di Castiglione, nella dedicatoria del *Cortegiano*, dove aveva detto di aver preferito piuttosto farsi «conoscere per lombardo
parlando lombardo, che per non toscano parlando troppo toscano», e aveva ricordato il celebre aneddoto di Teofrasto, riconosciuto per non ateniese da una
semplice vecchiarella proprio a causa della sua lingua.
[30] Si riferisce, come è naturale, agli Accademici della Crusca.
[31] *Confessoro* per 'confessore' si trova in Villani, Boccaccio, Machiavelli, Cellini, ed è toscanismo, così come *loica* per 'logica' (Villani, Boccaccio, Sacchetti,
Burchiello, Pulci).

osservato che la polemica letteraria francese contro il Barocco finì
per coinvolgere il giudizio stesso espresso sulla nostra lingua, fis-
sando così alcune idee che avrebbero avuto largo corso nel Settecento.

Il padre Dominique Bouhours, un gesuita francese che godeva
nel suo paese di grande autorità come grammatico (a lui si guardava come al successore del grande Vaugelas, il teorico del *bon
usage*, il «buon uso» della lingua d'oltralpe, identificato con quello
della Corte), in due opere, *Les entretiens d'Ariste et d'Eugène*
(1671) e *La manière de bien penser dans les ouvrages d'esprit*
(1687), svolse la tesi secondo la quale, tra i popoli d'Europa, solo
ai francesi poteva essere riconosciuta l'effettiva capacità di 'parlare'; di contro, gli spagnoli 'declamavano' e gli italiani 'sospirava-
no'. Questo giudizio, che ribaltava in negativo un'opinione diffusa
sulla 'poeticità' dell'italiano, voleva smascherare i difetti connatura-
ti alle due lingue, la spagnola e l'italiana, delle quali l'una era ac-
cusata di magniloquenza retorica, e l'altra di eccessiva tendenza
alla sdolcinatezza poetica. Solo il francese aveva il diritto di ambire allo «statuto di lingua della nuova comunità politico-intellettua-
le europea», in quanto «proiezione espressiva di una società e di
uno Stato, quello del Re Sole», che si stava affermando «come
grande potenza diplomatica e militare» (per usare le parole di
Gensini [1987: 7]). A vantaggio del francese, nell'ottica di Bouhours, giocava la vicinanza (caratteristica di questa lingua) della
prosa e della poesia, indice di 'razionalità'; Bouhours voleva promuovere il francese a lingua universale, lingua di tutto il mondo,
nuovo latino. Come si vede, le rivendicazioni di Bouhours miravano a privilegiare il suo paese nel confronto con le altre nazioni
d'Europa, affermandone il primato (un primato che, di fatto, sarebbe stato raggiunto nel Settecento). La lingua italiana, invece
(che pure era stata una delle principali lingue di cultura nel Cinquecento e nel Seicento), veniva bollata come incapace di esprimere in modo ordinato il pensiero umano, e veniva quindi confinata nel suo orticello poetico, come strumento della lirica amorosa
e del melodramma (proprio il genere teatrale che dall'Italia era
stato imposto all'estero). La condanna pronunciata da Bouhours
coinvolgeva dunque l'evoluzione letteraria italiana, così come si
era realizzata da Tasso a Marino (non si dimentichi che quest'ultimo aveva pubblicato il suo poema proprio a Parigi), e fino a Tesauro, in quanto teorico delle «argutezze» e delle metafore di cui
si sostanziava il poco razionale linguaggio della nostra sospirosa
letteratura, secondo un *topos* ormai corrente nella cultura francese.
Emergeva qui per la prima volta una questione, legata al problema del «genio delle lingue», di cui si sarebbe dibattuto a lungo
nel Settecento: ci si avviava ad attribuire insomma a ogni idioma
un carattere fisso, considerato arbitrariamente come 'strutturale'.
Le degenerazioni del gusto letterario italiano venivano dunque ri-
conosciute come intrinseche alla natura della nostra lingua.

La risposta italiana alle tesi di Bouhours tardò a venire. Questo è già di per sé un segno della debolezza della nostra cultura, nello stato in cui versava alla fine del sec. XVII. Solo nei primi anni del secolo successivo, infatti, diversi intellettuali (come Gian Gioseffo Orsi, Ludovico Antonio Muratori, Anton Maria Salvini) si preoccuparono di difendere la lingua italiana dalle accuse formulate nei suoi confronti[32]. Le polemiche contro Bouhours, per i temi affrontati, per la messa in discussione dei meriti e del valore della nostra lingua, segnano dunque il passaggio dal Sei al Settecento, secolo in cui l'egemonia del francese divenne questione dominante (cfr. XI.1).

9. La letteratura dialettale

9.1. Letteratura dialettale riflessa

Buone anche se non indiscutibili ragioni permettono di fissare ai secc. XVI-XVII la nascita di una letteratura dialettale cosciente di essere tale, volontariamente contrapposta alla letteratura in toscano (letteratura dialettale «riflessa», secondo la ben nota definizione di B. Croce: cfr. III.1.3). Qui ci limiteremo a sottolineare che il quadro linguistico della poesia italiana non sarebbe completo se non tenesse conto degli autori che vollero mettere in versi le parlate delle loro regioni, talora con esiti di rilievo. Va osservato che la tradizione letteraria italiana è appunto caratterizzata, nel periodo qui esaminato e anche in seguito, dalla grande vitalità della letteratura in dialetto, la quale assunse un ruolo non secondario. A Napoli troviamo Giulio Cesare Cortese (1575-*ante* 1627), autore della *Vaiasseide* o 'poema delle serve', in cinque canti in ottava rima, e del *Micco Passaro*, in dieci canti, sempre in ottave. A Roma troviamo alcune «eccellenti prove della raggiunta maturità del dialetto, nella sua fase moderna, che tanto più si allontana dalla sua matrice meridionale» [Cortelazzo 1980: 78]; l'antico dialetto romanesco, infatti, era stato assai simile al napoletano, e solo nel Cinquecento si era trasformato grandemente, assumendo caratteri simili a quelli di oggi (cfr. Trifone [1992a: 560-564 e 1992b: 40-45], il quale ricorda che un documento tra gli ultimi del romanesco non ancora smeridionalizzato si ha nelle battute della vecchia serva Perna, nella commedia *Le stravaganze d'amore* di Cristoforo Castelletti, del 1585). Due dialettali romani [sui quali cfr. Cortelazzo 1980: 78-81] sono Giovanni Camillo Peresio, autore di un *Maggio romanesco* (vistosamente italianizzato nella stampa ferrarese del 1688 [cfr. Trifone 1992b: 58-59 e 182-187]) e il più

---

[32] Cfr. su queste polemiche Gensini [1987], la cui nitida impostazione abbiamo seguito in questo paragrafo. Cfr. ora anche Gensini [1993: 51-97].

noto Giuseppe Berneri, autore del poema giocoso *Meo Patacca*, che nella stampa del 1695 porta una serie di postille linguistiche destinate a spiegare le espressioni dialettali o gergali.

Anche nel teatro vi furono autori dialettali di rilievo, come Giambattista Tana, nobile piemontese (il suo *Conte Pioletto*, scritto alla fine del Seicento, si diffuse in copie manoscritte, fino alla stampa del 1784). Per Carlo Maria Maggi, milanese, il dialetto non è un semplice divertimento, ma una lingua degna di elogio, strumento di moralità, lingua «correnta, averta, e ciaera», cioè corrente, aperta, chiara, che serviva a dire la verità. Come ha dimostrato Isella [cfr. Isella 1964a], la satira morale di Maggi si inserisce nella linea lombarda che conduce a Porta e Parini, e anche l'uso del dialetto fa parte di questo impegno letterario di alto livello, verificabile persino nel passaggio dalla dialettalità plurima, tipica della commedia dell'arte, a una dialettalità più impegnata, quando «Maggi non alterna più, giocosamente, il dialetto al linguaggio accademico, ma intende offrire una caratterizzazione sociologica del milanese, che è lingua del personaggio positivo[33], e si oppone al dialetto italianizzato degli arricchiti, all'italiano letterario e melodrammatico e falso dei personaggi falsi che lo utilizzano» [Beccaria 1975: 9].

Uno dei settori in cui si applicò il dialetto fu inoltre quello del travestimento comico o parodico dei grandi poemi, come la *Gerusalemme liberata*, che fu fatta veneziana, bolognese e napoletana.

9.2. Toscanità popolare e dialettale

Rappresenta una forma di dialettalità anche la manifestazione marcata del gusto per la lingua toscana viva e popolare. In Michelangelo Buonarroti il Giovane, pronipote del grande Michelangelo, accademico della Crusca, collaboratore all'impresa del Vocabolario, il gusto della popolarità si trasforma in esasperata ricerca del ribobolo. Famose sono due sue opere teatrali in versi, la *Tancia* (1611) e la *Fiera* (1619). La prima è una farsa rusticale in ottave, che si inserisce nel genere della poesia contadinesca rusticana, ben affermato in Toscana. La seconda è formata da cinque giornate di cinque atti l'una, per un totale di 25.000 versi, e ricostruisce la vita dei vari ceti sociali, dall'alta borghesia al popolo minuto, in una serie di scene che hanno luogo in una città ideale, Pandora, che ricorda Firenze. Mai come in questo caso il gusto del lessicografo si accompagna e si sovrappone al gusto letterario; le due opere, quindi, sono di eccezionale interesse per il linguista che ri-

---

[33] Nelle commedie di Maggi parla in dialetto milanese il personaggio con le migliori qualità morali, Meneghino.

cerchi termini toscani popolari e rari. La *Fiera* e *La Tancia* ebbero due editori interessati soprattutto ai problemi linguistici: Anton Maria Salvini (nel Settecento) e Pietro Fanfani (nell'Ottocento) riproposero questi testi, corredandoli di note linguistiche. Nel Novecento, poi, *La Tancia* è stata studiata in maniera molto accurata, con una catalogazione completa del lessico [cfr. Poggi Salani 1969]. Va osservato che questa farsa rusticale presenta varietà linguistiche rustiche e popolari, in parte attinte all'uso dei contadini toscani e in parte inventate dall'autore. Non sempre è facile distinguere la componente realistica da quella d'invenzione, creata a scopo comico. L'autore, infatti, si diverte a porre sulla bocca dei contadini parole loro proprie, o li caratterizza con deformazioni fonetiche (una sorta di involgarimento fonetico dell'uso corrente) e anche con veri e propri fraintendimenti, che evidenziano la loro ignoranza: tra gli spropositi del 'parlar contadino' troviamo *patrimonio* per *matrimonio*, *infamia* per *fama*, *prodizione* per *protezione* [cfr. Poggi Salani 1969: 242].

Termini toscani, riboboli e parole popolari si possono reperire in abbondanza anche nel poema burlesco *Il Malmantile racquistato* del pittore fiorentino Lorenzo Lippi (1606-1664), pubblicato postumo (1676) sotto lo pseudonimo-anagramma di Perlone Zipoli.

1. Italiano e francese nel quadro europeo

1.1. Prestigio e ruolo delle lingue d'Europa

In X.8 abbiamo accennato brevemente alla polemica suscitata alla fine del Seicento dagli interventi del gesuita francese Dominique Bouhours. Il confronto di Bouhours era tra il francese da una parte, l'italiano e lo spagnolo dall'altra, uniche lingue degne di essere prese in considerazione, secondo l'ottica del tempo, quando si parlasse di 'primati' (confrontando ovviamente idiomi moderni, e prescindendo quindi dal greco e dal latino). Le lingue di cultura che potevano ambire a un primato internazionale erano dunque tre. Tra queste, lo spagnolo era in fase calante, avendo avuto la sua grande stagione nel Cinquecento e nella prima metà del Seicento. Da quel momento la sua fortuna era andata progressivamente diminuendo, in concomitanza con la crescita di prestigio del francese. Quanto alle altre lingue d'Europa, nel Settecento non ha alcun rilievo il portoghese, che pure era stato strumento di comunicazione nel Cinquecento per mercanti e viaggiatori in terre esotiche (come conferma Carletti nel resoconto dei suoi viaggi: cfr. IX.6.3). Le lingue slave non erano né conosciute né apprezzate. Il tedesco e l'inglese avevano una posizione marginale, anche se guardavano ormai all'Inghilterra alcuni intellettuali curiosi e irrequieti, come Baretti e Denina. Ma l'inglese contò poco all'estero, fino all'inizio dell'Ottocento, non tanto per motivi di scarsa popolarità nelle corti europee, quanto per i caratteri «complessivamente non aggressivi (verso l'Europa almeno) della politica e della cultura britannica alla fine del Seicento» [Gensini 1987: 8]. La cultura inglese, pur di eccezionale importanza (ad esempio, nel settore della filosofia), si diffuse in genere attraverso le traduzioni francesi. Il tedesco, invece, doveva ancora veder fiorire la sua stagione: su di esso correvano giudizi piuttosto negativi. Non solo un intellettuale come Leibniz aveva lamentato il grave ritardo di questa lingua dal punto di vista del vocabolario intellettuale e della capacità di veicolare il pensiero filosofico e scientifico, ma le testimonianze mostrano che del tedesco si poteva benissimo far a meno anche viaggiando e soggiornando nei paesi di lingua germanica. Voltaire, nel 1750, scrive da Potsdam dicendo di aver l'impressione di essere in Francia, e osserva che lì si parla francese dovunque, mentre il tedesco serve solo per i soldati e per i cavalli [cfr. Folena 1983: 399]. Quando, alla fine del Settecento, l'illuminista italiano Carlo Denina si trasferì a Berlino, dove entrò a far parte dell'Accademia Reale di quella città, non ebbe bisogno di imparare il tedesco per scrivere le sue relazioni e per conversare con i colleghi accademici, visto che la lingua ufficiale del prestigioso organismo era il francese[1]. Vigeva l'opinione comune che il tedesco avesse uno *status* culturale insufficiente. Solo con il Romanticismo, all'inizio del sec. XIX, il tedesco ottenne un riconoscimento generale e la cultura tedesca si organizzò utilizzando finalmente la propria lingua nazionale. Nel Settecento, invece, prevaleva ancora un cosmopolitismo che privilegiava il francese.

Non solo la lingua di comunicazione elegante da usare con i viaggiatori stranieri nei territori di lingua tedesca era il francese; anche l'italiano aveva una posizione di prestigio, soprattutto a Vienna. Nel 1675 Magalotti, ambasciatore di Firenze in quella città, scriveva che colà non occorreva studiare il tedesco, perché ogni «galantuomo» sapeva l'italiano. L'italiano era lingua di corte a Vienna, e Metastasio nel suo lungo soggiorno viennese non sentì la necessità di imparare il tedesco, così come Da Ponte, il librettista di Mozart [cfr. Folena 1983: 436-437]. Anche a Parigi l'italiano era abbastanza conosciuto, come lingua da salotto e per le dame, corredo della buona educazione delle fanciulle aristocratiche [cfr. *ibidem*: 405]; ma certo qui non siamo nella situazione dei paesi di lingua tedesca, e chi si trasferisce a Parigi, come Goldoni, necessariamente perfeziona il proprio francese. Perfeziona, si badi bene: perché la conoscenza del francese è assolutamente necessaria anche a chi resta tutta la vita in Italia. Un italiano colto del Settecento che non voglia sfigurare nel *bel mondo*[2] deve parlare un po' di francese.

Per quanto le esagerazioni del padre Bouhours potessero irritare gli italiani, era insomma pacifico che il francese aveva assunto

---

[1] Anche se in effetti Denina si interessò subito al tedesco a scopi di comparativismo linguistico e per indagini etimologiche [cfr. Marazzini 1985b]. Quanto allo scarso prestigio internazionale del tedesco, Rivarol aveva scritto che l'Europa aveva imparato a trascurare il tedesco proprio dai tedeschi [cfr. Marazzini 1989a: 142].

[2] Anche quest'espressione, usata per designare la 'società brillante', è un tipico francesismo del Settecento, dal secentesco *beau monde* [cfr. Dardi 1992: 342-343]. Lo si trova più volte nel *Giorno* di Parini e nella *Vita* di Alfieri.

una posizione che lo rendeva in qualche modo erede dell'antico universalismo latino. Secondo i dati presentati da Dardi [1984: 349-350], nel 1788 almeno 150.000 intellettuali italiani conoscevano il francese, se non in modo da parlarlo perfettamente, almeno tanto da poterlo leggere. Del resto scrivere la lingua straniera secondo una corretta norma ortografica non era assoluta necessità: valga l'esempio di Goldoni, che se la cavò benissimo anche con un francese assai disinvolto, «*sine lege* grafica» (secondo la definizione di Folena [1983: 364]). Goldoni, com'è noto, scrisse nella lingua d'oltralpe non solo due commedie, ma persino le proprie memorie. Non fu l'unico intellettuale italiano a utilizzare il francese; si trattava anzi di una scelta obbligata per coloro che si trasferissero all'estero: per citare alcuni casi celebri, sono in francese le memorie di Giacomo Casanova e diversi saggi di Carlo Denina. Scrivere in francese significava non solo essere alla moda, ma anche essere intesi dappertutto senza bisogno di traduzione, vantaggio non di poco conto.

In certi casi, inoltre, il francese veniva usato da scrittori dell'Italia settentrionale per appunti privati, per annotazioni diaristiche, per abbozzi, e anche per lettere ad amici, parenti, conoscenti [cfr. Dardi 1984: 362-363]. Questo fatto è assai interessante, perché non trova alcuna giustificazione in uno stato esterno di necessità, ma deriva da una libera scelta di gusto e di costume. Ancora Dardi [1984: 351] dà conto di un dato di rilievo, relativo alla circolazione di opere francesi in Italia, destinate al pubblico italiano: su 60.000 libri sdoganati a Venezia tra il 1750 e il 1790, almeno 10.000, cioè il 16-17%, erano scritti in francese. Ed è giusto ricordare che un'opera fondamentale per la cultura del Settecento come l'*Encyclopédie* di Diderot e D'Alembert ebbe due ristampe in Italia, a Lucca (1758-1771) e a Livorno (1770-1779), entrambe coronate da successo di vendita: entrambe queste ristampe furono in francese, non certo in traduzione italiana. La traduzione sarebbe stata probabilmente un'impresa al di sopra delle forze degli editori nostrani, ma certo la lingua originale non fu affatto di ostacolo alla diffusione di queste opere, rivolte (ovviamente) ad un pubblico d'*élite*.

La penetrazione del francese avveniva attraverso un'infinità di canali, non solo attraverso l'alta cultura. Era una moda che investiva aspetti del costume e della vita comune. «Dalla Francia non venivano soltanto turisti o avventurieri, ma un nugolo di professionisti ben accettati in Italia, come parrucchieri, cuochi, maestri di danza e di lingua, predicatori, artisti, compagnie teatrali (o *truppe*, come si diceva allora calcando il francese *troupes*)» [Dardi 1984: 360]. Nella prima metà del secolo queste compagnie non andavano oltre il Piemonte, quando presentavano un repertorio esclusivamente nella lingua d'oltralpe; ma nel 1773 una di esse si spinse fino a Napoli, e un intellettuale come Ferdinando Galiani ci ha lasciato una piacevole descrizione del pubblico napoletano, poco conoscitore del francese (certo molto meno del pubblico sabaudo), intento non a seguire la rappresentazione che si svolgeva sul palco, ma, a testa bassa, concentrato sul libretto del testo messo in scena; quel pubblico pareva contento soprattutto di poter godere di una simile lezione di lingua francese [cfr. *ibidem*].

1.2. Il francese lingua-modello

Era inevitabile che una diffusione della lingua, della moda e della cultura di Francia avesse conseguenze vistose sul piano linguistico. Nel corso del Settecento le pretese di attribuire all'idioma d'oltralpe una posizione di assoluto primato, così come aveva tentato il padre Bouhours, si rinnovarono in forme anche più marcate. Nel 1784 l'Accademia di Berlino premiò un saggio di Rivarol intitolato significativamente *De l'universalité de la langue française*. Come ha scritto Gensini [1984b: 183], «fissata la consueta omologia fra lingue e nazioni, fra lingue e caratteri dei popoli, Rivarol riprendeva in uno schematico schizzo storico il tema secondo cui il francese poteva rappresentare il latino dei tempi moderni». Rivarol pretendeva di attribuire il successo internazionale del francese non solo a cause storiche contingenti, ma ad una ragione più assoluta e profonda, cioè ad una virtù strutturale connaturata a questa lingua, lingua della chiarezza, della logica, della comunicazione razionale, contrapposta ad esempio all'italiano, lingua caratterizzata dalle inversioni sintattiche. Sono argomenti che si riascolteranno più tardi, ripetuti da grammatici e uomini di scuola, quando, dopo la Rivoluzione e nell'età napoleonica, la lingua francese fu 'esportata' nei paesi conquistati dalle armi imperiali, e fu messa in atto una politica di *francisation*, di 'francesizzazione' di alcuni territori stranieri (ad esempio del Piemonte, annesso alla Francia). Un luogo comune assai fortunato voleva insomma che il francese fosse la lingua della chiarezza, l'italiano la lingua della passione emotiva, della poesia e della musicalità. Tale luogo comune poteva essere utilizzato ora in chiave negativa, per screditare la nostra lingua, ora in chiave positiva: in uno dei più famosi manuali settecenteschi per imparare l'italiano, rivolto al pubblico francese, l'autore (Francesco Antonini) scriveva che il toscano era lingua dolcissima, adatta in maniera speciale alla delicatezza delle dame [cfr. Folena 1983: 406][3]. L'italiano, dunque, era lingua dolce e poetica, ma scarsamente razionale. Siamo di fronte ad uno dei temi più dibattuti nel Settecento, anche in relazione al cosiddetto 'ordine naturale' della frase. L'ordine naturale degli ele-

---

[3] Il manuale dell'Antonini serviva ai francesi per imparare l'italiano. Per il Goudar, il più famoso manuale con cui gli italiani imparavano il francese nel Settecento, cfr. Marazzini [1989b].

menti della frase veniva identificato (da molti, anche se non da tutti gli studiosi) nella sola sequenza 'soggetto – verbo – complemento', caratteristica appunto della lineare sintassi francese, reputata specchio del pensiero. L'italiano, per contro, era ed è caratterizzato da una grande libertà nella posizione degli elementi del periodo: può anticipare il complemento, spostare il verbo in fondo alla frase, come accade in tanti esempi di stile boccacciano. Questo veniva reputato da alcuni un difetto 'strutturale', laddove invece sarebbe stato più giusto lamentare, semplicemente, l'abuso di inversioni, dovuto all'eccessiva imitazione dello stile latineggiante di Boccaccio. I difetti di razionalità propri dell'italiano non erano in realtà dovuti a motivi 'naturali', ma a cause storiche, spiegabili con le vicende della nostra lingua, in dipendenza da mode letterarie che avevano favorito la conservazione ad oltranza di un gusto arcaicizzante. Già un pensatore francese come Condillac aveva mostrato di non credere affatto che l'ordine 'soggetto – verbo – complemento' potesse esser definito come 'naturale'; a suo giudizio erano invece 'naturali' sia la costruzione diretta che quella inversa[4].

Non mancavano, come è evidente, posizioni teoriche più equilibrate. Alla fine del secolo, Carlo Denina, confutando la tesi di Rivarol, sostenne (riprendendo ancora uno spunto di Condillac) che non esiste una superiorità intrinseca e assoluta di una lingua sulle altre, e che anzi le lingue ci paiono 'naturali' semplicemente quando siamo abituati ad esse. Sosteneva ancora Denina che l'ordine libero delle parole nell'italiano si spiega non con una mancanza di logica interna e di coesione, ma con la presenza di una diversa *organisation* ('organizzazione'), ad esempio per l'esistenza in italiano di elementi morfologici che segnalano la funzione delle parole, indipendentemente dalla loro posizione nella frase [cfr. Marazzini 1985b: 5-9 e 29 e 1989a: 145]. La teoria dell''ordine naturale', comunque, aiutava coloro che avrebbero voluto riformare lo stile della prosa italiana, allontanandolo dalla tradizione, in modo da ottenere una lingua priva di inversioni latineggianti, più libera e moderna, antiaccademica. Baretti, nella *Frusta letteraria*, vagheggiava infatti uno «stile naturale e piano e corrente», di cui vedeva il modello non soltanto nel francese e nell'inglese, ma in un prosatore cinquecentesco assolutamente antiaccademico come Cellini (cfr. IX.6.1).

Al livello della più alta cultura, dunque, si dibatteva sulla questione dell'*ordre naturel* ('ordine naturale') delle parole nella frase, ma intanto tutta l'Europa prendeva atto della forza del francese e dei suoi caratteri tipologici, che risultavano essere «la sincronia, la

---

[4] Cfr. Viano [1976: 281], e, sul problema generale storico-filosofico dell'ordine delle parole, Dardano Basso [1984: 53 ss.], oltre al fondamentale studio di Viscardi [1947].

tendenziale unità nei registri prosastico e poetico, l'assetto ordinato e razionale» [Dardi 1992: 36]. Non ci si deve dunque stupire
se la diffusione del francese e l'egemonia esercitata da questa lingua permisero, per contrasto, di guardare in maniera più critica
alla tradizione culturale italiana. La Francia aveva infatti quello
che all'Italia mancava: una lingua viva adatta alla conversazione e
alla divulgazione. Gli intellettuali illuministi nostrani auspicavano
quindi «quel non ancor raggiunto italiano, più agile del tradizionale; un linguaggio moderno per mezzo del quale la cultura *potesse*
uscire dalla chiusa cerchia dei dotti e diffondersi in più larghi
strati della società» [Beccaria 1981: 21]. Si legga a questo proposito quanto scriveva Algarotti, a Potsdam, nel 1752, nella dedica (in
francese) a Federico II di Prussia dei propri *Dialoghi sopra l'ottica
neutoniana* [5]:

Il résulte encore de la langue italienne une nouvelle difficulté pour
ce genre d'ouvrages, qui doivent rendre l'air et le tour de la conversa-
tion familière. Notre langue n'est, pour ainsi dire, ni vivante ni morte.
Nous avons des auteurs d'un siècle fort reculé que nous regardons
comme classiques; mais ces auteurs sont parsemés de tours affectés et de
mots hors d'usage. Nous avons un païs où la langue est plus pure que
dans aucune autre contrée de l'Italie; mais ce païs ne sauroit donner le
ton aux autres, qui prétendent l'égalité, et même la supériorité à bien
des égards. Sans capitale et sans cour il nous faut écrire une langue
presqu'idéale, craignant toujours de choquer ou les gens du monde, ou
les savans des académies [6].

Algarotti sapeva riconoscere i difetti dell'italiano senza pregiu-
dizi e senza ostilità nei confronti del francese. Vi erano invece altri intellettuali profondamente ostili all'egemonia del francese, i
quali ne combattevano caparbiamente la diffusione al di qua delle
Alpi, come il piemontese Galeani Napione di Cocconato, autore
del trattato *Dell'uso e dei pregi della lingua italiana*, la cui prima
edizione uscì nel 1791 [7]. Ma Galeani Napione, per quanto anti-

---

[5] I *Dialoghi* erano un'opera di elegante divulgazione scientifica, uscita inizialmente con il titolo di *Il newtonianismo per le dame. Dialoghi sopra la luce e i
colori* (1737).

[6] Bonora [1969: 13]; trad.: «Risulta ancora che la lingua italiana ha una
nuova difficoltà per questo tipo di opere [di divulgazione], le quali devono rendere l'aria e il movimento della conversazione familiare. La nostra lingua non è,
per così dire, né viva né morta. Abbiamo autori di un secolo molto indietro nel
tempo, i quali noi guardiamo come dei classici; ma questi autori sono disseminati
di giri di frase affettati e di parole fuori dell'uso. Noi abbiamo una regione [la
Toscana] in cui la lingua è più pura che in qualunque altra contrada d'Italia; ma
questa regione non saprebbe dare il tono alle altre, che pretendono l'uguaglianza,
ed anche la superiorità sotto molti punti di vista. Senza capitale e senza corte
dobbiamo scrivere una lingua quasi ideale, temendo sempre di urtare o il pubblico della buona società, o gli studiosi delle accademie».

[7] Quest'opera era nata dal preciso intento di suggerire una politica linguistica filoitaliana da applicare al Piemonte sabaudo, in modo da contrastare la presenza assai forte in questo stato della lingua d'oltralpe.

francese, non si sottraeva in realtà al fascino dell'idioma di Parigi, di cui ammirava il successo e la spigliatezza. A proposito dell'anti-francesismo di Napione, Beccaria [1981: 30] ha scritto che esso rivela ad uno stesso tempo l'amore e l'odio: «La polemica scorre mescolando l'invidia e il desiderio di emulazione. Il discorso si fa perciò ibrido e contraddittorio. Napione, che ben conosce il topico confronto settecentesco (italiano lingua impacciata – francese lingua disinvolta), mette l'accento sulla frivolezza del francese, lingua brillante, 'effeminata', adatta alle donne [...], ma i caratteri 'negativi' del francese rilevati nel suo trattato sono gli stessi segnati come tratti 'positivi' e augurabili per l'italiano, ancor privo di maneggevole piacevolezza e socialità». La constatazione che l'italiano poco si prestava alla conversazione familiare e alla divulgazione serviva, se non altro, a mettere il dito su di una piaga grave: l'impopolarità dell'italiano. Il confronto con il francese, dunque, non poteva che favorire una modernizzazione della nostra lingua.

2. L'influenza della lingua francese

Quanto abbiamo detto spiega la penetrazione della moda e del gusto francese in Italia, che fu nel Settecento «massiccia e incredibilmente capillare: si copiarono l'abbigliamento civile e militare, le abitudini gastronomiche, i passatempi, i caratteri della comunicazione epistolare, le legature dei libri, la struttura e l'arredamento delle abitazioni, lo stile dei giardini, i mezzi di trasporto, ecc.» [Dardi 1992: 40]. È ovvio che tutto questo abbia significato una proporzionale penetrazione di francesismi nella lingua italiana, quei francesismi che tanto preoccuparono i puristi.

Seguendo ancora Dardi [1992: 41 ss.], indicheremo i settori in cui i francesismi sono più facilmente rintracciabili: la moda, la vita associata, la politica e la diplomazia, l'esercito e la marina, il diritto, l'amministrazione e la burocrazia, la letteratura e le belle arti, l'economia e il commercio, la filosofia e le scienze. Se vogliamo essere più precisi, e scendere nel dettaglio (si noti che la stessa parola *dettaglio* che qui abbiamo usato è un francesismo divenuto comune nel Settecento: lo si ritrova in Pietro Verri e Cesare Beccaria), potremo osservare che anche il termine *moda* è un gallicismo. Ma entrarono nell'italiano termini francesi per indicare stoffe, come la tela *batista*; e anche la parola *stoffa* è un francesismo. Lo sono i termini che indicano capi di abbigliamento come *cravatta*. Prestiti non adattati (su questo concetto cfr. III.2) ancora viventi nell'italiano d'oggi sono *toilette* e *coiffure*. L'elenco potrebbe continuare a lungo, arricchendosi degli esempi portati con dovizia dal citato Dardi [1992].

Mai come in questo secolo si osserva il rapporto stretto che intercorre tra lingua e cultura. In campo scientifico, ad esempio, una vera e propria rivoluzione è segnata del diffondersi dalla nuova terminologia della chimica, la quale arriva dalla Francia, attraverso gli studi di Lavoisier, nella seconda metà del sec. XVIII. «L'aspetto più noto della riforma nomenclatoria di Lavoisier e degli altri scienziati francesi è la creazione di nuovi termini per lo più tratti da basi lessicali greche. Ricordiamo, per esempio, *oxigène*, *azote*, *hydrogène*, *oxide*, vocaboli che, da quegli anni in avanti, si insediano a pieno titolo nel vocabolario della chimica, realizzando due principi cari a Lavoisier: *i*) meglio un nome nuovo chiaro e trasparente, piuttosto che un nome tradizionale opaco e fuorviante; *ii*) nel creare nuovi termini è opportuno servirsi delle lingue morte e in particolare del greco» [Giovanardi 1987: 74-75]. Nella terminologia chimica scientifica, diffusasi nel Settecento, dunque, i suffissi assumono un valore classificatorio: escono in *-ique* (italiano *-ico*) gli acidi ossigenati, a cui corrispondono i sali in *-ate* (italiano *-ato*), mentre gli acidi deboli terminano in *-eux* (italiano *-oso*), e ad essi corrispondono i sali in *-ite* (italiano *-ito*). Ancora Giovanardi [1987: 76 ss.] ha mostrato come l'adozione della terminologia chimica francese si sia accompagnata all'abbandono delle designazioni in uso in Italia, che appartenevano ancora alla tradizione alchemica, per cui il «sal acetoso marziale» diventa nella nuova nomenclatura l'«acetito di ferro», e l'«aria puzzolente di zolfo» diventa «gas idrogeno solfurato». Quanto all'uso del greco nei radicali e negli affissi, esso si giustifica per la trasparenza internazionale di questa lingua, nota alle persone colte, e per «la facilità [...] di creare formati sintetici» [Giovanardi 1987: 91]. Alcuni grecismi arrivano all'italiano attraverso la lingua francese, come *ellenista*, *energico*, *epidemico*, *erotico*, *pederasta* e (forse) il già citato termine *elettrico* (cfr. II.7).

3. Il pensiero di Cesarotti nel dibattito linguistico settecentesco

Un secolo di rinnovamento come questo si caratterizza anche per il vivace dibattito teorico sulla lingua. Fin dall'inizio del Settecento si era avuta una stanca riproposta delle ben note posizioni relative al primato di Firenze e della lingua toscana, sviluppatesi nel solco dell'attività svolta dall'Accademia della Crusca (cfr. X.1). Ne sono esempio le *Annotazioni* di Anton Maria Salvini alla *Perfetta poesia italiana* di Muratori (1727). Salvini polemizzava tra l'altro contro il concetto di 'lingua comune', e ribadiva i «due vantaggi» dei fiorentini, possessori della lingua sia per diritto di nascita che per studio. I fiorentini, dunque (come il citato Salvini e come Domenico Maria Manni), continuavano a rivendicare il primato della loro città. Per quanto conservatori, essi non rappresentavano tuttavia l'ala più reazionaria del pensiero linguistico italiano. Era senz'altro maggiore il fanatismo con cui il veronese Giulio Cesare Becelli esortava all'imitazione delle Tre Corone, proponendo un canone rigidissimo. Non ci si deve dunque stupire se in un clima del genere, e dopo la pubblicazione della quarta Crusca (1729-1738), corretta e ampliata, ma pur sempre incentrata sul canone selettivo toscano [cfr. Serianni 1984], si manifestarono reazioni decisamente polemiche, di stampo illuministico, nei confronti dell'autoritarismo arcaizzante radicato nella tradizione letteraria italiana. È celebre, anche per il suo contenuto paradossale, la *Rinunzia avanti notaio*[8] al *Vocabolario della Crusca* scritta da Alessandro Verri a nome dei redattori della rivista milanese «Il Caffè» (la si può leggere in Puppo [1966: 195 ss.], o in Vitale [1978: 686-688], che trae il testo dall'ed. del «Caffè» curata da S. Romagnoli). Questo intervento mostra una grande insofferenza nei confronti dell'autoritarismo fiorentino; esso, tuttavia, non può essere considerato un vero manifesto teorico: si tratta piuttosto di un efficace *pamphlet*, caratterizzato dal tono sarcastico, in cui si denuncia lo spazio eccessivo che le questioni retoriche e formali (le «parole») hanno avuto nella cultura italiana, a tutto svantaggio delle «cose», cioè a danno del concreto progresso. Ne consegue una totale svalutazione del dibattito linguistico in quanto tale, a cui in realtà Verri dichiara (questo il senso del suo intervento) di non voler partecipare affatto[9]. Nulla di strano che nella situazione italiana si potessero manifestare reazioni del genere, proprio nella nuova cultura dell'Illuminismo. Il radicalismo del *pamphlet* di Verri ci aiuta a capir meglio il senso della 'rinunzia' alla lingua italiana, proposta da Denina ai piemontesi durante l'età napoleonica [cfr. Marazzini 1985b: 64-112], nel Piemonte annesso politicamente alla Francia, una 'rinunzia' la quale non aveva solo l'intento di assecondare la volontà degli occupanti francesi, ma voleva anche tagliare i ponti con la cultura italiana, inguaribilmente malata di retorica e di formalismo.

La posizione che meglio esprime gli ideali dell'Età dei lumi nei confronti di una tradizione conservatrice, avvertita ormai come peso insopportabile, è tuttavia quella, più moderata, espressa alla fine del secolo da Melchiorre Cesarotti nel *Saggio sulla filosofia delle lingue* (I ed. 1785, con il titolo di *Saggio sulla lingua italiana*; II ed. 1788; ed. definitiva nel 1800, nel I vol. delle opere complete dello scrittore). Siamo di fronte ad un grande trattato, che me-

---

[8] Nel testo si legge *nodaro* (si veda la riproduzione fotografica della prima facciata dell'articolo del «Caffè» in Migliorini [1978, tra le pp. 576 e 577]); nell'*errata corrige* del tomo I del periodico, però, il *nodaro*, con sonorizzazione settentrionale e uscita in -*aro*, fu corretto in *notajo*, forma fiorentina [cfr. Migliorini 1978: 512n]. Era il segno di una preoccupazione formale che in realtà tormentava i redattori ben più di quanto volessero far credere. Si veda ora anche l'apparato della recente ed. critica del «Caffè» curata da S. Romagnoli (Torino, Bollati-Boringhieri).

[9] La *Rinunzia* si collega ad altri analoghi accenni al problema linguistico comparsi sul «Caffè», tra i quali soprattutto è interessante la *Risposta sull'Accademia della Crusca* di Cesare Beccaria, estremamente polemica, nella quale l'autore finge (con molto sarcasmo) di prendere le parti dell'Accademia.

rita di essere collocato sul piano del *De vulgari eloquentia* di Dante, delle *Prose* di Bembo e dell'*Ercolano* di Varchi, nella serie, cioè, dei libri che segnarono in maniera indelebile le svolte culturali nei momenti decisivi di cambiamento. Cesarotti, inoltre, ha potuto trovare un posto di grande rilievo tra i 'predecessori' dei moderni linguisti [cfr. Nencioni 1983a: 1-31]. Non è certo azzardato supporre che il titolo definitivo del saggio di Cesarotti, con il riferimento alla «filosofia delle lingue», rappresenti la piena coscienza raggiunta dall'autore del significato generale del suo libro, che era, sì, applicato alla situazione italiana, ma conteneva soprattutto un sistema universalmente valido, fondato su di una concezione generale del linguaggio elaborata sulla base di idee diffuse nel Settecento dalla cultura sensista francese [10].

Una caratteristica del trattato di Cesarotti è la nitidezza di impianto, in cui ritroviamo molte idee perfettamente condivisibili anche al giorno d'oggi. Mentre dobbiamo fare uno sforzo per comprendere il pensiero linguistico di un Bembo, o il rigore puristico dei cruscanti e dei loro eredi settecenteschi, nel caso di Cesarotti l'identità di vedute rispetto al nostro punto di vista è già di per sé una spia la quale ci indica che qui siamo alle radici del pensiero moderno.

Il *Saggio sulla filosofia delle lingue* si apre con una serie di enunciazioni teoriche, così sintetizzabili:

1) tutte le lingue nascono e derivano; all'inizio della loro storia sono 'barbare', ma il concetto di 'barbarie' non ha senso se lo si vuole utilizzare nel raffronto tra le lingue, perché tutte servono ugualmente bene all'uso della nazione che le parla;

2) nessuna lingua è pura: tutte nascono dalla composizione di elementi vari;

3) tutte le lingue nascono da una combinazione casuale, non da un progetto razionale;

4) nessuna lingua nasce da un ordine prestabilito o dal progetto di un'autorità [11];

5) nessuna lingua è perfetta, ma tutte possono migliorare [12];

6) nessuna lingua è tanto ricca da non aver bisogno di nuove ricchezze;

7) nessuna lingua è inalterabile;

8) nessuna lingua è parlata in maniera uniforme nella nazione.

---

[10] Il 'sensismo' è una dottrina settecentesca, di ispirazione materialista (riferita alla conoscenza attraverso i 'sensi'), maturata attraverso il pensiero di filosofi come Locke e Condillac.

[11] Ogni lingua vive dunque e si sviluppa attraverso il consenso dei parlanti: è dunque la 'maggioranza' a governare la lingua. Quest'ultimo principio è di estrema importanza, perché riconosce la socialità quale fondamento della comunità linguistica.

[12] Il principio del miglioramento progressivo delle lingue deriva dalla filosofia di Condillac, ed è corrente tra Sette e Ottocento anche tra i seguaci di questo filosofo, gli *Idéologues*.

Stabiliti tali principi, Cesarotti affronta il problema della distinzione tra lingua orale e lingua scritta; quest'ultima ha una superiore dignità, in quanto momento di riflessione, e in quanto strumento con il quale operano i dotti. Principi fondamentali del pensiero di Cesarotti relativamente alla lingua scritta sono i seguenti: essa non dipende dal popolo, ma nemmeno dipende «ciecamente» dagli scrittori approvati; non può essere fissata nei modelli di un certo secolo, e non dipende dal «tribunal dei grammatici». Fin qui le idee di Cesarotti si caratterizzano, come dicevamo, per un'assoluta modernità. Altre sezioni dell'opera (ad esempio quelle relative alla formazione del linguaggio e al significato simbolico dell'onomatopea) sono invece piuttosto distanti dal pensiero degli studiosi del nostro tempo. La nostra attenzione si concentra tuttavia sulla parte più vitale del *Saggio*, cioè sulla sua polemica antipuristica, condotta sulla base di un moderato e lucido razionalismo.

La III parte del *Saggio* ha obiettivi molto pratici. Cesarotti indica la strada per una normativa 'illuminata', da contrapporre a quella troppo rigida della Crusca. A differenza degli illuministi radicali del «Caffè», egli non vuole infatti una libertà da ogni regola. Riconosce dunque il valore dell'uso, quando esso accomuna scrittori e popolo, perché «il consenso generale è l'autore e 'l legislator delle lingue» [Cesarotti 1800: 108]. Ma quando c'è discordanza nell'uso, allora non resta che seguire «la miglior ragion sufficiente» [*ibidem*: 109], la quale non coincide con la maggioranza degli esempi attestati, né con le *auctoritates* antiche. Ne consegue che chi scrive non deve «rimescolare gli archivi delle parole» [*ibidem*: 113], cioè non deve guardare a un passato morto e sepolto. Gli scrittori sono invece liberi di introdurre termini nuovi o di ampliare il senso dei vecchi. Cesarotti, d'altra parte, insiste sul fatto che la sua non è una teoria dell'arbitrio, in quanto riconosce precise norme per frenare le innovazioni eccessive. I termini nuovi, infatti, possono essere introdotti per analogia con i termini già esistenti, per derivazione, o per composizione. Un'altra possibile fonte di parole possono essere i dialetti italiani, anche se stanno in una posizione subalterna rispetto alla lingua toscana. Cesarotti ammette anche che possano essere adottate parole straniere, ma questa scelta è presentata con estrema cautela, come una sorta di male necessario, probabilmente perché l'autore si rendeva conto che proprio su questo punto si sarebbero manifestati dissensi radicali. Non a caso egli inizia il discorso sui prestiti trattando la questione delle parole latine (accettabili anche in un'ottica classicistica) e dei grecismi. Su questi ultimi la posizione di Cesarotti non è di completa disponibilità: in nome del principio della chiarezza, egli pensa che sarebbe auspicabile una diminuzione del loro numero nel linguaggio scientifico; ad esempio, gli pare meglio scegliere *sonnifero* piuttosto che *narcotico*[13], *accidente* piuttosto che *sintoma*[14]. Tale posizione, diffidente nei confronti dei grecismi, anticipa quella di Pietro Giordani (il quale propose termini composti italiani invece di quelli greci, come *segnacaldo* anziché *termometro*[15]). Toccare il problema dei latinismi e grecismi era comunque un modo per affrontare gradatamente il tema ben più spinoso dei forestierismi provenienti dalle lingue moderne, e soprattutto dal francese. Cesarotti, nel *Saggio*, spende diverse pagine per difendere la legittimità del francesismo (proprio queste pagine furono all'origine dell'accusa di 'lassismo' che gli fu rivolta). Va osservato che secondo Cesarotti i forestierismi e i neologismi, una volta entrati nell'italiano, possono legittimamente produrre nuovi traslati e derivazioni. Un esempio può aiutarci a meglio comprendere la posizione dell'autore: se nella lingua italiana è entrata la parola *elettricità* – egli osserva – si può allora ammettere anche un'espressione come «si elettrizzano gli spiriti», che metaforizza il concetto, trasportandolo al di fuori del campo delle scienze fisiche[16]. A questa posizione, aperta nei confronti del contributo delle lingue forestiere, si collegano anche le interessanti osservazioni sul 'genio' della lingua, in cui espressamente afferma di voler andare al di là di Condillac, che aveva parlato a lungo di questo concetto [cfr. Viano 1976: 293 ss.; cfr. anche Rosiello 1967: 79-92]. Il 'genio della lingua', inteso come carattere originario tipico di un idioma e di un popolo (spiegato come effetto di condizionamenti esterni quali il clima, il governo, le condizioni economiche ecc.), era utilizzato dagli avversari dei forestierismi per dimostrare l'estraneità e l'improponibilità del termine esotico, il quale, di per sé, in quanto straniero, doveva appunto ripugnare al 'genio' nazionale. Cesarotti,

---

[13] Entrambi questi termini erano nell'italiano, nel linguaggio della farmacia, almeno fin dal Cinquecento; ma *sonnifero* è stato sempre effettivamente di uso più largo al di fuori del settore tecnico del linguaggio farmaceutico. Nell'italiano attuale i due termini coprono un ambito semantico diverso.

[14] In greco, *sìmptoma* significa appunto 'accidente'. Questo grecismo è attestato nel linguaggio della medicina fin dalla seconda metà del Cinquecento [cfr. *DELI*: s.v.], e qui rimase a lungo confinato. Solo nell'Ottocento *sintomo* (con uscita in *-o*) e *sintomatico* sono entrati nella lingua comune, uscendo dall'àmbito strettamente scientifico.

[15] Cfr. Gensini [1984b: 214], dove si osserva inoltre che ben diversa fu la posizione di Leopardi, il quale invece collegò la questione del grecismo di natura tecnica a quella dell''europeismo'. Molti grecismi e latinismi sono diffusi in tutte le lingue europee, e sono quindi patrimonio comune delle persone colte: si consideri ad esempio il citato 'termometro', francese *thermomètre*, inglese *thermometer*, tedesco *Thermometer*, spagnolo *termómetro*, portoghese *termómetro*. Sul Giordani, cfr. anche Panizza [1996] e Serianni [2000].

[16] Il verbo *elettrizzare*, neologismo settecentesco ricalcato sul francese, era stato effettivamente usato da Algarotti in senso metaforico, applicato al di là del suo significato strettamente scientifico: cfr. gli esempi riportati dal *GDLI* [V, 88] («*elettrizzi* tutti gli ingegni», «...novecentomila persone *si elettrizzino* insieme»). Lo si ritrova anche nello *Zibaldone* di Leopardi, riferito agli effetti psicologici della musica (ed. Pacella, p. 156, ed. Flora, I.173).

nella sua revisione, propone un duplice concetto di 'genio', «grammaticale» e «retorico». Questa bipartizione permette di distinguere meglio nella lingua ciò che deve essere difeso come inalterabile da ciò che invece può liberamente mutare in relazione all'evoluzione dei tempi e del progresso. La struttura grammaticale delle lingue (il loro «genio grammaticale»), infatti, è inalterabile: si veda ad esempio la differenza tra una lingua che distingue i casi mediante le desinenze, come il latino, e una che ne è priva. Il confronto tra italiano e latino mostra come il 'genio grammaticale' segni la separazione tra due lingue storicamente distinte, delle quali l'una deriva dall'altra. Il lessico, invece, dipende dal genio «retorico», che riguarda l'espressività della lingua stessa. In questo settore, tutto è alterabile: prestiti, traslati, derivazioni sono perfettamente legittimi. Se ne deduce che ha torto chi afferma scandalizzato che i forestierismi guastano una lingua. Ciò non può accadere finché le strutture grammaticali non sono investite dal cambiamento (come è avvenuto ad esempio nel latino durante il periodo delle invasioni barbariche), cioè fino a quando non viene intaccato il 'genio grammaticale' della lingua.

La parte IV del *Saggio sulla filosofia delle lingue*, a conclusione del trattato, è dedicata ad esaminare la situazione italiana e a proporre delle soluzioni positive alle polemiche della 'questione della lingua'. Le pagine più interessanti di questa parte del *Saggio* sono le conclusive, dove si affronta il tema del rinnovamento della lessicografia. È qui che il trattato trova accenti che lo legano all'attualità della politica, perché il concetto di libertà dalle pastoie della retorica assume un carattere di dignità civile che lo avvicina allo spirito di riforma proprio del secolo dei Lumi[17]. Risulta così la novità del progetto finale del libro, con la proposta di una magistratura della lingua, attraverso una riforma che con equilibrio e moderazione esprimesse quel «consenso pubblico» che sta alla base del pensiero di Cesarotti. Poiché «la lingua è della nazione» [Cesarotti 1800: 214], egli proponeva di istituire un Consiglio nazionale della lingua, al posto della Crusca[18]. La sede di questa

[17] Si legga quanto Cesarotti scrive per proporre l'abolizione dei principi d'autorità che hanno ispirato la Crusca, e si osservi quale paragone egli suggerisca [Cesarotti 1800: 213]: «Non si tratta d'un aumento precario di vocaboli, si tratta di libertà; ma d'una libertà permanente, universale, feconda, lontana dalle stravaganze, fondata sulla ragione, regolata dal gusto, autorizzata dalla nazione in cui risiede la facoltà di far leggi. È tempo ormai che l'Italia si affranchi per sempre dalla gabella delle parole bollate; come gl'insurgenti d'America si affrancarono da quella della carta». Dobbiamo tener presente che la prima edizione del saggio uscì nel 1785, e che la rivoluzione americana (nata, come ricorda Cesarotti, con la ribellione alla tassa del bollo) si era conclusa con la firma dei trattati di Parigi e di Versailles nel 1783. Cesarotti mostra quindi di voler collegare il suo lavoro linguistico-filosofico all'attualità politica.
[18] Si noti che la Crusca era stata fusa, dal 1783, con l'Accademia fiorentina: nel momento in cui Cesarotti scriveva, dunque, essa non esisteva più (cfr. nota 25 a p. 363). Fu poi ripristinata da Napoleone nel 1811.

nuova prestigiosa istituzione linguistica avrebbe dovuto essere ancora Firenze. Cesarotti si preoccupava di definire i compiti della nuova istituzione, la quale si sarebbe occupata di studi etimologici e filologico-linguistici, ma soprattutto avrebbe rinnovato i criteri lessicografici, dedicando attenzione al lessico tecnico delle arti, dei mestieri, delle scienze. Il riscontro del lessico mancante nel vocabolario sarebbe stato fatto non solo per via libresca, ma mediante il ricorso a chi esercitava professioni specifiche, non solo in Toscana, ma nelle varie zone d'Italia. Una schedatura del genere superava ogni criterio di selettività letteraria e permetteva di arrivare fino alle parole di uso regionale; a questo punto si sarebbe proceduto a una *scelta*, e questa scelta era compito del Consiglio italico. Il patrimonio lessicale così ottenuto sarebbe stato confrontato con quello presente nei vocabolari di altre nazioni: direi che qui Cesarotti tornava abilmente al problema del prestito e del forestierismo, affrontandolo però in chiave di 'europeismo', visto che questo confronto avrebbe portato per forza di cose a riscontrare una carenza nel lessico italiano, oppure, in altri casi, a legittimare il forestierismo tecnico già entrato nell'uso.

Compito finale e supremo del Consiglio era la compilazione di un vocabolario. Il vocabolario avrebbe dovuto essere realizzato in due forme. Ci sarebbe stata un'edizione ampia e una ridotta, di uso comune, divulgativa e pratica[19]. Il Consiglio, inoltre, avrebbe dovuto avviare una serie di traduzioni di autori stranieri: anche in questa proposta si può riconoscere un'anticipazione del futuro prossimo, se si pensa all'importanza che i romantici avrebbero attribuito alle traduzioni, con lo scopo di sprovincializzare la cultura italiana. Il *Saggio* di Cesarotti si chiude dunque con un appello all'attività intellettuale, chiamando Firenze a farsi rinnovata guida culturale d'Italia, con il consenso delle altre regioni. L'appello, però, cadde inascoltato.

4. Le riforme scolastiche e gli ideali di divulgazione

4.1. Gli ideali di divulgazione del sapere

Vi è certo un nesso tra gli ideali di divulgazione culturale, di svecchiamento e di rinnovamento del pensiero, e il diffondersi nel Settecento di un sentimento democratico prima impensabile [cfr. Gensini 1984a]. Le condizioni del popolo diventarono via via un

---

[19] Il primo di questi due vocabolari sarebbe stato eminentemente scientifico, rivolto agli specialisti, e avrebbe avuto carattere etimologico, storico, filologico e comparativo. Il vocabolario minore, invece, sarebbe stato compilato per ordine alfabetico, essendo progettato a scopo divulgativo, per un'ampia consultazione. Esso avrebbe contenuto i termini delle arti e delle scienze, sarebbe stato purgato dagli arcaismi, avrebbe suggerito la traduzione dei grecismi.

tema a cui gli illuministi si accostarono con maggior interesse, convinti che questa fosse la strada del progresso. Si incominciò a pensare che anche la conoscenza della lingua italiana dovesse entrare nel bagaglio di cui ogni uomo doveva essere provvisto per assumere un ruolo nella società produttiva. Artigiano, mercante o agricoltore, anche il popolano doveva saper scrivere e parlare italiano. Non a caso il recente volume dedicato alla storia linguistica del nostro Settecento da Matarrese [1993] si apre, con scelta molto opportuna, su di un capitolo dedicato a *Scuola ed educazione linguistica*: l'organizzazione razionale di una scuola più efficiente è infatti uno degli obiettivi che caratterizzano positivamente l'Illuminismo riformatore. Si noti che il concetto di 'educazione linguistica' è nato in riferimento ad un periodo storico diverso, per designare moderni metodi didattici, applicati nella scuola dell'obbligo dei nostri giorni. Implicitamente, usando questa etichetta riferita al Settecento, si intende dire che anche nel passato l'insegnamento della lingua implicò delle strategie e degli ambiziosi obiettivi di politica culturale, seppure rivolti a una quantità molto ridotta di allievi. Tali strategie cominciarono ad essere messe a punto meglio e più efficacemente proprio nel Settecento. È questo il secolo in cui l'italiano entra per davvero nella scuola, in forma ufficiale. Anche prima potevano esistere scuole in cui si insegnava a leggere e scrivere in volgare, ad esempio presso le parrocchie o presso alcuni ordini religiosi. Nel Settecento, però, sono le organizzazioni statali a darsi da fare, sotto lo stimolo di intellettuali particolarmente sensibili ed intelligenti, per far sì che l'insegnamento non sia svolto solo in riferimento alla lingua latina e attraverso la lettura di opere latine. È chiaro che una simile svolta è determinata da una sensibilità nuova per i temi della divulgazione e della diffusione della cultura nei ceti medi, se non proprio tra il popolo (a cui però gli intellettuali, a volte, pensano con esemplare spirito umanitario). Infatti il dibattito sulla necessità di far giungere ovunque i 'lumi' della cultura diventa assai comune in questo secolo. Una simile strategia per la diffusione del sapere e per la diffusione dello strumento primo attraverso il quale il sapere si diffonde, cioè la lingua, ha un indubbio sapore di modernità. Moderne sono anche le ribellioni antipedantesche e antiaccademiche a cui si assiste nel corso del secolo. In prima fila non sono solo i letterati, ma un'ampia categoria di *intellettuali* in senso lato, studiosi che si dedicano a diverse branche del sapere, dall'economia, al diritto, alla politica, alla storiografia. Questi 'specialisti' fanno sentire la loro voce, e non di rado si preoccupano di indicare la strada per le necessarie riforme, tappe sulla via del progresso, anche se la situazione italiana rimane complessivamente assai difficile, per la mancanza di uno stato unitario nazionale che possa mettere in atto un disegno di riforma omogeneo per un territorio geograficamente ampio. La situazione delle riforme scolastiche italiane è dunque in realtà disuguale, diversa da stato a stato.

4.2. Riforme scolastiche nel Piemonte

Esemplare è quanto accade in Piemonte, dove nel 1729 Vittorio Amedeo II di Savoia emanò dei provvedimenti per la riforma dell'università [cfr. Marazzini 1991: 53 ss.]. Un intellettuale di grido come Scipione Maffei, appositamente interpellato, aveva suggerito l'introduzione di un insegnamento di «lettere toscane» (il quale, ovviamente, non esisteva affatto nell'università, tutta latina). Il suggerimento di Maffei non fu allora messo in atto. Era invece d'attualità un'altra questione, l'introduzione dell'insegnamento della grammatica latina mediante manuali scritti in italiano. I Regolamenti scolastici piemontesi del 1729 introducevano appunto tale novità, e di sfuggita accennavano anche alle difficoltà specifiche dei ragazzi piemontesi, i quali avevano la tendenza (come appunto allora si osservava) a sbagliare nell'uso delle doppie. Pur occupandosi di riforma dell'insegnamento del latino, dunque, si cominciava a prendere coscienza di alcuni problemi legati all'insegnamento dell'italiano. Si adottava insomma una prospettiva 'didattica' la quale, seppure in maniera indiretta e quasi clandestina, finiva per riverberarsi dal latino alla lingua moderna. Sempre in Piemonte, nel 1733-1734, divenne obbligatorio per la prima volta, nella scuola superiore d'*élite*, lo studio dell'italiano, posto tuttavia in una posizione estremamente marginale: la lezione di italiano era stabilita solo una volta la settimana, il sabato. Nel 1734 venne definitivamente istituita a Torino una cattedra universitaria di «eloquenza italiana e greco» (si noti l'accoppiamento), e questa cattedra divenne il punto d'avvio d'una politica di sviluppo della scuola d'italiano, una scuola in cui si leggevano modelli di prosa nobili e antichi, trecenteschi e cinquecenteschi, come Boccaccio e Della Casa. Nel 1772 furono emanate nuove costituzioni della scuola, in cui la posizione dell'italiano si faceva più solida: veniva istituita una classe iniziale, propedeutica a quelle già esistenti, dedicata in maniera specifica a fornire i rudimenti della lingua italiana. Parallelamente si andava diffondendo una manualistica adatta agli allievi che seguivano questo *iter* di studi.

Ci siamo soffermati sulle riforme della scuola sabauda per la loro esemplarità: si sarà notato come lo sviluppo dell'insegnamento dell'italiano sia stato graduale, dosato con cautela, sempre in un contesto finalizzato allo studio del latino. Si sarà notato anche come l'introduzione di queste pur moderate novità sia avvenuta attraverso interventi dall'alto, proposte di riforma, progetti di intellettuali tradottisi piano piano in effettivo ordinamento; le riforme, a loro volta, finirono per favorire la diffusione di una serie di strumenti, grammatichette, antologie, manualetti, opericciuole in genere di non grande respiro culturale, ma importanti, in quanto furono proprio questi i veri canali per l'apprendimento scolastico dell'italiano da parte del ceto dirigente, tanto più in una regione come il Piemonte, per sua natura esposta all'influenza della lingua francese e lontana dal 'centro' toscano. Ma la produzione di simili manualetti si ebbe un po' dappertutto, là dove furono attuati progetti di riforma scolastica [cfr. Matarrese 1993: 31-33].

4.3. Modena, Napoli, Parma

Il discorso deve dunque estendersi ad altri stati italiani [cfr. Marazzini 1985a: 76-80]. A Modena, ad esempio, in seguito a nuove costituzioni degli studi emanate nel 1772, si prescriveva per i primi anni di corso l'uso di libri esclusivamente italiani, non latini. Si ebbero riforme scolastiche dopo la cacciata dei Gesuiti anche a Napoli e Parma. A Parma la costituzione degli studi emanata nel 1768 prevedeva per le classi *infime*, destinate a coloro che non avrebbero proseguito gli studi, l'insegnamento del solo italiano [cfr. Matarrese 1993: 29]. A Napoli fu elaborato un progetto avanzato, il piano di Genovesi del 1767 ca. (peraltro non preso in considerazione dalle autorità), di cui ci resta una bozza che proponeva, a livello di istruzione primaria per i meno abbienti, l'istituzione di insegnamenti di «leggere, scrivere ed abbaco pratico» (cfr. Pennisi 1980: 370 e 1987: 153-154). «... non vi sia in Italia più leggi che in lingua de' popoli. [...] Ogni uomo ha diritto a saper la legge», affermava Genovesi [cfr. Pennisi 1987: 153-154], l'illuminista di larghe vedute che nel 1754 aveva deciso, con scelta senza precedenti nella storia dell'università italiana, di tenere in volgare (non più in latino come si era sempre fatto) le sue lezioni accademiche, destando con ciò enorme scandalo nel collegio professorale dell'ateneo napoletano[20]. Egli ebbe chiara l'idea che il Regno di Napoli si trovava in uno stato di inferiorità a causa della inesistenza dell'istruzione primaria, e del pregiudizio dei dotti, i quali si erano serviti del latino, «lingua arcana». A ciò attribuiva almeno in parte la responsabilità della mancata circolazione della cultura e la conseguente «rozzezza» del popolo [cfr. Pennisi 1987: 149-150]. Le aspirazioni alla divulgazione si coniugavano in questo caso al sogno di una classe di dotti che sapesse promuovere il progresso tecnico della società, per il quale serviva dunque un'alfabetizzazione generalizzata, un rapporto più stretto tra gli «addottrinanti» e i contadini, gli artigiani, mediante una comunicazione sociale in cui l'italiano sostituisse completamente il latino [cfr. Formigari 1990: 111].

---

[20] Cito da Pennisi [1987: 151] un passo in cui Genovesi ricorda le impressioni prodotte sull'uditorio da quella sua rivoluzionaria scelta: «grande fu la meraviglia di sentir dettare [= far lezione in] italiano. Sicché essendomene accorto, nello incominciare la spiegazione dovetti cominciar dai pregi della lingua italiana, e urtar di fronte il pregiudizio delle scuole d'Italia». La cattedra di Genovesi, istituita quell'anno, aveva la denominazione di «cattedra di Meccanica e Commercio», corrispondente a ciò che noi designiamo 'economia politica'.

4.4. La polemica contro il latino

Altre voci si levarono nel Settecento contro l'abuso del latino nell'educazione dei fanciulli. Si insisteva sul fatto che ai giovani delle classi medie e popolari serviva una cultura più legata alle esigenze dei commerci e delle attività pratiche. «Nella polemica contro il latino si delineava pertanto l'idea (rimasta attuale per un paio di secoli) di un insegnamento differenziato per chi non fosse destinato a proseguire gli studi» [De Blasi 1993: 400]: è insomma l'idea di istituzionalizzare due canali finalizzati a diversi obiettivi, da una parte la formazione della classe di intellettuali colti (per i quali il latino restava strumento assolutamente necessario), dall'altra la formazione di artigiani e commercianti, la cui buona preparazione culturale, tutta moderna e 'italiana', avrebbe necessariamente giovato al generale progresso sociale. La polemica contro il latino, accusato di essere il freno di questo progresso, non era stata altrettanto vivace prima del Settecento; fu cosa nuova dello spirito illuminista, solo in piccola parte anticipata da alcuni degli intellettuali più moderni e anticonformisti del sec. XVII, come Alessandro Tassoni e Paolo Sarpi (cfr. Marazzini [1993: 21 e 93] e cfr. IX.8.1, nota 47).

4.5. Il Lombardo-Veneto

Alla fine del sec. XVIII furono avviate riforme nella scuola del Lombardo-Veneto, grazie alla politica scolastica di Maria Teresa d'Austria. Fu ideato a Berlino, e giunse poi in Italia attraverso l'Austria, dapprima applicato in un'esperienza-pilota a Rovereto, un nuovo metodo didattico, detto «normale», in cui per la prima volta prendeva forma l'unità della 'classe', concepita in maniera moderna, come un gruppo a cui venivano impartiti insegnamenti in vista di obiettivi didattici unitari. Tra il 1786 e il 1788 il padre Soave, un somasco nato a Lugano, la cui carriera di divulgatore del sensismo filosofico (fu anche traduttore di Locke nella nostra lingua) si svolse in università italiane fino all'età napoleonica, pubblicò una serie di manuali per l'insegnamento dell'italiano che ebbero grande fortuna, accolti anche al di là dei confini della Lombardia [cfr. Fornara 2001]. Il rilancio della scuola primaria nella Lombardia austriaca avvenne tenendo presente proprio l'esperienza di Rovereto, dove nel 1786 si era recato in visita il padre Soave. Nel 1783 era stato pubblicato a Rovereto un *A B C ovvero il libretto de' nomi*, e questo libro fu rimaneggiato e modificato dal Soave per realizzare un nuovo *Abbeccedario*, il quale consentisse un percorso graduale lungo l'itinerario via via più complesso che andava dalla lettera alla sillaba, alla parola, alla frase, al testo in prosa, al testo in versi [cfr. Del Negro 1984: 264]. Si noti che secondo il punto di vista del Soave il dialetto poteva essere utilizzato come via di accesso alla lingua italiana, fornendo ad esempio agli allievi frasi dialettali da tradurre in italiano. L'obiettivo da raggiungere era comunque la conoscenza dell'«italiano finito» (cfr. XI.5.2), come lo chiamava Soave (*finito* voleva dire 'accurato', 'elegante'), cioè il toscano: se non il toscano dei toscani, almeno quella lingua ad un tempo letteraria e venata di regionalismi, che poteva essere imparata attraverso gli strumenti libreschi a disposizione, e attraverso la voce di insegnanti lombardi. Con tutti i suoi limiti, comunque, una scuola del genere era quanto di più socialmente avanzato si potesse allora concepire, e altre regioni non avrebbero avuto nulla di paragonabile fino all'Unità italiana.

Dalla riforma austriaca nacque anche l'idea di una scuola 'comunale' con il compito preciso di insegnare a leggere e scrivere. Questa scuola fu istituita a partire dall'Ottocento, negli stati dell'Italia settentrionale: notevoli furono le esperienze del Lombardo-Veneto (con il regolamento del 1818, il migliore d'Italia) e del Piemonte. La 'scuola comunale' si collega anche alla pedagogia 'popolare' del Romanticismo, da cui uscì, attraverso gli ordinamenti piemontesi (poi estesi all'Italia unita) la scuola elementare obbligatoria italiana.

5. Lingua di conversazione e scritture popolari

5.1. Una lingua 'd'occasione'

L'interesse manifestato dai riformatori del Settecento per l'insegnamento scolastico dell'italiano non produsse, ovviamente, risultati rivoluzionari e immediati al livello della popolazione di ceto più basso. L'uso della lingua italiana continuò, anche in questo secolo, ad essere in sostanza un fatto d'*élite*. Il toscano era pur sempre una lingua 'd'occasione', adatta alle situazioni ufficiali, ai libri, ma poco adatta alle situazioni familiari, alla conversazione, ai rapporti confidenziali, alla divulgazione. Lo spazio della comunicazione familiare era sostanzialmente occupato dai dialetti, e quando non bastavano i dialetti, si doveva ricorre ad una lingua che Giuseppe Baretti ha così descritto:

Dov'è la città, la corte, il luogo in Italia, nel quale si parli con qualche soltanto mediocre correttezza, brio, varietà e sceltezza di vocaboli e di frasi? In ciascuna terra nostra, dalla Novalesa appiè dell'Alpi giù sino a Reggio di Calabria, v'ha un dialetto particolare, di cui ogni rispettivo abitante, sia grande, sia piccolo, sia nobile, sia plebeo, sia dotto, non lo sia, fa costantemente uso nel suo quotidiano conversare sì nella propria famiglia che fuori. E quando accade che qualcuno voglia appartarsi[21] dagli altri favellando, a qual spediente s'ha egli ricorso? Aimè, ch'egli toscaneggia quel suo dialetto alla grossa, alla grossa bene! E non s'avendo

---

[21] *appartarsi*: 'distinguersi'.

fregata di buonora la memoria colla studiata lettura de' nostri buoni
scrittori, viene a formare una lingua arbitraria, perché senza prototipo:
una lingua tanto impura e difforme e bislacca sì nelle voci, sì nelle frasi,
sì nella pronuncia, che fa pur d'uopo, sentendola, ciascuno si raccapricci,
o abbrividi, o frema, se possiede il minimo tantino di quella cosa, che
già dissi, chiamata 'gusto di lingua'[22].

5.2. 'Linguaggio itinerario' e 'parlar finito'

Baretti, probabilmente, esagerava il problema, sensibile com'e-
ra a questioni stilistiche, prima che linguistiche. Di fatto, però,
questa sua testimonianza va d'accordo con altre, anche cronologicamente più tarde, ad esempio con quella di Foscolo, che parla di
un «linguaggio mercantile» e «itinerario» usato da coloro i quali,
come i mercanti, erano abituati a muoversi nelle varie regioni italiane; osserva Foscolo che l'uso di una lingua non dialettale nella
propria patria avrebbe rischiato di creare problemi di comprensione, o sarebbe stata considerata una «affettazione di letteratura»
[cfr. Migliorini 1978: 593]. Manzoni, da parte sua, descrive i caratteri del cosiddetto «parlar finito», la lingua ritenuta 'elegante',
che consisteva appunto nell'usare le parole che si supponevano
italiane, e nell'aggiungere finali italiane alle parole dialettali termi-
nanti per consonante [cfr. ivi]. La lingua italiana, dunque, così
come aveva affermato Baretti, si prestava poco alla conversazione
'naturale', perché era scritta ma poco parlata, e comunque parlata
come qualche cosa di artificiale, di estraneo alla vivace comunicazione quotidiana spontanea e familiare. Solo i Toscani si trovavano
in posizione di vantaggio, perché nella loro regione lingua scritta e
lingua parlata coincidevano quasi perfettamente. Come si legge in
Migliorini [1978: 503], nelle «città e nelle campagne del Settentrione e del Mezzogiorno, [nel Settecento] si parla di regola in
dialetto»; ciò vale non soltanto per i popolani, ma anche per i
borghesi e per i nobili; «solo eccezionalmente (in presenza, ad es.,
di forestieri) la lingua della conversazione è l'italiano venato di
dialetto[23]; nelle occasioni più solenni (orazioni, prediche, arringhe

---

[22] Il passo è stato messo in evidenza da Migliorini [1978: 501], da cui cito.
[23] Nella piemontese settecentesca Accademia dei Filopatridi si discusse l'istituzione di un censore che richiamasse all'ordine quei soci i quali, durante i loro
interventi, si lasciassero sfuggire delle parole dialettali [cfr. Calcaterra 1951]. Ancora in Piemonte, si pensi che la conversazione italiana era così eccezionale da
far notizia. L'anziano conte Galeani Napione ricordava nel 1819 il caso eccezionale di un suo maestro di grammatica (il ricordo ci riporta dunque al Settecento), il quale era in grado di parlare italiano con accento romano, avendo soggior-
nato a lungo in quella città [cfr. Marazzini 1989c: 110]. E Carlo Vidua, giovane
letterato piemontese dell'inizio dell'Ottocento, rammentava nel 1806 due suoi conoscenti, uno di Vercelli e uno di Tortona, i quali, usciti dallo stesso collegio di
Siena, facevano ogni tanto un po' di conversazione in italiano [cfr. Marazzini
1984: 149].

e simili) predomina l'italiano quale si scriverebbe», cioè una lingua di tipo letterario e di registro 'alto'. Questa situazione era tale da far nascere il vero e proprio *topos* secondo il quale la lingua italiana non poteva essere classificata appieno tra le lingue vive (cfr., in XI.1.2, la dedica di Algarotti posta a precedere i *Dialoghi sopra l'ottica neutoniana*, del 1752), o addirittura era da classificare tra le morte[24].

5.3. Dialetto 'illustre' italianizzato

Non mancano interessanti eccezioni alla marginalità culturale del dialetto: nei tribunali veneti, ad esempio, le arringhe si fanno in veneto illustre, o anche, all'occorrenza, in un italiano misto di veneto, di cui Goldoni (che, si rammenti, era lui stesso avvocato) ci ha lasciato un interessantissimo esempio nella commedia *L'avvocato veneziano* (se ne veda un passo commentato da Matarrese [1993: 273-275]). Ecco l'inizio di un'arringa dell'avvocato veneto Casalboni in risposta all'avvocato bolognese Balanzoni, nella finzione scenica goldoniana:

Gran apparato de dottrine, gran eleganza de termini ha messo in campo el mio reverito avversario; ma, se me permetta de dir, gran disputa confusa, gran fiacchi argomenti, o per dir meggio, sofismi. Risponderò col mio veneto stil, segondo la pratica del nostro foro, che val a dir col nostro nativo idioma...

Si noterà il passaggio continuo dall'uno all'altro codice, o meglio l'insinuarsi del codice dialettale nella lingua, con articoli e preposizioni venete (*el, de*), sonorizzazioni settentrionali (*segondo* 'secondo': cfr. V.2.13), con l'esito veneto di LJ latino (per *meggio*, qui scritto con un'improbabile doppia *g*: cfr. Rohlfs [1966-1969: I.280]).

5.4. Scritture popolari

Anche nel Settecento, come nelle epoche precedenti (e con maggior larghezza), è dato reperire scritture popolari, di semicolti, nelle quali si ha modo di osservare un uso assai difettoso della lingua scritta, mal conosciuta. Come sempre, questo tipo di situa-

---

[24] Lo scriveva Manzoni nel 1806 [cfr. Migliorini 1978: 609 e Dionisotti 1968: 95]. Doveva essere un'idea corrente, se la ritroviamo anche nel *De périls de la langue italienne* di Stendhal, scritto al tempo del suo soggiorno milanese: «Noi scriviamo dunque in una lingua morta, quando non scriviamo in Veneziano, in Milanese, in Piemontese. Eccoci in mezzo d'un nostro gravissimo male» (cito dalla trad. italiana del saggio di Stendhal, ed. Martino [1923: 145]). Cfr. anche XII.2.

zione comunicativa dà luogo a interferenze del codice dialettale con quello dell'italiano. Alcuni esempi di italiano popolare settecentesco si leggono nella sezione antologica del volume di Matarrese [1993], la quale ha scelto un gustoso e celebre esempio di scrittura settentrionale (di Francesco Elia, servitore di Alfieri), e un esempio di scrittura meridionale (di un carcerato abruzzese, recluso a Portolongone). I due esempi citati appartengono entrambi al genere epistolare, che, assieme alle notazioni di diario e ai quaderni di conti familiari, costituisce la fonte prima di testi di questo genere.

Un italiano di tipo regionale e popolare si rintraccia anche in altre scritture tipiche di questo secolo, prima inesistenti: gli annunci commerciali sulle gazzette, sempre ricchi di parole locali (se ne veda un esempio veneziano in Matarrese [1993: 195]). Anche negli articoli di cronaca giornalistica si rintraccia un italiano di livello assai modesto, caratterizzato da tratti popolari [cfr. l'esempio del 1760 riportato in *ibidem*: 196].

6. Linguaggio teatrale e del melodramma

6.1. L'opera in musica

Il successo dell'opera italiana è nel Settecento molto grande, anche all'estero. «Le tournées dei virtuosi italiani portano l'opera cantata in italiano presso pubblici eterogenei, per lo più ignari della lingua, ma capaci di intendere l'espressione musicale e drammatica. È una nuova ondata di italianismo centrifugo [...], ma un'ondata che fa dell'italiano della diaspora teatrale-musicale la lingua europea del melodramma e del canto. Con la musica *Italia capta feros victores cepit*, e questo proprio mentre il francese si affermava come organo della cultura europea in dominî ben più sostanziali della vita quotidiana e intellettuale» [Folena 1983: 219]. Questo successo della lingua italiana nell'opera per musica contribuì in maniera sostanziale a fissare lo stereotipo dell'italiano come lingua della dolcezza, della cantabilità, della poesia, dell'istinto, della piacevolezza (lingua delle maschere e dei buffoni, anche, stante il successo della commedia dell'arte [cfr. Folena 1983: 221]); il mito insomma dell'«italiano sospiroso e rugiadoso» [cfr. *ibidem*: 223], in contrapposizione al francese lingua della razionalità e della chiarezza, stereotipo che non era difficile volgere a sfavore dell'idioma italiano, in un secolo in cui la poesia ricopriva in fondo un ruolo marginale, e in cui le novità più importanti venivano dalla prosa, spesso di tipo tecnico (cfr. XI.1.2).

Laddove era necessario usare tecnicismi di qualunque tipo, immediatamente l'italiano entrava in crisi, e ciò poteva accadere non solo quando si affrontavano questioni di economia o di scienze naturali, ma persino nel caso in cui fossero in questione i tecnicismi artistici, come quelli della nuova arte del melodramma. Il Martello, nell'importante saggio *Della tragedia antica e moderna* del 1714, scrive infatti: «Nel trattare poscia particolarmente del dramma per musica ha egli [l'autore] adoperato alcune parole che sono per avventura in commercio, ma che però non si leggono nel Vocabolario: e di queste dimanda perdono, che spera di conseguire dagli Academici, trattandosi di termini comunemente accettati in lingua che tuttavia vive e cresce, e che per or non ha in pronto vocaboli equivalenti» (cito da Bonomi [1991: 202]). Molti trattatisti, specialisti dei più svariati campi del sapere, erano costretti a introdurre la terminologia del proprio settore con dichiarazioni di scusa di questo tenore, indirizzate agli Accademici della Crusca, quando (beninteso) non preferivano (come gli illuministi del «Caffè») prendere di punta l'Accademia di Firenze[25].

Nella sua forma positiva, invece, il giudizio sul linguaggio del melodramma portava anche all'estero una valutazione favorevole delle opere italiane. In questo senso una delle più fortunate fu la *Serva padrona* di Pergolesi, rappresentata a Napoli nel 1733, il cui linguaggio è per noi moderni «perfettamente comprensibile, semplice e sempre nuovo, per la ricchezza che si nasconde dietro quell'incantevole semplicità» [Folena 1983: 282]. Il successo di quest'opera all'estero fu grande, e lo stile musicale italiano trovò paladini del calibro di Voltaire, Rousseau, Diderot. Il linguaggio dell'opera influenzò anche l'italiano imparato da alcuni stranieri: celebre è il caso di Voltaire, che scrive lettere in cui entra lessico melodrammatico e aulico [cfr. Folena 1983: 413].

Quanto ai paesi di lingua tedesca, l'italiano, già ampiamente diffuso a Vienna, a Dresda e a Salisburgo, ebbe un nuovo successo con il trionfo dell'opera italiana a Vienna, con Metastasio. Anche Mozart (come già suo padre) conosceva l'italiano, e lo adoperava in forme curiose e vivaci, che spesso scendono verso il familiare, il popolare, il triviale e il giocoso, mescolando a volte italiano, tedesco e persino francese e latino[26]. Questo grande compositore, come tutti sanno, utilizzò libretti scritti dall'italiano Da Ponte, come il *Don Giovanni*, le *Nozze di Figaro*, il *Così fan tutte*, e anche si interessò a testi di Goldoni [cfr. Folena 1983: 432-469 e 440-441].

---

[25] L'Accademia della Crusca fu infatti privata della sua autonomia e fusa con l'Accademia fiorentina, nel clima di riforme illuministe, da Pietro Leopoldo di Toscana, nel 1783 (cfr. Migliorini [1978: 518]; cfr. nota 18 di questo stesso capitolo).

[26] Basti questo brevissimo esempio tratto da un taccuino di Mozart del 1780, citato da Folena [1983: 451]: «à sept heur siamo andati spatzieren in den horto aulico. faceva la plus pulchra tempestas von der Welt» ('alle sette siamo andati a passeggiare nel giardino del palazzo. Faceva il più bel tempo del mondo').

6.2. Il linguaggio di Goldoni

Benché si ritrovino nell'opera di Goldoni alcuni accenni al problema della lingua, non si può certo dire che egli ne fosse assillato. Eppure la rappresentazione scenica richiedeva, nella situazione italiana, uno sforzo notevole di approssimazione. Non esistendo in Italia una vera lingua comune di conversazione, un autore teatrale che volesse simulare il parlato senza imparare la lingua toscana viva era costretto o a ricorrere al dialetto, oppure a impiegare una lingua mista, in cui entrassero elementi diversi, dialettismi, francesismi, modi colloquiali di vario tipo. Goldoni optò via via per l'una o l'altra soluzione: scrisse opere in dialetto veneziano, in italiano, ed infine scrisse anche in francese, essendosi trasferito a Parigi [cfr. Stussi 1998: 914-22]. Il suo francese è stato giudicato una lingua formalmente imperfetta (da un punto di vista ortografico, ad esempio), ma assai vivace e adatta alla scena, ciò che non è poco per un autore trasferitosi oltralpe in età matura.

Goldoni non ambì mai ad essere un teorico dei problemi linguistici del teatro. Anzi, dedicò semmai a questo tema meno spazio di quanto sarebbe legittimo aspettarsi. Nella presentazione della raccolta delle proprie opere toccò comunque la questione:

Quanto alla lingua ho creduto di non dover farmi scrupolo d'usar molte frasi, e voci Lombarde, giacché ad intelligenza anche della plebe più bassa, che vi concorre [al teatro] principalmente nelle Lombarde Città dovevano rappresentarsi le mie Commedie. Ad alcuni vernacoli[27] Veneziani, ed a quelle di esse [commedie] che ho scritte apposta per Venezia mia Patria, sarò in necessità di aggiungere qualche notarella[28], per far sentire le grazie di quel vezzoso dialetto a chi non ha tutta la pratica. Il Dottore che recitando parla in lingua Bolognese, parla qui nella volgare Italiana[29].

Come si vede, l'uso del dialetto, che in scena non costituisce un problema, richiede qualche temperamento in occasione della trasposizione scritta, a stampa, delle commedie. Sparisce il tradizionale bolognese del 'dottore avvocato' (eredità della commedia dell'arte); il dialetto veneziano resta, ma corredato di una serie di chiose per fare intendere anche ai non veneti certe particolarità che altrimenti andrebbero perdute; vengono così spiegati in nota gli elementi di un ipotetico italiano settentrionale, in cui le *careghe* stanno al posto delle 'sedie', *barba* sta per 'zio'; vengono commentati brevemente i tratti idiomatici, i proverbi, le parole del dialetto che l'autore giudica meno trasparenti (ad es. *incocalìo* 'reso stupi-

---

[27] *vernacoli*: nel testo seguito in C. Goldoni, *Opere*, a cura di F. Zampieri, Milano-Napoli, Ricciardi, 1964, p. 195, si legge *idiotismi*.

[28] *notarella*: nel testo cit. alla nota prec. si legge *noterella*.

[29] Cito da C. Goldoni, *Le Commedie*, Venezia, Bettinelli, 1752³, tomo I, p. 16. Sul linguaggio di Goldoni, cfr. Spezzani [1997] e soprattutto Folena [1993].

do', *cagadonào* 'disgraziato' ecc.)[30]. A parte l'uso del puro dialetto, che Goldoni, ovviamente, padroneggiava alla perfezione, e con il quale era perfettamente in grado di rendere qualunque ambiente sociale, da quello popolare a quello borghese, ci interessa qui stabilire quali sono alcune caratteristiche dell'italiano di Goldoni. Mancando, come si diceva, un vero italiano della conversazione, quello perseguito da Goldoni finisce per essere una sorta di «fantasma scenico che ha spesso la vivezza del parlato ma si alimenta piuttosto all'uso scritto non letterario accogliendo in copia larghissima venetismi, regionalismi 'lombardi' e francesismi, accanto a modi colloquiali toscani e a stilizzazioni auliche di lingua romanzesca e melodrammatica» [Folena 1983: 91]. Dialetto e lingua, comunque, non vanno visti necessariamente in opposizione. In certi casi si alternano e confondono in una stessa battuta: «rilevé se el gh'avesse qualche difficoltà», «vechio sordido», «chi vol viver in casa soa, con riguardo, con serietà, con reputazion», «savemo che sé una signora de spirito» (sono esempi tratti dal *Sior Todaro brontolon* e dai *Rusteghi*, evidenziati da Matarrese [1993: 106]). Questo è in fondo un tipico procedimento del parlato, che oscilla tra dialetto e lingua, con commistione di codici, e l'impressione non può che essere di naturalezza e di realismo, oltre che di facilitazione per un lettore non veneto.

Non sarebbe esatto il giudizio di chi, rinnovando certe censure di tipo puristico, celebrasse la vivacità delle commedie dialettali di Goldoni, e avanzasse riserve nei confronti dell'italiano di questo autore, accusandolo di povertà e approssimazione. L'italiano teatrale di Goldoni, è vero, è assolutamente estraneo a preoccupazioni di purezza. Nel presentare l'ed. fiorentina delle sue opere, egli scriveva:

i miei libri non sono testi di lingua [...] io non sono accademico della Crusca, ma un poeta comico che ha scritto per essere inteso in Toscana, in Lombardia, in Venezia principalmente [...] tutto il mondo può capire quell'italiano stile di cui mi ho servito [...] essendo la Commedia una imitazione delle persone che parlano, più di quelle che scrivono, mi sono servito del linguaggio più comune, rispetto all'universale italiano [cito da Matarrese 1993: 107].

Rivendicava dunque il valore pratico, empirico delle sue scelte, al di fuori di ogni teoria o speculazione astratta. E persino nel breve passo citato si possono riconoscere alcuni caratteri di questa prosa di impasto eclettico: così l'arcaismo *tutto il mondo*, modo di dire già trecentesco, ma certo rivitalizzato nel Settecento dal modello del francese *tout le monde* 'tutti' [cfr. Dardi 1992: 80n]; così l'uso dell'ausiliare *avere* con il verbo riflessivo, a cui segue però

---

[30] Gli esempi citati sono tratti dalle note poste da Goldoni al I vol. delle sue commedie stampato a Venezia dal Bettinelli (cfr. nota 29).

subito dopo l'uso dell'ausiliare *essere* («mi ho servito» / «mi sono servito»), a conferma di un'oscillazione ancora presente nell'italiano del tempo (seppur con l'ausiliare *avere* in posizione statisticamente minoritaria), che si risolse definitivamente solo nell'Ottocento.

Lingua non elegante, dunque, quella di Goldoni, ma viva, per quanto ciò era possibile nell'Italia del sec. XVIII. Lingua innovativa, anche, specialmente sul piano della sintassi, che va contro le tendenze tradizionali della prosa accademica italiana. In Goldoni domina una sintassi di tipo paratattico, giustappositivo, asindetico [cfr. Folena 1983: 101], in cui affiorano caratteri propri del parlato e del registro informale, rimasti sempre ai margini della norma grammaticale, come le ridondanze pronominali («Corallina mia, a me mi volete bene?», *La Castalda*, I, 7 [cit. da Matarrese 1993: 109]), o come la cosiddetta 'dislocazione a sinistra' con anticipazione del pronome: «La ricchezza la stimo e non la stimo» (ivi; ma cfr. anche gli spogli di D'Achille [1990]).

7. Linguaggio poetico

7.1. L'Arcadia

Risale al 1690 la fondazione, a Roma, dell'Arcadia (cfr. X.8), movimento che, con le sue diffusissime colonie organizzate in ogni centro italiano, anche nelle piccole località di provincia, fu una palestra poetica di dimensioni gigantesche, e riversò una miriade di versi ispirati a una maniera e a un cerimoniale ridicolo già agli occhi di alcuni contemporanei. Questa grande stagione poetica (grande in termini quantitativi, ovviamente) ebbe come strumento una lingua sostanzialmente tradizionale, ispirata al modello di Petrarca, e intesa a liberarsi degli eccessi della poesia barocca, allontanandosi dal gusto per l'anormale e per lo straordinario che aveva caratterizzato il secentismo. Ciò non vuol dire che non sia possibile trovare qualche ardita metafora anche nei versi degli Arcadi. Coletti [1993: 196] ha segnalato l'uso da parte di Carlo Innocenzo Frugoni dell'immagine del «pino velocissimo» che «dal margine fuggì», per dire che la veloce nave partì dalla banchina del porto. E si potrebbero ricordare i versi di Mascheroni che descrivono il microscopio, sotto la lente del quale si vedono «di verme vil giganteggiar le membra», immagine che probabilmente non sarebbe dispiaciuta ai poeti barocchi.

7.2. Adesione al passato nel linguaggio poetico: la difficoltà del rinnovamento

Vi è nel linguaggio della poesia del Settecento una sostanziale adesione al passato, visibile anche nell'impiego fino alla sazietà della toponomastica e onomastica classica, della mitologia, con relativo largo uso di latinismi e arcaismi. Gli orientali allevatori dei bachi da seta sono chiamati dal Mascheroni «ricchi Sericani», con raro epiteto costruito probabilmente sul latino, mescolandovi reminiscenze letterarie italiane[31]. Parini chiama Voltaire «de la Francia Proteo multiforme», Parigi diventa «gallica Atene» [cfr. Coletti 1993: 203][32]. Quando viene introdotta una parola esotica, che non ha tradizione poetica, se ne addolcisce l'effetto mediante l'aggiunta di epiteti. Nell'*Invito a Lesbia Cidonia* del Mascheroni troviamo «il simo urango» (l'orango 'dal naso schiacciato': *simo* è aggettivo usato da Ariosto, *Orlando furioso*, XVII, ottava 65, quindi di tradizione letteraria; si tratta comunque di un latinismo virgiliano), «il ricinto armadillo» (l'armadillo ricoperto dalla corazza[33], animale noto ai viaggiatori e agli scienziati, ma mai entrato fin qui nella poesia), «il lento bradipo», «il lurido pipa» (*pipa* è un animale anfibio americano). Se manca l'epiteto, come nel caso dell'*ippopotamo*, Mascheroni ricorre almeno allo spostamento d'accento per diàstole: *ippopotàmo*. In Mascheroni troviamo anche l'*ananàs*, senza epiteti né adattamenti, ma in compenso il caffè viene chiamato «legume d'Aleppo», stessa denominazione che si ritrova in Parini [cfr. *GDLI*: s.v.][34]. Sono gli effetti di una tendenza alla nobilitazione che si manifesta a tutti i livelli, talora in tratti minuti, come la proclisi dell'imperativo, nelle forme *t'arresta*, *t'accheta*, *m'ascolta* ecc. In altri casi, con lo stesso scopo (prendere le distanze dalla lingua ordinaria), si fa un largo uso dell'enclisi, distintivo del linguaggio poetico: *sgridonne*, *negommi*, *vadasi*, *parmi*, *rimanti* [cfr. Coletti 1993: 197]. Stessa funzione hanno gli iperbati, molto frequenti, come «la marmorea locò famiglia immensa» (Mascheroni), «la rauca di Triton buccina tace» (Id.), «il linguaggio del ver Fisica parla» (Id.), «te ricca di comune censo / la patria loda» (Parini, *La caduta*). Altri procedimenti vistosi nella poesia del Settecento, a cominciare da quella di Metastasio, sono i troncamenti, specialmente quelli del verbo all'infinito (*arrossir*, *parlar* ecc.), praticamente una soluzione obbligata, a cui si rinuncia solo in casi particolari, come quando in Parini, *L'innesto del vaiuolo*, v. 16, trovia-

---

[31] I *Seres* erano una popolazione dell'Asia celebre per la lavorazione della seta, e d'altra parte i «Sericani» sono un popolo orientale che si ritrova citato nei poemi di Boiardo e di Ariosto.

[32] *Gallico* o *gallo* per 'francese', quanto a uso poetico, è antico: cfr. ad esempio Ariosto, *Orlando furioso*, III, ottava 49: «quando la gallica face / per tutto avrà la bella Italia accesa». Ebbe fortuna nel Settecento (si pensi al citato Parini, o ad Alfieri e al suo *Misogallo*).

[33] Per *ricinto* 'corazzato', cfr. Tasso, *Gerusalemme liberata*, XIII, ottava 23: «d'aspro diamante / *ricinto* il cor».

[34] Parini, però nel *Giorno* usa anche *caffè*. Nella prima redazione del poema si legge «empie / L'aria il caffè»; nella seconda si legge «empie / L'*aere* il caffè»; anche qui, dunque, la parola moderna e prosastica è accostata ad una parola poetica.

mo la rima *guidare : mare*. Il troncamento, in questo caso, avrebbe avuto una leggerezza fin troppo metastasiana. In Metastasio, infatti, il cantabile venne spinto fino ai limiti della massima facilità, nella forma dell'*arietta*, nella quale trovano posto anche massime e proverbi, alcuni dei quali passati nel patrimonio mnemonico comune, tanto era facile la loro memorizzazione[35]. I troncamenti, come gli abbondanti arcaismi e latinismi, hanno lo scopo di distinguere la poesia dalla prosa, di salvare cioè i versi (specialmente quando essi si rivestono di un abito sintattico e lessicale semplice) dal rischio di scivolamento nel prosastico (*romor, ancor, mentitor* ecc.). Il rischio della prosasticità è tanto più in agguato in un autore come Metastasio, che usa un lessico ridotto e una sintassi elementare. Tra due termini, si tende dunque a scegliere quello più raro e letterario, ancorché banale: *duolo* piuttosto che *dolore, brando* anziché *spada, talamo* anziché *letto*. Sono caratteristiche che resteranno a lungo nel linguaggio poetico italiano, e che resisteranno anche nell'Ottocento, almeno fino alla stagione delle avanguardie novecentesche e al Crepuscolarismo. Il Settecento è probabilmente il secolo in cui questo linguaggio si stabilizza e si collega a un orizzonte tematico non necessariamente di tipo elevato e sublime, anche perché, si noti, la poesia del Settecento affronta temi nuovi: basti pensare alla fortuna della poesia didascalica (Mascheroni) e di quella morale, alla maniera del Parini. Ciò significa che non si rifugge dall'attualità, dai temi moderni, e purtuttavia lo si fa ricorrendo a una sostanziale nobilitazione verbale degli oggetti comuni. Come osserva ancora Coletti [1993: 199], si parla di bachi da seta e di vermicelli (lo avevano fatto, del resto, anche i poeti del Barocco), ma il gallo resta pur sempre il «cristato augello» (nei versi di Zaccaria Betti); l'aggettivo era stato usato ben prima da Sannazaro, che aveva parlato del «cristato gallo» [cfr. *GDLI*: III.966]. Anche quando l'argomento sembra richiedere un particolare impiego di parole legate all'attualità, come nelle odi di Parini *L'innesto del vaiuolo* o *La salubrità dell'aria*, il ricorso alla tradizione e al tessuto saldo della lingua classica evita ogni asprezza realistica, tanto che non si va certo oltre a quanto aveva fatto Marino parlando dell'anatomia umana (cfr. X.5.2). Nel *Giorno* ci sono però molti termini tecnico-pratici che rinviano alla vita quotidiana, come *cioccolatte, ipocondria, pastiglie, ventaglio* [cfr. Coletti 1993: 202].

---

[35] Celeberrima è l'arietta «Se a ciascun l'interno affanno / si leggesse in fronte scritto...», dal *Giuseppe riconosciuto*; quanto alle massime, Alfieri [1986: 146] sottolinea la struttura a coppia di questi versi, dall'*Adriano*: «Non è ver che sia la morte / il peggior di tutti i mali. / È un sollievo de' mortali / che son stanchi di soffrir». Il linguaggio di Metastasio, in questi come in altri casi, è caratterizzato da una grande semplicità, sia nella sintassi sia nella scelta del lessico.

7.3. La poesia didascalica

È interessante verificare che cosa succede quando un tessuto linguistico di questo genere, ispirato ad una costante nobilitazione del dettato attraverso scelte lessicali tradizionali, deve affrontare le novità della scienza, come accade nella poesia didascalica. Questo tipo di poesia ha una certa fortuna nel Settecento, in quanto incarna ideali di divulgazione e di progresso, e celebra i successi della ricerca scientifica, come nell'*Invito a Lesbia Cidonia* di Mascheroni, dove Lesbia Cidonia (si noti la convenzione di gusto arcade) viene guidata a visitare i laboratori dell'università di Pavia. Molti degli esempi che abbiamo suggerito qui sopra sono appunto tratti da questo esemplare componimento.

8. La prosa letteraria

8.1. Semplificazione e linearità sintattica

Includeremo nella categoria della 'prosa letteraria' la prosa saggistica del Settecento, una prosa che in questo secolo rappresenta uno dei nuclei più solidi della produzione culturale. È la prosa saggistica, anche attraverso l'influenza delle lingue straniere, ad avviarsi verso una sostanziale semplificazione sintattica. In questo processo, dunque, «scienziati e tecnici appaiono in prima linea» [Serianni 1993: 528]. Molti scriventi invocano il confronto salutare con la tradizione francese e inglese. Lo fa Baretti nella «Frusta letteraria», lo fa Alessandro Verri in un intervento sui *Difetti della letteratura* pubblicato sul «Caffè». In questo scritto egli dichiara la propria ammirazione per l'*ordine* della scrittura francese e per la brevità della scrittura inglese. Lamenta, viceversa, la «penosa trasposizione» dello stile italiano, la «vanità» dei vocaboli selezionati in base a criteri retorico-formali. Sono argomenti non diversi, nella sostanza, da quelli proposti con tanto radicalismo nella *Rinunzia avanti notaio* (cfr. XI.3). In realtà la disinvoltura con cui Alessandro Verri liquidava le questioni retorico-formali in nome del primato dei contenuti non va presa troppo sul serio. O meglio, non va sottovalutato l'interno dramma che si svolgeva in un autore apparentemente così sicuro della propria polemica, in realtà certo più intimamente tormentato dalle questioni linguistiche. A parte alcuni marginali ripensamenti dell'autore stesso, che qualche anno dopo pare abbia avvertito come eccessivamente provocatorio e aspro il tono usato nella *Rinunzia* [cfr. Migliorini 1978: 512n], è interessante ricordare che Alessandro Verri non andò immune da scrupoli grammaticali, testimoniati da postille autografe apposte ai manoscritti delle *Notti romane* [cfr. Serianni 1993: 538]. Le *Notti romane*, che ebbero molto successo, sono un esempio di prosa la quale, coerentemente con il tema (la rievocazione dei grandi spiriti della Roma classica), si propone quale nobile modello neoclassico, ispirato all'antico, con latinismi e con una generale sostenutezza oratoria, che può forse stupire in uno scrittore che aveva invocato dalle colonne del «Caffè» una vera e propria rivoluzione linguistica. Da una parte, insomma, i Riformatori auspicavano uno stile tutto 'cose', piano, divulgativo, moderno, libero, dall'altra non solo facevano fatica a realizzare tale stile, ma molte volte addirittura vi rinunciavano. Va osservato, però, che il nobile decoro di cui fa uso Alessandro Verri nelle *Notti romane* non presenta (se non altro) alcun cedimento al fiorentinismo cruscante, l'avversario con cui se l'era presa nel corso delle polemiche antipuristiche.

Non vi è dubbio che la tradizione italiana rendeva difficile lo scrivere piano, come si deduce facilmente dalle generali lamentele di cui abbiamo già avuto modo di parlare: quasi tutti invidiano o dicono di invidiare inglesi e francesi per la loro lingua agile, priva di inversioni sintattiche. Serianni [1993: 530] ha proposto un confronto tra l'*incipit* dell'originaria redazione autografa del trattato *Dei delitti e delle pene* di Cesare Beccaria e quello dell'edizione a stampa. La differenza salta agli occhi: tra i due testi intercorre una sostanziale revisione stilistica, che ha per oggetto una semplificazione del periodo. La stesura originale, si noti, passò per le mani di Pietro Verri, che certo ebbe parte in questa semplificazione delle strutture sintattiche. L'obiettivo della chiarezza, dunque, veniva perseguito dagli illuministi, seppure con fatica, e non sempre con successo. Né il risultato era necessariamente uno stile 'bello'. Baretti, ad esempio, accusava di scriver male l'abate Genovesi [cfr. Puppo 1966: 213], e analoga accusa venne da lui rivolta (con più violenza) a Goldoni[36]. Si può supporre che Baretti intendesse che in Genovesi, scrittore tutto 'cose', non si trovava la piacevolezza del dire, il brio[37]. Inoltre gli pareva a volte oscuro. Baretti, per contro, fu sempre maestro di stile vivace, e diede prova di una *verve* comica la quale ricorda da vicino la vivacità satirica di un cinquecentista come Annibal Caro. Pur non essendo toscano, Baretti si era impadronito dei toscanismi, anche di quelli di livello popolare, e li sapeva usare con larghezza, in una scrittura spesso molto ironica e polemica (capolavoro di Baretti è la *Frusta letteraria*, un periodico in forma di bollettino bibliografico, pubblicato tra il 1763 e il 1765; su di esso recensì senza peli sulla lingua

---

[36] Cfr. la recensione alla *Bottega del caffè* sulla «Frusta letteraria», XIV, del 15 aprile 1764, in cui accusava Goldoni di scrivere in maniera barbara, senza «lindura» e senza «energia». Probabilmente uno scrittore stravagante e mistilingue come Baretti era infastidito dal registro piano e 'comune' adottato da Goldoni nelle commedie.

[37] Si noti che Baretti ammirava il Genovesi come pensatore; arrivava a dire, paradossalmente, dopo averlo accusato di essere oscuro e noioso nello stile, che era un'«aquila» nel pensare, e un «pollo» nell'esprimere i suoi pensieri («La Frusta letteraria», 15 ottobre 1763). Il dissacrante paragone è tipico del guizzante stile polemico di Baretti.

le novità del periodo, come abbiamo visto, suscitando non poche polemiche).

8.2. La prosa di Vico

Assai particolare e diversa dalle tendenze più interessanti del secolo è la prosa di un grande pensatore come Giambattista Vico. Da giovane, Vico aveva aderito al 'capuismo', cioè al movimento arcaizzante del filosofo e scienziato napoletano Leonardo Di Capua (1617-1695; su di lui cfr. Vitale [1986: 173-272]), il quale imitava fedelmente i modelli toscani antichi. Nella *Scienza nuova* di Vico si riconoscono arcaismi e latinismi, in una sintassi che spesso è ben diversa dall'armonica struttura classicistica ricca di equilibrio cara alla tradizione italiana boccacciana e bembiana. Si possono trovare nella prosa di Vico delle vere e proprie cascate di subordinate [cfr. Serianni 1993: 537], mentre alcune *degnità* hanno la forma di pensieri brevi e lapidari.

8.3. Alfieri

Controcorrente dichiara di voler andare anche Vittorio Alfieri, che non perse occasione per parlar male della lingua francese e per descrivere il proprio faticoso apprendimento del toscano classico. Alfieri inaugurò anche il soggiorno a Firenze come pratica di lingua viva, un modello che fu poi molto imitato nell'Ottocento; anche se in realtà la Firenze di Alfieri è completamente diversa da quella che affascinerà i cacciatori di lingua viva e parlata dell'età romantica, ed è piuttosto una sorta di mito letterario-archeologico, frutto di una «*translatio* letteraria-civile di Atene o di Roma: capitale letteraria di un'entità storica, non geografica» [Beccaria 1976: 111]. Ci restano anche dei suoi appunti, in cui le parole toscane sono affiancate agli equivalenti francesi o piemontesi [cfr. l'ed. di Beccaria 1983]. Si noti che lo stesso Alfieri iniziò nel 1774-1775 in lingua francese il suo diario personale, per passare poi all'italiano nel 1777; nell'annotazione del 17 aprile di quell'anno parla della «difficoltà [...] somma» che aveva nello scrivere italiano, e del suo desiderio di farsi uno «stile» [cfr. ed. Binni 1949: 21]. Sono le tracce della 'conquista' dell'italiano di cui tanto si parla nella *Vita*.

Nelle tragedie di Alfieri lo stile dell'autore si caratterizza per un volontario allontanamento dalla normalità ordinaria e dal 'cantabile', allontanamento ottenuto attraverso ogni sorta di artificio retorico, in particolare attraverso la trasposizione sintattica e la spezzatura delle frasi [cfr. Beccaria 1976]. Proprio questa scelta stilistica rende tale linguaggio tragico assai arduo per il nostro gusto di moderni, e del resto l'asprezza' o 'durezza' del dettato gli veniva già rimproverata da alcuni contemporanei, mentre altri celebravano l'avvento di un vero autore tragico, finalmente, anche in Italia [cfr. Sorella 1993: 778].

Molto più agevole di quella delle tragedie è la lettura della briosa *Vita* alfieriana, la quale, in larga parte, è proprio un'avventura linguistica, perché descrive il cammino verso la lingua toscana di un giovane aristocratico piemontese, nato in una regione in cui l'italiano non era affatto di casa, e in cui si parlava spesso francese.

1. Purismo: il culto del passato

All'inizio dell'Ottocento, anche per reazione contro l'egemonia della cultura francese e contro l'invadenza della lingua d'oltralpe, esportata e imposta in forme sovente autoritarie durante l'Impero napoleonico[1], si sviluppò un movimento che va sotto il nome di «Purismo». Questo termine (inizialmente nato per polemica[2]) indica in sostanza un'«avversione e una intolleranza di ogni innovazione, di ogni influsso straniero, di ogni tecnicismo, di ogni neologismo», avversione dettata «da motivi or letterari, or retorici, or nazionalistici e politici» [Vitale 1986: 37]. Un atteggiamento del genere ebbe per inevitabile conseguenza un forte antimodernismo, e il culto dell''epoca d'oro' della lingua, identificata nel remoto passato, nel Trecento. Ne derivava un vagheggiamento acritico dell'antico, un mito del sec. XIV come epoca felice della lingua, un disprezzo dei tempi presenti, e infine una teoria della storia linguistica intesa, pessimisticamente, come progressiva caduta[3]. È evidente che la tradizione linguistica italiana offriva, con il tradizionalismo cruscante e con il culto del fiorentino arcaico (si pensi alle teorie di Salviati: cfr. IX.5.3 e X.1), salde basi sulle quali edificare teorie puristiche più o meno rigide. Quello che maggior-

---

[1] Persino Foscolo, nel 1798, reagiva con spirito patriottico contro l'invadenza della lingua francese, scrivendo questi sarcastici versi in un sonetto rivolto all'Italia: «...il toscano tuo parlar celeste // Ognor più stempra nel sermon straniero, / Onde, più che di tua divisa veste, / Sia il vincitor di tua barbarie altero».

[2] Cfr. Cesari [1847: 47]: «[coloro che coltivano il toscano] ne son messi in croce, e chiamati per istrazio *Linguisti* e *Puristi*». Il passo è evidenziato anche da Vitale [1986: 26].

[3] Era esattamente il contrario di quanto credevano gli ultimi seguaci del pensiero settecentesco, gli *Idéologues* ammiratori della filosofia di Condillac (presenti anche in Italia), fiduciosi in un progresso della lingua moderna verso la razionalità e la chiarezza.

mente sorprende nella rinascita puristica dell'inizio dell'Ottocento è tuttavia l'assoluta inattualità di questo pensiero rigidamente normativo, la sua chiusura verso il nuovo, che non ne impedì la fortuna, e anzi sembrò persino cancellare il ricordo dell'illuminata filosofia linguistica di Cesarotti (cfr. XI.3). Dionisotti [1967: 121] ha parlato, molto opportunamente, riferendosi al Purismo, di una dottrina «così debolmente e sgraziatamente presentata e così vigorosamente combattuta» da rendere persino difficile per noi intendere le ragioni della sua sopravvivenza e durata. Dionisotti si riferiva in questo caso alla diffusione delle teorie elaborate da colui che può essere definito il capofila del Purismo italiano, il padre Antonio Cesari (1760-1828), veronese[4], autore di libri religiosi, di novelle, di studi danteschi, ma soprattutto celebre per la sua attività di lessicografo (cfr. XII.4.1) e per la *Dissertazione sopra lo stato presente della lingua italiana*[5], vero manifesto del conservatorismo purista. Secondo Cesari, «tutti in quel benedetto tempo del 1300 parlavano e scrivevano bene. I libri delle ragioni de' mercatanti, i maestri delle dogane, gli stratti delle gabelle e d'ogni bottega menavano il medesimo oro...» [Cesari 1847: 8]. Il canone della perfezione linguistica (l''oro' della lingua, appunto) veniva dunque esteso (come già aveva fatto Salviati, e forse in misura maggiore) ben al di là delle opere degli autori, massimi o minori che fossero. Si dichiarava qui di apprezzare non solo la letteratura, ma anche le umilissime scritture quotidiane, le note contabili, i libri dei mercanti fiorentini...[6].

A parte il discutibile mito puristico delle origini, vagheggiate come età della perduta perfezione, poco offriva Cesari. Egli non si dimostrava nemmeno in grado di stabilire che cosa fosse quella

[4] Ma un veronese che «assiduamente leggendo, e ben ricercando ne' Classici Fiorentini» pensava di essere arrivato a «intendere e veder meglio d'un Fiorentino», come scriveva nella presentazione del suo vocabolario.
[5] La *Dissertazione* fu premiata nel 1809 dall'Accademia Italiana di Scienze Lettere ed Arti di Livorno, che aveva bandito un concorso l'anno precedente. L'Accademia di Livorno, «con un'iniziativa che va inquadrata nel risveglio linguistico filotoscano promosso in quegli anni da Napoleone» [Serianni 1989a: 42], aveva stabilito un premio per la miglior trattazione del seguente tema: «Determinare lo stato presente della lingua italiana, e specialmente toscana: indicare le cause, che portar la possono verso la sua decadenza, ed i mezzi acconci per impedirla». La *Dissertazione* di Cesari fu pubblicata nel 1810. Un'edizione degli scritti linguistici del Cesari è ora annunciata: cfr. Cesari [*in stampa*].
[6] In questo grande indiscriminato ampliamento dei modelli, Dionisotti [1967: 120-121] ha visto una sorta di rivoluzione del gusto, una «prima e decisiva frattura della aristocratica tradizione linguistica e retorica del Cinquecento». Nel Purismo farebbe insomma la sua comparsa il mitico binomio 'popolo - natura' che sarà caro anche ai romantici. Il suggerimento di Dionisotti non deve però far dimenticare che i romantici furono sempre risoluti oppositori di ogni forma di Purismo, anche perché avvertivano perfettamente che il 'popolo' di Cesari era morto e defunto, che il suo ideale linguistico precludeva ogni forma di comunicazione con l'Europa moderna e aveva anzi come inevitabile conseguenza l'isolamento culturale.

bellezza della lingua di cui parlava continuamente come una sorta di ineffabile entità mistica: «Ella [la bellezza] è cosa che ben può esser sentita, non diffinita, se non così largamente: ché nella fine questa bellezza non torna ad altro, che a un Non so che» [Cesari 1847: 9]. E arrivava persino a riproporre l'inautenticità del *De vulgari eloquentia* di Dante, secondo i vecchi argomenti dibattuti nel sec. XVI, ma ormai superati e sicuramente improponibili ([cfr. *ibidem*: 89-90]; per la questione della falsità del trattato dantesco, cfr. IX.2.4).

Se Cesari è il capofila del Purismo, molte sono le figure che si muovono nell'àmbito di questo movimento. Alcune di esse hanno una singolare autonomia ed originalità. Il marchese Basilio Puoti (1782-1847), ad esempio, napoletano, tenne una scuola libera e privata, dedicata all'insegnamento della lingua italiana, intesa in base a una concezione puristica meno rigida di quella di Cesari, più disponibile verso gli autori del Cinquecento. Fu il maestro di allievi diventati poi celebri, come De Sanctis e Settembrini. Entrambi ne serbarono sempre un ricordo affettuoso. Settembrini insistette sul contenuto 'patriottico' del purismo di Puoti, tramandando fra l'altro nelle *Ricordanze della mia vita* (parte I, VII) la seguente affermazione di costui: «Se io vi dico di scrivere la vera lingua d'Italia, io voglio avvezzarvi a sentire italianamente, e avere in cuore la patria nostra». Settembrini, pur molto lontano dal Purismo, ne giustificava l'esistenza come una embrionale forma di sentimento nazionale, manifestatasi nel momento in cui gli italiani non avevano una vera patria, ma la lingua sola teneva il «luogo di patria e di tutto». Quanto a De Sanctis, nello scritto autobiografico *La giovinezza* ricorda i contenuti della scuola di Puoti: «Egli [Puoti] ci spiegò che la base della scuola era la buona e ordinata lettura di trecentisti e cinquecentisti [...]. Solo dopo un par d'anni ci erano consentiti i cinquecentisti; i moderni poi vietati affatto, massime i poeti» [Gioanola 1969: 55]. Puoti fu autore di varie opere didattiche, tra le quali una fortunata e pregevole grammatica scolastica, ristampata più volte nella prima metà dell'Ottocento.

Lo scrittore Carlo Botta (1766-1837) fu pienamente solidale con il Cesari. Fu autore di una *Storia della guerra della indipendenza degli Stati Uniti d'America* (1809) in cui la lingua piena di arcaismi cozza con il contenuto moderno. Serianni [1989a: 89-90] ha fatto notare come, oltre a parole obsolete quali *civanza* 'utile, guadagno' (voce tipicamente fiorentina), *misfare* 'far male' ecc., l'autore usi i nomi antichi dei venti al posto delle designazioni dei punti cardinali: «Verso *tramontana* la terra si divide in due parti quasi a guisa di due corna, delle quali quella che guarda verso *greco* chiamano punta di Hudson, e quella che è volta a *maestro* punta di Barton».

Un altro purista tra i più fanatici, Luigi Angeloni, fu animato da atteggiamenti politici libertari, e fu tribuno della Repubblica romana nel 1798-1799. La fedeltà al Purismo da parte di una figura come quella dell'Angeloni, dello stesso Botta, e anche il contenuto dell'insegnamento di Puoti, sono tutti elementi che rendono problematico accettare l'interpretazione del Purismo stesso come ideologia perfettamente corrispondente a un ideale reazionario, liberticida e austriacante [cfr. De Mauro 1972: 280]. Inoltre l'efficacia pratica del Purismo, nella sua incredibile durata temporale, si realizzò anche in seguito, nella seconda metà del secolo, dopo l'Unità italiana, quando l'insegnamento di molte scuole fu improntato a metodi che discendevano ancora dalle idee di Puoti e di Cesari [cfr. Raicich 1981: 97 ss.]: i *Fatti di Enea*, il *Novellino*, le prediche del Cavalca restavano tra i libri fondamentali per l'educazione dei giovani. Gli effetti si fecero sentire, e quei modelli influirono pesantemente sulla stessa capacità di produrre testi propria di ragazzi la cui formazione era avvenuta attraverso letture artificiosamente arcaiche: come ricorda Raicich [1981: 120], Pasquale Villari (1826-1917) ebbe a raccontare di una sua nipotina tredicenne, la quale aveva inviato alla madre un racconto in cui entrava questo periodo di sapore vistosamente passatista: «Allora messer lo corvo, per la molta maninconia, fece grande cordoglio»[7]. Per fortuna il modello puristico trovava un argine negli altri due modelli che gli contendevano spazio nella didattica scolastica, quello classicistico e quello manzoniano, dei quali esamineremo più avanti le ragioni teoriche.

2. La «Proposta» di Monti e le reazioni antipuristiche

Lo scrittore Vincenzo Monti, all'apice della sua celebrità letteraria, ebbe la forza e l'autorevolezza per porre un freno alle esagerazioni del Purismo. Fin dal 1813 egli, maestro nell'arte del sarcasmo, dimostrò di non sopportare Cesari, che definì il *grammuffastronzolo di Verona*, pittoresco epiteto ricavato dalle *giunte* stesse del Cesari alla Crusca[8]. Dalle colonne del «Poligrafo» di Milano, Monti rinfacciò a Cesari di aver dato una versione del Vocabolario della Crusca apparentemente più ampia, in realtà di aver solamente «raccolto e insaccato a ribocco tutte quelle voci ch'eransi a bello studio dagli Accademici repudiate e dannate come lordure»[9]. In seguito la polemica assunse una dimensione ancor più

---

[7] *Far cordoglio* per 'elevare un lamento' è in G. Villani, in Boccaccio (*Decameron*, II, 7), e poi in altri autori fiorentini. *Maninconia* per 'malinconia' è variante usata fra l'altro da G. Villani, Sacchetti, Burchiello, L.B. Alberti, L. de' Medici, Poliziano, Berni. Quanto all'uso dell'articolo *lo* dopo *per*, uso teorizzato dal Bembo, esso è durato a lungo, e lo si ritrova ancora in Leopardi, nel giovane Carducci e nella I ed. dei *Promessi Sposi* [cfr. Serianni 1988: 144].

[8] È un epiteto che ricorre, ovviamente, in lettere private di Monti [cfr. Dardi 1990: 96].

[9] Cito il passo dall'articolo di Monti (comparso su «Il Poligrafo», nn. XXVII-XXVIII del settembre 1813) da Dardi [1990: 134].

ampia, perché la critica antipurista di Monti arrivò a colpire lo stesso Vocabolario della Crusca, così come era stato realizzato nel corso di una lunga tradizione accademica. Le polemiche linguistiche montiane compongono la serie di volumi intitolata *Proposta di alcune correzioni ed aggiunte al Vocabolario della Crusca*, uscita dal 1817 al 1824, con un'appendice nel 1826. Quest'opera va ricordata non solo quale pietra miliare nel dibattito sulla questione della lingua, ma anche come importante tappa nella storia della lessicografia italiana. Gran parte della *Proposta*, infatti, era costituita dalla ricerca di errori compiuti dai vocabolaristi fiorentini, errori dovuti anche alla loro scarsa preparazione filologica.

La *Proposta*, pur dominata dalla tirannica figura di Monti, si presentava come un'opera d'*équipe*, in cui entravano parti diverse, alcune propriamente storico-linguistiche (affidate a Giulio Perticari: cfr. I.1.6), altre di vera e propria teoria lessicografica, come il *Parallelo del Vocabolario della Crusca con quello della lingua inglese compilato da Samuele Johnson e quello dell'Accademia spagnola*, saggio firmato da «G.G.», sigla del lessicografo piemontese Giuseppe Grassi, autore del *Dizionario militare italiano* (1817), e più tardi del *Saggio intorno ai sinonimi* (1821). Anche il *Parallelo* del Grassi confermava la tesi generale espressa in tutte le pagine della *Proposta*: il Vocabolario della Crusca era inadeguato, caratterizzato da una visione angusta della lingua. Monti, pur senza sottolineare esplicitamente il legame, si riallacciava alla lezione settecentesca di Cesarotti, al suo *Saggio sulla filosofia delle lingue*[10]. Alla stessa tradizione, ma in maniera più esplicita, si riallacciava Ludovico di Breme, intellettuale piemontese attivo nel gruppo romantico milanese, il quale dalle colonne del «Conciliatore» appoggiava la polemica di Monti contro il Vocabolario della Crusca e contro ogni forma di Purismo, invocando però allo stesso tempo un atteggiamento di critica ancor più drastica nei confronti della tradizione italiana [cfr. Marazzini 1989a: 204-214]. Vi è dunque una certa differenza tra le posizioni del classicista Monti e quelle del romantico Breme. Entrambi, tuttavia, criticarono e condannarono il Vocabolario della Crusca, comune nemico[11]. Questo scontro con gli accademici e con i puristi mosse le acque della riflessione linguistica nel nostro paese. Tra i romantici milanesi circolò anche, pur rimanendo inedito, uno scritto di Stendhal intitolato *Des périls de la langue italienne* ('I pericoli della lingua italiana'), ispirato al

---

[10] Sul legame tra il classicismo di primo Ottocento e la tradizione illuminista sono stati in realtà formulati giudizi diversi [cfr. Timpanaro 1969 e Corti 1969: 161-191].

[11] Un'appendice del *Grand Commentaire* di Ludovico di Breme, pubblicato nel 1817 a Ginevra, contiene riflessioni «sur les vicissitudes du langage, à propos de la langue italienne, et du système des *puristes*». Anche qui vengono svolti argomenti fortemente critici contro il conservatorismo linguistico propagandato da Cesari e Botta.

sensismo e alle teorie degli *Idéologues* seguaci di Condillac. Anche questo scritto condannava con forza il Purismo, e inoltre metteva a fuoco molto bene (l'esame era condotto infatti con l'occhio critico di uno straniero esperto e appassionato di cose italiane) la particolare situazione linguistica del nostro paese, caratterizzato dalla vitalità dei dialetti e dall'artificiosità della lingua letteraria[12]. Si veda questo passo tratto dalla traduzione italiana del *Des périls* fatta fare nello stesso 1818 da Stendhal, realizzata in un italiano spesso zoppicante dal suo amico milanese Giuseppe Vismara [cfr. Martino 1923: 140-141]:

> Tosto che un uomo ben educato vuol esprimere con forza ed esatezza [*sic*] il sentimento che lo anima, ricorre immediatamente ad un termine del suo dialetto. Eco [*sic*] l'immenso pericolo che minaccia d'ingojare in tre quattro secoli la lingua del Dante e dell'Ariosto. [...] Il bell'italiano, l'italiano che si scrive non è *unico*: al primo leggere un libro scritto, come si dice, puramente, si riconosce tosto se questo sorte da piuma[13] lombarda, veneziana o napoletana. [...] [Appena gli scrittori si allontanano dalle espressioni dialettali] essi scrivono in una lingua *morta*. Ecco il nome terribile della malatia [*sic*] da cui l'italiano è travagliato.

Fu Manzoni ad affrontare radicalmente questo problema.

3. La soluzione manzoniana alla 'questione della lingua'

3.1. Gli scritti editi e inediti di Manzoni sulla lingua italiana

Come abbiamo visto nel paragrafo precedente, tra i romantici milanesi si dibatteva attorno al problema, già sollevato nel Settecento (cfr. XI.5.2), dell'italiano in tutto o in parte simile a una lingua 'morta': una lingua, cioè, che si imparava dai libri, che si utilizzava per la letteratura e per le occasioni ufficiali, valida per il piano 'nobile' della comunicazione, ma inadatta ai rapporti quotidiani e familiari, per i quali era molto più facile e funzionale usare il dialetto, quando non addirittura una lingua straniera come il francese. Manzoni si trovò a fare i conti con una situazione del genere, l'affrontò con determinazione, e le sue idee, maturate nella stesura dei *Promessi Sposi*, poi divenute una teoria linguistica di portata generale e di alto valore sociale, influirono profondamente, collaborando a mutare la situazione dell'italiano, rendendo la nostra lingua più viva e meno letteraria, o almeno offrendo un modello di letterarietà diverso da quello tradizionale.

---

[12] Su questo scritto di Stendhal, cfr. Vitale [1982]; lo si legge in Stendhal, *Journal littéraire*, texte établi et annoté avec préface et avant-propos par P. Martino. Postface et notes complémentaires par V. Del Litto, Paris-Genève, Champion, 1970, vol. III.

[13] *sorte da una piuma*: calco sul francese *sortir d'une plume*, 'uscire da una penna'. Cfr. anche milanese *sortì* 'uscire' [cfr. Cherubini: s.v.].

La teoria linguistica manzoniana segna una svolta nelle discussioni sulla 'questione della lingua'. Di ciò si accorsero anche i contemporanei, come dimostra la vivacità del dibattito attorno alle proposte dello scrittore. Solo nel nostro secolo, tuttavia, è stato apprezzato appieno lo sforzo teorico del grande milanese. La sua teoria linguistica non può essere oggi rivisitata solo sulla base degli interventi noti ai contemporanei, ma deve essere giudicata alla luce degli scritti postumi. Alcune delle sue pagine migliori e più profonde stanno in una serie di carte private, che non arrivarono alla forma di saggio organico e definitivo: nel 1974 sono state pubblicate le cinque redazioni del trattato *Della lingua italiana* (un migliaio di pagine a stampa), su cui Manzoni lavorò per circa trent'anni. Ciò ha portato gli studiosi a riesaminare la teoria manzoniana, la quale dimostra di avere alle spalle una riflessione ancor più tormentata di quanto si potesse supporre [cfr. Poma-Stella 1974] [14]. Si può affermare che Manzoni, negli interventi pubblici, non esibì affatto il lavoro teorico che aveva perseguito per anni. In vita, dunque, egli curò la pubblicazione di interventi più brevi e occasionali, come la *Lettera al Carena* (datata 1847, ma stampata nel 1850), la *Relazione* del 1868 al ministro Broglio, la *Lettera intorno al libro 'De vulgari eloquio' di Dante Alighieri* (1868), la *Lettera intorno al Vocabolario* (1868), l'*Appendice alla Relazione* (1869). Dopo la morte di Manzoni fu pubblicata la *Lettera al Casanova* (che risale al 1871); quindi uscirono man mano diversi altri frammenti e manoscritti, tra i quali alcuni capitoli del libro *Della lingua italiana*. La pubblicazione di queste carte avvenne in varie occasioni, e fu attuata con criteri diversi. Particolarmente importanti furono i volumi IV (1891) e V (1898) delle *Opere inedite o rare*, curati da Ruggero Bonghi e da Giovanni Sforza. Nel 1932 fu pubblicato, a cura di Domenico Bulferetti, il «*Sentir Messa*», un «Libro della lingua d'Italia» anch'esso lasciato incompiuto dallo scrittore. La mole e complessità degli scritti postumi e inediti sulla tematica linguistica, come si è detto, supera largamente quella degli scritti editi.

3.2. La scoperta del fiorentino vivo

Manzoni affrontò la 'questione della lingua' a partire dalle sue personali esigenze di romanziere. Iniziò ad occuparsi del problema

[14] Tra i primi ad esortare a un riesame del pensiero linguistico di Manzoni è stato Bruni [1983]. Un importante richiamo a interpretare la linguistica di Manzoni in riferimento alla cultura del Settecento in cui egli si era formato, è venuto da Dardano [1985 e 1987]; cfr. anche Bolelli [1987]. In questi saggi si troverà anche una bibliografia esauriente della ricchissima serie di studi oggi esistenti sulla linguistica di Manzoni, a cui ci si può accostare attraverso Vitale [1990] e Nencioni [1993].

della prosa italiana (il linguaggio poetico, per contro, non era oggetto di discussione) fin dal 1821, con la stesura del *Fermo e Lucia*, redazione iniziale dei *Promessi Sposi* (ora in Caretti [1971: I.1-617]). Questa prima fase, che si riflette in una lettera al Fauriel (3 novembre 1821), viene definita come «eclettica», nel senso che egli cercava di raggiungere uno stile duttile e moderno mediante il ricorso a vari elementi, utilizzando il linguaggio letterario, ma senza vincolarsi ad esso alla maniera dei puristi, anzi accettando francesismi e milanesismi, o applicando la regola dell'analogia. Questa descrizione della propria lingua letteraria fu data da Manzoni stesso nella seconda introduzione al *Fermo e Lucia*, del 1823, dove prendeva ormai le distanze dallo stile 'composito', e lamentava la propria naturale tendenza al dialettismo, ammettendo il (provvisorio) fallimento: «Scrivo male: e si perdoni all'autore che egli parli di sé [...]» (cito il testo dall'ed. Caretti [1971: I.9]; cfr. anche Vitale [1990: 75]). Nel *Fermo e Lucia* il toscano affiora come termine di confronto. Si veda, ad esempio, l'episodio in cui Fermo (il futuro Renzo), fattosi aggressivo, con la mano che scivola «forse inavvertitamente» sul coltello, costringe Don Abbondio a confessare il nome di colui che si oppone alle nozze con Lucia:

«Che pensare? Mi si è coperta la vista,» rispose Fermo; un Toscano avrebbe detto: non vedo più lume. E continuò [...][15].

Da dove aveva tratto Manzoni l'informazione sulla forma toscana *non veder lume*? Il Vocabolario della Crusca, sotto la voce 'Lume', registra «*Non veder lume*, vale esser sopraffatto da alcuna passione», con il corredo del seguente esempio del predicatore trecentesco fra Giordano da Rivalta: «Sorpresi dalla immensa caligine dell'ira, *non vedevano lume*». E il vocabolario milanese del Cherubini (cfr. XII.4.5), seguendo anch'esso la Crusca, registra «*Quatass la vista*. Non veder lume. Essere sopraffatto da alcuna passione...». Nel *Fermo e Lucia*, come si vede, l'espressione messa in bocca a Renzo è quella ricalcata direttamente sul dialetto lombardo (in lombardo *quatass* vuol dire 'coprirsi').

La seconda fase, che Manzoni chiamò *toscano-milanese*, corrisponde alla stesura dei *Promessi Sposi* per l'edizione del 1825-1827. In questo caso lo scrittore cercava di utilizzare una lingua genericamente toscana, ma ottenuta per via libresca, attraverso vocabolari e spogli lessicali, secondo un metodo documentato anche dalle postille alla copia in suo possesso del Vocabolario della Crusca nell'edizione veronese di Cesari. Molte di queste postille mostrano il fastidio dello scrittore, che dopo aver consultato testi e vocabolario non era ancora in grado di sapere con certezza se le forme linguistiche che lo interessavano fossero vive o ormai

---

[15] Cito il testo da Caretti [1971: I 30].

obsolete. Ecco ad esempio che cosa Manzoni annotava, con enfasi risentita, di fronte a un esempio del predicatore medievale Cavalca riportato dal vocabolario, in cui risultava il costrutto «avere misericordia *in* qualcuno», così commentato dal vocabolarista: «Si usa con l'IN... alla Latina, *In eum* verso quello» [Isella 1964b: 46]:

> Si usa? come lo sapete? perché il Cavalca l'ha usato una volta? E perché l'ha usato *alla latina*? traducendo? È questa l'idea dell'Uso?

Come si vede, Manzoni sembra qui avviare una sorta di contraddittorio polemico con il suo vocabolario, mentre in lui matura un diverso concetto di 'uso', legato non più a un eventuale lontano impiego letterario, ma alla vita della parola in una vera comunità di parlanti. In diverse postille dimostra inoltre di essere attirato dalle concordanze tra dialetto milanese e linguaggio fiorentino. Ad esempio, sotto «AVERE che fare» Manzoni riporta una frase di Sacchetti in cui ricorre l'espressione «ebbono assai che fare di potere acchetare la moltitudine», e quindi annota [Isella 1964b: 45]:

> Corrisponde appuntino al milanese: aver da fare. *Avoir bien de la peine.*

In questo caso viene proposto, cosa non infrequente, il confronto con l'equivalente francese: Manzoni utilizza insomma gli strumenti che gli sono familiari (il dialetto, il francese) per approfondire la conoscenza del toscano.

Questo studio libresco, comunque, non poteva bastare. In lui maturò un concetto di 'uso' molto più vitale e innovativo. Nel 1827 Manzoni fu a Firenze, e il contatto diretto con la lingua toscana suscitò una reazione decisiva: in una lettera del 1828 a Leopoldo II di Toscana parla della «delizia di vivere in codesta lingua» (cito da Vitale [1990: 150]). A partire dal 1830 ca. la riflessione linguistica di Manzoni si sviluppò con maggior impegno, sia nelle varie stesure del già citato trattato *Della lingua italiana*, sia nel *Sentir messa*. L'esito pubblico di questo travaglio fu la nuova edizione dei *Promessi Sposi*, nel 1840-1842, corretta per adeguarla all'ideale di una lingua d'uso, resa scorrevole, piana, purificata da latinismi, dialettismi ed espressioni letterarie di sapore arcaico (cfr. XII.7.3; cfr. anche Bonora [1976: 125-161] e Vitale [1992c]). Si trattava del linguaggio fiorentino dell'uso colto, senza alcun eccesso di affettazione locale o ribobolaia (come ammisero anche gli avversari di Manzoni, a cominciare da Ascoli: cfr. XII.5.4). Nel 1847, in una lettera al lessicografo piemontese Giacinto Carena, Manzoni espresse la propria posizione definitiva, auspicando che la lingua di Firenze completasse quell'opera di unificazione che già in parte si era realizzata proprio sulla base di quanto vi era di vivo nella lingua letteraria toscana.

3.3. La «Relazione» del 1868

Nel 1868, a notevole distanza cronologica dal romanzo, lo scrittore ormai anziano rese pubbliche in una *Relazione* al ministro Broglio le ragioni per le quali gli pareva che il fiorentino dovesse essere diffuso attraverso una capillare politica linguistica, messa in atto nella scuola, ad opera degli insegnanti, e proposta in forma di generalizzata educazione popolare. Proponeva anche che si realizzasse un vocabolario della lingua italiana concepito su basi nuove, affiancato da agili vocabolari bilingui, capaci di suggerire le parole toscane corrispondenti a quelle proprie delle varie parlate d'Italia. Questa proposta cadeva in anni decisivi, tra l'Unità d'Italia e la presa di Roma. La *Relazione* del 1868, inoltre, nasceva da una richiesta ufficiale, fatta dal ministro dell'Istruzione, il manzoniano Broglio, che aveva invitato a proporre le più efficaci strategie per diffondere l'italiano tra il popolo della nazione. Era la prima volta, insomma, che la 'questione della lingua' si collegava così strettamente a una questione sociale, finalizzata all'organizzazione della scuola e della cultura nel nuovo Regno d'Italia.

Quest'ultima fase della riflessione linguistica manzoniana coincise però con una vivace polemica. Intellettuali come Tommaseo e Lambruschini presero le distanze da Manzoni, rivendicando la funzione degli scrittori nella regolamentazione della lingua, sollevando dubbi di varia natura sul primato assoluto dell'uso vivo' di Firenze. Presero ugualmente le distanze da Manzoni altre note personalità del tempo, come Luigi Settembrini, lo scrittore Vittorio Imbriani, il filologo Pietro Fanfani[16]. In quel dibattito 'a caldo' si fronteggiarono e si riproposero tutte le posizioni della 'questione della lingua', da quelle retrive e conservatrici fino a quelle più aperte e progressiste (così, ad esempio, può essere definito il breve intervento di Settembrini, riportato in parte da Marazzini [1977: 62-65], il quale affermava fra l'altro: «il pensiero fa la lingua, non la lingua fa il pensiero [...]. Se volete una *buona* lingua, dovete prima fare una *buona* Italia»).

3.4. Influenza della teoria manzoniana

La teoria manzoniana, benché si possa ammettere che i suggerimenti pratici contenuti nella *Relazione* del 1868 fossero poco efficaci, ebbe tuttavia effetti rilevanti. Ciò si spiega prima di tutto con la forza di penetrazione dei *Promessi Sposi*, modello esemplare di prosa elegante e colloquiale al tempo stesso, di cui non si era

---

[16] Cfr. su questo dibattito Marazzini [1976 e 1977] e Monterosso [1972].

mai visto l'uguale nel nostro paese. Paradossalmente, il modello manzoniano, ispirato all'uso vivo, diventò subito qualche cosa che si poteva imparare attraverso l'imitazione di un modello scritto. Quel modello sembrava davvero aver la capacità di liberare la prosa italiana dall'impaccio della retorica; era l'antidoto ai difetti messi in evidenza dal manzoniano Ruggero Bonghi nel bel saggio *Perché la letteratura italiana non sia popolare in Italia*[17]. Questo saggio, uscito nel 1855 a puntate su di un giornale di Firenze, in seguito in volume, riprendeva molti temi che erano stati propri anche della trattatistica settecentesca, la quale aveva sovente lamentato l'inferiorità dell'italiano rispetto al francese nel campo delle letture piacevoli e divulgative (cfr. XI.1.2). Bonghi, inoltre, analizzava lo stile di diversi grandi scrittori italiani, da Boccaccio a Machiavelli, da Daniello Bartoli a Giordani, e individuava i 'difetti' di costruzione e le inversioni che ne rendevano faticosa la lettura. In alternativa proponeva uno stile piano, adatto a una piacevole conversazione, senza paludamenti classicistici.

L'esempio di Manzoni, inoltre, favorì la prassi della 'risciacquatura in Arno', il soggiorno culturale a Firenze allo scopo di acquisire familiarità con la lingua parlata in quella città. È un'esperienza narrata anche da De Amicis nel vivace racconto *Quello che si può imparare a Firenze*, contenuto nelle *Pagine sparse* (1876) [cfr. Marazzini 1977: 83-100]. L'azione dei manzoniani (interpreti più o meno coerenti della teoria del maestro) fu in effetti assai efficace; presto essi divennero una piccola schiera, estremamente agguerrita, pronta a combattere una battaglia sul fronte dell'educazione scolastica: si pensi che fu manzoniano Luigi Morandi, precettore di Vittorio Emanuele III. Influì sugli insegnanti un libro come l'*Idioma gentile* del già citato De Amicis (1905), divulgatore non sempre perfettamente coerente con l'insegnamento del Maestro, ma abile nel trasformare l'astratta teoria in una serie di aneddoti, di esempi e di esercizi pratici[18]. La borghesia italiana, nella babele linguistica della nazione appena unificata, aveva appunto bisogno di libri del genere, facili e concreti. Da questo punto di vista, servì a poco la stroncatura dell'*Idioma gentile* fatta da Benedetto Croce (contrario ad ogni concetto di «lingua modello», assertore della libertà espressiva individuale). L'unico freno al diffondersi della teoria manzoniana nel mondo della scuola fu probabilmente il prestigio di un poeta-professore come Carducci, irriducibile avversario del 'popolanesimo' toscaneggiante, pronto a sferzarlo con la sua satira.

---

[17] Su Bonghi, cfr. Covino [1987]. Il libro di Bonghi è stato ristampato a cura di Villa [1971].
[18] Sulla teoria linguistica di De Amicis, cfr. Coletti [1985], Marazzini [1986], Hall [1986].

3.5. Alcune idee-guida della linguistica manzoniana negli scritti postumi

Come si è accennato, il «sistema» teorico della linguistica di Manzoni va giudicato alla luce degli scritti postumi, soprattutto il trattato *Della lingua italiana*. Quest'opera permette di confrontare il suo pensiero non solo con gli avversari più facilmente riconoscibili, ma anche con alcuni interlocutori rimasti in ombra agli occhi degli stessi contemporanei. La presenza di alcuni avversari è scontata: è evidente, ad esempio, che Manzoni si oppose al Purismo di Cesari, dal quale lo divideva la coscienza netta che la 'naturalezza' della lingua non poteva essere cercata in una congerie di modelli scritti, in un *corpus* filologico eterogeneo e arcaico. È altrettanto evidente (ne è conferma la sua interpretazione del *De vulgari eloquentia*) che Manzoni era avverso alle teorizzazioni dei classicisti, i quali affidavano le sorti della lingua alla responsabilità degli scrittori, non al sovrano potere dell'uso. Abbiamo visto che la teoria dell''uso vivo di Firenze' si formò nella sua mente piano piano, attraverso approssimazioni successive; solo più tardi questa meditazione si trasformò in una proposta pubblica. Vale però la pena di sottolineare che la soluzione manzoniana alla 'questione della lingua' aveva alle spalle una speculazione filosofica raffinata, diretta in gran parte alla confutazione del pensiero materialistico del Settecento[19]. Una buona parte dell'incompiuto saggio *Della lingua italiana* è dedicata a combattere le teorie di Condillac sull'origine del linguaggio: Manzoni accettò la tesi della lingua come dono divino, ribadendo la sua piena fiducia nella narrazione della Bibbia; negò che potesse essere mai esistita una società senza lingua, o un uomo senza linguaggio. L'origine della lingua gli pareva un problema mal posto; rifiutava l'idea che il linguaggio avesse avuto origine dalle onomatopee e dalle interiezioni, perché ciò avrebbe implicato la nascita delle idee dalle sensazioni. Manzoni non mostra di ricavare nulla dalla nuova scienza linguistica comparativa. Egli restò legato a una polemica contro la filosofia del Settecento, contro gli *Idéologues*, che aveva frequentato a Parigi nella giovinezza, prima della conversione. Spazzato via il problema della formazione del linguaggio, Manzoni, tentando di definire la natura di esso, elaborò il principio fondamentale dell'*adeguatezza*: una lingua viva è quella che basta a dire tutto quanto si dice attualmente nella società che si serve di quella lingua; la lingua può arricchirsi via via; essa deve essere concepita come un'interezza, al di là dell'uso individuale. Non è accettabile il concetto (puristico, o classicistico) di «lingua modello», perché la forma della lingua non esiste se non nella lingua in atto. Le lingue, di per sé, sono mutabili, come

---

[19] Sui risvolti filosofici del pensiero linguistico di Manzoni, cfr. Formigari [1990: 199-222] e Dardano [1987]. Cfr. anche Matarrese [1983] e Vecchio [2001].

abitazioni che ripariamo mentre continuiamo a risiedervi, come edifici fatti con materiali preesistenti (queste sono metafore ricorrenti nello scrittore). Il pensiero linguistico di Manzoni, basato su questa mutabilità, rifiuta il concetto di 'legge', così come contesta il valore ontologico delle categorie grammaticali. Nella lingua l'eccezione e l'irregolarità valgono quanto la regola, e le leggi sono tutt'al più «classificazioni d'accidenti», derivate dall'abitudine di far classi sulla base dei fenomeni grammaticali più vistosi, trascurandone altri [cfr. l'ed. Poma-Stella 1974: 416].

4. Realizzazioni lessicografiche

4.1. Grandi dizionari della prima metà dell'Ottocento

L'Ottocento è stato il secolo dei dizionari: una stagione splendida per ricchezza di produzione e per qualità, oltre che per varietà di realizzazioni. Per valutare appieno il progresso compiuto, si pensi che parlare di lessici in Italia, riferendosi al periodo che intercorre tra il sec. XVI e il sec. XVIII, equivale essenzialmente ad occuparsi del Vocabolario della Crusca, quasi unico protagonista delle discussioni. Nell'Ottocento, invece, il quadro si complica vistosamente. Va osservato tuttavia che anche nel sec. XIX il dibattito lessicografico prese le mosse dalla Crusca, sia in riferimento alle idee linguistiche della vecchia accademia, sia (soprattutto) in riferimento alla rivisitazione extratoscana del Vocabolario degli Accademici, realizzata nel 1806-1811 dal padre Antonio Cesari di Verona, capofila del Purismo (cfr. XII.1), la cosiddetta 'Crusca veronese'. Cesari aveva riproposto il Vocabolario della Crusca con una serie di *giunte*, allo scopo di esplorare ancor più a fondo il repertorio della lingua antica, la lingua trecentesca, ripescata non soltanto negli scritti dei grandi autori, ma anche nei minori e minimi, poco colti e semipopolari.

Dopo la Crusca veronese di Cesari si ebbero diverse altre realizzazioni lessicografiche degne di rilievo. Tra il 1833 e il 1842 fu pubblicato il *Vocabolario della lingua italiana* di Giuseppe Manuzzi, anch'esso nato da una revisione della Crusca. Manuzzi fu un purista come Cesari, e il suo vocabolario, per quanto corretto e accurato, conferma la tendenza di una parte della cultura italiana ad assestarsi nel solco del passato, a radicarsi in esso. Sono sostanzialmente delle riproposte della Crusca, seppure con varie aggiunte e correzioni, anche il *Dizionario della lingua italiana* in sei volumi di Francesco Cardinali, Francesco Orioli e Paolo Costa, la cui pubblicazione iniziò a Bologna nel 1819, e il *Dizionario della lingua italiana* in sette volumi di Luigi Carrer e Fortunato Federici, uscito a Padova tra il 1827 e il 1830, comunemente detto «della Minerva», dal nome della tipografia che lo stampò. Entrambi i vocabolari, quello di Bologna e quello di Padova, dichiarano di aver integrato la Crusca con le voci attinte dall'Alberti di Villano-va[20], dalla *Proposta* di Monti, e (ovviamente) anche dalla Crusca veronese di Cesari.

Le opere citate possono dare l'impressione di una certa monotonia, di una mancanza di originalità, per il tentativo di sommare l'esistente mediante l'accumulo di 'giunte', aggiunte al vocabolario di base, che era pur sempre quello della Crusca. La somma delle 'giunte' avveniva in maniera piuttosto meccanica, senza che si ripensasse in maniera nuova e originale la struttura stessa dell'opera lessicografica. Questa debolezza è verificabile anche nella forma grafica: un asterisco è il segno generalmente scelto per contrassegnare tutte le voci non presenti nella Crusca, le quali, pertanto, risultano riconoscibili al primo colpo d'occhio. Questa soluzione può risultare comoda per identificare in maniera rapida le novità introdotte, ma allo stesso tempo è anche prova di una difficoltà nell'amalgamare l'insieme, dell'impossibilità di tagliare di netto con il passato. Persino gli esperimenti lessicografici più notevoli e innovativi prendevano pur sempre le mosse dalla Crusca, anche se poi se ne distanziavano in maniera critica[21].

Tra il 1829 e il 1840 la società napoletana Tramater diede alle stampe il *Vocabolario universale italiano*, la cui base era ancora la Crusca, ma rivista in maniera sostanziale; l'opera aveva un taglio tendenzialmente enciclopedico, e dedicava particolare attenzione alle voci tecniche, di scienze, lettere, arti e mestieri, nel solco di quanto aveva voluto fare alla fine del Settecento il lessicografo nizzardo Alberti di Villanova (cfr. nota 20). Il vocabolario dell'Alberti è giustamente considerato un elemento di novità, così come lo è il *Vocabolario universale italiano*, detto «Tramater» dal nome della società tipografica napoletana che lo stampò. L'opera si segnala (come ha notato Serianni [1989a: 64-65]) per il superamento delle definizioni tradizionali. I vocabolari del passato avevano fatto riferimento a conoscenze presupposte nel lettore, definendo ad esempio il *cane* come 'animal noto', o il *cavolo* come 'erba nota', e via di questo passo. Nel Tramater, invece, la definizione zoologi-

---

[20] F. D'Alberti di Villanova pubblicò tra il 1797 e il 1805 a Lucca un *Dizionario universale critico enciclopedico della lingua italiana* in sei volumi, particolarmente innovativo, anche per la ricchezza delle voci tecnico-pratiche. Si può dire che fu la prima opera lessicografica a segnare una svolta e a porsi come realistica alternativa alla Crusca [cfr. Mura Porcu 1990 e Della Valle 1993: 65-67].

[21] Non è diverso, almeno all'inizio, il caso del milanese Giovanni Gherardini (il librettista della *Gazza ladra* di Rossini). Egli non realizzò mai un'opera sistematica, ma il suo lavoro servì spesso da modello ad altri. Fra il 1838 e il 1840, Gherardini aveva dato i due volumi di *Voci e maniere di dire italiane additate a' futuri vocabolaristi*, pieni di osservazioni critiche alla Crusca e di riferimenti ad altri lessici stampati nella prima metà del secolo, come la Crusca Veronese, il Manuzzi, i vocabolari di Bologna e di Padova. Più tardi, nel 1852-1857, le *Voci* furono rifuse nei sei volumi del *Supplimento a' Vocabolarj italiani*, l'opera maggiore di Gherardini.

ca e botanica poggia sulla precisa classificazione scientifica, per cui il *cane* è la «specie di mammifero domestico appartenente all'ordine de' carnivori ed al genere dello stesso nome, che ha sei denti incisori trilobati alla mascella superiore...», e il *cavolo* è «genere di piante della tetradinamia siliquosa, famiglia delle crucifere...». Per ricchezza e apertura verso il nuovo, il vocabolario Tramater riuscì il migliore disponibile sul mercato italiano, e avrebbe mantenuto questo primato, se non fosse stato superato dal Tommaseo-Bellini, che oscurò il destino di tutti i concorrenti.

4.2. Il «Dizionario» di Tommaseo

È stato osservato [cfr. Folena 1977: 4] che nessun vocabolario dell'Ottocento si avvicina nemmeno lontanamente alla qualità del *Dizionario* di Tommaseo (poi portato a termine da Bellini). Il progresso è sostanziale, anche perché quest'opera si caratterizza per l'originalità, legata anche alla singolare figura dell'autore. Nicolò Tommaseo, quando concluse con l'editore Pomba di Torino il contratto che l'avrebbe portato a dedicare quasi tutto il suo tempo al vocabolario, era già noto come lessicografo, soprattutto per i *Sinonimi* (cfr. XII.4.4). Il sodalizio con l'editore si segnala anche per le sue implicazioni socioculturali. Si trattava di un'iniziativa concepita da un imprenditore editoriale moderno, lontano dai santuari della lessicografia tradizionale, soprattutto lontano da Firenze, e anzi in una regione come il Piemonte, la cui marginalità geografica aveva avuto conseguenze particolari[22]. Per realizzare l'opera, Pomba dovette rivolgersi a un intellettuale non piemontese, a Tommaseo, appunto. Quanto l'editore sentisse la responsabilità per l'operazione compiuta, è facile verificare attraverso la presentazione che egli stesso firmò, data «Torino, 15 giugno 1861», e posta sotto il segno di una frase in epigrafe ricavata dal trattato *Dell'uso e dei pregi della lingua italiana* di Galeani Napione: «la Lingua – si legge in quella citazione – è uno de' più forti vincoli che stringa alla Patria». Il vocabolario si presentava dunque all'insegna dei tempi nuovi, sotto l'auspicio dell'unità politica appena raggiunta.

Tommaseo si preoccupò di illustrare attraverso il proprio dizionario le idee morali, civili e letterarie, ed effettivamente «molti termini politici e civili entrano qui per la prima volta in un vocabolario italiano» [Folena 1977: 4]. In questo settore sono abbondantemente presenti le «[T.]» con cui Tommaseo firmò le voci.

[22] In Piemonte, l'italiano era stato considerato un elemento estraneo, un bene da conquistare attraverso il lungo studio, con la fatica di chi arriva alla lingua partendo da un dialetto molto diverso, condizionato dalla forte influenza della cultura d'oltralpe [cfr. Marazzini 1984 e 1991].

Tra queste, *comunismo* (ma bollato con doppia croce)[23], così come *positivismo*, entrambe le voci accompagnate da una definizione umorale, per nulla oggettiva, nello stile del lessicografo che forse più di tutti gli altri volle riversare passionalità nella propria opera. Uno dei punti di forza del nuovo vocabolario era, oltre alla mole e all'abbondanza di lemmi, la strutturazione delle voci. Il criterio seguito non consisteva nel privilegiare il significato più antico o etimologico, ma nel dichiarare «l'ordine delle idee», seguendo un criterio logico, a partire dal significato più comune e universale, ordinando gerarchicamente gli eventuali significati diversi di una parola, individuati da numeri progressivi, e privilegiando sostanzialmente l'uso moderno, pur documentando allo stesso tempo, attraverso esempi attinti agli scrittori delle varie epoche, l'uso del passato. Il criterio dell'uso moderno, dunque, veniva temperato dalla documentazione dell'uso antico. Di fatto, proprio per la sua capacità di coniugare il criterio della sincronia con quello della diacronia, quello di Tommaseo riuscì il primo vero vocabolario storico della nostra lingua, pur con innegabili difetti, e con una strutturazione che a volte può tuttavia apparire disordinata o ridondante (cfr. a questo proposito le osservazioni di Serianni [1992b: 332]).

Abbiamo accennato alla 'soggettività' di Tommaseo, che si esprime anche in una sede tradizionalmente 'oggettiva' come dovrebbe essere (almeno all'apparenza) un vocabolario. Già abbiamo detto delle voci *comunismo* e *positivismo*. Aggiungiamo che sotto la prima egli trova modo di inserire il proprio dissenso, così come sotto *socialismo* («il solito *-ismo* di mal augurio: ci viene di Fr[ancia]»; anche qui, si noti, due croci bollano la parola). Celebre è rimasta la faziosità contro Leopardi, dimostrata nel compilare la voce *procombere* (marcata con altre due croci): «l'adopra un verseggiatore moderno, che per la patria diceva di voler incontrare la morte[24] [...] Non avend'egli dato saggio di saper neanco sostenere virilmente i dolori, la bravata appare non essere che rettorica pedanteria». Tommaseo, però, oltre agli umori e ai giudizi soggettivi, riversa nel suo vocabolario anche un eccezionale senso della lingua, frutto di letture estesissime, di schedature larghissime. Nella storia dell'intera lessicografia italiana, forse proprio per questo motivo, il suo vocabolario è quello che meglio concilia la dimensione del tempo presente (tempo che il lettore sente continuamente vivo e pulsante) e quello della durata, visto che ancora oggi càpita che si ricorra occasionalmente al dizionario di Tommaseo.

---

[23] Le croci, nelle convenzioni lessicografiche, contrassegnano le parole morte o comunque da evitarsi.

[24] Leopardi, nella canzone *All'Italia*, aveva scritto: «Nessun pugna per te? non ti difende / Nessun de' tuoi? L'armi, qua l'armi: io solo / Combatterò, procomberò sol io» (vv. 36-38).

4.3. Il vocabolario manzoniano

Già la relazione *Dell'unità della lingua e dei mezzi di diffonderla* del 1868 (cfr. XII.3.3) si conclude con la proposta di un vocabolario, ma completamente diverso da quelli fin allora realizzati. Secondo Manzoni, si trattava di scindere le due funzioni che si erano confuse nei vocabolari italiani, i quali avevano voluto ad un tempo mostrare l'uso vivente, e documentare gli esempi degli scrittori del passato. Questa seconda finalità doveva invece essere rinviata a lessici appositi, di tipo esclusivamente storico, mentre la funzione primaria doveva essere solamente quella di indicare l'uso vivo di Firenze. Il secondo obiettivo proposto da Manzoni nella *Relazione* del 1868 stava nella realizzazione di una serie di vocabolari dialettali i quali suggerissero l'esatto equivalente fiorentino. Il vocabolario, dunque, veniva utilizzato come uno strumento primario di intervento linguistico, sopravvalutando (ammettiamolo pure) la sua reale efficacia.

Manzoni non vide il compimento del vocabolario che aveva ispirato: alla sua morte, nel 1873, si era appena avviata la pubblicazione del *Novo vocabolario della lingua italiana secondo l'uso di Firenze*, il cosiddetto «Giorgini-Broglio», dal nome dei due manzoniani che si accollarono il lavoro. L'uno era il genero di Manzoni, l'altro era il ministro che aveva nominato la Commissione del 1868. La realizzazione si trascinò per lungo tempo (le prime dispense uscirono nel 1870, ma l'opera si conclude solo nel 1897). Il Giorgini-Broglio non arrivò mai ad un largo pubblico, anche per la concorrenza di altre iniziative lessicografiche che pur si collocavano su di una linea non troppo diversa, come il *Vocabolario della lingua parlata* di Rigutini-Fanfani (1875) e il *Nòvo dizionàrio universale della lingua italiana* di Policarpo Petrocchi (1887-1891). Quest'ultimo realizzò una sorta di compromesso tra l'impostazione nuova e quella tradizionale, perché divise la pagina in due fasce sovrapposte, relegando nella fascia bassa il lessico 'arcaico', che secondo l'impostazione manzoniana andava invece eliminato.

Il Giorgini-Broglio «scomparve quasi del tutto dalla circolazione e rimase confinato in uno stato di semiclandestinità, dal quale almeno oggi sarebbe giusto e opportuno trarlo fuori» [Ghinassi 1979: 18-19]. Alle spalle del vocabolario manzoniano c'era un modello alternativo a quello italiano: Manzoni aveva guardato al *Dictionnaire de l'Académie française*, e ne aveva applicato i principi alla nostra lingua; infatti la realizzazione del vocabolario da lui voluto introduceva una novità tipica del *Dictionnaire*: erano aboliti gli esempi d'autore (presenti, oltre che nella Crusca, anche nell'opera di Tommaseo). Al posto delle citazioni tratte dagli scrittori, il Giorgini-Broglio presentava una serie di frasi anonime, testimonianza dell'uso generale. Allo stesso tempo venivano eliminate le voci arcaiche.

4.4. Dizionari puristici, dizionari di sinonimi e dizionari metodici

Fin dall'inizio del sec. XIX, nel clima del Purismo (cfr. XII.1), si manifestò la tendenza a raccogliere repertori di voci da proscrivere, realizzando uno strumento di consultazione con uno scopo opposto a quello del comune vocabolario. Il vocabolario raccoglie e definisce le parole degne di essere usate, o comunque adoperate dagli scrittori del passato. I repertori di voci da proscrivere, invece, si presentano come musei dell'orrore, riunione di parole da evitare. Nel 1812 il primo vero e proprio dizionario puristico era stato compilato da Giuseppe Bernardoni, capo divisione del ministero dell'Interno nel Regno Italico, su sollecitazione dello stesso ministro. Giovanni Gherardini replicò nello stesso 1812 al Bernardoni, dando un elenco di *Voci italiane ammissibili benché proscritte dall'Elenco del sig. Bernardoni*, mostrando che molte voci avevano in realtà esempi d'autore, che altre erano state ricavate legittimamente per derivazione e per analogia; infine Gherardini richiamava (giustamente) la necessità di non esagerare con le minuzie linguistiche, visto che gli impiegati pubblici avevano altro di meglio da fare che «stizzir sui lessici e sugli *elenchi*». Nel corso del secolo, comunque, i lessici di parole vitande si moltiplicarono, ed ebbero un certo successo editoriale[25]. Di tutti il più famoso è probabilmente il *Lessico della corrotta italianità* di Fanfani e Arlìa (1877), che nella seconda edizione (1881) divenne il *Lessico dell'infima e corrotta italianità*. Ebbe anche fortuna la raccolta dei *Neologismi buoni e cattivi più frequenti nell'uso odierno* di Rigutini (1866). Molte di queste opericciuole escono dall'àmbito strettamente lessicografico, ed entrano piuttosto in quello della pedagogia linguistica e dell'educazione popolare.

Comune a tutti i vocabolari puristici è la lotta contro dialettismi e francesismi, i quali il più delle volte sono di fatto tranquillamente entrati nella nostra lingua, come *egoista* e *massacrare*, condannati da alcuni rigidi censori. I francesismi, in particolare, costituivano secondo costoro la fonte di 'imbarbarimento' della lingua italiana (al francese veniva insomma attribuita l'azione negativa che oggi qualcuno ritiene abbia l'inglese: la funzione corruttrice viene assegnata di volta in volta alla lingua egemone a livello internazionale). La lettura dei dizionari puristici resta interessante anche oggi, non solo per il radicalismo di queste opere, che genera non di rado involontaria comicità, ma anche a scopo documentario, in quanto spesso questo tipo di dizionario ci permette di ricavare informazioni sull'uso comune del tempo. Possiamo inoltre

---

[25] Possiamo ricordare l'*Aiuto allo scrivere purgato o meglio correzione di moltissimi errori di lingua di gramatica e di ortografia* di Antonio Lissoni (1831), il *Vocabolario di voci e frasi erronee al tutto da fuggirsi nella lingua italiana* di Gaetano Valeriani (1854), il *Vocabolario di parole e modi errati che sono comunemente in uso* di Filippo Ugolini (1855). Cfr. comunque Zolli [1974: 7-66].

trovare catalogati quei barbarismi la cui vita è stata effimera, o non è andata oltre all'uso popolare e regionale, come *papetiere* per 'cartolaio', *minuziere* (*minusiere*) per 'falegname' (Ugolini).

È interessante notare che, parallelamente ai dizionari puristici, continuò la tradizione di coloro che compilarono 'difese' delle parole poste sotto accusa, così come aveva fatto Gherardini rispondendo al Bernardoni: nel 1858-1860 uscì il *Dizionario di pretesi francesismi e di pretese voci e forme erronee della lingua italiana* di Prospero Viani.

Il quadro della produzione lessicografica ottocentesca non sarebbe completo senza un riferimento ad alcune realizzazioni d'altro genere, destinate a usi specifici, a particolari funzioni o settori. Tommaseo, ad esempio, aveva colto uno dei suoi primi allori con il celeberrimo *Dizionario dei sinonimi* del 1830 (in seguito ampliato e ritoccato), un'opera ancora ristampata nel nostro secolo. Alla base delle ricerche sui sinonimi [cfr. Giovanardi 1987: 381-496], dopo gli studi sull'argomento elaborati dalla cultura francese del Settecento, c'era la coscienza che la perfetta sinonimia non esiste, e che tra vocabolo e vocabolo passa pur sempre una differenza, magari sottile, legata alla disparità tra idea 'comune' e idea 'accessoria'. Ad esempio, per spiegare la diversità tra i termini *confratello, collega* e *socio*, Tommaseo notava come il concetto comune stesse nell'idea di «vincolo sociale», mentre poi ognuno dei termini si distingueva per la sua specifica idea accessoria: *confratello* per quella di «religione», *collega* per quella di «ufficio», *socio* per quella di «utile». E ancora, per specificare la maggiore o minore prossimità dei concetti, Tommaseo faceva notare che «*mare* e *fiume* non sono sinonimi, perché l'idea comune *acqua* è molto lontana; ma *fiume* e *corrente* lo sono, perché l'idea comune d'acqua che corre, è più prossima».

Negli anni in cui maturava l'Unità, fu maggiormente avvertita la necessità di lessico tecnico (si veda la bibliografia dei vocabolari specializzati allestita da Zolli [1973]). Pesava sull'italiano, come avevano lamentato gli illuministi del Settecento, l'ipoteca letteraria: la nostra era una lingua che possedeva le parole per la poesia, per il poema, per il melodramma. Restava da provare la ricchezza e vitalità dell'italiano nei settori pratici, nelle tecniche applicate, nell'amministrazione. La lingua italiana, anzi, dimostrava di essere particolarmente debole, o poco utilizzabile, proprio nel settore tecnico-pratico e familiare. A questo problema cercò di sopperire fin dalla prima metà del secolo un lessicografo intelligente come il piemontese Giacinto Carena, la cui fama presso i posteri è ingiustamente legata quasi soltanto alla lettera critica indirizzatagli da Manzoni. Il suo *Prontuario di vocaboli attenenti a parecchie arti, ad alcuni mestieri, a cose domestiche, e altre di uso comune; per saggio di un vocabolario metodico della lingua italiana* si compone di due parti: la prima è il *Vocabolario domestico* (1846), la seconda il *Vocabolario metodico d'arti e mestieri* (1853). Si noti che Carena non

solo attinse a fonti libresche e lessicografiche, tra le quali anche la
Crusca veronese di Cesari e il dizionario dell'Alberti di Villanova,
ma si preoccupò, come egli stesso dichiara, di verificare l'uso vivo
toscano, a Firenze e altrove. Nella sua opera non mancava dunque
la documentazione della lingua viva. Manzoni, tuttavia, gli con-
trappose una concezione di vocabolario domestico rigorosamente
sincronica, alla quale egli non volle affatto adeguarsi [cfr. Marello
1984]. Carena era convinto che i vocaboli non usati dagli artigiani
di Firenze, ma documentati da ottimi libri, potessero essere accolti
come a loro modo 'vivi' e 'italiani'. La prefazione al secondo volume del *Prontuario* costituisce una vera e propria risposta alle osservazioni rivoltegli da Manzoni dopo la pubblicazione del primo
volume. L'opera di Carena inaugurò comunque una stagione flori-
dissima per la lessicografia metodica, che produsse una notevole
quantità di titoli [cfr. Marello 1980].

4.5. Dizionari dialettali

L'Ottocento fu anche il secolo d'oro della lessicografia dialettale. Risalgono a questo periodo tutti i più importanti vocabolari
del genere, per la maggior parte insostituiti. L'esigenza di queste
opere fu determinata da una serie di concause: l'interesse romantico per il popolo e per la cultura popolare, a cui seguì la curiosità
della linguistica per il dialetto, considerato non più 'italiano corrotto', ma una parlata con la sua dignità, i suoi documenti, la sua
storia parallela a quella della lingua nazionale. Lo studio dei dialetti si accompagnò a una profonda curiosità per le tradizioni popolari e anche per le forme letterarie della cultura orale, canti e
racconti (basti citare la celeberrima raccolta di canzoni epico-liri-
che piemontesi allestita da Costantino Nigra). Non è un caso, insomma, che, proprio mentre si realizzava l'Unità d'Italia, ci si des-
se tanto da fare per lo studio dei dialetti. Ciò non avveniva affatto
in funzione antiunitaria e antinazionale, ma anzi serviva proprio
per scoprire le tradizioni italiane. La casa editrice Pomba, che si
sarebbe poi segnalata per la grandiosa iniziativa del dizionario di
Tommaseo, nel 1859 aveva stampato il *Gran dizionario piemonte-
se-italiano* di Vittorio di Sant'Albino; già nella presentazione di
questo dizionario dialettale l'editore annunciava di avere in cantie-
re il grande vocabolario italiano, e spiegava come il vocabolario
dialettale fosse al servizio di quello nazionale, dovesse servire al-
l'apprendimento della lingua della patria: qualche cosa di simile a
quanto Manzoni avrebbe proposto nel suo piano del 1868 per la
realizzazione di una serie di lessici dialettali con il corrispondente
fiorentino (cfr. XIII.4.3). Con analoghi intenti si era proposto anche il *Vocabolario romagnolo-italiano* del Morri, del 1840 [cfr.
Stussi 1993a: 44-45]. Per restare ancora in Piemonte, Michele
Ponza, autore di diversi vocabolari dialettali, aveva avviato l'espe-

rienza lessicografica in funzione didattica, proprio a partire dalla professione di insegnante di lingua italiana, e aveva alternato questa attività (solo apparentemente filodialettale) alla compilazione di vari elenchi di voci regionali da bandire, di errori di lingua, di francesismi. Ponza, del resto, si ispirava allo stesso Cesari, che aveva proposto di usare il dialetto come via di accesso all'italiano, in modo da accostare il noto all'ignoto [cfr. Cortelazzo 1980: 104]. Si pensi, ancora in relazione ai rapporti tra Purismo e dialetto, al *Vocabolario domestico napoletano e toscano* di Basilio Puoti (1841). Ma si pensi, soprattutto, alle opere che ancora oggi mantengono il ruolo di primari strumenti di consultazione: il *Vocabolario milanese-italiano* di Cherubini, utilizzato largamente da Manzoni (cfr. XII.3.2, e Danzi [2001]), il *Dizionario del dialetto veneziano* di Boerio, il *Nuovo dizionario siciliano-italiano* di Vincenzo Mortillaro.

5. Effetti linguistici dell'Unità politica

5.1. Il numero degli italofoni

Al momento dell'Unità politica italiana, nel 1861, non si può certo dire che il nostro paese avesse già raggiunto una corrispondente unità culturale e linguistica. I territori degli ex-stati nazionali che entravano nel nuovo organismo erano caratterizzati da differenze profonde, a volte sconvolgenti, relative a tradizioni, abitudini, modo di vivere, livello di sviluppo economico e sociale. Le differenze linguistiche erano un segno vistoso di tutto quanto stava dietro la lingua, la quale è sempre il risultato della storia e della tradizione dei popoli. In comune, tra i vari stati italiani, c'era soltanto un modello di italiano letterario, elaborato dalle *élites*. Mancava quasi completamente una lingua comune della conversazione, la quale si può sviluppare solo attraverso scambi fitti, in un'omogenea vita civile e sociale. In Italia questo non c'era mai stato, né era possibile improvvisare, colmando d'un colpo le lacune del passato.

Un dato statistico è segno evidente di quanto fosse difficile la situazione: il numero degli italofoni, cioè il numero di coloro che erano in grado di parlare italiano, era allora incredibilmente basso. Non abbiamo statistiche ufficiali o censimenti che ci indichino in maniera certa quanti fossero coloro che erano in grado di lasciar da parte il dialetto e conversare in lingua. Il dato va quindi ricavato indirettamente, attraverso calcoli non semplici, che si basano in parte su ipotesi e supposizioni. De Mauro [1972: 36 ss.] ha tentato per primo di rispondere alla domanda che ci stiamo ponendo. Lo studioso è partito dalla constatazione che al momento della fondazione del Regno d'Italia quasi l'80% degli abitanti era ufficialmente analfabeta, come risulta dai dati del primo censimento che si tenne allora. Non tutto il restante 20%, però, sapeva usare l'italiano. La qualifica di «alfabeti», infatti, veniva attribuita (con una certa larghezza) a quelli che, lungi dallo scrivere decentemente, non sarebbero stati in realtà capaci di stendere due righe in italiano corretto. L'essere «alfabeta», dunque, non significava avere un reale possesso della lingua scritta. De Mauro ha dunque supposto che per raggiungere una padronanza accettabile della lingua occorresse almeno la frequenza della scuola superiore postelementare, la quale nel 1862-1863 toccava solamente l'8,9 per mille della popolazione tra gli 11 e i 18 anni. Tale percentuale corrisponderebbe a 160.000 individui. A questi cittadini istruiti, capaci di parlare e di scrivere italiano, De Mauro ha aggiunto poi 400.000 toscani e 70.000 romani, calcolati in questo caso assumendo *in toto* il numero dei «non analfabeti». I toscani, infatti, hanno un possesso naturale della lingua, per la vicinanza tra il toscano parlato e l'italiano letterario. I romani, i cittadini della città papale, parlano un dialetto che è molto toscanizzato, e che molto si avvicina al toscano, anche se non si identifica con esso. Si può affermare dunque che toscani e romani che abbiano conseguito un'istruzione elementare hanno un possesso accettabile della lingua. Sommando tutti questi presunti italofoni, si arriva a poco più di seicentomila italiani capaci di parlare italiano, su di un totale di 25 milioni: si tratta di una percentuale davvero esigua, del 2,5% (o al più del 2,6% circa, secondo una revisione del calcolo fatta da Castellani [1982b: 4n] attenendosi ai principi assunti da De Mauro). Lo stesso Castellani [cfr. Castellani 1982b], però, spinto forse (come egli stesso dice) da quel senso di vaga inquietudine che prende noi tutti quando riflettiamo sul significato politico-sociale della percentuale statistica tanto bassa degli italofoni, ha provato a rifare nuovamente i conti, seguendo una diversa impostazione teorica della questione. Egli, in sostanza, ha posto il problema dell'esistenza di una fascia geografica mediana, corrispondente almeno a una parte delle Marche, del Lazio e dell'Umbria, in cui la natura delle parlate locali è tale da far ritenere che un grado di istruzione anche elementare sia sufficiente per arrivare al possesso dell'italiano. Castellani ha inoltre rivendicato con forza l'identità tra toscano parlato e lingua italiana, sostenendo che tutta o quasi la popolazione della Toscana degli anni attorno al 1861 va calcolata tra gli italofoni, indipendentemente dal grado di istruzione raggiunto (De Mauro, per contro, aveva incluso tra gli italofoni solo i toscani dotati di istruzione elementare). È noto, a questo proposito, che nell'Ottocento molti viaggiatori forestieri restavano ammirati dalla proprietà di lingua di contadini o operai toscani, e paragonavano la loro parlata a quella della tradizione letteraria. Tra coloro che dimostravano un simile straordinario possesso naturale della lingua vi erano, ovviamente, molti analfabeti, popolani che non avevano mai frequentato le scuole. Come si vede, il nocciolo del problema sta nel tipo di rapporto che si ritiene intercorra tra la lingua toscana parlata, i dialetti dell'area mediana e l'italiano. Il nuovo calcolo di Castellani ha dato dunque un risultato diverso da quello di De Mauro: ne deriverebbe che gli italofoni al momento dell'Unità erano circa il 10% della popolazione. La situazione sarebbe stata quindi un po' migliore rispetto ai risultati dell'analisi precedente. Non mi pare tuttavia che muti il quadro generale: al momento dell'Unità solo una minoranza ridottissima di persone era in grado di parlare italiano. Tutti gli altri erano confinati nell'uso del dialetto.

5.2. La scuola

Con la formazione dell'Italia unita, per la prima volta la scuola elementare divenne ovunque gratuita e obbligatoria, secondo l'ordinamento previsto per lo stato sabaudo dalla legge Casati del 1859, che fu estesa al territorio che via via entrava a far parte dello stato nazionale. La legge Coppino del 1877 rese effettivo l'obbligo della frequenza, almeno per il primo biennio, punendo gli inadempienti. De Mauro [1972: 88 ss.] ha tuttavia dimostrato che questa scuola non ebbe l'efficacia che sarebbe stata auspicabile, per le grandi difficoltà in cui versava un simile servizio in un paese dalle condizioni estremamente arretrate. Nel 1861 almeno la metà della popolazione infantile evadeva l'obbligo scolastico. Ancora molti anni dopo, nel 1906, evadeva l'obbligo il 47% dei ragazzi. «La misura e la persistenza delle evasioni e dell'analfabetismo sono già sufficienti ad attestare quanto la scuola elementare sia restata lontana dalla prima condizione necessaria alla realizzazione di una qualsiasi organica politica linguistica» [De Mauro 1972: 91]. Eppure questo era già un passo avanti rispetto alle condizioni precedenti, visto che l'ordinamento piemontese, applicato ora a tutta la nazione, era tra i più avanzati dell'epoca. Le relazioni di funzionari e i documenti ministeriali dimostrano quanto fosse dibattuto allora il problema dell'insegnamento della lingua italiana, e come la situazione non fosse affatto omogenea: le condizioni della scuola erano migliori nelle città, peggiori nelle zone agricole. Si rifletta inoltre sui dati seguenti (dati SVIMEZ, che ricavo da De Mauro [1972: 95-98]): nel 1861 la percentuale degli analfabeti era in Italia[26] attorno al 75%. Le regioni che avevano meno analfabeti erano il Piemonte, la Lombardia e la Liguria. Esse si ponevano dunque in una posizione esemplare rispetto al resto d'Italia: ciò non facilitava molto le cose, se si pensa che que-

---

[26] Sono esclusi dal conto di De Mauro [1972: 95] il Trentino e la Venezia Giulia, che entrano nelle statistiche dopo la I guerra mondiale, con percentuali minime di analfabeti. Il Veneto e il Lazio (italiani rispettivamente dal 1866 e 1870) sono inclusi da De Mauro nel conto del 1861, ma in realtà, mi pare, con i dati del 1871.

ste tre regioni, con il loro miglior tasso di scolarità, con un'istruzione più diffusa tra il popolo, erano però svantaggiate nella *conversazione* italiana, per la notevole distanza tra i dialetti gallo-italici qui parlati e il toscano. Non si possono far entrare nel conto Veneto e Lazio, regioni non ancora italiane nel 1861, che al censimento del 1871 risulteranno rispettivamente con il 65 e il 68% di analfabeti. In Toscana ed Emilia Romagna gli analfabeti erano nel 1861 tra il 70 e l'80%. Oltre l'80% di analfabeti erano in Umbria, Marche, Abruzzi, Sardegna, Campania, Puglia, Sicilia, Basilicata, Calabria. Se paragoniamo questi dati con la situazione del 1911, troviamo che le cose sono mutate in meglio in maniera non indifferente: la percentuale generale degli analfabeti in Italia è passata al 40%. Piemonte, Lombardia, Liguria hanno ormai meno del 20% di analfabeti. Sotto il 50% sono Emilia Romagna, Veneto, Lazio, Toscana e (d'un soffio) l'Umbria. Tra il 50 e il 70% di analfabeti sono nelle Marche (51%), negli Abruzzi, in Sardegna, in Campania, in Puglia, in Sicilia, in Basilicata e in Calabria.

La scuola, dunque, a ben vedere, non fu troppo al di sotto del suo compito e incise profondamente sulla realtà italiana, anche se esistevano condizioni di grave disagio, e in certi casi i maestri usavano il dialetto per tenere lezione, essendo incapaci di far meglio, o essendo essi stessi gravemente impacciati nell'uso della lingua. Nella scuola, inoltre, soprattutto in quella superiore, si confrontarono posizioni teoriche diverse: erano presenti insegnanti puristi, insegnanti manzoniani e insegnanti classicisti, i quali proponevano ai loro allievi modelli diversi di italiano [cfr. Raicich 1981: 85-169 e Raicich 1996]. Nelle province napoletane era viva la lezione del Puoti (cfr. XII.1). I manzoniani, ovviamente, erano favorevoli a una decisa apertura verso il toscano vivo e cercavano di ottenere uno svecchiamento delle letture scolastiche. Tra i manzoniani vi fu Luigi Morandi, che divenne precettore per la lingua italiana del futuro re Vittorio Emanuele III, allora Principe di Napoli, e scrisse anche un libro su questa sua esperienza di pedagogo (*Come fu educato Vittorio Emanuele III*, 1901, II ed. 1903). In questo libro si ricorda che il cameriere del Principe fu scelto appositamente fiorentino, per decisione della Regina Madre [cfr. Serianni 1990: 83].

Tra coloro che si occuparono di scuola, vi fu anche Giosue Carducci, che fu sempre risolutamente avverso ad ogni atteggiamento manzoniano filofiorentino, e d'altra parte non fu per nulla concorde con le posizioni retrograde dei cultori del Trecento. Egli diede il suo parere su programmi e libri scolastici, progettando un percorso diverso da quello dei puristi e da quello dei manzoniani, un percorso basato su di un sentimento 'classico' della lingua letteraria [cfr. Raicich 1981: 151-160]. Un libro ispirato ad un manzonismo non sempre fedele alle teorie del Maestro è *L'idioma gentile* di De Amicis (1905), che abbiamo già avuto modo di citare (cfr. XII.3.4), e che ebbe una certa influenza sugli insegnanti. Vi

si trovavano fra l'altro elenchi di parole toscane, e l'invito ad abbandonare il dialetto e le forme dell'italiano regionale. Tali suggerimenti pedagogici erano diventati in quel periodo una prassi abbastanza diffusa, come dimostrano opere meno note di quelle di
De Amicis, ma ad esse analoghe, che ci fanno vedere uno spacca-
to di certi istituti scolastici in cui ci si sforzava già da tempo di
rimpiazzare il dialetto degli allievi con un italiano di ispirazione
toscana, suggerendo soprattutto parole relative alla sfera degli oggetti domestici e dell'uso quotidiano [cfr. Marazzini 1991:
242-246].

5.3. Altre cause dell'unificazione linguistica

Le cause che hanno portato all'unificazione linguistica italiana
dopo la formazione dello stato unitario sono state studiate da De
Mauro [1972: 51 ss.], e possono essere così riassunte (lasciando
da parte l'azione della scuola, di cui già abbiamo parlato in
XII.5.2): 1) azione unificante della burocrazia e dell'esercito; 2)
azione della stampa periodica e quotidiana; 3) effetti di fenomeni
demografici quali l'emigrazione; 4) aggregazione attorno a poli urbani (quest'ultima dovuta alla nascita di una moderna industrializzazione). Come si vede, si tratta spesso di fatti ed eventi che solo
indirettamente hanno influito sulla lingua, e che appartengono a
pieno diritto alla storia sociale del nostro paese. Dedicheremo un
breve cenno a ciascuna delle cause qui indicate.
    Gli effetti della burocrazia unificata del nuovo stato nazionale
sulla formazione di una lingua unitaria sono facilmente comprensibili. «La creazione di un corpo di burocrati ha avuto effetti linguistici anzitutto sui burocrati stessi, che dai trasferimenti sono
stati costretti ad abbandonare spesso, almeno in pubblico, il dialetto d'origine e ad usare e diffondere un tipo linguistico unitario»
[De Mauro 1972: 105]. Si tenga presente che il servizio militare
obbligatorio fu una delle novità portate dal Regno d'Italia. Anche
la Grande Guerra del 1915-1918, facendo convivere masse di soldati provenienti dalle diverse regioni, a contatto con ufficiali
istruiti, ebbe effetti linguistici rilevanti: con questo evento, però,
siamo al di là dei confini dell'Ottocento.
    Quanto alla funzione della stampa, cfr. III.11.2 e XII.6. Meno
evidente è forse il rapporto tra emigrazione e apprendimento della
lingua italiana. De Mauro è partito dalla constatazione che tra il
1871 e il 1951 sette milioni di italiani si sono trasferiti definitivamente in altre nazioni, ma circa 14.000.000 sono rientrati in patria
dopo aver lavorato per un certo periodo all'estero [cfr. De Mauro
1972: 54]. Gli emigranti italiani erano in gran parte analfabeti e
dialettofoni, e il loro allontanamento fece diminuire in assoluto,
per eliminazione, il numero di coloro che erano in condizioni più
svantaggiate rispetto alla lingua e alla scuola. Non si tratta di una

crescita qualitativa, in questo caso, ma di un semplice cambiamento degli indici statistici. L'emigrante di ritorno, però, fu un elemento di effettivo progresso, perché l'esperienza lontano dalla sua zona di origine gli aveva insegnato ad essere diverso, e ad apprezzare molto di più il valore dell'istruzione e dell'alfabetismo.

Quanto all'industrializzazione, che fece crescere la popolazione di alcune grandi città, e attirò manodopera proveniente da altre regioni o dalle zone rurali della medesima regione, ebbe come effetto uno spostamento di abitanti e una più o meno lenta integrazione nel nuovo luogo di residenza, con abbandono progressivo del dialetto di origine (ma cfr. XIII.3.3). Questo fenomeno, cominciato nell'Ottocento, ha manifestato tuttavia i propri effetti soprattutto nel nostro secolo, con la grande immigrazione nel Nord delle masse contadine del Mezzogiorno d'Italia.

5.4. Il ruolo della Toscana e le teorie di Ascoli

Abbiamo visto (cfr. XII.3) come Alessandro Manzoni abbia dato un contributo teorico notevole alla soluzione della 'questione della lingua' e abbia avanzato una serie di proposte pratiche per diffondere l'italiano tra il popolo. Nel 1873 le idee e le proposte manzoniane furono però contestate da un grande studioso, Graziadio Isaia Ascoli, il fondatore della linguistica e della dialettologia italiana (cfr. I.2.2). L'intervento di Ascoli, che fu pubblicato come *Proemio* nel primo fascicolo dell'«Archivio Glottologico Italiano» (rivista scientifica fondata e diretta da Ascoli stesso), era rivolto in realtà soprattutto contro i seguaci e gli imitatori del Maestro. La polemica prendeva le mosse dal titolo del *Novo vocabolario della lingua italiana secondo l'uso di Firenze* di Giorgini-Broglio (cfr. XII.4.3), titolo in cui era stato usato l'aggettivo *nòvo* alla maniera fiorentina moderna, con il monottongamento in -ò- di -uo-, contro al tipo *nuovo*, ormai largamente accolto nella lingua letteraria e comune. In sostanza Ascoli escludeva che si potesse disinvoltamente identificare l'italiano nel fiorentino vivente, e affermava che era inutile quanto dannoso aspirare ad un'assoluta unità della lingua, così come non si dovevano combattere certe forme linguistiche suggerite dalle parlate di altre regioni (citava ad esempio il caso del *ditale*, che a Firenze era chiamato *anello*). L'unificazione linguistica italiana non poteva essere la conseguenza di un intervento pilotato, che proponesse un unico e rigido modello. Impossibile diventar tutti fiorentini per decisione presa a priori: il linguaggio non poteva essere considerato semplicisticamente come «una nuova manica da infilare» (cito dall'ed. Grassi [1968: 34]). L'unità della lingua, per contro, sarebbe stata una conquista reale e duratura solo quando lo scambio culturale nella società italiana si fosse fatto fitto, quando il paese fosse diventato moderno ed efficiente. È curioso notare come il linguista fosse in grado di vedere meglio di tanti letterati che la lingua non esiste di per sé, isolata dal contesto sociale, ma è una conseguenza di fattori extralinguistici; aspirare a una lingua rigorosamente uniforme, quando non ci sono le condizioni obiettive favorevoli per realizzare una vera omogeneità culturale, significa in buona sostanza mettere il carro davanti ai buoi.

Ascoli, inoltre, contestava che si potesse applicare in Italia il modello centralistico francese, a cui si era ispirato Manzoni. La Francia è sempre stata una nazione accentratrice, con ogni iniziativa e attività nella capitale, centro di un'antica monarchia. La situazione dell'Italia, per contro, sembrava ad Ascoli più simile a quella della Germania, tradizionalmente divisa in stati diversi. L'Italia andava considerata insomma un paese policentrico, in cui le tradizioni delle diverse regioni dovevano diventare omogenee a poco a poco, attraverso un naturale livellamento. Nel condurre la sua analisi, Ascoli individuava con una straordinaria lucidità e con un'efficacia impareggiabile alcuni mali propri della cultura del nostro paese: la mancanza di quadri intermedi che si ponessero a mezza strada tra i pochissimi dotti e l'ignoranza delle masse; il cancro della retorica, malattia endemica della nostra cultura iperletteraria e formalista, scarsamente disponibile alle conquiste della scienza moderna e al progresso.

Ancora ai nostri giorni si dibatte sul valore dell'intervento di Ascoli, e in particolare si discute sul suo giudizio relativo al fiorentino vivo (considerato dallo studioso come un dialetto qualunque tra gli altri); ancor oggi si confronta la proposta di Ascoli con quella di Manzoni, per dare la preferenza all'una o all'altra. Si osservi che la proposta manzoniana ha avuto una notevole risonanza fin dalla sua formulazione pubblica del 1868 (cfr. XII.3), mentre lo scritto di Ascoli fu noto più che altro agli specialisti, fino a quando alcuni studiosi del nostro tempo non attirarono l'attenzione su quelle pagine nobili e severe [cfr. Poggi Salani 2001], scritte in una prosa difficile, che contrasta con la semplicità e conversevolezza degli scritti manzoniani dedicati allo stesso tema. Non a caso Ascoli aveva criticato la familiarità dello stile ispirato alla colloquialità manzoniana, alla «tersità popolana», come la definiva [cfr. Grassi 1968: 33], mal tollerando che questo stile potesse essere applicato ad argomenti di natura scientifica, i quali gli parevano richiedere un linguaggio più elevato e formale[27].

Dicevamo del giudizio dei moderni, che ha visto rivalutazioni assai notevoli del pensiero di Ascoli: Carlo Dionisotti ha dichiara-

---

[27] Ascoli citava il caso di uno scienziato il quale non avrebbe potuto scrivere, in un suo trattato in cui si parlasse di un qualche foro in qualsivoglia sostanza, l'espressione ridicola «venircisi a formare un bucolino» (ecco una frase di andamento toscano-parlato) senza far cadere il tono del suo discorso; lo scienziato avrebbe dovuto ricorrere piuttosto ad un'espressione di registro più alto, come «determinarsi un piccolo vano» (cfr. *Proemio*, ed. Grassi [1968: 22]).

to di considerare il *Proemio* all'«Archivio Glottologico» «uno dei capolavori in senso assoluto della letteratura italiana» [Dionisotti 1967: 122], ed ha auspicato che questo testo diventi patrimonio comune dei giovani avviati ad una anche elementare educazione letteraria. Corrado Grassi ha ripubblicato il *Proemio* nel 1967; a questa edizione ne sono seguite altre, integrali e antologiche [cfr. Grassi 1968 e 1975; Marazzini 1977: 102-136; Berrettoni-Vineis 1974: 95-166], realizzando così almeno in parte l'auspicio di Dionisotti. Maria Corti ha parlato di un valore «profetico» del *Proemio*, in cui si troverebbe anticipato il processo linguistico che si sviluppò nel secolo seguente [cfr. Corti 1969: 190; e anche Dardano 1974: 147-148]. Si sono sentite però alcune voci dissenzienti. Vi è stato chi ha proposto di limitare la rivalutazione del *Proemio*, insistendo su di una presunta 'inerzia' o inefficacia pratica insita nella proposta di Ascoli, di contro al vigore operativo della soluzione manzoniana[28]: come dire che la teoria manzoniana permetteva di intervenire subito, ispirando programmi didattici, pubblicazioni, iniziative concrete, mentre la teoria di Ascoli sembrava rimandare ogni intervento, lasciando le cose nello stato in cui erano. Tale critica non mi pare fondata: Ascoli non si opponeva certo agli interventi destinati a migliorare la situazione culturale del paese, i quali realizzassero le condizioni che riteneva necessarie al progresso linguistico. Egli, inoltre, manifestò sempre profonda ammirazione per lo stile del Manzoni, e dichiarò piuttosto la sua antipatia per i pedissequi imitatori. È vero tuttavia che la soluzione ascoliana richiedeva tempi lunghi, e la società intellettuale dell'Italia unita aveva fretta, e cercava perciò ricette di pronta esecuzione, anche a prezzo di illudersi sui risultati.

Un altro punto di discordia, strettamente collegato alla valutazione dell'intervento di Ascoli, è relativo al contributo della Toscana ottocentesca all'unificazione della lingua. Ascoli è severo con la Toscana. La giudica una terra fertile di analfabeti, con una cultura stagnante: una regione, quindi, incapace di guidare il progresso del nuovo stato italiano. Ascoli, più che a Firenze, guardava semmai a Roma, alla neocapitale del Regno; egli sperava che questa città, sottratta al potere dei papi, avrebbe avuto un grande e glorioso destino. Sul giudizio dato da Ascoli sulla Toscana si può discutere. Castellani [1986], ad esempio, ha difeso il ruolo e la funzione di questa regione, soprattutto insistendo sull'importanza del manzonismo e di alcuni autori toscani per la diffusione di una prosa italiana media, diversa dal modello puristico prima imperante. Tra i canali di diffusione del toscano ci sono senza dubbio le opere di autori molto popolari e cari al pubblico, come Collodi

---

[28] Cfr. ad esempio Castellani [1986: 129]: «L'Ascoli del *Proemio* non indicava, a differenza del Manzoni, un rimedio reale e concreto che servisse a por fine all'anchilosi della lingua letteraria. Di conseguenza egli non ha inciso sulle sorti dell'italiano».

(celebre autore di *Pinocchio*: cfr. XII.7.4) e De Amicis, che, a differenza di Collodi, era invece settentrionale, ma adottò il toscano per i suoi libri (il più famoso è *Cuore*, ricco di evidenti fiorentinismi [cfr. Castellani 1986: 121-122]). Tra le opere che possono aver diffuso il toscano ci sono dunque i citati romanzi per ragazzi, ma anche alcuni libri non strettamente letterari. Il più famoso di essi è forse *La scienza in cucina e l'arte di mangiar bene* (1891) di Pellegrino Artusi (autore romagnolo di origine, ma trasferitosi a Firenze): questo impareggiabile manuale di arte culinaria viene ancor oggi ristampato e letto con interesse. Castellani [1986: 117] ha anche messo in evidenza alcuni tratti propri del fiorentino 'moderno', assenti nella lingua letteraria tradizionale, i quali sono entrati nell'italiano comune. Tra essi il monottongamento di *uo* dopo palatale (*fagiolo*, *gioco*, *figliolo*), la prima persona dell'imperfetto indicativo in *-o* anziché in *-a* (*amavo* contro *amava*). Si è anche diffusa la costruzione impersonale del tipo *noi si fa* per *noi facciamo*, costruzione tipicamente toscana [cfr. *ibidem*: 124-125].

6. Il linguaggio giornalistico

Nel sec. XIX il linguaggio giornalistico acquistò un'importanza superiore a quella che aveva avuto in precedenza [cfr. Masini 1994]. «Dopo il fenomeno in genere di *élite* dei periodici settecenteschi, il giornalismo del primo Ottocento, sotto l'influenza di quello straniero, soprattutto francese, ma anche inglese e tedesco, presenta effettivamente una notevole apertura a innovazioni sia nel lessico che nella tecnica espositiva» [De Stefanis Ciccone 1990: 3]. Proliferano periodici che vogliono raggiungere un pubblico nuovo, e necessitano dunque di un linguaggio più semplice rispetto a quello della tradizione letteraria. Non è facile, però, raggiungere questo obiettivo, e il giornale primo-ottocentesco resta ancora un prodotto d'*élite* [cfr. Masini 1977: 2-5]. Serianni [1989a: 35-36] ha osservato come spesso la lingua dei giornali popolari non differisse da quella dei giornali 'colti', e come la presenza di popolarismi morfologici quali *stasse* 'stesse', sintattici quale è il *che* polivalente, o la presenza di uno stile trasandato per ripetizioni lessicali, potesse accompagnarsi a un periodare intricato e faticoso, che nulla divide con la sveltezza dello stile giornalistico moderno. Nella prima metà del sec. XIX, però, un fatto oggettivo quale l'aumento delle tirature (aumento notevole per l'epoca, ma molto modesto, se paragonato con i risultati di oggi: la «Gazzetta del Popolo» di Torino raggiunse nel 1852 i 10.000 abbonati) finì per avere conseguenze pratiche, e la prosa dei giornali cominciò a trovare la sua strada, modernizzandosi. Nella seconda metà del secolo, in ogni modo, il giornalismo diventò fenomeno di massa. Le edicole furono il punto di vendita della stampa periodica, prima diffusa soprattutto attraverso gli abbonamenti [cfr. Serianni 1990: 27]. An-

cora in questo periodo, comunque, nel giornale si alternano voci
culte e libresche a voci popolari, anche se vengono in genere evitati i dialettismi più vistosi. Alcune voci regionali si diffondono attraverso questo canale, come *camorra* e *picciotto* (cfr. Serianni
[1990: 33] e Masini [1977: 146]; per le voci regionali nei giornali
milanesi, cfr. inoltre Bonomi [1990b: 475-545]). La sintassi giornalistica, coerentemente con la ricerca di un modello diverso da
quello tradizionale della letteratura, sviluppò la tendenza al periodare breve, e spesso alla frase nominale.

Siamo particolarmente informati, dal punto di vista linguistico,
sulla stampa periodica milanese della prima metà dell'Ottocento.
Un gruppo di studiosi ha curato qualche anno fa la realizzazione
di poderose concordanze di ben 58 testate, specializzate in vari
settori: almanacchi, strenne, giornali politici, riviste di varietà, periodici teatrali, riviste tecniche (ad esempio giornali di agricoltura),
riviste letterarie [cfr. De Stefanis Ciccone *et al.* 1983]. Si tratta di
un campione così vasto da offrire un panorama dettagliato della
lingua italiana ai vari livelli, da quello più colto a quello più popolare. La lingua dei giornali è molto esposta al nuovo: in essa è
possibile in genere registrare precocemente l'infiltrarsi di neologismi e forestierismi presenti nella lingua viva e parlata, o nel lessico degli specialisti di qualche branca del sapere. Compaiono in
quel periodo, proprio sui giornali, termini come *straripamento* (di
un fiume), *attrezzatura* (*attrezzo* era un francesismo penetrato già
nella seconda metà del Seicento [cfr. Dardi 1992: 114-116]), *confi-
sca*, *delibera*, *importo* ecc. [cfr. Masini 1990a]. Compaiono termini
relativi al nuovo mezzo di trasporto che si va affermando, la fer-
rovia: ecco i *carri*, gli *scompartimenti*, le *rotaie* [cfr. De Stefanis
Ciccone 1990: 101]. Tra i forestierismi troviamo tecnicismi come
battello a vapore (contestato dai puristi), *batteria galvanica*, *dagher-
rotipo*, *disinfettante*, *feldspato* ecc. [cfr. De Stefanis Ciccone 1990:
309 ss.; Masini 1990b: 547-589].

Il giornale, quello ottocentesco come quello di oggi, è linguisticamente tanto più interessante per il fatto che è composto da
parti diverse: la lingua della cronaca non è identica a quella degli
articoli politici o letterari, né a quella delle pagine che si occupano di economia. Compare sui fogli periodici la pubblicità, in forma di annunzi che spesso contengono termini nuovi o parole regionali, puntualmente censurate dai puristi. Michele Ponza, ad
esempio, insegnante e lessicografo piemontese, nel 1830 se la
prendeva con un foglio periodico intitolato *Giornale d'avvisi pel
commercio*, in cui trovava regionalismi come *grotta* per 'cantina',
scagno per 'lavatoio', *pristinaio* per 'panettiere'. E il direttore del
giornale messo sotto accusa si difendeva dicendo: «Non so come
siami lasciata cadere dalla penna questa marcia voce di *pristinaio*,
voce lombarda» [cfr. Marazzini 1984: 193-194]. Ovviamente anche
nei giornali lombardi troviamo il *prestinaio* e il *prestino* ('forno')
[cfr. Masini 1977: 147]. A volte queste parole regionali si sono af-

fermate, ad esempio quando designavano referenti particolari, anch'essi avviati al successo: è il caso del *panettone*, che compare fra l'altro in un giornale triestino del 1865[29], e che fu accolto già nell'Ottocento dai vocabolari [cfr. *ibidem*: 146].

7. La prosa letteraria

7.1. Conservatorismo linguistico

Gli sviluppi della prosa nell'Ottocento sono di enorme importanza, perché questa è l'epoca in cui si fonda la moderna letteratura narrativa, attraverso due svolte fondamentali, legate a due nomi di grande prestigio, Manzoni e Verga. Manzoni ebbe il merito di rinnovare il linguaggio non solo del genere 'romanzo', ma anche della saggistica, avvicinando decisamente lo scritto al parlato. La prosa letteraria della prima metà dell'Ottocento, infatti, anteriormente all'affermarsi del modello manzoniano, era ancora sostanzialmente condizionata da due diversi modelli legati al passato, quello puristico e quello classicistico. I puristi, coerenti con le idee linguistiche del padre Cesari (XII.1), imitavano la letteratura antica e scrivevano alla maniera del Boccaccio. Alcuni di essi erano influenzati anche dal fiorentino vivo, come il padre Bresciani, a suo tempo assai popolare. Il fiorentino, però, non era da costoro inteso alla maniera di Manzoni, come un modello di parlato medio capace di rinnovare le strutture retoriche dell'italiano letterario. Si voleva piuttosto vedere nel popolo fiorentino l'erede degli scrittori antichi, il portatore vivente della lingua dei libri. Un ingenuo entusiasmo spingeva il padre Bresciani (1798-1862) o il padre Giuliani (1818-1884), l'uno originario del Trentino, l'altro del Piemonte, a raccogliere dalla viva voce di popolani toscani parole miracolosamente simili a quelle dei loro antenati. Il popolo, anche al livello basso della plebe (come allora si diceva), era considerato alla stregua di un prolungamento del vocabolario, da 'consultare' con devozione. La maggior parte dei puristi, comunque, non arrivava nemmeno a interrogare il popolo, e si limitava a far uso di preziosismi libreschi. Era un atteggiamento che si traduceva in una prosa ricca di arcaismi e di viete movenze letterarie. Serianni [1993: 546-547] ricorda alcune discutibili scelte di un autore come Carlo Botta, il quale riesumò modi di dire figurati attinti ad autori del passato, come *confortarsi con gli aglietti* per 'consolarsi con deboli speranze' e *dormirvi sotto lo scorpione* per 'esservi nascosto

---

[29] Foscolo, in una lettera, aveva usato *panattone*, più vicino al milanese *panaton* [cfr. Cherubini e *GDLI*: s.v.]. Il *DELI* [s.v.] rinvia anche ad un dizionario italiano-tedesco stampato a Vienna nel 1831, in cui si parla del «panettone con frutta secche».

un inganno' (la fonte della prima forma si trova nella novella CXXXIII di Sacchetti, la fonte della seconda è nel Davanzati).

7.2. La prosa di gusto classico

Completamente diverso era il modello della prosa caro ai classicisti, che in genere si ispiravano alla grande tradizione del Rinascimento, non amando affatto gli arcaismi medievali di sapore cruscante. La prosa di autori come Monti e Leopardi rappresenta alcuni dei migliori risultati qualitativi a cui giunse il classicismo. Non a caso, si tratta di due autori che non ebbero alcuna simpatia per i puristi, e anzi scrissero pagine importanti contro le teorie di costoro. Monti fu maestro nella prosa di tipo polemico e satirico, proprio rivolta contro i puristi e l'Accademia della Crusca, e adoperò per l'occasione anche il genere del dialogo [cfr. Dardi 1990]. La prosa del Cinquecento offriva vari efficaci modelli di satira e di polemica, ad esempio in certi scritti di Annibal Caro. Annibal Caro fu anche molto amato da Leopardi (che gli era vicino, forse anche perché suo conterraneo, in quanto marchigiano). Leopardi vedeva nel Caro un esempio di scrittore il quale era stato in grado di esibire una 'naturalezza' elegante, e lo stesso Leopardi ambiva appunto ad una «moderna inaffettata classicità letteraria» [Vitale 1992b: 226], che riteneva realizzata assai bene anche da un autore secentesco come Daniello Bartoli, verso il quale esprime la sua ammirazione in diverse pagine dello *Zibaldone*, definendolo fra l'altro «il Dante della prosa italiana». Avversava invece gli arcaismi, che avevano un effetto ricercato, affettato, stentato, e non amava lo stile di Boccaccio. Un ottimo esempio della prosa elevata e 'naturale' di Leopardi, non priva di lessico culto, ma senza esagerazioni di alcun genere, limpida e cristallina nel risultato, sono le *Operette morali*, studiate analiticamente da Vitale [1992b].

7.3. Il modello manzoniano e la prassi correttoria dei «Promessi Sposi»

Una svolta nella prosa letteraria è comunque quella segnata da Manzoni nei *Promessi Sposi*. L'opera, dopo una stesura rimasta inedita, nota ora con il titolo di *Fermo e Lucia* (giudicata dall'autore come un composto di voci non bene amalgamato, con lombardismi, francesismi, toscanismi e anche latinismi: cfr. XII.3.2), uscì in prima edizione nel 1825-1827 (la cosiddetta edizione ventisettana dei *Promessi Sposi*), già indirizzata verso la lingua media e comune. Seguì una lunga e meditata revisione, che rese il dettato perfettamente coerente con i principi teorici elaborati da Manzoni: fin dallo stesso 1827 lo scrittore, compiendo un viaggio in Toscana, avviò la 'risciacquatura di panni in Arno', cioè la correzione della lingua del suo capolavoro, che egli voleva perfettamente adeguato al fiorentino delle persone colte[30]. Il nuovo testo fu pubblicato a dispense nel 1840-1842, e fu accolto con giudizi contrastanti. Alcuni preferivano la ventisettana, come il Giusti (che poi cambiò idea), il Cantù, il De Sanctis, il Bersezio, Carlo Cattaneo e Carlo Tenca. Altri invece plaudirono alla revisione, riconoscendo che lo scrittore aveva tentato la difficile ed importante operazione di avvicinare «sempre di più la lingua scritta a quella parlata», come avvertiva un anonimo recensore milanese nel 1840, all'apparire della prima e della seconda dispensa [cfr. Vitale 1992c: 14 e 33-38]. Oggi ci è facile confrontare tutte le differenze che intercorrono tra la ventisettana e la quarantana grazie all'ed. interlineare di Caretti [1971], che perfeziona e rinnova un'analoga edizione realizzata da Riccardo Folli già nell'Ottocento.

Seguendo Vitale [1992c: 17 ss.], possiamo così sintetizzare i criteri della prassi correttoria manzoniana:

1) espunzione abbastanza ampia delle forme lombardo-milanesi, sovente coincidenti con forme toscane attestate nella letteratura di genere comico dei secoli passati. Manzoni, studiando il Vocabolario della Crusca, non aveva mancato di segnare e sottolineare queste coincidenze ogni volta che gli capitavano sotto gli occhi (cfr. XII.3.2). Le forme lombardo-milanesi, dunque, erano state accolte nella ventisettana, la quale era già orientata in direzione della lingua di Toscana, ma con scelta libresca, utilizzando modelli scritti. Se vogliamo esemplificare questo tipo di intervento correttorio, tra i tanti casi, possiamo citare l'eliminazione del termine *marrone* per 'sproposito': *ho fatto un marrone* > *ho sbagliato*, *abbia fatto ben grosso il marrone* > *l'abbia fatta bella*, *manifestare un marrone* > *palesare uno sproposito*. Si noti che «fà on gran maron *o* on maron gross» è espressione milanese, registrata dal vocabolario dialettale del Cherubini. Allo stesso tempo, però, *fare un marrone* è espressione nota anche alla tradizione toscana, usata da autori comici come Berni e Buonarroti il Giovane [cfr. Vitale 1992c: 19 e 52n; e *GDLI*: s.v.]. Manzoni, in questo caso, elimina la forma idiomatica, e opta per una soluzione stilisticamente più 'neutra';

2) eliminazione di forme eleganti, pretenziose, scelte, preziosistiche, auliche, affettate, arcaicizzanti, o letterarie rare. Al loro posto vengono introdotte forme comuni e usuali. Citiamo qualche

---

[30] L'espressione *risciacquare i panni in Arno*, o *risciacquare i cenci in Arno*, si diffuse certo per influenza di Manzoni, ma lo scrittore non la usò esattamente in questa forma. La metafora è però sua, in una lettera privata del 1827 diretta a Tommaso Grossi, dove si parla del «risciacquare» nell'«Arno» con l'aiuto degli amici fiorentini i fogli del romanzo, e poi, in un'altra lettera del 1828, in cui si parla di «quella tale biancheria sudicia da risciacquare un po' in Arno» (cfr. G. Presa, cit. dal *DELI* [s.v. *risciacquare*]).

esempio: *lunghesso la parete* > *strisciando il muro, l'affisò* > *lo guardò, agguatando* > *spiando, guatare* > *guardare*;

3) assunzione di forme tipicamente fiorentine. L'attenzione degli osservatori dell'epoca individuò subito, tra queste forme, i monottongamenti di *-uo-*: *spagnuolo* > *spagnolo, stradicciuole* > *stradicciole* ecc.; caratteristico è anche l'uso, alla maniera toscana, di *lui* e *lei* come soggetti, al posto dei letterari *egli* e *ella*. E ancora citeremo *pranzo* > *desinare, non ne ho fatte mica* > *non n'ho fatte punto, non mi stupirei* > *non mi stupirei punto*;

4) eliminazione di doppioni di forme e di voci, secondo un principio teorico assai caro al Manzoni: *eguaglianza* > *uguaglianza, quistione* > *questione*[31], *pel* e *col* > *per il* e *con il*.

Non vi è dubbio che l'uso manzoniano ha in certi casi influenzato decisamente il destino della lingua italiana. Così per la diffusione di *lui* e *lei* soggetto, o per l'eliminazione delle forme *pel* e *col*, o ancora per la quasi generale eliminazione della *d* eufonica dai monosillabi *ad/ed* tranne che davanti a vocale corrispondente [cfr. Serianni 1987]. In altri casi, invece, il modello manzoniano ebbe meno efficacia, come per la larghezza di elisioni (*di alloggiare* > *d'alloggiare*) e di apocopi (*viene, quasi a un tratto* > *vien, quasi a un tratto*). Naturalmente non bisogna dimenticare che le scelte linguistiche del romanzo non sono solo importanti per l'influenza che esercitarono sui lettori e sui destini della nostra lingua: la loro esistenza ha prima di tutto un intenso valore stilistico, all'interno di questo romanzo che è un capolavoro letterario. La risciacquatura in Arno determinò in linea di massima l'adozione di uno stile più naturale, più sciolto, slegato dalla tradizione aulica allora imperante. Gli esiti del processo correttorio possono essere ad esempio ripercorsi fruttuosamente seguendo le fini analisi stilistiche, largamente basate sulle varianti che intercorrono tra la ventisettana e la quarantana, proposte da Nencioni [1993: 227 ss.]. Tra l'altro lo studioso fa notare, commentando l'avvio dell'opera, al cap. I, come Manzoni non sia schiavo della propria prassi correttoria. Proprio in questo avvio, nel famoso passo che comincia «Quel ramo del lago di Como...», Manzoni non corregge un *ivi*, un *discernere* (altrove sostituito), un *tosto* (sempre eliminato negli altri casi): le mancate correzioni si devono al particolare tono di solennità che deve avere qui la descrizione d'apertura, legata più di altri passi alla tradizione letteraria[32]. In compenso, in questo medesimo brano, *riviera* cede il posto al più preciso *costiera*, adatto ad un pendio montano, e *ricomincia* si trasforma nel

---

[31] Si noti che *quistione* sopravvive ancora nel Novecento: si ritrova ad esempio in Gramsci [cfr. Gerratana 1975: 2350].

[32] Quanto a *ivi*, nei *Promessi Sposi* ne restano otto occorrenze (nel *Fermo e Lucia* erano ben 48). *Tosto* ricorre solo in questo caso (altre due volte è nel tipo *più tosto*); era per contro frequentissimo nel *Fermo e Lucia* (cfr. spogli *LIZ*).

più fiorentino *rincomincia*[33]. Per finire, proporrò il confronto tra due passi molto brevi, dal cap. XXXIII [cfr. Caretti 1971: II.775]:

[ed. 1827] Renzo rimase lì gramo e scontento, a pensar d'altro albergo. Nella lista funebre recitatagli da don Abbondio, v'era una famiglia di contadini portata via tutta dal contagio, salvo un giovanotto, dell'età di Renzo a un dipresso e suo camerata dall'infanzia: la casa era fuori del villaggio, a pochissima distanza. Quivi egli deliberò di rivolgersi a chiedere ospizio.

[ed. 1840] Renzo rimase lì tristo e scontento, a pensar dove anderebbe a fermarsi. In quella enumerazion di morti fattagli da don Abbondio, c'era una famiglia di contadini portata via tutta dal contagio, salvo un giovinotto, dell'età di Renzo a un di presso, e suo compagno fin da piccino; la casa era pochi passi fuori del paese. Pensò d'andar lì.

Si noti in particolare la frase finale, in cui il pesante costrutto introdotto da *quivi*[34], costituito da ben tre verbi di fila, viene sostituito dall'agilissimo «Pensò d'andar lì». Nelle righe precedenti, si osserva l'eliminazione e sostituzione di *gramo* per 'triste', avvertito come troppo letterario, così come *camerata* per 'compagno', il cui senso Manzoni dovette probabilmente avvertire come delimitato all'àmbito specifico di 'compagno di milizia' e 'compagno di tavola o di convitto', non quindi adatto a rapporti di amicizia infantile. *Lista* è abolito in quanto troppo tecnico (elencazione alfabetica, o contabile); e si noti, al suo posto, *enumerazion* con troncamento. A livello fonomorfologico, *giovanotto* > *giovinotto*, così come altrove Manzoni corregge *giovane* > *giovine*, lasciando peraltro *giovani* al plurale [cfr. Serianni 1987: 371n]. Il *fin da piccino* al posto di *dall'infanzia* è giustificato in quanto passaggio a un registro più familiare (si noti il diminutivo, caro all'uso toscano), coerente del resto con il motivo tematico evocato. Come si vede, anche su di un passo molto breve è possibile indugiare, ripercorrendo l'accuratissimo lavoro correttorio dello scrittore, attento anche a sfumature e particolari minimi.

La posizione di Manzoni è centrale nella storia della prosa ottocentesca non solo per il valore della sua realizzazione letteraria, ma anche per l'influenza che esercitò su molti scrittori. Grossi, Cantù, Carcano, d'Azeglio (i primi tre lombardi, il quarto piemontese) furono legati a Manzoni, e tentarono la via del romanzo,

---

[33] Sulle correzioni del I cap., interpretate in chiave stilistica, cfr. anche Poggi Salani [1987].

[34] *Quivi* era assente già nell'*Ortis* foscoliano, anche se era ancora normale nella prosa del periodo a cavallo tra Settecento e Ottocento, per indicare un luogo lontano dall'emittente e dal destinatario [cfr. Patota 1987: 94-95]. L'*Ortis*, del resto, come ha dimostrato lo stesso Patota, rappresenta il tentativo di accostarsi ad aspetti della lingua viva e corrente, realizzando uno stile epistolare medio. Nei *Promessi Sposi*, *quivi* si trova in tutto quattro volte, contro le 71 occorrenze del *Fermo e Lucia* (spogli *LIZ*).

senza però arrivare alla «sensibilità manzoniana per l'omogeneità linguistica» [Serianni 1993: 549]. Tra coloro che si ispirarono al Manzoni, seppure con meno rigore e coerenza del maestro nelle scelte linguistiche, va ricordato il già citato De Amicis (cfr. XIII.5.2), autore di opere di grande successo, che collaborarono a divulgare una lingua media moderna. In *Cuore* si trovano fiorentinismi come *Chétati!*, *al tocco* per 'all'una', *fare il chiasso* 'giocare', *sur* al posto di 'su' ecc. [cfr. Castellani 1986: 121].

7.4. Altri modelli di prosa

Modelli di prosa toscana che stanno a margine rispetto al Manzoni sono quelli di Fucini e di Collodi. Quest'ultimo, in particolare [cfr. Castellani Pollidori 1983 e Serianni 1990: 201-206], ebbe una grande influenza sul pubblico giovanile, con il celeberrimo *Le avventure di Pinocchio* (1883). Di fatto lo stile di questo libro, benché diverso da quello di Manzoni, collaborò con il manzonismo a diffondere la lingua toscana in tutt'Italia.

Un diverso uso del toscanismo si ha negli scrittori che Contini ha ascritto alla cosiddetta linea del 'mistilinguismo' (cfr. IV.4), facendone degli anticipatori più o meno volontari dell'espressionismo linguistico e di certe tendenze proprie del Novecento. Tra essi ricorderemo il lombardo Carlo Dossi, il piemontese Giovanni Faldella [cfr. Contini 1970a: 533-586] e, in area meridionale, Vittorio Imbriani [cfr. Alfieri 1990]. Lo stile di questi autori si caratterizza per l'uso di forme linguistiche attinte a fonti diverse: toscano arcaico, toscano moderno, linguaggio comune e dialetto si trovano a coesistere in una miscela composita. Nel caso del Faldella, poi, siamo in grado di controllare l'apprendistato di uno scrittore alla ricerca della lingua: lo si può fare attraverso il suo *Zibaldone*, sorta di personale vocabolario, in cui registrava le parole interessanti che scovava nelle sue letture, orientate verso gli autori comici del Cinquecento, o verso un autore toscano dell'Ottocento come Giuseppe Giusti [cfr. Marazzini 1980a]. Va detto tuttavia che Faldella non sempre fu completamente cosciente della portata stilistica d'*élite* propria del suo stile ricercato[35]. A volte egli sembra convinto che questa sua prosa, caratterizzata in realtà da effetti preziosi, sia un italiano semplice e popolare, adatto a una letteratura carica di significato morale ed educativo, quale egli voleva realizzare. Non era comunque disposto a rinunciare ai 'sali' della

---

[35] Alla fine del suo libro *A Vienna. Gita con il lapis*, pubblicato nel 1874, e consistente in un brioso resoconto giornalistico sull'esposizione del 1873, Faldella scriveva la ricetta del suo stile: «Vocaboli del trecento, del cinquecento, della parlata toscana e piemontesismi; sulle rive del patetico piantato uno sghignazzo da buffone: tormentato il dizionario come un cadavere, con la disperazione di dargli vita mediante il canto, il pianoforte, la elettricità e il reobarbaro...».

tradizione e della parlata popolare, e in questo senso si discostava risolutamente dall'omogeneità stilistica a cui si era ispirato Manzoni. Esperimenti di questo genere, di mistilinguismo espressionistico, sono certo rilevanti di per se stessi, ma non conducono alla strada maestra del rinnovamento della prosa italiana.

7.5. Verga, il dialetto e il rinnovamento della sintassi

Ben altra importanza ebbe la svolta inaugurata da Verga, soprattutto nei *Malavoglia*. Qui si ha un «modesto tasso di sicilianità linguistica», che si accompagna però ad una utilizzazione sapientissima e dissimulata dell'«elemento locale», di fatto «onnipresente» [Serianni 1993: 563]. Verga non abusa del dialetto, e non lo usa come macchia locale, come inserto confinato nel discorso diretto dei personaggi dialoganti. L'adozione diretta, come macchia realistica, di gran lunga la più semplice tra le opzioni possibili, era stata scelta da Fogazzaro [cfr. Serianni 1993: 562-563] e da De Marchi. Il procedimento messo in atto nei *Malavoglia* è assai più ambizioso: si tratta di adattare la lingua italiana a plausibile strumento di comunicazione per dei personaggi siciliani appartenenti al ceto popolare, senza per altro regredire a un dialetto usato in maniera integrale. Lo scrittore adotta dunque alcune parole siciliane note in tutt'Italia, e poi ricorre a innesti fraseologici, come quando usa le espressioni *pagare 'col violino'* ('pagare a rate'), *pigliarsela in criminale* ('prendersela a male'), *hanno la rabbia* ('sono bramose'): questi modi proverbiali hanno una rispondenza nel dialetto, al quale Verga si richiama [cfr. Alfieri 1980 e 1983]. Tratti popolari sono anche i soprannomi dei personaggi, l'uso del *che* polivalente ricalcato sul *ca* siciliano, la ridondanza pronominale, il *ci* attualizzante (ad es. in *averci*), *gli* per 'loro'. Questi tratti popolari servono a simulare un'oralità viva, suggerita anche da raddoppiamenti e ripetizioni («ci levano la camicia di dosso, ci levano»)[36].

Molto nuova risulta la sintassi usata da Verga, in particolare per il discorso indiretto libero (o 'discorso rivissuto'), che consiste, secondo la definizione di Herczeg [1963: 18], in un «miscuglio del discorso diretto e del discorso indiretto». Per comprendere di che si tratti, occorre tener presente che due sono a prima vista le possibilità che si offrono a uno scrittore che debba far 'parlare' i propri personaggi, nei dialoghi o nel monologo interiore. La prima è quella di aprire le virgolette e di riportare in forma di discorso diretto le loro battute, come si fa in un testo teatrale. La seconda possibilità è quella di introdurre un discorso indiretto, nel

---

[36] Sulla lingua e sullo stile di Verga cfr. ancora Russo [1955: 389-396], Nencioni [1988] e Coletti [1993: 295-305].

quale lo scrittore stesso riferisce le parole del personaggio («diceva che... rispondeva che... pensava che...»). Il discorso indiretto libero rappresenta una terza soluzione, intermedia tra le due, ma più libera e mossa. Non vengono aperte le virgolette, quindi apparentemente è ancora lo scrittore a riferire le parole o i pensieri del suo personaggio, ma nella voce dello scrittore affiorano modi e forme che sono propri del discorso diretto: il lettore avverte che non sta più ascoltando la voce dell'autore-narratore, ma quella del personaggio, con i suoi caratteri e il suo livello di espressione. Lo si verifichi in questo passo, tratto da *Mastro don Gesualdo* di Verga, citato da Herczeg [1963: 33]:

Si sentiva allargare il cuore. Gli venivano tanti ricordi piacevoli. [*Qui incomincia il discorso indiretto libero*] Ne aveva portate delle pietre sulle spalle, prima di fabbricare quel magazzino! E ne aveva passati dei giorni senza pane, prima di possedere tutta quella roba! Ragazzetto... gli sembrava di tornarci ancora, quando portava il gesso dalla fornace di suo padre, a Donferrante!

Abbiamo insomma un'oscillazione tra l'autore e il suo personaggio[37]. La sintassi, là dove si innesta il discorso indiretto libero, segna un mutamento: si noti ad esempio il costrutto di tipo colloquiale «ne aveva... delle (dei)». Predomina l'uso dell'imperfetto narrativo [cfr. Herczeg 1963: 60-63], e si notano ben tre frasi esclamative. L'esecuzione del discorso indiretto libero si presta ad effetti stilistici diversi. Nei *Malavoglia*, ad esempio, la voce dello scrittore diventa espressione della coralità popolare, che fa da filtro alla narrazione (cfr. *ibidem* [203 ss.], dove si riprende un'intuizione critica di Leo Spitzer).

Possiamo concludere che nella genesi e nella fortuna del discorso indiretto libero «ha rappresentato una parte importante la volontà degli scrittori di trovare soluzioni sintattiche più sciolte, meno rigide, meno complicate» [Herczeg 1963: 249], che andassero anche al di là del rinnovamento prodotto dal Manzoni. L'innovazione stilistica permetteva di snellire il periodo eliminando tutta una serie di frasi subordinate, e dava voce a personaggi nuovi, popolari, appartenenti al mondo degli umili e dei 'vinti'. Si completava dunque, seppure sulla base di ipotesi teoriche completamente diverse, il cammino della lingua scritta verso il parlato, ora non solamente nella forma del toscano, ma anche dell'italiano popolare

---

[37] Nel discorso indiretto libero, «gli scrittori cedono la parola a un loro personaggio, che esprime la sua opinione» [Herczeg 1963: 139n], sia che si tratti di una descrizione paesaggistica, sia che si tratti della presentazione di una figura umana. Il d.i.l. è stato usato largamente dagli scrittori del Novecento, come si ricava dal citato Herczeg [1963] e da Cane [1969].

e regionale: una strada che sarebbe stata battuta da molti scrittori '(neo)realisti' del secolo seguente.

8. La poesia

8.1. Linguaggio poetico neoclassico

Il linguaggio poetico dell'Ottocento si caratterizza, almeno all'inizio del secolo, per una fedeltà alla tradizione aulica e illustre, in coincidenza con l'affermarsi del Neoclassicismo. Vincenzo Monti è il «restauratore di un linguaggio classico sontuoso e sonante» [Beccaria 1993: 689]. Foscolo non è da meno, come dimostra la solennità dei *Sepolcri*. La tendenza all'aulicità propria della poesia neoclassica è verificabile persino a livello sintattico, perché frequenti sono le inversioni prolettiche, anche congiunte con vocativi 'ritardati', posti al fondo del periodo, come nel sonetto foscoliano *Alla sera*: «Forse perché della fatal quïete / tu sei l'immago a me sì cara vieni / o Sera!» [cfr. *ibidem*: 692]. Frequenti sono gli iperbati, ovvero le inversioni rispetto all'ordine usuale della frase, con separazione di elementi normalmente contigui, come nei *Sepolcri*: «questa / bella d'erbe famiglia e d'animali». La disposizione sintattica si discosta dunque da quella propria della prosa e della lingua comune. Il lessico, analogamente, viene selezionato in modo da ascriversi alla serie delle parole 'nobili', diverse da quelle proprie della quotidianità. Tale 'doppia serie' lessicale, fatta di cultismi (*bronchi* 'rami', *avelli* 'tombe') e latinismi (*cure* 'affanni'), che distingue le parole della poesia da quelle della prosa, sarà una caratteristica del linguaggio letterario italiano almeno fino alla svolta novecentesca segnata da Pascoli, dai crepuscolari e dall'avanguardia. Nel caso di parole che non sono diverse in prosa e in poesia, per 'nobilitarle' nella forma, si ricorre con facilità alla sincope (*spirto* per 'spirito', *pria* 'prima') o al troncamento: nei *Sepolcri* troviamo *mar* (non 'mare'), *cor* (mai *core*), *dolor* (mai 'dolore'), *amor* (questa volta, però, accanto ad 'amore'), e sono tronchi anche gli infiniti dei verbi in tutte e tre le coniugazioni.

A proposito della necessità allora avvertita di distanziare linguaggio della prosa e linguaggio della poesia, si è soliti ricordare una testimonianza di Cantù, che descrive gli insegnamenti del suo maestro di retorica:

Poesia, mi diceva esso, è favella degli iddii, e tanto miglior è, quanto più dai parlari del profano vulgo si sprolunga. E prima quanto alle parole, tu non dirai *abbrucia*, *affligge*, *cava*, *innalza*, *è lecito*, *spada*, *patria*, *la morte*, *la poesia*; ma *adugge*, *ange*, *elice*, *estolle*, *lice*, *brando*, *terra natia*, *fato*, *musa*; e così *merto*, *chieggio*, *oceàno*, *imago*, *virtude*, *andaro*, *destriero*. Dalle idee basse, che rammentano cose troppo a noi vicine abborri, figliuol mio. Ai nomi proprj sostituisci una bella circonlocuzione; non dirai *amore*, ma il *bendato arciero*; non *vino* ma *liquor di Bacco*; non il *leo-*

ne, l'*aquila*, ma la *regina de' volanti*, *il biondo imperator della foresta*, e così i *regni buj*, il *tempo edace*, la *stagione de' fiori*, il *liquido cristallo*, l'*astro d'argento*, la *cruda parca*. Vedi il Monti? non disse il *gallo*, ma il *cristato fratel di Meleagro* [38].

In teoria, anche Leopardi, per il linguaggio poetico, sembra consentire con principi del genere: «Una parola o frase difficilmente è elegante se non si apparta in qualche modo dall'uso volgare», scrive nello *Zibaldone* [cfr. Beccaria 1993: 693]. Gli arcaismi si confanno dunque alla poesia, il cui linguaggio si riallaccia alla tradizione petrarchesca e tassiana; ma, proprio attraverso Tasso, Leopardi acquisisce anche il principio del carattere 'vago' del linguaggio poetico, in cui non ci devono essere 'termini' che definiscono in maniera precisa e univoca, ma 'parole' che evocano e suggeriscono qualche cosa di indefinito, e quindi di 'poetico'.

8.2. Un dissonante contrasto fra toni alti e toni bassi

Come abbiamo visto, dunque, il linguaggio poetico dell'Ottocento si mantiene «immune da vistose novità formali» [Beccaria 1993: 700], e le parole nuove o le voci concrete e quotidiane sono introdotte solo nella poesia giocosa, come quella di Giuseppe Giusti, dove si parla di *ghigliottina*, o dove ricorrono neologismi politici come *carbonaro* e *framassone*. Lo stesso Manzoni, che avrebbe poi innovato profondamente e coraggiosamente il linguaggio della prosa, come poeta si attenne sostanzialmente alla forma tradizionale, seppure con una certa propensione per una buona comprensibilità del dettato (anche la sintassi è semplice [cfr. Terracini 1966: 275]), senza abuso di arcaismi e parole colte. Il tono, comunque, è sempre 'alto', anzi 'sublime'.

Le parole di tutti i giorni, dunque, trovavano difficoltà ad entrare in poesia. Eppure la quotidianità premeva ormai sul linguaggio poetico, alle prese con temi sovente nuovi. Quando i romantici vollero introdurre in poesia contenuti realistici, urtarono proprio contro questa difficoltà: il linguaggio della poesia, così come era stato consacrato da una lunga tradizione, non permetteva l'inserimento di parole quotidiane (al di fuori del sottogenere della polemica in versi e della satira). I poeti classicisti, quando avevano avuto necessità di menzionare oggetti comuni, avevano fatto ricorso alla perifrasi: Beccaria [1993: 703] ricorda a questo proposito *le rauche di stagno abitatrici* (le 'rane') del Monti, e le *ferree canne* (i 'fucili') del Leopardi. I romantici continuano su questa medesi-

---

[38] C. Cantù, *Alessandro Manzoni. Reminiscenze*, Milano, Treves, 1882, vol. I, p. 230n; il passo è stato riportato da Migliorini [1978: 601]. Per la denominazione poetica del 'gallo' qui indicata dal Cantù, cfr. anche al capitolo XI, p. 368, i versi di Z. Betti e di Sannazaro.

ma strada. Tuttavia qualche segno di innovazione si ha nella seconda metà del secolo, nei poeti della cosiddetta «scapigliatura», come Praga e Tarchetti, che introducono termini 'realistici' nel tessuto della poesia tradizionale, creando un particolare effetto di stridore, per la coesistenza con le forme linguistiche canoniche. «A fine Ottocento i toni alti e i toni bassi venivano in dissonante contatto» [Beccaria 1993: 706], anche se questa dissonanza non era ancora usata a fini stilistici, ad esempio allo scopo ironico e dissacrante al quale pure si prestava (a tale soluzione giunsero più tardi i crepuscolari, e soprattutto Gozzano).

8.3. La poesia in dialetto e le polemiche antidialettali

L'Ottocento fu un secolo in cui ebbe eccezionale sviluppo qualitativo la poesia in dialetto. Il Porta milanese e il romano Belli rappresentano i più alti esponenti di questo tipo di letteratura. Va osservato che Belli chiosò i propri sonetti con note esplicative, le quali illustrano anche alcune parole poi passate alla lingua nazionale, come 'fregarsene' (*fregammene*), *cazzata* 'sciocchezza', *fesso* 'sciocco'[39] [cfr. Serianni 1989b: 122]. Quanto alla poesia di Porta, essa si lega fra l'altro a un'interessante polemica sul ruolo del dialetto e della letteratura dialettale. Il classicista Pietro Giordani, con un articolo uscito sulla «Biblioteca italiana» del 1816, aveva condannato l'iniziativa presa da Francesco Cherubini di dare alle stampe una collezione di opere letterarie in dialetto milanese. Era prevista l'uscita di dodici tomi, che avrebbero riunito in un unico *corpus* la tradizione letteraria meneghina, a partire dai cinquecentisti per giungere fino ai contemporanei; l'ultimo tomo doveva essere riservato appunto al Porta. Giordani obiettava che l'uso dei dialetti era nocivo alla nazione, che i dialetti erano «moneta di rame» da spendere con gente rozza, o con i bambini, nelle circostanze banali della vita comune, ma inadatti al viver civile e alla promozione del popolo. Giordani riteneva che la poesia dialettale fosse da collocare su di un piano basso, tra il plebeo e lo scherzoso, ma non avesse alcuna funzione di progresso. Egli dunque disprezzava il dialetto, e sentiva semmai in maniera acuta la mancanza di una lingua comune diffusa largamente, dalla quale faceva dipendere lo sviluppo di una coscienza nazionale, deprecando che gli abitanti dei vari stati italiani si sentissero 'stranieri' tra loro. Per contro i romantici milanesi erano assai favorevoli alla tradizione in dialetto, nella quale vedevano un modo di avvicinarsi alla lingua popolare e un canale di diffusione della cultura tra i ceti umili [cfr. Isella 1976: XVIII-XXIV e Gensini 1984b: 160-164]. Per quanto la sua condanna dei dialetti fosse eccessiva, non si

---

[39] *Fesso* è uno dei napoletanismi usati da Belli [cfr. Serianni 1989b: 123n].

può interpretare riduttivamente l'atteggiamento antidialettale di Giordani come frutto di una posizione reazionaria e conservatrice, perché a smentire tale tesi sta la sua viva coscienza civile, che si esprime nell'auspicio di una lingua e di un sentimento nazionale unitari[40]. Senza entrare nel merito di una disputa che ha fatto discutere anche ai tempi nostri, possiamo limitarci a prendere atto che romantici e classicisti, sul tema della letteratura in dialetto, partivano da presupposti completamente diversi. I romantici si ponevano come difensori del dialetto, riallacciandosi alle posizioni di Parini, che aveva sostenuto nel Settecento un'analoga polemica contro il padre Onofrio Branda[41]. I classicisti, per contro, diffidavano di ogni discesa verso il livello basso della comunicazione, e guardavano alla tradizione letteraria nazionale nelle sue forme nobili. Tornando al Porta, egli entrò direttamente nella polemica contro Giordani, scrivendo una serie di dodici sonetti satirici, i *Dodes sonitt all'Abaa Don Giavan sora la soa dissertazion di Poesij Meneghinn stampada sul segond numer del Giornal intitolaa Bibliotecca Italiana* (si possono leggere in Isella [1976: 375-419]).

[40] La posizione del Giordani è stata difesa da Timpanaro, il quale osserva che quella tesi classicista antidialettale riflette «un atteggiamento politico-culturale, valevole per l'Italia di quel tempo: la poesia dialettale – come fenomeno culturale d'insieme, prescindendo dall'apparizione di singoli artisti – non va incoraggiata perché è manifestazione di chiusura provinciale, di regionalismo angusto, e, invece di esercitare una funzione popolare in senso progressivo, tende a confinare il popolo in un piano di cultura inferiore» [Timpanaro 1969: 51]. Ben diverso il giudizio di Corti [1969: 175], che vede nelle idee del Giordani sul dialetto una «posizione genericamente filantropico-paternalistica».

[41] Sulle idee linguistiche del Parini, cfr. Morgana [2000].

1. Il linguaggio letterario e scientifico nella prima metà del secolo

1.1. Durata del linguaggio classico

Gli autori vissuti a cavallo tra i due secoli, come D'Annunzio e Pascoli, testimoniano nelle loro opere le trasformazioni in atto. La lingua italiana, anche quella letteraria, si presenta nel Novecento con un ribollire di novità, che cozzano e contrastano con il permanere di una tradizione di livello 'alto'. Probabilmente Carducci è l'ultimo scrittore che incarna in maniera perfetta, senza incrinature, il ruolo tradizionale del vate, e la lingua della sua poesia aderisce alle convenzioni che vogliono nobilitare la realtà toccata dai versi, al di fuori del genere satirico-polemico, dove è tradizionalmente concessa una maggior dose di realismo linguistico. Serianni [1990: 138] ricorda che nei *Giambi ed epodi* (in *A certi censori*) entrano termini 'moderni' o impoetici come *questura, tartufi, listino* (della borsa), con la funzione di sottolineare il registro comico-satirico. Ma nei momenti di maggior ìmpeto lirico, o nella poesia storica, la nobilitazione resta molto forte, e una chiesa può diventare facilmente un *tempio*, una piazza un *foro*, secondo una tendenza ben nota della poesia del sec. XIX [cfr. De Lollis 1929]; ad analoga funzione nobilitante serve il latinismo (*parvola* 'piccola', *virente* 'verdeggiante' ecc. [cfr. ancora Serianni 1990: 140-141]). Insomma, come scrive Beccaria [1993: 700], il linguaggio poetico «sino a Carducci si mantiene immune da vistose novità formali. Sono mantenute le forme tradizionali, i vocaboli arcaici latineggianti, le forme del verbo anticheggianti. Le parole, i modi comuni e quotidiani sono evitati».

Anche la poesia di D'Annunzio non rinuncia alla nobilitazione attraverso la selezione lessicale. Beccaria [1971: 78] ricorda che *ippopotamo* diventa «pachidermo fiumale», le cameriere si trasformano in «fanti, cameriste», gli *operai* in «uomini operatori», mentre il *tram*, forestierismo troppo quotidiano e banale, viene sublimato in forma di «carro che non ha timone / né giogo, e non corsieri / splendenti di sangue e di schiume / cui prostesa l'onta soggiace, / ma rapidità senz'acume, / che bassa scivola immune / tra la ferrea fune sospesa / e il duplice ferro seguace» (cfr. Praz [1966: 435-436]; il passo citato è nella *Laus vitae* del 1907, vv. 5537-5544; D'Annunzio [1944: 230]). E si noti che siamo in un contesto già disposto a una certa durezza realistica e 'moderna', visto che qui il poeta trapassa dalla mitica Grecia antica di Ulisse alla descrizione delle 'città terribili', con il «sordo asfalto», il «lastrico senz'orme», dove vivono prostitute («sta la bagascia»), dove le masse di gente trasportate dai tram (in seguito *carri*: D'Annunzio non usa mai la parola banale) sono definite «scòria/umana». Quanto a latinismi, D'Annunzio non è da meno di Carducci: basti pensare a *polluto* per 'macchiato, profanato, violentato' [cfr. Passerini 1912: 342], termine non ignoto del resto alla tradizione poetica ottocentesca, e perfino alla prosa; o ancora si vedano (in ossimoro) i «gaudii letiferi» [D'Annunzio 1944: 49], cioè le 'gioie apportatrici di morte', dove *letifero* (già carducciano [cfr. *GDLI*: s.v.]) è il lat. *letifer*, da *letum* 'morte' (cfr. l'agg. it. *letale*) e *fero* 'portare'.

D'altra parte, pur aderendo alla tradizione, la poesia di D'Annunzio si presenta come innovativa per la capacità di sperimentare una miriade di forme diverse (anche metriche, fino a preludere ormai al verso libero), e per il gusto di citare e utilizzare lingua, esempi, stilemi antichi (e anche modelli stranieri, talvolta imprevedibili e sorprendenti), sicché si può arrivare a dire che egli «ricostruisca il linguaggio poetico italiano» [Beccaria 1993: 713], come un archeologo che rimetta in piedi colonne e steli cadute. D'Annunzio è un consumatore onnivoro di parole, che dissemina arcaismi, tecnicismi, preziosismi; è un compulsatore di vocabolari e di lessici specialistici (ad esempio usa il vocabolario di Tommaseo, e quello di marina del Guglielmotti, come ha mostrato Praz [1966]): ne cava tutto il possibile, mettendo in pratica una sua posizione teorica ben chiara, che ne fa un impareggiabile (e cosciente) artefice della parola, un artista che dalla citazione, dalla ripresa della frase altrui, prende sovente lo spunto per la propria creazione, con abilità prodigiosa. Se si considera il successo che la sua opera ebbe, e la vita sua, sovente offerta al pubblico come una parte della propria arte, con uscite nel terreno della politica e interventi di larga risonanza (anche come oratore: cfr. XIII.1.4), è facile comprendere come mai la sua influenza sulla lingua del Novecento sia stata così avvertibile. Gli si devono, fra l'altro, alcuni neologismi, non molti, tra i quali si è bene affermato *velivolo* per *aeroplano* (ricalcato sul termine latino *velivolus*, riferito alle navi che corrono sul mare con le vele gonfie di vento, come fossero ali di uccelli [cfr. Migliorini 1990: 273]); ha avuto fortuna anche il nome da lui suggerito per la *Rinascente* (il grande emporio milanese distrutto da un incendio nel 1918, e 'rinato' quindi dalle proprie ceneri [cfr. Beccaria 1992: 18]). Non solo D'Annunzio fu disposto a venir a patti con le esigenze del proprio tempo, ad esempio adattandosi alla pubblicità commerciale (come, nel 1929, per i biscotti Saiwa), ma anche collaborò con la nascente cinematografia del muto, fornendo (dietro lauto compenso) le didascalie e i nomi di persona latini e punici per il *colossal* del 1914 *Cabiria*, che narrava la guerra tra Roma e Cartagine [cfr. De Felice 1987: 175]. Alcuni di questi nomi ebbero una certa fortuna, se troviamo ancora la *Cabiria* di Fellini (1957) e se «Maciste» diventò il protagonista di tutta una serie di film di successo popolare, fino agli anni Sessanta, ed entrò nell'italiano comune per indicare un uomo forzuto.

1.2. Crisi del linguaggio classico

Una prima rottura con il linguaggio poetico tradizionale si ha con Pascoli, con i crepuscolari e con le avanguardie. Benché Pascoli utilizzi parole colte e latinismi, benché sappia maneggiare perfettamente la forma antica, con lui «cade [...], dopo secoli di distanti vite parallele, la distinzione tra parole poetiche e parole non poetiche. Il diritto di cittadinanza sarà allargato a tutte le parole, sublimi, arcaiche, attuali, quotidiane» [Beccaria 1993: 706], fino ad includere dialettismi, regionalismi e persino un po' di italo-americano in *Italy* dei *Primi Poemetti* (1897), un componimento dedicato all'emigrazione degli italiani (cfr. XII.5.3), o, secondo la più altisonante dedica dell'autore, 'Sacro all'Italia raminga': «*Oh yes*, è fiero... vi saluta... / molti bisini, *oh yes*... No, tiene un frutti / stendo... *Oh yes*, vende checche, candi, scrima...»: dove si riconoscono italianizzazioni di termini inglesi come *business* ('affari'), *fruit-stand* ('bancarella di fruttivendolo'), *cakes* ('dolci'), *candies* ('caramelle'), *ice-cream* ('gelati'), accanto al toscanismo *essere fiero* per 'star bene, esser gagliardo'. Una lettura più ampia avrebbe messo in luce come questa materia coesista con un linguaggio letterario nobile (come la citata dedica), tuttavia pronto a scendere verso oggetti comuni e quotidiani, menzionati con precisione (così, ad esempio, le parti del telaio: «E tendeva col subbio e col subbiello / altre fila. La bimba, lì, da un canto, / mettea nello spoletto altro cannello»[1]). I pochissimi versi citati, questi ultimi ma soprattutto i primi, con gli anglismi dell'emigrante, mostrano un'altra caratteristica dello stile di Pascoli: il periodare franto, l'inserimento di domande, esclamazioni, risposte brevi, e più in generale l'uso di pause, frangimenti sintattici, elementi che possono a volte

---

[1] Si tratta di tecnicismi, benché di uso allora 'domestico', che si trovano infatti registrati e spiegati nella tavola apposita dedicata al *Tessere* nell'ottocentesco *Vocabolario metodico d'arti e mestieri* di Giacinto Carena (cfr. XII.4.4).

«ricordare il 'parlato'» [Beccaria 1993: 707]. Non è qui luogo per soffermarci sulle innovazioni e arditezze di Pascoli nel campo della metrica (si noti, almeno, nei versi citati, la rima con *frutti-*, cioè con mezza parola composta, ottenuta per italianizzazione di forestierismo). Notevole è infine la precisione botanica e ornitologica di Pascoli, rispetto alla tradizionale disinvoltura della poesia italiana, che, come accade in Leopardi, faceva irrealisticamente fiorire le rose e le viole nella medesima stagione (era proprio Pascoli a notare l'incongruenza [cfr. De Robertis 1978: 344n]).

La poesia crepuscolare accentuò nel verso la tendenza verso la prosasticità, rovesciò il tono sublime e attuò una «programmatica compressione dell'eloquenza» [Beccaria 1993: 716]. A volte, come in Gozzano, il rovesciamento di toni rispetto alla tradizione aulica, viva ancora nei versi coevi di D'Annunzio, fu attuato mediante una dissacrante ironia, in forma di controcanto e di citazione straniata [cfr. Beccaria 1993: 721-724]. La tendenza al prosastico che qui si inaugurava fu poi caratteristica di buona parte della lirica del nostro secolo (cfr. XIII.3.2).

Quanto all'avanguardia, in Italia essa si identifica sostanzialmente con il Futurismo, che, nella prassi e anche nei suoi manifesti teorici, fece appello a un provocatorio rinnovamento della forma: innovazioni tra le più vistose ed effimere furono ad esempio l'uso di parole miste a immagini, l'uso di caratteri tipografici di dimensioni diverse per rendere intensità e 'volume fonico' delle parole, con effetti paragonabili a quelli del *collage* (nelle intenzioni, si trattava di una vera e propria rivoluzione tipografica, secondo l'espressione usata da Marinetti in un manifesto del 1913[2]), abolizione della punteggiatura, uso largo dell'onomatopea. Tutto questo fu ovviamente occasione di diatribe, ma in sostanza fu effimero; non va tuttavia sottovalutato l'effetto del Futurismo sul linguaggio poetico del nostro secolo: «al di là del goliardismo propagandistico dei Manifesti, il futurismo incise notevolmente sui modi del linguaggio poetico del primo Novecento, con la poetica del frammento, del balenio analogico, dell'autonomia del segno» [Beccaria 1993: 725]. La poesia futurista, inoltre, si impadronì del lessico delle automobili, dei motori, della guerra moderna e meccanizzata [cfr. Coletti 1993: 414]: così nel poema parolibero sull'assedio di Adrianopoli, in *Zang Tumb Tumb* (1914), che si conclude con la descrizione di un bombardamento strabordante di onomatopee. Questo 'poema' fu anche cavallo di battaglia del Marinetti declamatore. Ovviamente testi di questo genere hanno un limite nella loro natura di 'trovata', con esiti che non possono andare quindi molto lontano. Ma il Futurismo fu un complesso assai varie-

---

[2] Il manifesto di cui parliamo si intitolava significativamente *Distruzione della sintassi. Immaginazione senza fili. Parole in libertà.* Lo si legge nella ricca raccolta di De Maria [1973: 99 ss.].

gato, in cui entrarono più o meno marginalmente anche autori che sperimentarono soluzioni linguistiche di maggiore profondità creativa: così Palazzeschi, che nella *Passeggiata* (nella raccolta *L'incendiario* del 1910) integrò, ironizzati dalla rima, elementi impoeticissimi tratti dalle insegne commerciali e dagli avvisi pubblicitari: «Ribassi del 90% [3] / libero ingresso. / Hotel Risorgimento / e d'Ungheria. / Lastrucci e Garfagnoni, / impianti moderni di riscaldamento: / caloriferi, termosifoni» (cito il testo da Mengaldo [1978: 66]).

1.3. Prosa poetica, lingua media, mistilinguismo

«I debiti che la poesia del Novecento ha contratto con la lirica dannunziana sono in gran parte accertati; mancano lavori dello stesso impegno per la prosa che, pure, potrebbero dirci molto sulla presenza di quel modello», come osserva Serianni [1993: 567], facendo subito dopo riferimento alla tendenza dello scrittore a far a meno della virgola, creando sequenze asindetiche, con un certo 'ribellismo interpuntorio'. Le punte più innovative della prosa dannunziana si possono indicare nel *Notturno* e nel tardo *Libro segreto* [cfr. ancora Serianni 1993: 568], che però influì di meno sull'ambiente letterario. La prosa del *Notturno* (scritto a Venezia nel 1916 durante un periodo di temporanea cecità, dovuta ad una ferita riportata in un incidente aviatorio, che costrinse D'Annunzio a stare per due mesi con gli occhi bendati) si caratterizza per il periodare breve e brevissimo, per la sintassi nominale, per i frequenti 'a capo', per la presenza di elementi fonici e ritmici nella frase di andamento lirico, da prosa d'arte. Ecco, ad esempio, un passo in cui D'Annunzio, cieco, si identifica nella fugace apparizione di una rondine che sorvola rapida la città lagunare [4]:

Resto silenzioso. Ma un istinto balzante della mia carne stanca imita la rondine veloce.
I suoi minuti occhi selvaggi s'aprono sotto la mia benda.
Entra nella Corte Contarina. Un grido, due gridi.
Viene dalla riva degli Schiavoni.
Passò sopra Chioggia.
Volò a San Francesco del Deserto.
Girò intorno al campanile orientale nell'isola degli Armeni.
[...]
Entra nella Corte Contarina. Un grido aguzzo, un guizzo bianco.

---

[3] Qui «90%» rima con «Risorgimento» e «riscaldamento», con unione assai innovativa di segno matematico e parola. Cfr. anche i versi di Montale riportati in XIII.3.2, in cui ricorre un'altra percentuale numerica, ma scritta in lettere.
[4] D'Annunzio [1954: 273]. Sullo stile nominale, cfr. anche le osservazioni, riferite a D'Annunzio e ad altri autori, di Dardano [2001: 65-69], in un saggio di sintesi che offre un quadro completo e articolato dei caratteri linguistici della narrativa e della poesia moderna.

Come si vede, siamo qui molto distanti dal periodare ampio e magniloquente caratteristico della tradizione italiana, e viene viceversa proposto un modello che sarà tra i più seguiti nel Novecento, coerente con certi risultati innovativi della prosa 'visionaria' del simbolismo europeo (ad esempio di un autore come Rimbaud, che affascinò l'avanguardia del nostro secolo). D'Annunzio, dunque, con il suo gusto per lo sperimentalismo, è una sorta di Giano bifronte: si pone a chiusura di un ciclo storico e al tempo stesso inaugura nuove tendenze. La prosa lirica di un 'ribelle' come Dino Campana, almeno quanto a esiti linguistici, non va certo molto più in là del 'vate' D'Annunzio.

Un interessante riflesso del 'parlato' si ha nella prosa di Pirandello, non tanto, ovviamente, nei romanzi, quanto nelle opere teatrali. La riproduzione dell'oralità è verificabile anche nella presenza di una serie di interiezioni frequentissime come *ah sì!, ah sì sì!, eh via!, ah no no!* [cfr. Nencioni 1983b: 210-253], connettivi come è *vero, si sa, figurarsi, o bella!* [cfr. Serianni 1993: 571-572], e anche in una serie di elementi che con rapide opposizioni, con relativizzazioni improvvise, rendono sfuggente la sostanza della comunicazione: *non più, ma..., sì forse* [cfr. Terracini 1966: 372-374]. Si può dire che lo stile di Pirandello sia l'esatto opposto di quello di D'Annunzio. Terracini [1966: 387] ricordava l'azzeccata definizione data da Bruno Migliorini della lingua dell'Imaginifico: «libero vocabolario in sintassi sovrana», con allusione alla sterminata libertà del lessico dannunziano, che può far rivivere con un colpo di bacchetta magica l'intero patrimonio delle parole della tradizione. Viceversa Pirandello «sta ben attento a non uscire dai moduli della lingua d'ogni giorno» [ivi]. In questo senso, la sua prosa è un documento assai interessante per il linguista, che vi può trovare una sorta di 'uso medio'. Va ricordato inoltre che Pirandello «è sempre stato programmaticamente diffidente verso il dialetto come strumento letterario» [Coletti 1993: 320], anche se non ha rinunciato a dare alle sue opere una lieve patina di colore locale (ad esempio nella scelta dei nomi di persona [cfr. Sgroi 1990: 101-153]), almeno nelle opere di ambiente siciliano, là dove la materia lo richiedeva, e pur senza mai venir meno all'opzione prevalente per un italiano 'neutro'.

L'altro grande scrittore del primo Novecento, Italo Svevo, è famoso per il rapporto non facile con la lingua italiana, determinato dalla sua provenienza da un'area periferica come Trieste, oltre che da un'esperienza culturale profondamente lontana dalle 'chiese' della letteratura. Un effetto di ciò fu l'accusa a lui rivolta di 'scriver male', che lo fece soffrire[5]. In effetti, osserva Coletti

---

[5] «Mi secca un poco di vedermi continuamente gettati sulla testa Riguttini e Fornacciari. È destino! Passerà anche questa»: così scriveva a Montale nel 1926 (Rigutini e Fornaciari, che Svevo scrive deformandone forse apposta il nome, sono due autori di opere linguistiche del sec. XIX. La frase è citata anche da al-

[1993: 320-321], la lingua di un romanzo come *La coscienza di Zeno* non risponde ai canoni puristici: si veda l'uso dell'ausiliare *avere* con i verbi servili (secondo una tendenza, del resto, propria della lingua parlata anche di livello medio); e, ancora, si riscontrano incertezze nei tempi verbali; in certi casi è vistosa la formalità grammaticale, con elementi che hanno sapore di lieve arcaismo. Così, ad esempio, l'*i* prostetica: «in Isvizzera», «ad isveltire», «per istrada», «per ischerzo»; o anche la contiguità dei pronomi personali *mi vi*: «mi vi accingo», «mi vi sarei adattato», «mi vi abbandonavo», «non mi vi facevo vedere»[6]. Si noti, ancora, l'uso a volte anomalo del *di* («pronto di dividere» per 'pronto a dividere'). Pur con tutto questo, ha ragione Mengaldo [1994: 137-138] quando (riprendendo Contini [1970a: 667]) invita a liberarsi dal pregiudizio che Svevo davvero 'scriva male'. La lingua di questo scrittore, nata come forma quasi 'privata', va invece inserita nel contesto storico in cui è nata, e non va banalmente giudicata in base a modelli letterari della tradizione. Chi la pensasse in modo diverso, dovrebbe lasciar da parte questo autore profondamente rivolto al nuovo secolo, anche se appartato rispetto alla letteratura ufficiale, la quale in genere (ma con la vistosa eccezione di Montale) non lo capì. Molto finemente Coletti [1993: 322] scrive che la «lingua della *Coscienza* è anche il risultato di un progetto stilistico, di cui l'approssimazione grammaticale [...] è elemento costitutivo». Come dire che monologo interiore, analisi della coscienza e flusso verbale autoironico richiedono (più che 'giustificano'), come strumento di una particolare visione del mondo, una lingua 'imperfetta'. La mancata adesione ai modelli del bello scrivere, in una tradizione iperletteraria e culta come quella italiana (si pensi sempre all'ingombrante presenza di D'Annunzio), poteva essere persino una forza, una verginità; e forse effettivamente lo fu, nel senso che favorì una 'diversità' e leggibilità del testo (il che non vuol dire affatto, si badi, che Svevo sia 'facile'!): il successo presso il pubblico (dopo tutte le difficoltà che Svevo ebbe a suo tempo con gli editori e con i critici) sta continuamente a dimostrarlo.

Uno dei punti di riferimento per gli scrittori, specialmente dopo che Verga aveva mostrato la via per una scrittura che si av-

---

tri studiosi, ad es. Serianni [1993: 572]); e l'anno dopo, sempre a Montale, a proposito della revisione di *Senilità*: «Le dico la verità che i dubbî sulla lingua mi frastornarono in modo che son lieto di non aver più a pensarci» [cfr. Zampa 1976: 13 e 55-56].

[6] Tale contiguità si trova nella prosa di Foscolo, nelle *Operette morali* di Leopardi (non nello *Zibaldone*), nelle *Confessioni* di Nievo, ma risulta essere evitata da Manzoni, Verga e Fogazzaro (mi baso su verifiche messe in atto con la *LIZ*: cfr. II.6). Non è forse troppo giusto, però, insistere sulla presenza nella prosa di Svevo di arcaismi come *dimane* e *recare*; le occorrenze di *dimane* sono nella *Coscienza* in tutto sei, contro le diciassette di *domani*; e *recavo* nel senso di 'portavo' compare una volta sola (un'altra volta è *mi recavo*, nel senso di 'andavo'). Sembrano dunque marginali oscillazioni, residui di correzioni non portate a fondo.

vicinasse al mondo popolare e lo descrivesse (per così dire) dall'interno, è il dialetto. Bisogna distinguere tra l'utilizzazione diretta (che non è questione da trattare in questa sede), e le varie miscele che sono possibili combinando dialetto e lingua. Nel Novecento, anche il toscano può essere ormai considerato alla stregua di un dialetto: Federico Tozzi introduce senesismi nei suoi romanzi (parole come *astiare* 'odiare', *bicciarsi* 'cozzare con le corna', *piaggiata* 'terreno in pendio', *untare* 'ungere' ecc.: un elenco ampio in Mengaldo [1994: 146]), ciò che non gli impedisce di guardare anche in altre direzioni, ad esempio a D'Annunzio [cfr. ivi].

Un uso diverso del dialetto si ha negli scrittori 'mistilingui' come Carlo Emilio Gadda [cfr. Contini 1970a: 610 ss. e Dardano 2001: 75-80]. La linea che porta a Gadda passa attraverso alcuni esperimenti della 'scapigliatura' ottocentesca: Dossi, Faldella, Cagna (cfr. XII.7.4). Nella pagina di Gadda si affollano i più vari elementi, e gli addendi più saporiti (per usare l'espressione di Mengaldo [1994: 149]) sono i dialetti. Non un solo dialetto, si badi: lombardo nell'*Adalgisa* e nella *Cognizione del dolore*, fiorentino nelle *Favole* e in *Eros e Priapo*, romanesco e molisano (con qualche battuta in veneto) in *Quer pasticciaccio brutto de via Merulana*. Quest'ultimo libro, il più fortunato di Gadda presso il largo pubblico, uscito in parte su rivista nel 1946, divenne volume nel 1957. Si pone dunque sullo spartiacque di metà secolo.

Ecco un esempio del mistilinguismo di Gadda, in un passo tratto dal *Pasticciaccio* (capitolo 2). Si tratta di una descrizione grottescamente deformante di un Mussolini iconico e plateale, inquadrato nell'ambiente provinciale e ritardatario del nostro paese, così come era negli anni Venti:

Ereno i primi boati, i primi sussulti, a palazzo, dopo un anno e mezzo de novizzio, del Testa di Morto in stiffelius, o in tight: ereno già l'occhiatacce, er vommito de li gnocchi: l'epoca de la bombetta, de le ghette color tortora stava se po dì pe conclude: co quele braccette corte corte de rospo, e queli dieci detoni che je cascaveno su li fianchi come du rampazzi de banane, come a un negro co li guanti. I radiosi destini non avevano avuto campo a manifestarsi, come di poi accadde, in tutto il loro splendore. La Margherita[7], di ninfa Egeria scaduta a Didone abbandonata, varava ancora il Novecento, el noeufcént, l'incubo dei milanesi di allora. Vacava alle mostre, ai lanci, agli oli, agli acquerelli, agli schizzi, quanto può vacarci una gentile Margherita. Lui s'era provato in capo la feluca, cinque feluche. Gli andavano a pennello. Gli occhi spiritati dell'eredoluetico oltreché luetico in proprio, le mandibole da sterratore analfabeta del rachitoide acromegàlico riempivano di già l'*Italia Illustra*: già principiavano invaghirsene, appena untate de cresima, tutte le Marie Barbise d'Italia, già principiavano involvarselo, appena discese d'altare, tutte le Magde, le Milene, le Filomene d'Italia: in vel bianco, redimite di zàgara, fotografate dal fotografo all'uscire dal nartece, sognando fasti e ro-

---

[7] Margherita Sarfatti, che era stata amante di Mussolini.

teanti prodezze del manganello educatore[8]. Le dame, a Maiano o a Cernobbio, già si strangulavano ne' su' singhiozzi venerei all'indirizzo der potenziatore d'Italia. Giornalisti itecaquani lo andavano intervistare a palazzo Chigi, le sue rare opinioni, ghiotti ghiotti, le annotavano in un'agendina presto presto, da non lasciarne addietro un sol micolo. Le opinioni del mascelluto valicavano l'oceano, la mattina a le otto ereno già un cable, desde Italia, su la prensa dei pionieri, dei venditori di vermut. «La flotta ha occupato Corfú! Quell'uomo è la provvidenza d'Italia.» La mattina dopo er controcazzo: desde la misma Italia. Pive ner sacco. E le Magdalene, dài: a preparar Balilli[9] a la patria.

L'effetto di deformazione del narrato si attua attraverso l'uso del dialetto, qui introdotto con il romanesco dell'avvio, da cui ci si stacca di colpo con il linguaggio 'alto' della retorica formula *radiosi destini* (ma il dialetto ritorna alla fine, anche con la violenza del turpiloquio: *er controcazzo*). La brusca inserzione del milanese *noeufcént* interrompe il linguaggio 'alto': è un 'Novecento' carico di connotazioni satiriche ed ironiche. Troviamo dunque gli stereotipi del linguaggio ufficiale («radiosi destini», la «provvidenza d'Italia»), aulico-poetico («ninfa Egeria», «redimite di zàgara»; *redimito* è parola carducciana, usata qui in chiave ironica, così come, si noti, nel poemetto *Le farfalle* di Gozzano); e poi vi è l'impiego dei tecnicismi («eredoluetico», cioè affetto da lue ereditaria, «rachitoide acromegàlico», detto del Duce, caricaturizzato nelle grandi mani e nella testa scultorea). Ci sono gli esotismi, o addirittura gli inserti di lingua straniera: *cable, prensa, desde la misma Italia,* termini e frasi spagnole che indicano le ripercussioni oltreoceano, in Sud America, della propaganda di regime. C'è anche il toscanismo *micolo* ('briciolo').

L'esempio mostra che cosa si debba intendere per 'multilinguismo' e per *pastiche* gaddiano: attraverso un processo di straniamento, materiali eterogenei convergono nella pagina dello scrittore, con esiti espressionistici.

1.4. Oratoria e prosa 'd'azione'

Forse oggi è più difficile comprendere l'importanza dell'oratoria di tipo tradizionale, oratoria di piazza, di fronte alla folla, davanti a un pubblico in carne e ossa. È più difficile per il semplice motivo che gran parte della funzione di convincimento e di penetrazione della retorica è affidata oggi agli strumenti della comunicazione televisiva, che richiedono strategie diverse, un tempo im-

---

[8] Il manganello era lo strumento largamente usato dai fascisti contro i loro avversari politici.

[9] I Balilla erano l'organizzazione in cui il regime inquadrava i ragazzi. Gadda allude alla maternità intesa come funzione patriottica (fare i figli per la Patria, futuri soldati).

pensabili e inutili (le raffinate tecniche per far rendere al massimo il 'primo piano', ad esempio) [cfr. Marazzini 2001: 254-257]. L'oratoria del primo Novecento richiama il tema dei discorsi rivolti alle masse da Mussolini. Benché questi discorsi fossero fatti rimbalzare in tutt'Italia dalla radio e fossero filmati nei documentari cinematografici, gran parte del loro fascino stava nel rapporto diretto con la folla, secondo i dettami, appunto, dell'oratoria tradizionale [cfr. Simonini 1978].

Tuttavia, se dovessimo indicare un modello che, meglio di quello mussoliniano, rappresenta le tendenze di un'oratoria letteraria e magniloquente, coltissima, efficace (per gli effetti sul pubblico del tempo, intendo), ben radicata anche nel militarismo patriottico della Grande Guerra e degli anni che la seguirono, dovremmo riferirci ancora una volta a D'Annunzio. I suoi discorsi rivelano notevole abilità nella scelta di un periodare breve e incisivo (anche una sola parola per frase), con riprese frequenti, come in questo *incipit* di orazione del 14 maggio 1915: «Udite. Udite. Gravissime cose io vi dirò, da voi non conosciute. State in silenzio. Ascoltatemi. Poi balzerete in piedi, tutti» [D'Annunzio 1954: 46]; dove però è curioso notare che proprio quegli *Udite* furono probabilmente aggiunti in un momento successivo, e mancavano nel discorso pronunciato realmente, almeno così come fu riportato dai giornali dell'epoca [cfr. De Michelis 1960: 466]. Come dire che l'oratoria, diventando esercizio di (ri)scrittura, può farsi ancor più simile a un ideale parlato di sapore teatrale. Accanto agli esperimenti di oratoria, vanno ricordati i proclami e messaggi dannunziani, specialmente quelli in relazione con la questione della Dalmazia e di Fiume (D'Annunzio scrisse anche un progetto di costituzione fiumana [cfr. D'Annunzio 1954: 107 ss.]). Nei proclami e messaggi, che rappresentano bene lo specifico modello retorico (e dovettero influire non poco), si rintracciano fra l'altro elementi di natura religiosa, sfruttati in contesto patriottico (ad es. «Zara, Zara la santa [...] Eccoti la buona novella che aspetti, eccoti la parola invocata dalla tua passione» [Coselschi 1928: 8]).

Sicuramente il modello dannunziano influì sulla retorica del Fascismo (l'elemento religioso, ad esempio, si ritrova nel linguaggio di Mussolini: *passione, fede, apostolato, fuoco sacro* ecc. [cfr. Foresti in *Fascismo* 1978: 30 ss.]), anche se non ne fu l'unico modello, visto che sono stati chiamati in causa altri ispiratori, tra i quali Carducci [cfr. Cortelazzo M.A. 1977: 182; Leso 1973; Gensini 1985: 356 e Mengaldo 1994: 51-52]. Nella lingua del Fascismo e di Mussolini sono stati individuati i seguenti caratteri, che del resto non ne sono esclusivi: abbondanza di metafore religiose (*martire, asceta* ecc.), militari (*falangi, vèliti*), equestri (*redini del proprio destino*), oltre a tecnicismi di sapore 'romano', da *Duce* a *littore, centurione, manipolo*, che erano termini usuali nel Partito Nazionale Fascista [cfr. Migliorini 1990: 51]. Si aggiunga l'ossessione dei numeri: l'insistenza, ad esempio, sui 'milioni' di italiani, sulle migliaia o decine di migliaia di caduti, di feriti ecc. Ma qui il discorso passerebbe dall'oratoria al linguaggio politico in generale (sul quale cfr. le riflessioni storico-metodologiche di Paccagnella-Cortelazzo [1981]). Quanto all'arte vera e propria di arringare la folla, Mussolini fu tra i primi a farne una tecnica di persuasione di massa: certo vi è differenza tra i suoi discorsi di piazza e l'oratoria 'in doppiopetto', ad esempio quella parlamentare, più compassata [cfr. Leso 1973: 151]. Rispetto ai modelli di retorica 'alta' prima esaminati, l'oratoria mussoliniana rivolta al popolo si distingue per un particolare tipo di dialogo con la folla, la quale risponde con l'ovazione collettiva (lunghi silenzi dell'oratore, tra una frase e l'altra, colmati dalle grida di approvazione dei fedeli). Non di rado compare una violenza verbale che comporta una caduta di tono impensabile, ad esempio, in D'Annunzio. Eccone un esempio dal *Discorso del passo romano* del 1° febbraio 1938: «È un passo [il passo romano] che i sedentari, i panciuti, i deficienti, le cosiddette mezze cartucce non potranno mai fare». Nel discorso della mobilitazione generale (2 ottobre 1935) troviamo i «cervelli illanguiditi... o intorpiditi...» (coloro che non sono d'accordo col Duce). Spesso la polemica è affidata al suffisso, come vari termini messi in circolazione da Mussolini: *pennivoro, bracaiolo, carrierismo, retroguardismo, stupidario, liberaloide, borghesoide*. Ovviamente nel discorso mussoliniano ha largo posto lo *slogan*[10], l'esagerazione e il luogo comune: *massa compatta, compiti poderosi, fraterno cameratismo, pagine di sangue e di gloria, dura energia, ora solenne, ruota del destino, calma determinazione, ritmo... inarrestabile, la più nera delle ingiustizie, irrompente vitalità, Italia proletaria e fascista, fermissima incrollabile decisione, esaltante spontaneità*, ecc.

Poiché il fascismo fu forse il primo movimento politico (dopo il socialismo, ma con più mezzi) a interessarsi alla sorte delle masse popolari e alle loro aspirazioni, è interessante chiedersi che effetti abbia avuto questa continua lezione linguistica impartita al popolo, fatta giungere ovunque dalla radio, dalla scuola (i discorsi del Duce si imparavano a memoria), dalla propaganda. Qualche interessante riscontro si può avere ad esempio nelle lettere che giungevano in enorme quantità al Duce, inviate da ogni parte d'Italia, e che, anche quando sono prodotte da semicolti, mostrano (anzi esibiscono, e spesso con astuzia non disinteressata, perché accompagnata da richieste di sussidi) un buon assorbimento dei moduli linguistico-retorici dominanti. Un esempio tra i tanti, visto che in questa sede non ci possiamo soffermare su di un tema che richiederebbe ben altro approfondimento; un ragazzo genovese di

---

[10] I più noti *slogan* venivano dipinti a grandi lettere sui muri delle case, e qualcuno ancora se ne vede, semicancellato. «Se avanzo seguitemi», «Noi tireremo diritto», «Credere Obbedire Combattere» finivano anche nelle cartoline e nei quaderni di scuola. Si vedano le belle tavole fotografiche di Mazzatosta-Volpi [1980].

15 anni così si rivolge a Mussolini: «Eccellenza, / sono un giovane ragazzo dell'Italia Fascista e Imperiale che Le scrive queste poche ma fedeli righe. / Da tempo combatto la più tenace la più irresistibile tentazione che possa, in questa fulgida Era Fascista, sopportare il cuore di un giovane...» [Mazzatosta-Volpi 1980: 54]. Si noterà l'aggettivazione non casuale: *fedeli righe, tenace... irresistibile tentazione, fulgida Era Fascista.* Questa retorica dell'aggettivo si ritrova anche oltre i confini cronologici del ventennio fascista.

Una questione su cui non c'è piena concordanza è quella del rapporto tra la retorica fascista e la retorica della sinistra, a cominciare dal socialismo, da cui, non si dimentichi, veniva Mussolini. Probabilmente bisogna distinguere caso da caso. Uno stile che non di rado ha punte ampollose e magniloquenti permane nei discorsi di socialisti come De Amicis (cito dalla sua conferenza *Sulla questione sociale,* del 1892: «moltitudine incolta e ribollente... stato maggiore intrepido d'uomini...»). Molto più controllata e razionale sembrerebbe l'oratoria di Turati, colta e spiritosa, di saldo e lucido impianto, che non preme mai sulla corda dell'emotività cara ai retori e ai demagoghi (si vedano i testi raccolti in Livorsi [1979]). Eppure va ricordato che Antonio Gramsci, il fondatore del Partito Comunista Italiano, riteneva l'oratoria socialista nel suo complesso macchiata del difetto grave della vuota retorica, e parlava della «parola roboante e melliflua dei demagoghi incantatori» [Gramsci 1955: 469]. Proponeva viceversa uno stile lucido e razionale, che non si rivolgesse al popolo con un'altra lingua, diversa da quella che si usava per parlare alle persone istruite, perché «un concetto che sia difficile, di per sé non può essere reso facile nell'espressione senza che si muti in una sguaiataggine» [Gramsci 1958: 239]. Ciò voleva dire, per Gramsci, proporre anche alla classe popolare temi e problemi difficili, mirando all'educazione di aristocrazie operaie che si impadronissero della lingua e della cultura delle classi egemoni. Per lui era inaccettabile, insomma, che ci fossero due lingue e due stili diversi, uno per parlare ad operai e contadini, e uno per parlare a tutti gli altri [cfr. Marazzini 1980b]. Non a caso i vecchi socialisti accusavano di intellettualismo e di oscurità i giornali diretti da Gramsci, il quale si dimostrò sempre un eccezionale educatore, e nel rapporto educativo diede prova di una singolare abilità. Restano alcuni documenti relativi alla sua attività di vero e proprio insegnante, perché trovò il tempo di far lezione agli operai, o almeno ad alcuni di essi. Fu anche maestro di giornalismo, e resta una sua lettera in cui spiega come si ottiene uno stile chiaro e comunicativo [cfr. Marazzini 1991: 247-249]. Negli scritti propagandistici di Gramsci, comunque, non mancano artifici retorici, soprattutto di tipo sintattico (riprese, anafore martellanti), atti a esercitare quella che si definisce la funzione conativa del linguaggio politico, che deve convincere e muovere l'uditorio (la retorica di tradizione dannunziana preferiva però ottenere questo risultato mediante la suggestione magico-religiosa della parola, più che attraverso l'impianto razionale; e Mussolini optò, l'abbiamo visto, per una suggestione ancor più elementare, assai meno letteraria ed evocatrice di quella di D'Annunzio). Si noti che Gramsci aveva frequentato all'università studi linguistici. È stato sostenuto, ed è tesi affascinante, che la stessa concezione politica gramsciana dell'egemonia dipenda in qualche misura dalla sua formazione linguistica [cfr. Lo Piparo 1979]. Le osservazioni linguistiche di Gramsci che si ritrovano nei *Quaderni del carcere* sono di grande intelligenza, e sono state apprezzate appieno dalla cultura italiana degli anni Sessanta, che ne ha tratto non di rado idee e spunti (cfr. ad es. Pasolini: XIII.3.1).

1.5. L'italiano della saggistica: verso l'uso medio

Il discorso su di un simile tema si fa difficile, perché davvero troppo ampio, in conseguenza dello sviluppo di un'Italia finalmente moderna e industrializzata, con una cultura attiva e via via più diffusa. Il tema deve dunque essere per forza di cose sacrificato in queste pagine, anche perché la crescita nell'Italia unita di una struttura universitaria moderna comportò un'abbondante letteratura saggistica nei vari settori disciplinari, con circolazione del sapere fuori dall'accademia, anche in forma divulgativa. Si pensi, tra i tanti riferimenti possibili, ad una famosa e imponente collana che ebbe molto successo, con più di novecento titoli disponibili: i manuali dell'editore Hoepli (svizzero di origine, trasferitosi a Milano nella seconda metà dell'Ottocento) [cfr. De Mauro 1992: 69-85]. Questo abile imprenditore ideò una benemerita e irripetuta serie di volumetti tascabili, finalizzata all'applicazione pratica del sapere, segno di una mentalità positivistica che si andava diffondendo. In essa trovarono posto manuali dedicati alle più diverse tecniche e discipline, dalla grammatica storica e dalla linguistica fino alla concia delle pelli, alla produzione moderna del vino e dell'olio, alla meccanica applicata, all'igiene, all'ingegneria civile e industriale, al giardinaggio, alla puericultura. Tali libri venivano offerti a una larghissima utenza (si noti che alcuni dei titoli allora usciti sono ristampati ancor oggi). Se studiati anche dal punto di vista della lingua, i manuali Hoepli fornirebbero probabilmente molti spunti per individuare la terminologia tecnico-scientifica che allora andava diffondendosi, e spesso entrava nella lingua comune (cfr. ad esempio le retrodatazioni rispetto al *DELI*[1] e al *GDLI* indicate da De Mauro [1992: 83] proprio sulla base di questi manuali).

Circoscrivendo il nostro àmbito di interesse e limitandoci alle tendenze principali della saggistica di tipo umanistico, diremo che una lingua efficace era ormai in possesso della scuola storica, da Carducci in poi (la prosa di Carducci, anche quella saggistica, è di singolare bellezza e vivacità). Mi pare si possa affermare che l'Ottocento si era chiuso con una sorta di bipolarità nel linguaggio

saggistico-argomentativo: da una parte una tendenza alla sostenutezza aulico-arcaizzante (come si può vedere ad esempio, ed è forse caso-limite, negli scritti del grande linguista Graziadio Isaia
Ascoli: cfr. I.2.2), dall'altra una tendenza anche eccessiva al 'parlato', assai evidente nei manzoniani. Il linguaggio di costoro era caratterizzato da quello che si può definire un 'eccesso di facilità',
una discorsività quasi petulante, alla lunga fastidiosa e stucchevole.
Se l'obiettivo del linguaggio saggistico umanistico è una lingua
media, compassata e oggettiva, non ipertecnicizzata, allora, probabilmente, la lezione più importante venne da Benedetto Croce. È
noto che Croce fu il maestro della cultura italiana nella prima metà del secolo. Il suo prestigio fu immenso. La sua scrittura fu
sempre chiara, moderna, limpida, senza diventare per questo am-
miccante e colloquiale. In questa sostanziale sobrietà (che fece
scuola per molto tempo, almeno fino al diffondersi negli anni Sessanta della moda 'oscura' per tecnicismo esasperato), si possono
osservare tuttavia alcuni elementi lievemente arcaici che spandono
«un profumo antico e personale su una prosa essenzialmente moderna» [Contini 1968: 431n]: Contini (ivi) ha segnalato nel saggio
crociano *Contributo alla critica di me stesso* (1915) forme come *assai* per 'parecchi/ie' (*assai volte*), *in pronto* 'a disposizione', *mercé*
'mediante', *restringersi* 'limitarsi', *togliere su di sé* 'assumere', *va-
gheggiare* 'accarezzare mentalmente', *dar fuori* 'pubblicare', *menare
a termine* 'compiere', *si teneva* e simili passivo, *inintermesso* 'inin-
terrotto', *cangiare* 'cambiare'. Alcuni di questi arcaismi, del resto,
potrebbero stare nel linguaggio di un saggista di oggi, senza scandalo.
    In altri casi la prosa argomentativa della prima metà del Nove-
cento si dimostrava meno lucidamente razionale: così in Giovanni
Gentile, ad esempio, la cui eloquenza si fa in certi momenti «leggermente mazziniana» [Contini 1968: 486]: la formula allude ad
una certa spinta verso l'irrazionalità, di cui Mazzini fece largo uso,
per cui l'aggettivazione può utilizzare elementi mistico-religiosi (la
«divina realtà spirituale che l'uomo attua nella vita civile») e sug-
gestivi, strumenti più emozionali che strettamente logici. Forme
suggestive ed evocatorie (ma di taglio poetico) sono anche nella
saggistica di Pascoli, la quale, come nel *Fanciullino*, è in genere di
tono «ostentatamente discorsivo, non trattatistico» [Contini 1968:
310]. Seguendo Contini [1968: 540], potremo aggiungere che un
economista come Luigi Einaudi (presidente della Repubblica dal
1948 al 1955) si colloca «tra i migliori prosatori di questo secolo».
Nei suoi scritti divulgativi, anche giornalistici, si ritrova una «fedeltà al costume prosastico di fine Ottocento, leggerissima velatura
patriarcale che assicura autorevolezza e produce distacco» [ivi].
Ancora, Contini dedicò particolare attenzione allo stile saggistico
del critico d'arte Roberto Longhi [cfr. Contini 1972: 111-122].
    Anche la prosa del grande critico e filologo Gianfranco Conti-
ni, che abbiamo più volte citato, è stata ammirata da tutti: ma

non era facile né raccomandabile imitarla, per la sua eccezionalità stilistica, che la rendeva prodotto unico e irripetibile di un genio singolare, e poco adatta ai più.

2. Politica linguistica nell'Italia fascista

2.1. Autarchia e xenofobia

Il Fascismo ebbe una chiara politica linguistica, che si manifestò in modo apertamente autoritario [cfr. *Fascismo* 1978 e Klein 1986], anche se le forme di dirigismo allora messe in atto attraverso leggi dello stato sono state giudicate nel complesso (ma non so se si debba condividere tale opinione) «assai limitate» [Cortelazzo M.A. 1988: 305]. Due sono gli aspetti più notevoli di questa politica: la battaglia contro i forestierismi in nome dell'autarchia culturale; la repressione delle minoranze etniche. Meno vistosa è la polemica antidialettale, per la quale cfr. Còveri [1984]. La repressione delle minoranze etniche fu senz'altro più grave, anche per le conseguenze negative che si proiettarono sulla Repubblica, la quale ereditò problemi incancreniti dall'intolleranza del precedente regime: l'imposizione dell'italiano in Valle d'Aosta, accentuata durante il Fascismo, ebbe ad esempio come effetto una pericolosa reazione separatista, manifestatasi dopo la liberazione [cfr. Marazzini 1991: 96-97]. In Alto Adige, dove nel Ventennio si arrivò a una pesante politica etnica ai danni della minoranza tedescofona, si manifestarono nel dopoguerra atteggiamenti di ribellione e ci furono atti di terrorismo (sulle caratteristiche delle minoranze etniche valdostana e tedesca, cfr. XIV.4.2 e XIV.4.6). In III.9.4 abbiamo già parlato della politica xenofoba del Fascismo e delle iniziative che allora furono prese, nell'insegnamento scolastico e nell'italianizzazione della toponomastica (cfr. inoltre Marazzini [1992: 36] per la Valle d'Aosta, Klein [1986: 95 ss.] per l'Alto Adige); talora si intervenne in forma anche peggiore, costringendo chi aveva un cognome forestiero, slavo o tedesco, a italianizzarlo [cfr. Klein 1986: 105-110].

Quanto alla lotta contro i forestierismi, si ebbe un progressivo crescendo di iniziative, che si collegavano ad atteggiamenti di intolleranza già manifestatisi molto tempo prima [cfr. De Mauro 1972: 362-368 e Raffaelli 1983b]. Seguendo Klein [1986: 116 ss.] si possono individuare le tappe principali di questa *escalation*. Fra il 1924 e il 1926, si ebbero delle prese di posizione di singoli individui, tra i quali Tommaso Tittoni, membro del partito fascista, autore di una *Difesa della lingua* pubblicata sulla rivista «Nuova Antologia». Nel 1933 uscì il *Barbaro dominio* di Paolo Monelli, fortunato libro che fin dal titolo dichiara la propria posizione nei confronti dei forestierismi. Intanto le leggi e i regolamenti incominciavano a recepire queste tendenze. Nel 1930 si ordinò la soppressione nei film di scene parlate in lingua straniera. Nel 1940 l'Accademia d'Italia – la più prestigiosa e rappresentativa istituzione culturale del regime – fu incaricata di esercitare una sorveglianza sulle parole forestiere, e di indicare delle alternative, anche perché una legge dello stesso 1940 vietò l'uso di parole straniere nell'intestazione delle ditte, nelle attività professionali e nelle varie forme pubblicitarie (Klein [1986: 124]; testo in Raffaelli [1983b: 242-244]). Il clima della guerra rese più spigoloso l'umore del regime nei confronti dei forestierismi, e molti intellettuali collaborarono all'impresa. L'interesse per la lingua, allora accentuatosi, del resto, aveva anche qualche conseguenza positiva. Non a caso, è durante il Fascismo che venne fondata la rivista «Lingua Nostra», in cui agli interventi scientifici si affiancarono discussioni normative. Migliorini (cfr. I.3.1 e I.3.2), in particolare, elaborò una concezione moderatamente avversa ai forestierismi, definita «neopurismo». È vero però che questo «neopurismo» non va identificato rozzamente con la politica xenofoba del Fascismo, da cui si distingue sia per un atteggiamento più morbido, meno datato (tanto è vero che ebbe una continuazione anche nel dopoguerra [cfr. Ghinassi 1990: LXX-LXXV]), sia, soprattutto, per il rifiuto di mescolare questione della lingua e questione della razza [cfr. Klein 1986: 122]. A Migliorini si deve fra l'altro «una delle più brillanti sostituzioni dell'epoca» [Mengaldo 1994: 15], cioè *regista* per il francese *regisseur*. Lo stesso Migliorini non fu estraneo alla sostituzione di *chauffeur* con *autista*, avanzata nel 1932 [cfr. Migliorini 1990: 237-242 e Raffaelli 1978: 263-281]. Il successo di queste funzionali sostituzioni[11] dimostra che non sempre l'intervento normativo è inutile o deleterio, come si pensa di solito. Tuttavia, oggi nessuno (o quasi) ha il coraggio di mettersi su questa strada[12], e probabilmente è meglio così, anche se il tabù su tale materia è forse proprio un effetto dei rozzi interventi xenofobi del Ventennio. Come osserva Cortelazzo M.A. [1988: 308-309], con l'avvento della Repubblica non solo è stata subito abrogata la normativa linguistica esterofoba, ma non ci sono stati interventi di alcun genere, salvo quelli recentissimi (per fortuna senza autorità di legge) contro il cosiddetto 'uso sessista della lingua italiana', elaborati dalla Commissione nazionale per la realizzazione della parità tra uomo e donna, istituita presso la Presidenza del consiglio dei ministri [cfr. Sabatini A. 1987]. L'amenità di molti di questi suggerimenti seminormativi non fa comunque rimpiangere la scarsa tendenza a legiferare in campo linguistico propria dei nostri tempi. È meglio, in sostanza, lasciare che la lingua vada da sola dove vuole.

---

[11] Ma altre proposte del genere non attecchirono: lo stesso Migliorini caldeggiò *direttoriale* per *editoriale*, *arlecchino* per *cocktail*, e D'Annunzio voleva sostituire *cognac* con *arzente* [cfr. De Mauro 1972: 365]. Anche quest'ultima proposta fu ripresa dall'Accademia d'Italia [cfr. Klein 1986: 194].

[12] Tra le eccezioni, cfr. Castellani [1987b].

o meglio, dove la porta il consenso dei più, non foss'altro perché a guidare il dirigismo si candidano troppo sovente i più fanatici.

Tornando alla battaglia fascista contro i forestierismi, va ricordato che furono pubblicati vari elenchi di parole proscritte, con indicazione dei relativi 'sostituti'. Furono però accettati già allora diversi termini stranieri uscenti in consonante, scelti tra quelli che ormai avevano messo radici, come *sport, film, tennis, tram, camion* ecc. [cfr. De Mauro 1972: 365; Klein 1986: 141 e Mengaldo 1994: 15]. Nella lingua comune, in alcuni casi, le parole suggerite dall'Accademia si affiancarono al forestierismo; ancora permane ai tempi nostri una concorrenza, diventata pacifica convivenza, magari con lieve diversa sfumatura semantica, tra termini come *rimessa/garage, villetta/chalet*.

Vi fu anche una campagna per abolire l'allocutivo «lei» (disposizioni del febbraio 1938 [cfr. Migliorini 1990: 39]), e sostituirlo con il «tu», considerato più 'romano', e con il «voi» (di rispetto, rivolgendosi ai superiori). La campagna non ebbe molto successo, per vari motivi: innanzi tutto il «lei» (di origine cinquecentesca, derivato dall'uso cancelleresco di rivolgersi alla «Vostra Signoria», di genere grammaticale femminile) era ormai radicato nella lingua italiana. Inoltre il «voi» consuona con l'uso corrente meridionale, ed era sentito da molti come dialettale, quindi evitato [cfr. Mengaldo 1994: 16][13]. È curioso ricordare che, per reazione alla campagna contro il *lei*, il filosofo Benedetto Croce, abituato, da buon napoletano, a far uso sempre della forma allocutiva *voi*, passò risolutamente al *lei*, rifacendo anche daccapo le lettere che gli accadeva di cominciare con il *voi* per vecchia abitudine [cfr. Salvatorelli-Mira 1964: 966].

2.2. La lessicografia del Fascismo e l''asse' linguistico Roma-Firenze

All'inizio del Novecento la Crusca tentava ancora di concludere una nuova versione del suo vocabolario, avviata nel 1863. Il primo volume era stato dedicato a Vittorio Emanuele II Re d'Italia: grazioso omaggio accademico a un sovrano che non fu mai troppo esperto nel maneggio della lingua, ma che, cacciando lo straniero, aveva «renduto [all'Italia] quella fierezza di spiriti e quella forte coscienza di sé, che la fecero grande altra volta» (così nell'ossequioso linguaggio dei deferenti accademici). La mole dell'opera era davvero notevole, ma la realizzazione si trascinò stancamente. L'antico vocabolario non aveva la funzione di un tempo, quando su di esso si era misurata, per contrasto, ogni scelta degli innovatori. Fra l'altro, le idee di Benedetto Croce, il più autorevo-

---

[13] Sul sistema degli allocutivi nell'italiano attuale, cfr. Sobrero [1993a: 417-419].

le pensatore del tempo, erano avverse ad ogni 'lingua modello' e al toscanismo in genere. Tuttavia, ancora nel Novecento, attorno alla Crusca fiorirono polemiche. Basti pensare alla raccolta di scritti di De Lollis, pubblicata nel 1922 con il titolo *La Crusca in fermento*. Quando, nel 1923, divenne ministro della Pubblica istruzione Giovanni Gentile, filosofo vicino al regime fascista, fu tolto alla Crusca il compito di preparare il vocabolario. Si interruppe così la quinta impressione, giunta in tanti anni alla lettera O. La storia della lessicografia, del resto, è fatta anche di tentativi falliti. Il ventennio fascista si inaugurava, dal punto di vista lessicografico, con la soppressione dell'antico vocabolario dell'Accademia di Firenze; ma anche il nuovo e 'moderno' vocabolario del Fascismo, prodotto dall'Accademia d'Italia, non ebbe esito felice. Diretto da Giulio Bertoni, con pubblicazione assicurata da una società di dieci editori (tra i quali Le Monnier, Paravia, Vallardi, Zanichelli), arrivò solo al primo volume, uscito nel 1941, comprendente le lettere A-C. Quest'opera è stata sostanzialmente dimenticata (ma cfr. Raffaelli [1983b: 197-200], e ora Della Valle [1993: 88]), mentre invece si tratta di un testo caratterizzato da interessanti innovazioni (se ne veda la presentazione 'a caldo', fatta nello stesso 1941 sulla «Nuova Antologia» da Giorgio Pasquali [ora in Pasquali 1985: 68-93]). Il vocabolario dell'Accademia d'Italia procedette, rispetto al Tommaseo (cfr. XII.4.2), all'eliminazione di molte voci antiche. Anche nei confronti dei neologismi dimostrò un atteggiamento equilibrato, che non concorda con le esagerazioni della politica linguistica del Fascismo. Nelle linee programmatiche, gli autori accennavano alla necessità dell'«accettazione di vocaboli nuovi per designare idee e cose nuove» (almeno là dove non fosse possibile la sostituzione con il termine italiano, sostituzione proposta senz'altro in casi come *record/primato*, *menu/lista*). Ci si mostrava coscienti che i vocaboli «non s'impongono per autorità né di Accademie, né di decreti» (nel contempo, però, quei decreti venivano preparati e messi in opera dalla stessa Accademia!). Di fatto, i forestierismi erano registrati nel nuovo vocabolario (seppur con qualche omissione: manca ad esempio *atelier*), e anche nella forma di prestiti non adattati, come *boxe*, *bull-dog*, *camion*, *claque*, posti entro parentesi quadra, al fine di segnalare la loro estraneità alla sostanza della lingua.

Un aspetto tra i più interessanti e innovativi del nuovo vocabolario è costituito dal criterio di citazione degli esempi, che rappresenta una sorta di compromesso tra la forma tradizionale della Crusca e di Tommaseo (ampia citazione degli autori, con riferimento in chiave per rintracciare i passi) e quella del Giorgini-Broglio (che per contro elimina il riferimento agli autori). Nel vocabolario dell'Accademia d'Italia sono citati gli scrittori, ma solo come documentazione di un uso comune, senza riferimento preciso all'opera da cui è tratto l'esempio; è dato largo spazio agli autori novecenteschi, maggiori e minori, come D'Annunzio, Graf,

Gozzano, Slataper, Tozzi, Pirandello, Deledda, Bontempelli, Rovetta, Paolieri, Oriani, Mussolini stesso. Questo vocabolario, pur caratterizzato da un'innegabile modernità[14], non ebbe tuttavia influenza. Troppo ridotta risultò la parte realizzata rispetto al progetto, interrottosi con la caduta del Fascismo.

Un certo rilievo, invece, ebbe un'iniziativa diversa, molto settoriale, anch'essa legata al nome di Giulio Bertoni: la realizzazione di un piccolo vocabolario destinato a fornire la pronuncia esatta delle parole italiane, ad uso primario degli annunciatori della radio. Nel 1939, infatti, Bertoni e Ugolini pubblicarono per l'EIAR, l'ente radiofonico di stato, il *Prontuario di pronunzia e di ortografia*, nel quale si affrontava la questione della pronuncia romana, là dove essa divergeva dalla fiorentina, come nel caso dell'apertura o chiusura vocalica di parole come *colonna, edera, folla, lettera, sterco, torba* ecc. L'introduzione di Bertoni e Ugolini al *Prontuario* (ma l'intervento era già stato pubblicato nel primo numero della rivista «Lingua Nostra», nel febbraio 1939) lanciava la formula dell'«asse Roma-Firenze», coniata per analogia con la terminologia politica del tempo, in riferimento all'«asse Roma-Berlino» [cfr. Marazzini 1977: 182-189]: veniva cioè rivendicato il ruolo di Roma nella questione della lingua, visto che la capitale era ormai «la maggior fucina della lingua attuale» [Bertoni-Ugolini 1939: 11]. Veniva proposto, per conseguenza, nei casi di divergenza con Firenze, di accettare l'uso romano (quindi *colònna, léttera* ecc., anziché *colónna, lèttera*).

L'intervento di Bertoni e Ugolini riguardava non più questioni di lingua scritta (come nel dibattito ottocentesco), ma la pronuncia dell'italiano, e ciò dimostra che la situazione era molto cambiata dal secolo precedente. Quanto all'indicazione del modello romano, è significativo che si fosse cominciato a guardare a Roma fin dal Risorgimento: Gioberti aveva parlato, per la lingua, dei «due fuochi dell'ellisse italiana», Roma e Firenze, appunto, usando anch'egli una metafora geometrica, come geometrico era l'«asse». Lo stesso Manzoni, nel 1862, si era preoccupato della divergenza che ci sarebbe stata tra capitale linguistica e capitale politica, una volta che Roma fosse stata italiana. Capitale linguistica e capitale politica per forza di cose sarebbero state diverse, ciò che Manzoni giudicava essere caso anomalo e pericoloso per la propria teoria filofiorentina. Infine Ascoli, nel *Proemio* (cfr. I.2.2), aveva dedicato un accenno pieno di speranza alla funzione rinnovata di Roma, neocapitale del Regno [cfr. Marazzini 1978]. L'intervento di Bertoni e Ugolini si inseriva dunque in questa tradizione, che aveva

---

[14] Ad esempio, nel settore delle etimologie, affidato a C. Merlo, i curatori avevano intenzione di coprire un vuoto della lessicografia italiana: effettivamente i vocabolari etimologici italiani, come il Prati, l'Olivieri e il Battisti-Alessio, uscirono tutti successivamente.

un precedente nella cinquecentesca teoria cortigiana e in certi spunti di Tassoni (cfr. IX.2.2 e X.2.2).

Quanto ad alcune realizzazioni significative della lessicografia nella seconda metà del Novecento, cfr. II.6 e II.7.

3. Il dopoguerra

3.1. Il neo-italiano tecnologico: Pasolini e la nuova questione della lingua

Che qualche cosa stesse succedendo nella lingua italiana negli anni del grande sviluppo economico del dopoguerra, fu avvertito assai bene da uno scrittore sensibile come Pasolini, a cui si deve l'ultimo clamoroso intervento nella 'questione della lingua'. Nato come conferenza, questo intervento fu infine pubblicato su «Rinascita» del 16 dicembre 1964 con il titolo *Nuove questioni linguistiche* (lo si legge ora in Pasolini [1972: 9 ss.]; cfr. anche Vignuzzi [1982: 723 ss.]). Va precisato, però, che Pasolini si discostava dalla tradizione delle antiche diatribe attorno alla questione della lingua, non foss'altro perché le sue tesi non avevano affatto un carattere 'normativo' (niente sarebbe stato più estraneo alla mentalità di questo intellettuale). Si trattava invece di una vera e propria analisi 'sociolinguistica' della situazione presente.

Pasolini, partendo da premesse marxiste e gramsciane, sosteneva che era nato un nuovo italiano, i cui centri irradiatori stavano al Nord del paese, dove avevano sede le grandi fabbriche, e dove era diffusa e sviluppata la moderna cultura industriale. Egli annunciava (un po' enfaticamente, se si vuole) che era nato «l'italiano come lingua nazionale», nel senso che per la prima volta una borghesia egemone era in grado di imporre in maniera omogenea i suoi modelli alle classi subalterne, superando una tradizionale estraneità tra ceti alti e ceti bassi («la nascente tecnocrazia del Nord si identifica egemonicamente con l'intera nazione, ed elabora quindi un nuovo tipo di cultura e di lingua effettivamente nazionali», scriveva). Pasolini arrivava persino a delineare alcune delle caratteristiche che sarebbero state proprie del 'nuovo italiano': 1) la semplificazione sintattica, con una caduta di forme idiomatiche e metaforiche, non usate dai torinesi e milanesi, i veri padroni della nuova lingua (al posto dei fiorentini e dei romani); torinesi e milanesi erano a suo giudizio propensi ad un certo 'grigiore' espressivo; 2) la drastica diminuzione dei latinismi; 3) la prevalenza dell'influenza della tecnica rispetto a quella della letteratura, e quindi una minor letterarietà della lingua stessa.

Va detto che le parole con cui abbiamo qui sintetizzato il pensiero di Pasolini, pur rispecchiandone il contenuto, non ricalcano le sue nella forma, anche perché in quell'intervento del 1964 egli utilizzò una fitta terminologia più o meno tecnica, mutuata dalla linguistica e dalla sociologia (scienze egemoni in quegli anni); tale tecnicismo (di fatto carico di valenze metaforiche) non era certo destinato a favorire la comprensione del suo pensiero. Inoltre tutta la prima parte della conferenza di Pasolini riguardava un argomento diverso, ma correlato alla nascita della nuova lingua 'tecnologica': l'autore analizzava la tipologia stilistica degli scrittori italiani, collocandoli al di sotto o al di sopra di un'ipotetica linea dell'italiano medio. Vi erano a suo giudizio tre linee, in un ideale grafico che descrivesse la situazione presente: una linea dell'italiano medio, anonimo, a-letterario, caratteristico di opere di banale intrattenimento e di evasione; una linea 'bassa', quella della prosa dialettale o della prosa che usasse il dialetto così come avevano fatto un tempo i veristi; una linea 'alta', infine, l'unica in cui si collocassero gli scrittori di indubbio valore: a sua volta, questa linea alta poteva essere divisa in vari gradini, pronti ad accogliere tutti coloro che si erano allontanati dal livello medio (erano stati cioè 'respinti' dalla «forza centrifuga» dell'italiano medio, come scriveva Pasolini). Sul gradino più alto, stava il linguaggio iperletterario degli ermetici, che avevano usato una lingua speciale adatta solo alla poesia. Sotto, via via, c'erano tutti gli altri, fino ai più vicini all'italiano medio, come Cassola, Bassani, Moravia, Calvino. E Pasolini, dove collocava se stesso? In una posizione radicalmente diversa: su di una linea a forma di serpentina che attraversava tutti i livelli, passando dal piano alto a quello basso. Su questa linea era anche Gadda, con il suo mistilinguismo (cfr. XIII.1.3), da cui Pasolini si dichiarava influenzato profondamente; anche se egli aggiungeva che questa fase di mistilinguismo era ormai finita, perché, appunto, era nato il nuovo italiano tecnologico, con cui anche gli scrittori dovevano fare i conti.

In buona sostanza, un coro di fischi accolse queste idee di Pasolini. Non si badò alle preziose indicazioni relative al linguaggio letterario che stavano in apertura del saggio, e che valevano almeno come dichiarazione di poetica. L'attenzione di tutti si concentrò sull'annuncio della nascita del nuovo italiano tecnologico, annuncio che Pasolini, come suo costume, aveva radicalizzato in maniera tale che non era difficile dargli torto. La discussione continuò su giornali e periodici, coinvolse un gran numero di intellettuali e professori universitari. Gli interventi furono poi riuniti in un libro [cfr. Parlangèli 1971 e Nencioni 1989: 209-219].

Diversi anni dopo questa discussione, Pasolini, sensibile e provocatorio testimone del suo tempo, intervenne ancora su temi linguistici, in un contesto molto diverso, per rivendicare una funzione rivoluzionaria dei dialetti (da difendere come i Baschi difendono la loro autonomia, in forma 'rivoluzionaria'), e per lamentare l'imbarbarimento del linguaggio dei giovani [cfr. Marazzini 1981; Ferretti 1987; De Mauro 1992: 257-289].

3.2. Tendenze del linguaggio letterario

Parlando dell'intervento di Pasolini del 1964 (cfr. XIII.3.1), abbiamo avuto modo di notare come lo scrittore collocasse se stesso e gli altri autori del Novecento in un quadro complessivo costruito proprio sulla base del rapporto con la 'lingua media', considerata però come termine di confronto negativo, come equivalente di mediocrità espressiva, di 'antistile'. Pasolini sembrava privilegiare viceversa gli esperimenti di plurilinguismo, alla maniera di Gadda, o alla maniera dei propri romanzi ambientati nelle borgate di Roma, ai quali attribuiva una funzione stilistica e, allo stesso tempo, una funzione 'documentaria', rivendicando per se stesso, dunque, l'eredità di due filoni, quello verista-verghiano e quello espressionistico gaddiano. Non vi è dubbio che questa attenzione di Pasolini per il mistilinguismo era determinata da una moda diffusa in quegli anni, legata al prestigio esercitato da un grande critico come Gianfranco Contini, che aveva utilizzato il mistilinguismo come esemplare categoria critica, oltre che linguistica (cfr. Contini [1970a: 303-307, 601-619] e Contini [1968: 1049-1099], per la posizione assegnata a Gadda e Pizzuto; cfr. anche IV.4). Questo critico, con le sue preferenze, ha condizionato l'orientamento di molti lettori e di molti studiosi, tra i quali anche Pasolini.

Oggi è forse in atto un ripensamento delle posizioni critiche che privilegiavano l'espressionismo e l'innovazione linguistica a scapito della 'normalità' stilistica. È chiaro, comunque, che si tratta di materia 'calda', a noi contemporanea, direttamente collegata al personale giudizio su autori dei nostri giorni. Coletti [1993: 359], parlando di narratori come Calvino, Cassola, Bassani, Tomasi di Lampedusa, Natalia Ginzburg, osserva ad esempio che la scelta da essi compiuta in favore della «lingua media e comune, dopo gli abbassamenti del neorealismo e le infrazioni espressionistiche e d'avanguardia, è [...] innanzitutto, scelta di una lingua più ricca e, in parte, anche più complessa di quella ammessa dal romanzo dell'immediato dopoguerra». Come già aveva fatto Pasolini, ma con un'ottica diversa, anche Coletti ha dunque usato la categoria dell''italiano medio' per classificare il comportamento linguistico degli scrittori, per distinguere coloro che accettano di correre il rischio di una «amputazione di ogni originalità stilistica» [Coletti 1993: 367], da coloro i quali, come il Gruppo '63 (che rappresentò una punta d'avanguardia), come D'Arrigo, Testori, Busi ecc., hanno preferito soluzioni di rottura, personali, arrischiate, magari scarsamente comunicative. Si noti, infatti, che gli scrittori della normalità stilistica, Cassola, Bassani, Moravia, Lampedusa, Primo Levi, sono alla fin fine gli autori oggi più letti dal grande pubblico, quelli più frequentemente consigliati dagli insegnanti ai loro allievi.

La scelta tra le diverse soluzioni stilistiche, evidentemente, resta aperta. Lo scrittore di oggi gode di una libertà grandissima, e può imboccare una strada oppure l'altra, può arrivare alle soglie di una lingua semidistrutta e massificata, che è stata ironicamente definita, anziché *standard*, «standa» [cfr. Antonelli 1999a: 686]. Va tenuto presente soltanto, in sede di bilancio storico, che per molti autori del Novecento il dialetto è stato una fonte di arricchimento linguistico, sulla scia del Verismo ottocentesco, ma anche ben al di là di esso (si pensi a Pavese, al già lungamente citato Pasolini, a D'Arrigo). Non sempre, inoltre, l'invenzione linguistica e lo sperimentalismo rendono difficile il rapporto con il pubblico. Il caso del *Partigiano Johnny* di Fenoglio sta a dimostrarlo: quel meraviglioso libro, incompiuto, scritto in un'incredibile e non facile miscela di italiano e di inglese [cfr. Isella 2001], con un impasto concepito al di fuori di qualunque riferimento alla tradizione italiana antica o moderna, è arrivato al meritato successo, nonostante le condanne ideologiche e le incomprensioni iniziali.

Ancor più difficile è forse sintetizzare le tendenze della lingua poetica degli ultimi cinquant'anni, per la quale rinvio ai relativi paragrafi di Coletti [1993], Beccaria [1993] e Mengaldo [1994] Dardano [2001: 3-27]. Va comunque ricordato, almeno, che sulla strada del rinnovamento poetico si collocano autori di eccezionale statura, come Ungaretti, Saba e Montale. In questi poeti, come in altri, il Novecento sperimenta una grande varietà di soluzioni stilistiche, dall'apertura al linguaggio comune e quotidiano (la lingua «più affabile» di Saba, per usare un titolo di Coletti [1993: 443]), alla lingua «impoetica» di Pasolini e Sanguineti (la categoria è ancora di Coletti [1993: 451]), fino all'«oltranza del linguaggio» di Zanzotto (la formula è questa volta di Beccaria [1993: 748]), fatta di iperletterarietà, plurilinguismo, processi fonosimbolici. Esemplare mi pare il cammino di Montale, che dopo aver 'attraversato' D'Annunzio, dopo aver sapientemente selezionato tra quanto gli offriva la tradizione della *koinè* primo-novecentesca [cfr. Beccaria 1993: 738], è arrivato, in *Satura* (1971) e dopo, a una lingua spesso ironica, distaccata, prosastica, intrisa di 'citazioni' di elementi quotidiani, tuttavia calcolata con straordinaria eleganza e letterarietà, «entro un congegno formale raffinato» [*ibidem*: 742]. L'eventuale apparente (e ingannevole) semplicità dell'ultimo Montale nasconde in realtà procedimenti linguistici complessi. Si legga ad esempio questa lirica, intitolata *Per finire*, sorta di disincantato testamento che chiude la raccolta *Diario del '71 e del '72*:

Raccomando ai miei posteri
(se ne saranno) in sede letteraria,
il che resta improbabile[15], di fare
un bel falò di tutto che riguardi

---

[15] La virgola che segue *improbabile*, assente in tutte le edd., è introdotta in Bettarini-Contini [1980].

la mia vita, i miei fatti, i miei nonfatti.
Non sono un Leopardi, lascio poco da ardere
ed è già troppo vivere in percentuale.
Vissi al cinque per cento, non aumentate
la dose. Troppo spesso invece piove
sul bagnato.

Sono evidenti gli inserti di linguaggio prosastico (*in sede lette-raria*, ad esempio, è forma di sapore burocratico, ma che si può trovare anche nella saggistica); affiora il linguaggio quotidiano, attraverso modi di dire propri di un livello colloquiale: *fare un bel falò*, *piove sul bagnato* (qui rotto dall'*enjambement*). *Nonfatti* è una formazione (forse neoformazione) lessicale, di per sé assolutamente impoetica, che si allinea per analogia alla serie moderna *non vedente*, *non tessuto*, *non violenza* (ho citato termini tutti datati agli anni Settanta [cfr. Cortelazzo-Cardinale 1986: 119]). Si noti, inoltre, l'uso dell'impoetica percentuale numerica (*Vissi al cinque per cento*), già adoperata nella poesia d'avanguardia del primo Novecento (cfr. i versi della *Passeggiata* di Palazzeschi riportati in XIII.1.2, in cui però entra in gioco la rima); anche *percentuale*, del resto, è parola priva di tradizioni poetiche: con il suo sapore contabile, abbassa il tono lirico. Ma il *se ne saranno*, isolato (o non piuttosto evidenziato?) dalla parentesi, in controtendenza (e conservando la misura di endecasillabo), è sicuramente di sapore arcaico e poetico, comunque assai lontano dal linguaggio ordinario. Anche *tutto che riguardi*, con omissione di «ciò» o «quel(lo)», è modulo del linguaggio poetico 'alto', risalente a Monti, poi diffuso nella *koinè* dell'Ottocento, fino ai crepuscolari[16]. Modi quotidiani e modi alti e poetici (questi ultimi forse meno appariscenti) convivono.

3.3. Verso l'unificazione: lingua, dialetti, immigrazione

Pasolini, abbiamo visto, prospettava una rivoluzione nella storia dell'italiano, e l'annunciava usando il suo stile immaginoso, da poeta dilettante di linguistica e di sociologia, più che da saggista scientifico (cfr. XIII.3.1); e non è detto che un poeta non intraveda la verità meglio di un uomo di scienza, seppure in modo diverso. Certo, avvenimenti di grande portata erano effettivamente

---

[16] La ricerca del modulo, mediante la *LIZ* (cfr. II.6), lo ha evidenziato con una certa abbondanza in Monti, ad esempio nella celebre traduzione dell'*Iliade* (I, 722-723: «le rispose: Giunon, tutto che penso / non sperar di saperlo [...]», e IX, 475-476: «Torna dunque all'ingrato, e gli riporta / tutto che dico»), poi in Praga (*Alla poverella della chiesa*, 17), in Carducci (*Giambi ed epodi*, *Prologo*, 25-26: «Tutto che questo mondo falso adora / co 'l verso audace lo schiaffeggerò», e *Odi barbare*, *Nell'annale di Roma*, 15), e da ultimo in Corazzini (*Esortazione al fratello*).

avvenuti, tali da trasformare la cultura delle classi popolari italiane. Era indubbiamente troppo annunciare la nascita di un 'nuovo
italiano tecnologico', o il prevalere della comunicazione sull'espressione, come faceva Pasolini, perché le lingue non cambiano dal-
l'oggi al domani, e inoltre l'espressività del parlante riesce pur
sempre a ritagliarsi uno spazio, anche in una lingua che ha perso
qualche cosa in varietà di risorse dialettali e gergali. Vi era stata
indubbiamente nel corso del Novecento una perdita nei dialetti e
nell'espressività gergale 'borgatara', così cara a Pasolini romanziere. Era nata un'Italia ben diversa da quella povera, contadina e
patriarcale della prima metà del secolo. C'era stato un cambiamento al livello della scolarizzazione, prima di tutto. Se si parago-
nano i dati relativi all'analfabetismo, è facile constatare il grande
progresso compiuto (per la condizione di partenza, al momento
della fondazione dello Stato unitario, cfr. XII.5.2). Riprendiamo
questo confronto, sulla base dei dati di De Mauro [1972: 95][17]:
nel 1861 vi era in Italia il 75% di analfabeti; nel 1911 si erano ridotti al 40%; nel 1951 essi erano solo il 14% (le regioni con una
condizione più sfavorevole erano allora la Calabria e la Basilicata).
Nel 1961 gli analfabeti si erano ridotti all'8,3%, nel 1971 al 5,2%
(ricavo questi ultimi dati dalla tabella *Analfabeti per 100 abitanti*
in *ICS* [1983: 112-113]): il progresso è stato dunque costante, e
non può essere giudicato se non in maniera positiva. I sondaggi ci
dicono anche che è progressivamente diminuito lo spazio del dialetto, a vantaggio della lingua italiana. Disponiamo di dati statistici, ottenuti mediante sondaggi-campione. Ecco una tabella che
confronta in percentuale i risultati di tre diverse inchieste Doxa
relative alle abitudini linguistiche degli italiani in famiglia (la riprendo da Vignuzzi [1988: 241]):

	1974	1982	1988
parlano con tutti i familiari in dialetto	51,3	46,7	39,6
parlano con alcuni familiari in dialetto e con alcuni in italiano	23,7	23,9	26,0
parlano con tutti i familiari in italiano	25,0	29,4	34,4

Ed ecco un'altra tabella relativa all'uso del dialetto fuori di
casa (ancora ripresa da Vignuzzi [1988: 243]):

	1974	1982	1988
parlano sempre in dialetto	28,9	23,0	23,3
parlano più spesso in dialetto	13,4	13,1	9,9
parlano sia in dialetto che in italiano	22,1	22,0	19,5
parlano più spesso in italiano	12,9	15,2	16,3
parlano sempre in italiano	22,8	26,7	31,0

---

[17] Si tenga presente che sono dati arrotondati.

Esistono anche altri dati, spesso utilizzati dagli studiosi (l'indagine del linguista svizzero Rüegg, condotta negli anni Cinquanta, ad esempio [cfr. De Mauro 1972: 129-131]; sulle inchieste Doxa e ISTAT, che non sempre concordano appieno, cfr. anche Còveri [1978]; Gensini [1985: 379 ss.] e Berruto [1993a: 6]). Se ne deduce complessivamente che l'italiano è in progresso, ma il dialetto non è certo morto, visto che nel 1988 quasi il 66% degli italiani lo usava più o meno costantemente nella vita familiare, e circa il 23% ne faceva un uso totale. L'uso del dialetto, inoltre, risulta maggiore presso i vecchi che presso i giovani, nel Sud piuttosto che nel Nord, nelle campagne rispetto ai capoluoghi, nei ceti inferiori rispetto ai ceti superiori [cfr. Lepschy A.L. e G. 1992: 31]. Non è comunque il caso di rimaner soffocati sotto una pioggia di numeri che indicano una tendenza generale facilmente comprensibile anche per via intuitiva. Si aggiunga che i dialetti hanno subito un processo di avvicinamento alla lingua comune: anch'essi, come ogni idioma di qualunque comunità umana, mutano nel tempo. I dialetti di oggi sono dunque più 'italianizzati' (cfr. Pellegrini [1990], Berruto [1993a: 18-32]; e soprattutto il bilancio di Grassi [1993], con esempi e ampia bibliografia); il fenomeno è assai interessante, anche se per antico pregiudizio si è preferito in passato prendere in considerazione il dialetto nelle sue forme arcaiche, osservandolo soprattutto nelle località isolate, dove si conservano fasi diacroniche anteriori [cfr. De Mauro 1972: 140-141] [18]. Quanto alle inchieste come quelle di cui abbiamo esaminato i dati statistici, bisogna tener conto del fatto che in diverse occasioni i linguisti hanno sollevato dubbi sulla loro assoluta validità, soprattutto per il fatto che si basano su autovalutazioni degli intervistati, e non si può stabilire in maniera chiara e univoca che cosa si intenda nel caso specifico per 'parlare italiano' (a che livello di correttezza? con quali contaminazioni con il dialetto?): cfr. per tali osservazioni critiche Mengaldo [1994: 89], che riprende un'opinione di R. Simone.

È chiaro che una valutazione dei rapporti tra lingua e dialetto deve tener conto delle motivazioni psicologiche che determinano i comportamenti sociolinguistici. Non sempre si assiste a un immediato e lineare passaggio dall'uno all'altro codice. L'adozione di un diverso codice di comunicazione avviene quando il parlante è spinto da motivazioni profonde, che generalmente si identificano con il suo desiderio di promozione sociale. Il fenomeno può essere a volte assai complesso. Basti pensare agli effetti dell'urbanizzazione, così come sono stati discussi da De Mauro e da Grassi. De

---

[18] È curioso che nella coscienza degli stessi parlanti il dialetto venga reputato autentico solo quando arcaico, e ogni innovazione venga sentita come una forma di imbastardimento, quasi che il dialetto stesso potesse essere sottratto alla normale evoluzione che interessa tutte le lingue [cfr. Telmon 1993: 93]. Per nuovi indirizzi della dialettologia, cfr. ad esempio Sobrero [1978].

Mauro [1972: 68 ss.] ha visto nella crescita dei poli urbani industriali una diretta causa dell'indebolimento dei dialetti. Grassi
[1964 e 1965], prendendo come punto di riferimento Torino e la
classe operaia impiegata nell'industria automobilistica, ha sostenuto
che l'immigrazione non significò subito crisi del dialetto. Coloro
che si integravano nella città, arrivando dalla provincia della medesima regione, trovavano un'occasione di 'promozione' nell'adottare la varietà urbana del dialetto, staccandosi dalle varietà rustiche. Gli immigrati provenienti da altre regioni, in un primo momento, videro nel possesso del dialetto torinese uno strumento di
integrazione nella nuova situazione operaia, una sorta di distintivo
di classe. Nella fase di immigrazione che precedette i picchi statistici più alti degli anni '60 e '61[19], insomma, il tradizionale modello linguistico della classe operaia torinese poté esercitare ancora
un'influenza livellatrice. Più tardi la situazione numerica rese impossibile qualunque forma di assorbimento, e maturò una crisi del
dialetto, assieme a una maggior diffusione della lingua italiana (almeno nell'area della conurbazione torinese). Questa lingua fu anche lo strumento della lotta politica [cfr. Marazzini 1991: 105-
119].

3.4. Una lingua proletaria

Negli anni Sessanta e Settanta, proseguendo una tradizione
nata con le lotte operaie del primo Novecento, anche la fabbrica
ha svolto una funzione di scuola, promuovendo e integrando nella
realtà cittadina e industriale masse di origine contadina. Mengaldo
[1994: 55] ci ricorda che un'inchiesta RAI degli anni Sessanta rive-
lava che il popolo italiano non era in grado di capire nemmeno i
termini più limpidi e comuni usati nella politica e nella vita civile:
ad esempio il 20% degli intervistati riteneva che la Confindustria
fosse il sindacato dei lavoratori dell'industria, mentre il 48% non
ne conosceva affatto il significato (sulle inchieste RAI, cfr. Berruto
[1978: 22-43]).

La fabbrica è stata una scuola particolare[20], ovviamente, che si
è espressa con l'assemblea e con uno speciale linguaggio della politica ispirato alla cultura marxista, oggi in larga parte estinto o
inattuale. Le testimonianze dirette degli operai giunti allora alla

---

[19] Si pensi che a Torino il 1960 e il 1961 sono gli anni di arrivo del maggior numero di immigrati, prevalentemente dal Sud Italia: si ebbero 74.000 arrivi
nel 1960, e 76.000 nel 1961, cifre mai raggiunte in seguito, quando il numero
dei nuovi arrivati si stabilizzò attorno alle 30.000-40.000 unità [cfr. Marazzini
1991: 104-105].
[20] Prescindo qui da esperimenti diversi, come le cosiddette 150 ore, la scuola per i lavoratori, di cui si sentì il bisogno proprio in seguito alle grandi lotte
operaie della fine degli anni Sessanta.

posizione di 'delegati' nelle strutture rappresentative della fabbrica dimostrano spesso una piena coscienza di questo processo di promozione, in larga parte linguistico [cfr. Marazzini 1991: 108-109]. Compito del delegato era infatti imparare a parlare ai compagni, organizzare le assemblee, e anche trattare con i capi e 'portare avanti' (così allora si diceva) le rivendicazioni della base. Nelle grandi fabbriche del Nord, come la FIAT, il 'delegato' (il cui riconoscimento ufficiale avvenne nel 1969) si poneva come alternativa dal basso rispetto alla vecchia figura del sindacalista della Commissione interna, la cui preparazione era affidata ad appositi corsi sindacali. Il nuovo delegato, dunque, aveva una sua verginità linguistica e culturale. In quegli anni maturava anche un rinnovamento nel linguaggio delle lotta politica operaia, che si staccava via via dai moduli della retorica 'alta', ereditati dalla tradizionale oratoria d'anteguerra, filtrata anche attraverso il linguaggio della Resistenza, e acquisiva una nuova carica battagliera, con discese verso il basso-quotidiano, che si possono verificare nei volantini dei movimenti politici affermatisi con il '68, ad esempio quelli di Lotta Continua [cfr. Marazzini 1991: 111-112]. Il linguaggio di questi nuovi gruppi della sinistra cerca a volte la trasgressività verbale, palesando una totale mancanza di inibizioni (uso di termini come *incazzarsi*, *far casino*, *presi per il culo* ecc., fin allora inconsueti o inediti nel linguaggio della politica). Il linguaggio della rivolta e della protesta, nelle forme che dicevamo (ma cfr. anche gli esempi portati da Dardano [1978a: 223-224]), è stato ripreso a scopi letterari da Nanni Balestrini nel romanzo *Vogliamo tutto* (1971), che racconta la storia di un operaio salernitano sbarcato alla FIAT dell''autunno caldo', quello del 1969. La natura trasgressiva di questo linguaggio si esplica in un forte spazio del turpiloquio, che risulta per questo verso curiosamente analogo all'espressività del linguaggio giovanile degli anni Ottanta, secondo l'esempio discusso da Radtke [1993: 206-207][21].

Tra le altre forme che assunse il linguaggio della protesta politica, si possono ricordare i comunicati e i volantini del gruppo terroristico denominato Brigate Rosse, il quale arrivò a una grande celebrità, culminata con il rapimento e l'uccisione dell'onorevole Aldo Moro, presidente della Democrazia Cristiana (che era allora il partito di maggioranza relativa). In questi volantini (e il volantino, clandestino o legale – va ricordato – fu uno strumento di comunicazione importantissimo, diffusissimo in quegli anni, proposto in ogni occasione con un ritmo oggi inimmaginabile, in fabbrica, a

---

[21] Ecco un frammento di questo linguaggio giovanile: «Che cazzo ce ne fotte di quanti scudetti ha il Napoli o la Juve?». Come dice elegantemente Radtke, questo «procedimento lessicologico si definisce come una sostituzione disfemistica [= il contrario di 'eufemistica'] che si riscontra anche ai livelli diastraticamente più bassi. L'uso di *cazzo* come parola *passe-partout* si consolida anche grazie alla diffusione tra i giovani».

scuola, per strada), colpisce soprattutto il ritorno ossessivo di una serie martellata di slogan[22] e di formule fisse, cariche di emotività evocatrice, molto adatte alla demonizzazione degli avversari. Citeremo il *regime* per 'stato, organizzazione del potere' (*stampa di regime, carceri di regime, Regime Democristiano*), lo *Stato Imperialista delle Multinazionali* o *Stato Borghese* (la larghezza nell'uso delle maiuscole era tipica dei volantini BR, in controtendenza rispetto allo *standard* italiano che tende a farle diminuire), il *pidocchio* (epiteto applicato a chi si fosse allontanato dalle BR e fosse considerato traditore). Aldo Moro rapito dalle BR è sempre il *prigioniero*, così come sono *prigionieri politici* (o *proletari comunisti prigionieri*) i brigatisti incarcerati dallo Stato. Abbondava la terminologia guerresca (*lotta, battaglia, manovra, attaccare, battersi, sconfiggere* ecc.), fino alla fatidica parola d'ordine *Portare l'attacco al cuore dello Stato* [cfr. anche Dardano 1978a: 224-226][23]. Del resto il linguaggio militaresco è tipico della comunicazione politica, ma di solito (per fortuna) in forma metaforica. Come logico, ricorrevano anche i termini propri della normale cultura marxista, *classe, contraddizioni di classe, movimento rivoluzionario, controrivoluzione imperialista, Tribunale del Popolo* (sono gli uomini delle BR che giudicano Moro), *Avanguardie Comuniste Combattenti, giustizia proletaria, processo proletario, sfruttamento dell'uomo sull'uomo, organico a..., oggettivo, egemonia della borghesia* ecc.[24]. Si noti che in certi termini politici correnti negli anni Settanta, e in parte del cosiddetto «sinistrese» (il linguaggio politico della sinistra, nelle sue forme stereotipe), si celano alcuni dei pochi russismi presenti in italiano: *nemico del popolo, nemico di classe, imperialismo* ecc. [cfr. Orioles 1987-1988].

Di fronte a questo linguaggio politico aggressivo e militaresco, come si caratterizzava il linguaggio del 'potere' o 'regime'? Il linguaggio politico della tradizione moderata, detto anche ironicamente «politichese»[25], si sviluppava, secondo la sintesi di Mengaldo [1994: 54-61], attraverso una vasta serie di espedienti atti all'elusione, alla reticenza, all'eufemismo e all'evasività [cfr. anche Eco 1973], oltre che attraverso l'abuso di tecnicismi giuridico-burocra-

---

[22] A volte gli slogan veri e propri venivano scritti nel volantino subito al di sotto della titolazione in cui compariva la famosa stella a cinque punte delle BR.

[23] Questa parola d'ordine colpì a tal punto da durare e mettere radici. M'è capitato di sentirla ripetere dai giornalisti della RAI nel gennaio del 1994, applicata questa volta all'uccisione di due carabinieri attribuita alla 'Ndrangheta calabrese.

[24] Cfr. Marazzini [1991: 117] e Beccaria [1992: 232-234], con elenco di neologismi politici degli anni Settanta; sulle scritte murali, assai comuni in quegli anni, cfr. Mengaldo [1994: 58], oltre a Garelli [1978].

[25] La prima attestazione del termine «politichese» è del 1982, secondo Cortelazzo-Cardinale [1986: 135], il quale porta anche alcuni esempi di questo linguaggio involuto, che a volte i giornalisti stessi stigmatizzano e cercano di spiegare ai lettori. La terminologia del 'sinistrese' risale agli anni Settanta.

tici. Ne facevano parte i giochi di parole, fino all'«incomparabile invenzione» [Beccaria 1992: 326] delle celeberrime *convergenze parallele* dell'onorevole Aldo Moro (subito commentate da «LN», XL, 1979: 126-127); l'ossimoro: *cauto entusiasmo, critica fiancheggiatrice, attesa precipitosa*. Quanto al resto, nel linguaggio politico entrava in abbondanza, come sempre, il linguaggio burocratico, economico e giornalistico. Si noti, comunque, che anche il linguaggio dell'opposizione, nella forma del citato «sinistrese», non si sottraeva all'accusa di tortuosità e di scarsa chiarezza, con i vari *tic* linguistici del tipo *a monte, a valle, al limite, oggettivamente, far chiarezza, portare avanti, realtà complessa e articolata, le contraddizioni, la dialettica* ecc.

3.5. Funzione dei media: radio e televisione

La radio italiana nacque nel 1924. La televisione ha iniziato a trasmettere in maniera regolare nel gennaio 1954. La sua funzione linguistica si è così affiancata a quella dei *media* che già esistevano, giornali, radio, cinema[26] (cfr. III.11.3). De Mauro ne ha messo in evidenza gli effetti: le trasmissioni televisive (e radiofoniche) sono giunte «anche nelle zone geografiche e nelle classi sociali a più basso reddito, che sono anche le zone di più tenace persistenza del dialetto: da ciò l'importanza della radiotelevisione ai fini della diffusione della lingua...» [De Mauro 1972: 353; cfr. anche De Mauro 1973]. Come per il linguaggio dei giornali, può essere fuorviante pensare ad un 'linguaggio televisivo' unitario: «per lo più la Tv trasmette altri linguaggi, dal film alla pubblicità [...], al linguaggio giornalistico al politico ecc.» (Mengaldo [1994: 74]; e cfr. III.11.3). Tipici della televisione sono gli spettacoli popolari di intrattenimento (rivolti a un'utenza molto larga), ed ora anche le rubriche in cui vari ospiti conversano o il pubblico telefona, interviene, dibatte. Probabilmente questo è il settore in cui andrebbe cercata la più attuale influenza linguistica esercitata dalla Tv. L'accesso diretto alle trasmissioni è stato fra l'altro accentuato (vera e propria "corsa verso il pubblico") da quando le televisioni si sono moltiplicate, con la nascita di molte reti private e locali.

Non sono univoche le opinioni relative all'effettiva odierna influenza linguistica della televisione, che alcuni giudicano assai minore rispetto a quella del suo primo decennio di vita. Diamo per scontato che i *media*, la Tv per prima, sono diffusori di tecnicismi, esotismi, neologismi e di un buon numero di più o meno ef-

---

[26] Il cinema meriterebbe un discorso a sé stante, anche per la sua grande incidenza sul pubblico. Mi limito qui a rinviare a Menarini [1955], Brunetta [1970], Raffaelli [1978 e 1991] (quest'ultimo sulle didascalie del cinema muto), Raffaelli [1983a] (sull'uso del dialetto nel cinema), Raffaelli [1992].

fimeri luoghi comuni verbali della cronaca e della politica (*anni di piombo, amarcord, lenzuola d'oro, mani pulite, malasanità, Jurassic school* ecc.), e persino diffusori (o rilanciatori) di nuovi nomi di persona, non di rado esotici, che vengono utilizzati dalla gente nel battezzare i propri figli, sull'onda delle più popolari trasmissioni televisive (a volte *serial*), o per il successo di famosi cantanti della musica leggera e *rock*. De Felice [1987] ricorda, tra moltissimi altri, *Romina, Alice* e *Alicia, Alexis, Barbara, Daiana, Micaela, Raffaella*[27] ecc. (ma sui nomi di persona si veda ora anche La Stella [1993][28]); al punto che si è potuto dire che tra il 1976 e il 1985 si è attuata «la radicale rivoluzione del repertorio nominale italiano» [De Felice 1987: 204].

Altro problema è stabilire quanto abbia contato la Tv per la diffusione di forme della varietà regionale romana, che ha largo spazio alla RAI, anche perché a Roma sono i maggiori centri di produzione dei programmi. D'altra parte non è facile distinguere fin dove è giunto l'effetto della Tv, e dove quello del cinema, che anch'esso ha avuto Roma come centro, almeno finché è stata vitale Cinecittà. Questo tema si collega strettamente allo sviluppo del linguaggio giovanile, per il quale cfr. IV.1.3. Le reti private Mediaset diffondono spesso il modello linguistico settentrionale, in genere milanese, il cui prestigio è andato crescendo.

3.6. I giornali

Il linguaggio dei giornali ha continuato anche nel nostro secolo a svolgere un'importante funzione, affiancato dai nuovi *media* trasmessi via etere, e magari proponendo un modello qualitativamente molto più alto: l'italiano dei migliori giornali, secondo Mengaldo [1994: 66], «può forse costituire un piccolo argine contro la bassa qualità media di quello televisivo, tra stereotipia di

---

[27] Per Romina, cfr. la cantante Romina Power; Alice: nuovamente irradiato dal nome di una cantautrice e dalla protagonista di una serie di Canale 5 trasmessa nel 1986 e 1987; Alicia è la forma più esotizzante del nome Alice; Alexis: è personaggio in due *serial*, I Colby e Dynasty; Barbara: varie presentatrici, attrici ecc. [cfr. De Felice 1987: 227]; Diana: titolo di una canzone statunitense di Paul Anka del 1958, e nome della moglie di Carlo d'Inghilterra, che fece vivere al pubblico più ingenuo un sogno rosa (più di 700 milioni di telespettatori alla cerimonia nuziale), poi conclusosi tragicamente; Raffaella: la Carrà. L'influenza di *Ambra*, per un breve periodo, si lega al nome di una ragazza lanciata dalle reti Fininvest.

[28] Va ricordato anche De Felice [1978a] (come pure un fortunato libro sui cognomi italiani: De Felice [1978b]), oltre a Tagliavini [1955]. Quanto ai nomi, si può osservare che l'abitudine di ispirarsi alle trasmissioni di successo della Tv e al cinema ha un precedente nella tradizione ottocentesca: allora si faceva riferimento alla letteratura o al melodramma (*Leonora, Alvaro, Marcello, Adriana, Maurizio, Arturo* ecc.).

potere e sbracataggine falso-popolare»[29]. Anche perché, ovviamente, si tratta pur sempre di un modello scritto che si contrappone ad uno prevalentemente parlato, più di rado parlato-letto.

Il quotidiano, come osserva Beccaria [1973a: 66], è «il tramite fondamentale fra l'uso colto e letterario dell'italiano e la lingua parlata», e inoltre il giornale può essere assunto come un indice della lingua media, per quanto questa categoria un po' astratta sia effettivamente applicabile alla variegata realtà. Nel giornale troviamo dunque una pluralità di sottocodici (politico, burocratico, tecnico-scientifico, economico-finanziario) e di registri (aulico, parlato-informale, brillante ecc.: categorie che sono state usate da Dardano [1973] per la sua approfondita analisi). Ognuno di questi sottocodici (da cui possono aver origine parole che mettono radice nella lingua comune) meriterebbe una trattazione speciale, che qui non potrà trovar posto per ragioni di spazio. Oltre che al citato Dardano [1973], rinviamo a Beccaria [1973a, 1973b e 1973c], Stella [1973], Eco [1973], Porro [1973], De Felice [1984], Cortelazzo M.A. [1990], Sobrero [1993b], Mengaldo [1994] (in particolare alle pagine dedicate da quest'ultimo al linguaggio sportivo, descritto quale diffusore di forestierismi, ricco di metafore iperboliche, capace di sfruttare le possibilità di costruire composti e di ricavare derivati come *sprintare*, *velocista*, *discesista*) (cfr. anche Bascetta [1962] e Bonomi [1994]). La creazione dei derivati, del resto, è una delle forme di arricchimento della lingua, in particolare nei linguaggi settoriali, che utilizzano largamente suffissazione, prefissazione e composizione [cfr. Dardano 1978b e 1993: 340-349].

Il luogo di maggiore (o più evidente) originalità del linguaggio del giornale sta nei titoli. La loro analisi è sempre interessante, perché il titolo, come lo *slogan*, deve essere costruito in modo da colpire il lettore, e nello stesso tempo deve fare economia di spazio. Vi domina la frase nominale, con particolari espedienti di messa in rilievo[30]. Sulla tipologia del titolo, cfr. gli esempi portati da Beccaria [1973a: 71-73] e Dardano [1973: 58 ss.], il quale tiene anche conto della posizione ed estensione tipografica dei titoli stessi, in rapporto agli equilibri (ideologicamente non neutrali) che possono entrare nella costruzione della pagina del giornale.

---

[29] Su questa 'sbracataggine', cfr. Berruto [1993b: 83]: «basta ascoltare un qualunque programma di intrattenimento delle varie emittenti per notare l'uso insistito, a volte artificiale, di un registro più basso e confidenziale, di carattere giovanilista e molto 'diretto', di quanto sarebbe da attendersi in una situazione comunicativa di quel genere [...]». È probabile che questo modello televisivo influenzi il comportamento dei parlanti.

[30] «Craxi, nuove accuse», con anticipazione del nome, risulta ad esempio più efficace del tipo (ugualmente nominale) «Nuove accuse a Craxi», perché con la segmentazione segnata dalla virgola si crea una gerarchia, quasi fosse «CRAXI / nuove accuse», con diversa grandezza di caratteri tipografici [cfr. Mengaldo 1994: 68]. (Craxi era un uomo politico di grande successo degli anni Ottanta, poi travolto da inchieste giudiziaria.)

3.7. La pubblicità

I procedimenti linguistici che si trovano nei titoli del giornale possono ricordare certe caratteristiche del linguaggio della pubblicità, che è basato sullo *slogan* e sulla 'trovata'. Attraverso questo canale, come attraverso il giornale, si diffondono termini tecnici e forestierismi. Gran parte della fortuna recente di parole come *Abs*, *retrofit* o *air-bag* è affidata alla martellante pubblicità delle case automobilistiche. Lo *slogan* pubblicitario deve colpire il lettore e deve favorire un determinato comportamento del potenziale acquirente. Deve dunque suggestionare e convincere. Ecco perché la lingua della pubblicità tende sovente a forzare, ad esempio mediante un marcato uso dei superlativi, sia con desinenza *-issimo* (*occasionissima*, *Superissimo*, l'acqua *Levissima*), sia mediante i prefissi *extra*, *iper*, *maxi*, *super*: *supersporco*, *supermolleggiato*, *superattivo*, *maxisconto*, *supersconto*, *ipermercato*. Del resto un prefisso come *super* ha avuto una larga fortuna nel Novecento, come ci ricorda un saggio di Migliorini [cfr. Migliorini 1990: 147-164]. Tale fortuna è cominciata dagli anni Venti (*supervini*, *supermarca*, *supersapone*, *superpila*, *Super-Sidol*, oltre alla definizione tecnico-giuridica di *superalcolici*), si è sviluppata durante il Fascismo (nel linguaggio di Mussolini: *super-Stato*, *superfascismo*), ed è durata anche dopo, e non solo nella pubblicità, come dimostra il *superpadroni* usato nei volantini delle Brigate Rosse. Radicatissimo è ormai l'ellittico *super* per la 'benzina super', e sulla base di questo modello *super* diventa aggettivo invariabile, come in *ragazza super* [cfr. Beccaria 1992: 133].

Nelle analisi del linguaggio pubblicitario, frequentemente praticate sia dai linguisti sia dai semiologi (cfr. ad esempio Castagnotto [1970]; Cardona [1974]; dettagliati riferimenti bibliografici nel breve bilancio di Medici [1977]), ci si trova di fronte di solito ad un duplice atteggiamento: da una parte l'ammirazione per la capacità di questo linguaggio di sfruttare e accentuare con tecnica sovente molto raffinata le possibilità espressive dell'italiano, dall'altra il fastidio per la creazione della 'parola-merce', che favorisce quella che Corti [1973: 121] ha chiamato l'«anemia della lingua». Il linguaggio pubblicitario (attingo per la mia incompleta campionatura dagli ampi repertori offerti da Corti [1973] e Mengaldo [1994]) favorisce la formazione di composti o 'parole macedonia': *digestimola*, *ammazzasete*, *granturismo* (e nella piccola inserzionistica, ecco l'uso di *ambosessi*, *bicamera*, *bilocale*, *monocamera*); favorisce, ove non si formi il composto, l'uso di sostantivi giustapposti, ad esempio determinato-determinante: *esperienza-Gillette*, *profumodonna*; partorisce neologismi e giochi di parole, generalmente di breve durata (del resto il messaggio pubblicitario è per forza effimero, si consuma subito): *amarevole*, *simmenthalmente*; il *puliziotto* di casa. Non va dimenticato l'uso, da parte della pubblicità, della retorica [cfr. Mortara Garavelli 1989: *ad indicem*], e anche di espedienti simili a quelli del linguaggio poetico [cfr. Corti 1973: 128 ss. e Sabatini 1968], da cui il messaggio pubblicitario si distingue tuttavia, oltre che per la qualità, anche per la funzione, che resta pur sempre quella, brutalmente strumentale, di convincere all'acquisto.

3.8. Italiano 'standard', italiano dell'uso 'medio' e cambiamento linguistico

Abbiamo avuto più volte occasione di usare la categoria di 'italiano medio', principalmente in riferimento al linguaggio letterario (cfr. XIII.3.2). Abbiamo trovato questa categoria in Pasolini, usata in chiave stilistica. Analogo uso ne abbiamo fatto in XIII.1.5, e in XIII.3.2 citando Coletti [1993].

L''italiano dell'uso medio' è il nome di una categoria ben diversa, definita da Sabatini [1985 e 1990] sulla base di una serie di fenomeni grammaticali, ricorrenti nell'italiano d'oggi, così come è comunemente parlato a livello non formale (cfr. anche Mengaldo [1994: 89], con ampio catalogo di fenomeni). La differenza rispetto all'italiano che si usa chiamare 'standard' (termine inglese per il quale Castellani ha proposto la sostituzione con «italiano normale», cioè «secondo la norma» [cfr. «SLI», X: 156]) sta nel fatto che questo italiano 'dell'uso medio', in sostanza comune e colloquiale, diversamente dallo 'standard', accoglierebbe fenomeni del parlato, presenti magari da tempo nello scritto [cfr. D'Achille 1990], ma generalmente tenuti a freno dalla norma grammaticale, che ha sempre tentato di respingerli ed emarginarli. Lo 'standard' rappresenta dunque un italiano 'ufficiale' e astratto (se così vogliamo dire), l'italiano 'dell'uso medio' rappresenta una realtà diffusa, di cui tutti abbiamo comune esperienza.

Questi ne sono alcuni tratti caratteristici:

1) *lui*, *lei*, *loro* usati come soggetti;

2) *gli* generalizzato anche con il valore di *le* e *loro*;

3) diffusione delle forme *'sto*, *'sta*;

4) tipo ridondante *a me mi*;

5) costrutti preposizionali con il partitivo, alla maniera francese («...con *degli* amici»);

6) *ci* attualizzante con il verbo avere e altri verbi («che c'hai?»);

7) dislocazione a destra o a sinistra, con ripresa del pronome atono («Paolo non l'ho più visto»; «lo so che i libri costano»);

8) anacoluti (nel parlato): «Giorgio, non gli ho detto nulla»;

9) *che* polivalente, con valore temporale, finale, consecutivo;

10) *cosa* interrogativo al posto di *che cosa* (del resto già presente nei *Promessi Sposi*);

11) imperfetto al posto del congiuntivo e condizionale nel periodo ipotetico dell'irrealtà («se sapevo, venivo»).

Tali caratteristiche, pur avendo dei punti di contatto con l'italiano popolare, interessano però nel caso specifico anche i parlanti istruiti, e riguardano tutta l'area nazionale. Poiché questo nuovo italiano è sostanzialmente unitario a livello morfosintattico e lessicale (differenziato regionalmente in maniera marcata solo al livello della pronuncia), Sabatini ne ha annunciato l'esistenza appunto usando la definizione di «italiano unitario medio» [Sabatini 1990: 77]. Esso è essenzialmente parlato; è fenomeno orale, dunque, ma a volte viene scritto, benché ciò avvenga solo in testi che non vanno oltre ad un livello di formalità medio-basso. Altri studiosi usano una diversa terminologia, e parlano piuttosto di 'neo-standard' [cfr. Berruto 1993a: 14], che risulterebbe sostanzialmente analogo all'"italiano medio"[31]. Altri ancora hanno messo in discussione l'esistenza stessa di questa categoria [cfr. Castellani 1991].

Anche Renzi [2000] ha elencato le caratteristiche innovative dell'italiano contemporaneo; alcune di esse sono identiche a quelle già individuate da Sabatini [1985 e 1990], altre sono diverse. Tra queste ultime citeremo il costrutto «È che... non è che...», una maggior diffusione dell'indicativo al posto del congiuntivo nella frase subordinata («mi dispiace che Maria è partita»), l'uso di «lui» anche per l'inanimato, l'uso avverbiale di «tipo» («Lui pensa tipo che...»), «da subito» al posto di «subito», il participio passato al superlativo («sono stato delusissimo»), «dai!» come espressione di meraviglia, il dimostrativo «questo» al posto dell'indefinito «uno», «non esiste!» nel significato di «non è possibile». A queste innovazioni, Renzi [2000: 314-317] ha aggiunto alcuni possibili anglicismi sintattici, come «giorno dopo giorno» (*day after day*), «grazie di non fumare» (*thank you for...*), e i composti in cui il determinato precede il determinante (*tossico-dipendente*). Quanto all'italiano popolare e regionale, entrambi ben presenti nella variegata realtà linguistica italiana di oggi, cfr. III.4.3, IV.2, IV.3, XIV.5-6.

---

[31] La categoria adottata da ogni studioso risulta essere per forza di cose in diretta dipendenza dallo schema adottato per descrivere le varietà di repertorio: cfr. XIV.6. A volte i caratteri individuati da Sabatini, e qui sopra esposti, sembrano far oscillare l'italiano 'medio' tra il 'neo-standard' e l'italiano 'parlato colloquiale', per usare le categorie di Berruto [1993a]. Lo stesso Berruto [1993a: 26] propone una utilissima tavola di comparazione tra le diverse categorizzazioni usate dagli studiosi, da cui si ricava che l'italiano 'medio' di Sabatini [1985] corrisponde grosso modo all'italiano 'colloquiale informale' o 'comune' di altri autori. Del resto è inevitabile che la realtà, nel suo *continuum* (anche questa è una categoria discussa da Berruto [1993a: 14-18]), sfugga alle categorizzazioni troppo rigide. Non dimentichiamo che le categorie servono a comprendere la realtà, ma non ne esauriscono la ricchezza [cfr. Berruto 1993a: 20]. Sui concetti di 'standard', 'substandard', 'italiano non marcato', 'italiano comune', 'italiano normativo' ecc., cfr. Berruto [1993b], con esauriente bibliografia. Sull'italiano dell'uso 'medio' nella lingua dei giornali, cfr. Bonomi [1993].

3.9. Scuola e 'lingua selvaggia'

Già abbiamo parlato (cfr. XIII.3.3) della diffusione della scolarità e dell'acculturazione delle classi popolari (prima prigioniere del loro mondo contadino e dialettale). Tappa importante sul cammino di un'omologazione di tutti gli italiani fu, nel 1962, l'introduzione della scuola media unica, uguale per tutti, con obbligo scolastico fino ai 14 anni (in tutto, tra elementari e medie, 8 anni di scuola). La scuola media unica veniva istituita al posto del doppio canale di formazione, ereditato dalla riforma scolastica di Giovanni Gentile, la quale aveva proposto scuola media e avviamento professionale in radicale reciproca alternativa.

Proprio per la sua forte incidenza sociale, la scuola è diventata, a partire dagli anni Sessanta, l'obiettivo privilegiato degli interventi, a volte molto combattivi, di coloro che vedevano nelle forme tradizionali di insegnamento della lingua uno strumento di repressione di classe. Queste discussioni si sono sviluppate in un periodo caratterizzato da una forte diffusione di nuove idee linguistiche (strutturalismo, grammatica generativa ecc. [cfr. Berretta 1978]) e da una forte presenza ideologica della Sinistra, con conseguente applicazione alla scuola di analisi sociologiche che ne svelavano (o pretendevano di svelarne) la natura 'repressiva'. Anche la cultura cattolica, nelle sue frange 'popolari' più battagliere, è intervenuta nel dibattito con forte voce: Mengaldo [1994: 17-19] attribuisce a Don Milani una funzione di primaria importanza e una «perdurante vitalità»[32]. Merito di Don Milani fu indubbiamente quello di mettere a nudo le condizioni di vera indigenza linguistica in cui si trovavano i ragazzi delle classi povere. Egli proponeva anche una serie di interventi per adattare la scuola e l'insegnamento alle presunte necessità dei suoi allievi. Si trattava di tecniche in gran parte provocatorie (ne prende le distanze anche Mengaldo [1994: 18]; e cfr. Bruni [1987: 65]). Con un certo massimalismo giacobino, Don Milani arrivava a mettere in discussione l'esistenza e la legittimità stessa di qualunque norma linguistica, o di qualunque forma 'alta' di comunicazione, identificandovi un trabocchetto repressivo ai danni degli umili, in base all'equivalenza elementare tra lingua 'corretta' e classe borghese (intesa come assoluto disvalore).

Molto diverso avrebbe dovuto essere (ma non sempre lo fu) il punto di vista marxista, se si fosse rifatto a Gramsci (cfr. XIII.1.4), secondo il quale la cultura (e la lingua che ne è veicolo) è una sola, e compito della classe operaia dovrebbe essere proprio

---

[32] Don Milani pubblicò nel 1967 un provocatorio libro, *Lettera a una professoressa*, nel quale veniva messa sotto accusa la scuola tradizionale e la sua organizzazione, rimproverata di perseguire unicamente fini di selezione di classe (Renzi, nell'*Introduzione* a Renzi-Cortelazzo [1977: 10], lo definì «il "libretto rosso" del '68 universitario»).

quello di arrivare a impossessarsi di quella cultura e di quella lingua per farle proprie e per volgerle a fini rivoluzionari, ciò che Gramsci riteneva potesse realizzarsi mediante una dura selezione delle *élites* operaie (per contro, Don Milani negava la legittimità di qualunque selezione).

Gli attacchi alla maniera di Don Milani non furono gli unici rimproveri rivolti alla pedagogia linguistica corrente. Gli specialisti mossero sostanziali rilievi contro le tecniche tradizionali di insegnamento della grammatica, contro l'uso del tema quale unica forma di esercizio di scrittura, contro il mancato riferimento alla base dialettale dei discenti (cfr., per contro, le proposte di De Mauro-Lodi [1979], e il bilancio storico di Còveri [1981-1982]). Tali critiche provocarono una revisione dei metodi e degli obiettivi dell'insegnamento, rinnovandolo almeno in parte, ma a volte anche a prezzo di una grave crisi professionale degli insegnanti. Messi sotto accusa per aver tramandato un italiano 'puristico/scolastico', in cui non si dice *arrabbiarsi* ma *adirarsi*, in cui *fare* è ritenuto generico e improprio (non *fare il compito*, ma *svolgere il compito*; il *fare* condannato da Cesare Marchi in *Impariamo l'italiano*: ma vedi la puntualizzazione di Bruni [1986: 179-180]), in cui *lui* non può essere soggetto (e va sostituito con *egli*) ecc. (cfr. le categorie dell'italiano 'medio', XIII.3.8, ignorate dalla scuola a vantaggio dello 'standard' o dell''italiano grammaticale'), alcuni docenti si sono buttati sulla sponda opposta: «abbandonate certe rigide posizioni normative, dopo tutto comode in quanto poco problematiche, è sembrato a molti che la didattica nella fascia dell'obbligo dovesse limitarsi a prendere atto del modo di esprimersi e del "modo personale che ogni alunno si è formato negli ambienti pre- ed extrascolastici, senza arricchirli"», come scrive De Blasi [1993: 422], citando un pensiero di Bruni [1987: 224]. C'è chi pensa che la diffusione di idee del genere abbia danneggiato l'insegnamento e l'efficienza della scuola. Sicuramente c'è grande incertezza attorno all'idea stessa di 'norma' (cfr. Berretta [1978: 24 ss.]; ma si veda Serianni [1986 e 1988: V-IX], e Crystal-Bertinetto [1993: 2-5]).

Oggi si riscontrano carenze linguistiche di base non soltanto negli studenti della scuola dell'obbligo, ma anche in allievi assai avanzati nel corso dei loro studi, giunti magari fino all'università senza essere in grado di rispettare le norme più elementari della grammatica e della sintassi. Bruni [1987] ha parlato a questo proposito di un italiano 'selvaggio'. Tale formula è stata utilizzata anche per un numero speciale della rivista «Sigma» (*Italiano lingua selvaggia*; a. XVIII, 1985, n. 1-2), dedicato a discutere, a più voci e con ampio confronto di idee, dell'italiano «che imbocca chine devianti» (G.L. Beccaria, nell'*incipit* dell'articolo d'apertura [cfr. anche Beccaria 1992: 269-294]). Per avere alcuni esempi di queste 'devianze', si vedano le analisi, proposte da Bruni [1987: 505-514], di elaborati scolastici di alunni della scuola secondaria, e di elaborati di studenti universitari della facoltà di Architettura di Roma. Esse mettono in luce non solo la presenza di banali errori, ma soprattutto frasi preconfezionate, equivoci semantici, interferenze con il dialetto, e mostrano una sostanziale inettitudine degli scriventi a governare la sintassi. Curiosa anche la constatazione di Marazzini [1991: 107], relativa ad osservazioni condotte in una scuola media della cintura torinese, nella quale i ragazzi risultano incapaci di dare il giusto significato a parole riferentisi a concetti morali, o all'àmbito del tradizionale insegnamento religioso: sono incomprensibili parole come *ipocrita* (viene inteso come 'brutto'), *misericordioso, superbo, pietà, orfano, vedova, aureola.* Se c'è un rapporto tra linguaggio e 'valori', tra lingua e conoscenza del mondo, sembrano mancare in questo caso alcune categorie morali elementari, un tempo comuni fino alla banalità[33].

Ritengo utile riportare l'equilibrato giudizio di De Blasi [1993: 422-423], a cui pare auspicabile che la scuola, «messo da parte definitivamente il 'parlare come un libro stampato', non rinunci ad insegnare agli scolari che esistono differenze non neutre tra i tanti modi di esprimersi, indicando ad esempio quali siano le peculiarità dello scrivere rispetto al parlato, e le caratteristiche dell'italiano dell'uso medio', che va contrapposto da un lato all'italiano letterario e dall'altro all'uso incolto e popolare». E Nencioni (in Jacobelli [1987: 99-100]; ma cfr. anche Nencioni [1989: 227-234]), con la sua proverbiale saggezza, ha invitato a non sopravvalutare la norma, ma nel contempo ha ribadito la necessità che l'insegnante sappia condurre l'alunno a prender coscienza della natura e ragione di essa, sappia cioè trasformarla in problema, senza ricorrere a utopici spontaneismi e senza perdere il contatto con i 'classici' del nostro passato. Il quadro generale in cui si ambienta questo processo resta, mi pare, quello delineato suggestivamente da Terracini [1963: 128-132].

---

[33] Sull'incapacità di molti parlanti, i quali non sono in grado di comprendere l'italiano della TV, appena esso si elevi ad un tono mediamente colto, cfr. soprattutto Berruto [1978: 22-43]. Berruto analizza una serie di sondaggi della RAI, e alcuni sondaggi fatti nelle scuole. Si vedano anche i fraintendimenti verisimili, se non veri, raccolti da Ippoliti [1991].

Capitolo 14

Quadro linguistico
dell'Italia attuale

1. Composizione del lessico italiano

Le principali componenti del lessico italiano, risultato della storia millenaria della nostra lingua, sono messe in evidenza nel grafico che segue, elaborato sulla base di una serie di sondaggi a campione[1], nel quale vengono proposte otto categorie: latinismi, grecismi, francesismi, anglismi, germanismi, arabismi, spagnolismi (cfr. III.2.3), e infine un'ultima categoria eterogenea, la quale comprende parole di altra provenienza. In quest'ultima categoria (denominata «altra origine») sono stati contati, oltre ai comuni derivati, sia termini che provengono da dialetti italiani, come *vongola* (dal napoletano), sia termini derivati da nomi propri, come *calepino, gardenia, garibaldino, volt*[2].

Osservando il grafico (fig. 22), salta agli occhi un fatto ben noto agli studiosi: la stragrande maggioranza delle parole italiane è di origine latina. Si potrebbe osservare che alcune di queste parole sono entrate nel latino dal greco, e quindi, dal punto di vista etimologico, sono definibili come grecismi: si pensi a termini come *tragedia, litania, metro*. Nel nostro grafico parole del genere sono state classificate comunque tra i latinismi, badando alla derivazione diretta. Un altro problema è costituito da termini che sono evidenti grecismi, ma grecismi artificiali, costruiti a tavolino, giunti a

---

[1] Il campione è costituito da 10 pagine non contigue tratte da diverse sezioni alfabetiche di Devoto [1968], rispettivamente le seguenti: 3, 61, 119, 183, 247, 267, 389, 435, 461, 464. Il campione non ha quindi valore assoluto, vista la limitatezza dei dati esaminati; si tratta semplicemente di un'indicazione di massima, suscettibile di correzioni attraverso spogli più ampi o attraverso l'analisi di una diversa fonte.

[2] Rispettivamente queste parole comuni derivano dai cognomi di Ambrogio Calepino, Alex Garden (botanico scozzese), Giuseppe Garibaldi, Alessandro Volta [cfr. Migliorini 1927].

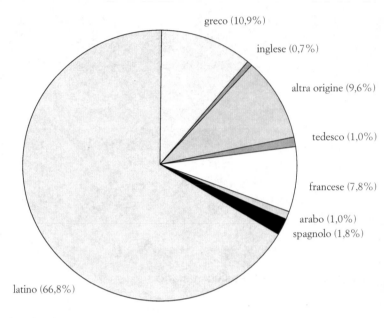

greco (10,9%)

inglese (0,7%)

altra origine (9,6%)

tedesco (1,0%)

francese (7,8%)

arabo (1,0%)
spagnolo (1,8%)

latino (66,8%)

Fig. 22. Campione intero.

noi non direttamente dal patrimonio della classicità, ma dalle lingue europee moderne, come *chalcographie* e *microbe* francesi, che hanno prodotto *calcografia* e *microbo*. Nel grafico, parole come queste sono state poste tra i francesismi. Dal grafico, come abbiamo detto, si rileva con assoluta evidenza la forte componente classica, latina prima di tutto, ma anche greca, presente nel lessico italiano. Tra le lingue moderne ha maggior spazio il francese[3].

Il secondo grafico (fig. 23) è elaborato in base alle stesse pagine-campione su cui è costruito il primo, ma operando una selezione: entra questa volta nel conto solamente il 'lessico comune'. Con tale designazione si intendono le parole usuali, note alla maggioranza dei parlanti (sono stati dunque eliminati i termini colti e tecnici). Si noterà in questo secondo grafico (è il dato in esso più significativo) la diminuzione della percentuale delle parole di origine greca: molte di esse, infatti, sono cultismi e tecnicismi speciali-

---

[3] Si noti però che il grafico è costruito su campioni tratti da un vocabolario non molto recente, e questo può avere in qualche modo penalizzato gli anglismi, il cui numero è via via crescente nell'italiano. Un riscontro sullo *Zingarelli 1994* (ed. 1993) mostra che effettivamente alcuni anglismi posso essere aggiunti allo spoglio su cui è basato il nostro grafico, ma al tempo stesso risultano aumentati anche i francesismi e le parole tecniche di matrice greca e latina, per cui non sembrano cambiare troppo gli equilibri complessivi. Il grafico, ridisegnato sulla base di questa diversa fonte, potrebbe comunque risultare piuttosto diverso dal nostro. Per un analogo grafico costruito mediante l'edizione elettronica del dizionario di Devoto-Oli, cfr. C. Marazzini, *La torta delle parole*, in «Letture», a. 50° n. 515, marzo 1995, pp. 88-89: qui il settore 'inglese' sale al 7%.

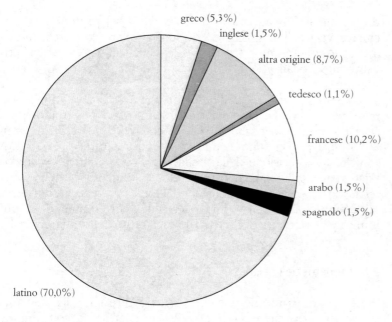

greco (5,3%)

inglese (1,5%)

altra origine (8,7%)

tedesco (1,1%)

francese (10,2%)

arabo (1,5%)

spagnolo (1,5%)

latino (70,0%)

Fig. 23. Lessico comune.

stici, estranei alla lingua di tutti i giorni. Nella ridistribuzione delle percentuali, dopo il nuovo calcolo, si nota che la componente latina aumenta ancora il suo spazio, e così aumentano leggermente alcune lingue moderne.

2. Scrittura e pronuncia dell'italiano

2.1. Il sistema grafico dell'italiano

Il sistema grafico dell'italiano è anch'esso il risultato della storia della nostra lingua. Esso, nel complesso, si presenta abbastanza coerente con la pronuncia. Coerenza non significa, beninteso, adeguatezza assoluta. Da questo punto di vista, la lingua ideale sarebbe quella in cui ad ogni segno grafico corrispondesse un solo suono e ad ogni suono un solo segno grafico, con rapporto biunivoco (come accade negli alfabeti fonetici usati dai linguisti e dai dialettologi). In realtà, nel sistema dell'italiano esistono innegabili ridondanze e lacune [cfr. Maraschio 1993: 140], ma l'insieme è funzionale; molto più forte è lo scarto tra grafia e pronuncia che si riscontra nel francese o nell'inglese (lo spagnolo, per contro, ha un rapporto segno-suono ancor più preciso dell'italiano). In italiano non sopravvivono molti elementi dotati solamente di valore etimologico: ciò accade, ad esempio, per l'*h* di *hanno* (non priva, d'altra parte, di valore funzionale, per la sua utilità distintiva rispetto ad *anno* sostantivo); in altri casi *h* ha valore diacritico, come nel digramma *ch*, in cui sta a indicare che *c* va pronunciata come oc-clusiva velare. Per indicare l'occlusiva velare sorda usiamo dunque in certe condizioni *c* (davanti alle vocali *a, o, u*), *ch* in altre (davanti alle vocali *i, e*). Identico problema si pone per l'occlusiva sonora *g*.

Il sistema grafico dell'italiano, come si diceva, non è perfetta-mente univoco. Usiamo gli stessi segni *e* ed *o* per indicare le *e/o* aperte e chiuse, senza distinzione (cfr. V.2.2). Il segno *s* si usa per la sorda e per la sonora, e la stessa cosa accade per *z* (cfr. V.2.1). A volte l'imprecisione della grafia si lega ad effettive oscillazioni nel-l'uso reale della lingua, osservabili in zone più o meno ampie del territorio nazionale: la distinzione canonica tra vocali chiuse e aperte, ad esempio, non è avvertita o eseguita correttamente da un buon numero di parlanti del nostro paese, fuori dell'Italia centrale.

2.2. I fonemi dell'italiano

In riferimento alle vocali, possiamo dire che l'italiano ha un si-stema di sette elementi (cfr. V.2.1 e 2), resi da soli cinque segni grafici; ma questo sistema non è proprio della coscienza linguistica di tutti i parlanti nazionali, e non trova corrispondenza in tutti gli 'italiani regionali' (cfr. XIV.6). Sicuramente il sistema eptavocalico si ritrova nel parlato dei toscani e dei romani, con piccole diver-genze tra gli uni e gli altri (cfr. IV.3). Come scrive Canepari [1979: 195], le coppie *e* aperta/chiusa e *o* aperta/chiusa «hanno nel diasi-stema, [...] vale a dire negli usi sociolinguistici dell'intera nazione, uno scarso rendimento funzionale, quasi ridotto – in pratica – a va-riazioni libere [...] determinate da sostràti e adstràti particolari, da analogìe e dissomiglianze e da ipercorrettismi 'stilistici' individuali. Può prevalere [...] una più o meno conscia tendenza ad allontanar-si il più possibile dalle realizzazioni genuinamente dialettali, per es-sere più 'fini ed eleganti' [...]. Oppure può anche prevalere una di-stribuzione analogica a realizzazioni regionali [...]». Oltre ai sette fonemi vocalici, l'italiano ha i fonemi consonantici classificati nella tabella 1 di p. 457 (tratta da Dardano [1991: 202]; cfr. anche Mu-liačić [1972], che discute il numero e la classificazione dei fonemi dell'italiano).

Anche nel caso di alcuni fonemi consonantici, la realizzazione non è identica in tutto il territorio nazionale. Secondo Canepari [1979: 197], uno scarso rendimento funzionale ha la coppia di *s* sor-da/sonora. Infatti, oltre all'italiano della RAI, quello di tipo toscano (e non in tutti i parlanti) è l'unico che opponga funzionalmente /s/ e /z/ in posizione intervocalica, ad esempio in *fuso* (arnese per filare con la *s* di *asino*) e *fuso* (participio di *fondere*, con la *s* di *senza*).

Tab. 1. *Schema riassuntivo dei fenomeni consonantici dell'italiano*

		Movimento del velo palatino	Bilabiali		Labiodentali		Dentali		Alveolari		Prepalatali		Palatali		Velari	
	Posizione delle corde vocali		Sorde	Sonore	Sorde	Sonore	Sorde	Sonore	Sorde	Sonore	Sorde	Sonore	Sorde	Sonore	Sorde	Sonore
Modo di articolazione	Occlusive	Orali	p	b			t	d							k	g
		Nasali		m				n						ɲ		
	Affricate	Orali							ts	dz	tʃ	dʒ				
Continue	Costrittive				f	v			s	z	ʃ					
	Vibranti									r						
	Laterali									l				ʎ		

Luogo di articolazione

2.3. Il raddoppiamento fonosintattico

Caratteristico dell'italiano è anche un altro tratto che non viene reso dalla scrittura, e che non viene eseguito dovunque allo stesso modo: il raddoppiamento fonosintattico [cfr. Dardano 1991: 203 e Canepari 1979: 199-201]. La moderna grafia registra il fenomeno quando si è prodotta una parola unica: *fra* + *tanto* ha dato *frattanto*, con raddoppiamento della *t*; *da* + *vero* ha dato *davvero*. Nell'italiano 'standard' il raddoppiamento fonosintattico è prodotto principalmente:

1) da tutte le parole polisillabiche con accento sull'ultima vocale (*perché mai* si pronuncia *perchemmai*);

2) da tutti i monosillabi con accento grafico (*più su* si pronuncia *piussù*);

3) dai monosillabi 'forti' *a, da, su, tra, fra*; *ho, ha, do, fa, fu, va, sto, sta, che, chi, qui, qua, se* (congiunzione); *ma, e, o*; *tu, te, me* (es.: *a noi* si pronuncia *annoi*).

Il raddoppiamento fonosintattico non è praticato nelle parlate regionali dell'Italia settentrionale, anche se oggi tende in certi casi a comparire occasionalmente nell'italiano di città come Torino, dove un tempo era assolutamente sconosciuto; tale comparsa avviene probabilmente per effetto dei modelli televisivi, e forse anche come conseguenza della forte immigrazione di parlanti meridionali.

3. Dove si parla italiano

L'italiano è parlato in tutto il territorio della Repubblica italiana, di cui è la lingua ufficiale, pur se la Costituzione non gli assegna esplicitamente, a tutt'oggi, tale funzione: ma è stata presentata una proposta di legge costituzionale per ovviare alla lacuna. L'affermazione che l'italiano è «lingua ufficiale» si ritrova però al 1° articolo della legge sulla protezione delle minoranze linguistiche, la n. 482 del 15 dicembre 1999 (una legge, per altro, che ha destato molta perplessità). L'italiano è inoltre parlato nello stato del Vaticano, nella Repubblica di San Marino, in alcuni Cantoni della Svizzera (in Ticino e nei Grigioni), tanto che è una delle lingue ufficiali della Confederazione. Lo si parla o lo si comprende, o almeno è facile incontrare persone che lo comprendano, nel Nizzardo e nel Principato di Monaco, nei territori delle ex colonie italiane, nell'ex protettorato di Rodi, in Istria e in alcune località della Dalmazia. Vanno poi considerate le comunità di emigrati italiani, sparse in tutto il mondo, e Malta, dove l'italiano fu di casa per

secoli, prima di essere soppiantato dall'inglese, e dove ora pare ri-
guadagnar terreno per l'influenza della nostra radio e televisione.
Alla televisione si deve l'influenza recente dell'italiano in Albania[4]
(sull'italiano all'estero, in Europa e nel mondo, cfr. Còveri [1991]
e Bettoni [1992 e 1993]).

Se vogliamo far riferimento a dati quantitativi, possiamo dire
che l'italiano è parlato da circa 58 milioni di persone in Italia, e
da oltre 300.000 persone in Svizzera [cfr. Metzeltin 1993: 60]. A
costoro bisogna aggiungere ancora gli emigrati italiani all'estero,
nel caso in cui non abbiano dimenticato la lingua di origine [cfr.
Bertini Malgarini 1994]. Non è facile quantificare il numero di costoro. Per quanto riguarda gli USA, ad esempio, secondo dati del
1980, più di un milione e mezzo di cittadini statunitensi di origine
italiana (si noti che gli italo-americani sono in tutto dodici milioni) dichiaravano di parlare l'italiano, anche se la cifra è probabilmente sovrastimata [cfr. Haller 1993: XIX]. Per avere un'idea del
peso complessivo che può avere nel quadro mondiale il numero
dei parlanti italofoni, si pensi che lo spagnolo è lingua materna o
veicolare per circa 340 milioni di persone [cfr. Metzeltin 1993:
67], e che l'inglese è madrelingua per altri 350 milioni [cfr.
McCrum *et al.* 1992: 19], ma viene usato come seconda lingua da
un numero altrettanto grande di parlanti (per quanto calcoli del
genere siano sempre piuttosto difficili: cfr. Crystal-Bertinetto
[1993: 286-287 e 439-447]).

4. Alloglotti nell'area italiana

4.1. Tipologie di classificazione degli alloglotti

Entro i confini politici della Repubblica italiana sono presenti
alcuni gruppi alloglotti (dal greco *állos* 'altro' e *glôtta* 'lingua'), di
origine romanza e non romanza. Possiamo ovviamente distinguere
tali alloglotti a seconda della loro lingua, ma possiamo anche tener conto della tipologia che caratterizza l'entità e il peso della
loro comunità. Parliamo genericamente di 'minoranze linguistiche'
intendendo riferirci ad un numero consistente di alloglotti, tuttavia
pur sempre 'minoranza' rispetto alla 'maggioranza' dei parlanti italiano. In maniera più precisa, parliamo inoltre di 'propaggini' (o
'penisole': cfr. Francescato [1993: 312]) di alloglotti quando aree
linguistiche più grandi, situate al di fuori del nostro territorio nazionale, si estendono in parte anche all'interno dei nostri confini
(è il caso dei provenzali, dei franco-provenzali e dei tedescofoni

---

[4] Con effetti a volte imprevedibili e pericolosi, per l'attrazione esercitata sui
cittadini dei paesi poveri, che si traduce in un invito ad entrare in Italia a ogni
costo: cfr. III.11.3 e XIV.4.9.

altoatesini). Usiamo il concetto di 'isole linguistiche' per indicare comunità di alloglotti molto piccole e isolate (greche, albanesi ecc.).

La presenza di alloglotti, di minoranze e di isole linguistiche sul suolo italiano ha dato luogo a discussioni sull'opportunità di interventi di natura politica destinati a proteggere e rilanciare la specifica cultura di queste comunità. Il problema, ovviamente, si poneva soprattutto per i gruppi più deboli, che, a differenza dei tedeschi dell'Alto Adige e dei francofoni della Valle d'Aosta, non avevano leggi che li tutelassero (cfr. su questi dibattiti Albano Leoni [1979], Cortelazzo M.A. [1988: 308-311], la sintesi di Petrilli [1992], Barbina [1993] (che, nell'esaminare il problema delle minoranze, si allarga al quadro europeo: cfr. anche Bombi-Graffi [1998]), Telmon [1992 e 1994]). Oggi la legge n. 482 del 1999 tutela, con modalità che lasciano perplessi alcuni esperti, le minoranze albanesi, catalane, germaniche, greche, slovene, croate, francesi, franco-provenzali, friulane, ladine, occitane e sarde (l'elenco, eterogeneo, è ripreso dall'art. 2 della legge stessa).

4.2. Provenzali e franco-provenzali

Iniziamo con gli alloglotti che parlano lingue del gruppo romanzo. In molte valli alpine del Piemonte occidentale si hanno propaggini provenzali, e provenzale è anche l'alta Valle di Susa. La media e la bassa Valle di Susa, le Valli di Lanzo e la Valle d'Aosta sono franco-provenzali. In Valle d'Aosta, area franco-provenzale, il francese è per antica tradizione la lingua di cultura, al di sopra del *patois* locale, ed ha lo *status* di lingua ufficiale, accanto all'italiano. Nello *Statuto speciale per la Valle d'Aosta*, l'art. 38 stabilisce: «Nella Valle d'Aosta la lingua francese è parificata a quella italiana». Per quanto la situazione del francese in Valle non sia sempre vitale (e ciò per complesse ragioni, tra le quali la forte immigrazione che ha interessato la Valle [cfr. Marazzini 1991: 93-101]), questa lingua viene tuttavia sentita come una bandiera di autonomia e un segno di distinzione.

4.3. Ladini

Nelle valli alpine dolomitiche che fanno corona al Gruppo del Sella si trovano le parlate della cosiddetta sezione centrale dell'area ladina; il ladino, per le sue caratteristiche, può essere considerato dal punto di vista glottologico (se non da quello sociolinguistico) qualche cosa di più di un semplice dialetto. Nelle scuole delle valli Badia, Gardena e Fassa è stato introdotto dopo il 1948 l'insegnamento del ladino, come prevede lo statuto di autonomia del Trentino-Alto Adige, in cui, all'art. 87, si legge: «È garantito l'insegnamento del ladino nelle scuole elementari delle località dove è parlato. Le Province e i Comuni devono altresì rispettare la toponomastica, la cultura e le tradizioni delle popolazioni ladine» [cfr. Metzeltin 1993: 54]. Nella maggior parte del Friuli e della Carnia ci sono le parlate ladino-orientali, meglio indicate con il nome di 'friulane'.

Parlate ladine sono anche in territorio svizzero, e il ladino (ma si preferisce qui il nome di «romancio»), in base alla Costituzione svizzera (art. 116 del 1938), è *Nationalsprache*, lingua nazionale, accanto al tedesco, al francese, all'italiano. Tuttavia «la non ufficialità federale, il predominio del tedesco in molti settori della vita pubblica e la forte frammentazione linguistica costituiscono un serio pericolo per la continuità del romancio» [Metzeltin 1993: 56].

4.4. Sardi

Accanto al ladino, anche il sardo può essere considerato dal punto di vista glottologico una vera e propria lingua, per le sue particolari e uniche caratteristiche all'interno del gruppo romanzo (basti pensare alla derivazione degli articoli *so, sa* ecc. da *ipsum/-am* anziché da *illum/-am*, come nel resto della Romània). Tuttavia non si è mai giunti alla creazione di una *koinè* sarda. Coloro che parlano il sardo sono circa un milione [cfr. Blasco Ferrer 1984: 195 ss.; e 1986: 15 ss.; Metzeltin 1993: 72 e Loi Corvetto-Nesi 1993: 1-13 e 93-106].

Il sardo si distingue in quattro varietà: gallurese, sassarese, logudorese (con il nuorese), e il campidanese, che ha il suo centro nella zona di Cagliari. Tipico del sardo logudorese è un sistema di cinque vocali, con conguaglio delle lunghe e delle brevi latine in un unico esito[5] (cfr. V.2.3).

4.5. Isole linguistiche: Alghero e Guardia Piemontese

Si parla di 'isole linguistiche' quando ci si trova in presenza di comunità caratterizzate da una loro specifica diversità (così come i gruppi minoritari o le propaggini), ma numericamente molto ri-

---

[5] Si può fare qui un accenno ai dialetti della Corsica, benché l'isola sia politicamente francese. Le parlate corse vengono dal latino, introdotto nell'isola a partire dal 238 a.C.; sono simili al gallurese e al sassarese, con forti innesti di toscano. La lingua-guida della Corsica, fino alla repubblica indipendente di Pasquale Paoli (sec. XVIII), fu l'italiano; poi subentrò il francese come lingua amministrativa. Il corso viene oggi sentito come simbolo di indipendenza, e usato anche per le rivendicazioni autonomistiche. È introdotto nelle scuole dal 1974 come materia facoltativa. Su circa 240.000 abitanti, circa 160.000 hanno il corso come lingua materna [cfr. Metzeltin 1993: 72 e Loi Corvetto-Nesi 1993: 209-211].

dotte, isolate e geograficamente circoscritte ad un territorio picco-
lissimo. Alcune di queste 'isole' sono di origine romanza.

Ad Alghero, in Sardegna, ad esempio, la popolazione è catalana in seguito alla conquista militare della città da parte di Pietro
IV d'Aragona (1354). Per la ribellione della città, la popolazione
originaria fu allontanata, e sostituita da un contingente di catalani:
il catalano, del resto, ha influenzato il sardo (per la forte presenza
catalana nell'isola, cfr. Blasco Ferrer [1984: 140 ss.]).

A Guardia Piemontese (Cosenza) ci sono i resti di un'antica
colonia valdese di lingua provenzale, la cui importanza fu rilevata
da Vegezzi-Ruscalla [1862; cfr. Marazzini 1991: 91]. A Faeto e
Celle (Foggia) sopravvivono due colonie valdesi di lingua franco-
provenzale.

4.6. Minoranze e isole tedesche

Accanto ai gruppi alloglotti romanzi, abbiamo quelli non romanzi. Ci sono propaggini tedesche, che hanno grande importanza, anche perché la loro presenza ha dato luogo in diverse occasioni a problemi di natura politica e amministrativa: la più nume-
rosa comunità tedescofona occupa l'alta Valle dell'Adige (la comunità autodesigna il proprio territorio con il nome di Sud Tirolo,
Südtirol). Questa minoranza etnica (minoranza se confrontata con
la popolazione italiana, ma maggioranza nella propria zona) ha
uno statuto speciale, che interessa la provincia di Bolzano. Il tedesco ha qui lo *status* di lingua ufficiale accanto all'italiano (come il
francese in Valle d'Aosta), e viene insegnato a scuola come prima
lingua agli appartenenti alla comunità tedesca, i quali imparano l'i-
taliano come lingua seconda (e non sempre in maniera perfetta).
In provincia di Bolzano la toponomastica è attualmente bilingue
(trilingue nelle valli ladine), non senza qualche polemica nell'applicazione delle norme relative ai nomi dei luoghi. La situazione attuale di convivenza tra italiano e tedesco nella provincia di Bolzano è caratterizzata da «una forte compresenza delle due lingue
(pur non potendosi parlare di integrazione probabilmente neppure
a livello incipiente)» [Coletti-Cordin-Zamboni 1992: 211]. Va tenuto presente che il tedesco parlato dalla popolazione autoctona
dell'Alto Adige è, come nell'adiacente Tirolo austriaco, un «dialetto» tedesco, diverso dalla «lingua» tedesca, la quale deve essere
imparata a scuola anche dalla comunità tedesca, che vive dunque
una situazione di diglossia: il dialetto si usa nella comunicazione
familiare, la lingua tedesca risponde a situazioni formali elevate,
quali l'insegnamento, i rapporti burocratici, la cultura, la religione,
la letteratura [cfr. Francescato 1977: 412].

Vi sono diverse altre isole tedesche in territorio italiano, alcune vitali, altre in via di disfacimento, come i cosiddetti Tredici Comuni del Veronese e i Sette Comuni (tra cui Asiago) del Vicentino. Tutte le propaggini e isole che abbiamo nominato fin qui appartengono al gruppo bavaro-austriaco. Al gruppo vallese (i *Walser*) appartengono invece le comunità tedesche del Piemonte e della Valle d'Aosta, insediatesi nel Medioevo alla testa delle valli attorno al Monte Rosa: tra esse la comunità di Gressoney, quella di Alagna e quella di Macugnaga.

4.7. Isole greche

Grande interesse tra gli studiosi hanno sempre suscitato le due colonie greche presenti nel territorio italiano. L'una è in Calabria, nelle località di Bova, Condofuri e Rogudi, sulle pendici dell'Aspromonte. L'altra è nel Salento.

Si è molto discusso sull'origine di queste colonie. Due tesi si sono contrapposte, senza che si possa optare con assoluta sicurezza per l'una o per l'altra: l'una vede nelle isole greche d'Italia l'eredità dell'antica Magna Grecia (il residuo, cioè, delle antiche colonie anteriori alla dominazione romana), l'altra vede in esse una conseguenza dell'occupazione bizantina dell'Italia meridionale. La tesi dell'origine greca classica è stata sostenuta dal grande linguista Gerhard Rohlfs (sul quale cfr. II.3.2). Uno dei punti di forza della tesi di Rohlfs sta nel fatto che nei «dialetti greci che sopravvivono nell'Italia meridionale troviamo un tale numero di elementi arcaici come in nessun altro dialetto della Grecia moderna» [Rohlfs 1972: 240].

4.8. Minoranze slave

Le propaggini slave erano molto importanti prima dell'ultima guerra, ma si sono ridotte notevolmente quando l'Istria passò a quella che era allora la Jugoslavia. Rimangono in territorio italiano alcuni gruppi sloveni nelle province di Udine, Gorizia e Trieste (che avanzano rivendicazioni sull'uso dello sloveno nei loro rapporti con la pubblica amministrazione italiana). Ci sono inoltre alcune antiche colonie slave (serbo-croate) nel Molise, in alcuni centri situati in prossimità di Larino[6].

4.9. Isole albanesi

Vi sono in Italia numerose antiche colonie di albanesi, originate da immigrati giunti da noi a partire dal sec. XV, per sfuggire all'a-

---

[6] Rohlfs [1972: 349-356] dà conto inoltre delle tracce linguistiche lasciate da antiche colonie slave sulle coste del Gargano.

vanzata dei turchi nei Balcani. Sono distribuite tra la provincia di Campobasso e l'estremità settentrionale della provincia di Foggia. Altri gruppi isolati di albanesi si trovano nelle province di Pescara, Taranto, Potenza, oltre che in Calabria e in Sicilia, dove esiste un grosso centro che si chiama, appunto, Piana degli Albanesi. Alcune colonie albanesi hanno anche mantenuto il rito religioso greco-ortodosso e la consapevolezza della loro identità nazionale.

Negli ultimi vent'anni del sec. XX ha preso vigore una nuova emigrazione continua dall'Albania verso l'Italia (vedi il successivo 4.10), con punte elevate in certi anni (ad es. il 1992), prima di essere controllata in qualche modo dalle autorità. Questa emigrazione non ha nessuna relazione con quella storica del sec. XV, tanto è vero che le antiche comunità albanesi dell'Italia meridionale non hanno mostrato alcun interesse per questi nuovi venuti, da cui li separa sovente anche la religione (molti albanesi di oggi sono musulmani), anche se la lingua li renderebbe vicini.

4.10. Minoranze recenti e di altra origine

Negli ultimi vent'anni si è fatto via via più notevole il fenomeno dell'immigrazione dal Terzo Mondo povero, in particolare dall'Africa e dall'Asia, o dai paesi dell'Europa dell'Est ex comunista, dall'Albania, dal mondo slavo. Si tratta di un fenomeno tipico dei nostri giorni. Questi «nuovi gruppi etnolinguistici in Italia» (per dirla con Tosi [1995: 195-220]) stanno soppiantando le vecchie minoranze storiche per importanza, peso sociale e per la gravità dei problemi posti dalla loro presenza. Il numero effettivo di costoro non è facile da calcolare, anche perché le diverse valutazioni spingono verso stime al rialzo o al ribasso, a seconda degli interessi propagandistici di chi elabora il dato, ideologicamente non neutro. Certa è la quantità degli immigrati regolarmente registrati, i cosiddetti «regolari», i quali sono stati calcolati al dicembre 2000 (dati ISTAT presenti nel dicembre 2001 nel sito *http://demo.istat.it*), nel numero di 1.300.000 circa (tolgo dal conto gli statunitensi, gli svizzeri e altri extracomunitari provenienti da paesi ricchi, i quali, evidentemente, si muovono per ragioni diverse da quelle della sopravvivenza e della ricerca di risorse elementari). A costoro, però, occorre aggiungere i «clandestini», e qui il calcolo si fa ben più difficile, anche perché il concetto stesso di 'clandestinità' sfugge al controllo preciso e ai computi statistici, diventando oggetto di stime soggette a un margine di arbitrarietà. Il numero dei nuovi gruppi etnolinguistici, comunque, potrebbe essere ipotizzato attorno a 2 milioni di persone, e verosimilmente un po' al di sotto di questo numero piuttosto che al di sopra.

La nuova immigrazione ha creato un nuovo sottoproletariato

urbano con scarse possibilità di integrazione [cfr. Vedovelli 1992 e 1993], e talora con una forte tendenza a creare gruppi etnici isolati e anche conflittuali, portatori di tradizioni che si scontrano con quelle locali e talora con le leggi italiane (si pensi alla comunità musulmana, e, in essa, ai rapporti familiari e al ruolo della donna). Queste comunità eterogenee, diverse per lingua d'origine, razza, cultura, religione, pongono gravi problemi. Non sempre costoro parlano italiano, oppure lo parlano in maniera estremamente imperfetta (cfr. ad esempio i campioni raccolti e analizzati da Banfi [1993c]; cfr. anche Giacalone Ramat [1993]). A volte, oltre alla loro lingua materna (spesso si tratta dell'arabo), conoscono un po' di francese o di inglese. L'ovvio tentativo di organizzare forme di insegnamento dell'italiano per coloro che vogliono integrarsi nella nostra comunità nazionale cozza contro la difficoltà di allestire corsi adatti per chi proviene da condizioni linguistiche così diverse da quelle con cui siamo abituati a confrontarci.

Si inserisce invece in un flusso tradizionale la presenza degli zingari (cfr. II.3).

5. Aree dialettali e classificazione dei dialetti

5.1. Le linee La Spezia-Rimini e Roma-Ancona

Da gran tempo si è posto il problema (lo si trova per la prima volta nel *De vulgari eloquentia* di Dante) della classificazione delle aree dialettali. Per quanto ogni classificazione non vada intesa in senso assoluto e perpetuo (cfr. Rohlfs [1972: 11]: «Una staticità dei territori dialettali non esiste e non è mai esistita»), si possono distinguere in Italia tre aree diverse, la Settentrionale, la Centrale e la Meridionale, separate da due grandi linee di confine: la linea La Spezia-Rimini divide i dialetti settentrionali da quelli centro-meridionali; la linea Roma-Ancona divide i dialetti meridionali da quelli centrali.

La linea La Spezia-Rimini è definita da Rohlfs [1972: 8] con il termine di «frontiera» linguistica per la sua importanza e per le premesse storiche che spiegano l'esistenza di un confine posto proprio su tale direttrice. Questa, in epoca preromana, fu la frontiera etnica fra i popoli gallici e l'elemento etrusco; in seguito, per molti secoli, fu la frontiera che divideva l'arcidiocesi di Ravenna dall'arcidiocesi di Roma. Non è facile dire quanto queste premesse storiche siano state determinanti per stabilizzare le differenze linguistiche, ma di fatto sono coincidenze innegabili. Il confine linguistico che corre sulla linea La Spezia-Rimini, tuttavia, non viene ricavato da considerazioni esterne, di carattere storico, ma viene identificato dai linguisti prendendo in considerazione una serie precisa di fenomeni. Nelle parlate dialettali, a nord di questa linea, si ha:

1) l'indebolimento (sonorizzazione o caduta) delle occlusive sorde in posizione intervocalica (*fradel* invece di *fratello*, *formiga* o *furmia* invece di *formica*): cfr. anche V.2.13;

2) lo scempiamento delle consonanti geminate (*spala* per *spalla*, *gata* per *gatta*, *bela* per *bella*): cfr. anche V.2.12 e II.4.2;

3) la caduta delle vocali finali (*an* per *anno*, *sal* per *sale*), eccetto la *a*, che resiste: cfr. ad es. le parole citate al punto 2 e cfr. anche V.2.8;

4) la contrazione delle sillabe atone (*slar* per *sellaio*, *sellaro*, *tlar* per *telaio*, *telaro*): cfr. anche V.2.8.

Sono caratteristiche, quelle elencate, proprie in particolare dei dialetti 'gallo-italici' (piemontese, lombardo, ligure, emiliano, romagnolo).

Solo a nord della linea La Spezia-Rimini si hanno alcuni tipi lessicali, come *incö* invece di *oggi*, che non scavalcano il confine di cui parliamo.

In realtà i confini dei fenomeni elencati non coincidono perfettamente tra loro. Se si tracciano sulla carta geografica le varie «isoglosse» (così si chiamano, appunto, le linee di confine dei singoli fenomeni linguistici), si nota che esse hanno lo stesso percorso in corrispondenza dello spartiacque appenninico, tra Emilia e Toscana, ma già nella zona collinare e pianeggiante alle spalle di Rimini esse divergono. Il confine linguistico tra Nord e Centro è dunque individuabile qui in maniera meno netta, e il trapasso si fa graduale.

Un'altra importante frontiera linguistica divide i dialetti dell'Italia centrale dai dialetti dell'Italia meridionale: è la linea Roma-Ancona (costituita da isoglosse ancor meno compatte rispetto a quelle della linea La Spezia-Rimini). Al di sotto di questa linea arrivano:

1) la sonorizzazione delle consonanti sorde in posizione postnasale (*mondone* per *montone*, *angora* per *ancora*);

2) la metafonesi delle vocali toniche *e* ed *o* per influsso di *-i* -*u* finali (*acitu* per *aceto*, e il dittongo metafonetico *dienti* per *denti*): cfr. V.2.6;

3) l'uso di *tenere* per *avere*;

4) l'uso del possessivo in posizione proclitica (*figliomo* 'mio figlio'). Si tratta di una forma non ignota all'antico toscano (nel *Decameron*, VIII, 6 si trova ad esempio *mogliata* 'tua moglie'), e comunque in genere circoscritta alle persone [cfr. Rohlfs 1966-1969: II.430].

Un po' più a nord della linea Roma-Ancona corre il confine dell'assimilazione di *nd* > *nn* e *mb* > *mm* (cfr. la cartina in V.1, p. 149).

5.2. Problemi di classificazione

La classificazione delle aree dialettali, a cui si può giungere con criteri fonetici, prendendo in esame determinati fenomeni ritenuti particolarmente rilevanti, non è in realtà cosa semplice. Non sempre i confini sono chiari e univoci. Si prenda il caso della sonorizzazione delle occlusive sorde intervocaliche, che è uno degli elementi separatori tra dialetti settentrionali e centrali (cfr. XIV.5.1). Benché in linea di massima le cose stiano come abbiamo detto (le parlate a nord della linea La Spezia-Rimini sonorizzano le occlusive, mentre a sud la sonorizzazione non avviene), si verificano diverse eccezioni e anomalie. In alcune zone della stessa Toscana si manifesta (forse per influsso settentrionale) la tendenza a trasformare -k- in -g-. La stessa lingua italiana letteraria in diversi casi ha accolto forme sonorizzate, come *ago, sugo, drago, spiga, lattuga* ecc. Ma, a parte la lingua letteraria, nelle parlate di Marche, Umbria e Lazio si possono sentire delle pronunce in cui -k-, -t-, -p- intervocaliche vengono lenite (indebolite): «spesso è difficile distinguere se il suono è ancora sordo o è invece piuttosto sonoro» [cfr. Rohlfs 1966-1969: I.209]. Non è dunque esatto affermare senza opportuni distinguo che le sorde si conservano a sud della linea La Spezia-Rimini [cfr. Bruni 1987: 290 e 298-299, e soprattutto D'Achille 2001: 55-57]. Questa linea, tuttavia, mantiene una grande importanza come punto di riferimento nella partizione dell'Italia dialettale, all'interno dell'area romanza.

5.3. Classificazioni 'storiche' dei dialetti

Molto forte è la variabilità dei dialetti, che mutano da luogo a luogo, anche all'interno di una stessa regione o di una stessa città. Ciò non facilita la loro classificazione. La prima descrizione sistematica e 'scientifica' dell'Italia dialettale' fu data da Ascoli nell'VIII volume della rivista da lui stesso fondata, l'«Archivio Glottologico Italiano» (1882-1885) (cfr. I.2.2). Questa descrizione è stata la base di quelle successive. Ecco l'elenco dei dialetti così come veniva proposto nella *Grammatica storica della lingua e dei dialetti italiani* di D'Ovidio-Meyer-Lübke, seguendo il quadro del linguista tedesco Gröber (riprendo la II ed. del 1919)[7]:

---

[7] La citata *Grammatica* (la cui prima ed. è del 1906) dedicava un certo spazio (breve, ma non insignificante, tenendo conto della piccola dimensione complessiva dell'opera) a una descrizione dei principali caratteri dei dialetti italiani, sulla base di nozioni di grammatica storica. È interessante osservare che le brevi note bibliografiche poste alla fine della trattazione dedicata ad ogni dialetto o raggruppamento dialettale informavano anche sugli antichi documenti scritti in quella determinata parlata.

TAB. 2. *Dialetti dell'Italia*

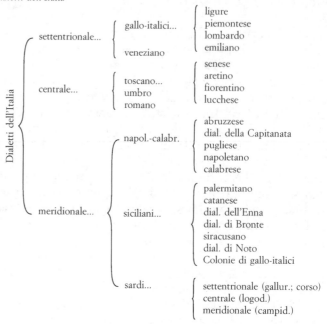

Ancora all'inizio del Novecento, Giulio Bertoni dedicò un manualetto all'illustrazione dell'*Italia dialettale* (il titolo riprende quello ascoliano [cfr. Bertoni 1916]). Nella Prefazione l'autore insisteva sul fatto che i dialetti non esistono in una forma unitaria e omogenea, la quale è semplice illusione o astrazione: «Nella realtà esistono soltanto fenomeni e tratti dialettali, dei quali ognuno ha una sua storia e una sua estensione».

Un aggiornato profilo dell'Italia dialettale si legge ora in Bruni [1987: 287 ss.] [8] e in *LRL* [1988]. Bruni [1987] è inoltre corredato da una dettagliata carta a colori dei dialetti italiani, disegnata rielaborando quella di Pellegrini (cfr. II.2). Un'altra grande carta del genere è stata data da Holtus [cfr. Holtus *et al.* 1989]. Per indicazioni sullo studio dei dialetti, cfr. comunque II.2.

6. Gli italiani regionali

L'italiano non è parlato in modo uniforme nell'intero territorio nazionale (cfr. IV.3). Vi sono marcate differenze che interessano

[8] Bruni mette fra l'altro a confronto la tesi di Wartburg, che attribuisce un'importanza fondamentale alla linea La Spezia-Rimini come divisione che interessa l'intera Romània (tagliata in due proprio su questo confine), con la partizione dell'Italia dialettale elaborata da Pellegrini [1975: 55-87 e 1977].

prima di tutto il livello fonetico, e poi anche quello lessicale e sintattico, più raramente quello morfologico. Le varietà di italiano, dipendenti dalla distribuzione geografica, dall'influenza esercitata dai dialetti locali (esse sono dunque il risultato storico dell'incontro tra i dialetti e la lingua nazionale), prendono il nome tecnico di «varietà diatopiche dell'italiano» (cfr. IV.3), o, secondo la denominazione a suo tempo adoperata da De Mauro [1972: 159 ss.], di «varietà regionali di italiano» o «italiani regionali» (sul tema, cfr. almeno Mioni [1979]; Lepschy A.L. e G. [1981: 57-78]; Poggi Salani [1982]; Cortelazzo-Mioni [1990]; Telmon [1990 e 1993]).

La caratterizzazione più evidente e immediata dei vari italiani regionali si ha a livello di pronuncia. De Mauro [1972: 172 ss.] distingue il diverso prestigio proprio delle quattro principali varietà di pronuncia dell'italiano. A suo giudizio sarebbe minimo il prestigio della varietà meridionale, pur ampiamente nota anche fuori del Mezzogiorno; maggiore sarebbe il prestigio della varietà settentrionale; uno spazio particolare meritano le due rimanenti varietà, la toscana e la romana. Della varietà toscana parleremo in maniera specifica in XIV.7; quanto alla varietà romana, essa ha avuto una funzione speciale, perché Roma, oltre che una metropoli, è la capitale della politica e dello spettacolo. La varietà linguistica locale è risultata estremamente ricettiva, accogliendo molti elementi estranei, dimostrando una tendenza a 'smunicipalizzarsi'; nello stesso tempo ha influenzato le altre varietà attraverso la radio, il cinema, la televisione (cfr. III.11.3 e XIII.3.5). Parole come *abbioccarsi*, *borgata*, *caciara*, *cazzata*, *fanatico*, *fasullo*, *frocio*, *inghippo*, *intrallazzo*, *lagna*, *lenza*, *locandina*, *menare*, *pallonaro*, *pappagallo*, *pappagallismo*, *pataccaro*, *mi piace un pozzo*, *puzzone*, *scapicollarsi*, *scippo*, *scorfano* (all'origine, questo era un grecismo meridionale [cfr. *DELI*: s.v.]), *scostumato*, *sorci verdi*, *spopolare*, *spupazzare*, *strazio*, *stronzo*, *tardona*, *tombarolo* sono entrate nel vocabolario. Alcune di esse sono di origine meridionale, ma prima di generalizzarsi sono passate attraverso la varietà romana di italiano.

L'italiano è una lingua che per tradizione è ricca di termini 'ufficiali', elevati, letterari, ma quando si passa a un contesto familiare e domestico le differenze regionali si fanno marcate. Tra i molti divertenti esempi proposti da Beccaria [1992: 90-96], si possono ricordare a questo proposito le denominazioni della tazza senza manico, che al Nord è *scodella*, in Toscana è *ciotola*, ma è anche *tazza*, soprattutto al Sud. Oppure si pensi alle diverse denominazioni di *presa*, *presina*, *patta*, *pattina*, *chiappo*, *chiappina*, *cuscinetto*, *pugnetta*. I nomi locali si differenziano vistosamente nel campo dei cibi, nelle specialità della cucina regionale, oltre che nelle designazioni botaniche. Così la confusione tra *melone*, *popone*, *cocomero*, *anguria*; Cortelazzo [1977b: 138] cita le seguenti coppie oppositive:

anguria/melone (Nord e Sardegna)
cocomero/popone (Toscana)
mellone d'acqua/mellone da pane (Sud)

I regionalismi più vistosi si riscontrano a livello lessicale e fonetico, ma l'italiano regionale investe anche fenomeni sintattici. Cortelazzo [1977b: 135] cita come esempio la forma interrogativa nuorese, che comporta l'inversione del posto del verbo rispetto al complemento, o l'inversione della posizione dell'ausiliare: «Olio comprate?», «Venuti siete?». Un simile costrutto non è assolutamente estraneo all'italiano 'standard' (il fenomeno è definibile come 'dislocazione a sinistra'), dove però esprime meraviglia: «Antipasto mangiate?» ha dunque un valore diverso per il parlante italiano e per il parlante sardo. Per quest'ultimo esprime l'assoluta normalità di una domanda.

È stato dimostrato che a volte il dialetto fa sentire la propria presenza in forma esattamente contraria a quella verificabile nel caso ora ora citato, non dando luogo a forme analoghe a quelle dialettali, ma anzi imponendo per reazione una soluzione contraria, proprio perché il parlante vuole distanziarsi dalla parlata locale.

Oggi disponiamo di una nutrita serie di monografie che descrivono l'italiano regionale che si parla in alcune zone del paese. Oltre a Canepari [1980], si possono citare tra gli altri: Galli de' Paratesi [1984] per la varietà milanese; Bianconi [1980] e Lurati [1976] per il Ticino; Canepari [1984] per il Veneto; Cordin [1987] per il Trentino; Foresti-Menarini [1985] per Bologna; Tropea [1976] e Leone [1982], da integrare con i dati statistici di Lo Piparo [1990], per la Sicilia; Sobrero-Romanello [1981] per il Salento; Loi Corvetto-Nesi [1993] per la Sardegna. Si veda comunque l'ampia bibliografia specifica di Radtke [1992].

7. Italiano, fiorentino e toscano

Il toscano è la parlata regionale che più si avvicina alla lingua letteraria, poiché la lingua letteraria deriva appunto dal toscano trecentesco. Il toscano ha avuto una posizione privilegiata. Firenze è stata considerata la città in cui si poteva imparare a conversare nella lingua migliore. Fra le altre parlate toscane, ha goduto di un certo prestigio culturale quella senese. A scopi di ricerca dialettologica e di dialettologia storica si distinguono ancora altre varietà, come la pisano-lucchese e l'aretino-chianaiola. Vedremo ora che cosa il fiorentino ha in comune con l'italiano, e in che cosa invece si distingue da esso.

L'italiano ha in comune con il fiorentino classico:
1) l'anafonesi (cfr. V.2.7);
2) la dittongazione di Ĕ ed Ŏ del latino (cfr. V.2.4);
3) il passaggio di e atona protonica ad i (cfr. V.2.9);
4) il passaggio di -ar- atono a -er- nel futuro della prima co-

niugazione (*amarò* > *amerò*), il passaggio di *-rj-* intervocalico a *-j-* (cfr. *gennaio*, contro il tipo *gennaro*, da JANUARIUS);

5) l'italiano, inoltre, non conosce (come il fiorentino) la metafonesi (V.2.6), presente e diffusa nei dialetti settentrionali e meridionali.

Vi sono elementi che distinguono il fiorentino dall'italiano. Il più vistoso è la cosiddetta 'gorgia', cioè la spirantizzazione delle occlusive sorde intervocaliche, per cui *amico* viene pronunciato *amiho*[9]. Si noti che il fenomeno avviene anche in fonosintassi, quando cioè la posizione intervocalica si realizza nella catena del discorso: *la casa* sarà allora pronunciato *lahasa*, mentre *casa* senz'articolo presenterà la normale pronuncia dell'occlusiva[10]. Tralasceremo qui la spiegazione della 'gorgia', per la quale si è tra l'altro invocato un effetto del sostrato etrusco, mentre altri hanno contestato la legittimità di questa tesi, negando l'antichità del fenomeno, di cui abbiamo esplicite notizie solo dal Cinquecento [cfr. Bruni 1987: 294-302].

Un'altra caratteristica che distingue oggi il fiorentino dall'italiano comune è la tendenza alla monottongazione di *-uò-*: *buono* e *nuovo* sono in Toscana *bòno* e *nòvo*. Non solo l'italiano non segue in questo il fiorentino (salvo che per il monottongamento di *-uo-* dopo palatale: *gioco*, *figliolo* ecc. [cfr. Castellani 1986: 117]), ma tende anzi ad applicare per analogia il dittongo anche in posizione non tonica: *nuovissimo*, *buonissimo* [cfr. Bruni 1987: 258 e 294].

---

[9] Il fenomeno interessa le occlusive sorde brevi, non le lunghe; quindi una parola come *ecco* non è soggetta al fenomeno della gorgia.

[10] Anche l'allungamento della consonante derivato da fonosintassi (cfr. XIV.2.3) impedisce lo sviluppo della gorgia: *a casa* è in fiorentino *akkasa*.

Riferimenti bibliografici

Nel testo e nella bibliografia sono state usate le seguenti sigle e abbreviazioni:

Cherubini = Francesco C., *Vocabolario milanese-italiano*, Milano, Dall'Imp. Regia Stamperia, 1839 ss. (cito dalla ristampa anastatica di Milano, Martello, 1968).

DBI = *Dizionario Biografico degli Italiani*, Roma, Istituto dell'Enciclopedia Italiana, 1960 ss.

DELI¹ = Manlio Cortelazzo – Paolo Zolli, *Dizionario etimologico della lingua Italiana*, 5 voll., Bologna, Zanichelli, 1979-1988.

DELI² = *Il nuovo etimologico. DELI – Dizionario etimologico della lingua italiana*, di Manlio Cortelazzo e Paolo Zolli, II ed. in volume unico a cura di Manlio Cortelazzo e di Michele A. Cortelazzo, Bologna, Zanichelli, 1999.

GDLI = *Grande dizionario della lingua italiana*, diretto da Salvatore Battaglia (poi da Giorgio Bàrberi Squarotti), Torino, UTET, 1961 ss.

LI = *Letteratura italiana*, diretta da Alberto Asor Rosa, Torino, Einaudi, 1982 ss.

LIZ = *Letteratura Italiana Zanichelli* (su CD-ROM), Quarta edizione per Windows, a cura di Pasquale Stoppelli e Roberto Picchi, Bologna, Zanichelli, 2001.

RVF = Francesco Petrarca, *Rerum vulgarium fragmenta* (faccio riferimento, salvo diverse indicazioni, all'ed. del *Canzoniere* a cura di Marco Santagata, Milano, Mondadori, 1996, la quale riprende e corregge il testo critico di Gianfranco Contini [cfr. Contini 1964]).

Tommaseo = Nicolò Tommaseo – Bernardo Bellini, *Dizionario della lingua italiana*, Torino, Dalla Società l'Unione Tipografico-Editrice, 1865 ss.

Ricorrono le seguenti sigle per indicare le riviste più frequentemente citate:

«AGI» = «Archivio glottologico italiano»
«GSLI» = «Giornale storico della letteratura italiana»
«I&O» = «Italiano & oltre»
«LI» = «Lettere italiane»
«LN» = «Lingua nostra»

«RID» = «Rivista italiana di dialettologia»
«RLI» = «La rassegna della letteratura italiana»
«SFI» = «Studi di filologia italiana»
«SGI» = «Studi di grammatica italiana»
«SLeI» = «Studi di lessicografia italiana»
«SLI» = «Studi linguistici italiani»
«SS» = «Studi secenteschi»

Nel testo sono state usate le seguenti indicazioni bibliografiche abbreviate:

Abardo 2001 = Rudy A., recensione a Dantis Alagherii, *Comedia*, ed. critica per cura di Federico Sanguineti, Firenze, Edizioni del Galluzzo, 2001, in «Rivista di studi danteschi», I, 153-162.

ACIM 1987 = *Manzoni. «L'eterno lavoro»*, Atti del Congresso internazionale sui problemi della lingua e del dialetto nell'opera e negli studi del Manzoni, Milano 6-9 novembre 1985, Milano, Casa del Manzoni – Centro nazionale studi manzoniani.

Ageno 1962 = Franca A., *Tre studi quattrocenteschi*, in «SFI», XX, 75-98.

Agricola 1563 = Giorgio A., *De l'arte de' metalli*, Basilea, Per Hieronimo Frobenio et Nicolao Episcopio (cito dalla ristampa anastatica Torino, Bottega di Erasmo, 1969).

Albano Leoni 1979 = *I dialetti e le lingue delle minoranze di fronte all'italiano*, Atti dell'XI Congresso internazionale di studi (Cagliari, 27-30 maggio 1977), a cura di Federico A.L., Roma, Bulzoni.

Albano Leoni *et al.* 1983 = Federico A.L. *et al.* (a cura di), *Italia linguistica: idee, storia, strutture*, Bologna, Il Mulino.

Alfieri 1980 = Gabriella A., *Innesti fraseologici siciliani nei «Malavoglia»*, in «Bollettino del Centro di Studi filologici e linguistici siciliani», XIV, 3-77.

Alfieri 1983 = Gabriella A., *Lettera e figura nella scrittura dei «Malavoglia»*, Firenze, Presso l'Accademia della Crusca.

Alfieri 1986 = Gabriella A., *La lingua «acconciata»: sentenze, motti e ariette in Metastasio*, in «Quaderni di retorica e poetica», II, 137-153.

Alfieri 1990a = Gabriella A., *La lingua 'sconciata'. Espressionismo ed espressivismo in Vittorio Imbriani*, Napoli, Liguori.

Alfieri 1990b = Gabriella A., *Istruzione e letterarie adunanze. Cultura ed educazione linguistica in Sicilia fra Otto e Novecento*, Messina, Sicania.

Allegra 1981 = Luciano A., *Il parroco: un mediatore fra alta e bassa cultura*, in *Storia d'Italia. Annali 4: Intellettuali e potere*, Torino, Einaudi, 895-947.

Altieri Biagi 1965 = Maria Luisa A.B., *Galileo e la terminologia tecnico-scientifica*, Firenze, Olschki.

Altieri Biagi 1980 = Maria Luisa A.B., *La lingua in scena*, Bologna, Zanichelli.

Altieri Biagi 1998 = Maria Luisa A.B., *Fra lingua scientifica e lingua letteraria*, Istituti Editoriali e Poligrafici Internazionali, Pisa-Roma-Venezia-Vienna.

Altieri Biagi-Basile 1980 = *Scienziati del Seicento*, a cura di Maria Luisa A.B. e Bruno B., Milano-Napoli, Ricciardi.

Antonelli 1993a = Roberto A., *Canzoniere Vaticano latino 3793*, in Asor Rosa 1993: 27-44.

Antonelli 1993b = Roberto A., *Rerum vulgariun fragmenta di Francesco Petrarca*, in Asor Rosa 1993: 379-471.

Antonelli 1999a = Giuseppe A., *Sintassi e stile della narrativa italiana dagli anni Sessanta a oggi*, in *Storia generale della letteratura italiana*, diretta da Nino Borsellino e Walter Pedullà, Milano, Federico Motta, vol. XII, 682-711.

Antonelli 1999b = Giuseppe A., *A proposito della neodialettalità metropolitana: un'inchiesta pilota sul linguaggio giovanile romano*, in Dardano *et alii* 1999: 225-248.

Arcamone 1994 = Maria Giovanna A., *L'elemento germanico antico medievale e moderno (con l'esclusione dell'inglese)*, in *SLIE*: III.751-790.

Arcangeli 1999 = Massimo A., Bella! Ma de che? *Lingua giovanile metropolitana in bocca romana*, in Dardano *et alii* 1999: 249-263.

Aresi 1611 = Paolo A., *Arte di predicar bene*, Venezia, Giunti-Ciotti & C.

Arrigoni 1906 = Rosa A., *Eloquenza sacra italiana del secolo XVII*, Roma, Desclée, Lefevre & C.

Asor Rosa 1993 = Alberto A.R. (direzione di), *Letteratura italiana. Le Opere*, I: *Dalle Origini al Cinquecento*, Torino, Einaudi.

Auroux 1992 = *Histoire des idées linguistiques*, sous la direction de Sylvain A., tome I: *La naissance des métalanguages en Orient et en Occident*, tome II: *Le développement de la grammaire occidentale*, Liège-Bruxelles, Pierre Mardaga Editeur.

Auroux at alii 2000-2001 = *History of the Language Sciences / Geschichte der Sprachwissenschaften / Histoire des sciences du langage. An International Handbook on the Evolution of the Study of Language from the Beginnings to the Present / Ein internationales Handbuch zur Entwicklung der Sprachforschung von den Anfängen bis zur Gegenwart / Manuel international sur l'évolution de l'étude du langage des origines à nos jours*, edited by Sylvain A. / E.F. Konrad Koerner, Hans-Josef Niederehe, Kees Versteegh, vol. I (2000), vol. II (2001), Berlin-New York, Walter de Gruyter.

Avalle 1965 = D'Arco Silvio A., *Latino «circa romançum» e «rustica romana lingua». Testi del VII, VIII e IX secolo*, Padova, Antenore.

Babilas 1968 = Wolfgang B., *Untersuchungen su den Sermoni Subalpini*, München, Max Hueber Verlag.

Baldelli 1958 = Ignazio B., *Elementi lontani dalla tradizione nel lessico dell'Adone*, in *La critica stilistica e il Barocco letterario. Atti del secondo Congresso internazionale di studi italiani*, Firenze, Le Monnier, 146-153 (ora in *Conti, glosse e riscritture dal secolo XI al secolo XX*, Napoli, Morano, 1988, 225-235).

Baldelli 1993 = Ignazio B., *Dai siciliani a Dante*, in *SLIE*: I.581-609.

Balduino 1979 = Armando B., *Manuale di filologia italiana*, Firenze, Sansoni.

Banfi 1993 = *L'altra Europa linguistica. Varietà di apprendimento e interlingue nell'Europa contemporanea*, a cura di Emanuele B., Firenze, La Nuova Italia.

Banfi 1993a = Emanuele B. (a cura di), *La formazione dell'Europa linguistica. Le lingue dell'Europa tra la fine del I e del II millennio*, Firenze, La Nuova Italia.

Banfi 1993b = Emanuele B. (a cura di), *L'altra Europa linguistica. Varietà di apprendimento e interlingue nell'Europa contemporanea*, Firenze, La Nuova Italia.

Banfi 1993c = Emanuele B., *Italiano come L2*, in Banfi 1993b: 35-102.

Banfi-Sobrero 1992 = *Il linguaggio giovanile degli anni novanta. Regole, invenzioni, gioco*, a cura di Emanuele B. e Alberto A.S., Bari, Laterza.

Bàrberi Squarotti *et al.* 1992 = *L'italianistica*, a cura di Giorgio B.S. *et al.*, Torino, UTET.

Barbina 1993 = Guido B., *La geografia delle lingue. Lingue, etnie e nazioni nel mondo contemporaneo*, Firenze, La Nuova Italia Scientifica.

Bartoli 1945 = Matteo B., *Saggi di linguistica spaziale*, Torino, R. Università degli Studi – Fondo di studi Parini-Chirio.

Bartoli Langeli 2000 = Attilio B.L., *La scrittura dell'italiano*, Bologna, Il Mulino.

Bartoli Langeli-Infelise 1992 = Attilio B.L. – Mario I., *Il libro manoscritto e a stampa*, in Bruni 1992a: 942-977.

Bascetta 1962 = Carlo B., *Il linguaggio sportivo contemporaneo*, Firenze, Sansoni.

Battaglia Ricci 1993 = Lucia B.R., *Novellino*, in Asor Rosa 1993: 61-83.

Battaglia-Pernicone 1951 = Salvatore B. – Vincenzo P., *La grammatica italiana*, II ed. migliorata, Torino, Loescher.

Battisti-Alessio 1950-1957 = Carlo B. – Giovanni A., *Dizionario etimologico italiano*, 5 voll., Firenze, Barbèra.

Battistini 1978 = Andrea B., *Gli «aculei» ironici della lingua di Galileo* in «LI», XXX, 289-332.

Bec 1983 = Christian B., *I mercanti scrittori*, in LI, II, 269-297.

Beccaria 1968 = Gian Luigi B., *Spagnolo e spagnoli in Italia. Riflessi ispanici sulla lingua italiana del Cinque e del Seicento*, Torino, Giappichelli (ma cito dalla ristampa anastatica, Torino, Giappichelli 1985).

Beccaria 1971 = Gian Luigi B., *Ricerche sulla lingua poetica del primo Novecento*, Corso di Storia della lingua italiana, Torino, Giappichelli.

Beccaria 1973a = Gian Luigi B., *Il linguaggio giornalistico*, in Beccaria 1973b, 61-89.

Beccaria 1973b = Gian Luigi B. (a cura di), *I linguaggi settoriali in Italia*, Milano, Bompiani.

Beccaria 1973c = Gian Luigi B., *Linguaggi settoriali e lingua comune*, in Beccaria 1973b: 7-59.

Beccaria 1975 = Gian Luigi B., *Letteratura e dialetto*, Bologna, Zanichelli.

Beccaria 1976 = Gian Luigi B., *I segni senza ruggine. Alfieri e la volontà del verso tragico*, in «Sigma», IX, 107-151.

Beccaria 1978 = Gian Luigi B., *Il «Judicio de la fine del mondo». Sacra rappresentazione piemontese del primo Cinquecento*, Torino, Giappichelli.

Beccaria 1981 = Gian Luigi B., *Italiano al bivio: lingua e cultura in Piemonte tra Sette e Ottocento*, in Ioli 1981: I.15-55.

Beccaria 1983 = Vittorio Alfieri, *Appunti di lingua*, a cura di Gian Luigi B., in Id., *Appunti di lingua e letterari*, Asti, Casa d'Alfieri, 9-52.

Beccaria 1992 = Gian Luigi B., *Italiano antico e nuovo*, II ed., Milano, Garzanti.

Beccaria 1993 = Gian Luigi B., [*La letteratura in versi*] *Dal Settecento al Novecento*, in *SLIE*: I.679-749.

Beccaria 1996 = *Dizionario di linguistica e di filologia, metrica, retorica*, diretto da Gian Luigi B., II ed. riveduta (I ed. 1994), Torino, Einaudi.

Beccaria *et al.* 1989 = Gian Luigi B. e Concetto Del Popolo – Claudio Marazzini, *L'italiano letterario. Profilo storico*, Torino, UTET Libreria [ora ampliato in *Profilo dell'italiano letterario*, VI volume della *Storia della civiltà letteraria italiana*, Torino, UTET, 1996, 1-208].

Belloni 1943 = Antonio B., *Il Seicento*, Milano, Vallardi.

Bellosi 1978 = Giuseppe B., *Lettere di soldati romagnoli dalle zone di guerra (1915-1918)*, in «RID», 3, 241-298.

Beltrami 1991 = Pietro G.B., *La metrica italiana*, Bologna, Il Mulino.

Beni 1983 = Beni P., *L'Anticrusca*, ristampa anastatica dell'ed. del 1612, Firenze, Accademia della Crusca.

Beniscelli-Coletti-Còveri 1992 = Alberto B. – Vittorio C. – Lorenzo C., *La Liguria*, in Bruni 1992a: 45-83.

Berengo 1980 = Marino B., *Intellettuali e librai nella Milano della Restaurazione*, Torino, Einaudi.

Berretta 1978 = Monica B., *Linguistica ed educazione linguistica. Guida all'insegnamento dell'italiano*, Torino, Einaudi.

Berrettoni-Vineis 1974 = Alessandro Manzoni – Graziadio Isaia Ascoli, *Scritti sulla questione della lingua*, a cura di Pietro B. e Edoardo V., Torino, Loescher.

Berruto 1978 = Gaetano B., *L'italiano impopolare*, Napoli, Liguori.

Berruto 1987 = Gaetano B., *Sociolinguistica dell'italiano contemporaneo*, Firenze, La Nuova Italia Scientifica.

Berruto 1993a = Gaetano B., *Le varietà del repertorio*, in *IIC* 1993: II.3-36.

Berruto 1993b = Gaetano B., *Varietà diamesiche, diastratiche, diafasiche*, in *IIC* 1993: II.37-92.

Bertinetto-Ossola 1982 = Pier Marco B. – Carlo O. (a cura di), *Insegnare stanca. Esercizi e proposte per l'insegnamento dell'italiano*, Bologna, Il Mulino.

Bertini Malgarini 1994 = Patrizia B.M., *L'italiano fuori d'Italia*, in *SLIE*: III.883-922.

Bertone 1991 = Giorgio B., *Per una ricerca metricologica su Chiabrera*, Genova, Marietti (estratto).

Bertoni 1916 = Giulio B., *Italia dialettale*, Milano, Hoepli (ristampa anastatica Milano, Istituto Editoriale Cisalpino-Goliardica, 1975).

Bertoni-Ugolini 1939 = Giulio B. – Francesco A.U., *Prontuario di pronunzia e di ortografia*, Torino, EIAR/Società Editrice Torinese.

Besomi 1972 = Ottavio B., *Tommaso Stigliani: tra parodia e critica*, in «SS», XIII, 3-73.

Bettarini-Contini 1980 = Eugenio Montale, *L'opera in versi*, ed. critica a cura di Rosanna B. e Gianfranco C., Torino, Einaudi.

Bettoni 1992 = Camilla B., *L'italiano all'estero*, in *SLI* 1992: 129-141.

Bettoni 1993 = Camilla B., *Italiano fuori d'Italia*, in *IIC* 1993: II.411-460.

Bianchi-De Blasi-Librandi 1993 = Patricia B. – Nicola De B. – Rita L., *Storia della lingua a Napoli e in Campania. I' te vurria parlà*, Napoli, Pironti.

Bianconi 1980 = Sandro B., *Lingua matrigna. Italiano e dialetto nella Svizzera italiana*, Bologna, Il Mulino.

Bianconi 1991 = Sandro B., *Fonti per lo studio della diffusione della norma nell'italiano non letterario tra fine '500 e inizio '600*, in «SLI», XVII (X n.s.), 39-54.

Biasci 1998 = Gianluca B., *L'evoluzione del dialetto pisano in un carteggio mercantile del secolo XV*, presentazione di Pietro Trifone, Pescara, Libreria dell'Università Editrice.

Bindi 1852-1853 = Bernardo Davanzati, *Le Opere*, a cura di Enrico B., 2 voll., Firenze, Le Monnier.

Binni 1949 = Vittorio Alfieri, *Giornali e lettere scelte*, a cura di Walter B., Torino, Einaudi.

Blasco Ferrer 1984 = Eduardo B.F., *Storia linguistica della Sardegna*, Tübingen, Niemyer.

Blasco Ferrer 1986 = Eduardo B.F., *La lingua sarda contemporanea. Grammatica del logudorese e campidanese*, Cagliari, Edizioni della Torre.

Blasco Ferrer 1993 = Eduardo B.F., *Nuove riflessioni sul Privilegio Logudorese*, in «Bollettino storico pisano», LXII, 399-416.

Blasco Ferrer 1995 = Eduardo B.F., *Sardish. Il sardo*, in *Lexicon der Romanistichen Linguistik (LRL)*, a cura di G. Holtus, M. Metzeltin, Ch. Schmitt, Band II, 2, Tübingen, Niemeyer, 239-271.

Bolelli 1987 = Tristano B., *Alessandro Manzoni: la teoria linguistica*, in *ACIM 1987*: 75-90.

Bolzoni 1984 = Lina B., *Oratoria e prediche*, in *LI*, III: *Le forme del testo*, tomo II: *La prosa*, Torino, Einaudi, 1041-1074.

Bombi-Graffi 1998 = *Ethos e comunità linguistica: un confronto metodologico interdisciplinare*, a cura di Raffaella B. e Gorgio G., Atti del Convegno Internazionale di Udine, 5-7 dicembre 1996, Udine, Forum.

Bongrani 1986 = Paolo B., *Lingua e letteratura a Milano nell'età sforzesca. Una raccolta di studi*, Parma, Università degli Studi, Istituto di Filologia moderna.

Bongrani 1996 = Paolo B., *"Breviata con mirabile artificio". Il "Compendio di la volgare grammatica" di Marcantonio Flaminio. Edizione e introduzione*, in *Per Cesare Bozzetti. Studi di letteratura e filologia italiana*, a cura di Simone Albonico *et alii*, Milano, Fondazione Arnoldo e Alberto Mondadori, 219-267.

Bongrani *et alii* 2001 = *Studi di storia della lingua italiana offerti a Ghino Ghinassi*, Firenze, Casa Editrice Le Lettere.

Bongrani-Morgana 1992 = Paolo B. – Silvia M., *La Lombardia*, in Bruni 1992a: 84-142.

Bonomi 1986 = Pierfrancesco Giambullari, *Regole della lingua fiorentina*, ed. critica a cura di Ilaria B., Firenze, Accademia della Crusca.

Bonomi 1990a = Ilaria B., *Sul lessico del canto nel Settecento*, in «Rendiconti dell'Istituto Lombardo – Accademia di Scienze e Lettere. Classe di Lettere e Scienze Morali e Storiche», CXXIV, 197-213 [in realtà 1991].

Bonomi 1990b = Ilaria B., *La componente regionale e popolare*, in De Stefanis Ciccone 1990: 475-545.

Bonomi 1991 = Ilaria B., *Sul lessico del canto nel Settecento*, in «Rendiconti dell'Istituto lombardo» (Classe di Lettere), vol. 124 (adunanza del 25.10.90), 197-213.

Bonomi 1993 = Ilaria B., *I giornali e l'italiano dell'uso medio*, in «SGI», XV, 181-201.

Bonomi 1994 = Ilaria B., *La lingua dei giornali del Novecento*, in *SLIE*: II.667-701.

Bonomi 1998 = Ilaria B., *Il dolce idioma. L'italiano lingua per musica*, Roma, Bulzoni Editore.

Bonomi 1999 = Ilaria B., *Leon Battista Alberti linguista e grammatico*, in *Leon Battista Alberti. Architettura e cultura*, Atti del Convegno internazionale di Mantova, 16-19 novembre 1994, Firenze, Olschki, 107-122.

Bonomi *et al.* 1990 = Ilaria B. – Stefania De Stefanis Ciccone – Andrea Masini, *Il lessico della stampa periodica milanese nella prima metà dell'Ottocento*, Firenze, La Nuova Italia.

Bonora 1966 = Ettore B., *Il Classicismo dal Bembo al Guarini*, in *Storia della letteratura italiana*, a cura di Emilio Cecchi e Natalino Sapegno, vol. IV, Milano, Garzanti, 151-717.

Bonora 1969 = Francesco Algarotti – Saverio Bettinelli, *Opere*, a cura di Ettore B., Milano-Napoli, Ricciardi.

Bonora 1976 = Ettore B., *Manzoni. Conclusioni e proposte*, Torino, Einaudi.

Borsellino 1962 = Nino B., *Commedie del Cinquecento*, vol. I, Milano, Feltrinelli.

Bramanti 1970 = Filippo Sassetti, *Lettere da vari paesi. 1570-1588*, a cura di Vanni B., Milano, Longanesi.

Brambilla Ageno 2000 = Franca B.A., *Studi lessicali*, a cura di Paolo Bongrani, Franca Magnani, Domizia Trolli, Bologna, CLUEB.

Branca 1986 = Vittore B., *Boccaccio medievale e nuovi studi sul «Decameron»*, Firenze, Sansoni (I ed. 1956).

Breschi 1986 = Giancarlo B., *La lingua volgare della cancelleria di Federico*, in G. Cerboni Baiardi, G. Chittolini e P. Floriani (a cura di), *Federico da Montefeltro. Lo stato le arti la cultura. III. La cultura*, Roma, Bulzoni, 175-217.

Brincat 1986 = Giuseppe B., *La linguistica prestrutturale*, Bologna, Zanichelli.

Brunetta 1970 = Gian Piero B., *Forma e parola nel cinema. Il film muto, Pasolini, Antonioni* («Quaderni del Circolo filologico-linguistico padovano», 3), Padova, Antenore.

Brunetti 2000 = Giuseppina B., *Il frammento inedito «Resplendiente stella de albur» di Giacomino Pugliese e la poesia italiana delle origini*, Tübingen, Niemeyer.

Bruni 1983 = Francesco B., *Per la linguistica generale di Alessandro Manzoni*, in Albano Leoni *et al.* 1983: 73-118.

Bruni 1986 = Francesco B., *Stabilità e mutamento nella storia dell'italiano*, in «SLI», XII, 145-181.

Bruni 1987 = Francesco B., *L'italiano. Elementi di storia della lingua e della cultura*, Torino, UTET Libreria (I ed. UTET 1984).

Bruni 1990 = Francesco B., *Dalle origini al Trecento*, in *Storia della civiltà letteraria*, diretta da Giorgio Bàrberi Squarotti, 2 tomi, Torino, UTET.

Bruni 1992a = Francesco B. (a cura di), *L'italiano nelle regioni. Lingua nazionale e identità regionali*, Torino, UTET.

Bruni 1992b = Francesco B., *La storia della lingua*, in Giorgio Bàrberi

Squarotti *et al.*, *L'Italianistica. Introduzione allo studio della letteratura e della lingua italiana*, Torino, UTET Libreria, 228-259.

Bruni 1992c = Francesco B., *Storia della lingua italiana*, in *SLI* 1992: 39-58.

Bruni 1994 = Francesco B. (a cura di), *L'italiano nelle Regioni. Testi e documenti*, Torino, UTET.

Bruni 2002 = Francesco B., *L'italiano letterario nella storia*, Bologna, Il Mulino.

Buommattei 1643 = Benedetto B., *Della lingua toscana. Libri due*, Firenze, Per Zanobi Pignoni.

Calcaterra 1951 = Carlo C., *Poesia e canto. Studi sulla poesia melica italiana e sulla favola per musica*, Bologna, Zanichelli.

Camillo 1982 = Castor Durante da Gualdo, *Il tesoro di sanità*, a cura di Elena C., Milano, Serra e Riva.

Camillo 1985 = Elena C., *Ancora su Donno Alessio Piemontese. Il libro di segreti tra popolarità ed accademia*, in «GSLI», CLXII, 539-553.

Camillo 1991 = Elena C., *Voci quotidiane, voci tecniche e toscano nei volgarizzamenti di Plinio e Pietro de' Crescenzi*, in «SLeI», 125-151.

Camporesi 1973 = Piero C., *Il libro dei vagabondi*, Torino, Einaudi.

Cane 1969 = Eleonora C., *Il discorso indiretto libero nella narrativa italiana del Novecento*, Roma, Silva.

Canepari 1979 = Luciano C., *Introduzione alla fonetica*, Torino, Einaudi.

Canepari 1980 = Luciano C., *Italiano standard e pronunce regionali*, Padova, CLEUP.

Canepari 1984 = Luciano C., *Lingua italiana nel Veneto*, Padova, CLESP.

Canepari 1999a = Luciano C., *Il MaPI. Manuale di Pronuncia Italiana*, II ed., Bologna, Zanichelli.

Canepari 1999b = Luciano C., *Il DiPI. Dizionario di Pronuncia Italiana*, Bologna, Zanichelli.

Canevari 1901 = Enrico C., *Lo stile di Marino nell'Adone ossia analisi del secentismo*, Pavia, Giuseppe Frattini libraio editore.

Canu 1974 = Francesca C., *Indici di «Lingua Nostra» 1960-1969*, Firenze, Sansoni.

Cappagli 1991 = Alessandra C., *Diomede Borghesi e Celso Cittadini lettori di toscana favella*, in Giannelli *et al.* 1991: 23-35.

Cardona 1974 = Giorgio Raimondo C., *La lingua della pubblicità*, Longo, Ravenna.

Cardona 1988 = Giorgio Raimondo C., *Dizionario di linguistica*, Roma, Armando.

Caretti 1961 = Lanfranco C., *Il «fidato» Elia e altre note alfieriane*, Padova, Liviana.

Caretti 1971 = Alessandro Manzoni, *I Promessi Sposi*, a cura di Lanfranco C., vol. I: *Fermo e Lucia. Appendice storica su la Colonna infame*; vol. II: *I Promessi Sposi nelle due edizioni del 1840 e del 1825-27 raffrontate tra loro. Storia della colonna infame*, Torino, Einaudi.

Cartago 1981 = Gabriella C., *Palladio e Bernini scrittori*, in «Bollettino del Centro Internazionale di Studi di Architettura Andrea Palladio», XXIII, 203-222.

Cartago 1983 = Gabriella C., *Il lessico volgare e la traduzione vitruviana commentata di Cesare Cesariano*, in AA.VV., *Studi di lingua e lettera-*

tura lombarda offerti a Maurizio Vitale, vol. I, Pisa, Giardini, 275-316.

Cartago 1994 = Gabriella C., *L'apporto inglese*, in *SLIE*: III.721-750.

Casagrande 1982 = Paolo Beni, *L'anticrusca. Parti II, III, IV*, a cura di Gino C., Firenze, Accademia della Crusca.

Casapullo 1999 = Rosa C., *Storia della lingua italiana. Il Medioevo*, Bologna, Il Mulino.

Cassola 1992 = Arnold C., *Malta*, in Bruni 1992a: 861-874.

Castagnotto 1970 = Ugo C., *Semantica della pubblicità*, Roma, Silva.

Castellani 1952 = *Nuovi testi fiorentini del Dugento*, con introduzione, trattazione linguistica e glossario a cura di Arrigo C., 2 tomi, Firenze, Sansoni – Accademia della Crusca.

Castellani 1976 = Arrigo C., *I più antichi testi italiani. Edizione e commento*, II ed. riveduta, Bologna, Pàtron.

Castellani 1980 = Arrigo C., *Saggi di linguistica e filologia italiana e romanza (1946-1976)*, 3 tomi, Roma, Salerno Editrice.

Castellani 1982a = Arrigo C., *La prosa italiana delle Origini. I. Testi toscani di carattere pratico*, vol. I: *Trascrizioni*; vol. II: *Facsimili*, Bologna, Pàtron.

Castellani 1982b = Arrigo C., *Quanti erano gl'italofoni nel 1861?*, in «SLI», VIII, 3-26.

Castellani 1982c = Arrigo C., *Osservazioni sulla lingua di S. Bernardino*, in *Atti del simposio internazionale caterianiano-bernardiniano*, Siena, 17-20 aprile 1980, a cura di D. Maffei e P. Nardi, Siena, Accademia senese degli Intronati, 407-418.

Castellani 1984 = Arrigo C., *Capitoli d'un'introduzione alla grammatica storica italiana, I: Latino volgare e latino classico*, in «SLI», X, 3-28 [ora in Castellani 2000: 1-27].

Castellani 1985 = Arrigo C., *Capitoli d'un'introduzione alla grammatica storica italiana, II: L'elemento germanico*, in «SLI», XI, 1-26 e 151-181 [ora, con aggiunte, in Castellani 2000: 29-94].

Castellani 1986 = Arrigo C., *Consuntivo della polemica Ascoli-Manzoni*, in «SLI», XII, 105-129.

Castellani 1987a = Arrigo C., *Capitoli d'un'introduzione alla grammatica storica italiana, III: L'influsso galloromanzo*, in «SLI», XIII, 3-39 [ora in Castellani 2000: 95-134].

Castellani 1987b = Arrigo C., *Morbus anglicus*, in «SLI», XIII, 137-152.

Castellani 1991 = Arrigo C., *Italiano dell'uso medio o italiano senz'aggettivi?*, in «SLI», XVII, 233-256.

Castellani 1997 = Arrigo C., *Parlamenti in volgare di Guido Fava* (edizione provvisoria), in «Bollettino» dell'Opera del Vocabolario Italiano presso l'Accademia della Crusca, vol. II, 231-249.

Castellani 2000 = Arrigo C., *Grammatica storica della lingua italiana. I. Introduzione*, Bologna, Il Mulino.

Castellani Pollidori 1978 = Ornella C.P., *Niccolò Machiavelli e il «Dialogo intorno alla nostra lingua»*, Firenze, Olschki.

Castellani Pollidori 1981 = Ornella C.P., *Nuove riflessioni sul «Discorso o Dialogo intorno alla nostra lingua» di Niccolò Machiavelli*, Roma, Salerno Editrice.

Castellani Pollidori 1983 = Carlo Collodi, *Le avventure di Pinocchio*, ed. critica a cura di Ornella C.P., Pescia, Fondazione nazionale Carlo Collodi.

Catricalà 1980 = Maria C., *Sul lessico di cucina del '500*, in *Convegno nazionale sui lessici tecnici del Sei .e Settecento* (Pisa 1980), Firenze, Accademia della Crusca, 137-146.

Catricalà 1982 = Maria C., *La lingua dei «Banchetti» di Cristoforo Messi Sbugo*, in «SLeI», IV, 147-268.

Catricalà 1996 = Maria C., *Studi per una grammatica dell'invenzione: l'italiano brevettato delle origini (1860-1880)*, Firenze, Edizioni Manent.

Cencetti 1978 = Giorgio C., *Paleografia latina*, Roma, Jouvence.

Cerisola 1990 = Pier Luigi C., *L'arte dello stile. Poesia e letterarietà in Gabriello Chiabrera*, Milano, Angeli.

Cesari 1847 = Antonio C., *La dissertazione sullo stato presente della lingua italiana e il Dialogo delle Grazie*, Firenze, Tipografia di Pietro Fraticelli.

Cesari in stampa = Antonio C., *Dissertazioni sopra lo stato della lingua*, Padova-Roma, Antenore [in preparazione].

Cesarotti 1800 = Melchiorre C., *Saggio sulla filosofia delle lingue*, in Id., *Saggi sulla filosofia delle lingue e del gusto*, Pisa, Dalla Tipografia della Società Letteraria, 1-300.

Cherubini = Francesco C., *Vocabolario milanese-italiano*, Milano, Dall'Imp. Regia Stamperia, 1839 ss. (cito dalla ristampa anastatica di Milano, Martello, 1968).

Chiappelli 1957 = Fredi C., *Studi sul linguaggio di Tasso epico*, Firenze, Le Monnier.

Ciociola 1992 = Claudio C., *«Visibile parlare»: agenda*, Università degli Studi di Cassino – Dipartimento di Filologia e Storia.

Ciociola 1997 = Claudio C. (a cura di), *«Visibile parlare». Le scritture esposte nei volgari italiani dal Medioevo al Rinascimento*, Atti del convegno internazionale di studi Cassino – Montecassino, 26-28 ottobre 1992, Napoli, Edizioni Scientifiche Italiane.

CLPIO 1992 = *Concordanze della lingua poetica italiana delle origini (CLPIO)*, vol. I a cura di D'Arco Silvio Avalle e con il concorso dell'Accademia della Crusca, Milano-Napoli, Ricciardi.

Coletti 1978 = Vittorio C., *Il linguaggio letterario*, Bologna, Zanichelli.

Coletti 1983 = Vittorio C., *Parole dal pulpito. Chiesa e movimenti religiosi tra latino e volgare nell'Italia del Medioevo e del Rinascimento*, Casale M., Marietti.

Coletti 1985 = Vittorio C., *L'idioma gentile di De Amicis*, in *Edmondo De Amicis*, Atti del convegno nazionale di studi (Imperia 1981), a cura di Franco Contorbia, Milano, Garzanti (per conto del Comune di Imperia), 495-504.

Coletti 1987 = Vittorio C., *L'italiano nel tempo. Introduzione alla storia della lingua italiana*, Milano, Librex.

Coletti 1993 = Vittorio C., *Storia dell'italiano letterario*, Torino, Einaudi.

Coletti-Cordin-Zamboni 1992 = Vittorio C. – Patrizia C. – Alberto Z., *Il Trentino e l'Alto Adige*, in Bruni 1992a: 178-219.

Coletti-Cordin-Zamboni 1995 = Vittorio C. – Patrizia C. – Alberto Z., *Forme e percorsi dell'italiano nel Trentino-Alto Adige*, con presentazione di C.A. Mastrelli, Firenze, Istituto di Studi per l'Alto Adige.

Colombo 1967 = Carmela C., *Cultura e tradizione nell'Adone di G.B. Marino*, Padova, Antenore.

Colombo 1979 = Adriano C. (a cura di), *Guida all'educazione linguistica. Fini, modelli, pratica didattica*, Bologna, Zanichelli.

Colombo 2001 = Anna C., *Una commedia di un comico dell'arte: l'«Inavertito» di Nicolò Barbieri tra oralità e scrittura*, in «Acme», LIV, fasc. II, 101-142.

Coluccia 1992 = Rosario C. (a cura di), *Riflessioni sulla lessicografia*, Atti dell'incontro organizzato in occasione del conferimento della laurea honoris causa a Max Pfister, Lecce, 7 ottobre 1991, Galatina, Congedo.

Coluccia 2000 = Rosario C., *La Scuola poetica siciliana tra limiti cronologici e dislocazioni territoriali*, in «Contributi di Filologia dell'Italia Mediana», XIV, 25-45.

Coluccia-Gualdo 1999 = Rosario C. – Riccardo G. (a cura di), *Dai Siciliani ai Siculo-Toscani. Lingua, metro e stile per la definizione del canone*, Galatina, Congedo Editore.

Contini 1960 = Gianfranco C. (a cura di), *Poeti del Duecento*, 2 voll., Milano-Napoli, Ricciardi.

Contini 1964 = Francesco Petrarca, *Canzoniere*, testo critico e introduzione di Gianfranco C., annotazioni di Daniele Ponchiroli, Torino, Einaudi.

Contini 1968 = Gianfranco C., *Letteratura dell'Italia unita. 1861-1968*, Firenze, Sansoni.

Contini 1970a = Gianfranco C., *Varianti e altra linguistica (1938-1968)*, Torino, Einaudi.

Contini 1970b = Gianfranco C., *Letteratura italiana delle origini*, Firenze, Sansoni.

Contini 1972 = Gianfranco C., *Altri esercizi (1942-1971)*, Torino, Einaudi.

Contini 1976 = Gianfranco C., *Letteratura italiana del Quattrocento*, Firenze, Sansoni.

Controversie 1827-1828 = *Controversie sulla Gerusalemme liberata*, 6 tomi, Pisa, Capurro.

Cordin 1987 = Daniela C., *Il parlato regionale: analisi di un campione*, in *Gli italiani parlati*, Firenze, Accademia della Crusca, 91-112.

Cornagliotti 1976 = Anna C. (a cura di), *La Passione di Revello. Sacra rappresentazione quattrocentesca di ignoto piemontese*, Torino, Centro Studi Piemontesi.

Cortelazzo 1969 = Manlio C., *Avviamento critico allo studio della dialettologia italiana*, I: *Problemi e metodi*, Pisa, Pacini.

Cortelazzo 1972 = Manlio C., *Avviamento critico allo studio della dialettologia italiana*, III: *Lineamenti di italiano popolare*, Pisa, Pacini.

Cortelazzo 1977a = Manlio C., *Dialettologia italiana e italiano popolare*, in *SLI* 1977: 107-123.

Cortelazzo 1977b = Manlio C., *Prospettive di studio dell'italiano regionale*, in Renzi-Cortelazzo 1977: 129-145.

Cortelazzo 1980 = Manlio C., *I dialetti e la dialettologia in Italia (fino al 1800)*, Tübingen, Gunter Narr.

Cortelazzo M.A. 1977 = Michele A. C., *La formazione della retorica mussoliniana tra il 1901 e il 1914*, in *Retorica e politica* («Quaderni del Circolo filologico padovano», 9), Padova, Liviana, 179-191.

Cortelazzo M.A. 1984 = Michele A. C., *Il lessico del razzismo fascista (1939)*, in «Movimento operaio e socialista», VII, 57-66.

Cortelazzo M.A. 1987 = Michele A. C., *Retrodatazione di neologismi*, in «SLI», XIII, 236-262.

Cortelazzo M.A. 1988 = Michele A. C., *Italienisch: Sprache und Gesetzgebung*, in *LRL* 1988: 305-311.

Cortelazzo M.A. 1990 = Michele A. C., *Lingue speciali. La dimensione verticale*, Padova, Unipress.

Cortelazzo M.A. 1994 = Michele A. C., *Il parlato giovanile*, in *SLIE*: II. 291-317.

Cortelazzo-Cardinale 1986 = Manlio C. – Ugo C., *Dizionario di parole nuove 1964-1984*, Torino, Loescher.

Cortelazzo-Mioni 1990 = Michele A. C. – Alberto M. Mioni (a cura di), *L'italiano regionale*, Atti del XVIII Congresso internazionale di studi della SLI, Padova-Vicenza, 14-16 settembre 1984, Roma, Bulzoni.

Corti 1956 = Pietro Jacopo De Jennaro, *Rime e lettere*, a cura di Maria C., Bologna, Commissione per i testi di lingua.

Corti 1964 = Maria C., *L'impasto linguistico dell'«Arcadia» alla luce della tradizione manoscritta*, in «SFI», XXII, 587-619 (ora in Corti 1990: 243-271).

Corti 1969 = Maria C., *Metodi e fantasmi*, Milano, Feltrinelli.

Corti 1973 = Maria C., *Il linguaggio della pubblicità*, in Beccaria 1973b: 119-139.

Corti 1990 = Maria C., *Storia della lingua e storia dei testi*, Milano-Napoli, Ricciardi.

Corti 1993 = Maria C., *«De vulgari eloquentia» di Dante Alighieri*, in Asor Rosa 1993: 187-209.

Coselschi 1928 = *La riscossa dei Leoni. Raccolta degli scritti di Gabriele D'Annunzio sulla Dalmazia italiana*, a cura, con prefazione e note di Eugenio C., Firenze, Bemporad & F.

Còveri 1978 = Lorenzo C., *Chi parla dialetto, a chi e quando, in Italia? Un'inchiesta Doxa*, in «La ricerca dialettale», II, 331-341.

Còveri 1981-1982 = Lorenzo C., *Dialetto e scuola nell'Italia unita*, in «RID», V-VI, 77-97.

Còveri 1984 = Lorenzo C., *Mussolini e il dialetto. Notizie sulla campagna antidialettale del fascismo (1932)*, in «Movimento operaio e socialista», VII, 117-132.

Còveri 1991 = Lorenzo C. (a cura di), *L'italiano allo specchio. Aspetti dell'italianismo recente. Saggi di linguistica italiana*, Torino, Rosenberg & Sellier.

Còveri 1992 = Lorenzo C., *Gli studi in Italia sul linguaggio giovanile*, in Banfi-Sobrero 1992: 59-69.

Covino 1987 = Sandra C., *Ruggero Bonghi tra Puoti, Manzoni ed Ascoli: il Diario e le Lettere critiche*, in «Filologia e critica», XII, 384-426.

Cozzi 1969 = Paolo Sarpi, *Opere*, a cura di Gaetano e Luisa C., Milano-Napoli, Ricciardi.

Croce 1902 = Benedetto C., *Estetica come scienza dell'espressione e linguistica generale*, Bari, Laterza.

Croce 1927 = Benedetto C., *La letteratura dialettale riflessa, la sua origine nel Seicento e il suo ufficio storico*, in Id., *Uomini e cose della vecchia Italia*, s. I, Bari, Laterza, 222-234.

Crocetti 1961 = Luigi C., *Indici di «Lingua nostra» (1939-1959)*, Firenze, Sansoni.

Crystal-Bertinetto 1993 = David C., *Enciclopedia Cambridge delle scienze del linguaggio*, ed. italiana a cura di Pier Marco B., Bologna, Zanichelli.

CSDI 1989 = *Dialettologia urbana: problemi e ricerche*, Atti del XVI Convegno del Centro di Studio per la Dialettologia Italiana, Lecce, 1986, Pisa, Pacini.

D'Achille 1990 = Paolo D'A., *Sintassi del parlato e tradizione scritta della lingua italiana. Analisi di testi dalle origini al secolo XVIII*, Roma, Bonacci.

D'Achille 1991 = Paolo D'A., *Sui neologismi. Memoria del parlante e diacronia del presente*, in «SLeI», XI, 269-322.

D'Achille 1994 = Paolo D'A., *L'italiano dei semicolti*, in SLIE: II. 41-79.

D'Achille 2001 = Paolo D'A., *Breve grammatica storica dell'italiano*, Roma, Carocci.

D'Achille-Giovanardi 2001 = Paolo D'A. – Claudio G., *Dal Belli ar Cipolla. Conservazione e innovazione nel romanesco contemporaneo*, Roma, Carocci.

D'Agostino 1988 = Mari D'A., *La piazza e l'altare. Momenti della politica linguistica della Chiesa siciliana (secoli XVI-XVIII)*, Palermo, Centro di Studi filologici e linguistici siciliani.

D'Agostino 1994 = Alfonso D'A., *L'apporto spagnolo, portoghese e catalano*, in SLIE: III.791-824.

Daniele 1989 = Antonio D., *Sperone Speroni, Bernardino Tomitano e l'Accademia degli Infiammati di Padova*, in «Filologia veneta», II (fascicolo dedicato a *Sperone Speroni*), 1-53.

D'Annunzio 1944 = Gabriele D'A., *Laudi*, IV ed., Verona, Mondadori.

D'Annunzio 1954 = Gabriele D'A., *Prose di ricerca, di lotta, di comando...*, vol. I, Verona, Mondadori.

Dante 2000 = Dante Alighieri, *De vulgari eloquentia*, traduzione e saggi introduttivi di Claudio Marazzini e Concetto Del Popolo, Milano, Mondadori («Oscar») (I ed. 1990).

Danzi 2001 = Luca D., *Lingua nazionale, lessicografia milanese. Manzoni e Cherubini*, Alessandria, Edizioni dell'Orso.

Dardano 1963 = Maurizio D., *Sintassi e stile nei Libri della Famiglia di Leon Battista Alberti*, in «Cultura neolatina», XXIII, 215-250 [ora in Dardano 1992: 287-308].

Dardano 1973 = Maurizio D., *Il linguaggio dei giornali italiani*, Bari, Laterza (Nuova ed. Bari, Laterza, 1981).

Dardano 1974 = Maurizio D., *G.I. Ascoli e la questione della lingua*, Roma, Istituto dell'Enciclopedia italiana.

Dardano 1978a = Maurizio D., *(S)parliamo italiano*, Milano, Curcio.

Dardano 1978b = Maurizio D., *La formazione delle parole nell'italiano d'oggi. Primi materiali e proposte*, Roma, Bulzoni.

Dardano 1985 = Maurizio D., *Note sulla linguistica del Manzoni*, in «Nuovi annali della Facoltà di Magistero dell'Università di Messina», 3, 77-102.

Dardano 1986 = Maurizio D., *The Influence of English on Italian*, in W. Viereck e W.-D. Bald (a cura di), *English in Contact with other Languages. Studies in Honour of Broder Carstensen in the Occasion of his 60th Birthday*, Budapest, Akadémiai Kiadó, 231-252.

Dardano 1987 = Maurizio D., *Manzoni e i grammairiens philosophes*, in *ACIM* 1987: 177-215.

Dardano 1991 = Maurizio D., *Manualetto di linguistica italiana*, Bologna, Zanichelli.

Dardano 1992 = Maurizio D., *Studi sulla prosa antica*, Napoli, Morano.

Dardano 1993 = Maurizio D., *Lessico e semantica*, in *IIC* 1993: I.291-370.

Dardano 1994 = Maurizio D., *I linguaggi scientifici*, in *SLIE*: II.497-551.

Dardano 1995 = Maurizio D., *Note sulla prosa antica*, in Dardano-Trifone 1995: 15-50.

Dardano 2001 = Maurizio D., *La lingua letteraria del Novecento*, in *Il Novecento. Scenari di fine secolo*, Milano, Garzanti, 3-95.

Dardano Basso 1984 = Isa D.B., *La ricerca del segno. Diderot e i problemi del linguaggio*, Roma, Bulzoni.

Dardano *et alii* 1999 = Maurizio D., Paolo D'Achille, Claudio Giovanardi, Antonia G. Mocciaro, *Roma e il suo territorio. Lingua, dialetto e società*, Roma, Bulzoni.

Dardano-Trifone 1985 = Maurizio D. – Pietro T., *La lingua italiana*, Bologna, Zanichelli.

Dardano-Trifone 1995 = Maurizio D. – Pietro T. (a cura di), *La sintassi dell'italiano letterario*, Roma, Bulzoni.

Dardano-Trifone 1997 = Maurizio D. – Pietro T., *La nuova grammatica della lingua italiana*, Bologna, Zanichelli

Dardi 1977 = Andrea D., *Fra Napoli e Firenze: Magalotti e Redi consulenti di Gabriele Fasano*, in «LN», XXVIII, 65-76.

Dardi 1984 = Andrea D., *Uso e diffusione del francese*, in Formigari 1984: 347-372.

Dardi 1990 = *Gli scritti di Vincenzo Monti sulla lingua italiana*, con introduzione e note di Andrea D., Firenze, Olschki.

Dardi 1992 = Andrea D., *Dalla provincia all'Europa. L'influsso del francese sull'italiano tra il 1650 e il 1715*, Firenze, Le Lettere.

Dardi 1995 = Andrea D., *«La forza delle parole». In margine a un libro recente su lingua e rivoluzione*, Firenze, Stabilimento Grafico Commerciale.

DBI = *Dizionario Biografico degli Italiani*, Roma, Istituto dell'Enciclopedia Italiana, 1960 ss.

De Bartholomaeis 1927 = Vincenzo De B., *Le carte di Giovanni Maria Barbieri nell'Archiginnasio di Bologna*, Bologna, Cappelli.

De Blasi 1991 = Nicola De B., *«Carta, calamaio e penna». Lingua e cultura nella Vita del brigante Di Gè*, Potenza, Il Salice.

De Blasi 1993 = Nicola De B., *L'italiano nella scuola*, in *SLIE*: I.383-423.

De Blasi 1994 = Nicola De B., *L'italiano in Basilicata. Una storia della lingua dal Medioevo a oggi*, Potenza, Casa editrice Il Salice.

De Felice 1978a = Emidio De F., *Nomi d'Italia*, Milano, Mondadori.

De Felice 1978b = Emidio De F., *Dizionario dei cognomi italiani*, Milano, Mondadori.

De Felice 1984 = Emidio De F., *Le parole d'oggi*, Milano, Mondadori.

De Felice 1987 = Emidio De F., *Nomi e cultura. Riflessi della cultura italiana dell'Ottocento e del Novecento nei nomi personali*, Venezia, Sarin-Marsilio Editori.

DELI[1] = Manlio Cortelazzo – Paolo Zolli, *Dizionario etimologico della lingua Italiana*, 5 voll., Bologna, Zanichelli, 1979-1988.

DELI[2] = *Il nuovo etimologico. DELI - Dizionario etimologico della lingua italiana*, di Manlio Cortelazzo e Paolo Zolli, II ed., in volume unico a cura di Manlio Cortelazzo e di Michele A. Cartelazzo, Bologna, Zanichelli, 1999.

Della Valle 1993 = Valeria Della V., *La lessicografia*, in *SLIE*: I.29-91.

Del Negro 1984 = Piero Del N., *Alfabetizzazione, apparato educativo e questione linguistica in Lombardia e nel Veneto*, in Formigari 1984: 253-268.

De Lollis 1929 = Cesare De L., *Saggi sulla forma poetica dell'Ottocento*, Bari, Laterza (ora in Id., *Scrittori d'Italia*, a cura di Gianfranco Contini e Vittorio Santoli, Milano-Napoli, Ricciardi, 1968).

Del Popolo 1989 = Concetto Del P., *La prima stagione. Dalle Origini al Trecento*, in Beccaria *et al.* 1989: 1-51.

Del Popolo 1990 = Concetto Del P., *Lingua e stile del De vulgari eloquentia: un esempio di latino medievale*, in Dante Alighieri, *De vulgari eloquentia*, a cura di Claudio Marazzini e Concetto Del Popolo, Milano, Mondadori («Oscar»), XXXI-XLVI.

De Maria 1973 = Luciano De M. (a cura di), *Marinetti e il Futurismo*, Milano, Mondadori.

De Mauro 1970 = Tullio De M., *Per lo studio dell'italiano popolare unitario*, nota linguistica a Rossi 1970, 43-75 (ora anche in Renzi-Cortelazzo 1977: 147-164).

De Mauro 1972 = Tullio De M., *Storia linguistica dell'Italia unita*, III ed., Bari, Laterza (I ed. 1963).

De Mauro 1973 = Tullio De M., *Il linguaggio televisivo e la sua influenza*, in Beccaria 1973b: 107-117.

De Mauro 1989 = Tullio De M. (a cura di), *Il romanesco ieri e oggi*, Roma, Bulzoni.

De Mauro 1992 = Tullio De M., *L'Italia delle Italie*, II ed. rivista e accresciuta, Roma, Editori Riuniti.

De Mauro 1993 = Tullio De M. *et al.*, *Lessico di frequenza dell'italiano parlato*, Milano, Etas.

De Mauro 1994 = *Come parlano gli italiani*, a cura di Tullio De M., Firenze, La Nuova Italia.

De Mauro-Lodi 1979 = Tullio De M. – Mario L., *Lingua e dialetti*, Roma, Editori Riuniti (nuova edizione, Roma, Editori Riuniti, 1993).

De Michelis 1960 = Eurialo De M., *Tutto D'Annunzio*, Milano, Feltrinelli.

De Robertis 1978 = Giacomo Leopardi, *Canti*, a cura di Giuseppe e Domenico De R., Milano, Mondadori («Oscar»).

De Stefanis Ciccone 1990 = Stefania De S.C., *Introduzione: caratterizzazione dei generi*, in Bonomi *et al.* 1990: 1-52.

De Stefanis Ciccone *et al.* 1983 = Stefania De S.C. – Ilaria Bonomi – Andrea Masini, *La stampa periodica milanese della prima metà dell'Ottocento: Testi e Concordanze*, 5 voll., Pisa, Giardini.

Devoto 1957 = Giacomo D., *Il Tasso nella storia linguistica italiana*, in Tasso 1957: 167-186.

Devoto 1968 = Giacomo D., *Avviamento alla etimologia italiana. Dizionario etimologico*, Firenze, Le Monnier (ed. negli «Oscar Studio» Mondadori, Milano, 1979).

Devoto 1974 = Giacomo D., *Il linguaggio d'Italia. Storia e strutture linguistiche italiane dalla preistoria ai nostri giorni*, Milano, Rizzoli (ed. nella «Biblioteca Universale Rizzoli», 1977).

Di Cesare 1989 = *La selva delle analogie. I canoni della predicazione nell'Italia del Seicento*, in Formigari-Di Cesare 1989: 132-150.

Di Martino 1997 = Anna Maria Di M., *"Quel divino ingegno". Giulio Perticari. Un intellettuale tra Impero e Restaurazione*, Napoli, Liguori Editore.

Dionisotti 1966 = Pietro Bembo, *Prose della volgar lingua*, a cura di Carlo D., II ed., Torino, UTET.

Dionisotti 1967 = Carlo D., *Geografia e storia della letteratura italiana*, Torino, Einaudi.

Dionisotti 1968 = Carlo D., *Gli Umanisti e il volgare fra Quattro e Cinquecento*, Firenze, Le Monnier.

Dionisotti 1980 = Carlo D., *Machiavellerie*, Torino, Einaudi.

Donati 1954 = Lamberto D., *"Passio Domini nostri Jesu Christi". Frammento tipografico della biblioteca parsoniana*, in «La Bibliofilia» LVI, 181-215.

D'Ovidio-Meyer-Lübke 1919 = Francesco D'O. – Wilhelm M.-L., *Grammatica storica della lingua e dei dialetti italiani*, tradotta per cura del dott. Eugenio Polcari (dalla II ed. tedesca rifatta da W. Meyer-Lübke), II ed. italiana riveduta, Milano, Hoepli (ristampa anastatica Milano, Istituto Editoriale Cisalpino-Goliardica, 1975).

Droixhe 1978 = Daniel D., *La linguistique et l'appel de l'histoire (1600-1800). Rationalisme et révolutions positivistes*, Genève-Paris, Droz.

Droixhe 1987 = Daniel D., *De l'origine du langage aux langues du monde*, Tübingen, Narr.

Drusi 1995 = Riccardo D., *La lingua «cortigiana romana». Note su un aspetto della questione cinquecentesca della lingua*, Venezia, Il Cardo.

Dubois *et al.* 1979 = Jean D. – Mathée Giacomo – Louis Guespin – Christiane Marcellesi – Jean-Baptiste Marcellesi – Jean-Pierre Mével, *Dizionario di linguistica*, Bologna, Zanichelli.

Ducrot-Todorov 1972 = Oswald D. – Tzvetan T., *Dizionario enciclopedico delle scienze del linguaggio*, ed. italiana a cura di Giovanni Caravaggi, Milano, ISEDI.

Durante 1981 = Marcello D., *Dal latino all'italiano moderno. Saggio di storia linguistica e culturale*, Bologna, Zanichelli.

Eco 1973 = Umberto E., *Il linguaggio politico*, in Beccaria 1973b: 91-105.

Elwert 1967 = W. Theodor E., *La poesia lirica italiana del Seicento. Studio sullo stile barocco*, Firenze, Olschki.

Ernst 1966 = Gerhard E., *Un ricettario di medicina popolare in romanesco del Quattrocento*, in «SLI», VI, 138-175.

Falavolti 1982 = Laura F. (a cura di), *Commedie dei comici dell'arte*, Torino, UTET.

Fanfani 1979 = *L'opera di Bruno Migliorini nel ricordo degli allievi, con una bibliografia dei suoi scritti a cura di Massimo Luca Fanfani*, Firenze, Accademia della Crusca.

Fanfani 1991-1993 = Massimo Luca F., *Sugli anglicismi nell'italiano con-*

temporaneo, in «LN», LII, 11-24, 73-89, 113-118; LIII, 18-25, 79-86, 120-121; LIV, 13-20, 63-71, 122-124.

Fanfani 1999 = Massimo F., *Devoto e gli inizi di "Lingua Nostra"*, in Accademia Toscana di Scienze e Lettere "La Colombaria", *Giacomo Devoto nel centenario della nascita*, Firenze, Olschki, 189-219.

Fanfani 2001 = Massimo F., *Sul «Nuovo etimologico»*, in «LN», LXII, 43-56.

Fanfani Bussolini 1970 = Gabriella F.B., *Giulio Ottonelli e le «Annotazioni al Vocabolario degli Accademici della Crusca» (1698)*, in «LN», XXXI, 5-12.

Fascismo 1978 = Erasmo Leso – Michele Cortelazzo – Ivano Paccagnella – Fabio Foresti, *La lingua italiana e il fascismo*, introduzione di Luigi Rosiello, Bologna, Consorzio provinciale di Pubblica Lettura.

Fassò 1993 = Andrea F., *"Il papa ce l'ha ma non lo usa mai". La duplicità dell'*Indovinello veronese, in «RID», XVII, 25-53.

Ferrari 1895 = Francesco Redi, *Prose*, a cura di Severino F., Firenze, R. Bemporad & F.

Ferretti 1987 = Pier Paolo Pasolini, *Volgar'eloquio*, a cura e con una prefazione di Gian Carlo F., Roma, Editori Riuniti.

Fiorelli 1994 = Piero F., *La lingua del diritto e dell'amministrazione*, in *SLIE*: II.553-597.

Firpo 1948 = Traiano Boccalini, *Ragguagli di Parnaso e scritti vari*, a cura di Luigi F., vol. III, Bari, Laterza.

Firpo 1985 = Luigi F., *Il supplizio di Tommaso Campanella*, Roma, Salerno Editrice.

Firpo 1993 = Luigi F., *Il processo di Giordano Bruno*, a cura di Diego Quaglioni, Roma, Salerno Editrice.

Flora 1952 = Torquato Tasso, *Poesia*, a cura di Francesco F., vol. III, Milano-Napoli, Ricciardi.

Folena 1952 = Gianfranco F., *La crisi linguistica del Quattrocento e l'«Arcadia» di I. Sannazaro*, Firenze, Olschki.

Folena 1977 = Gianfranco F., *Presentazione* della ristampa anastatica del *Dizionario della lingua italiana* di Nicolò Tommaseo, Milano, Rizzoli.

Folena 1983 = Gianfranco F., *L'italiano in Europa. Esperienze linguistiche del Settecento*, Torino, Einaudi.

Folena 1991a = Gianfranco F., *Il linguaggio del caos. Studi sul plurilinguismo rinascimentale*, Torino, Bollati-Boringhieri.

Folena 1991b = Gianfranco F., *Volgarizzare e tradurre*, Torino, Einaudi.

Folena 1993 = Gianfranco F., *Vocabolario del veneziano di Carlo Goldoni*, redazione a cura di Daniela Sacco e Patrizia Borghesan, Roma, Istituto della Enciclopedia italiana.

Foresti-Menarini 1985 = Fabio F. – Alberto M., *Parlare italiano a Bologna. Parole e forme locali del lessico colloquiale*, Bologna, Forni.

Formentin 1987 = Francesco Galeota, *Le lettere del 'colibeto'*, edizione, spoglio linguistico e glossario a cura di Vittorio F., Napoli, Liguori.

Formigari 1984 = *Teorie e pratiche linguistiche nell'Italia del Settecento*, a cura di Lia F., Bologna, Il Mulino.

Formigari 1990 = Lia F., *L'esperienza e il segno. La filosofia del linguaggio tra Illuminismo e Restaurazione*, Roma, Editori Riuniti.

Formigari 2001 = Lia F., *Il linguaggio. Storia delle teorie*, Bari, Laterza.

Formigari-Di Cesare 1989 = Lia F. – Donatella Di C. (a cura di), *Lin-*

gua tradizione rivelazione. Le Chiese e la comunicazione sociale, Casale Monferrato, Marietti Università.

Fornaciari 1884 = Raffaello F., *Sintassi italiana dell'uso moderno*, II ed. con correzioni, Firenze, Sansoni.

Fornara 2001 = Francesco Soave, *Gramatica ragionata della lingua italiana*, a cura di Simone F., Pescara, Libreria dell'Università Editrice.

Fortunio 1999 = Giovanni Francesco F., *Regole grammaticali della volgar lingua*, a cura di Claudio Marazzini e Simone Fornara (con riproduzione fotografica dell'ed. 1516 e trascrizione del testo a cura di S. Fornara), Pordenone, Accademia San Marco – Associazione Pro Pordenone.

Francescato 1977 = Giuseppe F., *Analisi di una collettività bilingue: le condizioni attuali del bilinguismo in Alto Adige*, in Renzi-Cortelazzo 1977: 403-424.

Francescato 1993 = Giuseppe F., *Sociolinguistica delle minoranze*, in IIC 1993: II.311-340.

Fubini 1948 = Mario F., *Studi sulla letteratura del Rinascimento*, Firenze, Sansoni.

Galilei 1581 = Vincenzo G., *Dialogo della musica*, Firenze, Marescotti (ma cito dalla ristampa anastatica: Roma, Reale Accademia d'Italia, 1934).

Galli de' Paratesi 1984 = Nora G. de' P., *Lingua toscana in bocca ambrosiana*, Bologna, Il Mulino.

Gamba 1839 = Bartolomeo G., *Serie dei testi di lingua*, Venezia, Co' tipi del gondoliere (ma cito dalla ristampa anastatica: Torino, Bottega di Erasmo, 1965).

Garelli 1978 = Cesare G., *Il linguaggio murale*, Milano, Garzanti.

Gasca Queirazza 1962 = Giuliano G.Q., *Le confraternite dei Disciplinati in Piemonte. Loro riflesso sulla diffusione del volgare di tipo toscano*, in *Il movimento dei Disciplinati nel settimo centenario del suo inizio*, Perugia, Deput. Storia Patria per l'Umbria, 328-336.

Gasca Queirazza et al. 1990 = Giuliano G.Q., Carla Marcato, Giovan Battista Pellegrini, Giulia Petracco Sicardi, Alda Rossebastiano, *Dizionario di toponomastica. Storia e significato dei nomi geografici italiani*, Torino, UTET.

GDLI = *Grande dizionario della lingua italiana*, diretto da Salvatore Battaglia (poi da Giorgio Bàrberi Squarotti), Torino, UTET, 1961 ss.

Gensini 1984a = Stefano G., *Lessico politico e «istruzione popolare» nell'ultimo Settecento*, in Formigari 1984: 185-204.

Gensini 1984b = Stefano G., *Linguistica leopardiana*, Bologna, Il Mulino.

Gensini 1985 = Stefano G., *Elementi di storia linguistica italiana*, Bergamo, II ed., Minerva Italica (I ed. 1982).

Gensini 1987 = Stefano G., *L'identità dell'italiano. Genesi di una semiotica sociale in Italia fra Sei e Ottocento*, Casale M., Marietti Università.

Gensini 1993 = Stefano G., *Volgar favella. Percorsi del pensiero linguistico italiano da Robortello a Manzoni*, Firenze, La Nuova Italia.

Gerratana 1975 = Antonio Gramsci, *Quaderni del carcere*, ed. critica a cura di Valentino G., 4 voll., Torino, Einaudi.

Geymonat 2000 = Francesca G., *«Questioni filosofiche» in volgare mediano dei primi del Trecento*, 2 voll., Pisa, Scuola Normale Superiore.

Geymonat-Brunetti 1967 = Ludovico G. – Franz B., *Galileo Galilei*, in

Storia della letteratura italiana, diretta da E. Cecchi e N. Sapegno, vol. V: *Il Seicento*, Milano, Garzanti, 155-222.

Ghinassi 1957 = Ghino G., *Il volgare letterario del Quattrocento e le Stanze del Poliziano*, Firenze, Le Monnier.

Ghinassi 1961 = Ghino G., *Leon Battista Alberti fra latinismo e toscanismo: la revisione dei «Libri della famiglia»*, in «LN», XXII, 1-6.

Ghinassi 1976 = Ghino G., *Il volgare mantovano tra il Medioevo e il Rinascimento*, in Segre 1976: 7-28.

Ghinassi 1979 = Ghino G., *Presentazione* alla ristampa anastatica del *Novo vocabolario della lingua italiana*, Firenze, Le Lettere, 5-33.

Ghinassi 1988 = Ghino G., *Bruno Migliorini e la sua «Storia della lingua italiana»*, Introduzione a Migliorini 1988: I.VII-XXXVIII.

Ghinassi 1990 = Ghino G., *Migliorini contemporaneista*, Introduzione a Migliorini 1990: IX-XCVI.

Giacalone Ramat 1993 = Anna G.R., *Italiano di stranieri*, in IIC 1993: II.341-410.

Giacomelli 1988 = Roberto G., *Lingua rock. L'italiano dopo il recente costume giovanile*, Napoli, Morano.

Giannelli *et al.* 1991 = Luciano G. – Nicoletta Maraschio – Teresa Poggi Salani – Massimo Vedovelli (a cura di), *Tra Rinascimento e strutture attuali*, Torino, Rosenberg & Sellier.

Ginzburg 1976 = Carlo G., *Il formaggio e i vermi. Il cosmo di un mugnaio del '500*, Torino, Einaudi.

Gioanola 1969 = Francesco De Sanctis, *La giovinezza*, a cura di Elio G., Milano, Marzorati.

Giovanardi 1987 = Claudio G., *Linguaggi scientifici e lingua comune nel Settecento*, Roma, Bulzoni.

Giovanardi 1993 = Claudio G., *Note sul linguaggio dei giovani romani di borgata*, in «SLI», XIX, 62-78.

Giovanardi 1994 = Claudio G., *Il bilinguismo italiano-latino del Medioevo e del Rinascimento*, in SLIE: II.435-467.

Giovanardi 1998 = Claudio G., *La teoria cortigiana e il dibattito linguistico nel primo Cinquecento*, Roma, Bulzoni.

Gorni 1972 = Guglielmo G., *Storia del Certame coronario*, in «Rinascimento», s.II, XII, 135-181.

Gorni 1993 = Guglielmo G., *Vita nuova di Dante Alighieri*, in Asor Rosa 1993: 153-186.

Graffi-Scalise 2002 = Giorgio G. – Sergio S., *Le lingue e il linguaggio*, Bologna, Il Mulino.

Gramsci 1955 = Antonio G., *L'Ordine nuovo*, Torino, Einaudi.

Gramsci 1958 = Antonio G., *Scritti giovanili (1914-1918)*, Torino, Einaudi.

Grassi 1964 = Corrado G., *Comportamento linguistico e comportamento sociologico*, in «AGI», XLIX, 40-66.

Grassi 1965 = Corrado G., *Ancora su «Comportamento linguistico e comportamento sociologico»*, in «AGI», L, 58-67.

Grassi 1968 = Graziadio Isaia Ascoli, *Scritti sulla questione della lingua*, a cura di Corrado G., II ed., Torino, Giappichelli.

Grassi 1975 = Graziadio Isaia Ascoli, *Scritti sulla questione della lingua*, a cura di Corrado G., Torino, Einaudi.

Grassi 1993 = Corrado G., *Italiano e dialetti*, in IIC 1993: II.279-310.

Grassi-Sobrero-Telmon 1997 = Corrado G. – Alberto A. S. – Tullio T., *Fondamenti di dialettologia italiana*, Bari, Laterza.

Grayson 1964 = Leon Battista Alberti, *La prima grammatica della lingua volgare*, a cura di Cecil G., Bologna, Commissione per i testi di lingua.

Grazzini 2000 = Giovanni G., *Di Crusca in Crusca. Per una bibliografia dell'Accademia*, a cura di Rosaria Di Loreto, Pacini Editore.

Gusmani 1986 = Roberto G., *Saggi sull'interferenza linguistica*, II ed. accresciuta, Firenze, Le Lettere.

Hall 1986 = Robert A.H. Jr., *19th-Century Italian: Manzonian or De Amicisian?*, in *The history of linguistics in Italy*, a cura di Paolo Ramat, Hans-J. Niederehe e Konrad Koerner, Amsterdam-Philadelphia, Benjamins, 227-235.

Haller 1993 = Hermann W.A., *Una lingua perduta e ritrovata. L'italiano degli italo-americani*, Firenze, La Nuova Italia.

Herczeg 1963 = Giulio H., *Lo stile indiretto libero in italiano*, Firenze, Sansoni.

Holtus *et al.* 1989 = Günter H. – Michele Metzeltin – Max Pfister, *La dialettologia italiana oggi*, Tübingen, Narr.

Holtus-Radtke 1985 = Günter H. – Edgar Radtke (a cura di), *Gesprochenes Italienisch in Geschichte und Gegenwart*, Tübingen, Narr.

ICS 1983 = Istituto Centrale di Statistica, *Le regioni in cifre*, Firenze, Stabilimenti tipolitografici Ariani e L'Arte della stampa di A. Paoletti.

IIC 1993 = Alberto A. Sobrero (a cura di), *Introduzione all'italiano contemporaneo*, 2 voll. (vol. I: *Le strutture*; vol. II: *La variazione e gli usi*), Bari, Laterza.

Inglese 1999 = Giorgio I., *Come si legge un'edizione critica. Elementi di filologia italiana*, Roma, Carocci.

Ioli 1981 = *Atti del convegno Piemonte e letteratura 1789-1870*, San Salvatore Monferrato, 15-17 ottobre 1981, 2 voll., a cura di Giovanna I., Torino, Regione Piemonte – Assessorato alla cultura, s.d.

Ippoliti 1991 = Gianni I., *Il novissimo Ippoliti della lingua italiana*, Milano, Baldini & Castoldi.

Isella 1964a = Dante I., *Introduzione* a Carlo Maria Maggi, *Il teatro milanese*, Torino, Einaudi.

Isella 1964b = Alessandro Manzoni, *Postille al Vocabolario della Crusca nell'edizione veronese*, a cura di Dante I., Milano-Napoli, Ricciardi.

Isella 1976 = Carlo Porta, *Poesie*, a cura di Dante I., II ed., Milano, Mondadori.

Isella 2001 = Dante I., *La lingua del «Partigiano Johnny»*, in Beppe Fenoglio, *Romanzi e racconti*, Nuova edizione accresciuta, a cura di Dante I., Torino, Einaudi.

Jacobelli 1987 = *Dove va la lingua italiana?*, a cura di Jader J., Bari, Laterza.

Jakobson 1970 = Roman J., *Saggi di linguistica generale*, II ed., Milano, Feltrinelli.

Janni-Mazzini 1990 = Pietro J. – Innocenzo M. (a cura di), *Presenza del lessico greco e latino nelle lingue contemporanee. Ciclo di lezioni tenute nell'Università di Macerata nell'a.a. 1997/98*, Macerata, Università degli Studi.

Klajn 1972 = Ivan K., *Influssi inglesi nella lingua italiana*, Firenze, Olschki.
Klein 1986 = Gabriella K., *La politica linguistica del Fascismo*, Bologna, Il Mulino.

Lanza 1995 = Dante Alighieri, *La Commedìa*, nuovo testo critico secondo i più antichi manoscritti fiorentini, a cura di Antonio L., Anzio, De Rubeis Editore.
La Stella 1993 = Enzo La S., *Santi e fanti. Dizionario dei nomi di persona*, Bologna, Zanichelli.
Lazzerini 1978 = Andrea Calmo, *Las Spagnolas*, a cura di Lucia L., Milano, Bompiani.
LEI 1992 = *Sonderdruck aus Etymologie und Wortgeschichte des Italieniscen. LEI. Genesi e dimensioni di un vocabolario etimologico*, Wiesbaden, Reichert.
Leone 1982 = Alfonso L., *L'italiano regionale in Sicilia*, Bologna, Il Mulino.
Lepschy 1990-1994 = *Storia della linguistica*, a cura di Giulio C.L., 3 voll., Bologna, Il Mulino.
Lepschy A.L. e G. 1981 = Anna Laura L. e Giulio L., *La lingua italiana. Storia, varietà dell'uso, grammatica*, Milano, Bompiani.
Lepschy A.L. e G. 1992 = Anna Laura L. e Giulio L., *La situazione dell'italiano*, in *SLI* 1992: 27-37.
Leso 1973 = Erasmo L., *Aspetti della lingua del Fascismo. Prime linee di una ricerca*, in *SLI*, *Storia linguistica dell'Italia nel Novecento*, Roma, Bulzoni, 139-158.
Leso 1991 = Erasmo L., *Lingua e rivoluzione. Ricerche sul vocabolario politico italiano del triennio rivoluzionario 1796-1799*, Venezia, Istituto Veneto di Scienze Lettere ed Arti.
LI = *Letteratura italiana* diretta da Alberto Asor Rosa, Torino, Einaudi, 1982 ss.
Librandi 1993 = Rita L., *L'italiano nella comunicazione della Chiesa e nella diffusione della cultura religiosa*, in *SLIE*: I.335-381.
Librandi 1995 = *La Metaura d'Aristotele. Volgarizzamento fiorentino anonimo del XIV secolo*, Edizione critica a cura di Rita L., 2 voll., Napoli, Liguori Editore.
Lingua 1982 = Accademia della Crusca, *La lingua italiana in movimento*, Incontri del Centro di grammatica italiana, Firenze, Palazzo Strozzi, 26 febbraio-4 giugno 1982, Firenze, Presso l'Accademia [della Crusca].
Livorsi 1979 = Filippo Turati, *Socialismo e riformismo nella storia d'Italia. Scritti politici 1878-1932*, introduzione e cura di Franco L., Milano, Feltrinelli.
LIZ = *Letteratura Italiana Zanichelli* (su CD-ROM), a cura di Pasquale Stoppelli e Roberto Picchi, Bologna, Zanichelli, 1993, 2001[4].
Loi Corvetto 1983 = Ines L.C., *L'italiano regionale di Sardegna*, Bologna, Zanichelli.
Loi Corvetto 1992 = Ines L.C., *La Sardegna*, in Bruni 1992a: 875-917.
Loi Corvetto 1998 = Ines L.C., *Dai bressaglieri alla fantaria. Lettere dei soldati sardi nella Grande Guerra*, numero monografico di «Officina linguistica», II, n. 2 (dicembre 1988).
Loi Corvetto-Nesi 1993 = Ines L.C. – Annalisa N., *La Sardegna e la Corsica*, Torino, UTET Libreria.

Lo Piparo 1979 = Franco Lo P., *Lingua intellettuali egemonia in Gramsci*, Bari, Laterza.

Lo Piparo 1990 = Franco Lo P. (a cura di), *La Sicilia linguistica oggi*, Palermo, Centro di Studi filologici e linguistici siciliani.

LRL 1988 = Günter Holtus, Michael Metzeltin e Christian Schmitt (a cura di), *Lexicon der Romanistichen Linguistik*, IV: *Italiano, Corso, Sardo*, Tübingen, Niemeyer.

Lurati 1976 = Ottavio L., *Dialetto e italiano regionale nella Svizzera italiana*, Lugano, Banca Solari & Blum.

Lurati 2001 = Ottavio L., *Dizionario dei modi di dire*, Milano, Garzanti.

Mancini 1992 = Marco M., *L'esotismo nel lessico italiano*, Università degli Studi della Tuscia – Istituto di studi romanzi.

Mancini 1994 = Marco M., *Voci orientali ed esotiche nella lingua italiana*, in *SLIE*: III.825-879.

Manni 1979 = Paola M., *Ricerche sui tratti fonetici e morfologici del fiorentino quattrocentesco*, in «SGI», VIII, 115-171.

Manni 1980 = Paola M., *La terminologia della meccanica applicata nel Cinquecento e nei primi decenni del Seicento*, in «SLeI», II, 139-213.

Manni 1985 = Paola M., *Galileo accademico della Crusca. Esperienza galileiana e cultura linguistica nella Firenze del primo Seicento*, in *Crusca* 1985, pp. 119-136.

Maraschio 1993 = Nicoletta M., *Grafia e ortografia: evoluzione e codificazione*, in *SLIE*: I.139-227.

Maraschio 2001 = Nicoletta M., *Lionardo Salviati e l'Orazione in lode della fiorentina lingua e de' fiorentini autori (1564/1575)*, in Bongrani et alii 2001: 187-205.

Maraschio 2002 = Nicoletta M., *Storia della lingua italiana*, in *SLI* 2002: 21-93.

Maraschio-Poggi Salani 1991 = Nicoletta M. – Teresa P.S., *L'insegnamento di Diomede Borghesi e Celso Cittadini: idea di norma e idea di storia*, in «SLI», XVII, 204-232.

Marazzini 1976 = Claudio M., *Il gran 'polverone' attorno alla Relazione manzoniana del 1868*, in «AGI», LXI, 117-129.

Marazzini 1977 = Claudio M. (a cura di), *La lingua come strumento sociale. Il dibattito linguistico da Manzoni al neocapitalismo*, Casale M., Marietti.

Marazzini 1978 = Claudio M., *«Questione romana» e «questione della lingua»*, in «LN», XXXIX, 97-103.

Marazzini 1980a = Giovanni Faldella, *Zibaldone*, a cura di Claudio M., Torino, Centro Studi Piemontesi.

Marazzini 1980b = Claudio M., *Il «sermo sublimis» dell'oggettività nel giovane Gramsci: la scrittura necessitante*, in *Piemonte e letteratura nel '900*, Atti del convegno di studio, Comune di San Salvatore Monferrato, 436-449.

Marazzini 1981 = Claudio M., *Pasolini dopo le «Nuove questioni linguistiche»*, in «Sigma», XIV, f. 2/3, 57-71.

Marazzini 1983 = Claudio M., *Un editore del Cinquecento tra Bembo e il parlar popolare: F. Sansovino ed il vocabolario*, in «SLeI», V, 193-208.

Marazzini 1984 = Claudio M., *Piemonte e Italia. Storia di un confronto linguistico*, Torino, Centro Studi Piemontesi.

Marazzini 1985a = Claudio M., *Per lo studio dell'educazione linguistica nella scuola italiana prima dell'Unità*, in «RID», IX, 69-88.

Marazzini 1985b = Carlo Denina, *Storia delle lingue e polemiche linguistiche. Dai saggi berlinesi 1783-1804*, a cura di Claudio M., Alessandria, Edizioni dell'Orso.

Marazzini 1986 = Claudio M., *De Amicis, Firenze e la questione della lingua*, in *Cent'anni di Cuore*, a cura di Mario Ricciardi e Luciano Tamburini, Torino, Allemandi, 93-102.

Marazzini 1988 = Ludovico Antonio Muratori, *Dell'origine della lingua italiana. Dissertazione XXXII sopra le antichità italiane*, a cura di Claudio M., Alessandria, Edizioni dell'Orso.

Marazzini 1989a = Claudio M., *Storia e coscienza della lingua in Italia dall'Umanesimo al Romanticismo*, Torino, Rosenberg & Sellier.

Marazzini 1989b = Claudio M., *La via del francese: didattica della lingua in Piemonte tra Ancien régime ed età napoleonica*, in *Il Genio delle lingue e le traduzioni nel Settecento in area franco-italiana*, Roma, Istituto dell'Enciclopedia Italiana, 103-113.

Marazzini 1989c = Claudio M., *Galeani Napione di fronte alla «Proposta» di Monti: le fatali conseguenze della divisione dell'Italia*, in «Studi Piemontesi», XVIII, 103-114.

Marazzini 1991 = Claudio M., *Il Piemonte e la Valle d'Aosta* («L'italiano nelle regioni»), Torino, UTET Libreria.

Marazzini 1992 = Claudio M., *Il Piemonte e la Valle d'Aosta*, in Bruni 1992a: 1-44.

Marazzini 1993 = Claudio M., *Storia della lingua italiana. Il secondo Cinquecento e il Seicento*, Bologna, Il Mulino.

Marazzini 1994 = Claudio M., *La lingua italiana. Profilo storico*, Bologna, Il Mulino (nuova ed.: Ivi, 1998).

Marazzini 1997 = Claudio M., *Grammatica e scuola dal XVI al XIX secolo*, in *Norma* 1997: 7-27.

Marazzini 1999a = Claudio M., *Da Dante alla lingua selvaggia. Sette secoli di dibattiti sull'italiano*, Roma, Carocci.

Marazzini 1999b = Claudio M., *Il frammento che cambia la storia*, in «Letture», anno 54°, n. 553, 42-43.

Marazzini 2000 = Claudio M., *Il De vulgari eloquentia nella tradizione linguistica italiana*, in Dante 2000: VII-XXIX.

Marazzini 2001 = Claudio M., *Il perfetto parlare. La retorica in Italia da Dante a Internet*, Roma, Carocci.

Marazzini-Fornara 1999 = Giovanni Francesco Fortunio, *Regole grammaticali della volgar lingua*, a cura di Claudio M. e Simone F., Pordenone, Accademia San Marco – Proporaordenone Editore.

Marcato 1994 = Carla M., *Il gergo*, in *SLIE*: II.757-791.

Marcato-Fusco 1994 = Carla M. – Fabiana F., *Parlare "giovane" in Friuli*, Alessandria, Edizioni dell'Orso.

Marello 1980 = Carla M., *Lessico ed educazione popolare. Dizionari metodici italiani dell'800*, Roma, Armando.

Marello 1982 = Carla M., *Invece di «sciacquare i panni in Arno». I vocabolari d'italiano nell'insegnamento*, in Bertinetto-Ossola 1992: 219-308.

Marello 1984 = Carla M., *Come Carena rispose a Manzoni*, in *L'arte dell'interpretare. Studi critici offerti a Giovanni Getto*, Cuneo, L'Arciere, 533-544.

Marello 1996 = Carla M., *Le parole dell'italiano. Lessico e dizionari*, Bologna, Zanichelli.

Marotti 1974 = Ferruccio M., *Lo spettacolo dall'Umanesimo al Manierismo. Teoria e tecnica*, Milano, Feltrinelli.

Marri 1988-1990 = Fabio M., *Riflessioni sul lessico contemporaneo*, in «LN», XLIX, 57-84, 109-126; L, 15-31, 65-77, 121-124; LI, 19-24.

Marri 1991 = Fabio M., *Scavi nel lessico contemporaneo*, in «LN», LII, 62-73.

Marri 1992 = Fabio M., *Giunte di lessico contemporaneo*, in «LN», LIII, 107-119.

Marri 1994 = Fabio M., *La lingua dell'informatica*, in *SLIE*: II.617-633.

Martelli 1978 = Mario M., *Una giarda fiorentina: il dialogo della lingua attribuito a Niccolò Machiavelli*, Roma, Salerno Editrice.

Martinet 1972 = André M. (a cura di), *La linguistica*, Milano, Rizzoli.

Martino 1923 = Pierre M., *L'«Ouvrage del Grammaire» de Stendhal (1818)*, in «GSLI», LXXXII, 113-156.

Marucci 1979 = Valerio M., *L'autografo di un'opera ignota: le missioni rurali di Paolo Segneri*, in «Filologia e critica», IV, 73-92.

Masini 1977 = Andrea M., *La lingua di alcuni giornali milanesi dal 1859 al 1865*, Firenze, La Nuova Italia.

Masini 1984 = Andrea M., *Le postille tassoniane alla prima Crusca*, in «LN», XLV, 97-106.

Masini 1987 = Masini A., *Neque inutilis censura fuit. Alessandro Tassoni fra prima e seconda Crusca*, in «SLI», XIII, 167-185.

Masini 1990a = Andrea M., *Il neologismo*, in Bonomi *et al.* 1990: 95-307.

Masini 1990b = Andrea M., *Il lessico tecnico e scientifico*, in De Stefanis Ciccone 1990: 547-589.

Masini 1994 = Andrea M., *La lingua dei giornali dell'Ottocento*, in *SLIE*: II.635-665.

Masini 1996 = Alessandro Tassoni, *Postille al primo vocabolario della Crusca*, edizione critica a cura di Andrea M., Firenze, Presso l'Accademia della Crusca.

Massano 1958 = Riccardo M., *Sulla tecnica e sul linguaggio dei lirici marinisti*, in *La critica stilistica e il Barocco letterario*, Atti del secondo Congresso internazionale di studi italiani, Firenze, Le Monnier, 283-301.

Massariello Merzagora 1977 = Giovanna M.M., *Giudeo-Italiano*, Pisa, Pacini.

Matarrese 1983 = Tina M., *Il pensiero linguistico di Alessandro Manzoni*, Padova, Liviana.

Matarrese 1993 = Tina M., *Storia della lingua italiana. Il Settecento*, Bologna, Il Mulino.

Mattioli 1604 = Pietro Andrea M., *Dei discorsi nelli sei libri di Pedacio Dioscoride Anazarbeo della materia medicinale*, 2 voll., Venezia, Bartolomeo degli Alberti (I ed. 1544).

Mazzatosta-Volpi 1980 = Teresa Maria M. – Claudio V., *L'Italietta fascista (lettere al potere 1936-1943)*, Bologna, Cappelli.

McCrum *et al.* 1992 = Robert McCrum – William Cran – Robert MacNeil, *La storia delle lingue inglesi*, trad. italiana di Elena Ferrari, Bologna, Zanichelli.

Medici 1977 = Mario M., *Analisi dell'espressione pubblicitaria*, in *SLI* 1977: 221-226.

Meillet 1933 = Antoine M., *Esquisse d'une histoire de la langue latine*, Paris, Hachette.

Menarini 1955 = Alberto M., *Il cinema nella lingua, la lingua nel cinema*, Milano-Roma, Ed. F.lli Bocca.

Mengaldo 1963 = Pier Vincenzo M., *La lingua del Boiardo lirico*, Firenze, Olschki.

Mengaldo 1971 = Rustico Filippi, *Sonetti*, a cura di Pier Vincenzo M., Torino, Einaudi.

Mengaldo 1978 = *Poeti italiani del Novecento*, a cura di Pier Vincenzo M., Milano, Mondadori.

Mengaldo 1994 = Pier Vincenzo M., *Storia della lingua italiana. Il Novecento*, Bologna, Il Mulino.

Mercuri 1993 = Roberto M., *Comedìa di Dante Alighieri*, in Asor Rosa 1993: 211-329.

Metzeltin 1992 = Michele M., *La Dalmazia e l'Istria*, in Bruni 1992a: 316-335.

Metzeltin 1993 = Michele M., *Le lingue romanze*, in Banfi 1993a: 41-90.

Meyer-Lübke 1979 = Wilhelm M.-L., *Grammatica storica della lingua italiana e dei dialetti toscani*, riduzione e traduzione di Matteo Bartoli e Giacomo Braun, con aggiunte dell'Autore e di Ernesto Giacomo Parodi, Torino, Loescher (rist. anastatica della II ed.).

Migliorini 1927 = Bruno M., *Dal nome proprio al nome comune. Studi semantici sul mutamento dei nomi propri di persona in nomi comuni negl'idiomi romanzi*, Genève, Olschki.

Migliorini 1941 = Bruno M., *La lingua nazionale. Avviamento allo studio della grammatica e del lessico italiano per la scuola media*, Firenze, Le Monnier.

Migliorini 1948 = Bruno M., *Lingua e cultura*, Roma, Tumminelli.

Migliorini 1957 = Bruno M., *Saggi linguistici*, Firenze, Sansoni.

Migliorini 1975 = Bruno M., *Cronologia della lingua italiana*, Firenze, Le Monnier.

Migliorini 1978 = Bruno M., *Storia della lingua italiana*, V ed., Firenze, Sansoni (I ed. 1960).

Migliorini 1988 = Bruno M., *Storia della lingua italiana*, introduzione di Ghino Ghinassi, 2 voll., Firenze, Sansoni.

Migliorini 1990 = Bruno M., *La lingua italiana del Novecento*, a cura di Massimo L. Fanfani, con un saggio introduttivo di Ghino Ghinassi, Firenze, Casa editrice Le Lettere (comprende i due volumi migliorianiani *Saggi sulla lingua del Novecento*, 1938, II ed. 1939, III ed. 1943, e *Saggi sulla lingua del Novecento* del 1941, II ed. 1942, III ed. 1963).

Migliorini 1994 = Bruno M., *Storia della lingua italiana*, introduzione di Ghino Ghinassi, Milano, Bompiani.

Migliorini-Baldelli 1964 = Bruno M. – Ignazio B., *Breve storia della lingua italiana*, Firenze, Sansoni.

Milani 2000 = Marisa M., *El pì bel favelare del mondo. Saggi ruzzantiani*, a cura di Ivano Paccagnella, Padova, Esedra Editrice.

Minesi 1980 = Emanuela M., *Osservazioni sul linguaggio del «Torrismondo»*, in «Studi Tassiani», XXVIII, 73-112.

Mini 1994 = Guido M., *Parole senza frontiere. Dizionario delle parole straniere in uso nella lingua italiana*, rilettura e uniformazione redazionale a cura di Fabio Rizzi, Bologna, Zanichelli.

Mioni 1979 = Alberto M. M., *La situazione sociolinguistica italiana: lingua, dialetti, italiani regionali*, in Colombo 1979: 100-114.

Mioni 1993 = Alberto M. M., *Fonetica e fonologia*, in *IIC* 1993: I.101-139.

Modigliani 1904 = Ettore M., *Il Canzoniere di Francesco Petrarca riprodotto letteralmente dal Cod. Vat. lat. 3195*, Roma, Società Filologica Romana.

Monaci 1912 = Ernesto M., *Crestomazia italiana dei primi secoli con prospetto grammaticale e glossario*, Città di Castello, Lapi.

Montanari-Peirone 1975 = Fausto Montanari – Luigi Peirone, *Lineamenti di storia della lingua italiana*, Firenze, Le Monnier.

Monterosso 1972 = Alessandro Manzoni, *Scritti linguistici*, a cura di Ferruccio M., Milano, Edizioni Paoline.

Monteverdi 1948 = Angelo M., *Testi volgari italiani dei primi tempi*, II ed., Modena, STEM-Mucchi.

Morgana 1991 = Federico Borromeo, *Osservationi sopra le novelle. Avertimenti per la lingua toscana*, testi inediti a cura di Silvia M., Cinisello Balsamo (Mi), Edizioni Paoline-Biblioteca Ambrosiana.

Morgana 1994 = Silvia M., *L'influsso francese*, in *SLIE*: III.671-719.

Morgana 2000 = Silvia M., *Parini e la lingua italiana dai Trasformati a Brera*, in *L'amabil rito. Società e cultura nella Milano di Parini*, «Quaderni di Acme» 45, Milano, Cisalpino – Istituto Editoriale Universitario, 347-370.

Morgana 2001 = Silvia M., *Fasi dell'elaborazione del «Proemio» ascoliano. Dall'aula dell'Accademia scientifico-letteraria alle pagine dell'«Archivio Glottologico italiano»*, in *Milano e l'Accademia scientifico-letteraria - Studi in onore di Maurizio Vitale*, a cura di Gennaro Barbarisi, Enrico Decleva, Silvia M., Milano, Cisalpino – Istituto Editoriale Universitario, tomo I, pp. 261-378.

Morgana *et alii* 2001 = *Prose della volgar lingua di Pietro Bembo*, a cura di Silvia M., M. Piotti, M. Prada, Milano, Cisalpino Istituto Editoriale Universitario – Monduzzi Editore S.p.a.

Morpurgo Davies 1996 = Anna M.D., *La linguistica dell'Ottocento*, Bologna, Il Mulino.

Mortara Garavelli 1975 = Daniello Bartoli, *La Cina*, a cura di Bice M.G., Milano, Bompiani.

Mortara Garavelli 1977 = Bice M.G. (a cura di), *Letteratura e linguistica*, Bologna, Zanichelli.

Mortara Garavelli 1979-1980 = Bice M.G., *Scrittura popolare: un quaderno di memorie del XVII secolo*, in «RID», III-IV, 149-180.

Mortara Garavelli 1982 = Daniello Bartoli, *La selva delle parole*, ed. a cura di Bice M.G., Parma, Università di Parma-Regione Emilia-Romagna.

Mortara Garavelli 1989 = Bice M.G., *Manuale di retorica*, Milano, Bompiani.

Mortara Garavelli 1995 = Bice M.G., *Ricognizioni. Retorica, grammatica, analisi di testi*, Napoli, Morano Editore.

Mounin 1968 = Georges Mounin, *Storia della linguistica dalle origini al XX secolo*, Milano, Feltrinelli, trad. dal francese di Maria Maglione (I ed. francese Paris, 1967).

Muliačić 1972 = Žarco M., *Fonologia della lingua italiana*, Bologna, Il Mulino.

Mura Porcu 1982 = Anna M.P., *Note sulla grafia del Vocabolario degli accademici della Crusca*, in «SLeI», IV, 335-361.

Mura Porcu 1990 = Anna M.P., *Il Dizionario universale della lingua italiana. F. D'Alberti di Villanuova*, Roma, Bulzoni.

Nencioni 1983a = Giovanni N., *Di scritto e di parlato. Discorsi linguistici*, Bologna, Zanichelli.

Nencioni 1983b = Giovanni N., *Tra grammatica e retorica. Da Dante a Pirandello*, Torino, Einaudi.

Nencioni 1988 = Giovanni N., *La lingua dei Malavoglia e altri scritti di prosa, poesia e memoria*, Napoli, Morano.

Nencioni 1989 = Giovanni N., *Saggi di linguistica antica e moderna*, Torino, Rosenberg & Sellier.

Nencioni 1993 = Giovanni N., *Storia della lingua italiana. La lingua di Manzoni. Avviamento alle prose manzoniane*, Bologna, Il Mulino.

Nicolai 1982 = Giorgio M. N., *Le parole russe. Storia, costume e società della Russia attraverso i termini più tipici della sua lingua*, Roma, Bulzoni.

Nicolodi-Trovato 1994 = Fiamma N. – Paolo T. (a cura di), *Le parole della musica. I. Studi sulla lingua della letteratura musicale in onore di Gianfranco Folena*, Firenze, Olschki.

Nicolodi-Trovato 2000 = Fiamma N. – Paolo T. (a caura di), *Le parole della musica. III. Studi di lessicologia musicale*, Firenze, Olschki.

Norma 1997 = *Norma e lingua in Italia: alcune riflessioni fra passato e presente*, incontro di studio del 16 maggio 1996, Milano, Istituto lombardo di Scienze e lettere.

Orioles 1984 = Vincenzo O., *Su alcune tipologie di russismi in italiano*, Udine, Università degli Studi di Udine – Istituto di glottologia e Filologia classica.

Orioles 1987-1988 = Vincenzo O., *Per un nuovo* corpus *dei russismi in italiano*, in «Incontri linguistici», XII, 65-72.

Orioles 1990 = Vincenzo O., *Lingua e cultura russa in Italia prima della rivoluzione d'ottobre*, in *Studi in memoria di Ernesto Giammarco*, Pisa, Giardini, 251-270.

Orlando 1981 = Sandro O. (a cura di), *Rime dei memoriali bolognesi. 1279-1300*, Torino, Einaudi.

Orlando 1993 = Sandro O., *Manuale di metrica italiana*, Milano, Bompiani.

Orlando 1999 = Sandro O., *La poesia dei siciliani e la lezione dei memoriali bolognesi*, in Coluccia-Gualdo 1999, 29-38.

Pacca-Paolino 1996 = Francesco Petrarca, *Trionfi, Rime estravaganti, Codice degli abbozzi*, a cura di Vinicio P. e Laura P., Introduzione di Marco Santagata, Milano, Mondadori.

Paccagnella 1979 = Ivano P., *Le macaronee padovane. Tradizione e lingua*, Padova, Antenore.

Paccagnella 1983 = Ivano P., *Plurilinguismo letterario: lingua, dialetti, linguaggi*, in *LI*, II: *Produzione e consumo*, Torino, Einaudi, 103-167.

Paccagnella 1984 = Ivano P., *Il fasto delle lingue. Plurilinguismo letterario nel Cinquecento*, Roma, Bulzoni.

Paccagnella-Cortelazzo 1981 = Ivano P. – Michele A. Cortelazzo, *La lingua politica in Italia: linee di ricerca*, in «Beiträge zur Romanischen Philologie», XX, 235-244.

Panciera 1990 = Lucia P., *I barbarismi nelle polemiche secentesche sulla lingua dell'«Adone»*, in «SLI», XVI, 54-79.

Panigarola 1609 = Francesco P., *Il predicatore, overo parafrase, commento e discorsi intorno al libro Dell'elocutione di Demetrio Falereo*, 2 voll., Venezia, Giunti-Ciotti e Compagni.

Panizza 1996 = Giorgio P. (a cura di), *Giordani letterato*, Seconda giornata piacentina di studi, Piacenza, Tip.Le.Co.

Panvini 1962 = Bruno P., *Le rime della scuola siciliana*, vol. I, Firenze, Olschki.

Paoli 1959 = Ugo Enrico P., *Il latino maccheronico*, Firenze, Le Monnier.

Paolino 1996 = Laura P., *Il codice Vaticano Latino 3196*, in Pacca-Paolino 1996, 755-889.

Parlangèli 1971 = Oronzo P., *La nuova questione della lingua*, Paideia, Brescia.

Parodi 1974 = *Gli atti del primo vocabolario*, editi da Severina P., Firenze, Sansoni-Accademia della Crusca.

Parodi 1984 = Severina P., *Fortuna lessicografica di Galileo*, in «SLeI», VI, 233-257.

Parole straniere 1996 = *Le parole straniere dello Zingarelli*, Bologna, Zanichelli.

Pasolini 1972 = Pier Paolo P., *Empirismo eretico*, Milano, Garzanti.

Pasquali 1985 = Giorgio P., *Lingua nuova e lingua antica. Saggi e note*, a cura di Gianfranco Folena, Firenze, Le Monnier.

Passerini 1912 = G. Lando Passerini, *Il vocabolario della poesia dannunziana*, Firenze, Sansoni.

Patota 1987 = Giuseppe P., *L'«Ortis» e la prosa del secondo Settecento*, Firenze, Presso l'Accademia della Crusca.

Patota 1993 = Giuseppe P., *I percorsi grammaticali*, in SLIE: I.93-137.

Patota 1996 = Leon Battista Alberti, *«Grammatichetta» e altri scritti sul volgare*, a cura di Giuseppe P., Roma, Salerno.

Patota 1999 = Giuseppe P., *Lingua e linguistica in Leon Battista Alberti*, Roma, Bulzoni.

Patota 2002 = Giuseppe P., *Lineamenti di grammatica storica dell'italiano*, Bologna, Il Mulino.

Pavese 1970 = Renzo P., *Aspetti del Redi prosatore*, in *Da Dante al Novecento. Studi critici offerti dagli scolari a Giovanni Getto nel suo ventesimo anno di insegnamento universitario*, Milano, Mursia, 346-366.

Peirone 1971 = Luigi P., *Una raccolta di grammatiche del Cinquecento*, in «LN», XXXII, 7-10.

Pellegrini 1972 = Giovan Battista P., *Gli arabismi nelle lingue neolatine, con speciale riguardo all'Italia*, Brescia, Paideia.

Pellegrini 1975 = Giovan Battista P., *Saggi di linguistica italiana*, Torino, Boringhieri.

Pellegrini 1977 = Giovan Battista P., *Carta dei Dialetti d'Italia*, Pisa, Pacini.

Pellegrini 1990 = Giovan Battista P., *Tra italiano regionale e coinè dialettale*, in Cortelazzo-Mioni 1990: 5-26.

Pennisi 1980 = Antonino P., *Filosofia del linguaggio e filosofia civile nel pensiero di A. Genovesi*, in «Le forme e la storia», I, 321-380.

Pennisi 1987 = Antonino P., *La linguistica dei mercatanti. Filosofia linguistica e filosofia civile da Vico a Cuoco*, Napoli, Guida.

Petrilli 1992 = Raffaella P., *Minoranze e alloglotti*, in *SLI* 1992: 97-106.

Petrocchi 1994 = Dante Alighieri, *La commedia secondo l'antica vulgata*, a cura di Giorgio P., 4 voll. (seconda ristampa riveduta), Firenze, Casa Editrice Le Lettere.

Petrolini 1980 = Giorgio Franchi da Berceto, *Nove. Diario di un paese dell'Appennino (1544-1557)*, ed. a cura di Giovanni P., Parma, La Pillotta.

Petrolini 1981-1984 = Giovanni P., *Un esempio d'«italiano» non letterario del pieno Cinquecento*, in «L'Italia dialettale», XLIV (1981), 21-117 e XLVII (1984), 25-109.

Petrucci 1978 = Armando P., *Scrittura, analfabetismo ed educazione grafica nella Roma del primo Cinquecento: da un libretto di conti di Maddalena pizzicarola in Trastevere*, in «Scrittura e civiltà», 2, 163-207.

Petrucci 1982 = Armando P., *Scrittura e popolo nella Roma barocca (1585-1721)*, Roma, Quasar.

Petrucci 1989 = Armando P., *Breve storia della scrittura latina*, Roma, Bagatto libri [nuova edizione: 1992].

Pfister 1992a = Max P., *Replica*, in Coluccia 1992: 39-43.

Pfister 1992b = Max P., *Lessicologia e lessicografia*, in *SLI* 1992: 293-308.

Piotti 1998 = Mario P., *«Un poco grossetto di loquella». La lingua di Niccolò Tartaglia. La «Nova scientia» e i «Quesiti et inventioni diverse»*, LED – Edizioni Universitarie di Lettere Economia Diritto, Milano.

Pisani 1975 = Vittore P., *Testi latini arcaici e volgari con commento glottologico*, III ed. riveduta, Torino, Rosenberg & Sellier.

Pistarino 1964 = Geo P., *Le iscrizioni ferraresi del 1135*, in «Studi medievali», V, 66-160.

Pistolesi 1997 = Elena P., *Il visibile parlare di IRC (Internet Relay Chat)*, in «Quaderni del Dipartimento di Linguistica», Università di Firenze, 8, 213-246.

Pistolesi 2001 = Elena P., *Con Dante attraverso il Cinquecento: il De vulgari eloquentia e la Questione della lingua*, in «Rinascimento», LX, 269-296.

Poccetti-Poli-Santini 1999 = Paolo P., Diego P., Carlo S., *Una storia della lingua latina*, Roma, Carocci.

Poggi Salani 1969 = Teresa P.S., *Il lessico della «Tancia» di Michelangelo Buonarroti il Giovane*, Firenze, La Nuova Italia.

Poggi Salani 1974 = Lorenzo Magalotti, *Relazione della China*, a cura di Teresa P.S., Milano, Adelphi.

Poggi Salani 1982 = Teresa P.S., *Sulla definizione d'italiano regionale*, in *Lingua* 1982: 113-134.

Poggi Salani 1986 = Teresa P.S., *Venticinque anni di lessicografia italiana delle origini*, in Ramat *et al.* 1986: 51-83.

Poggi Salani 1987 = Teresa P.S., *Dal «Fermo e Lucia» ai «Promessi Sposi»: riconsiderando il primo capitolo (persona, tempo-spazio e altro)*, in *ACIM* 1987: 285-304.

Poggi Salani 1990 = Teresa P.S., *Italiano regionale del passato: questioni generali e casi particolari*, in Cortelazzo-Mioni 1990: 327-354.

Poggi Salani 2001 = Teresa P.S., *L'«intensa vita della lingua». Sentire e lingua del Proemio ascoliano*, in Bongrani *at alii* 2001: 289-312.

Poggiogalli 1999 = Danilo P., *La sintassi nelle grammatiche del Cinquecento*, Firenze, Presso l'Accademia [della Crusca].

Poli 1989-1990 = Diego P., *Politica linguistica e strategie della comunicazione gesuitiche in Matteo Ricci*, in «Annali della Facoltà di Lettere e Filosofia dell'Università di Macerata», II, 459-483.

Poli 1999 = Diego P., *Il latino tra formalizzazione e pluralità*, in Poccetti-Poli-Santini 1999: 377-431.

Poma 1964 = Torquato Tasso, *Discorsi dell'arte poetica e del poema eroico*, a cura di Luigi P., Bari, Laterza.

Poma-Stella 1974 = Alessandro Manzoni, *Della lingua italiana*, a cura di Luigi P. e Angelo S., Milano, Mondadori.

Porro 1973 = Marzio P., *I linguaggi della scienza e della tecnica*, in Beccaria 1973b: 181-206.

Porta 1979 = Anonimo romano, *Cronica*, ed. critica a cura di Giuseppe P., Milano, Adelphi.

Pozzi 1972-1973 = Giovanni Francesco Fortunio, *Regole grammaticali della volgar lingua*, a cura di Mario P. (dispense universitarie), s.l.

Pozzi 1975a = Mario P., *Lingua e cultura del Cinquecento*, Padova, Liviana.

Pozzi 1975b = Mario P., *Ancora sul «Discorso o dialogo» di Machiavelli*, in «GSLI», CLII, 481-516.

Pozzi 1988 = Mario P. (a cura di), *Discussioni linguistiche del Cinquecento*, Torino, UTET.

Pozzi 1989 = Mario P., *Lingua, cultura, società. Saggi sulla letteratura italiana del Cinquecento*, Alessandria, Edizioni dell'Orso.

Pozzi G. 1954 = Giovanni P., *Saggio sullo stile dell'oratoria sacra nel Seicento esemplificata sul P. Emmanuele Orchi*, Roma, Institutum Historicum Ordinis Fratrum Minorum Cap.

Pozzi G. 1960 = Giovanbattista Marino, *Dicerie sacre e la strage de gl'innocenti*, a cura di Giovanni P., Torino, Einaudi.

Pozzi G. 1993 = Giovanni P., *Il Cantico di Frate Sole di San Francesco*, in Asor Rosa 1993: 3-26.

Pozzi-Ciapponi 1980 = Francesco Colonna, *Hypnerotomachia Poliphili*, ed. critica e commento a cura di Giovanni P. e Licia A.C., 2 voll., ristampa anastatica con correzioni, Padova, Antenore.

Prada 2000 = Massimo P., *La lingua dell'epistolario volgare di Pietro Bembo*, Genova, Name.

Praz 1966 = Mario P., *D'Annunzio e l'«amor sensuale della parola»*, in Id., *La carne, la morte e il diavolo nella letteratura romantica*, Firenze, Sansoni, 401-456.

Puliatti 1975 = Alessandro Tassoni, *Scritti inediti*, a cura di Piero P., Modena, Aedes Muratoriana.

Puliatti 1979 = Pietro P., *Alessandro Tassoni e l'uso del latino*, in «SS», XX, 3-42.

Puliatti 1985 = Pietro P., *Il pensiero linguistico del Tassoni e la Crusca*, in «SS», XXVI, 3-23.

Puliatti 1986 = Alessandro Tassoni, *Pensieri e scritti preparatori*, a cura di Pietro P., Modena, Panini.

Puppo 1966 = Mario P. (a cura di), *Discussioni linguistiche del Settecento*, II ed. riveduta, Torino, UTET.

Quarantotto 1994 = Claudio Q., *Dizionario della musica Poo & Rock*, Tascabili Economici Newton.

Quondam 1981 = Amedeo Q. (a cura di), *Le «carte messaggiere». Retorica e modelli di comunicazione epistolare: per un indice dei libri di lettere del Cinquecento*, Roma, Bulzoni.

Quondam 1983 = Amedeo Q., *La letteratura in tipografia*, in *LI*: II.555-686.

Radtke 1992 = Edgar R., *Varietà dell'italiano*, in *SLI* 1992: 59-74.

Radtke 1993 = Edgar R., *Varietà giovanili*, in *IIC* 1993: II.191-235.

Raffaelli 1973 = Sergio R., *Semantica tragica di Federico Della Valle*, Padova, Liviana.

Raffaelli 1978 = Sergio R., *Cinema, film, regia. Saggi per una storia linguistica del cinema italiano*, Roma, Bulzoni.

Raffaelli 1983a = Sergio R., *Il dialetto nel cinema in Italia (1896-1983)*, in «RID», VII, 13-96.

Raffaelli 1983b = Sergio R., *Le parole proibite. Purismo di stato e regolamentazione della pubblicità in Italia (1812-1945)*, Bologna, Il Mulino.

Raffaelli 1987 = Sergio R., *Sull'iscrizione di San Clemente. Un consuntivo con integrazioni*, in Sabatini-Raffaelli-D'Achille 1987: 35-66.

Raffaelli 1991 = Sergio R., *La didascalia italiana*, in *Sperduto nel buio. Il cinema muto italiano e il suo tempo (1905-1930)*, a cura di Renzo Renzi, Bologna, Cappelli, 81-86.

Raffaelli 1992 = Sergio R., *La lingua filmata. Didascalie e dialoghi nel cinema italiano*, Firenze, Le Lettere.

Raffaelli 1993 = Sergio R., *Il cinema nella lingua di Pirandello*, Roma, Bulzoni.

Raicich 1981 = Marino R., *Scuola cultura e politica da De Sanctis a Gentile*, Pisa, Nistri-Lischi.

Raicich 1996 = Marino R., *Di grammatica in retorica. Lingua scuola editoria nella Terza Italia*, Roma, Archivio Guido Izzi.

Raimondi 1961 = Ezio R., *Letteratura barocca. Studi sul Seicento italiano*, Firenze, Olschki.

Ramat *et al.* 1986 = Paolo R. *et al.*, *The History of Linguistics in Italy*, Amsterdam-Philadelphia, Benjamins.

Rando 1987 = Gaetano R., *Dizionario degli anglicismi nell'italiano postunitario*, Presentazione di Luca Serianni, Firenze, Olschki.

Rando 1990 = Gaetano R., *Capital gain, lunedì nero, money manager e altri anglismi recentissimi del linguaggio economico-borsistico-commerciale*, in «LN», LI, 50-66.

Renzi 1966 = Lorenzo R., *Parole di caserma*, in «LN», XXVII, 87-94.

Renzi 1967 = Lorenzo R., *La lingua di caserma oggi*, in «LN», XXVIII, 24-31.

Renzi 1976 = Lorenzo R., *Introduzione alla filologia romanza*, Bologna, Il Mulino.

Renzi 1981 = Lorenzo R., *La politica linguistica della Rivoluzione francese. Studio sulle origini del Giacobinismo linguistico*, Napoli, Liguori.

Renzi 1988-1995 = *Grande grammatica italiana di consultazione*, a cura di Lorenzo R., Giampaolo Salvi, Anna Cardinaletti, 3 voll., Bologna, Il Mulino.

Renzi 2000 = Lorenzo R., *Le tendenze dell'italiano contemporaneo. Note sul cambiamento linguistico nel breve periodo*, in «SLI», XVII, 279-319.

Renzi-Cortelazzo 1977 = Lorenzo R. – Michele A. C. (a cura di), *La lingua italiana oggi: un problema scolastico e sociale*, Bologna, Il Mulino.

Ricci 1992 = Antonio R., *L'invenzione del comico: i ferri del mestiere* (testimonianza), in Banfi-Sobrero 1992: 205-209.

Ricci 1999 = Laura R. (a cura di), *La redazione manoscritta del* Libro de natura de amore *di Mario Equicola*, Roma, Bulzoni.

Richardson 2001 = Giovan Francesco Fortunio, *Regole Grammaticali della Volgar Lingua*, a cura di Brian R., Padova, Antenore.

Rizzolatti 1996 = Piera R., *Di ca da l'aga. Itinerari linguistici nel Friuli Occidentale*, Pordenone, Edizioni Concordia Sette.

Robins 1981 = Robert H. R., *Storia della linguistica*, nuova ed., Bologna, Il Mulino (trad. dall'inglese di Giacomo Prampolini; I ed. inglese London, 1967).

Roggia 2001 = Carlo Enrico R., *La materia e il lavoro. Studio linguistico sul Poliziano «minore»*, Firenze, presso l'Accademia della Crusca.

Rohlfs 1966-1969 = Gerhard R., *Grammatica storica della lingua italiana e dei suoi dialetti*, 3 voll., Torino, Einaudi (si cita per paragrafo, non per numero di pagina).

Rohlfs 1972 = Gerhard R., *Studi e ricerche su lingua e dialetti d'Italia*, introduzione di Franco Fanciullo, Firenze, Sansoni.

Romboli 1979 = Floriano R., *Aspetti del linguaggio poetico del Tasso*, in «Critica Letteraria», VII, 631-651.

Roncaglia 1965 = Aurelio R., *Le origini*, in *Storia della letteratura italiana*, diretta da Emilio Cecchi e Natalino Sapegno, vol. I, Milano, Garzanti, 1-269.

Ronga 1957 = Luigi R., *Tasso e la musica*, in *Tasso* 1957, 187-207.

Rosiello 1967 = Luigi R., *Linguistica illuminista*, Bologna, Il Mulino.

Rossebastiano 1979 = Alda R., *Il «libro di maneggio» di casa Radicati (anni 1755-60). Rilievi lessicali*, in «Studi Piemontesi», VIII, 134-152.

Rossebastiano 1980 = Alda R., *Lessico rustico settecentesco da un «Libro di maneggio» di casa Radicati*, in «Studi Piemontesi», IX, 388-402.

Rossi 1970 = Annabella R., *Lettere da una tarantata*, Bari, De Donato.

Rossi 1984 = Adriana R., *I nomi dei pesci, dei crostacei e dei molluschi nei trattati cinquecenteschi in volgare di culinaria, dietetica e medicina*, in «SLeI», VI, 67-232.

Rossi 1999 = Fabio R., *Le parole dello schermo. Analisi linguistica del parlato di sei film dal 1948 al 1957*, Roma, Bulzoni.

Rovere 1977 = Giovanni R. (a cura di), *Testi di italiano popolare*, Roma, Centro studi sull'emigrazione.

Ruggieri 1944-1945 = Ruggero Maria R., *Aspetti linguistici della polemica tassesca*, in «LN», VI, 44-51.

Rusconi 1981 = Renato R., *Predicatori e predicazione*, in *Storia d'Italia. Annali 4. Intellettuali e potere*, Torino, Einaudi, 951-1035.

Russo 1955 = Luigi R., *Giovanni Verga*, Bari, Laterza.

Russo 1960 = Luigi R., *La letteratura seicentesca e i dialetti*, in «Belfagor», XV, 1-8.

RVF = Francesco Petrarca, *Rerum vulgarium fragmenta* (faccio riferimento, salvo diverse indicazioni, all'ed. del *Canzoniere* con testo critico di Gianfranco Contini [cfr. Contini 1964]).

Sabatini 1966 = Francesco S., *Un'iscrizione volgare romana della prima metà del sec. IX*, in «SLI», VI, 49-80.

Sabatini 1968 = Francesco S., *Il messaggio pubblicitario da slogan a prosa-poesia*, in «Il Ponte», VIII, 1046-1062.

Sabatini 1975 = Francesco S., *Napoli angioina. Cultura e società*, Napoli, Edizioni scientifiche italiane.

Sabatini 1977 = Francesco S., *Storia della lingua italiana*, in *SLI* 1977: 51-106.

Sabatini 1985 = Francesco S., *L'«italiano dell'uso medio»: una realtà tra le varietà linguistiche italiane*, in Holtus-Radtke 1985: 154-184.

Sabatini 1987 = Francesco S., *Un'iscrizione volgare romana della prima metà del secolo IX. Il Graffito della Catacomba di Commodilla*, in Sabatini-Raffaelli-D'Achille 1987: 5-34 [ora, rivisto, in Sabatini 1996: 173-217].

Sabatini 1990 = Francesco S., *«Italiani regionali» e «italiano dell'uso medio»*, in Cortelazzo-Mioni 1990: 75-78.

Sabatini 1996 = Francesco S., *Italia linguistica delle Origini*, saggi editi dal 1956 al 1996 raccolti da Vittorio Coletti, Rosario Coluccia, Paolo D'Achille, Nicola De Blasi, Livio Petrucci, 2 voll. (con numerazione continua), Lecce, Argo.

Sabatini A. 1987 = Alma S., *Il sessismo nella lingua italiana*, con la collaborazione di Marcella Mariani e la partecipazione alla ricerca di Edda Billi e Alda Santangelo, Roma, Commissione Nazionale per la realizzazione della parità tra uomo e donna, Presidenza del Consiglio dei Ministri, Istituto Poligrafico e Zecca dello Stato.

Sabatini-Raffaelli-D'Achille 1987 = Francesco S. – Sergio R. – Paolo D'A., *Il volgare nelle chiese di Roma. Messaggi graffiti, dipinti e incisi dal IX al XVI secolo*, Roma, Bonacci.

Sabbatino 1995 = Pasquale S., *L'idioma volgare. Il dibattito sulla lingua letteraria nel Rinascimento*, Roma, Bulzoni.

Salvatorelli-Mira 1964 = Luigi S. e Giovanni M., *Storia d'Italia nel periodo fascista*, nuova ed., Torino, Einaudi.

Salviati 1809 ss. = Lionardi S., *Opere*, 5 voll., Milano, Dalla Società Tipografica de' Classici Italiani.

Sanga 1980 = Glauco S., *Lettere dei soldati e formazione dell'italiano popolare unitario*, in Fontana S. – Pieretti M., *La Grande Guerra*, Milano, Silvana, 43-65.

Sanga 1992 = Glauco S., *La rima trivocalica. La rima nell'antica poesia italiana e la lingua della Scuola poetica siciliana*, Venezia, il Cardo.

Sanguineti 2000 = Dantis Alagherii, *Comedia*, edizione critica per cura di Federico S., Firenze, Il Galluzzo.

Sansone 1957 = Mario S., *Le polemiche antitassesche della Crusca*, in *Tasso* 1957: 527-574.

Santagata 1996 = Francesco Petrarca, *Canzoniere*, edizione commentata a cura di Marco S., Milano, Mondadori [IV ed.: aprile 2000].

Santagata-Stussi 2000 = *Studi per Umberto Carpi*, a cura di Marco S. e Alfredo S., Pisa, Edizioni ETS.

Santamaria 1981 = Domenico S., *Bernardino Biondelli e la linguistica preascoliana*, Roma, Cadmo.

Santini 1923 = Emilio S., *L'eloquenza italiana dal Concilio tridentino ai nostri giorni*, 2 voll., Milano-Palermo, Sandron.

Savoca 1995 = Giuseppe S., *Vocabolario della poesia italiana del Novecen-

to. *Le concordanze delle poesie di Govoni, Corazzini, Gozzano, Moretti, Palazzeschi, Sbarbaro, Rebora, Ungaretti, Campana, Cardarelli, Saba, Montale, Pavese, Quasimodo, Pasolini, Turoldo*, Bologna, Zanichelli.

Scavuzzo 1994 = Carmelo S., *I latinismi del lessico italiano*, in *SLIE*: II.469-494.

Scherillo 1923 = Michele S., *Manzoni intimo*, vol. II, Milano, Hoepli.

Schiaffini 1954 = *Testi fiorentini del Dugento e dei primi del Trecento*, con introduzione, annotazioni linguistiche e glossario a cura di Alfredo S., Firenze, Sansoni-Accademia della Crusca.

Scrausi 1996 = Accademia degli Scrausi (AA.VV.), *La lingua della canzone italiana negli anni '80 e '90*, Milano, Rizzoli.

Segre 1969 = Cesare S. (a cura di), *Volgarizzamenti del Due e Trecento*, Torino, UTET.

Segre 1974 = Cesare S., *Lingua, stile e società. Studi sulla storia della prosa italiana*, nuova ed. ampliata, Milano, Feltrinelli (I ed. 1963).

Segre 1976 = Cesare S. (a cura di), *Ludovico Ariosto: lingua, stile e tradizione*, Atti del Congresso organizzato dai comuni di Reggio Emilia e di Ferrara, 12-16 ottobre 1974, Milano, Feltrinelli.

Segre 2001 = Cesare S., *Bembo e Ariosto*, in Morgana *et alii* 2001: 1-7.

Segre-Marti 1959 = Cesare S. – Mario M., *La prosa del Duecento*, Milano-Napoli, Ricciardi.

Serianni 1976 = Scipione Bargagli, *Il Turamino ovvero del parlare e dello scriver sanese*, a cura di Luca S., Roma, Salerno Editrice.

Serianni 1984 = Luca S., *La lessicografia*, in Formigari 1984: 111-126.

Serianni 1986 = Luca S., *Il problema della norma linguistica dell'italiano*, in «Annali della Università italiana per stranieri di Perugia», 7, 47-69.

Serianni 1987 = Luca S., *Le varianti fonomorfologiche dei «Promessi Sposi» 1840 nel quadro dell'italiano ottocentesco*, in *ACIM* 1987: 359-371.

Serianni 1988 = Luca S. (con la collaborazione di Alberto Castelvecchi), *Grammatica italiana. Italiano comune e lingua letteraria. Suoni forme costrutti*, Torino, UTET.

Serianni 1989a = Luca S., *Storia della lingua italiana. Il primo Ottocento: dall'età giacobina all'Unità*, Bologna, Il Mulino.

Serianni 1989b = Luca S., *Riflessioni sul romanesco dell'Ottocento*, in De Mauro 1989: 115-138.

Serianni 1990 = Luca S., *Storia della lingua italiana. Il secondo Ottocento: dall'Unità alla prima guerra mondiale*, Bologna, Il Mulino.

Serianni 1992a = Luca S., *Il «LEI» e la lessicografia italiana*, in Coluccia 1992: 21-30.

Serianni 1992b = Luca S., *La lessicografia*, in Bàrberi Squarotti *et al.* 1992: 325-361.

Serianni 1992c = Luca S., *Dizionari di sinonimi vecchi e nuovi*, in «Cultura e scuola», 124, 47-57.

Serianni 1993 = Luca S., *La prosa*, in *SLIE*: I.451-577.

Serianni 1995 = Luca S., *Aspetti sintattici dei volgarizzamenti tacitiani cinque-secenteschi*, in Dardano-Trifone 1995: 139-191.

Serianni 1998 = Luca S., *Lezioni di grammatica storica italiana, Nuova edizione*, Roma, Bulzoni.

Serianni 2000 = Luca S., *Annotazioni sulla lingua di Pietro Giordani*, in *Giordani Leopardi 1998*, Convegno nazionale di studi, Piacenza, Palazzo Farnese, 2-4 aprile 1998, a cura di Roberto Tissoni, Piacenza, TIP.LE.CO., 239-269.

Serianni 2001a = Luca S. (a cura di), *La lingua nella storia d'Italia*, Roma, Società Dante Alighieri.

Serianni 2001b = Luca S., *Introduzione alla lingua poetica italiana*, Roma, Carocci.

Sestito 1999 = Francesco S., *Sulla frequenza dei latinismi nel Cinquecento*, in «SLI», XXV, 161-185.

Sgroi 1990 = Claudio S., *Per la lingua di Pirandello e Sciascia*, Caltanissetta-Roma, Sciascia.

Silvestro 1958 = Francesco Carletti, *Ragionamenti del mio viaggio intorno al mondo*, a cura di Gianfranco S., Torino, Einaudi.

Simioni 1913-1914 = Lorenzo de' Medici, *Opere*, a cura di Attilio S., 2 voll., Bari, Laterza.

Simone 1980 = Raffaele S. (a cura di), *Una lingua per tutti. L'italiano*, Torino, ERI.

Simone 1987 = Raffaele S., *Specchio delle mie lingue*, in «Italiano e oltre», 2, 53-59.

Simone 1990 = Raffaele S., *Fondamenti di linguistica*, Bari, Laterza.

Simonini 1978 = Augusto S., *Il linguaggio di Mussolini*, Milano, Bompiani.

Sirri 1989 = Raffaele S., *Sul teatro del Cinquecento*, Napoli, Morano.

SLI 1977 = Società di Linguistica Italiana, *Dieci anni di linguistica italiana (1965-1975)*, a cura di Daniele Gambarara e Paolo Ramat, Roma, Bulzoni.

SLI 1992 = Società di Linguistica Italiana, *La linguistica italiana degli anni 1976-1986*, a cura di Alberto M. Mioni e Michele A. Cortelazzo, Roma, Bulzoni.

SLI 2002 = Società di Linguistica Italiana, *La linguistica italiana alle soglie del 2000 (1987-1997 e oltre)*, a cura di Cristina Lavinio, Roma, Bulzoni.

SLIE = *Storia della lingua italiana*, sotto la direzione di A. Asor Rosa, a cura di Luca Serianni e Pietro Trifone, 3 voll., Torino, Einaudi, 1993-1994 (vol. I: *I luoghi della codificazione*, 1993; vol II: *Scritto e parlato*, 1994; vol. III: *Le altre lingue*, 1994).

Sobrero 1978 = Alberto A.S., *Borgo, città, territorio: alcuni problemi di metodo nella dialettologia urbana*, in «RID», 2, 9-21.

Sobrero 1993a = Alberto A. S., *Pragmatica*, in *IIC* 1993: I.403-450.

Sobrero 1993b = Alberto A. S., *Lingue speciali*, in *IIC* 1993: II.237-277.

Sobrero-Romanello 1981 = Alberto A. S. – Maria Teresa R., *L'italiano come si parla in Salento*, Lecce, Milella.

Solerti 1904 = Angelo S., *Gli albori del melodramma*, 3 voll., Milano-Palermo-Napoli, Sandron.

Soletti 1993 = Elisabetta S., *[La letteratura in versi]. Dal Petrarca al Seicento*, in *SLIE*: I.611-678.

Soravia 1977 = Giulio S., *Dialetti degli zingari italiani*, Pisa, Pacini.

Sorella 1993 = Antonio S., *La tragedia*, in *SLIE*: I.751-792.

Sorella 1995 = Benedetto Varchi, *L'Hercolano*, edizione critica a cura di Antonio S., presentazione di Paolo Trovato, 2 tomi (con proseguimento di numerazione delle pp.), Pescara, Libreria dell'Università Editrice.

Sorella 1998 = Antonio S. (a cura di), *La textual bibliography e la filo-*

logia degli antichi testi italiani a stampa, Pescara, Libreria dell'Università Editrice.

Sorella 1999 = Sperone Speroni, *Dialogo delle lingue*, edizione condotta sull'autografo a cura e con un'Introduzione di Antonio S., Pescara, Libreria dell'Università Editrice.

Sorella 2001 = Antonio S., *Benedetto Varchi e l'edizione torrentiniana delle* Prose, in Morgana *et alii* 2001: 493-508.

Sorella *et alii* 1999 = Matteo di San Martino, *Le osservationi grammaticali e poetiche della lingua italiana*, a cura di Antonio S., con la collaborazione di Anna Leone, Stefania Martella e Leonarda Matarese, Pescara, Libreria dell'Università Editrice.

Sozzi 1976 = Niccolò Machiavelli, *Discorso o dialogo intorno alla nostra lingua*, ed. critica con introduzione, note e appendice a cura di Bortolo Tommaso S., Torino, Einaudi.

Spezzani 1970 = Pietro S., *L'«arte rappresentativa» di Andrea Perrucci e la lingua della commedia dell'arte*, in Vanossi *et al.* 1970: 355-438.

Spezzani 1997 = *Dalla commedia dell'arte a Goldoni. Studi linguistici*, Padova, Esedra Editrice.

Spitzer 1921 = Leo S., *Italienische Kriegsgefangenenbriefe*, Bonn, Hanstein (ma cito la trad. italiana *Lettere di prigionieri di guerra italiani 1915-1918*, Torino, Boringhieri, 1976).

Spongano 1949 = Raffaele S., *La prosa di Galileo e altri scritti*, Messina-Firenze, D'Anna.

Stäuble 1991 = Antonio S., *«Parlar per lettera». Il pedante nella commedia del Cinquecento e altri saggi sul teatro rinascimentale*, Roma, Bulzoni.

Stella 1973 = Angelo S., *Il linguaggio sportivo*, in Beccaria 1973b: 141-152.

Stella 1976 = Angelo S., *Note sull'evoluzione linguistica dell'Ariosto*, in *Ludovico Ariosto. Lingua, stile e tradizione*, a cura di Cesare Segre, Feltrinelli, Milano, 49-64.

Stoppelli 1987 = Pasquale S. (a cura di), *Filologia dei testi a stampa*, Bologna, Il Mulino.

Stussi 1972 = Alfredo S., *Lingua, dialetto e letteratura*, in *Storia d'Italia*, vol. I: *I caratteri originali*, Torino, Einaudi, 677-728 [ora in Stussi 1993a: 3-63].

Stussi 1982 = Alfredo S., *Studi e documenti di storia della lingua e dei dialetti italiani*, Bologna, Il Mulino.

Stussi 1988 = Alfredo S., *Nuovo avviamento agli studi di filologia italiana*, Bologna, Il Mulino (I ed. 1983, con il titolo di *Avviamento agli studi di filologia italiana*).

Stussi 1990 = Alfredo S., *La tomba di Giratto e le sue epigrafi*, in «Studi mediolatini e volgari», XXXVI, 63-71.

Stussi 1993a = Alfredo S., *Lingua, dialetto e letteratura*, Torino, Einaudi.

Stussi 1993b = Alfredo S., *Storia della lingua italiana: nascita di una disciplina*, in *SLIE*: 5-27.

Stussi 1994 = Alfredo S., *Introduzione agli studi di filologia italiana*, Bologna, Il Mulino.

Stussi 1998 = Alfredo S., *Carlo Goldoni e l'ambiente veneziano*, in *Storia della letteratura italiana*, diretta da Enrico Malato, vol. VI, *Il Settecento*, Roma, Salerno, 877-933.

Stussi 1999a = Alfredo S., *Versi d'amore in volgare tra la fine del secolo XII e l'inizio del XIII*, in «Cultura Neolatina», LIX, fasc. 1-2, 1-68.

Stussi 1999b = Alfredo S., *Il più antico documento di lirica profana in volgare italiano*, in Atti dell'Accademia Lucchese di Scienze, Lettere ed Arti, serie II, tomo XXVIII, a.a. 1998-99, 5-19.

Stussi 2000 = Alfredo S., *Filologia mercantile*, in *Sudi di filologia e letteratura italiana in onore di Gianvito Resta*, vol. I, Roma, Salerno, 269-284.

Stussi 2001 = Alfredo S., *Tracce*, Roma, Bulzoni.

Tafuri 1978 = Manfredo T., *Cesare Cesariano e gli studi vitruviani nel Quattrocento*, in *Scritti rinascimentali di architettura*, Milano, Il Polifilo, 387-437.

Tagliavini 1955 = Carlo T., *Un nome al giorno*, Torino, ERI.

Tagliavini 1972 = Carlo T., *Le origini delle lingue neolatine. Introduzione alla filologia romanza*, VI ed., Bologna, Pàtron.

Tasso 1957 = *Torquato Tasso*, a cura del Comitato per le celebrazioni di Torquato Tasso (Ferrara, 1954), Milano, Marzorati.

Tavoni 1984 = Mirko T., *Latino, grammatica, volgare. Storia di una questione umanistica*, Padova, Antenore.

Tavoni 1992 = Mirko T., *Storia della lingua italiana. Il Quattrocento*, Bologna, Il Mulino.

Tavoni 2000 = Mirko T., *Sulla linguistica comparata di Leopardi*, in Santagata-Stussi 2000: 671-691.

Tekavčić 1972 = Pavao T., *Grammatica storica dell'italiano*, 3 voll., Bologna, Il Mulino.

Telmon 1990 = Tullio T., *Guida allo studio degli italiani regionali*, Alessandria, Edizioni dell'Orso.

Telmon 1992 = Tullio T., *Le minoranze linguistiche in Italia*, Alessandria, Edizioni dell'Orso.

Telmon 1993 = Tullio T., *Varietà regionali*, in IIC 1993: II.92-149.

Telmon 1994 = Tullio T., *Aspetti sociolinguistici delle eteroglossie in Italia*, in SLIE: III.923-950.

Telve 1998 = Stefano T., *Costanti lessicali e semantiche della librettistica verdiana*, in «SleI», XV, 319-437.

Telve 2000 = Stefano T., *Testualità e sintassi del discorso trascritto nelle Consulte e Pratiche fiorentine (1505)*, Roma, Bulzoni.

Terracini 1963 = Benvenuto T., *Libera lingua e libertà linguistica*, Torino, Einaudi.

Terracini 1966 = Benvenuto T., *Analisi stilistica. Teoria, storia, problemi*, Milano, Feltrinelli.

Tesauro 1682 = Emanuele T., *Il cannocchiale aristotelico*, Venezia, Milocho.

Tesi 1994 = Riccardo T., *Dal greco all'italiano. Studi sugli europeismi lessicali d'orgine greca dal Rinascimento ad oggi*, Firenze, Le Lettere.

Tesi 2001 = Riccardo T., *Storia dell'italiano. La formazione della lingua comune dalle origini al Rinascimento*, Bari, Laterza.

Testa 1991 = Enrico T., *Simulazione di parlato. Fenomeni dell'oralità nelle novelle del Quattro-Cinquecento*, Firenze, Accademia della Crusca.

Testa 1997 = Enrico T., *Lo stile semplice. Discorso e romanzo*, Torino, Einaudi.

Timpanaro 1969 = Sebastiano T., *Classicismo e illuminismo nell'Ottocento italiano*, II ed. accresciuta, Pisa, Nistri-Lischi.

Tommaseo = Nicolò Tommaseo – Bernardo Bellini, *Dizionario della lingua italiana*, Torino, Dalla Società l'Unione Tipografico-Editrice, 1865 ss.

Tosi 1995 = Arturo T., *Dalla madrelingua all'italiano. Lingue ed educazione linguistica nell'Italia multietnica*, Firenze, La Nuova Italia Editrice.

Trabalza 1908 = Ciro T., *Storia della grammatica italiana*, Milano, Hoepli (cito dalla ristampa anastatica di Bologna, Forni, 1963).

Trifone 1981 = Pietro T. (a cura di), *I Cantici di Fidenzio con appendice di poeti fidenziani*, Roma, Salerno Editrice.

Trifone 1992a = Pietro T., *Roma e il Lazio*, in Bruni 1992a: 540-593.

Trifone 1992b = Pietro T., *Roma e il Lazio* («L'italiano nelle regioni»), Torino, UTET Libreria.

Trifone 1993 = Pietro T., *La lingua e la stampa nel Cinquecento*, in *SLIE*: 425-446.

Trifone 1996 = Pietro T., *Il linguaggio dei giovani di Pescara*, in «Contributi di Filologia dell'Italia Mediana», X, 231-255.

Trifone M. 1992 = Maurizio T., recensione a Mura Porcu 1990, in «LN», LIII, 92-96.

Trifone M. 1998 = Maurizio T., *Le carte di Battista Frangipane (1471-1500), nobile romano e "mercante di campagna"*, Heidelberg, Winter.

Tropea 1976 = Giovanni T., *Italiano in Sicilia*, Palermo, Aracne.

Trovato 1979 = Paolo T., *Dante in Petrarca. Per un inventario dei dantismi nei «Rerum vulgarium fragmenta»*, Firenze, Olschki.

Trovato 1982 = Niccolò Machiavelli, *Discorso intorno alla nostra lingua*, a cura di Paolo T., Padova, Antenore.

Trovato 1985 = Paolo T., *Dai «Dialogi ad Petrum Histrum» alle «Vite di Dante e del Petrarca». Appunti su Leonardo Bruni e la tradizione trecentesca*, in «Studi petrarcheschi», II, 263-284.

Trovato 1988 = Alberto Acarisio, *Vocabolario, grammatica e ortografia della lingua volgare*, ristampa anastatica dell'ed. di Cento, 1543, a cura di Paolo T., Bologna, Forni.

Trovato 1991 = Paolo T., *Con ogni diligenza corretto. La stampa e le revisioni editoriali dei testi letterari italiani (1470-1570)*, Bologna, Il Mulino.

Trovato 1994 = Paolo T., *Storia della lingua italiana. Il primo Cinquecento*, Bologna, Il Mulino.

Trovato 1998 = Paolo T., *L'ordine dei tipografi. Lettori, stampatori, correttori tra Quattro e Cinquecento*, Roma, Bulzoni.

Vanossi *et al.* 1970 = Luigi V. *et al.*, *Lingua e strutture del teatro italiano del Rinascimento*, in «Quaderni del Circolo filologico-linguistico padovano», 2, Padova, Liviana.

Varanini 1972 = *Laude dugentesche*, introduzione, scelta, note, glossario a cura di Giorgio V., Padova, Antenore.

Varese 1955 = *Prosatori volgari del Quattrocento*, a cura di Claudio V., Milano-Napoli, Ricciardi.

Varese 1957 = Claudio V., *L'Aminta*, in Tasso 1957: 281-341.

Vàrvaro 1981 = Alberto V., *Lingua e storia in Sicilia*, Palermo, Sellerio.

Vàrvaro 1984 = Alberto V., *La parola nel tempo. Lingua, società e storia*, Bologna, Il Mulino.

Vàrvaro 1986 = Alberto V., *Capitoli per la storia linguistica dell'Italia meridionale e della Sicilia. IV: Il Liber visitationis di Atanasio Calceo-pulo (1457-1458)*, in «Medioevo Romanzo», XI, 55-110.

Vàrvaro 1992 = Alberto V., *Il «LEI» e la lessicografia romanza*, in Coluccia 1992: 31-38.

Vecchio 1982 = Sebastiano V., *Il circuito semiotico e la politica. Linguaggio, nazione e popolo nella Rivoluzione francese*, Acireale, Galaeta.

Vecchio 1988 = Sebastiano V., *Una nazione senza lingua. Il sicilianismo linguistico del primo Ottocento*, Palermo, Centro di Studi filologici e linguistici siciliani.

Vecchio 1990 = Sebastiano V., *Democrazia linguistica: il dibattito in Francia e in Italia tra Settecento e Ottocento*, Palermo, Dharba.

Vecchio 2001 = Sebastiano V., *La vera filosofia delle lingue. Manzoni linguista e semiologo*, Caltanissetta-Roma, Salvatore Sciascia Editore.

Vedovelli 1992 = Massimo V., *I nuovi alloglotti*, in SLI 1992: 107-128.

Vedovelli 1993 = Massimo V., *Note per una sociolinguistica dei movimenti migratori europei*, in Banfi 1993b: 1-34.

Vegezzi-Ruscalla 1862 = Giovenale Vegezzi-Ruscalla, *Colonia piemontese in Calabria. Studio etnografico*, estratto da «Rivista contemporanea», 1-33.

Vela 2001 = Pietro Bembo, *Prose della volgar lingua. L'editio princeps del 1525 riscontrata con l'autografo Vaticano latino 3210*, edizione critica a cura di Claudio V., Bologna, CLUEB.

Vian 1991-1993 = Francesca V., *Il lessico politico di Pietro Nenni. Coniazioni, neologismi, retrodatazioni (1921-1945)*, in «LN», LII, 57-62, 118-121; LIII, 25-27, 77-79; LIV, 22-24.

Viano 1976 = Etienne Bonnot de Condillac, *Opere*, trad. di Giorgia Viano, introduzione di Carlo Augusto V., Torino, UTET.

Vidossi 1956 = Giuseppe V., *L'Italia dialettale fino a Dante*, in Viscardi et al. 1956: XXXIII-LXXI.

Vignali 2001 = Luigi V., *Il "Peregrino" di Jacopo Caviceo e il lessico del Quattrocento*, Milano, Unicopli.

Vignuzzi 1982 = Ugo V., *Discussioni e polemiche novecentesche sulla lingua italiana*, in *Letteratura italiana contemporanea*, diretta da G. Mariani e M. Petrucciani, vol. III, Roma, Lucarini, 709-736.

Vignuzzi 1988 = Ugo V., *Chi parla ancora in dialetto?*, in «Italiano e oltre», III, 5, 241-245.

Villa 1971 = Ruggero Bonghi, *Lettere critiche. Perché la letteratura italiana non sia popolare in Italia*, a cura di Edoardo V., Milano, Marzorati.

Vineis 1974 = Edoardo V., *La tradizione grammaticale latina e la grammatica di Leon Battista Alberti*, in *Atti del Convegno internazionale indetto nel V centenario di Leon Battista Alberti*, Roma-Mantova-Firenze, 25-29 aprile 1972, Roma, Accademia Nazionale dei Lincei (Quaderno 209), 289-303.

Viscardi 1947 = Antonio V., *Il problema della costruzione nelle polemiche linguistiche del settecento*, in «Paideia», II, 193-214.

Viscardi et al. 1956 = Antonio V. et al., *Le Origini. Testi latini, italiani, provenzali e franco-italiani*, Milano-Napoli, Ricciardi.

Vitale 1953 = Maurizio V., *La lingua volgare della cancelleria visconteo-sforzesca nel Quattrocento*, Varese-Milano, Istituto editoriale Cisalpino.

Vitale 1978 = Maurizio V., *La questione della lingua*, nuova ed., Palermo, Palumbo.

Vitale 1982 = Maurizio V., *Correnti linguistico-culturali e problemi di lingua nell'Italia del primo Ottocento e la posizione di Stendhal*, in *Stendhal e Milano*, Atti del XIV Congresso Internazionale Stendhaliano, Milano, 19-23 marzo 1980, Firenze, Olschki, 225-262.

Vitale 1983 = Maurizio V., *La lingua volgare della cancelleria sforzesca nell'età di Ludovico il Moro*, in *Milano nell'età di Ludovico il Moro*, Atti del Convegno Internazionale 28 febbraio-4 marzo 1983, Milano, Comune di Milano-Archivio Storico Civico e Biblioteca Trivulziana, pp. 353-386 [ora in Vitale 1988: 167-239].

Vitale 1986 = Maurizio V., *L'oro nella lingua. Contributi per una storia del tradizionalismo e del purismo italiano*, Milano-Napoli, Ricciardi.

Vitale 1988 = Maurizio V., *La veneranda favella. Studi di storia della lingua italiana*, Napoli, Morano.

Vitale 1990 = Alessandro Manzoni, *Scritti linguistici*, a cura di Maurizio V., Torino, UTET.

Vitale 1992a = Maurizio V., *Studi di storia della lingua italiana*, Milano, LED - Edizioni Universitarie di Lettere Economia Diritto.

Vitale 1992b = Maurizio V., *La lingua della prosa di G. Leopardi: le «Operette morali»*, Firenze, La Nuova Italia.

Vitale 1992c = Maurizio V., *La lingua di Alessandro Manzoni. Giudizi della critica ottocentesca sulla prima e seconda edizione dei «Promessi Sposi» e le tendenze della prassi correttoria manzoniana*, Milano, Istituto Editoriale Universitario Cisalpino.

Vitale 1996 = Maurizio V., *La lingua del Canzoniere ("Rerum vulgarium fragmenta") di Francesco Petrarca*, Padova, Antenore.

Zamboni 2000 = Alberto Z., *Alle origini dell'italiano. Dinamiche e tipologie della transizione dal latino*, Roma, Carocci.

Zampa 1976 = Italo Svevo – Eugenio Montale, *Carteggio con gli scritti di Montale su Svevo*, a cura di Giorgio Z., Milano, Mondadori.

Zolli 1973 = Paolo Z., *Bibliografia dei dizionari specializzati italiani del XIX secolo*, Firenze, Olschki.

Zolli 1974 = Paolo Z., *Saggi sulla lingua italiana dell'Ottocento*, Pisa, Pacini.

Zolli 1986 = Paolo Z., *Le parole dialettali*, Milano, Rizzoli.

Zolli 1991 = Paolo Z., *Le parole straniere*, II ed., Bologna, Zanichelli.

Indici

L'indice degli argomenti comprende le questioni, gli argomenti e i temi trattati nel libro, oltre ai nomi geografici citati (il rinvio alle località è accompagnato, ove necessario, dall'indicazione della sigla della provincia) e alle parole tecniche della fonetica, della metrica, della retorica ecc. Il rimando è al capitolo (in numero romano), seguito dal paragrafo e dal sottoparagrafo (in numeri arabi). Tra parentesi sono poste indicazioni supplementari relative al contenuto dei rinvii.

L'indice delle parole comprende le parole, i suffissi e i prefissi citati nel testo. Si rinvia al capitolo (indicato in numero romano), al paragrafo e al sottoparagrafo (in numeri arabi).

Nell'indice dei nomi il rinvio è alla pagina. È stata esclusa dagli spogli la sezione «Riferimenti bibliografici», pp. 473 ss.

L'indice dei nomi e l'indice delle parole sono a cura di Simone Fornara.

Indice delle figure, degli schemi e delle tavole

lei (allocutivo di rispetto), XIII.2.1 (battaglia fascista contro il *lei*)

lessico, *vedi* arcaismi, architettura e lingua italiana, caccia con il falcone (terminologia della), cavallo (terminologia equestre), chimica (linguaggio della), composizione del lessico italiano, cultismi, desinenze, determinato-determinante, esotismi, giornali (lingua dei), informatica (terminologia dell'), lingua della scienza, linguaggi settoriali, linguaggio giovanile, neologismi, parole-macedonia, politichese, politico (linguaggio), prestiti, sinistrese, tecnicismi scientifici, sinonimie, suffissi

lessicografia, I.3.2, II.5.1, II.6, III.3.2, III.8.1, III.8.2 (primi vocabolari italiani), VIII.3.4 (*Vocabolista* del Pulci), IX.3.2 (lessici a stampa nel Cinquecento), X.1 (Crusca), XI.3 (nella teoria di Cesarotti), XII.1 (Purismo e l.), XII.2 (Classicismo e l.), XII.4 (realizzazioni lessicografiche del sec. XIX), XII.4.2 e XII.4.4 (sinonimi), XII.4.3 (vocabolario manzoniano), XII.4.4 (dizionari metodici), XII.4.5 (vocabolari dialettali), XIII.2.2 (vocabolario dell'Accademia d'Italia); *vedi anche* Accademia della Crusca, etimologia

letteratura dialettale 'spontanea' e 'riflessa', III.1.3, X.9.1

letteratura e lingua, *vedi* lingua letteraria

letteratura religiosa, III.4.3, VIII.4; *vedi anche* laudi, predicazione, sacra rappresentazione

libri di famiglia, III.5.2

Liguria, I.4.3, VI.1.2 (laudi liguri); *vedi anche* Genova, Dichiarazione di Paxia, Savona

linea La Spezia-Rimini, XIV.5.1

linea Roma-Ancona, XIV.5.2

lingua della scienza, III.6.1, III.6.2, III.6.3, VI.6.3, IX.6.2, X.3.1-2, X.5.2 (nella poesia barocca), XI.2 (linguaggio chimico)

lingua letteraria, I.4.3, III.1.3 (dialettale), IX.7, X.5 (linguaggio poetico barocco), XII.7 (Classicismo e manzonismo), XII.7.5 (prosa verista), XII.8 (poesia del sec. XIX), XIII.1 e XIII.3.2 (l.l. nel Novecento), XIII.3.1 (l.l. nella teoria di Pasolini); *vedi anche* Arcadia, avanguardia e linguaggio, Classicismo linguistico, correzioni d'autore, dialetto, dida-

scalica (poesia), discorso indiretto libero, filologia e ricerca linguistica, imitazione, laudi, macaronico, melodramma (linguaggio del), Memoriali bolognesi, metrica, mistilinguismo, monolinguismo, parole in libertà, petrarchismo, plurilinguismo, polifilesco, prolessi, Purismo, questione della lingua, *Raccolta aragonese*, revisione linguistica, ritmo, rusticale (letteratura), sacre rappresentazioni, scrittori e storia della lingua, siciliani (poeti), siculo-toscani, stilnovisti, teatro (linguaggio del), varianti d'autore

«Lingua Nostra», I.3.1

linguaggi settoriali, III.11.3, XI.3, XII.4.4 (vocabolari d'arti e mestieri), XIII.3.6; *vedi anche* giornali (lingua dei), linguaggio sportivo, politichese, politico (linguaggio), tecnicismi scientifici

linguaggio della pubblicità, I.4.3, III.11.3, XII.6, XIII.3.7

linguaggio giovanile, *vedi* giovanile (linguaggio)

linguaggio itinerario, IV.3.2, XI.5.2

linguaggio sportivo, XIII.3.6

linguistica spaziale, V.1

littera antiqua, II.1.2

Lombardia, I.4.3, VI.1.3, IX.1; *vedi anche* Milano, Glossario di Monza, Lombardo-Veneto, Mantova

Lombardo-Veneto, III.9.6, XI.4.5 (riforme scolastiche)

longobardi, I.1.4, V.1

Lucca, IX.1 (statuti in volgare)

lui per *egli*, IV.5, XII.7.3, XIII.3.8

macaronico, VIII.1.2

Macerata, V.8.3

Magonza, III.10.1

Malta, I.4.2

Mantova, III.9.3, VIII.5

manuali di storia della lingua italiana, I.3.1, I.3.2, I.3.6, I.4.

marche d'uso, II.6

Marche, *vedi* Ancona, Ascoli Piceno, Fabriano, Carta osimana, Carta picena, Macerata, Urbino

matematica e lingua italiana, III.6.1, VIII.5

MB > *mm*, *vedi* assimilazione consonantica

mediana (Italia), I.4.3

medio, *vedi* italiano dell'uso medio

melodramma (linguaggio del), X.4, XI.6.1

Memoriali bolognesi, III.5.1, VI.3n

Indice delle parole

Indice dei nomi

Finito di stampare nel mese di settembre 2020
presso A.G.E. Srl, Urbino